S0-BJF-480

SOERGEL / HOHOFF · DICHTUNG UND DICHTER DER ZEIT II

Albert Soergel - Curt Hohoff

DICHTUNG UND DICHTER DER ZEIT

Vom Naturalismus bis zur Gegenwart

Zweiter Band

AUGUST BAGEL VERLAG · DÜSSELDORF

Mit 378 Abbildungen

Umschlag und Einband von Martin Kausche

Neuausgabe 1963: 1.–10. Tausend

Herstellung A. Bagel, Düsseldorf
Printed in Germany 1963

VORWORT

Vor etwa zehn Jahren ist der Expressionismus wieder entdeckt worden. Man erörtert seinen Stil, seine Vertreter und seinen Begriffswert. Gewöhnlich faßt man eine Gruppe der 1910–1925 schreibenden Autoren unter diesem Namen zusammen. Von ihnen hat ein Teil den Begriff Expressionismus nicht einmal gekannt, andere haben ihm widersprochen. Trotzdem wird man die Bezeichnung festhalten – so wie die Begriffe Romantik und Barock. Wenn auch unbestimmt, decken sie formale, weltanschauliche und literarische Zugehörigkeiten. Ihre Vagheit schützt die Begriffe vor tödlicher Definition. Auch als Generationsschema sind sie nützlich, aber man muß sich klarmachen, daß Else Lasker-Schüler 1869 und Bert Brecht 1898 geboren sind; „Generation" ist also weniger biologisch als epochal zu verstehen. Alfred Döblin, in seiner Jugend ein echter Expressionist, hat die Bewegung später skeptisch beurteilt und fand ein gutes Stichwort, indem er sagte, es habe sich um Gärung gehandelt. Das Wort steht in einem polemischen Zusammenhang; Döblin sagt vom Expressionismus: „Keine Richtung, durchaus im Gegenteil: Gärung ohne Richtung." Andere Leitworte sind „Aufbruch" und der Titel von Pinthus' berühmter Sammlung „Menschheitsdämmerung".
Seit Albert Soergel den Expressionismus umfassend dargestellt hat, sind fast vierzig Jahre vergangen. So wie breite Schichten von Lesern durch den ersten Band seiner Literaturgeschichte die Moderne kennengelernt haben, die emanzipierte und sich emanzipierende Zeit seit dem jungen Naturalismus, so hat sein zweiter Band, „Im Banne des Expressionismus", den Titel bestätigt: Soergel stand im Banne des Phänomens. Trotzdem reichte sein Blick erstaunlich weit; er hat den Expressionismus der Sachsen, der Berliner, des „Sturm" und der „Aktion" bis in die kleinsten Züge dargestellt. Süddeutschland und Österreich lagen ihm weniger, und die Niederdeutschen haben ihn eher befremdet; das klingt in seiner Würdigung Barlachs an, und H. H. Jahnn hat er nicht erwähnt. Seine Lieblinge waren die Dichter des Charon, die Arbeiterdichter, die Rheinländer René Schickele, Herbert Eulenberg, Wilhelm Schmidtbonn, Leo Sternberg und Gustav Sack. Das Buch schloß mit Friedlaender/Mynona, Kafka und Döblin im Jahre 1925. Den größten Raum nahmen nicht die Dramatiker, sondern die Lyriker ein. Hier berichtete er, auf mehr als dreihundert Seiten, über Aktivismus, Revolutionslyrik, abstrakte und absolute Poesie; die Autoren reichten von Ernst Lissauer und Przybyszewski über Däubler und Ehrenstein zu Becher, Stramm und Schwitters.
Einige dieser Dichter gehörten in den ersten Band (z. B. Däubler und Mombert), andere haben literarisch kaum Bedeutung (Lissauer, Flex, Petzold und andere); schließlich blieb eine Gruppe von Vorläufern und von Erben der „Gärung"; zu diesen Gruppen gehören die großen Dichter der Zeit. Von ihnen hatte Soergel Sack und Kafka, Sternheim, Döblin und Benn bis zum Jahre 1925 dargestellt.

Abschnitte über Lautensack, Musil, Jahnn und Brecht gab es nicht. Ich habe auch die Kapitel über die Lasker-Schüler, Trakl, Stadler, Kokoschka, van Hoddis, Lichtenstein, Blaß, Boldt, Lotz, Sorge, F. Bruckner/Tagger und Becher so gut wie neu schreiben müssen. Die über Heym, Stramm, Unruh und die Arbeiterdichter wurden stark verändert und erhielten neue Akzente. Der erste Weltkrieg und die Jugendbewegung wurden neu dargestellt. Die letzten zwei Fünftel des Buches, beginnend mit „Tradition und Erneuerung" stammen — bis auf wenige Stellen — von mir, denn sie behandeln die Zeit nach dem Erscheinen des zweiten Bandes des alten Soergel. Vom dritten Band konnten nur bio- und bibliographische Angaben, Zitate und Bemerkungen (über M. Mell, I. Seidel, F. Schnack) verwandt werden. Es ist erstaunlich, daß Soergel Autoren wie Josef Hofmiller, Walter Benjamin, Ernst Bloch, Ernst Jünger, Franz Blei, Oskar Loerke, Wilhelm Lehmann, Rudolf Kassner und Regina Ullmann nicht oder nur beiläufig zur Kenntnis genommen hat.

So erhielt der Band reichen stofflichen Zuwachs. Noch entscheidender waren die neuen Akzente. Man kann das deutlich bei Werfel sehen. Stand früher der lyrische Enthusiast und Dramatiker im Vordergrund, so gilt die Aufmerksamkeit heute dem Kritiker des von ihm so genannten anarchischen Nihilismus in den späten Romanen und den Theologumena. Viele damals berühmte Gestalten haben dem unbestechlichen und geheimnisvollen Richter der Epochen und Personen, der Zeit, nicht standgehalten. Dafür hat sie andere Autoren ins Licht gerückt. Der bekannteste „Fall" ist Robert Musil. Man kann das Verhältnis mit dem spezifischen Gewicht erklären: der leichte Autor hat rasch Erfolg, während der schwere und schwierige, der in Opposition zum Zeitgeist steht und seiner modischen Förderung entraten muß, sich sein Publikum erst mit der Zeit heranzieht. Am erstaunlichsten ist, wie das expressionistische Drama an Geltung verloren hat. Kornfeld, Brust, Unruh, Goering, Hasenclever, Johst, Bronnen, Bruckner, Wolf und der berühmteste — damals — von allen, G. Kaiser, sind so gut wie vergessen, einige offenbar mit Unrecht. Auch Barlach, Jahnn und Sorge sind von der Öffentlichkeit nicht recht aufgenommen worden. Nur Brecht konnte aus dem Schatten treten und wurde Weltautor. In der Lyrik war das bei Trakl, Rilke und Benn der Fall.

Die Aufmerksamkeit soll auch hier auf ein paar verschollene Autoren gelenkt werden, um eine Revision des Urteils vorzubereiten. So wie die Stunde Musils gekommen ist, die Robert Walsers eben schlägt, sind Heinrich Lautensack, Regina Ullmann, Jakob Haringer, Joseph Roth, Hugo Ball und Marieluise Fleißer von „ihren" Lesern noch zu entdecken. Sie sind literarisch bedeutender und anziehender als so manche Lieblinge der öffentlichen Meinung.

Nach dem Expressionismus fiel die Literatur in ihren pluralistischen Zustand zurück. Es wurde deutlich, daß alt- und neuromantische, „sachliche", volkstümliche, kosmologische und regionale, klassische und naturalistische wie symbolistische Richtungen weiterlebten. Man kann nicht übersehen, daß Hofmannsthal, George, Rilke, Wedekind, G. Hauptmann, Mell, Kassner, Weinheber, Carossa, die Brüder Jünger, Lehmann, Loerke, Hofmiller, Blei, Miegel, Seidel, le Fort, Bloch, Broch, Roth und Wiechert Zeit- und wie die Expressionisten Generations- oder Epochengenossen waren.

Es war ein bezeichnender Versuch jener Zeit, daß sie von absoluter Dichtung sprach. Bei Expressionisten, Neuromantikern und Klassizisten taucht der Begriff

auf. Die Versuche endeten in einem leeren Raum. Sowohl die Expressionisten und Dadaisten als auch George und die Seinen entdeckten, daß die Literatur Dienst sei. Wem hat sie zu dienen? Viele Schriftsteller scheinen anzunehmen, die Sprache habe ihnen zu dienen, sie sei ihr Material. Die eigentliche Funktion der Sprache liegt nicht in der Information, sondern in dem, was die Information erst ermöglicht: Literatur und Dichtung dienen der Sprache. Aus dieser Überzeugung heraus habe ich mich nicht gescheut, über Stil und Grammatik zu sprechen und etliche Texte sprachlich zu deuten. Nur so berührt man die Innenseite der Literatur. Gerade da, wo die Autoren von absoluter Dichtung sprachen, meinten sie den Dienst an der Sprache. Wilhelm Lehmann unterscheidet die Scheinsprache des Alltags von der „eigentlichen“ Sprache. Das Wort „eigentlich“ war ein expressionistisches Lieblingswort. Die Begriffe korrespondieren mit Scheinleben und eigentlichem Leben. Schon Kierkegaard hatte das „Geschwätz“ als einen Ausdruck un-eigentlichen Lebens erkannt. Günter Eich spricht einmal von der Zentralsprache. Sie liege *vor* der dichterischen und der Alltagssprache. Die dichterische Sprache werde durch ihre Nähe zur Zentralsprache qualifiziert.
Mit der stolzen Sprachauffassung der modernen Dichter – gegen die Inflation des Geschwätzes – hängt ihr Selbstgefühl zusammen. Wenn sie dem wahren Wort so viel näher sind als die Benützer der Scheinsprache, obgleich Vokabeln, Grammatik und semantischer Wert hier wie dort gleich sind, dürfen sie sich als Hüter einer wahren Existenz fühlen. Der Dichter übernimmt priesterliche Funktionen, das wird bei George, Lehmann, Weinheber und Brecht deutlich: der vagabundierende Dichter, Brechts „Baal“, besitzt überlegene Existenz und lehnt die Förderung durch den Bürger ab. Der Dichter ist Anarchist, weil er gegen die verlogenen Konventionen streitet. Dies Freiheitsgefühl beherrscht die Literatur von 1900 bis 1950. Bei Ingeborg Bachmann wird der Umschlag des stolzen Sprachgefühls deutlich. Sie mißtraut dem „Wort“. Die Dramatiker Frisch und Dürrenmatt machen richtigen und falschen Wortgebrauch zum Motiv ihrer Dramen.
Das Schlagwortverzeichnis soll Brücken zwischen Themen und Motiven schlagen und spiegelt Urteile und Meinungen. Auf die Frage nach deren Wert möchte ich mit einem Bild von Walter Benjamin schließen: „Meinungen sind für den Riesenapparat des gesellschaftlichen Lebens, was Öl für Maschinen; man stellt sich nicht vor eine Turbine und übergießt sie mit Maschinenöl. Man spritzt ein wenig davon in verborgene Nieten und Fugen, die man kennen muß.“

Curt Hohoff

INHALT

DAS DOPPELGESICHT DES JAHRZEHNTS UM 1910

DIE GENERATION DES AUFSTANDS

Die Bewegung als solche

Aus mancherlei Gärungen von oft unverständlicher oder mißverständlicher Art klärte sich zwischen 1905 und 1915 aus einem neuen Seelenzustand eine Kunstauffassung und -übung, für die sich der Name Expressionismus durchgesetzt hat. Es ist ein im ganzen glückliches Wort, das einen bewußten Gegensatz zur naturalistisch-impressionistischen Tatsachen- und Stimmungskunst wie zur neuromantisch-ästhetischen Phantasiekunst spiegelt; einst Eindruck von außen, nun Ausdruck des Innern; einst Wiedergabe eines Naturausschnitts, der Stimmungsgefühle erweckt, nun Erlösung von seelischen Spannungen, für die alle Außendinge nur Zeichen sein können, ohne etwas an sich zu bedeuten. Damals lauschte man demütig auf die Sprache des Gegenstandes, heute will man den Gegenstand in einer Idee auflösen, um sich von ihm zu befreien; einst Lust am Objekt, die erklärt und verklärt, nun Qual, die sich verwandeln muß, wenn der Mensch leben will. Man forderte, der ewige Zustand des Milieus müsse der ewigen Tat weichen. Der Betrachter weiche dem Bekenner, der Dichter dem Politiker, Beschreibung und Rede dem Pathos, ja dem Schrei! Erde und Natur weiche dem Geist, dem All und Gott, der Positivismus der Metaphysik, das Rationale dem Irrationalen, die Logik der Mystik, das Verstehen dem Werten, das Können dem guten Willen, die Form dem Gehalt, die Gesellschaft der Gemeinschaft, der logische und psychologische Mensch dem beseelten, das Ich dem Du und dem Einander, das Mißtrauen dem Vertrauen.

Eine neue Generation

Schier unendlich war die Zahl der Gegensätze, die man feststellte, erfand oder behauptete. Man wollte so gut wie nichts mehr mit der abgelaufenen Zeit und ihrem Stil zu tun haben. Selten ist der Gegensatz zwischen zwei Generationen so übertrieben worden wie von den jungen Menschen vor dem ersten Weltkrieg. Ein Geschlecht, zwischen 1880 und 1890 geboren, löste die um die sechziger Jahre geborene Generation des Naturalismus ab. Aber diese Jugend fühlte und möchte beweisen, daß ihre Ablösung der Vätergeneration grundsätzlich anderer Art war als die Brüche von 1880, 1840 oder 1800. Die neue künstlerische Revolution geschah vor einem bedeutenderen Welthintergrund und hatte eine andere seelische Lage zur Voraussetzung; sie ist Erscheinungsform jener allgemeinen und großen Änderung des seelischen und geistigen Klimas Europas, die mit dem Ausbruch des Weltkrieges von 1914 das neunzehnte Jahrhundert erst wirklich abschloß.

Vater und Söhne

Früher hatte die Jugend auf dem Wege der Väter weitergedrängt, aber sie hatte das Erbe nicht verleugnen mögen. Die Jugend von 1910 erklärte ein Anknüpfen für unmöglich, die Vergangenheit sei wertlos, die Gegenwart eine Schmach, Aufgabe von heute sei „Abbruch und brückenloser Beginn“. Wer das im Jahre 1912 nicht selbst empfand, dem bewiesen es die jungen Lyriker Georg Heym, Franz Werfel, Gottfried Benn und Georg Trakl. 1907/08 gründete Ernst Rowohlt in Leipzig seinen Verlag, 1908 trat Kurt Wolff als Teilhaber ein. Hier erschienen 1911 Heyms Gedichte. Als Rowohlt aus dem Unternehmen ausschied, führte es Wolff, dessen erste Lektoren 1910–1920 Kurt Pinthus und vorübergehend Franz Werfel waren. Seit 1913 erschien hier die Sammlung „Der jüngste Tag", die es im Laufe von acht Jahren auf 86 Hefte brachte. 1910 begann die Wochenschrift „Der Sturm", herausgegeben von Herwarth Walden, zu erscheinen. Im März 1911 kam die erste Nummer von Franz Pfemferts Wochenschrift „Die Aktion". Damals hatten Robert Musil und Gustav Sack ihre ersten Erzählungen in „expressionistischem" Stil längst geschrieben.

Ablehnung der Gegenwart

In den Gedichten, Erzählungen und Aufsätzen der jungen Autoren erschien die gegenwärtige Zeit als Alpdruck und böser Traum. Hatte die naturalistische Revolution nicht eine falsche Entwicklung fortgesetzt – und mußte die expressionistische sie nicht stürzen? Der Naturalismus erschien jetzt als Ausgang einer Entwicklung, die vor vierhundert Jahren mit dem Humanismus begonnen und im deutschen Idealismus den Höhepunkt erreicht hatte; man hatte die Welt meßbar und wägbar gemacht. Die Naturwissenschaft war die Konsequenz solcher Entwicklungen, sie hatte das alte Bewußtsein, Wissen, Glauben und Wirken zersetzt und den Aufstieg der modernen Zivilisation und Technik in Europa herbeigeführt, die sich nun über die Welt ausbreiteten. Abschluß dieser Epoche aber war der größte Krieg aller Zeiten, sichtbarer Zusammenbruch der alten Werte, die Umwertung der Überlieferungen. Die vermeintlichen Großtaten des modernen

Opposition gegen die Ratio

Geistes erwiesen sich als Vergewaltigungen der Menschheit. Deshalb in den Abgrund mit dem Götzen Wissenschaft und seinem Anbeter, dem rationalen Kopf! Hört doch auf die Propheten aus Norden, Osten und Westen, auf Strindberg, Dostojewski und Claudel! Weg mit der Herrschaft des Kausalitätsgesetzes in der Literatur, fort mit der materialistischen Wissenschaft von der Seele! Darum auch weg mit allen logischen Teilen der Sprache, den Artikeln und Kopula! Die Quellen der Erneuerung liegen bei den Kindern und der Jugend, bei Völkern, die sich Unmittelbarkeit bewahrt haben, den Negern und „Primitiven".

Die Aufbruchstimmung

Der Expressionismus verstand sich als revolutionärer Aufbruch der Jugend zu einem neuen Sein. Die Wortführer und Experimentierer der Frühzeit wollten nicht Literatur machen, sondern die Literatur als Mittel zur Verbreitung ihrer Ideen benützen. Der literarische Expressionismus ist nur ein Teil der Erneuerungsbewegung, die vor allem Deutschland ergriffen hatte. Sosehr man sich als Außenseiter und Einzelgänger fühlte – heute ist deutlich, daß die Bewegung in jenen Strom der Erneuerung gehört, die mit folgenden Stichworten umschrieben werden kann: Jugendstil, Lebensreform, Jugendbewegung, Nationalismus, Internationalismus, Sozialismus, Emanzipation der Frau und des Bürgers, des Arbeiters und Bauern. Neben die kulturellen, politischen und lebenserneuernden Bestrebungen traten die religiösen. Christentum und Judentum erwachten zu neuem Selbstbewußtsein, und daneben blühte ein üppiges und nicht immer unbedenkliches Sektenwesen von eschatologischer Richtung. Bedeutende Dichter fanden zu den Religionen ihrer Väter zurück, andere schlossen sich gesellschaftlichen Systemen an, die das irdische Heil für absolut erklärten und zu verwirklichen versprachen. (So erklärt sich der Übergang vieler Autoren zum Kommunismus und Nationalsozialismus.) Schon die erste Phase des literarischen Expressionismus wurde durch das Satyrspiel des Dada beantwortet. Die Groteske ist die Antwort des Künstlers auf eine Welt mit zentrifugaler Tendenz. Scheerbart, Morgenstern, Wedekind, Kafka waren ihre bedeutenden Zeugen.

DURCHBRUCH UND WIRKUNG

Expressionismus als Mode

Sehr rasch wurde der expressionistische Stil Gemeingut, und wie so oft haben nicht seine Erfinder den Ruhm des Tages davongetragen, sondern Talente zweiten Ranges. Zu den Gründern gehören Robert Musil, Gustav Sack, August Stramm, Gottfried Benn, Georg Heym, Georg Trakl, Alfred Lichtenstein, Jakob van Hoddis und Kurt Schwitters. Diese und spätere Expressionisten sahen sich durch manche Errungenschaften bestätigt, die sie bei Theodor Däubler, Alfred Mombert, Else Lasker-Schüler, Otto zur Linde und dem jungen Max Dauthendey fanden; doch gehörten diese Autoren nicht zu den „expressionistischen" Dichtern. Man darf auch nicht vergessen, daß es große Autoren gab, die der Expressionismus wenig berührt hat, obwohl sich Spuren dieses Stils bei ihnen finden; das sind Thomas Mann, Hugo von Hofmannsthal, Gerhart Hauptmann, Stefan George, Rudolf Alexander Schröder, Rudolf Borchardt, Franz Kafka, Karl Kraus (der die ganze Richtung weidlich verspottete), Rainer Maria Rilke, Paul Ernst und Frank Wedekind. Als die Rufer im Streit erschienen Franz Werfel, Rudolf Leonhard, Paul Zech, Kasimir Edschmid, Kurt Hiller, Johannes R. Becher, Max Brod, Erich Mühsam und Carl Sternheim, dessen bürgerliches Lustspiel „Die Hose" 1911 in München uraufgeführt wurde.

Verborgene Zusammenhänge

Die Grundlinien des Expressionismus erscheinen heute verwickelter als damals. In Wirklichkeit war er mit tausend Fäden mit der deutschen Bildung, der naturalistischen Schule, der geistesgeschichtlichen Entwicklung, politischen und philosophischen, kulturkritischen und religiösen Bewegungen der Zeit verknüpft. Darum konnte Alfred Döblin, der Arzt, den hoffärtigen Verächtern der modernen Naturwissenschaft ein „Mehr Naturwissenschaften!" zurufen. Es gab neben politisch-aktivistischen Gruppen die mystischen und abstrakten, neben einer internationalen, die den *neuen* Menschen proklamierte, eine nationale, die nach dem *deutschen* Menschen rief. So waren die Berliner um „Die Aktion" ausgesprochen politisch interessiert und drängten im Sinne ihres Titels zum Handeln. Dagegen war die Prager Gruppe mit Gustav Meyrink, Max Brod, Paul Adler, Franz Werfel und Franz Kafka jüdisch-mystisch beeinflußt. Das Berlin der „Aktion" war zugleich der Ort von Otto zur Lindes „Charon" und Waldens „Sturm", wo man einen metaphysischen Expressionismus einerseits nordisch-germanischer, andererseits abstrakt-internationaler Prägung vertrat. 1909 erschienen Martin Bubers „Ekstatische Konfessionen" bei Eugen Diederichs, dem Verlag, welcher der Jugendbewegung besonders nahe stand.

Die erste Phase

Zeitlich fällt die neue Bewegung vor allem in das Jahrzehnt zwischen 1910 und 1920. In zwei Hauptstößen drang sie durch. Manifeste und radikale Strophen „apokalyptischer Jünglinge" kündigten sie an. Kurt Hiller in Berlin schloß sie zu Vereinigungen wie dem „Neuen Klub" oder dem „Gnu" zusammen; er sammelte 1912 ihre Verse im „Kondor", der ersten expressionistischen Anthologie. Eine Reihe von zum Teil sehr kurzlebigen Zeitschriften erschien in Berlin, München, Dresden, Heidelberg. Neben der „Aktion" und dem „Sturm" sollten die seit Herbst 1913 in Leipzig, später in Zürich unter der Leitung René Schickeles, erscheinenden „Weißen Blätter" die dritte wichtige Zeitschrift werden. In Reinhard

Sorges „Bettler“ (1912) und Georg Kaisers „Bürgern von Calais“ (1914) erschien die vielstimmige Sehnsucht der Zeit mit ihrem Ja und Nein künstlerisch rein verkörpert zu sein.

Die zweite Phase

Der Ausbruch des Weltkrieges setzte die erste Zäsur. Schon kündigte sich mit Walter Hasenclevers „Sohn“ eine neue Phase an. Der politische und pazifistische Radikalismus unterlag der strengen Zensur. Unter dem Zwang der Verhältnisse wurde die „Aktion“, ursprünglich eine „Zeitschrift für freiheitliche Politik und Literatur“, für Jahre eine rein literarische Zeitschrift. Die „Weißen Blätter“ wurden das Sprachrohr für die pazifistische Halbgeneration der Ehrenstein, Leonhard Frank, Wolfenstein, Becher, Hasenclever und Rubiner. Mit dem Fortschreiten und dem unglücklichen Ausgang des Krieges kämpfte sich die revolutionäre

Revolution und neue Kunst

Bewegung mächtig nach vorne, bis die Jahre 1918–20 den Dammbruch und die Hochflut brachten. Eine Fülle von meist sehr kurzlebigen oder in Intervallen erscheinenden Zeitschriften, im Titel schon leuchtend wie Fanale, kündeten vom Sieg der Bewegung. Die expressionistische Form wurde für kurze Zeit herrschend. Strindberg war der meistgespielte Autor der Zeit, das analytische Drama der Jungexpressionisten wich der von Strindberg eingeleiteten „synthetischen“ Form der Bilderfolge. An die Seite neuer Lyriker und „monologischer“ Dramatiker trat nun eine breite Schicht neuer Erzähler, welche die expressionistischen Eigenheiten nicht mehr wie Musil oder Sack experimentell erarbeitet hatten, sondern gleichsam mit dem Zeitgeist aufsogen; es sind Alfred Döblin, Gottfried Benn, Wilhelm Lehmann, Paris v. Gütersloh, Mechtilde Lichnowsky, Max Brod, Ernst Weiß, Klabund und viele andere.

Primäre und sekundäre Autoren

In den zahlreichen Sammelbänden der Zeit wurde der Versuch gemacht, die neu gewonnenen Werte zu zeigen. Neue Zeitschriften wie „Genius“, Jahrbücher wie „Die Erhebung“ oder Przygodes Folgen „Die Dichtung“ verbanden Altes und Neues, wiesen auch schon in die Zukunft. Die Bewegung, die anderthalb Jahrzehnte lang mehr als eine Geheimsprache für Eingeweihte erschien, war binnen weniger Jahre Mode geworden, Geschäftssprache des literarischen Marktes; ihr heiliges Feuer, ihr Rausch, ihr Inbrunsttaumel wurden vor der Öffentlichkeit schon wieder lächerlich. Im Dadaismus wurde der Künstler, der Prophet, zum Hanswurst gemacht. Hatten im Naturalismus Theorie und Kritik den „konsequenten Naturalismus“ bei Holz und Schlaf erst geschaffen, so wird nun aus den neuen Werken eine Theorie abgeleitet. Darin waren die Charonleute vorausgegangen. Kasimir Edschmids und Otto Flakes Erörterungen über den dichterischen Expressionismus entstanden lange nach den Dichtungen, Paul Kornfelds Ausführungen über den beseelten und psychologischen Menschen enstanden *nach* der „Verführung“. Anfangs hatten Schriften zur bildenden Kunst die Entwicklung kräftig angeregt, vor allem Kandinskys „Vom Geistigen in der Kunst“, Wilhelm Worringers „Abstraktion und Einfühlung“ und „Formprobleme der

Vergleich mit dem Sturm und Drang

Gotik“. An die Stelle Taines trat Henri Bergson mit seiner Lehre von der schöpferischen Entwicklung; Sigmund Freuds Seelenlehre löste die alte Schulpsychologie ab und wurde in populärer Entstellung mit Begeisterung aufgegriffen. Anfang der zwanziger Jahre fand das expressionistische Drama, vor allem in Berlin, eine Reihe von Regisseuren und Schauspielern, die es zum Welterfolg führten. Allerdings hat kein Autor, hat keins der Dramen Dauerwirkung gewonnen. Die großen Dichter haben sich dem Schema nie recht gefügt; und so wie

An Mombert, Widmungsblatt von Ludwig Meidner

Aufruf an den Maler

Maler, stell dich feste hin und fall nicht um.
Fall nicht um, sei behend und bereit, trag deinen Leib in das Farbenreich.
Oh, von deiner Seele falle der Schlaf. Wenn auch die Horde um dich herum in deine Fersen kläfft, wenn auch die Zeit, wenn auch die grause Einsamkeit dich trifft — weiche nicht und stemme gegen die Wolkenschauer beherzte Brust.
Balle die Hände, hebe den Hut; du suchst in gellenden Nächten deine Farbenskala; in den Wäldern hallt dein magischer Schritt.
Falle nicht, Maler, wenn die Gesichte dich bedrücken; wenn innen die Löwen schrein, weinen knotige Fingerlein, gebückte Menschlein in dir tönen und rasen . . .
Ach, wie das Weltall bellt; aus allen Heuhaufen, Fichtenhainen deine Liebesseufzer dringen. Ihre Echos aus harten Keilrahmen springen . . .

Ludwig Meidner in Septemberschrei

EIN NEUER WILLE

der deutsche „Sturm und Drang" denkwürdig ist um seiner Einflüsse auf Goethe, Schiller und Herder willen, so ist „der" Expressionismus wichtig als Anregung oder Ausgangspunkt für Dichter wie Loerke, Benn, Musil, Kafka, Barlach, Lehmann, Britting, K. Weiß, Brecht und Billinger.

Die Darstellung muß freilich den umgekehrten Weg gehen. Sie muß zeigen, wie eine neue Zeit eine neue Literatur hervorbringt.

Was ist Expressionismus?

Der Expressionismus ist nicht bloß eine literarische Erscheinung, ebenso wichtig wurde er für die Malerei; auffallend sind künstlerische Doppelbegabungen wie Kandinsky, Kokoschka, Kubin, Gütersloh, Barlach. Eins der wichtigsten Bücher für die Artikulierung expressionistischen Empfindens war Kandinskys Abhandlung „Über das Geistige in der Kunst" (1911), dessen erste Notizen schon zehn Jahre früher entstanden waren. Der Zusammenhang mit der „Moderne" wird sehr deutlich, wenn Kandinsky von zwei ihn überwältigenden Eindrücken berichtet, der Moskauer Impressionisten-Ausstellung mit Monets „Heuhaufen" und einer Lohengrin-Aufführung des Moskauer Hoftheaters. Hier wurzelt die Entwicklung Kandinskys vom Prinzip der Naturnachahmung zum „Reich der abstrakten Kunst". Unter dem Titel „Klänge" erschienen 1913 Kandinskysche Dichtungen bei Piper, der damals auch Arno Holz und Otto zur Linde verlegte. Trotz der engen Zusammenhänge des Expressionismus mit Jugendstil und Symbolismus entwickelte er sich zu einem eigenen Stil von unverkennbarem Ausdruck. Wahrscheinlich lassen sich die literarischen, malerischen oder plastischen Arbeiten der doppelbegabten Künstler nicht gegenseitig „erhellen", aber hier wie dort drückte sich ein neuer Wille aus.

Zerstörung der Formen

Diesen „neuen Willen" zu artikulieren, haben sich die zahlreichen zeitgenössischen und späteren Interpreten des Expressionismus redlich bemüht. Einige Haupttheoreme schälten sich deutlich heraus: nicht so sehr neue Kunst, sondern ein neuer Mensch, keine neue Form, sondern Zerstörung der alten und Aufhebung *jeder* Form. Praktisch hätte das die Aufgabe und Zerstörung der Kunst selbst bedeutet. Hie und da ist man so weit gegangen, die Kunst politisch in Propaganda, religiös in Liturgie aufgehen zu lassen. Den Dadaismus hat diese radikale Tendenz bis zum Lautgedicht und zu einer Art von negativem Gesamtkunstwerk getrieben. Tatsächlich haben aber die expressionistischen Autoren doch eine neue Form angestrebt und teilweise auch gefunden, etwa der junge Döblin, Stramm, Musil, Sack, ferner Trakl, Heym und Benn; heute vergessene Dichter wie Kornfeld, Jung, Haringer, Rubiner, Goering, Essig, Klemm fanden neue Töne. Den Expressionismus jedoch gesetzmäßig erfassen zu wollen, wäre ebenso vergeblich wie im Fall der berühmten Epochenbegriffe Barock und Romantik: es waren komplexe Bewegungen mit literarischen und außerliterarischen Antrieben.

Generationsbegriff

Das einfachste Schema für das Verstehen hat man im Generationsbegriff gesehen. Die Expressionisten selbst fühlten sich im Aufstand gegen die Generation der (naturalistischen) „Väter". Abgesehen davon, daß es Angehörige dieser Generation gab, die vom Expressionismus gar nicht oder nur modisch berührt wurden, trägt der Generationsbegriff hier noch weniger als bei der Romantik. Die Mehrzahl der expressionistischen Autoren ist in den Jahren 1885—91 geboren. Zum Jahrgang 1885 gehören Csokor, Carl Einstein, Sack und Unruh. 1886 sind geboren: Kokoschka, Benn, Pinthus, Boldt, Ehrenstein; 1887: Trakl, Goering, Heym; 1889: Lichtensein, Kornfeld; 1890: Hasenclever, Werfel, Klabund, Blaß, Edschmid; 1891: Brust, Britting, Goll und Kronberg. Dann verringert sich die Zahl der Autoren von Jahr zu Jahr. 1892 ist Reinhard Sorge geboren, 1893 Ernst Toller, 1894 Hans Henny Jahnn und 1898 der Jüngste in der alten Garde, Bertolt Brecht. Zwei Jahrzehnte früher als dieser, 1878, sind schon Alfred Döblin, Carl Sternheim, Georg Kaiser und Arno Nadel geboren. Carl Hauptmann, einer der Wortführer des expressionistischen Dramas, der Bruder Gerhart Hauptmanns, ist bereits 1858 geboren, und Max Dauthendey, der Autor des ersten „expressionistischen" Dramas („Sehnsucht"), ist 1867 auf die Welt gekommen. Else Lasker-Schüler ist 1869 geboren. Man wird also nur bedingt von einer expressionistischen Generation sprechen können.

DAS GENERATIONS-SCHEMA

Der Weltkrieg

Das eigentlich bindende Element, zeitlich gesehen, waren die Jahre der explosiven Wirkung, 1910–20. Historisch betrachtet liegt in ihrer Mitte der Weltkrieg, der in den Richtungen und Tendenzen der Generation zu einem Symbol der Krise, der Zerstörung des Alten und Erwartung des Neuen wurde. In diesem symbolischen Charakter kann man wahrscheinlich die Bedeutung des Phänomens sehen. Demnach wäre der Expressionismus der künstlerische Ausdruck der sozialen, politischen, wirtschaftlichen, religiösen Revolution im Anfang des zwanzigsten Jahrhunderts; und wenn es die Bedeutung dieser Umwälzung ist, das bürgerliche Zeitalter abgeschlossen zu haben, so bekommen der eschatologische und sozialrevolutionäre Zug der Bewegung, ihr ethisches Pathos, die utopische Überspannung, der „Aufbruch"-Charakter einen neuen Sinn. Er stellt sich in den neuen Formen der Literatur und bildenden Kunst als Revolte gegen ein bürgerliches Sehen und Empfinden dar, das vierhundert Jahre lang davon ausgegangen war, Natur und Kunst deckten sich, entsprächen sich wie Bild und Abbild. So betrachtet wäre der Naturalismus die letzte extreme Phase bürgerlich-realistischen Denkens und Dichtens, während der Expressionismus zur „Wesensschau" (Edschmid) und „Ausdruckskunst" (Benn) des freien Ich, des anarchistischen Typus, des Bilderstürmers, des Experimentators erklärt wäre.

Zerfall des Optimismus

Löst man die Revolutionen des Weltkriegs aus ihren politischen Bezügen, so wird ein geistiges und soziologisches Umbruchschema deutlich. Schon am Ende des neunzehnten Jahrhunderts sah man z. B. in den Schillerfeiern öden Traditionalismus. Zwar hatte auch der naturalistische Dichter Kritik am bürgerlichen Denken und Leben geübt, aber er kam selbst aus dem Bürgertum; und sein größter Vertreter, Gerhart Hauptmann, eine proteische Gestalt, war bei seiner Forderung nach Umkehr von einem religiösen Mitleid ausgegangen. Diese Art von Edelsozialismus hatte nichts mit dem aggressiven Hochgefühl des Proletariers zu tun, das Marx und Engels den Massen hatten einimpfen wollen. Die expressionistischen Autoren der zweiten Phase, von Rubiner bis Brecht, suchten sich mit mehr oder minder utopischen oder gewaltsamen Denkakten dem dogmatischen Marxismus anzugleichen. Aber selbst linientreue Dichter wie Becher und Brecht kamen von Fall zu Fall in schwierige Lagen. Es zeigte sich, daß ihr Revolutionsbegriff durchaus im künstlerischen Anarchismus der Jahrhundertwende wurzelte, in der Haßreaktion auf stupides Schema. Becher war der Sohn eines Gerichtspräsidenten, und Brechts Vater war Direktor einer Fabrik: erst durch qualvolle und renegatenhafte Übergänge, mit „Dialektik" jederzeit zu begründen, kamen sie zum Marxismus. Der Grund dazu war nicht die Wahrheit, die sie hier zu finden glaubten, sondern die Tatsache des festen Bodens, eines archimedischen Punktes. Andere Dichter wurden Nationalsozialisten, wieder andere Katholiken, ein Teil der jüdischen Autoren fand zur Religion des Alten Testaments zurück.

Ein Kennzeichen der Literatur der vergangenen Jahrzehnte war die allgemeine Richtungslosigkeit, das Chaos, aus dem einzelne ihren Weg auf eigene Faust gesucht hatten; „der" Expressionismus war der erste Versuch, dem entleerten Sein einen neuen Sinn zu geben, eine religiöse, menschliche, künstlerische und politische

Vom Chaos zu einer Ordnung

Ordnung zu schaffen. Das Ergebnis war nicht ermutigend, da die Kristalle in der Lauge umherirrten und sich nicht recht ansetzen konnten. Aber man ahnte eine allgemeine Richtung, man glaubte ein Ziel zu sehen, wenn es vorerst auch polemisch in einer jugendlichen Antihaltung ausgedrückt wurde. Die Bewegung ist dann in wilden Klagen und Manifesten, Zeitschriften und Almanachen zersplittert. Die „großen" Dichter konnten ihr nur mit einem Teil ihres Wesens und ihrer Zeit angehören, und eine echte dichterische Erfüllung wurde ihr nicht zuteil. Die frühen Versuche Döblins, Benns, Güterslohs, der Lichnowsky, Sacks und Heyms blieben Stadien der Entwicklung. Kafka und R. Musil schrieben alles andere als expressionistische Prosa. Expressionistisch sind bei ihnen gewisse Charaktere und Kompositionsschemata.

Neue Landschaften

Der Expressionismus wird am deutlichsten in der Ausweitung des bisher geschlossenen und konventionellen Lebensgefühls. So wie Hofmannsthal „sein" Venedig und G. Hauptmann „sein" Griechenland als eine poetische Erfindung glaubhaft gemacht hatten, schufen die neuen Autoren, vor allem Kafka, eine bisher nicht gesehene Landschaft. Franz Kafka entdeckte die Allegorie der Dachböden, Else Lasker-Schüler imaginierte ein heiliges Land der Poesie, das sich keineswegs mit der Geographie Palästinas deckte, Georg Heym fand die Stadt als Ort der Dämonen, Oskar Kokoschka stieß zu einem zeitlosen Mythos vor, Gustav Sack feierte „sein" Island, so wie Robert Musil Kakanien und Joseph Roth und Hermann Broch Randprovinzen des alten Österreich plötzlich als poetische „Orte" deutlich machten. Bei Georg Trakl nahm der Vorgang unheimliche Dimension an: die eschatologische Landschaft des „Verfalls" hat schließlich den Dichter selbst verschlungen. Barlachs Landschaften an der Unterelbe sind zwar auch die Heimat des Dichters, so wie Lautensacks und Carossas Passau die Heimat der Dichter war; aber in den Werken erscheint die geographische Landschaft als poetischer Ort von suggestiver Gewalt. In Bert Brechts London und Chicago, später in seinem China, muß man Realisierungen von dichterischen Träumen sehen. Wie Dantes Paradies und Hölle sind sie Aufmarschgebiete der eigenen Phantasie; und daher kommt die ungenierte Freiheit, mit der sich die Dichter in diesen Landschaften bewegen. Dahinter steckte der dichterische Trieb zur mythischen Einheit der Welt. Kafka ist nicht soweit gekommen: es gibt viele Entwürfe, am unheimlichsten in der „Strafkolonie", aber keine Befreiung – wie sie schließlich Musil in der zweiten Hälfte seines großen Romans fand, Döblin in dem Indien seines „Manas" suchte.

Die geschlagene Mannschaft

In den großen Auseinandersetzungen der zwanziger Jahre ist der Expressionismus zermahlen worden. Er war als Träger des Aufbruchs an allen Endmarken vorbeigeschossen: er hatte kein Ziel gefunden. Er war mit ideologischen und künstlerischen Traditionen belastet, die ihm bei allem Freiheitsgefühl zum Verhängnis wurden. Er konnte kein überzeugendes neues Weltbild entwickeln. Alles blieb überspannt, vag, mehr Schrei als Ausdruck. Die erste Reihe ist schon vor dem Kriege oder im Kriege zugrunde gegangen, und die Überlebenden konnten sich nicht durchsetzen, obschon das Berlin der zwanziger Jahre ihnen einen heute noch strahlenden Raum, große Theater, eine willige Presse, begeistertes Publikum und unternehmungslustige Verlage bot. Warum setzten sie sich nicht durch, weshalb erschienen sie 1928 schon als die Geschlagenen? Die Antwort liegt darin, daß der Expressionismus keinen Shakespeare, keinen Goethe, nicht einmal einen G. Hauptmann in seinen Reihen zählte. Die große Persönlichkeit, welche alle Bestrebungen in sich zusammengefaßt und künstlerisch verwirklicht hätte, blieb aus. Man kann es auch umgekehrt ausdrücken: der Expressionismus hatte nicht die Kraft, eine solche Gestalt hervorzubringen.

GEISTIGE GRUNDLAGEN

Das naturwissenschaftliche Zeitalter

Wenn eine neue Kunst auftaucht, erscheint sie dem Publikum zunächst als Willkür oder Experiment. Der Naturalismus war, wie sein Name andeutet, ein Ausdruck des naturwissenschaftlichen Zeitalters, so sehr, daß die Kunst fühlen, denken, glauben, beweisen und tun wollte, was die schulmeisterliche Wissenschaft als richtig ausgab. In Zolas Theorie war der Dichter wie der Naturwissenschaftler ein Experimentator geworden, der Naturgesetze – die Vererbung und den Einfluß des Milieus – triumphieren ließ. Der Naturwissenschaftler darf sich nur auf das verlassen, was er beobachtet; das nicht Zähl- und Wägbare, alles was über die physikalische Betrachtung hinausging, das Metaphysische vor allem, erschienen als eine Mausefalle des menschlichen Geistes. Die Philosophie stützte sich auf Nebenfächer wie die Psychologie, Sinnesphysiologie und Erkenntnistheorie. Die Leistungen der Vergangenheit wurden nicht als objektive Einsichten in das Sein studiert und fortgesetzt, sondern wurden im „historischen" Jahrhundert Gegenstände der Philosophiegeschichte und schieden für die Gegenwart aus. Insbesondere hat sich aber die Philosophie vor dem

Wilhelm Dilthey

WILHELM DILTHEY

Grenzübertritt ins Metaphysische zu hüten. Als Wilhelm Dilthey, Verfasser eines maßgeblichen Werkes über „Das Erlebnis und die Dichtung", gewiß ein Vorbereiter des neuen Geistes, im Jahre 1892 von Breslau Abschied nahm, da war, wie Karl Joël berichtet, der Refrain seines Abschiedskollegs: „Metaphysiker sind Narren." Im allgemeinen Bewußtsein wurde jeder Philosoph, dessen Lehre keinem nützlichen Zweck galt, als Halbnarr angesehen.

Die Gebildeten kapseln sich ab

Das Volk schien sich dem Ideal des materiellen Wohlstands zuzuwenden. In den Romanen Fontanes und Raabes spiegeln sich diese Zustände sehr deutlich. Nietzsches Verzweiflung über die kulturelle Zerstörung, Jakob Burckhardts Warnungen und pessimistische Betrachtungen hatten aktuelle Gründe. Der nicht vom ökonomischen Aufwand und militärischen Prunk hingerissene Teil der Gebildeten wandte sich bewußt zurück zur Klassik. Damals entstand das für den bürgerlichen Gebrauch stilisierte Goethe- und Schillerbild, das Bild des Dichters als „Olympier" hoch über dem wirren Alltag. Der Blick blieb beschränkt auf Europa; und je mehr das Nationalgefühl chauvinistisch entartete, desto mehr beschränkte sich der Bürger in allen europäischen Kulturnationen auf das eigene Volk. So entstanden die zum großen Teil künstlich geschaffenen Gegensätze zwischen den Völkern, die sich im ersten Weltkrieg blutig entluden. Leopold von Ranke, Wilhelm Dilthey und Jakob Burckhardt waren Alteuropäer; Amerika und Rußland interessierte sie nicht, Europa begriffen sie historisch, als Gegenstand gelehrter Geschichte.

Wilhelm Diltheys Lebensbegriff

Es war verpönt, sich mit aktuellen Dingen zu befassen, und wenn Gelehrte wie Mommsen und Virchow Abgeordnetenmandate übernahmen, so war das nicht standesgemäß. Ein speziell von der Literatur ausgehender Forscher wie Dilthey gab sich freilich nicht mit den naturwissenschaftlichen Leitbildern zufrieden. Er nahm von vornherein an, Kunst und Literatur seien, wie das Leben des Geistes überhaupt, von „Natur" und „Wissenschaft" wohl abhängig, ihr Wesen aber sei sui generis. Auch die Erkenntnis, die Vernunft der Aufklärung galt nicht als der letzte Grund der geistigen Hervorbringungen, sondern jene andere, umfassende Macht von komplexen Strukturen, die Dilthey schließlich mit dem Wort „Leben" bezeichnete. Man muß hinzufügen, daß er mit Leben nicht den Gegenstand der naturwissenschaftlichen Biologie und Physiologie meinte, überhaupt nichts, was in den späteren Lehren von Blut und Rasse eine üble Rolle spielen sollte. Dilthey verstand unter „Leben" den Wurzelgrund des Daseins, eine im Grunde rätselhafte Macht, die durch den nicht minder rätselhaften Tod begrenzt wurde. Das „Leben"

Das Leben als Geheimnis

ist in seinem Wesen ein unergründliches Geheimnis; und die großen Religionsstifter und Philosophen der früheren Zeit hatten versucht, diesem Rätsel einen Sinn zu geben. Indem der Mensch in fertige geistige Strukturen hineingeboren wird und sie unbewußt, wie eingeatmete Luft, in sich aufnimmt, wird die „Weltanschauung" zum Träger und Ausdruck des Lebens. Jede Weltanschauung ist ein Auswahlsystem, das vom Individuum benützt wird, sich zur Persönlichkeit zu entfalten. Dieser Vorgang ist das „Erlebnis" – damit hat Dilthey jene Vokabel mit einem neuen Sinn versehen, die zum Ausgangspunkt vor allem der Literaturbetrachtung wurde. „Das Erlebnis" wurde zum Schlüssel der Dichtung, und diese repräsentiert aus der Fülle der Möglichkeiten geschichtliche „Epochen" und persönliche „Lebenserfahrungen": Weltanschauung ist Weltauslegung.

Heute mag Diltheys Interpretation der Wurzeln der modernen Weltanschauung als selbstverständlich erscheinen. Damals wirkte sie so revolutionär, daß sie zwei

SIGMUND FREUD

Jahrzehnte brauchte, um sich auf dem Umweg über die gelehrte Forschung durchzusetzen. Die Deutung Diltheys hatte Folgen, die er selbst halb verwundert konstatierte: Die Zahl der Weltanschauungen ist groß, alle verhalten sich relativ zueinander, und da keine bestimmte über die andere siegt – wie in früheren geschlossenen Kulturen –, ergibt sich eine unübersehbare Vielfalt, die sich geistig als Anarchie auswirken muß. Eine Ordnung dieser Vielfalt versuchte Dilthey mit einer Typenlehre der Weltanschauungen. Sie braucht uns im einzelnen nicht zu bekümmern, da sie durch andere Ordnungen überholt wurde und weiter überholt werden wird. Die Schemata Ernst Cassirers, Wilhelm Windelbands, Georg Simmels, Eduards Sprangers, Oswald Spenglers, Ortega y Gassets, Karl Jaspers', Toynbees und der modernen Soziologen gehen auf Diltheys Musterbeispiel einer Typisierung der Geschichte zurück.

Sigmund Freud
Kohlezeichnung von Ferdinand Schmutzer, 1926

Von der Naturphilosophie zur Wertlehre

Um die Jahrhundertwende schlug das Pendel von der Vereinzelung der Disziplinen zurück: man sehnte sich nach einer Zusammenfassung, nach Ordnungsprinzipien. Die Naturforscher wandelten sich zu Naturphilosophen. Ihre Versuche waren freilich nicht schöpferisch, sondern entlarvten eher ihre Unfähigkeit, mit dem herkömmlichen naturwissenschaftlichen Denken ein „Weltbild" zu schaffen. Die Lösung der „Welträtsel" durch Ernst Haeckel war ein Fiasko. Wilhelm Ostwalds Nützlichkeitsstandpunkt wirkte in den Künsten lächerlich. Dann aber wurden Naturphilisophen wie Hans Driesch und Erich Becher zu Mitschöpfern einer neuen Metaphysik. Unerwartete Unterstützung brachten die Neukantianer: Mathematiker und Methodiker wie Hermann Cohen, Paul Natorp, Ernst Cassirer, Geschichtsphilosophen und Werttheoretiker wie Wilhelm Windelband und Heinrich Rickert, die als akademische Lehrer großen Einfluß hatten, während der eigentliche Begründer der modernen Wertphilosophie, Hermann Lotze, nur langsam durchdrang.

Die neueren Denker stießen auf die Phänomene der Kunst und des religiösen Glaubens. So kam Erich Jaensch in Marburg bei Versuchen mit künstlerischen Äußerungen des Kindes experimentalpsychologisch zu Ergebnissen, welche die

SIGMUND FREUD

modernen Künstler bestätigten. Die Psychologie drang in das Unbewußte, Unterbewußte, Irrationale, Parapsychische und das „Jenseits der Seele" ein. Vor allem Sigmund Freuds Lehre gewann eine unheimliche Macht über die künstlerische Jugend. Es war diesem Wiener Arzt gelungen, schwere Neurosen zu heilen, indem er Unbewußtes bewußt machte. Im Verlauf seiner Untersuchungen erkannte Freud

Die Psychoanalyse

die Ursache vieler seelischer Erkrankungen als Folgen absichtlich und unabsichtlich unterdrückter („verdrängter") sexueller Triebe zumeist aus der Jugendzeit. Seine Technik, solche Zustände zu erkennen und zu heilen, nannte er Psychoanalyse. Aufklärungsdienste leisteten die Träume der Kranken, die unter seltsamen Verkleidungen auf unterdrückte Urwünsche deuteten. Schließlich entwickelte Freud seine Therapie zu der Lehre, daß alle unbewußten Triebregungen sexueller Natur seien. Das Kind ist der Anlage nach „polymorph pervers", es kann unter Anleitung der Verführung „zu allen möglichen Überschreitungen verleitet" werden. Da es jedoch unter den Forderungen einer bestimmten Kulturstufe (Dilthey würde sagen: Weltanschauung) aufwächst und die perversen Triebe den moralischen und sozialen Ansprüchen widersprechen, werden sie verdrängt. Normalerweise müssen „die im Laufe der Kulturentwicklung verpönten Sexualtriebe" „in der Kindheitsgeschichte jedes einzelnen aufs neue die Zähmung erfahren", „die ihnen die Menschwerdung entwicklungsgeschichtlich auferlegt hat". Die ins Unterbewußtsein gedrängten Regungen wirken jedoch fort, auch wenn sie nicht ins Bewußtsein dringen, und werden im Traum befriedigt. Freuds Traumdeutung ist vielleicht seine bedeutendste Leistung. Vom Traum her deutet er auch den Mythos als einen „Massentraum", der nichts anderes sei „als in die Außenwelt projizierte Psychologie". Schließlich suchte Freud seine Lehre zu einem Schlüssel der Kultur- und Religionsgeschichte zu machen: „Man könnte sich getrauen, die Mythen vom Paradies und Sündenfall, von Gott, vom Guten und Bösen, von der Unsterblichkeit und dergleichen in solcher Weise aufzulösen, die Metaphysik in Metapsychologie umzusetzen." Seit 1912 arbeiteten Geisteswissenschaftler in der – nach Spittelers Roman „Imago" benannten – „Zeitschrift für Anwendung der Psychoanalyse auf die Geisteswissenschaften" an diesen Fragen.

Die Erhellung des Dunkels

Freud hatte mit seiner Lehre einen Nerv der Zeit getroffen. Schon Lotzes Freund Theodor Fechner, Mitbegründer der Psychophysik, hatte die Unzulänglichkeit einer Weltanschauung erkannt, die sich auf die Naturwissenschaften stützte, und das Unbewußte als Urgrund alles Seelischen definiert. Aus diesem Dunkel sollte nun alles kommen, was sich der rationalen Deutung widersetzt hatte, also Traum, Mythos, Sage, Märchen und die Dichtung. Das sind – wieder nach Freud – nichts anderes als „Sublimierungen" von Trieben, die sonst zu Perversionen oder Neurosen führen können. Objektiv gestatten die Kunstwerke Befriedigung perverser (etwa sadistischer) Triebe ohne Schädigung für den Dichter oder seinen Leser. Ist nicht die Ödipusdichtung ein Niederschlag der sexuellen Bindung des Kindes an die Eltern? Schließlich wird der dramatische Tod das Symbol für die Befriedigung aller Triebe.

Wirkungen Freuds

Anziehend und verführerisch mußte solch eine Lehre für die Kunst sein. Ihre Geheimnisse wurden als Triebbefriedigung demaskiert. Man hatte eine verständliche Erklärung gefunden; denn über Sexus und Sexualität konnte jeder mitreden, weil sich jeder zuständig glaubte. Freuds Lehre wurde in Aufsätzen und Büchern popularisiert; rasch gelangte sie über die therapeutische Anwendung hinaus zu dem Ansehen einer Weltanschauungslehre, die ihrerseits wieder in ihrem naiven Erklärungsdrang aller bisher verschlossenen Probleme einen sektenhaften Charakter annahm. Freuds Lehre kam einer wachsenden Sexualisierung der Zivilisation ebenso entgegen, wie sie ihrerseits diese Strömung wissenschaftlich zu deuten suchte. Man braucht nur das Thema des Vaterhasses und Vatermords in der expressionistischen Dramatik zu verfolgen, um ständig Freudschen Erklärungen gegenüberzustehen. Wollte man dieser Literatur glauben, so müßte die Generation um 1920 darauf gebrannt haben, den Vater zu töten und die Mutter zu vergewaltigen. Daß hinter dem plötzlichen Auftauchen solch eines Motivs — das latent immer vorhanden sein kann — etwas anderes als eine sexuelle Verdrängung steckt, ist dem Anhänger Freuds undenkbar; deshalb sind alle Versuche, die Literatur psychoanalytisch zu erklären, in absurden Details steckengeblieben: Die Grundwahrheit, daß Hunger und Liebe die mächtigsten Triebkräfte der Welt seien, hatte schon Schiller erkannt und ausgesprochen. Vielleicht noch wichtiger als neue Motive waren für Literatur und Kunst die neuen Formen. Beide hängen eng miteinander zusammen. Wissenschaftlich wurde der Nachweis wichtig, daß die heutigen Ausdrucksformen auf der Spirale künstlerischer Entwicklung ähnlichen Formen früherer Zeiten und ähnlicher seelischer Haltung entsprächen. Man wollte diese Parallele vor allem im „gotischen" Stil des hohen Mittelalters, in der Ausdruckskunst der exotischen Völker, beim japanischen Holzschnitt und in der Monumentalität vorantiker Bildwerke finden. Wilhelm Worringer betonte, daß es in der Kunst immer zwei Ausdrucksmöglichkeiten gegeben habe, für die er mit den Begriffspaaren „Abstraktion und Einfühlung" — so heißt seine bereits 1906 entstandene und zwei Jahre später veröffentlichte Erstlingsschrift —, „Naturalismus und Stil", „Transparenz und Immanenz" Verständnis zu wecken suchte. Worringer fußte auf Ergebnissen des 1905 gestorbenen österreichischen Kunsthistorikers Alois Riegl. Dieser hatte die alte Sempersche Theorie von den drei Faktoren der Kunst: Gebrauchszweck, Rohstoff und Technik, als materialistisch verworfen und als entscheidenden Maßstab der Kunst nicht das Können, sondern das Wollen hingestellt: „Die Stileigentümlichkeiten vergangener Epochen sind also nicht auf ein mangelndes Können, sondern auf ein anders gerichtetes Wollen zurückzuführen." So war z. B. die spätrömische Kunst keine Barbarisierung, keine Verfallskunst, nicht „unschön", man muß sie an ihrem anderen Wollen messen und sie anders beurteilen als die klassische Antike.

WILHELM WORRINGER

Worringers „Abstraktion und Einfühlung"

Hier setzte Worringer ein. Man kann vom Verhalten des kunstbetrachtenden Subjekts aus vor klassischen Gebilden zur sogenannten Einfühlungslehre (Th. Lipps) kommen: „Ästhetischer Genuß ist objektivierter Selbstgenuß." Solche Einfühlung ist aber unmöglich vor Kunstwerken, die aus dem engen europäischen und antiken Rahmen herausfallen. Es gibt ein ästhetisches Erleben, wo das „lebenverneinende Anorganische", das „Kristallinische" oder, allgemein gesprochen, „alle abstrakte Gesetzmäßigkeit und Notwendigkeit" als schön empfunden wird. Das gilt etwa für die ägyptische Monumentalkunst. Ihr Reiz besteht für den Betrachter „nicht darin, sich in die Dinge der Außenwelt zu versenken, sich in ihnen zu genießen, sondern darin, das einzelne Ding der Außenwelt aus seiner Willkürlichkeit und scheinbaren Zufälligkeit herauszunehmen, es durch Annäherung an abstrakte Formen zu verewigen und auf diese Weise einen Ruhe-

Theorie des Abstrakten

WILHELM WORRINGER

punkt in der Erscheinungen Flucht zu finden". In der Abstraktion entäußert sich das Ich und befriedigt seinen Drang, in der Betrachtung eines Notwendigen und Unverrückbaren „erlöst zu werden vom Zufälligen des Menschseins überhaupt, von der scheinbaren Willkür der allgemeinen organischen Existenz". Historisch ist nachzuweisen, daß die Kunst mit abstrakten Gebilden begann, durch den Einfühlungsdrang wurde sie dann „natürlich" und individuell, später kehrte die Menschheit dann zu Urgebilden zurück:

Um einen kühnen Vergleich zu gebrauchen: bei dem primitiven Menschen ist gleichsam der Instinkt für das „Ding an sich" am stärksten. Die zunehmende geistige Beherrschung der Außenwelt und die Gewöhnung bedeuten ein Abstumpfen, ein Getrübtwerden dieses Instinkts. Erst nachdem der menschliche Geist in jahrtausendelanger Entwicklung die ganze Bahn rationalistischer Erkenntnis durchlaufen hat, wird in ihm als letzte Resignation des Wissens das Gefühl für das „Ding an sich" wieder wach. Was vorher Instinkt war, ist nun letztes Erkenntnisprodukt. Vom Hochmut des Wissens herabgeschleudert steht der Mensch nun wieder ebenso verloren und hilflos dem Weltbild gegenüber wie der primitive Mensch, nachdem er erkannt hat, „daß diese sichtbare Welt, in der wir sind, das Werk der Maja sei, ein hervorgerufener Zauber, ein bestandloser, an sich wesenloser Schein, der optischen Illusion und dem Traume zu vergleichen . . ."

Transzendentaler Stil

Es ist bezeichnend, daß Worringer sich auf einen der berühmtesten Aussprüche Schopenhauers stützte. Im weiteren Verlauf kam er zu den polaren Begriffen Naturalismus und Stil. Die eigentliche Kunst habe ein tieferes Bedürfnis zu erfüllen, als den Nachahmungstrieb in Bewegung zu setzen; dessen Geschichte sei eine Geschichte der manuellen Geschicklichkeit — ohne ästhetische Bedeutung. Der Stil erst umfaßt alle jene Elemente des Kunstwerks, die ihre psychische Erklärung im Abstraktionsbedürfnis des Menschen finden. Naturalismus ist Ausdruck der „Immanenz", Stil ist Ausdruck der „Transzendenz". Der Orientale habe seit je die Unzulänglichkeit des Irdischen und Augenblicklichen empfunden, daher sei er Schöpfer der abstrakten, symbolisch andeutenden Kunst und der Religion, und die Kulturaristokratie des Ostens habe seit je mit Verachtung auf die europäischen Emporkömmlinge des Geistes geblickt. Ihr im Instinkt ruhendes Wissen um die Problematik der Erscheinung und die Unergründlichkeit des Daseins habe einen naiven Glauben an Diesseitswerte nie aufkommen lassen. Worringer entwickelte eine förmliche Kulturmorphologie, um dem materialistischen Zeitalter seine neue Theorie nahezubringen, die von den frühen Expressionisten und Abstrakten als die ihre begriffen wurde.

Kandinsky und die bildende Kunst

Empirischer ging Kandinsky vor, als er um die gleiche Zeit vom „Geistigen in der Kunst" sprach und schrieb. Er betonte, die Grundlage jeden Bildes sei ein geistig-abstrahierendes Element. Er berief sich als Muster auf französische Impressionisten, die er in Moskau gesehen und als Offenbarung des neuen „Wollens" begrüßt hatte. Überhaupt hatte die bildende Kunst, seit Courbet und Cézanne, in Paris theoretisch und praktisch neue Wege gefunden — freilich nicht „expressionistische" —, auf denen ihre italienischen Schüler zum Futurismus, die Deutschen der „Brücke" und des „Blauen Reiters" vom Jugendstil zum Expressionismus vorstießen. Merkwürdig eng war die Berührung zwischen Literatur und bildender Kunst. Von den „Brücke"-Künstlern zeichnete Ernst Ludwig Kirchner die Autoren Heym, Döblin und Sternheim. Kandinsky war der Herausgeber des „Blauen Reiters"; er berief sich auf Theodor Däubler, der viel getan hatte, um die

HENRI BERGSON

französische Avantgarde in Deutschland bekannt zu machen. Zu den Malern dieser Gruppe gehörte auch der Schöpfer der Zwölftonmusik, Arnold Schönberg, der gestand, Dehmels Gedichte hätten ihn stark beeinflußt. Oskar Kokoschka, Mitarbeiter des „Sturm", war zugleich Maler und Dichter, ähnlich wie Ludwig Meidner und Richard Seewald.

Henri Bergson

Worringer hatte festgestellt, daß die Kunst im Grunde Ausdruck eines Transzendenten sei. Die Erkenntnis dieser Funktion vermittle die Intuition. Damit hatte er ein Stichwort gegeben, das im ersten Jahrzehnt des zwanzigsten Jahrhunderts wie eine Offenbarung wirkte. In der Erkenntnistheorie Henri Bergsons wurde die Intuition gegen die mathematisch-logischen und mechanistischen Denksysteme ausgespielt. Bergson klagte die bisherige Wissenschaft an und glaubte an ein unmittelbares – intuitives – Erfassen des Absoluten. Die üblichen Denkgewohnheiten reichen nicht aus, um die neu entdeckte geheimnisvolle Größe des Lebens zu begreifen:

Leben und Erfahrung

Geschaffen durch das Leben, unter bestimmten Verhältnissen und um auf bestimmte Dinge zu wirken – wie sollte unser Denken das Leben selbst zu umspannen vermögen, von dem es nur eine Ausstrahlung oder ein Aspekt ist? Abgelagert am Wege von der Entwicklungsbewegung – wie sollte es sich mit dem Ganzen dieser Bewegung decken? Ebensogut ließe sich behaupten, daß der Teil dem Ganzen gleichkomme, daß die Wirkung ihre Ursache in sich sauge, oder daß der Kiesel am Strande die Form der Welle nachzeichne, die ihn herangetragen hat. Tatsächlich fühlen wir auch, daß keine unserer Denkkategorien: Einheit, Vielheit, mechanische Kausalität, vernünftige Zweckmäßigkeit die Dinge des Lebens genau deckt. Wer wollte sagen, wo die Individualität anfängt und wo sie aufhört? Ob das Lebewesen eines ist oder ein Vieles, ob es Zellen sind, die zum Organismus zusammengehen, oder der Organismus in Zellen auseinandergeht? Vergebens pressen wir das Lebendige in diesen oder jenen Rahmen. Alle Rahmen krachen. Sie sind zu eng, zu starr vor allem für das, was wir hineinspannen möchten.

Will ich das wahre Wesen der Dinge kennenlernen, so muß ich auf die alten Denkschemata verzichten, muß eine neue innere Blickhaltung gewinnen, die über die Empirie und mathematische Logik hinweg in das unmittelbare Wesen eingeht. „Philosophieren besteht darin, sich durch eine Aufbietung der Intuition in das Objekt selbst zu versetzen." Ähnlich hatten Descartes und Locke in der Intuition eine Quelle unmittelbar einleuchtender Wahrheiten gesehen.

Bergsons antiintellektualistische Philosophie fand in Deutschland viele Anhänger; da seine Bücher sich nicht bloß an die Fachwelt wandten und Bergson seine Theorie im Umgang mit Künstlern ausgearbeitet hatte, wirkte sein Einfluß besonders in Kreisen der Intellektuellen.

Edmund Husserl

Methodisch ungleich besser aufgebaut und begründet wurde die neue Denkhaltung in Deutschland von Bergsons Zeitgenossen Edmund Husserl (1859—1938). Seine „Logischen Untersuchungen" (in zwei Bänden, 1900—01) leiteten die neue Richtung in Deutschland ein. Es ist ein tiefes und schwieriges Werk, das eigentlich erst in der Ausstrahlung publizistisch gewandterer Schüler wie Max Scheler zu Weltbedeutung und allgemeiner Anerkennung kam. Hier wird das intuitive Erfassen zu einer „Wesenswissenschaft"; Husserl nannte sie Phänomenologie. Der Geist konstruiert hier nicht, sondern „erfaßt". Der Philosoph soll nicht das „Hic-et-nunc-Dasein der Gegenstände", dem man mit Erfahrung, Psychologie, Experiment und persönlicher Einstellung naht, sondern ihre „essentia", ihr

Die Wesensschau der Phänomenologie

„Wesen" erkennen. Das geschieht durch „phänomenologische Reduktion", die absieht von allen Details des Hic et nunc und „reine Schau" sein soll. In ihr stellt sich das Wesen dar, das der Philosoph beschreiben soll, sie ist „das reine Bewußtsein in seinem absoluten Eigensein". Jede äußere Erfahrung läßt Zweifel zurück, diese innere nie. Für den Künstler bedeutete das: Rechtfertigung seines unmittelbaren Blicks, seiner Schau, seiner Intuition, seines absoluten Werturteils. Sie rechtfertigte seinen Kampf gegen Psychologie und den Relativismus, die Überschätzung der Einzelzüge und die Erfahrung. Sie rechtfertigte auch seinen Anspruch, daß er überpersönlich erkenne und das wahre Wesen der Dinge sich nicht in den Dingen selbst, sondern im Kunstgebilde enthülle. Angelehnt an Husserls Ideen, konnten gewisse Maler ihre abstrakten Bilder nun „Eidos" nennen. Auch der Kunstbetrachter gewann Boden unter den Füßen: das „Wesen" der Kunst erschließt sich durch phänomenologische Bewußtseinshaltung. Walter Meckauer schrieb 1917 über Bergsons Intuitionismus und 1920 über „Wesenhafte Kunst".

Kritik der Methode

Zweifellos hat die Husserlsche Methode hybride Züge, deren Parallelen sich bei den kosmogonischen Dichtern aufzeigen lassen, wenn diese das Ichbewußtsein mit dem schöpferischen Ich Gottes identifizieren oder wenn die expressionistischen Dramatiker ihre Helden zu utopischen Theorien oder Taten treiben wie Unruh, der mittlere Kaiser, Kokoschka, Rubiner und Werfel. Ihre Himmelstürmer, Titanen- und Faustgestalten gleiten in die reine Subjektivität ab und halten sich für Götter. Wirkung auf die Literatur hatte Husserl nicht, nur der junge Max Brod hat sich ausdrücklich zu seiner Philosophie bekannt. Husserls Einfluß läßt sich nicht mit dem Bergsons auf die französische Literatur vergleichen. Für Romain Rolland, André Gide, André Suarès und teilweise für Paul Claudel galt, was Charles Péguy von Bergson sagte: Er hat unsere Fesseln gesprengt.

Georg Simmel

Unmittelbaren Einfluß auf die Literatur hat nur *ein* moderner deutscher Denker — neben und nach Nietzsche selbstverständlich — ausüben können; er hat es mit der Vernachlässigung durch die akademische Philosophie bezahlen müssen: Georg Simmel (1858—1918), der Lebensphilosoph. Auch Simmel berief sich letztlich auf eine „Schau“ und nannte als Gewährsmann Meister Eckehart. Simmel hat ein erstaunliches schriftstellerisches Werk geschaffen. Er schrieb als einer der ersten über Soziologie, entwarf eine Geschichtsphilosophie, eine Philosophie des Geldes und der Mode, schrieb über Kant, über Goethe, über Rembrandt und immer wieder über Fragen der Erkenntnis, der Kunst und Gesellschaft. Man hat gesagt, er sei Eklektiker gewesen, und hat den vielwissenden Mann einen „Relativisten“ genannt. In Wirklichkeit war er ein philosophischer Schriftsteller mit einem gesteigerten Empfinden für Stil und durch ihn sich ausdrückende Qualität. Das Problem von Stoff und Form war für ihn ein Januskopf:

GEORG SIMMEL

Edmund Husserl

Die Klassik sucht an der Erscheinung des Lebens die Form, Rembrandt sucht durch die erscheinende Form das Leben darzustellen. Dem künstlerischen Menschen der Klassik scheint immer eine bestimmte Form vorzuschweben, ein gesetzliches Verhältnis der Oberflächenteile zueinander, das dem dargestellten Wesen gewissermaßen den Umriß vorschreibt, oft wie ein Schema, freilich wundervoll ausbalanziert, harmonisch, monumental; und das Leben des Wesens dazu bestimmt, diese Form zu realisieren, in dieser Form den Sinn seiner Kunstwerdung zu suchen ... Es ist der klassisch-romanische Trieb nach klarer Überschaubarkeit, nach rationaler Geschlossenheit der äußeren Erscheinung, der hier wirkt. Bei Rembrandt wie überhaupt in der typisch germanischen Kunst finden wir kein so abstrahierbares, die Individualität übergreifendes Schema. Hier hat jedes Bild nur seine Form, in die ein anderer Inhalt nicht eingesetzt werden könnte, gerade nur an diesem individuellen kann sie bestehen, als allgemeine hat sie keinen Sinn. Das aber eben besagt es, daß hier das Leben die Darstellung bestimmt.

Hiller und George bei Simmel

Simmel hat nicht nur auf den jungen Hiller in Berlin und den literarischen Aktivismus gewirkt, sondern auch auf den jungen Martin Buber und auf Stefan George, mit dem er sich befreundete und von dem er manch wertvolle Einsicht in das Wesen der Kunst und Literatur, vor allem in das Wesen des schöpferischen Menschen, den „objektiven Geist“ selbst, empfing.

„Leben“ als der schöpferische, vitale Urgrund des Seins ist also etwas Irrationales und weist in Wesen und Begriff zurück auf das schöpferische Chaos, auf das der Expressionismus sich gern berief. Aus dem Leben kommen die zeugenden Kräfte ebenso wie die libidinösen Triebe und die Bekenntnisse des künstlerischen Genius. Henri Bergson, Ludwig Klages, Ortega y Gasset und Max Scheler waren die Hauptvertreter dieser Richtung: es sieht so aus, als sei die rationale Philosophie um 1910 so gut wie verschwunden! Der letzte Exponent der Bewegung sollte, nach dem Weltkrieg, Martin Heidegger werden, und mit ihm kam die Richtung, etwas vag als Existentialismus bezeichnet, zu weltweiter Wirkung. Heidegger ist der einzige Philosoph, dessen Stil deutliche Zeichen von Expressionismus trägt. Max Scheler (1876–1928) war ein Schüler des zu seiner Zeit recht bekannten Philosophen der deutschen Gebildeten, Rudolf Euckens in Jena; aber das entscheidende philosophische Erlebnis war seine Begegnung mit Edmund Husserl. Scheler schrieb darüber in einer Abhandlung:

Max Schelers Begegnung mit Husserl

Als der Verfasser im Jahre 1901 in einer Gesellschaft, die H. Vaihinger in Halle den Mitarbeitern der „Kantstudien" gegeben hatte, Husserl zum erstenmal persönlich kennenlernte, entspann sich ein philosophisches Gespräch, das den Begriff der Anschauung und Wahrnehmung betraf. Der Verfasser, unbefriedigt von der Kantischen Philosophie, der er bisher nahestand (er hatte eben schon ein halbgedrucktes Werk über Logik aus diesem Grunde aus dem Druck zurückgezogen), war zur Überzeugung gekommen, daß der Gehalt des unserer Anschauung Gegebenen ursprünglich weit reicher sei als das was durch sinnliche Bestände, ihre genetischen Derivate und logischen Einheitsformen an diesem Gehalt denkbar sei. Als er diese Meinung Husserl gegenüber äußerte und bemerkte, er sehe in dieser Einsicht ein neues fruchtbares Prinzip für den Aufbau der theoretischen Philosophie, bemerkte Husserl sofort, daß auch er in seinem neuen, demnächst erscheinenden Werke über die Logik eine analoge Erweiterung des Anschauungsbegriffes auf die sogenannte kategoriale Anschauung vorgenommen habe. Von diesem Augenblick an rührte die geistige Verbindung her, die in Zukunft zwischen Husserl und dem Verfasser bestand und für den Verfasser so ungemein fruchtbar geworden ist.

Das Reich der Werte

In den Jahren 1907–10 war Scheler als Dozent in München, wo er die neue Methode der Phänomenologie in einem großen Kreis von Schülern, Hörern und Freunden fruchtbar machte. Am Ende dieser Jahre erschien das erste große Werk: „Der Formalismus in der Ethik und die materiale Wertethik". Scheler löste die Ethik aus der kantischen Umklammerung und begründete ebenso tief wie umfassend die Existenz eines Reiches der ethischen Werte, frei von aller Subjektivität: er hat damit eine bis dahin epigonenhafte und puritanische Disziplin wieder aufgerichtet. 1921 folgte die philosophische Neubegründung der Religion in einer Aufsatzsammlung unter dem Titel „Vom Ewigen im Menschen". Schelers Wendung zu Christentum und Katholizismus war mitbewirkt durch die Begegnung mit Ludwig Derleth. Eine Fülle von weiteren Werken, u. a. über den Krieg, vor allem aber zu metaphysischen Fragen, entstand in den nächsten Jahren in Köln. Scheler hat die moderne Philosophie endgültig vom Rationalismus, auch in seiner höchsten Gestalt, der Kantischen, befreit und die positiven, bisher philosophisch vernachlässigten oder für nicht philosophiewürdig gehaltenen Gebiete des sogenannten Irrationalen wieder in die Philosophie zurückgeführt.

Kierkegaards Wirkung und Einfluß

An der Wende zu den überpersönlichen Werten, die um 1900 erkennbar wurde, hatte auch die Religion ihren Anteil. Nicht nur die großen Russen wie Dostojewski und Tolstoi, sondern auch Franzosen wie Claudel, Jammes und Péguy waren glühende Christen und Propheten einer religiösen Erneuerung. In diesem Zusammenhang haben nun auch die nordischen Länder, die, abgesehen von einer

Phase bei Strindberg, vom Christentum kaum berührt schienen, einen entscheidenden Beitrag geleistet in der Erscheinung des dänischen Theologen und Philosophen Sören Kierkegaard, dessen Bücher in der Mitte des neunzehnten Jahrhunderts in dänischer Sprache erschienen, aber im übrigen Europa so gut wie unbeachtet blieben. Da begann 1901 in Kopenhagen die Gesamtausgabe Sören Kierkegaards, der zugleich ein dänischer Klassiker war; und von 1909 an kam bei Eugen Diederichs Band auf Band der deutschen Ausgabe Kierkegaards in der Übertragung von Gottsched und Schrempf heraus. Von ihr sollte die meteorhafte Wirkung Kierkegaards ausgehen. Er war Philosoph der „Existenz", der erste Existentialphilosoph; er löste eine Bewegung aus, die innerhalb von dreißig Jahren die Welt geistig in Atem halten sollte. Der Mensch und die Ewigkeit, das Individuum und Gott, die Persönlichkeit und das Jenseits – das sind einige Themen, die Kierkegaard neu begründete und gegen die konventionelle, verbürgerlichte und verharmloste Christenheit seiner Zeit verfocht. Wie kommt es, so lautet eine typische Frage des großen Dänen, daß der Mensch, das Kind, schon durch den Akt der Taufe die Anwartschaft auf eine jenseitige Existenz gewinnt? Wie kommt es, daß durch einen rein zeitlichen Akt ewige Wirkung ausgelöst wird? Darin besteht, das *ist* das Christentum; und um diesen Punkt fallen und steigen dann die mächtigen Spiralen Kierkegaardschen Denkens und Dichtens, seiner spekulativen Theologie und bohrenden Psychologie.

SÖREN KIERKEGAARD

Kierkegaard, Karikatur von Wilh. Marstrand

Die Begründung der christlichen Existenz

Kierkegaard war Lutheraner; aber seine Wirkung sprengte die konfessionellen Grenzen und drang weit hinaus in den Raum der katholischen und liberalen Philosophie. Von ihm beeinflußt wurden Romano Guardini, Karl Barth, Martin Heidegger, Karl Jaspers, Max Scheler, Erich Przywara, Martin Buber, Friedrich Gogarten, Theodor Haecker und ganze Scharen von Professoren der Theologie, Philosophie und Soziologie. Kierkegaard richtete seinen Angriff ebenso gegen die sich gesichert dünkende Bürgerlichkeit wie gegen Hegel. Der wirkliche Mensch lebt nicht in einer theoretisch geschlossenen, sondern praktisch offenen Welt. Im Dasein ist der Mensch nicht Gattungswesen, sondern individuelles Ich, Person, Einzelfall seiner Gattung, und jeder einzelne muß „seine" Entscheidung vor Gott fällen. Auf diese Entscheidung bezieht sich bei Kierkegaard das existentielle Denken: „Nur für einen Existierenden ist Gott da, kann er dasein, im Glauben." –

Bubers religiöse Metapolitik

Nicht die Politik wird die Welt retten, sondern die Metapolitik. Die Kunst wird sie offenbaren, Melodien retten die Welt, meinte Paul Kornfeld, der über den Unterschied des beseelten und des psychologischen Menschen schrieb. Gegen Hiller und Rubiner, die Anwälte der Politik, wurde der junge Martin Buber als Anwalt der religiös-dichterischen Metapolitik bekannt. Schon mit drei Jahren

MARTIN BUBER

kam Martin Buber, 1872 in Wien geboren, in das Haus seiner Großeltern nach Lemberg. Sein Großvater war ein reicher Kaufmann der österreichischen Provinzhauptstadt und einer der bedeutendsten Gelehrten auf dem Gebiet der Auslegung des Alten Testaments. Hier erhielt der Enkel seine rabbinische Ausbildung. Der war jedoch, als Sohn des neunzehnten Jahrhunderts, zugleich ein aufgeklärter Kopf und blickte nach Westen. Religiös interessierte er sich nicht für die gelehrte Theologie, sondern für das in der Ukraine lebende Judentum mit seiner lebendigen religiösen Substanz. Es waren die „Frommen“ (Chassidim) im Ostjudentum, die sich als eine Art mystische Sekte gegenüber dem westlichen Judentum fühlten und eng zusammenhielten. Der Chassidismus lehrte Treue und Glauben an die Schechina, die Herrlichkeit Gottes, die noch im niedrigsten Geschöpf lebt und mystisch erfaßt werden kann. Zahlreiche prophetenhaft große Gestalten haben die Lehre geprägt und gelebt. Buber hatte zu diesen Bewegungen persönliche Beziehungen aufgenommen und suchte ihren Geist literarisch auszudrücken. Die „Erzählungen der Chassidim“ fassen diese Bemühungen zusammen.

Die Entdeckung des Chassidismus

Buber und die Moderne

Als der junge Buber nach Wien zurückkehrte, um Nietzsche und die moderne Philosophie zu studieren, als er die Luft der damaligen Lebensphilosophie atmete und die deutsche Mystik las, blieb der Geist jener „Frommen“ in ihm lebendig. Er konnte auch nicht gebrochen werden durch Begegnungen mit Georg Simmel, Wilhelm Dilthey und Theodor Herzl, dem Begründer des Zionismus. All das diente als Vorbereitung auf Bubers eigene Lehre, die sich in drei Stadien ausformte. Dem Studium des Chassidismus folgte die Berührung durch den philosophischen Personalismus, die nach dem ersten Weltkrieg stattfand, und das Studium der Heiligen Schrift in Verbindung mit dem Freund Franz Rosenzweig.

Rosenzweig und Buber

Für den Enkel Salomon Bubers war die Beschäftigung mit der *veritas hebraica* nichts Neues. Aber Rosenzweig lehrte ihn, die Schrift nicht bloß als frommer Jude, als Buch seines Volkes oder als Gegenstand rabbinischer Auslegung des Gesetzes zu lesen, sondern buchstäblich als Wort Gottes: Gottes Rede an die Menschen mit dem Ziel, die Menschen zu heiligen. Buber fand also zum Ursinn des Alten Testaments zurück. Hier liegt das Motiv seiner mit Rosenzweig gemeinsam unternommenen, dann allein fortgeführten Übertragung der heiligen Bücher in die deutsche Sprache – wobei der hebräische Charakter gewahrt blieb.

Martin Buber
Zeichnung von B. F. Dolbin

Der Zionismus

Die dritte Komponente im Denken Bubers wurde durch den Zionismus bestimmt. Es ist verständlich, daß Herzls Gedanken in Buber Wurzel schlugen, wie auch Ideen des heute vergessenen Oscar Goldberg („Die Welt der Hebräer“): das lebendige Judentum müßte eine neue Wirlichkeit finden. Was Herzl politisch vorschwebte, hat Buber gedanklich zu füllen gesucht. Dadurch kam er

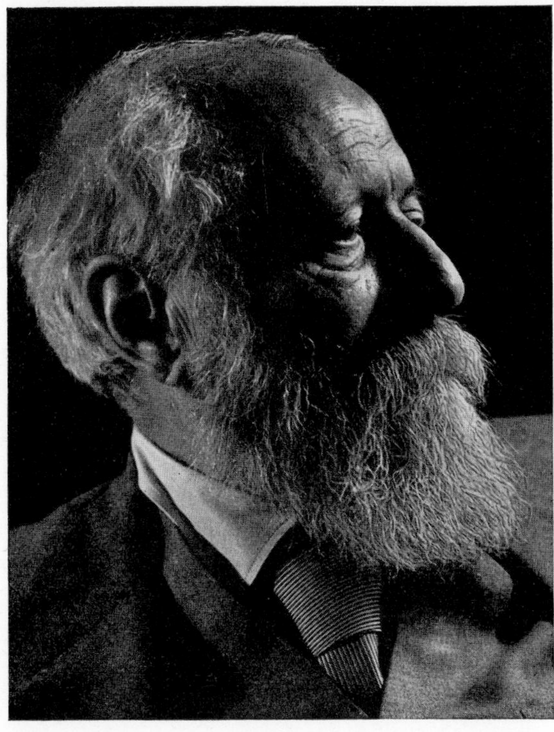

Martin Buber

von selbst zur Konfrontation moderner Gedanken mit der alten Substanz des Judentums. Daß der neue Staat Israel weniger an ein neues Ethos denkt, sondern Nationalstaat im politischen Sinne wird, erklärt wohl manche Spannung zwischen Buber, der 1938 Professor an der hebräischen Universität in Jerusalem wurde, und andern Richtungen des israelischen und des Weltjudentums; Martin Bubers geistiges Vaterland war ja Deutschland geblieben.

Das dialogische Denken

Die Breite der Buberschen Welt hat es mit sich gebracht, daß auch die Person des Denkers verschiedene Aspekte bietet. Die einen kennen den Zionisten und Kulturpolitiker, die andern den Interpreten und Übersetzer der Bibel, wieder andere schätzen den Entdecker und literarischen Bewahrer des Chassidismus, und schließlich hat Buber als Kunstkritiker, Soziologe und Religionsphilosoph seine Freunde und Verehrer. Den Kern der Person bildet jene Entdeckung und Behauptung des religiösen Menschen und jüdischen Gottesdenkens. Buber hat sie seit einem halben Jahrhundert vertreten müssen gegen die Assimilierungstendenzen auf der einen Seite wie gegen den militanten Judenhaß der zwanziger und dreißiger Jahre in Europa. Er ist darüber weder zum jüdischen Imperialisten geworden, noch hat er seine Idee von der tieferen religiösen Begründung des Judentums aufgegeben. Er ist ein dialogischer Typus; und daraus erklärt sich wohl, daß Buber als Autor und geistige Gestalt geblieben ist, während die Simmel und Cohen, Goldberg und Rosenzweig zwar ihre Zeit hatten, aber dann aus dem öffentlichen Bewußtsein wieder verschwunden sind.

DER LITERARISCHE EXPRESSIONISMUS

VORLÄUFER UND WEGBEREITER

Das Gefühl der Krise

Kunst und Literatur des Jahrzehnts vor dem ersten Weltkriege waren nicht so heiter und zukunftsgläubig, wie man es von einer jungen Generation erwarten sollte. Obwohl die Krise nicht akut war, hatten Künstler, Dichter, Kulturkritiker und Publizisten das Gefühl, man stehe vor einer Entladung. Warum schoß sich der junge Walter Calé im November 1904 eine Kugel in den Kopf? In einem Jahrzehnt, das den Sinn für Volk und Heimat, für heroische Formen und männliche Tugenden weckte, sammelten sich die Kräfte zum Sturz des Alten. Stefan George wurde im „Siebenten Ring" zum Redner, Mahner, Ethiker und Propheten:

zu spät für stillstand und arznei!
zehntausend muß der heilige wahnsinn schlagen
zehntausend muß die heilige seuche raffen
zehntausende der heilige krieg

Rilke verkündete ein Evangelium neuer Armut und Demut; denn „der Reichen Tage sind vergangen, und keiner wird sie dir zurückverlangen . . ." In der Maske eines russischen Mönchs hielt er Gericht über die mechanisierte Mammonszeit. Sein Gott trägt die Züge eines russischen Bauern mit Tolstoibart. Mombert, Derleth, zur Linde, Däubler und Spitteler schrieben Fluchgedichte über die Zeit, entwarfen utopische Pläne für eine Umgestaltung der Welt oder flohen in die Traumreiche ihrer Phantasie.

Blicke in eine dunkle Welt

Die Titel neuer literarischer Werke waren düstere Boten einer fremden und dunklen Welt. 1902 ist Alfred Döblins „Schwarzer Vorhang" geschrieben; 1906 erschienen die „Verwirrungen des Zöglings Törless" von Robert Musil und eröffneten die Gattung der quälerischen und mit Selbstmord endenden Bücher über Schülertragödien; 1907 kam Oskar Kokoschkas Drama „Mörder Hoffnung der Frauen" heraus. In Frank Wedekinds Dramen sah man den Tanz um das Goldene Kalb und fand eine bislang unerhörte Auffassung der Frau und der Sexualität. Johannes Schlafs Menschen quälten sich zu einem neuen, dem dritten Reich, das später in einem Buche Arthur Moeller van den Brucks politisch beschrieben wurde. Wolfskehl hatte den Schweizer Mutterrechtler Bachofen entdeckt, und sein damaliger Freund Alfred Schuler hegte Träume von einer Erneuerung der deutschen Seele aus dem Blut, womit er die biologische Rasse meinte. Heinrich Mann tat ein Panoptikum auf, wo sich die Menschen des Jahrzehnts als körperliche und geistige Mißgeburten ausgestellt sahen, eine schamlose Gesellschaft, reif zum Untergang. Die Frau ist nicht mehr ein Wesen mit strahlendem Haar und schmelzender Wange, sondern sie steht in Przybyszewskis Geschichten als die Lockspeise

Heinrich Manns Mißgeburten

Satans am Pranger. Scheerbart träumte von einer antierotischen Kunst, die auf einem andern Stern zu befriedigen ist.

EINE NEUE SPRACHE

Ehe die abstrakte Kunst auf den Plan trat, stellten die Dichter Abstrakta als „Glühende" dar. Paul Ernst urteilte, die Frage nach dem Glück verrate ein niederes Menschentum. Der wissenschaftliche, ethische und historische Relativismus – die Lehre, an seinem Ort sei alles richtig und recht – wurde von Dilthey, Husserl, Max Scheler und andern zu überwinden versucht. Otto zur Linde verkündete das Ende der vierhundert Jahre alten Neuzeit und jubelte als Künder eines neuen Weltbilds in seinem „Charon": Anfang! Anfang! Anfang!

Eine neue Gesellschaft

Auch ein neuer Typus des Künstlers wurde gezeichnet, etwa von Carl Hauptmann in „Einhart der Lächler", dessen Vorbild der expressionistische Maler Otto Müller, sein Neffe, war. Gerhart Hauptmann hatte 1909 die Vision von einer großstädtischen Massengesellschaft, der er keinen besseren Titel geben konnte als „Die Ratten"; und vier Jahre vorher hatte er „Pippa" gedichtet, ein Industriemärchen, das plötzlich zurückkehrt in die mythische Welt.

Der Kampf um die Sprache

Die Sprache der Dichter zerbrach; sie war nicht mehr das edle Metall, das sich zu schönen, klangvollen Versen und herrlichen Bildern „schmieden" ließ. Sie ist bei Wedekind ein karikierendes Papierdeutsch und wird bei Hauptmann absichtlich zugunsten der Pantomine, des Lallens und Keuchens vernachlässigt. Karl Kraus wurde mit seinem Kampf gegen das Zeitungs- und Papierdeutsch, gegen die moderne Sprachverwilderung – auch der Expressionisten – zu einer Art von Don Quichote. Einen ähnlichen Kampf gegen den „Zeitgeist" führte, mit andern Waffen, Rudolf Borchardt; er erfand für seine Übertragungen ein Idiom, in dem das Deutsche und die fremde Sprache eine höhere Einheit finden sollten. Fritz Mauthner (1849–1923), von Herkunft ein Deutschböhme, der 1879 Parodien „nach berühmten Mustern" veröffentlicht hatte, ließ 1901–03 „Beiträge zu einer Kritik der Sprache" in drei vielgelesenen Bänden erscheinen. Der wissenschaftliche Rang des Buches stand hinter der publizistischen Wirkung zurück; aber Mauthner hat das Sprachempfinden und -denken gerade der Künstler und Literaten angeregt: Martin Buber, Carl Sternheim, Franz Blei und andere haben ihre Sprachkritik im Anschluß an ihn entwickelt.

Traumdichtungen und Gesichte

Ein sehr merkwürdiges Element der neuen Bewegung war der Surrealismus, den Jacques Rivière 1908 mit seinem Buch über „Die Metaphysik des Traums" in Frankreich einführte. Die deutsche surrealistische Bewegung war ungleich älter und hängt mit typisch deutschen, kosmischen und kosmogonischen Gesichten und Gedichten zusammen. Julius Hart, Christian Morgenstern, Paul Scheerbart, Carl Hauptmann zählen zu ihren Urhebern. Sie sind jedoch nie über die deutsche Literatur hinausgedrungen, da sie an deutsche Konstellationen gebunden waren, an die Endphase des deutschen philosophischen Idealismus: die Welt wird folgerichtig als Vorstellung des Ich konstruiert, und zwar phantastisch. Man findet – außer bei den kosmogonischen Dichtern im engeren Sinne – diese Züge in Wilhelm Bölsches „Mittagsgöttin", in Wilhelm Schmidtbonns Legenden vom „Wunderbaum" (1913), in Hugo Balls frühen Gedichten, bei Hermann Stehr auf schlesisch-mystische und bei Gustav Frenssen auf spökenkiekerisch-norddeutsche Weise, bei den Dichtern der „böhmischen Nachtmahre" Meyrink, Hadwiger, Werfel, Brod, Paul Adler, Kafka und Kubin. Es handelte sich teilweise um echte Traumgesichte, oft auch um spielerische Phantasien. Paul Scheerbart schrieb einen „Kometentanz“ und „astrale Noveletten“. Scheerbarts Freund Friedlaender (Mynona) gab „Jean Paul als Denker“ heraus, denn Jean Paul war der erste, welcher sich über Fichtes „Wissenschaftslehre“ belustigt hatte und die entfesselte Phantasie dichten ließ. Scheerbart und Mynona waren keine echten Dichter, ihre Geschichten haben etwas Knabenhaftes und Bloß-Amüsantes. Sie haben mit dem Labyrinth gescherzt, in dem sich Franz Kafka dann verlor.

Friedrich Nietzsche

Die Botschaft des „Nihilismus“

Der Prophet des zwanzigsten Jahrhunderts war Friedrich Nietzsche. Er starb erst im Jahre 1900, nachdem er elf Jahre in geistiger Umnachtung dahingedämmert hatte. Stoßartig setzte kurz nach seinem Tod die große Nietzschebegeisterung ein, die schnell auf Frankreich, Italien und Rußland übergriff. Waren die bisherigen Apostel Nietzsches ästhetischgestimmte Geister gewesen, so packte Nietzsches Botschaft von der Umwertung aller Werte jetzt eine Generation, die bereits vom Gefühl der geweissagten Krise durchdrungen war. Nietzsche schien ihrem Empfinden die Stichworte zu geben. Er sprach vom „Nihilismus“ und nannte sich den ersten vollkommenen Nihilisten Europas. Den Begriff hatte F. H. Jacobi schon 1799 philosophisch benützt. Nietzsche hat ihn vermutlich Turgenjews Roman „Väter und Söhne“ (1862) entnommen, der Sozialrevolutionär Basarow wird dort als Nihilist bezeichnet. Nietzsche setzte zum Angriff auf die Geschichte, die Bildung, den Humanismus und das Christentum an und formulierte mit ungemeiner schriftstellerischer Verve sein Ideal des neuen Barbaren, des starken, freien, sich auslebenden und das Sein ästhetisch genießenden Menschen, der die Tabus der Sitte und Religion kühn gesprengt hatte und „frei“ geworden war. Ein verführerischer Glanz lag auf dem Typus des „Übermenschen“, der vorerst eine gedankliche Spekulation, eine Art Idealtypus war. Daß dieser Typus aristokratisch und ein Gegenpol des großstädtischen Massenmenschen und Proletariers war, hatten ihm die bürgerlichen Sozialisten des Naturalismus übelgenommen. Gerhart Hauptmann hat ausdrücklich bezeugt, daß Nietzsche nicht „unser Mann“ gewesen sei.

Der Übermensch als Idealtypus

Das änderte sich, als das Bündnis von politischem Sozialismus, künstlerischem Naturalismus und wissenschaftlichem Materialismus nach wenigen Jahren auseinanderbrach und das Gefühl der Dekadenz, der Krise, des Fin de siècle, der Erschöpfung, des gegenseitigen Sichaufhebens aller Werte sich wieder ausbreitete. Rasch war auch die Begeisterung über den Stil des Naturalismus verflogen; sein größter Autor nahm neuromantische Anleihen auf. Im Gefühl der Unsicherheit fand man bei Nietzsche – mit starken Gründen und schlüssigen Hinweisen – Trost. Er hatte unter die Oberfläche der Erscheinungen gegriffen, die Wurzel des Übels entdeckt und in drei Worten formuliert: „Gott ist tot!“

Die Wurzel des Übels

Das größte neuere Ereignis – daß „Gott tot ist“, daß der Glaube an den christlichen Gott unglaubwürdig geworden ist – beginnt bereits seine ersten Schatten über Europa zu werfen. Für die Wenigen wenigstens, deren Argwohn in den Augen stark und fein genug für das Schauspiel ist, scheint eben irgendeine Sonne untergegangen, irgendein altes tiefes Vertrauen in Zweifel umgedreht: ihnen muß unsere alte Welt täglich abendlicher, mißtrauischer, fremder, „älter“ scheinen. In der Hauptsache aber darf man sagen: das Ereignis selbst ist viel zu groß, zu fein, zu abseits vom Fassungsvermögen Vieler,

Friedrich Nietzsche, Gemälde von Edvard Munch, 1906

als daß auch seine Kunde schon *angelangt* heißen dürfte; geschweige denn, daß viele bereits wüßten, *was* eigentlich sich damit begeben hat – und was Alles, nachdem dieser Glaube untergraben ist, nunmehr einfallen muß, weil es auf ihm gebaut, an ihn gelehnt, in ihn hineingewachsen war, z. B. unsere ganze europäische Moral. Die lange Fülle und Folge von Abbruch, Zerstörung, Untergang, Umsturz, die nun bevorsteht: wer erriete heute schon genug davon, um den Lehrer und Vorausverkünder dieser ungeheuren Logik im Schrecken abgeben zu müssen, den Propheten einer Verdüsterung und Sonnenfinsternis, derengleichen es wahrscheinlich noch nicht auf Erden gegeben hat?

Der neue Mensch des Expressionismus

Nietzsche hatte diesem negativen Phänomen ein positives gegenübergestellt. Der Übermensch ist die große Konzeption vom „neuen Menschen", den der Expressionismus suchte. Von vielen Autoren wurde Nietzsches Übermensch mit dem neuen Menschen des Expressionismus identifiziert. Sie nahmen das aristokratische Element in Kauf, obwohl sie sich mit Vorliebe auf eine sozialistische, teilweise sogar proletarische Form der neuen Gesellschaft beriefen, oder sie übersahen, daß Nietzsche alles andere gemeint hatte als das ziellose, konturlose, utopische und ebenso pathetisch wie sentimental ersehnte Wesen, das als neuer Mensch in Tausenden von Manifesten geboren wurde.

Die anarchistischen Versuchungen

Nietzsche hatte Zerstörung, Tabubruch, Untergang und Umbruch vorausgesagt. Dieser Teil seiner Botschaft wurde begierig aufgenommen. Man ersehnte das Ungewöhnliche, das Abenteuer, „die große Gefahr" (Ernst Jünger, 1920), den Rausch des Untergangs. Man entwickelte eine besessene Feindschaft gegen die technische Zivilisation; selbst theologische Denker wie Derleth berauschten sich an dem schon von Bloy geäußerten Gedanken, den Vatikan in eine Kaserne der Barbaren aus dem Osten verwandelt zu sehen. Der junge Schweizer Pfarrer Karl Barth malte seinen Hörern aus, daß die Bolschewisten die Zürcher Bahnhofstraße plünderten. Die anarchistischen Tendenzen eines Ludwig Rubiner schlugen in den Terror der „Gewaltlosen" um. Solche Züge werden uns bei vielen Autoren aller Richtungen begegnen, und die meisten beriefen sich auf Nietzsche. Die Wirkung des Schriftstellers Nietzsche ging aber viel weiter. Durch Literatur und Salon, über Katheder und Zeitschrift, durch die rasch einsetzende erbitterte wissenschaftliche und halbwissenschaftliche Auseinandersetzung für und wider Nietzsche wurden seine Gedanken so populär, daß sie in das allgemeine Bewußtsein eindrangen. Jetzt wurden die Begriffe des Übermenschen, der blonden Bestie, des neuen Barbarentums und vor allem „Nihilismus" zu jenen Denkschablonen, als welche sie großes Unheil in halbgaren Köpfen anrichten konnten — ein Vorgang, der nur in der Banalisierung der Gedanken von Karl Marx für den Propagandagebrauch seine Parallele hat. Weder Nietzsche noch Marx haben es so gemeint wie ihre Popularisatoren.

August Strindberg

„Nach Damaskus"

Der erste Expressionist war August Strindberg. Er hat die alten und lange als heilig empfundenen Institutionen der Ehe, des Staates, der Gesellschaft, Kirche und Schule in Frage gestellt, indem er Fälle von Ausnahmetypen generalisierte. Alle seine Frauen sind Erniedrigte, die in Höllenqualen leben. Alle seine Ehen geraten in krassen und gehässigen Tiraden der Partner an den Rand der Auflösung. Seine Männer sind krank und gehemmt, das Erotische und Sexuelle bereitet ihnen ununterbrochen Nöte. Hatte die Jugend von 1880 vor allem den Theatertechniker und Naturalisten Strindberg in „Fräulein Julie" bewundert, so wurde „Nach Damaskus" (1898) zum Programm und Musterstück des neuen Dramas. Hier wurde der experimentelle Mensch gezeigt, der alle Stationen des Lebens und Todes zu durchlaufen hat, um am Ende die Nichtigkeit zu konstatieren. Strindbergs seelische Struktur glich in ihrer düsteren und trostlosen Humorlosigkeit der seiner deutschen Verehrer, Schüler und Nachahmer. Er war, wie viele von ihnen, ein sektiererischer Typ, der als richtig angenommene Thesen bis in die absurdesten Konsequenzen verfolgte.

Der Bettler

Bei Strindberg taucht die Lieblingsfigur des frühen Expressionismus, der symbolisch zu verstehende Bettler auf. In mancher Hinsicht setzt er den „negativen Helden" des Naturalismus fort; denn der ursprünglich nach dem Evangelium stilisierte Bettler ist jemand, der nichts besitzt und Gaben erwartet; er ist der ausgesetzte, bedürftige und nackte Mensch, der in den Dramen der Unruh, Werfel, Kaiser, Kornfeld, Jahnn, Kokoschka, Bronnen und Bruckner wiederkehrt. Bei

Sorge wird der Bettler zur metaphysischen Gestalt; er ist es, der ein neuer Mensch werden will. Die expressionistische Bettlergestalt „ist die Verkörperung der verdrängten und nicht verwirklichten Gefühle und Gedanken des (Haupt-)Helden und die Personifizierung einer Existenzmöglichkeit, auf die sich der Held zubewegen muß" (Sokel).

Sosehr Strindberg einer der Meister der Hysterikerpsychologie war — diese Eigenschaft teilt er mit Dostojewski —, im Sinne der alten Psychologie sind seine Gestalten nicht mehr „wahr". Ihr Verhalten ist alogisch triebhaft und wird von den Notwendigkeiten der dramatischen Kunst bestimmt. „Nach Damaskus" ist ein Stationendrama, und jede Station dient dem Aufweis einer abstrakten Idee. Die Person ist Marionette, die an den Fäden des Meisters dahin geführt wird, wo er sie zum Beweis seiner Thesen braucht. Die alte Religion und Moral werden verworfen, sie werden durch religiöse und ethische Botschaften ersetzt. Diese Entwicklung sollte ihren Höhepunkt — lange vor Beckett und Ionesco — bei Bert Brecht erreichen, dem Schüler Wedekinds; auch Brecht zeigt den Menschen am liebsten in Lagen, in denen wahre Entscheidung unmöglich ist.

Der Mensch ohne Entscheidung

Auch der „Unbekannte" und der „Namenlose" tauchten schon bei Strindberg auf und faszinierten die Generation; zahlreiche Dramen und Romane führten Unbekannte und Namenlose ein oder nahmen sie in den Titel auf (z. B. Gustav Sack). Sie sind Typen für den abstrakten, entindividualisierten Menschen und als solche Gegenstand der Mission. Der Unbekannte ist, bei Strindberg jedenfalls, dem Typus des christlichen Büßers nachgebildet, der mit einer Kapuze über dem Kopf an den Kirchentüren die Gläubigen um ihre Fürbitte anflehte. Noch weiter wird die Entwirklichung in Strindbergs „Traumspielen" (1898 und 1902) getrieben. Sie erscheinen als Wiederbelebung der christlichen Mysterienspiele und des barocken Traumspiels der Spanier, von dem noch Grillparzer und Hofmannsthal sich anregen ließen. Der Traum dient der Rekapitulierung des Lebens, um eine Schuld offenbar zu machen, die der Wache vergessen („verdrängt") hat. Strindberg hat nicht nur die späteren Spiele „Traumstücke" genannt, sondern alle seine expressionistischen Dramen. Sie gestalteten nicht Wirklichkeiten und Personen der Erfahrung, sondern Verzerrungen. Ein einzelner Charakterzug wird übertrieben, eine einzige Eigenschaft wird verabsolutiert. So werden die Gestalten abstrakte Figuren, und nur die Kunst eines Strindberg konnte sie davor bewahren, daß sie Schatten ohne Leben wurden.

Der Unbekannte und der Namenlose

Traumspiele

Dostojewski und Tolstoi

Dostojewski und Tolstoi hatten für die Entstehung des deutschen Naturalismus eine bedeutende Rolle gespielt, da sie Meister der Milieuschilderung waren; Tolstoi zeichnete die Bauern auf den Gütern, Dostojewski die Bewohner der weltstädtischen Mietskasernen. Sie wurden also, unter soziologischen Aspekten, neben Zola, Flaubert und Balzac, bewunderte Vorbilder für die vor allem politisch interessante Lehre von der Bedeutung des Milieus. Darüber wurde die weltanschaulich-religiöse Seite fast ganz übersehen, zumal bei Dostojewski, während sich das soziale Pathos Tolstois als literarisches Motiv eher annehmen ließ. Der Musterroman der Naturalisten war Dostojewskis psychologische und soziale Großstadtstudie „Schuld und Sühne" (Raskolnikow) gewesen. Es ist kein Zufall,

LEO TOLSTOI

daß die deutsche Gesamtausgabe Dostojewskis im Verlag Reinhard Pipers von Arthur Moeller van den Bruck (1876–1925) unter Mithilfe seines Freundes Theodor Däubler veranstaltet wurde. Moeller suchte den „neuen Menschen" als Schüler Nietzsches und gab mit seinem Buch über „Das dritte Reich" dem Nationalsozialismus sein wichtigstes Stichwort. (Die Wirkungsgeschichte Dostojewskis in Deutschland und die Ideenverbindung mit Nietzsche s. Bd. I, S. 120 ff.)

Die große deutsche Ausgabe

Dostojewskis neuer Mensch war der Sünder, der die Nachfolge Christi auf sich nimmt. Das ist der Inhalt der „Brüder Karamasow", des „Jünglings", des „Idioten" und der anderen Romane. Aber die junge Generation sah das Christliche bei Dostojewski nur, soweit es in ihre eigenen Vorstellungen paßte, das Zurückgehen auf das Urchristentum von Evangelien und Apostelgeschichte, die radikale und ekstatische Form, die Verwerfung der westlichen Zivilisation und die apokalyptische Prophezeiung des Untergangs. Bei Dostojewski bildete die christliche Welt die wirkungsvolle Folie der an die Hölle verfallenen Welt der Gottlosen und Nihilisten. Unter ihnen lebte die von Dostojewski großartig dargestellte Prostituierte, die für das Bürgertum zum Auswurf der Menschheit gehörte, bei Dostojewski aber in den Rang der Huren des Neuen Testaments erhoben wurde: die Prostituierte Sonja opferte sich für den Unterhalt ihrer Familie. Dieser Typus findet sich bei Hanns Johst, Alfred Wolfenstein, Paul Kornfeld, Alfred Döblin, Johannes R. Becher, Bert Brecht, Dietzenschmidt und vielen andern. Er verkörpert den neuen Menschen, der die Verachtung der Welt auf sich nimmt, um unter dem Opfer der moralischen Existenz Gutes zu tun.

Die Prostituierte als christliches Opfer

Tolstoi und die Gesellschaft

Von anderer Art war Tolstois Einfluß, er wirkte vor allem auf Ludwig Rubiner mit seinen Ideen von einer neuen Gemeinschaft und wurde von diesem gegen Stefan George ausgespielt. Auch Tolstois Kampf gegen Goethe und Shakespeare diente der Zertrümmerung von „deutschen Götzenbildern". Die primitiven und barbarischen Züge in Tolstois Ideal eines neuen Menschen fielen zusammen mit den Vorstellungen, die sich Dichter wie Rilke und Barlach in Rußland, teilweise unter Tolstois persönlichem Einfluß, bildeten. Sie entdeckten in Rußland die Kategorie des Religiösen, die als Folge der modernen Banalaufklärung in Deutschland keinen literarischen Kurswert mehr besaß. Von den politischen Ideen des Idealkommunismus abgesehen, blieb Tolstois Einfluß auf die junge Generation geringer als der Dostojewskis und Strindbergs, weil er künstlerisch für die Expressionisten nicht viel bedeuten konnte.

Radierung von Willy Geiger
zu Dostojewski, Ein schwaches Herz

Arthur Rimbaud

Der alte Victor Hugo hat in Arthur Rimbaud (1854–91) den dämonischen Rebellen einer neuen Literatur gesehen und als Shakespeare enfant begrüßt. Der junge Paul Claudel hat Rimbauds elendes Ende in Marseille mit einem Heiligenschein versehen und in dem Dichter den größten Autor des katholisierenden Symbolismus gefeiert. Paul Verlaine hatte den Kodex der alten Poesie verworfen und die neue Lehre von den „Poètes maudits" (1884) verkündet; aber diese Lehre wäre vermutlich nie berühmt geworden, wenn sie nicht im jungen Rimbaud Gestalt gewonnen hätte. Als Stefan George in Paris verkehrte, waren der Name und das Werk Rimbauds bereits ein Mythos. George übertrug drei seiner berühmtesten Gedichte ins Deutsche und regte dadurch andere Übersetzer zur Nachahmung an, so daß die junge Generation schon vor dem ersten Weltkrieg Rimbaud in zahlreichen, meist schlechten Übertragungen kennenlernen konnte. George übersetzte die „Vokale":

ARTHUR RIMBAUD

Shakespeare enfant

Vokale

A schwarz E weiß I rot U grün O blau – vokale
Einst werd ich euren dunklen ursprung offenbaren:
A: schwarzer samtiger panzer dichter mückenscharen
Die über grausem stanke schwirren, schattentale.

E: helligkeit von dämpfen und gespannten leinen,
Speer stolzer gletscher, blanker fürsten, wehn von dolden.
I: purpurn ausgespienes blut, gelach der Holden
Im zorn und in der trunkenheit der peinen.

U: räder, grünlicher gewässer göttlich kreisen,
Ruh herdenübersäter weiden, ruh der Weisen
Auf deren stirne schwarzkunst drückt das mal.

O: seltsames gezisch erhabener posaunen,
Einöden durch die erd- und himmelsgeister raunen.
Omega – ihrer augen veilchenblauer stahl.

Hier schien das Geheimnis des poetischen Materials, der Laute, entschleiert zu werden. Noch Johannes R. Becher und Ernst Jünger, in seinem „Lob der Vokale", gingen von Rimbauds Gedicht aus. Stefan George hat nur drei Gedichte zu übertragen vermocht. Die nächsten Versuche stammten von Stefan Zweig (1904) und Fuhrmann (1907), Friedrich Oppeln-Bronikowski (1908) und Paul Zech (zuerst 1910 und öfter, ab 1927 „Das gesammelte Werk" Rimbauds). Dann folgten Theodor Däubler (in „Der Hahn", 1917), K. L. Ammer (1921), Alfred Neumann (1922), Franz von Rexroth (ohne Jahr, um 1922), Jan Jacob Haringer und Alfred Wolfenstein (1930). A. Neumanns Übertragung stellt jenes Mittelmaß dar, das dem Dichter nur unzulänglich gerecht wird:

Durch die blauen Sommerabende werde ich auf schmalen Pfaden gehen,
Das Korn wird nach mir stechen, ich werde dünnes Gras niederpressen:
Ich Träumer fühle dann die Frische um meine Füße wehen;
Den bloßen Kopf wird Wind wie eine Welle nässen!

Nicht sprechen werde ich und ohne Denken sein.
Aber unendliche Liebe geht mir in die Seele ein;
Und ich will, daß es mich weit weit durch die Natur hintreibe
Wie einen Zigeuner, – und glücklich wie mit einem Weibe.

ARTHUR RIMBAUD

Die wichtigste „expressionistische" Übertragung sollte die des österreichischen Offiziers Klammer werden, die zuerst in Zeitschriften, dann als Buch im Insel-Verlag unter dem Pseudonym K. L. Ammer veröffentlicht wurde. Die jüngere Generation hat Rimbaud in dieser Übertragung kennen und lieben gelernt. K. L.

Les Voyelles

A, noir ; E, blanc ; I, rouge ; U vert ; O, bleu : voyelles,
Je dirai quelque jour vos naissances latentes.
A, noir corset velu des mouches éclatantes
Qui bombinent autour des puanteurs cruelles,

Golfes d'ombre. E, candeur des vapeurs et des tentes,
Lancés de glaçons fiers, rais blancs, frissons d'ombelles!
I, pourpre, sang craché, rire des lèvres belles
Dans la colère ou les ivresses pénitentes,

U, cycles, vibrements divins des mers virides,
Paix des pâtis semés d'animaux, paix des rides
Qu'imprima l'alchimie aux doux fronts studieux.

O, suprême clairon plein de strideurs étranges,
Silences traversés des Mondes et des Anges...
— O l'Oméga, rayon violet de ses yeux !

Arthur Rimbaud, Handschriftprobe

Ammer hat die älteren Übersetzungen, von George abgesehen, außer Kurs gesetzt und trotz einiger philologischer Fehler den Ton des Originals so weit getroffen, wie es möglich schien:

Im grünen Cabaret

Im Straßenschotter hatt ich meine Schuh zerrissen,
Acht Tage lang. In Chaleroi macht ich halt.
Im grünen Cabaret begehrt ich Butterschnitten
Und Schinken, der beinah zur Hälfte kalt.

Ich dehnte unterm Tische mit Behagen
Die Füße aus, sah mir die Wände an
Mit ihrer simplen Malerei. O nicht zu sagen,
Als mir die Magd mit ihrem hohen Busen dann,

Mit ihrem frohen Blick, mit ihrem Mund, der lachte,
— Die hat vor einem Kuß nicht Angst — auf buntem Teller

Butterbrot und warmen Schinken brachte,
So rosaweiß, von Knoblauchduft durchwürzt,
Und dann ein Bierschaum, den ein heller
Spätsonnenstrahl umsäumt, ins hohe Gras gestürzt.

Die Wirkung Rimbauds auf die deutsche Literatur wird in zahlreichen Heften der Zeitschriften bezeugt, die ihm gewidmet waren. So wie Zola der Schutzpatron des Naturalismus geworden war, konnte Rimbaud als Patron der dichtenden Jugend des Expressionismus gelten. Zu der literarischen Wirkung kam die biographische. Daß dieser Lyriker seine besten Gedichte mit siebzehn Jahren schrieb, bald der Literatur den Rücken gekehrt, mit Verlaine ein genialisches Bummelleben geführt hatte, das für Verlaine im Gefängnis endete, daß er schließlich nach Afrika aufgebrochen war, Soldat, Reisender und endlich Waffenhändler im fernen Abessinien wurde und dort in geheimnisvolle politische Unternehmungen des Königs Menelik verwickelt war, und das im bürgerlichsten aller Jahrhunderte –: all dies trug ebenso zur Popularität Rimbauds bei, wie das schreckliche Ende, als er krank, mit einem brandigen Bein und zu guter Letzt amputiert in den Armen seiner Schwester in Marseille gestorben war. Schien hier nicht die so oft geforderte Einheit von Dichtung und Leben erreicht zu sein?

Die romantische Biographie

Rimbaud war ein großer und „barbarischer" Dichter, ein Verächter der Städte und ihrer Zivilisation, er war aufgebrochen in ein damals noch sagenhaftes Land, gewiß – meinten die deutschen Romantiker –, um dort den „neuen Menschen" zu entdecken, den Paris nicht hervorbringen konnte. Er lebte und dichtete den Protest gegen die Heimat, die Provinz, die Familie, die politische und kulturelle Bindung, gegen Europa und seine Überlieferung und die Idiotie der „Compatriotes". Er besang das Fernweh und die Armut. Er *war* ein Landstreicher und Bettler, der Freund der Huren, des mitternächtlichen Paris, des Absinths und der farbigen Getränke. Dieser Genius hatte in der Hölle gelebt und beichtete die „Saison en enfer" (1886). Er lebte die „Ekstase" und warf, mit dreiundzwanzig Jahren, „die Literatur" als öden Krempel fort. Er war ein abgefallener Engel, ein Ahasver; er wollte nicht „die Liebe", sondern weiße und schwarze „Weiber".

Der Autor des Protestes

Rimbaud war, wie Max Dauthendey in „Ultraviolett" (1893), ein Dichter der vertauschten Sinne. Klänge werden Farben, aus den Klängen wirbeln Düfte auf, er kombinierte Töne und Gerüche, sprach von einem „roten Fiebersturm", vom „weißen Schwarm verworrener Träume", von „schwärzlichen Düften" und wagte in einem Gedicht auf die erste heilige Kommunion zu schreiben: „... in des Lateins so mannigfacher Endung liegt oft ein grüner Himmel, der die roten Stirnen badet." Rimbaud schildert den Hunger als Bestie in Gestalt eines Wolfes, und dieser Wolf ist zugleich er selber, der Dichter:

Die Vertauschung der Sinne

Der Wolf in den Blättern schrie und spie
Das ganze Gefieder
Von seinem Geflügelschmaus wieder.
So wie er muß ich mich verzehren.

Hinter dem Schrei der Raben im tiefen Wald vernimmt er die „wahren Engelsklänge". Die Lippe des Fauns „schäumt bräunlich rot wie alter Rebensaft". Seine Heimat liegt im Sternbild des Großen Bären. Dabei ist Rimbaud durchtrieben einfach. Er überrascht geradezu durch seine naive Anschauungskraft –

Holzschnitt von Willi Geißler zu Arthur Rimbaud, Das trunkene Schiff

plötzlich werden die Läusesucherinnen in den Träumen des Knaben zu schicksalhaften Urweibern. Rimbaud stillte den Durst der Zeit nach Erleuchtung, die er in Ausblicken in eine herrlich erträumte jenseitige Welt fand. Er ahnte das Geheimnis der wahren Religion und hat der Sehnsucht nach dem Paradies, dem Vollkommenen Ausdruck verliehen wie keiner von all den irdischen Wanderern und Pilgern des Absoluten im Expressionismus.

Heinrich von Kleist und Georg Büchner

Wiederentdeckte Dichter

Von Stefan George und seinem Kreis sind vor der Jahrhundertwende etliche große Dichter der klassisch-romantischen Zeit wiederentdeckt worden; am folgenreichsten wurden Georges Bewunderung für Jean Paul und Hölderlin, seine neue Auffassung Goethes und Schillers und die etwas später – mit Ernst Bertram auf Nietzsches Spuren — beginnende Rühmung Adalbert Stifters. Kleist und Büchner standen dem Georgekreis nicht so nah, weil man zum Drama und zeitgenössischen Theater keine Beziehungen wollte. Dieses Theater wurde von G. Hauptmann und Wedekind beherrscht, und es ist kein Zufall, daß Hauptmann und Wedekind auf Georg Büchner eindringlich hingewiesen haben.

Heinrich von Kleist

Kleist schien eine Domäne der preußischen Literatur geworden zu sein. Der Wandel begann mit dem Erscheinen der kritischen Gesamtausgabe von Minde-Pouet, R. Steig und E. Schmidt (1904/05) und der von Wilhelm Herzog besorgten Inselausgabe (1908/11). Hier las die junge Generation „ihren" Dramatiker. Sie erkannte in Heinrich von Kleist (1777–1811) den Dichter eines der Klassik wie

Romantik weitgehend entfremdeten Weltgefühls, des autonomen, seines Selbst im Bewußtsein gewiß werdenden Ich – mit allen Zügen von besessener Ekstatik. Michael Kohlhaas geht, eines nichtigen Vorfalls wegen, als Kämpfer um sein Recht in den Tod. Penthesilea „ißt" den von ihr getöteten Geliebten. Bei Kleist fand man eine moderne Verbindung von Keuschheit und Schwüle, äußerster Zartheit des Empfindens und radikaler Täterschaft. Der Prinz von Homburg gelobt sich dem Tode in erotischer Zwiesprache an. Hier fand man „gesteigertes" Sein und glaubte jenen Schrei zu vernehmen, den man selbst gegen die Ungerechtigkeit der Welt auszustoßen sich anschickte. Auch Kleists Frauen, Käthchen, die Somnambule, die ohnmächtige Marquise von O... und Alkmene, die in der Verwirrung der Gefühle das Richtige tut und einen Gott rührt, mußten den Expressionisten als Muster erhöhter Existenz einleuchten. Die Prosa Kleists, in ihrer knappen und kunstvollen Kontur, wurde ein Beispiel für so verschiedene Autoren wie Sternheim, Benn, Kafka und Musil. Während die Dramatiker auf den „Ekstatiker" Kleist bauten, bemühten sich die Prosadichter, Kleists Knappheit, mit den Schlingen seiner Syntax und kühnen Grammatik, nachzuahmen. Er war in ihrem Sinne der erste Dichter, der „absolute Prosa" geschrieben hatte, deren Reiz nicht mehr von Stoff und Motiv, sondern von der „Form" herrührte.

Georg Büchner

Unmittelbarer und enger hingen Georg Büchners (1813–1837) Themen mit denen seiner Entdecker zusammen. Nach seinem Tode war er rasch vergessen; nur F. Hebbel las ihn 1839 und notierte die Wirkung in begeisterten Tagebuchblättern. 1879 brachte Emil Franzos eine Ausgabe zustande, die den Erstdruck des „Woyzeck" enthielt und in der Novelle „Lenz" eine Art naturalistischen Programms verkündete („die prosaischsten Menschen unter der Sonne" will Büchners Lenz beschreiben). G. Hauptmann hielt 1887 in dem Berliner literarischen Verein „Durch" einen Vortrag über „Dantons Tod" und „Lenz". Das soziale und politische Pathos fesselte ihn; als er 1888 nach Zürich kam, suchte er Büchners Grab und legte einen Kranz nieder: „Der meine war wohl seit Jahren der erste Kranz, den jemand hier niederlegte." Spätestens durch Hauptmann hörte Wedekind damals von Georg Büchner und liebte ihn als einen Bruder in Apoll. Die Naturalisten haben veranlaßt, daß Büchner auf den Bühnen gespielt wurde, wozu es langwieriger Auseinandersetzungen mit den Behörden bedurfte, denn Büchner galt im neunzehnten Jahrhundert als sozialer Revolutionär und antichristlicher Autor. Max Halbe inspirierte die erste Privataufführung von „Leonce und Lena", 1895, in einem Münchner Garten unter Ernst von Wolzogens Leitung. Die Berliner „Freie Volksbühne" kündigte „Dantons Tod" 1890 an, spielte das Stück aber erst zwölf Jahre später. „Woyzeck" wurde zum hundertsten Geburtstag Büchners von den Münchner Kammerspielen uraufgeführt. In den Jahren zwischen 1909 und 1923 erschienen allein fünf Ausgaben seiner Werke. Vor allem „Woyzeck", in der Fassung von Ernst Hardt, erregte die Begeisterung der jungen Generation. Hier waren soziale und politische Fragen revolutionär verknüpft, in einer Form, die balladisch und episch erschien. Von seinem Landsmann Kasimir Edschmid wurde der Stellenwert Büchners für die Jugend fixiert. Büchner erschien als der Dichter der „Änderung", der Revolution schlechthin, und diese Revolution kam von unten, vom Volk, und sie war in einer „neuen Sprache" artikuliert.

HERMANN CONRADI

Das Wesen der Groteske ist die mutwillige Verzerrung. Die bildende Kunst kennt als berühmteste Beispiele Hieronymus Boschs Bilder der Dämonen. Sie sind Negativa des europäisch-christlichen Humanismus, also Höllenvisionen. Für die Entstehung dieser Vorstellungen hat man immer wieder nach Ursachen und Gründen in jener Zeit, in Boschs Person, in der Entwicklung der Ideen und der Kunst gesucht; neuerdings hat man die Psychoanalyse herangezogen, aber

Literarische Grotesken

keine Deutung ist in sich schlüssig. Auffallend ist der literarische Charakter der Boschschen Dämonen, ihre „geistige" Bedeutung und der Zusammenhang mit ketzerischen Lehren des spätmittelalterlichen Satanismus. In der Neuzeit wird die literarische Fratze im Sturm und Drang sichtbar. Goethes „Faust" II steckt voller Grotesken. Die Romantik entwarf eine Grotesk-Theorie. Grabbe und Büchner brachten das Groteske als dämonische Spielform des Komischen auf die Bühne. Der Begeisterung der Romantik für den Harlekin entspricht die des Frühexpressionismus für den Zirkus. Die angewandte Lyrik der Bierbaum, Wedekind, Wolzogen, Ewers und Brecht war durch das großstädtische Kabarett bestimmt, und seine literarische Form war die Groteske. Van Hoddis und Lichtenstein schrieben groteske Großstadtlyrik für das Kabarett. Für diese Dichter um die Jahrhundertwende gab es Vorfahren, und sie hängen mit dem Jugendstil zusammen, dessen Prinzip die ornamentale Groteske war. Er entstand im Aufstand gegen den, nach Bert Brecht, „kulinarischen" Kunststil der Gründerzeit.

H. Conradis „Adam Mensch"

Der Titel „Adam Mensch" klingt nach einem Drama aus dem Jahre 1918, als man nichts als Mensch sein wollte. Aber das Werk ist ein Roman, dreißig Jahre älter, und stammt von dem unglücklichen Frühnaturalisten und -expressionisten Hermann Conradi (1862–90), der 1885 zusammen mit Wilhelm Arent die Anthologie „Moderne Dichtercharaktere" herausgegeben hatte. Der Roman ist 1889 erschienen und verwickelte seinen Verfasser in einen Sittlichkeitsprozeß. Aus

Der Mensch im Chaos

dem eigenen Erleben der Lösung von Überlieferung und Gesetz, der Erfahrung eines hilflosen Schwimmers, der sich aufs hohe Meer wagt und das eine Ufer nicht mehr, das andere noch nicht sieht und von Wellenbergen neuer Ideen und Kräfte überspült wird, erhob Conradi die Forderung, der Künstler müsse „die *Gegensätze*" der Zeit in aller Wucht und in herben „Äußerungsmitteln" empfinden und „voll Inbrunst und Hingebung versuchen, die verschiedenen Stufen und Grade des Sichabfindens mit dem ungeheuern Wirrwarr der Zeit schöpferisch zum Ausdruck zu bringen". Dazu gehöre auch das Kleine und Kleinliche, das Gemeine und Alltägliche. In den „Phrasen" (1887) heißt der fragwürdige Mensch des Übergangs Heinrich Spalding, er ist wohl die erste jener konstruierten Figuren des deutschen Romans, die sich selbst sehr wichtig nehmen, auf ihre Erfahrungen und Beobachtungen stolz sind, die nichts tun als grübeln und analysieren; ihre Welt ist auf Literatencafé und Freudenhaus mit ihren Erregungen durch Alkohol, Nikotin und „Weiber" reduziert. In „Adam Mensch" heißt der Held symbolisch Dr. Adam Mensch. Er ist:

Der schizophrene Typus

> unberechenbar in seinen Stimmungen, in seinen Neigungen und Launen; zersplittert in seinen Kräften; unbeständig, flackernd in „erotischen Fragen", in der „Leidenschaft" satt und unbefriedigt zugleich; müde, todmüde – und begeisterungsfähig wie ein Jüngling, der soeben mannbar geworden ist; angefressen von dem Skeptizismus seiner Zeit; unklar und wechselnd in seinen Bestrebungen; radical in seinen Anschauungen;

und wieder über Alles borniert, einseitig, engherzig, intolerant, besonders hinsichtlich mancher gesellschaftlicher Formen und Gewohnheiten; – der Volksseele mitunter in Allem so nahe und dem dargestellten Volke selber zumeist in Allem so fremd; auf sich neugierig, über sich erstaunt und seiner selbst überdrüssig; nicht wissend: Warum das Alles? . . . Oft deklamatorisch, pathetisch, agitatorisch; oft ironisch, zynisch, gezwungen geistreich, selten „normal"; selten schlicht, einfach, gewöhnlich, mittelmäßig, mittelhoch, mitteltief –: also war es im Allgemeinen bestellt um Adam Mensch – um diesen „Menschensohn" . . .

Adam Mensch und Heinrich Spalding sind Zwillingsbrüder, eine hellsichtige Vorwegnahme des Literaten im zwanzigsten Jahrhundert und seiner doppeldeutigen Rolle in der Gesellschaft und Politik. Die alte Welt wird entlarvt. Ihr Herkommen und ihre Redensarten sind Fratzen; aber die ersehnte neue Welt kann von diesem Schüler Dostojewskis nicht gezeigt werden. In „Liedern eines Sünders" (1887) hat Conradi auf jene Welt hingewiesen, die er künstlerisch nicht gestalten konnte:

Was mir die Brust so wundermächtig schwellt,
Was mich durchzuckt in ungestümem Fühlen:
Das ist: daß ich zu neuen Heilsasylen –
Daß ich gelandet bin zu einer neuen Welt!

Ludwig Scharf

Schärfer im Zugriff und sicherer in der Form waren Ludwig Scharfs „Lieder eines Menschen" (1892). Scharf schwärmte, obwohl er programmatischer Anarchist und Sozialist zu sein meinte, von einem neuen „göttlichen Menschen": „ewigkeits-durstig, / Erden-nie-satt". Er gehörte in München zum Kabarett der „Elf Scharfrichter", nachdem er vorher in Berlin im Umkreis Hillers und der „Aktion" hervorgetreten war.

Stanislaus Przybyszewski

Vom Standpunkt der neunziger Jahre her gesehen, waren Conradis Werke wie die Lyrik Scharfs eine Auseinandersetzung mit der sogenannten Dekadenz. Fünf Jahre später unternahm der Freund Strindbergs und Deutschpole Stanislaus Przybyszewski (1868–1927) einen ähnlichen Versuch – jedenfalls wurde sein längst vergessenes Werk von den Zeitgenossen so verstanden; noch die Expressionisten sahen in seinen mystisch brünstigen Visionen eine Vorahnung ihrer Kunst. Er genoß einen kurzen Ruhm als „deutscher Sataniker", als Naturalist der „nackten Seele". Er fand Formulierungen, die damals faszinierend gewirkt haben müssen. Er sprach etwa von der Sonne, die sich „mit gellen Stößen in die Augen keilt", oder formte einen Satz wie diesen: „Die explodierenden Gedanken warfen sich in parabolischen Kurven empor und zerrissen in sprühender Rutenschwingung die Luft." Am interessantesten sind Przybyszewskis Charakterisierungen Chopins, Edvard Munchs und Nietzsches. (Dehmel nannte ihn „einen Jeremias der entarteten Instinkte".) Przybyszewski bezeichnete Chopin als den „bedeutendsten Psychologen der hysterischen Seele" und kennzeichnete damit eher sich selbst. Ähnlich klingt die Beschreibung des Sehnsuchtscharakters der Chopinschen Kunst:

Kunst als hysterische Entartung

Sie hat die sklerotische Farbe der Anämie mit der transparenten Haut, durch die man das feinste Geäder hindurchschimmern sieht, die schlanke Gestalt mit den länglichen Gliedern, die in jeder Bewegung die unnachahmliche Grazie degenerierter Adelsgeschlechter atmen, und in den Augen die übergroße Intelligenz, wie man sie bei kleinen Kindern sieht, denen der Volksmund kein langes Leben verspricht. – Sie ist die zitternde Nervosität der Überfeinen, eine beständige, schmerzhafte Erregbarkeit bloßgelegter

Eifersucht, Lithographie von Edvard Munch, 1896, links Przybyszewski

Wunden, ewiges Anschwemmen und Zurückfluten einer krankhaften Sensibilität, ein stetes Unbefriedigtsein des Raffinements, die Müdigkeit der Überempfindlichen, in deren Augen das Sonnenlicht nur prismatisch gebrochen und die starken, harten Farben erst gleichmäßig abgetönt hingelangen können. – Sie ist aber auch wieder Leidenschaft, sie ist Krampf und Agonie der Todesangst, Selbstflucht und Zerfallsdrang, Delirium und idiotisches Hinträumen, wo man vor sich hinstarrt ohne etwas zu sehen ...

Hier scheint die Botschaft Gottfried Benns ebenso vorbereitet wie die des jungen Thomas Mann. In feinerer Körnung kann man Teile dieser Theorie bei Hofmannsthal und Stefan George finden. Da gibt es Würdigungen erstaunlich moderner Künstler wie Edvard Munch, dessen Art Przybyszewski schon 1894 als psychischen Naturalismus, im Wesen als Expressionismus beschrieb. Sein erstes Büchlein waren die scharfsinnigen Analysen Chopins und Nietzsches in „Zur Psychologie des Individuums“ (1893). Hier suchte er seine Kunstlehre zu begründen, die mit dem zeitgenössischen Vitalismus zusammenhing, damals aber einen selbständigen Eindruck machte. Der Künstler soll Darsteller der „Seele“ sein (und nicht der „blöden, in Raum und Zeit begrenzten [Goetheschen] Persönlichkeit“). Die Seele kommt „aus dem Geschlecht“, daher die Überwucherung der Werke Przybyszewskis mit Sexualität. Ist doch die Kunst nichts anderes als „eine Spielerei, die das Geschlecht mit dem Gehirn treibt“. Da das Leben Qual und Ekel weckt, muß auch sein sexueller Ursprung Ekel und Qual sein. Die Persönlichkeit alten Stils findet hier ihr Glück – die „Seele“ aber empfindet Schmerz, besonders vor dem „Vampyr“, dem „Weib“. Das Weib ist die Lockspeise Satans, als Kronzeugen werden Edvard Munch, Friedrich Nietzsche, Félicien Rops und gar der Kirchenvater Tertullian zitiert.

Dramen und Romane

Diese Lehre bildete den attraktiv wirkenden Kern der Dramen und Romane „Totenmesse“ (1893), „Vigilien“ (1894), „De profundis“ (1896) und „Satans Kinder“ (1897). Da ist nicht nur Sigmund Freud vorweggenommen, auch eine leidenschaftliche Feststellung wie diese, aus dem Roman „Satans Kinder“, findet man bei den Individualisten der folgenden Generation: „Daß unsere seelische Verfassung ein Produkt der ökonomischen Verhältnisse ist, das ist Blödsinn. Daß sie sich entsprechend der veränderten ökonomischen Lage umformen wird, ist ein noch größerer Blödsinn. Und weil man das einzige Agens aller Verhältnisse: die Seele, nicht bestimmen kann, ist für mich jedes neue ökonomische System eine Utopie, ein viereckiges Rad, eine Peitsche aus Sand.“ Ferner erschienen „Die Synagoge des Satans“ (1897), „In diesem Erdental der Tränen“ (1900), „Totentanz der Liebe“ (1903) und „Gelübde“ (1907). Da mischten sich Weihrauch der katholischen Liturgie mit Satanskult, lyrisches Pathos mit wissenschaftlicher Sezierungswut. Pzybyszewski ist größenwahnsinnig: „Ich bin ich. Ich, die große Synthese von Christus und Satan ... von gläubigstem Urchristen und höhnisch grinsendem Unglauben, ein mystischer Ekstatiker und satanischer Priester, der mit gebenedeitem Munde die heiligsten Worte und obszönsten Blasphemien im selben Augenblick verkündet.“ Hier gewinnt die Groteske krankhafte Züge; sie zeigt, wohin das Erbe Nietzsches und Strindbergs einen Künstler bringen konnte, der die Kontrolle verloren hatte; darin ist Przybyszewski ein Vorläufer so mancher genialischen Talente von 1920 geworden, die ihre frühen Versprechungen nicht gehalten haben.

Das kultische Ich

Carl Hauptmann

Auch Carl Hauptmann (1858–1921), der Bruder Gerhart Hauptmanns, hat extreme Ansichten vertreten, die teilweise aus Eifersucht auf den Ruhm des vier Jahre jüngeren Bruders zu erklären waren: wenn er etwa Zolas „sozialen Oberflächenmenschen“, das „Machwerk“ des „Milieus“ und die demokratische „Allerweltslehre“ ablehnte. Nietzsche verwarf er als „Mann der Erregung, der mit erhitztem Kopf redet, nicht in Verzückung“. Carl Hauptmann wollte nämlich nicht, wie der Naturalismus, die „tausend kleinen Ornamente“, sondern die „große Linie herausarbeiten“. Dachte der Naturalist niedrig vom Menschen und stellte ihn häßlich dar, so wollte Carl Hauptmann „vom Menschen groß denken, das ist die Kraft“. Er pries die Idee, das Mysterium, das Leben als „irrationale Größe“, als Geheimnis. Der Künstler müsse es darstellen wie aus träumerischer Verzükkung. Schlesische Mystik und ein gewisses Sektierertum standen hinter solchen Ansichten. 1900 gab er unter dem Titel „Aus meinem Tagebuch“ Betrachtungen und Gedichte heraus. Er war „Gottsucher“ und Naturlyriker – allzuviel neunzehntes Jahrhundert sprach aus diesen Versen.

Die Masse der Dramen

Die Dramen, die rasch hintereinander erschienen, bestehen aus Anzengruberschen und Gerhart Hauptmannschen Tönen und waren durchsetzt von der Symbolik der Neuromantik. „Des Königs Harfe“ (1903), „Die Austreibung“ (1905), „Moses“ (1906), „Panspiele“ (1909) und ein mehrteiliges Napoleondrama (1910) blieben ziemlich unbekannt, bis „Die Bergschmiede“ (1902), ein Faustdrama vom Menschen in der irdischen Tiefe, den Schillerpreis bekam. Aus allen Stücken tönte der Sehnsuchtsruf des „Tagebuchs“ (1900): „Mache mich leuchtend! Das Böse ist nur eine flüchtige Phase im Kampf ums Licht.“ Lebendiger

Carl Hauptmann, Holzschnitt von I. F. Zalisz

und dramatischer sind die Dramen der zweiten Periode: „Die lange Jule" (1912), „Die armseligen Besenbinder" (1923) sowie mehrere Komödien als „burleske Tragödien". Am schärfsten war der dramatische Zugriff in dem „Tedeum" „Krieg" (1913), wo die zerstörenden Gewalten durch die Tiere der Großmächte sinnfällig symbolisiert wurden. Es ist eine groteske Pantomime:

Die Großmachttiere

Das Volk (am Zaun, wie die Sänfte durch das Schloßtor schreitet): Hurra – Hirra – Hurra! (Diener aus dem Schlosse springen auf die Stufen. Die Sänfte wird vor die Stufen getragen. Aus den Schloßtüren strömen Herren der großen Gesellschaft. Es entsteigt der Sänfte ein Bär in einem Hermelinmantel, der feierlich aufrecht unter allgemeinem tiefem Bekomplimentieren in das Schloß hineinschreitet. Begleitet von Herren und Dienern. Alles geht stumm zu. Die Terrasse ist wieder leer geworden. Wie sich die Schloßtüren wieder zutun, klingt einen Augenblick die russische Nationalhymne heraus und eine Fanfare. Unterdessen wehrt der Portier am Tore das nachdrängende Dorfvolk ab.)

Der Portier: Haltet euch ruhig — wenn ihr euch nicht ruhig verhaltet — hier hinter dem Zaune — dann muß ich euch ganz wegtreiben —

Ein armseliges Weib: Herr Portier — Herr Portier —

Der Portier: Was ist denn — was soll denn der Herr Portier?

Das armselige Weib: Ich denke, es ist der gnädigen Schloßfrau Geburtstag heute — es ist ein Tanzfest heute — es ist doch ein Geburtstagsfest heute . . .

Der Portier: Jawohl, eben, ein Geburtstagsfest ist heute. Ihro Durchlaucht, die Frau Fürstin hat an diesem Tage den Stern über ihrem Schlosse zum ersten Mal blinken sehen —

Eine armselige Frau: Da bringen sie schon wieder jemand in der Sänfte getragen.

Nun wird ein Hahn in einem Hermelinmantel gebracht, der Franzose, darauf ein Adler, der Deutsche, und endlich ein aufrechter Walfisch, der Engländer. Jedesmal ertönen die Nationalhymnen. Dann aber kommt, geisterhaft geräuschlos, ein beinerner Raubtierschädel im Hermelin: Polen. Das Stück ist die spukhafte Vorausahnung dessen, was der Krieg Europa bringen wird, die Offenbarung des bestialischen Menschen. Der Gramprophet Petrus Heißler zwingt den gepanzerten Erzengel, den großen Krieg zu rufen. Ein positives Gegenstück ist „Der abtrünnige Zar", 1914 entstanden, in dem Hauptmann der Hoffnung Raum gibt.

„Einhart der Lächler"

Hauptmann hat eine Reihe von Erzählungen und Romanen geschrieben, unter denen „Einhart der Lächler", ein Künstlerroman, dessen Modell der Maler Otto Müller war, gewisses Ansehen erreichte, weil er die Seelengeschichte eines Antibürgers aus korrekter Familie gibt, der „ein rechter Nimmersatt von Traum und Verachtung" ist. „Wie in allem bei Einhart, lief Traum und Wirklichkeit zusammen im Werke." Der Roman ist eine Reihung von gedanklichen Ornamenten in einem feierlich geschraubten Stil:

Ist es wahr, daß der Künstler aus diesem zutraulichen Hange zu den Wesen und Dingen dieser einen, weiten Sonnenerdenwelt — er allein — die Fremde der Erdentage vergessen machte, das starre Staunen und Ergrausen vor den Mächten in zartes Mitfühlen und Entgegendrängen verwandelte?

Der Erkenner findet sich zurecht in dieser großen Fremde.

Aber der Künstler bildete je und je den Trost, verklärte die ewigen Irrtümer alles Lebendigen in Leidensstufen des Aufgangs, machte aus den Sünden der Seele den großen Preis des Lebens, verriet und verrät uns immer neu die sinnige Bruderschaft zu Stein und Quelle, daß wir in Einöden und Felsgebirgen nicht mehr erzittern, gab den Vögeln unter dem Himmel und den Fischen im Meer Namen und Sprache und schuf Hoffnungen, daß wir mit Augen Paradiese wähnen.

Gutgemeint — aber keine Kunst

Das Überwiegen des Hauptworts, die Substantivierung der Verben, Neubildungen wie Dunkelstrahl, Dunkelsaum und Jungkind empfand man als expressionistisch im Sinne des Rufes: „Von der Natur sich befreien." Der Roman galt als eine Bibel neuen Lebens und sein Schöpfer als Führer dorthin. Carl Hauptmann war als Autor fast ein Dilettant, der Tüchtiges in seiner naturwissenschaftlich-philosophischen Wissenschaft leistete; hier schrieb er 1893 „Die Metaphysik in der modernen Physiologie". Muß man Carl Hauptmanns künstlerische Versuche vom Motiv her betrachten, um Neues zu entdecken, so haben Mynona und Scheerbart eine neue Form gesucht und gefunden, wenn sie auch in einer

MYNONA (SALOMO FRIEDLAENDER)

Federzeichnung von Alfred Kubin zu Der Schöpfer, Phantasie von Mynona

„dünnen Atmosphäre“ (W. Benjamin) heimisch gewesen sind. Bereits Victor Hugo hatte eine Theorie der Groteske entworfen, und groteske Formen der Kunst und Literatur waren eins der wichtigsten Themen Jean Pauls in seiner „Vorschule der Ästhetik“. Lichtenberg und Justus Möser haben sich mit der Groteske beschäftigt, die ein niederes, aber aktuelles Milieu in den Rahmen der „hohen“ Tragödie stellt. Aus diesem Grunde sind Wedekinds und Sternheims Stücke grotesk. Mynona, von Haus aus Philosoph mit dem Namen Salomo Friedlaender (1871–1946), hat durch seine Grotesken, ähnlich wie Paul Scheerbart, auf die junge Generation gewirkt. Er sagt:

Mynona (Salomo Friedlaender)

Der groteske Humorist hat den Willen, die Erinnerung an das göttlich geheimnisvolle Urbild des echten Lebens dadurch aufzufrischen, daß er das Zerrbild dieses Paradieses bis ins Unmögliche absichtlich übertreibt. Er kuriert das verweichlichte Gemüt mit Härte, das sentimentale durch Zynismus, das in Gewohnheiten abgestandene durch Paradoxie; er ärgert und schockiert den fast unausrottbaren Philister in uns, der sich, aus Vergeßlichkeit, mitten in der Karikatur des echten Lebens ahnungslos wohlfühlt . . .

MYNONA (SALOMO FRIEDLAENDER)

Das erste literarische Werk Mynonas (wie er sich als schöngeistiger Autor, in Umdrehung des Wortes „anonym", nannte) waren die Gedichte „Durch blaue Schleier" (1908). Seit 1913 erschienen die grotesken Bücher mit verwegenen Titeln: „Rosa, die schöne Schutzmannsfrau" (1913), „Für Hunde und andere Menschen" (1914), „Schwarzweißrot" (1916), „Die Bank der Spötter, ein Unroman" (1919), „Nur für Herrschaften, un-freud-ige Grotesken" (1920), „Unterm Leichentuch" (1920), „Mein Papa und die Jungfrau von Orleans" (1921), „Das widerspenstige Brautbett und andere Grotesken" (1921), „Der Schöpfer", eine Phantasie mit 18 Zeichnungen von Alfred Kubin (1921), „Graue Magie, die Geheimnisse von Berlin", Roman (1922), „Ich möchte bellen und andere Grotesken" (1924), „Die Tarzaniade" Parodie (1924), „Kant für Kinder, ein Brevier" (1924), „Anti-Freud" (1924), „Das Eisenbahnunglück oder der Anti-Freud" (1924), „Katechismus der Magie" (1925). Nicht minder sonderbar klingen die Überschriften einzelner Geschichten: „Das Nachthemd am Wegweiser", „Die vegetabilische Vaterschaft", „Der gutbronzierte Floh". In der „Bank der Spötter" finden sich die Titel: „Die züchtige Kokotte", „Zwar tot – aber oho! ! !", „Das Pferderennen ohne Pferd", „Die hofunfähige Kuh", „Der elektromagnetische Buckel" und „Spandau in der Hutmacherleiche". Das Motto zu „Rosa" stammt von Nietzsche und lautet: „Dies alles bin ich, will ich sein, Taube zugleich, Schlange und Schwein."

Salomo Friedlaender (Mynona), Zeichnung von Ludwig Meidner

Idealismus und kosmische Magie

Friedlaender-Mynona stammte aus der Provinz Posen und wuchs in Posen-Stadt auf, studierte erst Medizin, dann in München, Berlin, Jena Philosophie und lebte seit 1906 als Schriftsteller in Berlin. Er schrieb eine Anzahl philosophischer Bücher, die seine geistige Herkunft vom deutschen Idealismus, Schopenhauer und Nietzsche bezeugen. Friedlaender kritisierte die „Feigheit" des deutschen Idealismus vor der Realität und suchte sie im Sinne des kosmischen Materialismus des endenden neunzehnten Jahrhunderts durch eine Philosophie des „schöpferischen Ich" zu überwinden. Ernst Marcus und Max Stirner wurden seine Gewährsmänner (Friedlaender war lange Jahre Mitherausgeber der Blätter des Stirnerbundes „Der Einzige"). Er predigte vor allem im „Schöpfer" von 1920 eine „schöpferische" Indifferenz. Der Schöpfer ist Zauberer und Magier, ein

MYNONA (SALOMO FRIEDLAENDER)

Mensch, der über die andern Macht hat, weil er sein Ich „differenzlos" beherrscht. Für ihn ist alles Wunder, der Leib eine „handfest gewordene Seele", sind die leiblichen zugleich kosmische Kräfte, die Sinnesempfindungen nicht nur leibseelisch, sondern kosmisch real: wenn ich die 20 Millionen Meilen entfernte Sonne sinnlich auf meiner Netzhaut fühle, dann „bin ich Sonne selber", dann gibt es für den freien schöpferischen Willen keine Grenze, und ich kann mich „ekstatisch in Gott verzücken".

Surrealistische Märchen

Das alles wäre als eigenbrötlerisch wahrscheinlich bald vergessen worden, wenn Mynona nicht, ähnlich wie Christian Morgenstern, die Fähigkeit gehabt hätte, für seine spätidealistischen Ideen dichterische Korrelate zu finden, die manchmal märchenhafte Züge annehmen, so in der Einleitung zur „Rosa":

Es war einmal ein Riese, der war so zart, so zart! Und nun ging er durch die Menschen. Wie sanft nur setzte er seine Schritte, wie sanft. Und noch mit seinem allersanftesten zertrat er so viele nette freundliche Menschen: Frau Direktor Buller ganz platt, ganz platt; Herrn Geheimrat Wersch; Herrn Omnibuskutscher Koppke; so nette Menschen zertrat vorsichtig der zarte Riese. Da weinte er, wie Wolkenbrüche, aber salzig stürzten seine Tränen auf gute, liebe Menschennaturen. Die Kinderschule, ja die Kinderschule kam ins Schwimmen, brach ein, sank. Der Riese weinte, Mütter schrien, Versicherungsgesellschaften starben. Der schmerzlich bewegte Riese warf sich zu Boden, aber die Erde bebte: London, Madrid, Zehlendorf und Nowawes fielen zusammen wie Kartenhäuschen. Gut, gut meine ich es, beteuerte der zarte, so zarte Riese, und seine reuige Stimme erzeugte solchen Luftdruck, daß achtzig junge und alte Kellner des Luna-Parks weggeweht wurden wie Papierschnitzel. Der Riese stieß einen tiefen Seufzer aus seiner grameswunden Brust, es explodierte davon ein Krematorium nebst vier Friedhöfen, ein Hagel von Asche und Gebeinen wirbelte durch die Lebendigen. Und es graute dem Riesen vor sich selber, als er, von Witwen und Waisen umgraupelt, auf flachem Felde hingestreckt lag; unter ihm ein Gutshof mit einer Meierei, alles voll verröchelnder Tiere und Menschen. Tötet, o tötet ihr kleinen, feinen Leute mich, den sanften Mörder unsres Glücks, bat der Riese. Da hatte er gut bitten, sein Wimmern verpuffte ein Wöchnerinnenheim, eine Grenadierkaserne, die natürlich in der Nähe lag, einen regierenden Herrn, der mit herrlichem Auto daherbrauste, und ein paar alternde Mädchen, die zum Postamt eilten . . .

Titelzeichnung von Alfred Kubin

Die Dekadenz des Jugendstils

Schließlich begeht der Riese Selbstmord, indem er sich eine Kirchturmspitze in den Schädel rennt; doch „nun begann das Zeitalter der Verwesung", und Mynona meint: „So kann wahre Sanftmut wirken wie höllische Teufelei." Mit seinen Geschichten wirkte Mynona, vor allem durch die stoffliche Phantasie, auf die

Kreise um die „Aktion" und den „Sturm". Er war mit Paul Scheerbart, dem Lebensphilosophen Georg Simmel, Samuel Lublinski und Karl Kraus befreundet. 1933 emigrierte er nach Paris, wo er bis zu seinem Tode lebte.

PAUL SCHEERBART

Von seinem ersten Buch an war Paul Scheerbart (1865–1915), der den Zeitgenossen als Sonderling galt, Vorbereiter einer Kunst, die von naturalistischer Gebundenheit ins Grenzenlose, Geistige, zum All, zum Kosmos strebte. Was die Brüder Hart in Epen und Geschichten, Hille in den Bruchstücken seiner Lyrik, Kokoschka in den Dramen der Jugendzeit anstrebten, ist Scheerbart auf dem Gebiet der Groteske gelungen. Eben hatte sich der Naturalismus durchgesetzt, da erschien 1889, von niemandem beachtet, „Das Paradies, die Heimat der Kunst". Keck setzte Scheerbart der geforderten Wirklichkeitstreue eine Vision der Phantasie entgegen. Es war ein Bilderbogen, ein Farbenrausch, Märchen und Spielerei mit Prosa und Vers. In Frankreich gab es ähnliche Dinge; in Deutschland war um die gleiche Zeit Max Dauthendey auf das Phänomen der Farbe gestoßen und hatte die Einsamkeit des nicht wahrnehmbaren Ultraviolett beklagt, Mombert und Däubler entwarfen kosmische Weltgedichte. Aber was sich dort als traumhafter Tiefsinn gab und nach Nietzsches Vorbild die Einsamkeit des Hochgebirges suchte, um der Sonne, dem Licht und dem Kosmos, die man geistig verstand, näher zu sein – das wird bei dem Danziger Scheerbart, der sein Leben in der Berliner Boheme verbrachte, zum Gegenstand sehr realer Anzüglichkeiten, Aphorismen und Späße.

Paul Scheerbarts Paradies

Scheerbarts Einbildungskraft wurde von Farbe, Licht und Bewegung inspiriert. Im Kreis der Freunde pflegte er die ungebundene Phantasie zu verteidigen: „Ein blaues Feld, von rötlichen Bäumen umsäumt, die ihre schwankenden geröteten Gipfel in einem gelben Himmel wiegen", das wäre eine ästhetische Tat, zugleich „spezifisch deutsch". Nicht das Ich und seine kleinen Nöte könnten der Dichtung einen Inhalt geben; in seinem „arabischen Kulturroman" „Tarub, Bagdads berühmte Köchin" (1897) wird der Dichter Safur zwar anfangs von der derben Köchin geliebt, aber bald wendet er sich zur Dschinne, dem Traumbild der Wüstengöttin. Safur sagt: „Sieh, ich weiß, die Dschinne ist für mich unerreichbar – aber ich kann das Plumpe, Rohe, das Körperliche nicht mehr ausstehen. Ich muß nach einem Geistigen streben, das nicht von dieser Welt ist. Ich will überall jetzt das Unerreichbare haben – in jene Welt, in die andere will ich hinein." Der Dichter, schließt Scheerbart, müsse „Antierotiker" sein. Es gebe eine Liebe zum Höheren, dem Antierotischen, zum Höchsten, dem Kosmischen, die Liebe zum Weltgeist. Davon möchte der Dichter den Rechtsanwalt Egon Müller in seinem Eisenbahnroman „Ich liebe dich" (1897) überzeugen. Die lustige Reise geht von Berlin-Friedrichstraße nach Nowaja Semlja. Die Liebe zum Kosmischen sei die Liebe der Dichter unserer Zukunft: „Der Weltseele wollen wir näher sein – das ist die Hauptsache." Die Zeit des Individuums, meint Scheerbart, sei vorüber, davon war er trotz Nietzsche, dieses „Gottes der Journalisten", fest überzeugt. Nicht der Mensch denkt, sondern die Erde denkt durch uns. Auch die Sterne denken, aber wie, als einzelne oder im ganzen? Fechners „Zend-Avesta" fesselte Scheerbart. Seinem Weltbild lag bei allen großen Worten, wie die Zeit sie liebte, die naive Allverbundenheit der monistischen Schwärmer zugrunde.

Kosmische und antierotische Schwärmerei

1897 erschien „Der Tod der Barmekiden, arabischer Haremsroman", wo Scheerbart im Gewande eines Märchenerzählers Kritik an der europäischen Zivilisation übte. Seit Montesquieus „Persischen Briefen" liebte die aufklärerische Sozialkritik ja das orientalische Kostüm. Scheerbart legte die Kritik „blitzblauen" Löwen in den Mund, die den herbeigeeilten Europäern die Offenbarungen eines Riesen übermitteln, der so groß war, daß er nie ein Weib fand, das er lieben und das ihn wiederlieben konnte. (Die Idee wird bei Friedlaender-Mynona wieder auftauchen.) Das Thema ist der Harem:

Kostümierte Kulturkritik

„Die Einsperrungsarie scheint mir im Orient doch nicht so ganz glatt von Statten zu gehen; so einfach ist das Alles nicht! Mein erlauchter Bruder scheint die verschiedenen Stadien der Frauenbändigung in allzu rosigen Farben malen zu wollen. Jedenfalls ist das orientalische Einkapselungssystem sehr praktisch. Es liegt ja Garnichts daran, daß die Frau bei der Zuchtwahl mitredet, — aber so ganz gleichgiltig kann ihr die Angelegenheit doch nicht sein."

„Du wirst wieder", brüllt jetzt Pix [ein Löwe], während er vor Erregung ganz dunkelblau wird, „mächtig unverschämt. Du scheinst Dich über Deine Brüder lustig zu machen. Wir verbitten uns das ernstlich. Hört weiter, Europäer! Dadurch, daß der Orientale die Frauen dem öffentlichen Leben entzieht, reinigt er dieses, und es werden jene langweiligen Liebesromane, die bei Euch in Europa eine so unangenehme Rolle im Kunstleben spielen, vollständig beseitigt. Diese Liebesromane sind ja nur ein Produkt der Monogamie. Der Orient hat den ganzen Liebesrummel so vereinfacht, daß langweilige Romane nach europäischem Muster hier niemals Wurzel fassen könnten!"

Spielereien mit dem All

Da Scheerbart im Jahre 1897 mit solchen Ideen offene Türen einrannte und keine Verkleidung benötigt hätte, wirkt der Roman bis zur Albernheit verspielt und gekünstelt. Scheerbart suchte in etlichen Romanphantasien kosmische Wesen zu schildern, gab in einem Mappenwerk eine ganze „Jenseits-Galerie" (1907) heraus und träumte von Geistern, Riesen, Stern- und Weltseelen in „Die Seeschlange", ein Seeroman (1901), „Die große Revolution", ein Mondroman (1902), „Liwunah und Keidoh", ein Seelenroman (1902), „Kometentanz", astrale Pantomime (1903); seine „Katerpoesie" erschien 1909 als zweites Verlagswerk Ernst Rowohlts; er schrieb „Münchhausen und Clarissa, ein Berliner Roman" (1904), „Astrale Novelletten" (1912), „Das große Licht, ein Münchhausenbrevier" (1912), „Das Perpetuum Mobile, die Geschichte einer Erfindung" (1910). In dem „phantastischen Königsroman" „Na Prost" (1898) fahren drei Germanisten in einer achtkantigen Flasche durch den Weltraum, trinken meerblauen Narrenwein und kommentieren die seit Schopenhauer trübselige Literatur mit „Na Prost". Im Sternseelenroman wollen Wurmgeister Götter werden und veranstalten eine Wettfahrt auf Kanonen, Eisenbahnzügen, Flügelschlitten, Stelzmaschinen und mit Raketen, bis sie im Weltraum schweben und Farbräusche und Lichtfeste erleben. Der geniale „Lesabéndio" (1913) baut für die Bewohner des Doppelgestirns Pallas einen zehn Meilen hohen Turm, von dem er sich in den geliebten Kosmos stürzt. Ähnliche Paläste baute Scheerbarts Phantasie auch auf der Erde. In dem „Damenroman" „Das graue Tuch und zehn Prozent Weiß" (1914) stößt sich ein avantgardistischer Glasarchitekt drollig an der Realität. Im Sturmverlag erschien 1914 die „Glasarchitektur", wo Scheerbart bunte gläserne Wände als „Milieu" einer neuen Kultur forderte.

Erträumte Paläste

In allen größeren Werken Scheerbarts regte sich neben dem Phantasten der Satiriker und Ironiker. Die kosmischen Weltphantasien sind voll irdischer Bosheiten, teilweise in schillernden Aphorismen formuliert. Die Form der Romane

Paul Scheerbart, Zeichnung von Oskar Kokoschka (Der Sturm 1915)

Der Satiriker

ist bestimmt durch das Schweifen der Phantasie von Bild zu Bild, von Erfindung zu Erfindung. Deren Folge könnte man ins Unendliche verlängern, wenn der Autor ihnen auch immer ein etwas abruptes Ende gibt. In den kleinen Skizzen war mehr Haft und Halt; es sind surrealistische Parabeln. „Aus Wut bin ich sogar Humorist geworden, nicht aus Liebenswürdigkeit", bekennt Scheerbart in „Rakkox der Billionär, ein Protzenroman" (1910). Er schrieb auch antimilitärische

Skizzen; einmal wird eine Massenmordmaschine genau beschrieben. Scheerbart verulkte „den großen Napoleon", den Kaiser des Militarismus, durch den „großen Zibólko", den Künstler: er sah also Analogien zwischen den Träumen der Tyrannen und dem hochgespannten Ichbewußtsein der Künstler. Schlagend kurz ist der Witz der „nachdenklichen Geschichte" „Die drei Denkmäler": „Das Denkmal eines Esels, das Denkmal eines Schweines und das Denkmal eines Fuchses zierten einen Platz der Großstadt. Nachts um die zwölfte Stunde sprachen die Denkmäler miteinander – jedes Denkmal sagte: ‚Was sich bloß die Menschen gedacht haben mögen, als sie Mir eine solche Ehre zuteil werden ließen.' "

Futurismus und Surrealismus

Die moderne groteske Dichtung begann mit Morgenstern, den Scheerbart an poetischer Kraft freilich nicht erreichte. Scheerbart verschwendete die Fülle seiner Einfälle, statt sie, wie van Hoddis und Schwitters, künstlerisch zu formen. Das Werk wimmelt von knabenhaften Spielereien und Geschmacklosigkeiten. Er hat manches vorweggenommen, was später als Futurismus oder Surrealismus große Schule machen sollte; aber durch seine rauschhafte Allverbundenheit erschien er allzu zeitgebunden; das nüchterne zwanzigste Jahrhundert sah nur noch die komischen Seiten, das Absurde dieses Spiels.

RAKKÓX DER BILLIONAER / EIN PROTZENROMAN DIE WILDE JAGD / EIN ENTWICKLUNGSROMAN IN ACHT ANDEREN GESCHICHTEN VON PAUL SCHEERBART / MIT BUCHSCHMUCK VON JOSSOT UND EINER ILLUSTRATION VON FELIX VALLOTTON IM INSEL-VERLAG G. m. b. H. LEIPZIG WEIHNACHTEN MDCCCCI

Gustav Meyrink

Wie Scheerbart war auch der in Wien geborene Gustav Meyrink (1868–1932) ein Antierotiker und „Futurist". Auch ihm ist die „vergängliche Liebe" eine „gespenstische Liebe", unwert eines Willens, der „das Geistige" sucht. Auch Meyrink gefiel sich in der Schilderung technischer Möglichkeiten. Er wollte das maschinelle Zeitalter freilich nicht rechtfertigen, sondern mitleidig glossieren:

„Schon heute, kann man füglich sagen, ist die Maschine ein würdiger Zwilling des weiland goldenen Kalbes geworden, denn wer sein Kind zu Tode quält, bekommt höchstens 14 Tage Arrest, wer aber irgendeine alte Straßenwalze beschädigt, muß drei Tage ins Loch."

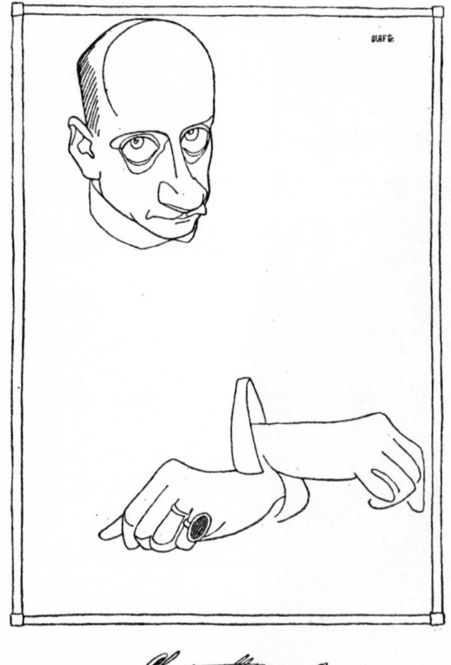

Karikatur von Olaf Gulbransson

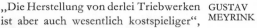

„Die Herstellung von derlei Triebwerken ist aber auch wesentlich kostspieliger“, warf Herr Doktor Haselmeyer ein.
„Im allgemeinen gewiß,“ gab Herr Graf du Chazal höflich zu, „doch das ist sicherlich nicht der einzige Grund. Das Wesentliche dabei scheint mir zu sein, daß auch der Mensch genau genommen nichts anderes darstellt als ein halbfertiges Ding, das dazu bestimmt ist, dereinst ein Uhrwerk zu werden, wofür deutlich spricht, daß gewisse keineswegs nebensächliche Instinkte, wie zum Beispiel: sich behufs Veredelung der Rasse die richtige Gattin zu wählen, bei ihm bereits ins Automatenhafte versunken sind. Was Wunder, daß er in der Maschine seinen wahren Sprößling und Erben sieht und im leiblichen Nachkommen den Wechselbalg. Wenn die Weiber Fahrräder oder Repetierpistolen gebären würden, statt Kinder, sollten Sie mal sehen, wie flott da plötzlich drauflosgeheiratet würde . . .“

Die satirischen Grotesken

Der Ton – und der Stil – sind bezeichnend. In den zwei Bänden „Des deutschen Spießers Wunderhorn“ sammelte Meyrink die Grotesken und Satiren „Der heiße Soldat und andere Geschichten“ (1903), „Orchideen, seltsame Geschichten“ (1904) und „Das Wachsfigurenkabinett“ (1907). Paul Scheerbart war naiver und phantastischer als Meyrink, dessen Satire bitterbös und auch Vorwand für eine „wissenschaftlich“ begründete Spukwelt wurde. Meyrink beschrieb blutsaugende Vampyre, Gespenster, dämonische Doppelgänger, Fakire, Wundermenschen, Okkultisten, Hypnotisierte und Besessene. Die Grundlagen solcher Schilderungen suchte er in der Kabbala, bei Rosenkreuzern und Freimaurern, in den wahren und falschen Geheimlehren. Er rückte mit Gleichnissen, Darstellungen und Pointen all denen auf den Leib, die sich nach seiner Meinung dem Sinn für das Geheimnis und das Wunderbare verschlossen: dem geistlosen Soldaten, dem Modegecken, dem Sportsmann, dem selbstgefälligen Wissenschaftler Medizinalrat Tintenfisch und dem Modepoeten, den er in seinen Parodien „Jörn Uhl und Hilligenlei“ bissig verhöhnte.
Meyrink fand sich in der Tiergroteske „Tschitrakarna, das vornehme Kamel“, das den Versuch, den Raubtieren „Bushido“ beizubringen, mit dem Leben bezahlt, oder im Brief der Kröte an den Tausendfüßler, wie er es mache, unter seinen Füßen mechanisch und mathematisch Ordnung zu halten.

Die Gruselromane

In den Romanen „Der Golem“ (1915), „Das grüne Gesicht“ (1916), „Walpurgisnacht“ (1917) und „Der weiße Dominikaner“ (1921) erschien die amüsante Spukwelt der Novellen bereits materialisiert. Im „Grünen Gesicht“ wurden der alte Ahasver und der ewigjunge Chidher verbunden; der Leser sollte über Verbrechen und Greuel, Grausames und Gruseliges in Prager Kneipen und Amsterdamer Hafenvierteln geistergläubig

Lithographie von Hugo Steiner-Prag zu Gustav Meyrink, Der Golem

gemacht werden. In seinem berühmtesten Roman, dem „Golem", erzählte Meyrink von einem sagenhaften Prager Wesen, das in einer unzugänglichen Kammer haust und für die Gestalten der Romanhandlung absurde Bedeutung erlangt. Der Roman ist eine Traumerzählung, deren Gesichte die böhmischen Nachtmahre im städtischen Milieu Prags spiegeln. Meyrink ist in dem Sinne einer der Vorläufer Kafkas gewesen, daß er auf feuilletonistische Weise den Boden für dessen Verständnis bereiten half. Er hat sich gelegentlich einen „Geistsucher" genannt und meinte den banalen sensationellen Spiritismus. Hinter den Visionen des „Golem" und des „Grünen Gesichts" stand eine Ahnung vom kommenden Untergang der Deutsch-Prager, deutsch-jüdischen und böhmisch-österreichischen Welt.
Franz Blei hat Meyrink einen „amüsanten Mystifikateur" genannt und nahm Kubin übel, daß er auf ihn hereingefallen sei. In seinem „Großen Bestiarium" hat ihn Blei das einzige auf die Erde gefallene Mondkalb genannt, das einzufangen gelungen sei.

Eduard Stucken

Während die Jugendstil-Dramatiker Hardt und Vollmoeller früh verstummt sind, ist Eduard Stucken (1865–1936) auch nach dem Weltkrieg mit wesentlichen Werken hervorgetreten, vor allem hat er mit dem Roman „Die weißen Götter" die Einbildungskraft der Zeitgenossen durch die Parallele mit der Idee des Untergangs einer alten Kultur angeregt. Stucken stammte aus einer hanseatischen Familie, die zeitweilig in Rußland ansässig war. Der Geburtsort Moskau besagt für sein Leben jedoch ebensowenig wie der Todesort Berlin. Stucken gehörte zur Generation jener Moderne, die sich bald in den naturalistischen und neuromantische Flügel spaltete, deren Bildung historisch bestimmt und trotzdem zur Revolte aufgelegt war. Er begann als Archäologe und Mythenforscher mit tiefgründig gelehrten Büchern über die „Astralmythen der Hebräer, Babylonier und Ägypter", in fünf Teilen 1896 bis 1907. Während er in den ersten vier Bänden versuchte, „Mythen zu vergleichen und durch Herausschälung möglichst vieler Motive die Identität der Gestalten und Sagenkomplexe darzulegen", unternahm er es im fünften Teil, „die Motive untereinander zu vergleichen und durch Zurückführung auf wenige Hauptmotive die Identität sämtlicher Motive nachzuweisen"; auf die Analyse folgte der Versuch einer Synthese. Aber hinter dem Forscher stand der Dichter. Im letzten Teil („Mose") schrieb Stucken: „Die Menschheit ohne übersinnliche Vorstellungen ist so wenig denkbar wie die Menschheit ohne Sprache. Auch die Atomlehre ist Mythologie." Umgekehrt stand hinter dem Dichter der Gelehrte.

EDUARD STUCKEN

Generation und Herkunft

Stucken ist Erzähler, auch wenn die meisten Werke als Dramen bezeichnet werden. Die Folge „Der Gral" wurde als „dramatisches Epos" bezeichnet. Schon in den frühen Dramen benützte Stucken epische Mittel, von „Yrsa" (1897) an, in „Myrrha", „Astrid", der einaktigen Tragikomödie „Die Gesellschaft des Abbé Châteauneuf" (1909) mit dem beliebten, auch von H. Mann gestalteten Ninon-de-l'Enclos-Stoff und „Tristram und Ysolt" (1916). Stuckens erste dichterische Versuche waren „Balladen" gewesen, die 1898 als Buch erschienen. Seine „Romanzen und Elegien" (1911) und „Das Buch der Träume" (1916) zeigen die Keime der epischen Dramatik, den „Dualismus" der Welt, makabre Grenzfälle wie bei Trakl, die Stucken schon als Forscher gefesselt hatten, Geschwisterliebe, Blutschande und den Vampir. Die Abgründe der menschlichen Welt bannten den Dichter, und er nahm seine Zuflucht zum Prunk der Worte, zum eher pompösen als barocken Ausdruck, zum kunstvollen Binnen- und Schlußreim der Verse, einem teils rhetorisch, teils sinnlich übersteigerten Pathos dekadenter Bilder und Situationen. Wagner, Maeterlinck, der junge Hofmannsthal waren die Vorbilder.

Die epische Form der Dramen

Das Wikingerdrama „Yrsa" ist ein Stück der spukhaften Blutschande, in „Astrid" (1910) wurde dies eddische Motiv noch einmal, gemäßigter, aufgenommen. Vom Bluthintergrund konnte Stucken sich nicht befreien; das Gegenwartsdrama „Myrrha" und das Hauptwerk „Der Gral", aus acht Teilen bestehend, führten in Höllenschlünde. „Der Gral" berichtet von dem Gegensatz, welchen der Forscher Stucken in die biblischen und babylonischen Mythen hineininterpretiert hatte, von Geist und Materie, Ja und Nein, Leben und Tod, Sünde und Gnade, Sommer und Winter, Sonne und Mond. Das Lichte siegt über das Dunkle, die Erlösung über den Fluch. Faustische und christliche Motive werden vermischt:

Das gnostische Denkschema

EDUARD STUCKEN

die Welt wird durch eine reine Jungfrau, durch das Blut- und Todesopfer der Liebenden erlöst. „Der Gral" besteht aus dem „Mysterium" „Lucifer" (im Urtitel „Merlins Geburt", 1913), der Tragödie „Vortigern" (1923), wo Merlin ein Kind ist, den beiden Dramen „Uter Pendragon" (zuerst 1922 unter dem Titel „Das verlorene Ich") und „Zauberer Merlin" (1922), in deren Mittelpunkt der jenseitige Beherrscher, Lenker und Erzieher der diesseitigen ungeistigen Ritterschaft steht. Merlin erweckt Amfortas zum Bewußtsein eines vorirdischen, ewigen, widergöttlich-göttlichen Daseins. Artus ist hier junger Page, wird aber zentrale Gestalt der folgenden Stücke, des Mysteriums von „Gawan" (1902) und der Dramen „Lanwal" (1903) und „Lancelot" (1909). Das an vorletzter Stelle in den Zyklus eingeschobene Drama „Tristam und Ysolt" (1916), stofflich vom Gralsthema gelöst, stellt gleichnishaft ein Gralswunder dar.

Die Sprache der Neuromantik

Es ist ziemlich gleich, wo man das fast siebenhundertseitige dramatische Gralsepos aufschlägt: überall stößt man auf eine schmiegsam gereimte, bilderreiche Sprache, fremdartige Namen, shakespearsche Greuel in Maeterlincks Diktion, Toten- und Schönheitskult und – wie bei Stefan George, Heinrich Mann und Ernst Hardt – das Vergnügen der bürgerlichen Ästheten an dem Fremden und der Betäubung, an Blut und Schlaf. Am Anfang des „Lanval" fahren Agravain und Lionors, Schwesterkinder des Königs Artus, über den Mädchensee bei Schloß Camelot:

Agravain: Der See so feierlich, gespenstisch und tot!
Wie ein Nachtschatten ruderst du mich im Geisterboot.
So heimlich, so traumhaft, so leis fährst du hin an den Klippen,
Ein Mädchen-Charon, schneeweiß, mit blutlosen Lippen,
Eine mondfahle blutjunge Norne, – fremd, wundersam,
Wie der Knabe, der mit dem Horne zu Artus kam.
Und ich selbst, ich komme mir vor wie im Sarge ein Leichnam,
Den durch ein Grottentor eine Fee in ihr Reich nahm.
Ich erkenne nicht mehr, wo ich bin. Jetzt sage mir erst,
Du Totenschifferin, wohin du mich fährst!
Nie sah ich zuvor diese Bucht, habe nie geahnt
Daß sich den Weg in die Schlucht der See hier bahnt.
Vom Strand her weht ein Hauch wie von Rosendüften, –
Doch es wächst keine Blume, kein Strauch am Gestein in den Klüften.
Schroff klimmen die kahlen Felsen in nachtschwarzes Grauen,
Wo die Drachen mit Eidechs-Hälsen sich Nester bauen!
Still! Hörst du das bange Gewinsel?
Lionors: Der Kranich schreit.
Agravain: Wo ruderst du hin?
Lionors (geheimnisvoll lächelnd): Nach der Insel der Seligkeit!
Nach den ewig smaragdenen Küsten von Avelun,
Wo die allzu heiß einst Geküßten vom Küssen ruhn
Und unter gespenstischen Bäumen auf Wiesengründen
Von vergessener Wiese träumen und vergessenen Sünden.
Das ist Avelun, das Eiland der Seligkeiten,
Das stumme Asyl der weiland Frau Venus Geweihten . . .

Wege zum Expressionismus

Das ist Stuckens irische Sagen- und Mythenwelt, die W. B. Yeats, aus dem gleichen Jahrgang wie Stucken, später spiritistisch und okkult zu beleben suchte. Gegen diese Dramatik wandte sich Reinhard Sorge in seinem „Bettler" und empfand sie als kalte Lüge. Gleichwohl führt ein Weg von diesem Weltbild zu dem der expressionistischen Aufrührer; seine Stationen sind die Themen der Verfremdung der Sage und Mythe durch den nervösen Stil, die aufklärerische Neigung, alle Werte zu relativieren, die Erlösung durch Liebe und Opfer, und schließlich der Verzicht auf realistische Wahrscheinlichkeit und Wahrheit.

Eduard Stucken

Es ist kein großer Unterschied, ob sich Stucken in die mittelalterliche Gralssage oder in die schreckliche Welt der Inka von Mexiko und Peru vertieft. Früh hatte er sich wissenschaftlich und dichterisch auch mit der altamerikanischen Kultur beschäftigt; 1913 erschien ein guatemaltekisches Tanzschauspiel „Die Opferung der Gefangenen". 1918 kam der erste Teil der „Weißen Götter", 1922 der dritte heraus. Die indianische Heilandssage von „Quetzalkoatl Unserm Herrn", dem weißen Lichtgott, wird auf den Eroberer Cortez bezogen (zur gleichen Zeit beschäftigte sich G. Hauptmann mit dem Stoff in „Indipohdi"). Stuckens Frage lautet: Was ist Kultur? Wo ist die wahre Kultur? Bei den weißen Göttern, die doch nur Eroberer und Mörder sind, oder bei den blumenliebenden, grausamen, Menschen schlachtenden Indianern? Dem christlichen Cortez, der sich als Kreuzritter fühlt, steht der heidnische Montezuma gegenüber, der im Wesen wie ein christlicher Dulder erscheint. Das Werk ist ein aus zahllosen, teils wissenschaftlichen, teils dichterischen Mosaiksteinchen zusammengesetztes kulturhistorisches Kolossalgemälde. Es vermag Knabenträume zu erfüllen und kulturmorphologische Spekulationen zu nähren. Das Ende des Romans ist farbloser als Anfang und Mitte. In einem Gleichnis am Schluß wird Stuckens Ratlosigkeit deutlich:

Die Weißen Götter

> Die mexikanische Göttin Ixcuinan, die Herrin der Lust und der Erde, verführte den Büßer Yappan. Als er sie umarmte, wurde sie zu Staub. Nichts, nichts behielt er von der Berückenden zurück als eine Handvoll grauen, sickernden Erdenstaub.

In späteren Werken wandte sich Stucken dem um die Jahrhundertwende modernen Renaissancethema zu, so in den Romanen „Im Schatten Shakespeares" (1929) und „Giuliano" (1933), aber die Kraft und die Stunde waren vorbei.

Heinrich Lautensack

Denk an mein Wort von der Landschaft der Seele
— sexualperspektivisch lerne zu schau'n!
Lautensack in „Maximow"

Ein verschollener Dichter

Als Heinrich Lautensack 1919 starb, war er fast schon wieder vergessen. Er war der Sohn eines aus der Rheinpfalz stammenden Passauer Geschäftsmannes, ist 1881 in Vilshofen geboren und war zum Technikstudium nach München gegangen. 1901 wurde er im Kabarett der Elf Scharfrichter als „Henkersknecht" bekannt, und damit entschied sich Lautensacks Schicksal: er verließ die bürgerliche Welt und trat über in die Schwabings, der Boheme, des Theaters und der Literatur. Für die Elf Scharfrichter schrieb Lautensack seine ersten Brettl-Lieder: „Wiegenlied", „Das Korsett", „Der Tod singt", „Der Tod der Magd" und „Der Laternenanzünder". Die erste Gedichtfolge erschien in Richard Scheids „Jahrbuch neuer lyrischer deutscher Wortkunst" „Avalun" (1901). Andere Stücke wurden in Bierbaums „Insel" und in Programmheften der Elf Scharfrichter veröffentlicht. In einer Charakteristik dieses Kabaretts hat Lautensack sich selbst dargestellt:

Bei den Elf Scharfrichtern

Umschlag von Max Unold, 1920

Ich bin Sekretär, Souffleur, Requisiteur, Sündenbock der Delvard (berühmte Chansonsängerin der Elf Scharfrichter, ihr war Lautensacks erstes gedrucktes Gedicht, „Maria Magdalena", gewidmet), Telefonfräulein in Anwesenheit des Direktors, Schriftsteller und Dichter. In Vertretung: Direktor, Kassier, Conférencier, zweiter Sekretär, Regisseur, Inspizient, Schauspieler, Friseur, Theatermeister, Vorhangzieher und Laufbursche. Das Schließen der Türen, die die andern offen lassen, ist bei mir automatisch geworden... Es gab Zeiten, da ich noch Technik studierte und für einen großen Dichter gehalten wurde — was mich auch später bewog, die Technik ganz aufzugeben. Warum? Ich hätte bei meiner Vielseitigkeit leicht auch noch die Technik behalten können. Bei einer *solchen* Vielseitigkeit! Und man hätte mich — wie jetzt — auch fernerhin für ein großes Licht gehalten . . .

Die ersten Gedichte Lautensacks sind nur teilweise in die berühmt-berüchtigte bibliophile Sammlung „Documente der Liebesraserei“ (1910) aufgenommen worden; sie stehen meist in dem posthumen „Totentanz“ (1923). Lautensacks zentrales Thema ist die Liebe, und zwar in jener Form, die er einfach „das Sexuelle“ nannte. Den Inhalt der „Documente“ bilden besessene Liebesgedichte in eigenwilliger Satzanordnung. Das Sexuelle wird auf der einen Seite offen ausgesprochen, auf der andern im Sinne des biblischen Mysteriums behandelt. Das neuromantische Traummotiv kann nur mühsam die Eindeutigkeiten teils skurriler, teils peinlicher Art decken. In dem Gedichte „Die blinde Harfnerin bei den Felsen“ spricht ein Weib den Traum eines Mannes, es ist eine Elegie in grammatisch eindringlichen Versen:

HEINRICH LAUTENSACK

Votivtafeln der Liebe

Ich seh von Bäum und Bergen eine Welt
und Wasser viel und Boote, die im Traum
hingleiten; Wege, eng gesellt;
und grelle Lichter über Heimlichkeiten.
Da zwingt ein Mann ein Weib mit einem Fluch,
da betet eines Mannes Brunst zur Hure,
da reden Zweie wie ein Buch,
dort heben sich vier Hände hoch zum Schwure,
da nahn sich zwei, von dumpfer Lust entstellt,
verzerrt und überbieten
sich sinnlos an ererbter Kraft,
dort rinnet eines Alten Saft
gelb und vergelbt hin unter jungen Blüten . . .
da bin ich sehend! überhell
strömts in mich, in mich, dreimal klar!
Dreimal verflammt mein dunkles Haar
in eisigen, vereisten Winden! . . .

In diesen Gedichten werden Geheimnisse des reifen Lebens, die Lautensacks Jugendfreund Hans Carossa später nur anzudeuten wagte, lyrisch in einer Mischung aus Derbheit und „Traum“ ausgesprochen („Mich sticht seit sieben Tagen der Geruch von Dir . . .“). Die eigentlichen Dokumente knüpfen an das Lied von der Liebe eines Christen zu einer Jüdin aus „Des Knaben Wunderhorn“ an. Es sind vier Sonette, deren Form im Taumel der Sinnlichkeit verglüht, Gedichte, die selbst in einer sexualisierten Zeit an Brunst ohnegleichen sind. Die Judentochter ist „das Alte Testament“, während sich der Liebhaber wagnerianisch als mettrinkender Skalde Odins gibt. „Das Sexuelle“ war für Lautensack eine Art von Sakrament:

Die Liebesraserei

Küßt mir den Mund und saugst, ihn küssend: „Nennt
er, den ich küsse, mich denn nie mehr wieder
scherzend wie oft: Mein Altes Testament . . .?
Weißt du, das singt, das klingt! Wie Marsch und Lieder
einst an die Mauern Jerichos, so rennt
das wider all mein Blut! . . . Ja, hier durchs Mieder
bohrt Judenmädchenbusen! . . . Ein Percent
vom Juden, Christ, hast auch!“
Und ihre Glieder
aufrauschen wie der Wildstrom in dem Walde
in meiner Heimat. Und ihr Haar ist Sausen

in Wipfeln. Ihre Brüste Speere. Grausen
zielt nach mir, und ich bin gehetzt.
„Du! Skalde!
Barde! Sing mir des Judenvolkes Schrei,
als ob es Jagd in Odins Wäldern sei!“

Es lassen sich zeitgeschichtliche und soziologische Erklärungen genug beibringen. Lautensack war aus dem wirklich und naiv frommen und zugleich in sexuellen Dingen immer „heidnisch“ gebliebenen bayerischen Bauern- und Bürgertum ausgebrochen. Das zweihundertjährige Bündnis des Puritanismus mit dem Christentum löste sich vor dem Hintergrund der großstädtischen Zivilisation auf. Die Volksfrömmigkeit war Lautensack seit der Jugend vertraut; er schrieb noch aus dem Irrenhaus rührende Karten an seine Stiefmutter, wo er an den Symbolen und Pflichten des Kirchenjahrs festhielt.

Bote des Expressionismus?

Lautensack erregte mit seinen Gedichten großes Aufsehen, Paul Zech kündigte ihn an, Gottfried Benn hat sich zu ihm bekannt. Die Expressionisten haben ihn als

Helene (macht sich los): Sie haben mich… Du – du hast so alles an mir genannt… Meine Brüste… Mein Haar… (sie stockt) Ich – ich habe bei unseren Knechten und Laufburschen gelegen… Es waren immer die jüngsten oder die ältesten… Sie thaten ohne ein Wort, was ich wollte… Einige merkten, daß es Gefälligkeit war, um die ich bat… Andere waren wie Tiere…
Heinrich: Ich hab sieben Nächte bei einem Weibe geschlafen, die meine Großmutter hätt sein können!..

Heinrich Lautensack, Handschrift zu Medusa

den Ihren angesehen, er publizierte in Hans Ehrenbaum-Degeles „Neuem Pathos“, gab mit A. R. Meyer und Anselm Ruest „Die Bücherei Maiandros“ („eine Zeitschrift von sechzig zu sechzig Tagen“) heraus und eröffnete A. R. Meyers „Lyrische Flugblätter“; Max Brod druckte ihn in seiner „Arkadia“ (1913), und er war mit einem Schauerdrama in Kurt Pinthus' „Kinobuch“ (1914) vertreten, wo die junge Generation Textbücher für die Kunst des Films versuchte. Lautensack war, als seine Versuche, ans Theater zu kommen, gescheitert waren, zum Film gegangen, der ihn auch vom Kriegsdienst an der Ostsee reklamierte. Während er das Begräbnis Wedekinds (1918) filmte, brach der Wahnsinn aufgrund einer

HEINRICH LAUTENSACK

Paralyse aus, und ein Jahr später ist Heinrich Lautensack im Irrenhaus gestorben.

Lautensacks Dramen sind, wie Ludwig Thomas Stücke und Romane, naturalistisch – freilich in jener kunstvoll überhöhten Form der frühen Dramen Hauptmanns und Wedekinds. Er hat das naturalistische Rezept auf das bayerische Milieu angewandt. Sein erstes Stück war „Medusa" (1904), mit dem Untertitel „Aus den Papieren eines Mönchs". Das Vorspiel ist eine schwüle Entkleidungsszene. Das Drama spielt im Laden eines niederbayerischen Spielwarenhändlers, wo dessen alternde Tochter, die häßlich ist, erleben muß, daß der geliebte Bruder nicht sie, sondern die Köchin liebt.

Heinrich Lautensack, 1916

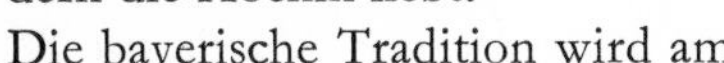

„Hahnenkampf"

Die bayerische Tradition wird am deutlichsten in Lautensacks Komödie „Hahnenkampf" (1908). Ruederers „Fahnenweihe" hätte nicht großartiger überboten werden können als durch die Rivalität der Provinzler um die junge hübsche Innocentia. Sie lebt im Kupferhammer auf Kosten ihrer Liebhaber, des Apothekers, aber auch des Feuerwehrhauptmanns Zirngibl, des Braumeisters, des Polizeikommandanten, des Lehrers und des Gendarmen. Man weiß nicht recht, ob sie eine ehemalige Krankenschwester oder Insassin eines Nürnberger Bordells war. Sie liebt den Apotheker und den Gendarmen und meint, es könne nicht Sünde sein, wenn sie tue, was ihr Körper wünsche. Vor einiger Zeit ist eine dunkle Geschichte im Ort passiert, wobei der Postassistent ermordet wurde. Der Gendarm ahnt den Zusammenhang und möchte ihn diensteifrig aufklären. Das ist der Hintergrund des „Hahnenkampfes" der Männer um Innocentia, und die Komödie endet damit, daß der Apotheker den Gendarmen erschießt und – mit Erfolg – einen Selbstmord des Opfers vortäuscht. Innocentia aber, die ihren Namen nicht umsonst trägt, kniet neben dem Toten, stammelnd: „Gib ihm ... die ewige Ruhe ... und das ewige Licht ... leuchte ihm ... Amen ..."

Leicht erkennt man im Schema der Handlung die Lieblingsideen der Zeit um die Jahrhundertwende: die sittliche Verrottung, die Besessenheit vom Sexus, das „männerschwächende Weib" als Dirne, konventionelle Frömmigkeit als Mantel. Es sind die Themen Heinrich Manns, Scheerbarts, Wedekinds und Ludwig Thomas. Die Folklore der Sprache und des bayerischen Marktfleckens um 1895 wirken echt. Aber Lautensack war weit mehr als ein Provinzdichter; alle Details und alle Ideen dieser engen Welt werden zu Mitteln eines komödiantischen Urtalents.

Hans Carossa hat „Die Pfarrhauskomödie, Carmen Sacerdotale" (1920 veröffentlicht, aber schon elf Jahre früher entstanden) in der Erinnerung eine „derbe Posse"

Zeichnung von Alfred Kubin zu Heinrich Lautensack, Unpaar

„Die Pfarrhauskomödie"

genannt. In der Tat ist die Handlung sowohl derb wie possenhaft. Die Pfarrhausköchin Ambrosia Lindpaintner muß in die Stadt, weil sie schwanger ist. Sie erfährt beim Abschied, daß ihre Vertreterin, die zigeunerische Irma, ihr Geheimnis durchschaut hat. Diese bringt ihr Wissen schleunigst dem biederen Kooperator bei—und verführt ihn. Als Ambrosia nach drei Monaten zurückkommt, hat Irma die „Priesterehe" des Pfarrers mit Ambrosia zerstört. Das Geheimnis, das sie mit dem Pfarrer hat, wird ihr von ihm als Pflicht zu schweigen auferlegt. Das Stück konnte erst nach Lautensacks Tod aufgeführt werden, als die Zensur gefallen war, und brachte es zu sensationellem Erfolg auf den großstädtischen Bühnen: man glaubte, eine antiklerikale Satire zu sehen. Tatsächlich handelt es sich um die Verlagerung von Lautensacks Hauptproblem in ein Milieu, wo „das Sexuelle" als Sünde, ja Verbrechen erscheinen mußte, ins zölibatäre Pfarrhaus. Auch hier siegt, so demonstriert der Autor, der Trieb. Meisterhaft ist aus den naturalistisch gesehenen Charakteren die geistliche Welt entwickelt; und trotz des heiklen Themas sind die geistlichen Gestalten echte Menschen. Typisch ist Lautensacks Milieuanweisung:

Poesie des Milieus

Dies ist nicht etwa ein Pfarrhaus, wie es in gewissen Romanen vorzukommen beliebt. Hier ist es nicht ganz so rein und so licht, und die Luft hier innen nicht ganz so dünn und unbewegt, wie es jene Literaturerzeugnisse schildern mögen. Was gerade die Luft angeht, so ist die hier innen ebenso dick wie in jedem anderen weltlicheren Hause, darin drei Menschen zusammenwohnen und hübsch animalisch aus- und einatmen. Ein wenig noch dicker und dunstiger sogar, denn hier wird fast mehr gekocht, als nötig wäre. Reichlicher sowohl als auch kostspieliger. Der Pfarrer, Achatius Achaz, wills so und liebt namentlich Mehlspeisen oder wie mans hierzulande nennt Gebackenes. Ein konstanter Schmalzgeruch ist. Von feinstem Schmalz. Und die Möbel, die in diesem Wohn- und Eßzimmer stehen, sind teils Bauernmöbel, von des Pfarrers bäuerischen Eltern her und ziemlich wurmstichig, teils sehr billige Renaissancemöbel, die Hochwürden einst auf einer Auktion erstand, aus dem Nachlaß eines ewig Junggesell gebliebenen Arztes ... [Es folgen Bemerkungen über das schneeweiße Leinenzeug, „ein paar herzlich schlechte Heiligenbilder" usw.] Der Pfarrer, der Kooperator [Kaplan], die Ambrosia, ja selbst auch die Irma Prechtl, diese vier sind durchaus Bauern. Und das hat nichts zu sagen, daß die zwei geistlichen Herren Brillen tragen. Bauern sind sie, alle vier. Niederbayerische. Aus dem bayerischen Wald. Und reden stockend und unablässig mit Pausen. Außer es schimpft und flucht mal einer. Aber die Ambrosia, und das ist zu unterscheiden, hat gelblichtes Haar. Die Irma hingegen ganz zigeunerisches.

„Das Gelübde"

Lautensack war ein Erzähler, seine Dramen ergehen sich breit ausmalend in humoristischer Sympathie. Das Schauspiel „Das Gelübde" (1919), schon vor dem Kriege in langer Arbeit entstanden (im Gegensatz zu der rasch hingeworfenen und geschlossenen Pfarrhauskomödie), hat eine groteske Fabel, die an Raabes „Abu Telfan" erinnert. Ein adliger Offizier hat vor neun Jahren auf der Hochzeitsreise bei einer Schiffskatastrophe im Golf von Aden seine Frau verloren und ist als Kapuziner ins Kloster gegangen. Da trifft die Nachricht ein, die Frau lebe; sie sei entführt und jahrelang von einem Scheich dem anderen „als Present" weitergereicht worden. Das mönchische Gelübde ist ungültig; aber nun zeigt sich, daß der Mann nicht in die Welt zurückkehren möchte – er ist auch innerlich Mönch geworden, und es kommt zu großen familiären Auseinandersetzungen, die damit enden, daß auch die Frau als Nonne den Schleier nimmt. Nebenher läuft als Satyrspiel die Geschichte eines Kleinbürgers, der die Ehe satt hat.

Mönch und Frau

Auch hier hat Lautensack sein Grundthema in eine Welt gestellt, in der strengste Ehr- und Sittenbegriffe herrschen, in den Ordens- und den Offiziersstand. Glänzend ist die Szene, wo der Guardian, der längst von der Affäre weiß und die Frau sogar hergebracht hat, einem Mitbruder, der unterdes sein Brevier betet, eine Schilderung der Abenteuer der Gräfin gibt. Den Schluß bildet die Einkleidung der Gräfin als Nonne und der Abschied jenes aus dem Kloster in die Welt zurückkehrenden Spießbürgers.

„Via Crucis" und anderes

Es gab noch einige Dichtungen Lautensacks, die infolge der Kriegszeit oder seines Todes nicht im Druck erschienen sind. Manches ist in kostbaren Luxusdrucken, wie die von Kubin illustrierte Geschichte „Unpaar" (1926) und die „Samländische Ode", erhalten, manches findet sich in verschollenen Almanachen. Ein religiöser Zyklus heißt „Via Crucis". Hier steht Lautensack mit sprachmächtigen Gedichten als Sünder unter dem Kreuz Christi. Sonderbar mischt sich die ekstatische Glut des Glaubens mit dichterisch skurrilen Erfindungen; Genie und Wahnsinn gehen ineinander über. Die „Altbayrischen Bilderbogen" erschienen 1920 und sind Teile aus einer ungedruckt gebliebenen Sammlung von feuilletonistischen Arbeiten, wo Lautensacks Prosastil im Guten und Bösen wuchert. Lange vor Richard Billinger hatte er das Ineinander von heidnischen Bräuchen und christlichem Sinn dargestellt. Am Schluß des Buches steht die Ankündigung einer achtbändigen Gesamtausgabe. Daran kann man ermessen, was verloren ist; kaum mehr als sechshundert Seiten seiner Dichtungen sind erhalten, darunter „Leben, Taten und Meinungen (kurz zusammengefaßt) des sehr berühmten russischen Detektivs Maximow, Beamter zu besonderen Aufträgen im Ministerium des Innern zu St. Petersburg" (1920). Das ist, wohl nach Chestertons Vorbild, eine Parodie auf den Kriminalroman, flott und amüsant geschrieben.

„Altbayrische Bilderbogen"

Lautensack war mit einem Teil seines Wesens Bohemien und intellektueller

Literat. Er besaß nicht nur Kenntnis von Theater, Film und Klatsch, sondern interessierte sich, außer für Wedekind, immer für die Moderne. Im steten Kampf um Honorare verfertigte er Übersetzungen aus dem Englischen und Französischen. Er übertrug A. de Mussets Erzählungen, Chestertons „Der Mann, der Donnerstag war", für den „Jüngsten Tag" Barrès' „Mord an der Jungfrau", ferner George Ohnets „Nieder mit Bonaparte" und Renards Schauerroman „Der Doktor Lerne". Auch an Claudel versuchte er sich. Sein eigentliches Vermächtnis sind aber die Gedichte mit ihren überraschenden und kühnen Prägungen der springenden Rhythmen und den an die Lasker-Schüler erinnernden balladesken Tönen.

PROPHETEN DES AUFBRUCHS UND ÜBERGANGS

Einige Dichter wurden später zum Expressionismus gerechnet, obgleich sie weder den Begriff noch die Sache, wahrscheinlich nicht einmal das Wort gekannt haben. Das sind vor allem Georg Heym, Ernst Stadler und Georg Trakl. Als ihre Wirkung in die Breite einsetzte, waren sie schon tot; Heym ist ertrunken, Stadler gefallen, und Trakl erlag unerträglichen Umständen. Sie hatten eine neue Sprache und eine neue Form für ihr Wesen gewonnen, vor allem Trakl. Die erste Dichterin, welche die überlieferten Formen der Lyrik aufgab, war Else Lasker-Schüler. Sie opferte den Reim, die Strophe, die regelmäßigen Hebungen und entwickelte einen Parlandoton, der in ihrem Munde zu bedeutender Dichtung wurde, weil sie eine eigene Metaphernreihe einführte, die von den Psalmen herkam. Als religiöse Dichterin von orientalischer Inbrunst blieb sie so gut wie unberührt von den speziellen Motiven und Themen des Expressionismus; traumhaft sicher bewegte sie sich in ihrer privaten Welt und zog die Literaten ihres Freundeskreises in originellen Kostümen in diese Welt hinein.

Else Lasker-Schüler

Bei Heym und Trakl tauchen jäh einige Motive auf, die Lieblingsmotive des Expressionismus und der späteren Zeit werden sollten. So beginnt mit Heyms Opheliagedicht die deutsche Wasserleichenpoesie und die Dichtung der Moore und Sümpfe, die sich über die Dichter der „Kolonne", Bert Brecht, Georg Britting zu Günter Grass verfolgen läßt. Ein anderes Motiv ist Kaspar Hauser. Trakl hat es vermutlich bei Verlaine gefunden und in seine andere Welt übertragen. Kaspar Hauser ist der ahnungslose Gerechte, auf den schon sein Mörder wartet. Er ist der reine „Mensch" des Expressionismus und zum Untergang bestimmt. Das Motiv findet sich bei Kafka, Jakob Wassermann, Gerhart Hauptmann, Fritz von Unruh, Hans Henny Jahnn und Leonhard Frank. Das wichtigste aller Motive aber ist die Stadt: Klassik-Romantik und das ganze neunzehnte Jahrhundert hatten den ländlichen, dörflichen oder ein Landschloß besitzenden Menschen dargestellt. Auch der Naturalismus war, wenn man von Holz und Schlaf absieht, eine Dichtung des Landes. Bei Heym, Trakl, Kokoschka und der Lasker-Schüler taucht die Stadt als Ort des Schicksals auf. Die expressionistische Dramatik ist wesentlich Stadtdramatik, und die wenigen expressionistischen Novellen und Romane waren Stadtbücher. Die Stadtburg des Tyrannen ist das Modell in Kokoschkas frühen Dramen. Gustav Sack, einer der ersten Prosaisten des neuen Stils, spiegelt Erlebnisse des Stadtmenschen, wenn er aufs Land geht: die Natur ist für ihn Gegenstand der Wissenschaft, er betrachtet sie mit dem gleichen Inter-

Die Stadt als Motiv

DIE BUECHEREI MAIANDROS

eine Zeitschrift von 60 zu 60 Tagen

herausgegeben von

Heinrich Lautensack/Alfred Richard Meyer/Anselm Ruest

im Verlag von Paul Knorr/Berlin-Wilmersdorf

Das dritte Buch **1. Februar 1913**

APOLLODOROS

Ueber Lyrik ein Dialog von Anselm Ruest

Sechs Holzschnitte von A. Segal

esse an exotischer Ferne wie Gauguin und van Gogh. Für Sack wie für Musil wird das Land zu Substraten paradiesischer Traumlandschaften und anarchischer Freiheit.

Der Jugendstil

Für die Epoche „zwischen“ Neuromantik und Expressionismus hat man neuerdings den Begriff Jugendstil vorgeschlagen. Gewisse „dekorative“ Züge dieses für die große Buchillustration der Vorkriegszeit wichtigen Stils lassen sich in den Literaturwerken selbst finden, z. B. das Lineament der langen Zeilen, die Aufgabe des Strophenschemas zugunsten freier Strophen, der Parlandoton der Lyrik Stadlers anstelle der regelmäßigen rhythmischen Hebungen. Es ist, als würde das klassische Schema in verschlungene Bewegungen gesetzt, gedehnt, gestreckt wie die Pflanzenornamente des bildnerischen Jugendstils. Bei Else Lasker-Schüler, vor allem bei Trakl und Stadler, geht die Entwicklung so weit, daß Adjektive willkürlich vertauscht werden, sie erhalten keine Sinn-, sondern dekorative Funktion. Bei Stadler ruhen die Hallen des Bahnhofs „in stählerner Hut“; sinngemäß bezieht sich das Adjektiv „stählern“ auf „Hallen“. Trakl entstellt seine Sätze förmlich durch unsinngemäße grammatische Zuordnungen: „silbern weint ein Krankes am Abendweiher". Else Lasker-Schüler sagt: „Auf deiner blauen Seele setzen sich die Sterne zur Nacht." Dadurch wurden faszinierende Wirkungen erreicht. Zweifellos waren sie ein Ausdruck für das „Zerbrechen der Welt" dieser Dichter; aber weil man mit diesen Dingen, nach G. Sacks Theorie, wie mit den Steinen eines losen Mosaiks spielen konnte, fehlt den Texten die Verbindlichkeit, eine Schwäche, die für den Jugendstil überhaupt bezeichnend ist, wie wir bei Mynona und Scheerbart sahen.

Else Lasker-Schüler

„Das Peter-Hille-Buch"

Else Lasker-Schüler hat ihr erstes Prosabuch einem Mann gewidmet, dem sie persönlich und dichterisch eng verbunden war, Peter Hille. 1907 erschien „Das Peter Hille Buch". Es sind kurze Stücke, in denen der 1904 gestorbene Dichter als heiliger Petrus aufersteht. Sie läßt ihn zu einem Legendenleben erwachen. Der Lebende mit dem wallenden Bart, der vagabundierende Dichter, war einer Schar von Jüngern und Jüngerinnen zu einem Propheten geworden. Sie waren mit ihm „auf messianischen Wegen und Höhen, in Zeichen und Wundern" gewandert.
Else Lasker-Schüler (1869, nicht wie sie angab 1876 geboren) war Hille wesensverwandt und läßt ihn einmal sagen: „Wer seine Heimat nicht in sich trägt, dem wächst sie doch unter den Füßen fort." Wie er war sie Träumerin und Bewohnerin eines Wunschreiches. Wie er liebte sie die Städte nicht, kehrte aber immer wieder in die Literatencafés zurück: „Heimlich halten wir alle das Café für den Teufel, aber ohne den Teufel ist es doch nun mal nichts." St. Peter-Hille sagt zu ihr, seiner „Tino": „Du hast dieselben Augen meines tiefsten Traumes!" Im Leben waren beide darbende Vaganten, aber in der Dichtung hatte Hille ein Schloß, und E. Lasker-Schüler war mächtig als „Jussuf von Theben", als Josef von Ägypten, der die Träume der Kornähren und Kühe verstand, oder als kriegsgewaltiger Malik („Der Malik, eine Kaisergeschichte", 1920) oder lieblich als Tino von Bagdad. Hilles Märchen war nordisch, er selbst ein Waldmensch, sie war Wüstentochter, Beduinin, nur zufällig nach Deutschland verschlagen, wo sie zur Welt kam.

Else Lasker-Schüler

Ich kann die Sprache
Dieses kühlen Landes nicht,
Und seinen Schritt nicht gehn.

Auch die Wolken, die vorbeiziehn,
Weiß ich nicht zu deuten.

Die Nacht ist eine Stiefkönigin.

Immer muß ich an die Pharaonenwälder denken
Und küsse die Bilder meiner Sterne.

Meine Lippen leuchten schon
Und sprechen Fernes.

Und bin ich ein buntes Bilderbuch
Auf deinem Schoß.

Aber dein Antlitz spinnt
Einen Schleier aus Weinen.

Meinen schillernden Vögeln
Sind die Korallen ausgestochen,

An den Hecken der Gärten
Versteinern sich ihre weichen Nester.

Wer salbt meine toten Paläste –
Sie trugen die Kronen meiner Väter,
Ihre Gebete versanken im heiligen Fluß.

Person und Dichtung

Die ersten Gedichte waren 1902 in der Sammlung „Styx" erschienen; sie sprach immer von sich, von ihrer Welt, von ihrem Fühlen, Empfinden, Träumen, Lieben und Weinen, eine rein in sich gesammelte dichterische Natur, frei von Konventionen, gelegentlich nicht ungeschickt kokettierend, eine dichterische Stimme von großartiger Naivität und Durchtriebenheit zugleich, mit Grammatik und Syntax auf schöpferischem Kriegsfuß (Dativ und Akkusativ verwechselnd), eher „Kometen zwischen den Sternen" als Kommata zwischen Worte und Zeilen zu setzen befähigt. Ihre zahlreichen Bekannten unterschieden die Gestalt nicht von den Dichtungen. Sie aber wandelte ihre Freunde in Figuren ihrer Träume um, in Kardinäle, Fürsten, Krieger und Statthalter. Jede Schöpfung war Bekenntnis und zugleich Huldigung, einem vergötterten Andern dargebracht. In der Gesamtausgabe ihrer Gedichte trug fast jedes eine Widmung, ganze Gruppen wurden verehrten oder geliebten Freunden zugeteilt, die größte ihrem „Giselheer", Gottfried Benn. Alle erhalten einen Übernamen: Karl Kraus, Senna Hoy (Johannes Holzmann), Franz Marc, Hans Ehrenbaum-Degele, Franz Jung, René Schickele, Kurt Pinthus, Herwarth Walden, Alfred Mayer, Paul Zech, Peter Baum, Alice Trübner, Rudolf Blümner, Richard Dehmel, Wieland Herzfelde, Georg Trakl, Franz Werfel, Theodor Däubler, Wilhelm Schmidtbonn, George Grosz, ihre Mutter, die Schwestern und der Sohn Paul. Ihre Existenz wirkte neuartig, das menschliche Herz im Mittelpunkt der Welt: ihr erster Roman hieß „Mein Herz" (1912), in dem erfundene und lebende Personen auftreten, ein „Liebesroman mit Bildern und wirklich lebenden Menschen" aus dem Alltag der Dichterin in den Literatencafés. Ihre Dichtungen, in der Qualität unterschiedlich, haben noch viele impressionistische, romantische und naturalistische Züge. Sie beschreibt Peter Hille:

ELSE LASKER-SCHÜLER

Vierzehnter Brief.

Sieh nur, lieber, blauer Franz, ich hab unseren famosen Rechtsanwalt Caro gezeichnet. Den Ehescheidungsparagraphen trägt

„Und laßt uns wieder von der Liebe reden"! - - - -

er auf der Wange und heitert uns mit seinem Maigesange. Er sitzt zwischen uns im Café und singt von der Liebe. Mit wert-

Else Lasker-Schüler, Der Malik

Aus dem Peter-Hille-Buch

Ich war aus der Stadt geflohen und sank erschöpft vor einem Felsen nieder und rastete einen Tropfen Leben lang, der war tiefer als tausend Jahre. Und eine Stimme riß sich vom Gipfel des Felsens los und rief: „Was geizst du mit Dir?" Und ich schlug mein Auge empor und blühte auf, und mich herzte ein Glück, das mich auserlas. Und vom Gestein zur Erde stieg ein Mann mit hartem Bart- und Haupthaar, aber seine Augen waren samtne Hügel. Und kleine Kobolde kletterten über seinen Rücken und beklopften ihn mit ihren Hämmerchen und nannten ihn Petrus. Und wir stiegen ins Tal hinab, und der Mann mit dem harten Bart- und Haupthaar fragte mich, von wo ich käme – aber ich schwieg; die Nacht hatte meine Wege ausgelöscht, auch konnte ich mich nicht auf meinen Namen besinnen, heulende hungrige Norde hatten ihn zerrissen. Und der mit dem Felsennamen nannte mich Tino. Und ich küßte den Glanz seiner gemeißelten Hand und ging ihm zur Seite.

Else Lasker-Schüler machte ihre Welt zum Traumreich, aber das geschah in Verbindung mit einer sehr bewußten Artistik. Diese Verse und Spielereien wirken phantastisch sprunghaft und entsprechend willkürlich. Indem die alte Reim-, Vers- und Strophenbindung negiert wurde, kam eine neue zum Vorschein: das Reim- und Strophenschema erscheint nicht mehr als etwas dem „Gehalt" als „Form" Übergestreiftes, sondern als etwas, das aus den Bildern und Metaphern des Ausdrucks natürlich hervorgeht. Das berühmteste Beispiel erschien 1910 in Waldens „Sturm", der Adressat Karl Kraus druckte es mit einigen rühmenden Begleitzeilen in seiner „Fackel" nach:

ELSE LASKER-SCHÜLER

Deine Seele, die die meine liebet,
Ist verwirkt mit ihr im Teppichtibet.

Strahl in Strahl, verliebte Farben,
Sterne, die sich himmellang umwarben.

Unsere Füße ruhen auf der Kostbarkeit,
Maschentausendabertausendweit.

Süßer Lamasohn auf Moschuspflanzenthron,
Wie lang küßt dein Mund den meinen wohl
Und Wang die Wange buntgeknüpfte Zeiten schon?

„Ein alter Tibetteppich“

Der Teppich war ein symbolistisches Motiv. Stefan George dichtete den „Teppich des Lebens“. Seine Muster und die aus Tausenden von Fäden gewirkte Substanz waren ein Gleichnis des eindimensionalen, rätselhaften Lebensgefühls der Dekadenz und ihres Sinnes für das Dekorative, den Reichtum, die Arabesken und Figuren. Für Else Lasker-Schüler aber ist der Teppich eine Metapher für das Verwirktsein des Ich und Du, der Liebenden. (Kraus hat die Beziehung zu Else Lasker-Schüler, ebenso wie Gottfried Benn, von einem bestimmten Punkt an nicht fortgeführt.) Teppich und Liebe sind in der tausendfädig intimen und zugleich fernen Verwirktheit identisch. Die dichterische Metapher erscheint als etwas ganz Konkretes, als tibetischer Teppich mit dem Bild des Lama (d. i. K. Kraus): aber die Einbildungskraft imaginiert die Liebe mit Küssen und Wange-an-Wange-Halten.

Diese „Sonderbarkeiten“ der Dichterin wirkten durch ihre poetische Macht auf fast alle Kreise und Zirkel der Literatur. Es gab kaum eine Zeitschrift, in der Else Lasker-Schüler nicht neben den Jüngsten gestanden hätte: im „Saturn“, in den „Weißen Blättern“, der „Aktion“, dem „Neuen Pathos“ und der „Neuen Jugend“. Unter den An- und Aufrufen der Jungen standen ihre Gedichte märchenbunt, brennende Idylle, während die größeren Werke nicht so sehr als Ganzes, sondern durch eine Fülle von schönen Details wirkten. „Der Malik“ begann in der „Aktion“, wurde im „Brenner“ fort-

Hebräische Balladen
von
Else Lasker-Schüler

A. R. Meyer Verlag
1 9 1 3
Berlin-Wilmersdorf

gesetzt und 1917 in der „Neuen Jugend“ beendet. 1913 erschienen die „Hebräischen Balladen“, die Bekenntnisse zur Heimat des Blutes und der Seele. Gleich das zweite Gedicht, „Mein Volk“, wies, teilweise in alttestamentarischen Anspielungen, auf die Problematik des jüdischen Volkes hin:

„Hebräische Balladen“

Der Fels wird morsch,
Dem ich entspringe
Und meine Gotteslieder singe . . .
Jäh stürz ich vom Weg
Und riesele ganz in mir
Fernab, allein über Klagegestein
Dem Meer zu.
Hab mich so abgesondert
Von meines Blutes
Mostvergorenheit.
Und immer, immer noch der Widerhall
In mir,
Wenn schauerlich gen Ost
Das morsche Felsgebein,
Mein Volk,
Zu Gott schreit.

Dann singt ihre „in den Abendfarben Jerusalems verglühende Seele“ von den Gestalten der Heilsgeschichte, von Abel, Abraham und Isaak, Hagar und Ismael, Jakob und Esau, Eva, David und Jonathan, Moses und Josua, Ruth, Saul, Boas, Sulamith, Esther, Joseph und Pharao. Von Abrahams Opfer des Sohns heißt es:

„Abraham und Isaak“

Abraham baute in der Landschaft Eden
Sich eine Stadt aus Erde und aus Blatt
Und übte sich mit Gott zu reden.
Die Engel ruhten gern vor seiner frommen Hütte
Und Abraham erkannte jeden;
Himmlische Zeichen ließen ihre Flügelschritte.
Bis sie dann einmal bang in ihren Träumen
Meckern hörten die gequälten Böcke,
Mit denen Isaak opfern spielte hinter Süßholzbäumen.
Und Gott ermahnte: Abraham! !
Er brach vom Kamm des Meeres Muscheln ab und Schwamm
Hoch auf den Blöcken den Altar zu schmücken.
Und trug den einzigen Sohn gebunden auf den Rücken
Zu werden seinem großen Herrn gerecht –
Der aber liebte seinen Knecht.

Die Balladen beginnen wie die Gedichte mit einem ruhigen Eingangsbild; aber dann flackern einzelne Verse, und die Schlüsse halten nicht immer, was der Anfang verspricht. Die Wahl der Worte ist sparsam, aber schwer; orientalische Bilder und Vergleiche, meistens aus der Bibel, folgen dem Parallelismus der Psalmensprache. Hille hatte das Doppelantlitz der Gedichte erkannt: „Schwingen und Fesseln, Jauchzen des Kindes, der seligen Braut fromme Inbrunst“. Man findet in den Balladen neben dem kindlich Strahlenden „das müde Blut verbannter Jahrtausende und greiser Kränkungen“ und „Urfinstres“. Am besten ist die Dichterin nicht, wenn sie im Stil der Zeit von der Sehnsucht des „Weibes" schmachtet oder unkindlich mit ihrem Söhnchen plaudert, sondern wenn sie wehmütig sinnt, von der Freundschaft spricht oder in der Estherballade das Bild der Heldin in ein huldigendes Parlando übergehen läßt:

„Esther"

Esther ist schlank wie die Feldpalme,
Nach ihren Lippen duften die Weizenhalme
Und die Feiertage, die in Juda fallen.
Nachts ruht ihr Herz auf einem Psalme,
Die Götzen lauschen in den Hallen.
Der König lächelt ihrem Nahen entgegen –
Denn überall blickt Gott auf Esther.
Die jungen Juden dichten Lieder an die Schwester,
Die sie in Säulen ihres Vorraums prägen.

Das Leben

Else Lasker-Schüler ist in Elberfeld aufgewachsen. „Wir wohnten am Fuße des Hügels ... Wer ein rotes, springendes Herz hatte, war in fünf Minuten bei den Beeren." Den Eltern und Schwestern hat sie ein rührendes Andenken bewahrt. Der Vater, ein Architekt, hat ihre Eskapaden geduldet und die dichterischen Versuche verständnisvoll gefördert. In den Dramen hat die Dichterin Züge der Heimatstadt und des Elternhauses ironisch und humoristisch verwendet. Sie war zweimal verheiratet, mit Dr. Lasker und Herwarth Walden, dem Herausgeber des „Sturm". Beide Ehen wurden nach kurzer Zeit geschieden. Sie sprach gern die heimatliche Mundart; der naturalistische Gestus der Dramen hängt eng mit dem Wuppertaler Dialekt zusammen. Sie war meist unterwegs, wohnte in möblierten Zimmern, besuchte ihre Freunde. 1932 erhielt sie den Kleist-

Zeichnung von Else Lasker-Schüler
zu ihren Gesammelten Gedichten

preis, im Jahre darauf flüchtete sie vor den Nationalsozialisten in die Schweiz, machte 1934 eine Reise in „ihren“ Orient nach Ägypten und Palästina und wohnte seit 1937 ständig in Jerusalem, arm, von einigen Freunden unterstützt, voller Heimweh. Obwohl sie das Hebräerland und Jerusalem, die Stadt ihres verehrten Königs David, von Jugend auf besungen hatte, wurde die alte Frau dort nicht mehr heimisch. Nach Kriegsende sollte sie wieder in die Schweiz gehen, doch im Januar 1945 starb sie und wurde am Ölberg begraben.

„Mein blaues Klavier“

1937 hatte sie über ihren ersten Aufenthalt im Heiligen Lande den aphoristischen Essay „Das Hebräerland“ geschrieben, und 1943 erschien ihr letzter Gedichtband „Mein blaues Klavier“ mit der Widmung: „Meinen unvergeßlichen Freunden und Freundinnen in den Städten Deutschlands – und denen, die wie ich vertrieben und nun zerstreut in der Welt, in Treue.“ Es ist ein Buch der Klage, aber nicht der Anklage, des abgründigen Jammers, des irdischen und metaphysischen Heimwehs, der vergeblichen Liebe. Jenes mehrfach apostrophierte Klavier wird von einem Engel sanft auf blauen Tasten gespielt; der Engel kommt, das Totenkleid zu nähen, die Dichterin setzt den Fuß „auf den Pfad zum ewigen Heime“. Blau ist die Himmelsfarbe, und die Dichterin („Längst lebe ich vergessen – im Gedicht“), im orthodoxen Sinn nicht gläubig, weiß sich auf dem Weg zu Gott, der paradiesischen Heimat der Liebe, wo sie „tausend- und zweijährig“, uralte Sibylle und Kind, sein wird:

Ich habe zu Hause ein blaues
Klavier
Und kenne doch keine Note.

Es steht im Dunkel der
Kellertür,
Seitdem die Welt verrohte.

Es spielen Sternenhände vier
– Die Mondfrau
sang im Boote –
Nun tanzen die Ratten
im Geklirr.

Zerbrochen ist die Klaviatür...
Ich beweine die blaue Tote.

Ach liebe Engel öffnet mir
– Ich aß vom bitteren Brote –
Mir lebend schon
die Himmelstür –
Auch wider dem Verbote.

Else Lasker-Schüler war so sehr Lyrikerin, daß ihre beiden Dramen, mißt man sie fälschlich an Hauptmanns „Webern“ oder Wedekinds „Frühlings Erwachen“ – wie es damals geschah –, dem Anspruch der Bühne nicht recht standhalten. Das

Giselheer: ג־זלהר:

אני בן־המלך מת־בן שולח לך את
המכתב הזה אשר נפקד מאתי
ונכתב בכתב־הכנורים הנעלה של
ע־ר־ העברית עיר־זהב:

והנני משיב לך את עצם הגלגלת
אשר בימים עברו כבשתה למעני
במלחמה:

אדום יפגע בן החסד כאשר נתן
לי לנשום עוד:

יבוא־נא דמי עליך:

(צבי בן יהודה)

Jussuf

ELSE LASKER-SCHÜLER

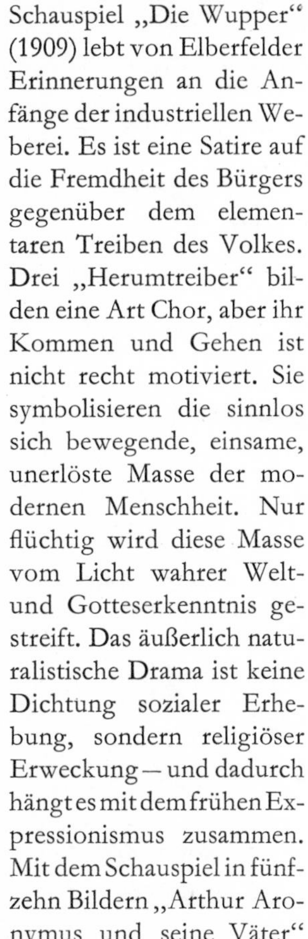

Schauspiel „Die Wupper“ (1909) lebt von Elberfelder Erinnerungen an die Anfänge der industriellen Weberei. Es ist eine Satire auf die Fremdheit des Bürgers gegenüber dem elementaren Treiben des Volkes. Drei „Herumtreiber“ bilden eine Art Chor, aber ihr Kommen und Gehen ist nicht recht motiviert. Sie symbolisieren die sinnlos sich bewegende, einsame, unerlöste Masse der modernen Menschheit. Nur flüchtig wird diese Masse vom Licht wahrer Welt- und Gotteserkenntnis gestreift. Das äußerlich naturalistische Drama ist keine Dichtung sozialer Erhebung, sondern religiöser Erweckung – und dadurch hängt es mit dem frühen Expressionismus zusammen. Mit dem Schauspiel in fünfzehn Bildern „Arthur Aronymus und seine Väter“ kehrte die Dichterin noch tiefer in die Familiengeschichte zurück; das Stück wurde „aus meines geliebten Vaters Kinderjahren“ genommen. Der erste Held ist der rabbinische Großvater der Dichterin aus der Biedermeierzeit in Westfalen. Das Drama entstand vor 1932 (auch als Erzählung veröffentlicht) und schildert das Zusammenleben des christlichen und jüdischen Volkes in seinen Spannungen, aus dem Geist echter Volkstümlichkeit, eines überlegenen Humors und wahrer Liebe. Die Fabel geht vom Aufleben mittelalterlichen Hexenwahns um das Jahr 1820 in der Diözese Paderborn aus. Die nervenkranke Tochter Dora des jüdischen Gutsbesitzers Moritz Schüler wird verdächtigt, sechs Kinder behext zu haben. Die Familie Schüler hat dreiundzwanzig Kinder. Der Held des Stückes ist der achtjährige, kluge drollige Arthur Aronymus, der Liebling seines im zweiten Bild sterbenden Großvaters, eines berühmten Rabbi, der die Engel sehen konnte. Arthur freundet sich mit dem Kaplan des Ortes an, einem vernünftigen und frommen Priester, der das Aufleben des antisemitisch gefärbten Hexenwahns mit Entsetzen sieht und durch einen bischöflichen Erlaß bekämpft. Im Schlußbild kommt der Kaplan mit dem Bischof, als sie beobachteten, wie die jüdischen Kinder Hexenverbrennung spielen, in das Schülersche Gutshaus und feiern mit ihnen den Sederabend des Passahfestes im Geist versöhnender Liebe.

Else Lasker-Schüler, Totenmaske

„Arthur Aronymus“

Die Verscheuchte

Else Lasker-Schüler
(Die Sammlung Amsterdam)

Es ist der Tag im Nebel völlig eingehüllt
Entseelt begegnen alle Welten sich
Kaum hingezeichnet wie auf einem (Schatten) Bild.

Wie lange war kein Herz zu meinem mild
Die Welt erkaltete der Mensch verblich.
– Komm bete mit mir – denn Gott tröstet mich

Wo weilt der Odem der aus meinem Leben wich
Ich streife heimatlos zusammen mit dem Wild
Durch bleiche Zeiten träumend – ja ... ich liebte dich.

Wo soll ich hin wenn kalt der Nordsturm brüllt
Die scheuen Tiere aus der Landschaft wagen sich
Und ich – vor deine Tür, ein Bündel Wegerich.

Bald haben Tränen alle Himmel weggespült,
An deren Kelchen Dichter ihren Durst gestillt,
Auch du und ich.
(Und deine Lippe die der meinen glich,
Ist wie ein Pfeil nun blind auf mich gezielt.)

Else Lasker-Schüler, Handschriftprobe

Die geistige Entwicklung

„Arthur Aronymus“ ist ein episch-lyrischer Bilderbogen von poetischem Stimmungsgehalt. Sein Thema ist nicht die Tragödie der Verfolgten und Verfolger, sondern das Mysterium der Verbindung des Menschen mit Gott. Ein jüdischer Knabe erklärt plötzlich: „Ich werde ein Mönch“, und der Bischof sagt: „Ich segne das alte Volk Israel!“ Else Lasker-Schüler gehörte jener Generation an, die durch Nietzsches Verdikt „Gott ist tot“ bis ins Innerste betroffen war. Hier schien die Erklärung für das Herausfallen der modernen Menschen aus dem Heilszusammenhang der alten Religionen zu liegen. Man suchte in der Geschichte, im „Kosmos“, in Natur und Naturwissenschaft, Mythologie und den Religionen des Fernen Ostens, in teilweise grotesken Lebensreformen, in Kunst, Dichtung und Tanz die „Erlösung“. Die Dichterin war von diesen Strömungen verwirrt und richtungslos geworden, bis sie Peter Hille kennenlernte, den westfälischen Landsmann. Er sagte von ihr: „Schwarzer Schwan. In der Stirn kantiger schneidender Rubin. Sappho, der die Welt auseinandergegangen.“ Damals hatte sie die „Hebräischen Balladen“

noch nicht geschrieben, hatte das Judentum, dem durch Bubers Entdeckung des Chassidismus eine Renaissance bereitet wurde, noch nicht wiedergefunden, und auch die Frauenemanzipation hatte sie noch nicht überwunden. Je weiter die Dichterin die Welt im biblischen Sinne „erkannte" – wo der geistige und erotische Akt identisch werden –, desto mehr begriff sie sich als Mittlerin, als „Judenjüngerin des Gottessohnes".

Georg Heym

Die Frühvollendeten

Fast alle künstlerischen Frühzeiten haben ihre Pioniere, welche Breschen schlagen und zu den Frühvollendeten und jung Gestorbenen gehören. Novalis und Georg Büchner stellen diesen Typus im neunzehnten Jahrhundert dar; für das zwanzigste sind es die Lyriker Georg Heym und Ernst Stadler, Reinhard Sorge als Dramatiker, Gustav Sack als Erzähler und schließlich Georg Trakl. Heyms Gedichtsammlung, 1911 erschienen, hieß „Der ewige Tag". Der Dichter war 1887 in Hirschberg in Schlesien geboren, wuchs in Berlin auf und trat hier in den Kreis der jungen Autoren, die man später als „Expressionisten" bezeichnen sollte. 1912 ist Georg Heym mit seinem Freund Ernst Balcke beim Eislaufen auf der Havel ertrunken. Nach dem Tode des Vierundzwanzigjährigen gaben die Freunde einen zweiten Band mit Gedichten unter dem Titel „Umbra vitae" (1912) heraus. Beide Buchtitel, „Der ewige Tag" und „Umbra vitae", beziehen sich nicht auf ein unendlich fortdauerndes Leben im Sinne der vitalistischen und biologischen Zeitideen, sondern auf die Ewigkeit im Sinne der Metaphysik. Eine Tagebuchnotiz von 1911 spricht das deutlich aus: „Man könnte vielleicht sagen, daß meine Dichtung der beste Beweis eines metaphysischen Landes ist, das seine schwarzen Halbinseln weit herein in unsere flüchtigen Tage streckt." Zu diesen schwarzen Halbinseln gehören die Heymsche Todeserfahrung und die Visionen. Was ihn von der Masse der späteren Expressionisten unterscheidet, sind der Pessimismus, der Verzicht auf die Utopie, die Verzweiflung an der Erde.

Umriß der Themen und Motive

Schon an den Titeln der Bände und vieler Gedichte erkennt man, wie sich die Schau verdüstert, die Nacht sich vor den Tag schiebt. Im ersten Werk überwiegen die Nachtgesichte. Ein paar Großstadtbilder, geschult an Laforgue und Verhaeren, sind nur der stimmungsmäßige Eingang, dann bricht schnell das Grauen ein:

„Berlin, III"

Schornsteine stehn in großem Zwischenraum
Im Wintertag und tragen seine Last,
Des schwarzen Himmels dunkelnden Palast.
Wie goldne Stufe brennt sein niederer Saum.

Fern zwischen kahlen Bäumen, manchem Haus,
Zäunen und Schuppen, wo die Weltstadt ebbt,
Und auf vereisten Schienen mühsam schleppt
Ein langer Güterzug sich schwer hinaus.

Ein Armenkirchhof ragt, schwarz, Stein an Stein,
Die Toten schaun den roten Untergang
Aus ihrem Loch. Er schmeckt wie starker Wein.

Sie sitzen strickend an der Wand entlang,
Mützen aus Ruß dem nackten Schläfenbein,
Zur Marseillaise, dem alten Sturmgesang.

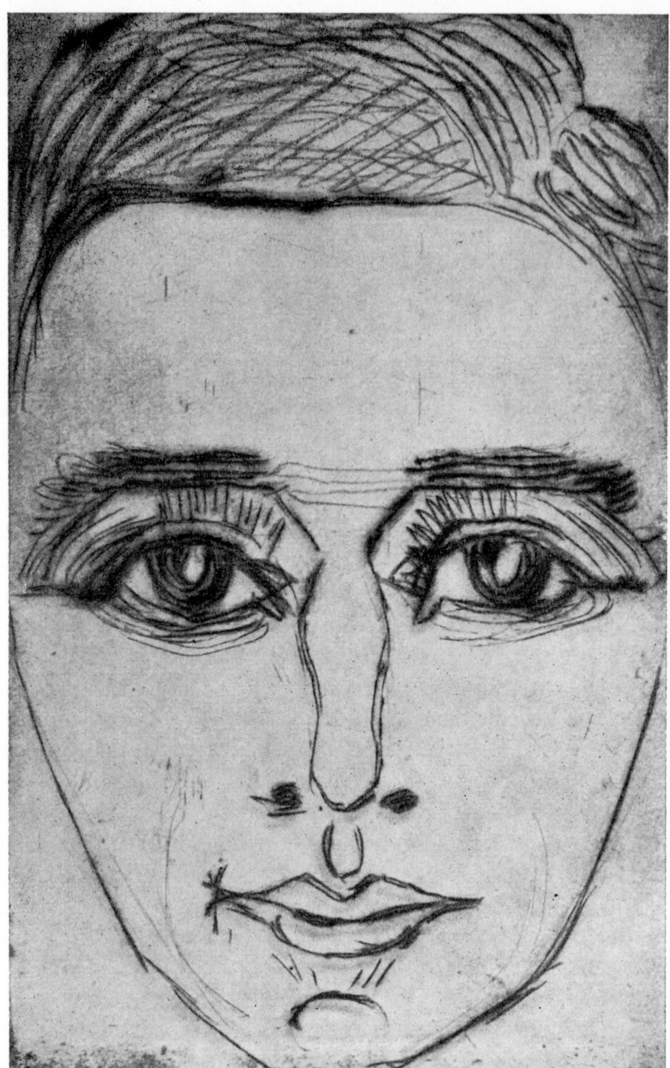

Georg Heym, Radierung von Ernst Ludwig Kirchner, 1923

Apokalypse der Weltstadt

Wie einst Baudelaire und Rimbaud schildert Heym das Elend, die Qual und den Ekel, die Mühseligkeit der Großstadt: Hunger, Not und Dreck der Vorstadt, die Qualen der Geschlagenen, Gefangenen, Blinden, das Los der Toten, Blutgerüstbilder aus Revolutionszeiten, Louis Capet und Robespierre auf dem Schafott, Jammer und Grausen der Verwesung. Ein neuer Höllenmaler stößt Verdammte in die Pein, Fieberspitale und Kerker brechen auf. Überall herrscht das Schweigen angstgepreßter Erwartung des Unheils. Im Nachlaßband sind die Bilder des Spuks und Grauens noch verstärkt. Gespenstertöne und Visionen nehmen zu. Da sind die Morgue, der Markt der Toten, der Garten der Irren. Da gibt es Blinde und Taube, Süchtige und Somnambule. Kometenartige Zeichen tauchen warnend am Himmel auf, Asche ist auf der Völker Haupt gestreut, und da steht, als Dämon beschworen, der fast vergessen war, der drei Jahre später aufstehende Krieg. In beiden Bänden werden die großen Städte verflucht. Sie, welche die Sehnsucht des eben vergangenen Dichtergeschlechts umworben hatte, erscheinen jetzt als das Urböse; es ist Qual und Strafe, in ihnen leben zu müssen. Sie sind dem Tode geweiht. Nachts hocken teuflische Dämonen auf den Dächern und schreien wie Katzen, riesig in den Himmel wachsend. Diese Bestien sind die wahren Herren der Stadt und ihr Sinnbild. Heym zeichnet den Gott dieser Stadt:

GEORG HEYM

„Der Gott der Stadt“

Auf einem Häuserblocke sitzt er breit.
Die Winde lagern schwarz um seine Stirn.
Er schaut voll Wut, wo fern in Einsamkeit
Die letzten Häuser in das Tal verirrn.

Vom Abend glänzt der rote Bauch dem Baal,
Die großen Städte knien um ihn her.
Der Kirchenglocken ungeheure Zahl
Wogt auf zu ihm aus schwarzer Türme Meer.

Wie Korybanten-Tanz dröhnt die Musik
Der Millionen durch die Straßen laut.
Der Schlote Rauch, die Wolken der Fabrik
Ziehn auf zu ihm, wie Duft von Weihrauch blaut.

Das Wetter schwält in seinen Augenbrauen.
Der dunkle Abend wird in Nacht betäubt.
Die Stürme flattern, die wie Geier schauen
Von seinem Haupthaar, das im Zorne sträubt.

Er streckt ins Dunkel seine Fleischerfaust.
Er schüttelt sie. Ein Meer von Feuer jagt
Durch eine Straße. Und der Glutqualm braust
Und frißt sie auf, bis spät der Morgen tagt.

Verse und Bilder, formal

Georg Heyms Strophen sind in fünfhebigen Versen vierzeilig geschrieben. Oft wird auf den Reim verzichtet, das Schema ist ganz einfach. In den Bildern gibt es nichts Gekünsteltes, sie folgen fast brutal und unverknüpft aufeinander; sie sind „simultan“ gereiht, ihr Sinn widerspricht sich oft, und es bleibt dem Leser überlassen, eine Assoziation herzustellen. Meistens bezeichnet der Titel eine These: Die Heimat der Toten, Der Blinde, Berlin, Der Krieg, Die Schläfer, Aufbruch, In der Mitte der Nacht, Der ewige Tag, Der Blinde, Umbra vitae. Es gibt eine Folge „Schwarze Visionen“. Die Bilder variieren dann diese These, daher kommt ihr seherischer, „visionärer“ Charakter. Das Grundmotiv, auf das die meisten Bilder sich beziehen lassen, sind Tod und Untergang. Die Syntax ist schlicht, Relativsätze und Partizipialkonstruktionen sind selten. Es gibt sogar stilistische Unkorrektheiten wie bei H. von Kleist, der Lasker-Schüler und vielen Expressionisten: die dichterische Aussage ist der sprachlichen Konvention gegenüber lässig. Auch die Metaphern sind von roher Bildkraft und kühn: die Weltstadt ebbt, „Gold des Mittags“, die Augen des Blinden sind „ein paar von weißen Knöpfen“. Manchmal überschlagen sich die Bilder und Metaphern, so wenn es von den Dämonen der Städte heißt:

Expressionistische Metaphern

Um ihre Füße kreist das Ritornell
Des Städtemeers mit trauriger Musik,
Ein großes Sterbelied . . .

GEORG HEYM

Holzschnitt von Ernst Ludwig Kirchner
zu Umbra vitae, nachgelassene Gedichte von G. Heym

Auch bei Georg Heym gibt es stumme Türen, roten Schweiß, Purpurrot der Meere, gelbe Winde, blaue Lider. Die Glocke schwingt einen „Knochenarm", das gefrorene Blut am Hals der Geköpften wird „rotes Glas" genannt. Die gelegentlichen mythologischen und antiken Begriffe oder Worte wie Ambra, Korund und Amphoren aus der Werkstatt Stef. Georges— den Heym leidenschaftlich ablehnte — sind nicht so sehr Symbole einer Welt der Schönheit, sondern „hyperbolische Metaphern" (Heselhaus), wobei es dem Dichter ganz gleich war, wenn er geschichtlich unmögliche Epitheta (das Baalsbild mit Kirchenglokken und Korybantentanz) verband. Sie kamen aus Halluzinationen der dichterischen Einbildungskraft, ähnlich wie bei Rimbaud, der das Unmöglichste zur „Alchemie der Worte" verbinden wollte.

Die Persönlichkeit

Georg Heym ist ein gewaltsamer Dichter, ein lyrisches Urtalent, dem die Bilder und Metaphern ungezwungen zur Verfügung standen, und er hat sie in einem fast bestürzenden Maße angewandt: ohne literarische oder ästhetische Rücksichten. In dem Windsbraut- und Prophezeiungscharakter lag und liegt die Wirkung seiner Gedichte. Die Zeugnisse aus dem Leben Heyms bestätigen diesen Eindruck; sie halten eine geradezu imperatorische Geste fest. Er wirkte überlegen durch die Macht seiner Dichtung und die Leidenschaftlichkeit seiner Persönlichkeit. Heym stammte aus einer Juristen- und Pastorenfamilie Schlesiens. 1911 schrieb er an den Verleger Ernst Rowohlt:

Meine Kindheit verging in einer schlesischen Bergstadt wie alle Kindheiten, langweilig und träumerisch. Dann wurde ich über verschiedene Gymnasien hinweg deportiert. Bis zu meinem Abiturientenexamen hat mich das consilium abeundi wegen nächtlicher Kneipgelage und Teilnahme an verbotenen Verbindungen nicht mehr verlassen. Ich hielt mich dann einige Jahre auf verschiedenen Universitäten auf, war Corpsstudent. Zuletzt war ich in Berlin.

GEORG HEYM

Das erste Sonett des Dichters Heym erschien im „Demokraten", dem Vorgänger der „Aktion", wo auch die Freunde Kurt Hiller und Jakob van Hoddis veröffentlichten. Heyms Anfänge waren von Stefan George beeinflußt; aber er fand schnell zu den modernen Großstadtdichtern Baudelaire und Rimbaud. Spiegeln sein erstes, noch schülerhaftes Trauerspiel „Der Athener Ausfahrt" (1907) und der Sonettenzyklus „Marathon" (erst 1914 erschienen) Bildungserlebnisse, so begann um 1909 der Aufbruch zur eigenen Form, die dann von Freunden und Gleichstrebenden wie Jakob van Hoddis, Ernst Blaß und Ernst Stadler in ihrer Bedeutung erkannt und propagiert wurde. In Hillers Literaturverein, dem „neuen Club", und im „Neopathetischen Cabaret" traten Erich Unger, van Hoddis, Blaß und Heym „unter dem Gefeix des Pöbels" (Hiller) auf. Rasch wuchs vor allem bei Heym das Gefühl des Ekels an der Zeit:

Tagebuch, September 1911

Mein Gott – ich ersticke noch mit meinem brachliegenden Enthousiasmus in dieser banalen Zeit. Denn ich bedarf gewaltiger äußerer Emotionen, um glücklich zu sein. Ich sehe mich in meinen wachen Phantasien immer als einen Danton, oder einen Mann auf der Barrikade, ohne meine Jacobinermütze kann ich mich eigentlich gar nicht denken. Ich hoffe jetzt wenigstens auf einen Krieg. Auch das ist nichts. Mein Gott, wäre ich in der französischen Revolution geboren, ich hätte wenigstens gewußt, wo ich mit Anstand hätte mein Leben lassen können, bei Hohenlinden oder Jémappes. Alle diese Jentsch und Koffka, alle diese Leute können sich in diese Zeit eingewöhnen, sie alle, Hebbelianer, Leute des Innern, können sich schließlich in jeder Zeit zurechtfinden, ich aber, der Mann der Dinge, ich, ein zerrissenes Meer, ich immer im Sturm, ich der Spiegel des Außen, ebenso wild und chaotisch wie die Welt, ich leider so geschaffen, daß ich ein ungeheures begeistertes Publikum brauche, um glückselig zu sein, krank genug, um mir nie selber genug zu sein, ich wäre mit einem Male gesund, ein Gott, erlöst, wenn ich irgendwo eine Sturmglocke hörte, wenn ich die Menschen herumrennen sähe mit angstzerfetzten Gesichtern, wenn das Volk aufgestanden wäre, und eine Straße hell wäre von Pieken, Säbeln, begeisterten Gesichtern, und aufgerissene „Hemden".

Aus solchen Grundstimmungen entwickelte sich nicht allein der Aufbruch des Expressionismus, auch Ernst Stadlers romantisch tönendes Fernweh nach einem unbestimmten Ziel, Robert Musils psychologische Experimente im „Törleß" sowie die linken und rechten politischen Radikalismen, die deutsche Jugendbewegung und die Träume der Lebensreformer und Utopisten jener Zeit haben hier ihre Wurzel.

Die europäische Dekadenz

Die literarische Ahnenschaft Heyms ist französisch bestimmt: George, Baudelaire und vor allem Rimbaud, von dem er Bilder und Verfahren variierend übertrug. Es ist bezeichnend, daß auch John Keats, den er einmal als den größten aller Lyriker bezeichnete, Heym viel bedeutet haben muß. Diese Ahnenkette erscheint negativer Betrachtung als Dekadenz und besitzt als Hauptmotiv, von der Romantik bis zum Jugendstil, die Todeserotik. Wie bei Rimbaud wird die ästhetische Lebensform bei Heym durch zwei Motive überwunden: eine revolutionäre Entschlossenheit und die in den grotesken Übersteigerungen des Verderbens ausgesprochenen Warnungen vor dem Unheil, die als rettenden Ausweg jenes „metaphysische Land" aufleuchten ließen. Der Tod ist bei Heym nicht das Ende, sondern Beginn des ewigen Tages. Das wird deutlich an seinem vielleicht schönsten Gedicht, „Ophelia". Heym gewann das Motiv nicht unmittelbar von Shakespeare, sondern aus Rimbauds „Ophélie". Er hat den Freunden das französische Gedicht mit Vorliebe rezitiert. Seine eigene Fassung klingt freilich ganz anders:

GEORG HEYM

„Ophelia“ als Wasserleiche

Im Haar ein Nest von jungen Wasserratten,
Und die beringten Haare auf der Flut
Wie Flossen, also treibt sie durch den Schatten
Des großen Urwalds, der im Wasser ruht.

Die letzte Sonne, die im Dunkel irrt,
Versenkt sich tief in ihres Hirnes Schrein.
Warum sie starb? Warum sie so allein
Im Wasser treibt, das Farn und Kraut verwirrt?

Im dichten Röhricht steht der Wind. Er scheucht
Wie eine Hand die Fledermäuse auf.
Mit dunklem Fittich, von dem Wasser feucht
Stehn sie wie Rauch im dunklen Wasserlauf,

Wie Nachtgewölk. Ein langer, weißer Aal
Schlüpft über ihre Brust. Ein Glühwurm scheint
Auf ihrer Stirn. Und eine Weide weint
Das Laub auf sie und ihre stumme Qual.

In diesem Gedicht hat Ophelia den Tod überstanden, sie treibt dahin, unbekümmert über die Schrecken der Erde. In den Schlußworten mehrerer Gedichte wird die metaphysische Insel unmittelbar gezeigt, und darum vermitteln die Schlußverse Heymscher Gedichte Erschütterungen, wie sie nur von moderner Lyrik ausgehen können. Da schiebt ein Wort oder Gleichnis die Qual weg, öffnet eine unendliche Ferne und gibt den Blick in die Welt des Friedens frei: „Im blauen Abend steht Gewölke weit, / Delphinen mit den rosa Flossen gleich, / Die schlafen in der Meere Einsamkeit.“
Da fliegt im späten Weltentod ein großer Vogel „mit schwarzem Flug ins gelbe Abendrot“. Da schließt Heym das sommerhelle, farbenbunte Bild einer Fronleichnamsprozession mit den Zeilen:

Der Mittag kommt. Es schläft das weite Land,
Die tiefen Wege, wo die Schwalbe schweift,
Und eine Mühle steht am Himmelsrand,
Die ewig nach den weißen Wolken greift.

Der Erzähler

Vor seinem Tode hat Heym noch einen Band mit Erzählungen für den Druck vorbereiten können, „Der Dieb“ (1912). Als Erzähler bleibt er motivisch und formal im Bereich seiner Gedichte, was schon Überschriften wie „Der Irre“ und „Die Sektion“ erkennen lassen. Wieder wird Grausiges hart und nüchtern erzählt und zugleich als Vision vorgestellt. Gegen den Schluß hin steigert sich das Zeitmaß der Darstellung oft zu einem Sturm der Bilder und Klänge. Aber auch hier klingt die beste Erzählung in einen Schluß aus, der Irrsinn und Grauen vergessen läßt. „Der fünfte Oktober“ besteht zu vier Fünfteln aus der Darstellung des Hungers fast wahnsinnig Gewordener oder Gelähmter – aber dann wird aus dem Zug hungernder Vagabunden, einer chaotischen Masse, der Marsch der Revolutionäre nach Versailles:

„Der fünfte Oktober“

Ein unsichtbarer Führer führte sie, eine unsichtbare Fahne wehte vor ihnen her, ein riesiges Banner wallte im Winde, das ein ungeheurer Fahnenträger vor ihnen hertrug. Ein blutrotes Banner war entfaltet. Eine gewaltige Oriflamme der Freiheit, die mit einem purpurnen Fahnentuche im Abendhimmel ihnen vorausflackerte wie eine Morgenröte.
Sie alle waren unzählige Brüder geworden, die Stunde der Begeisterung hatte sie aneinandergeschweißt.

Einband von Ernst Ludwig Kirchner

Männer und Weiber durcheinander, Arbeiter, Studenten, Advokaten. Weiße Perücken, Kniestrümpfe und Sansculotten, Damen der Halle, Fischweiber, Frauen mit Kindern auf dem Arm, Stadtsoldaten, die ihre Spieße wie Generale über der Masse schwangen, Schuster mit Lederschürzen und Holzpantoffeln, Schneider, Gastwirte, Bettler, Strolche, Vorstädter, zerlumpt und zerrissen, ein unzähliger Zug.
Barhäuptig zogen sie die Straße hinab, Marschlieder erschallten. Und an Spazierstöcken trugen sie rote Taschentücher wie Standarten.
Ihre Leiden waren geadelt, ihre Qualen waren vergessen, der Mensch war in ihnen erwacht.
Das war der Abend, wo der Sklave, der Knecht der Jahrtausende seine Ketten abwarf und sein Haupt in die Abendsonne erhob, ein Prometheus, der ein neues Feuer in seinen Händen trug.

GEORG
HEYM

— Die Messe — (Als meine Schwester weinte)

Bei dreier Kerzen mildem Lichte
Die Leiche schläft. Und hohe Mönche gehen
um sie herum, und legen ihre Finger
manchmal über ihr Angesicht.

Froh sind die Toten, die zur Ruhe kehren
Und strecken ihre weißen Hände aus,
Den Engeln zu, die groß und schattig gehen
mit Flügelschlagen ~~[illegible]~~ durch das hohe Haus.

Nur manchmal schallt ein Weinen durch die [illegible]
Ein tiefes Ächzen [illegible] in der Luft.
Man kreuzt ihre langen Finger = Hände
Zum Frieden sanft auf die [illegible] Brust

—

Georg Heym, Handschriftprobe

Sie waren waffenlos, was schadete das, sie waren ohne Kommandanten, was tat das? Wo war nun der Hunger, wo waren die Qualen?. . . Sie wußten alle, daß die Jahre der Leiden vorbei waren, und ihre Herzen zitterten leise.
Eine ewige Melodie erfüllte den Himmel und seine purpurne Bläue, eine ewige Fackel brannte. Und die Sonne zog ihnen voraus, den Abend hinab, sie entzündete die Wälder, sie verbrannte den Himmel. Und wie göttliche Schiffe, bemannt mit den Geistern der Freiheit, segelten große Wolken in schnellem Winde vor ihnen her.
Aber die gewaltigen Pappeln der Straße leuchteten wie große Kandelaber, jeder Baum eine goldene Flamme, die weite Straße ihres Ruhmes hinab.

Georg Trakl

Vielleicht hat keiner der modernen Lyriker seit Rilke solchen Einfluß auf die Späteren ausgeübt wie Georg Trakl. Während Rilke den Anfang seiner großen Wirkung noch erleben konnte, war Trakl zu Lebzeiten nur einem engen Kreis von Freunden bekannt. Als die erste Gesamtausgabe seiner „Dichtungen" (1919), nach den Plänen des Dichters besorgt von Karl Röck, erschien, ein Band von kaum zweihundert Seiten, erkannte die literarische Öffentlichkeit, daß Trakl einer der Großen unserer Lyrik sei, ein Dichter aus Hölderlins Geschlecht und diesem fast ebenbürtig. Seitdem ist Trakls Wirkung unabsehbar gewachsen, zwei Generationen junger Lyriker verehren in ihm ein Vorbild. Der Traklsche Ton ist in der Lyrik der Zeit fast stärker als der Rilkes und Benns geworden. Dabei ist Trakl einer der schwierigsten und verschlossensten Dichter, mit einer neuen, eigenen, metaphernreichen Sprache, mit Chiffren und Abbreviaturen, die schwer zu deuten sind.

GEORG TRAKL

Die Bedeutung

Trakl ist 1887 in Salzburg geboren und dort aufgewachsen. Er lernte in einer Apotheke drei Jahre Pharmazie und ging zum Studium nach Wien, wo er auch seine militärische Dienstzeit leistete und Karl Kraus kennenlernte. Seit 1912 lebte er meistens in Innsbruck im Hause seines Freundes und Förderers Ludwig von Ficker. In dessen „Brenner" las man zahlreiche Gedichte Trakls zum erstenmal und in frühen Fassungen, die nicht in die Buchausgaben übernommen wurden. 1913 kamen in einem Doppelbändchen der Sammlung „Der jüngste Tag" seine „Gedichte" heraus. Das Erscheinen eines weiteren Bandes, „Sebastian im Traum" (1915), hat Trakl nicht mehr erlebt; denn er wurde bei Kriegsausbruch im August 1914 als Medikamentenakzessist (Apotheker) eingezogen und kam nach Galizien. Dem Grauen des Krieges und der Lazarette war er nicht gewachsen und starb im November 1914 an einer zu starken Dosis von Betäubungsmitteln.

Leben und Werke

Ton und Ausdruck der früheren Traklschen Gedichte sind schlicht und liedhaft. Sie verwenden bekannte Bilder und Motive. Diese werden, nahezu unverbunden, in knappen Aussagesätzen hintereinandergereiht:

„Ein Winterabend"

Wenn der Schnee ans Fenster fällt,
Lang die Abendglocke läutet,
Vielen ist der Tisch bereitet,
Und das Haus ist wohlbestellt.

Mancher auf der Wanderschaft
Kommt ans Tor auf dunklen Pfaden.
Golden blüht der Baum der Gnaden
Aus der Erde kühlem Saft.

Wanderer tritt still herein;
Schmerz versteinerte die Schwelle.
Da erglänzt in reiner Helle
Auf dem Tische Brot und Wein.

Zwei Vorstellungskreise haben sich hier durchdrungen, der vom Wanderer, der abends im Winter in ein Haus kommt, und der vom christlichen Abendmahl. Sie stehen nicht in einem Korrespondenzverhältnis oder sind gleichnishaft aufeinander bezogen. Einige Zeilen passen nicht in diese Kreise, nämlich „Golden blüht

GEORG TRAKL

der Baum der Gnaden/Aus der Erde kühlem Saft" und „Schmerz versteinerte die Schwelle". Sie spielen auf die Traklsche Grundspannung zwischen „Erde" und jenem Bereich an, wo der goldne Baum der Gnaden blüht. Die Erde, das Irdische ist der Ort der Traklschen Metaphern von Verfall, Aas und Verwesung. „Traum des Bösen", „Menschliches Elend", „Trübsinn", „Dämmerung" sind Titel seiner Gedichte, die sich beliebig fortsetzen lassen: „Schwermut", „Offenbarung und Untergang", „Herbstseele", „Ruh und Schweigen", „De profundis", „Abendmuse", Melancholie des Herzens". Das typisch Traklsche Stichwort für die Welt ist „Verfall". Trakl ist der Dichter einer ursprünglich christlich geprägten, dann verfallenden und verderbten Welt, deren Ziel Traum, Wahnsinn und Tod ist:

„In den Nachmittag geflüstert"

Sonne, herbstlich dünn und zag,
Und das Obst fällt von den Bäumen.
Stille wohnt in blauen Räumen
Einen bangen Nachmittag.

Sterbeklänge von Metall;
Und ein weißes Tier bricht nieder.
Brauner Mädchen rauhe Lieder
Sind verweht im Blätterfall.

Stirne Gottes Farben träumt,
Spürt des Wahnsinns sanfte Flügel.
Schatten drehen sich am Hügel
Von Verwesung schwarz umsäumt.

Dämmerung voll Ruh und Wein;
Traurige Gitarren rinnen,
Und zur milden Lampe drinnen
Kehrst du wie im Traume ein.

Eine Auflösung der Gleichnisse, Metaphern und Chiffren ist nur schwer möglich. Das gilt etwa für Trakls Farbadjektive, die nur selten naturalistisch gemeint sind („braune Mädchen"), sondern meistens Stimmungs- oder Klangwert besitzen („weißes Tier"); die Stimmung löst assoziative Werte aus, die man auf das Grunderlebnis „Verfall" beziehen muß. So erinnert das Niederbrechen des weißen Tiers an Tod und Gerippe. Die „blauen" Räume deuten auf Erlebnisse hin, die teils die „blaue Stunde" in Trakls Heimat anklingen lassen, teils auf Erfahrungen des Drogenessers Trakl zurückgehen. In allen Fällen sind die Farbadjektive ein rein poetisches, willkürlich verwandtes Mittel. Es gibt Beispiele, wo Trakl die Adjektive vertauscht hat, um bestimmte Klangwirkungen zu erzielen. Die Masse der Gedichte sind mediale und klangliche Reihen, die der Autor geträumt haben kann:

Georg Trakl

Zeichen, seltne Stickerein
Malt ein flatternd Blumenbeet.
Gottes blauer Odem weht
In den Gartensaal herein,
Heiter ein.
Ragt ein Kreuz im wilden Wein.

Hör im Dorf sich viele freun,
Gärtner an der Mauer mäht,
Leise eine Orgel geht,
Mischet Klang und goldenen Schein,
Klang und Schein,
Liebe segnet Brot und Wein.

Mädchen kommen auch herein,
Und der Hahn zum letzten kräht.
Sacht ein morsches Gitter geht
Und in Rosen Kranz und Reihn,
Rosenreihn
Ruht Maria weiß und fein.

Bettler dort am alten Stein
Scheint verstorben im Gebet,
Sanft ein Hirt vom Hügel geht.
Und ein Engel singt im Hain,
Nah im Hain
Kinder in den Schlaf hinein.

GEORG TRAKL

„Geistliches Lied“

Hier sind christlicher Legendenton und die katholischen Motive spielerisch in zwei Reimen variiert. Später hat Georg Trakl das Lied, die Strophe und den Reim weitgehend aufgegeben und rhythmisierte Zeilen ohne Reime und stehendes Strophenschema benützt. Es kommt freilich nie zu Parlando-Langzeilen, wie sie Ernst Stadler ausprägte: Trakls Gedicht bleibt, auch wenn es die konventionelle Form aufgegeben hat, ein strenges Formgebilde; es wird nie, wie bei Dauthendey, Stadler und der Lasker-Schüler, ein bloß gesprochenes Gedicht. Das liegt an der Verwandlung jeder Aussage in Poesie. Immer setzt er sein Erlebnis, z. B. die umrätselte Beziehung zur Schwester, so weit in Metaphern um, daß der Erlebnisgehalt, wenn er existiert hat, verschwimmt. Überhaupt muß man sich bei einem Dichter hüten, in den Worten bare Erkenntnisse zu sehen. Ein Gedicht wie „Passion“ hat einen christlichen Titel, es bezieht sich aber auf einen antiken Mythos und läßt sich bedingt zeitkritisch verstehen:

Wenn Orpheus silbern die Laute rührt,
Beklagend ein Totes im Abendgarten,
Wer bist du Ruhendes unter hohen Bäumen?
Es rauscht die Klage das herbstliche Rohr,
Der blaue Teich,
Hinsterbend unter grünenden Bäumen
Und folgend dem Schatten der Schwester;
Dunkle Liebe
Eines wilden Geschlechts,
Dem auf goldenen Rädern der Tag davonrauscht.
Stille Nacht.

Erste Strophe von „Passion“

Das sind Hölderlinsche Sprachgebärden, Variationen vielleicht auf „Wein und Brot“. In andern Gedichten klingen Novalis oder Lenau an. Die deutsche Tradition wird bei Trakl durch Einflüsse aus dem Französischen ergänzt, vor allem von Verlaine, Baudelaire und Rimbaud. Auch Lyriker der Gegenwart haben nachweisbaren Einfluß auf Trakl gehabt, so Else Lasker-Schüler, Georg Heym und Maeterlinck. Er teilte diese Einflüsse mit Zeitgenossen wie Benn, Heym, Ehrenstein, Werfel und vielen andern. Aber er hat die fremden Anregungen *dichterisch* bewältigt, während Benn sie gern als Zitate stehenläßt, Heym Variationen oder Parodien schrieb und Werfel seine Vorbilder pathetisch überhöhte. Trakl hat das fremde Motiv seiner Sprache anverwandelt, wie es George und Rilke als Über-

Zeitgenössische Einflüsse

GEORG TRAKL

setzer getan hatten. Dabei reduzierte er alle Themen und schnitt sie für die Artikulation in seiner Sprache zu, die eng und scharf umgrenzt war. Er kennt nur das *eine* Thema der negativen Idylle in einer Zeit ohne Zauber und Geheimnis. Trakls Stimme ist gewiß Widerhall einer kranken und von fast allen Autoren trotz äußerlich glänzender Verhältnisse als krank empfundenen Zeit. „Wie scheint doch alles Werdende so krank!" klagt er. Prophetisch schaute er in dem Gedicht „Menschheit", einer Variation auf Rimbauds Gedicht „Le mal" („Tandis que les crachats rouges de la mitraille . . ."), das Elend des Krieges und stellte ihm die Welt des Guten in den Jüngern Jesu gegenüber:

„Menschheit"

Menschheit vor Feuerschlünden aufgestellt,
Ein Trommelwirbel, dunkler Krieger Stirnen,
Schritte durch Blutnebel; schwarzes Eisen schellt;
Verzweiflung, Nacht in traurigen Gehirnen:
Hier Evas Schatten, Jagd und rotes Geld.
Gewölk, das Licht durchbricht, das Abendmahl.
Es wohnt in Brot und Wein ein sanftes Schweigen.
Und jene sind versammelt zwölf an Zahl.
Nachts schrein im Schlaf sie unter Ölbaumzweigen;
Sankt Thomas taucht die Hand ins Wundenmal.

Vergleich mit Heym

Das Thema des Verfalls beherrschte auch Heyms Gedichte, er münzte es politischer und zeitkritischer als Trakl, der nie daran gedacht hat, Revolution zu machen. Die Stadt war für Heym ein Kristallisationspunkt der Dämonen. Für Trakl war die Großstadt noch Landschaft, er fühlte sich in der Stadt noch den Bauern zugetan. Trakl verklärt, wie Novalis, das Abendland des Mittelalters und möchte Griechenland und Palästina zu einer neuen Seelenheimat vereinen. Die Stadt ist Ort des Wahnsinns, einer dunklen Tat; hier wohnt die Schwester, mit der Idee der Urschuld und der Gestalt der Eva zusammengedacht; hier gebiert die Hure ihre toten Kinder, hier brechen die Seuchen aus: Trakl klagte, aber er rief nicht zur Änderung der Verhältnisse auf.

Ähnlich wie Hölderlin erinnert sich Trakl gern der Kinderzeit; es ist keine Erinnerung an Unschuld und Reinheit oder die poetische Intensität der ersten Gefühle des erwachenden Bewußtseins, sondern:

„Jahr"

Dunkle Stille der Kindheit. Unter grünenden Eschen
Weidet die Sanftmut bläulichen Blickes; goldene Ruh.
Ein Dunkles entzückt der Duft der Veilchen; schwankende Ähren
Im Abend, Samen und die goldenen Schatten der Schwermut.
Balken behaut der Zimmermann; im dämmernden Grund
Mahlt die Mühle; im Hasellaub wölbt sich ein purpurner Mund,
Männliches rot über schweigende Wasser geneigt.
Leise ist der Herbst, der Geist des Waldes; goldene Wolke
Folgt dem Einsamen, der schwarze Schatten des Enkels.
Neige in steinernem Zimmer; unter alten Zypressen
Sind der Tränen nächtige Bilder zum Quell versammelt;
Goldenes Auge des Anbeginns, dunkle Geduld des Endes.

Trakls eigene Kindheit war nicht dunkel umschattet. Die biographischen Zeugnisse sprechen von einem patriarchalischen Hausleben. Georg Trakl war das vierte von sechs Kindern eines wohlhabenden Eisenhändlers. Das weitläufige Haus

Georg Trakl, Urfassung des Gedichts Im Dunkel

Verhältnis zur Schwester

steckte voller Bilder, Truhen, Plastiken und ähnlicher Kunstschätze aus Renaissance und Barock. Die Mutter sammelte antike Gläser und hat dem Sohn die musische Anlage vererbt. Außer der Dichtung war das Haus allen Künsten offen; aber Trakl fühlte sich, zumal er auf der Schule Schwierigkeiten hatte, nicht verstanden und schloß sich, bei zunehmender Entfremdung von den Eltern, an seine Schwester an, die ihm seelisch und körperlich glich. Das Verhältnis zur Schwester bildet ein wichtiges Motiv seiner Dichtung und hat zu allerhand Verdächtigungen

GEORG TRAKL

Georg Trakl
Zeichnung von Oskar Kokoschka

Anlaß gegeben. Bedenkt man, daß der andere große Dichter des österreichischen Untergangs, Robert Musil, in seinem „Mann ohne Eigenschaften", im zweiten Teil die Geschwisterliebe verherrlicht, so kann man den Sinn dieses Motivs erkennen: die „Schwestern" sind musische Geschwister des Künstlers, Vertraute der Seele und des Geistes; zu ihr flüchtete der junge Dichter aus einer Welt, die ihm negativ erschien. Die Liebe zur Schwester wurde dichterisch stilisiert, und es ist eine Frage des Geschmacks, ob man diese Stilisierung autobiographisch gegen den Dichter ausdeuten will. Im Fall Musils wissen wir, daß die Erlebnisse mit der „Schwester" die ehelichen Erlebnisse Musils spiegeln.

Trakl konnte die Schule nicht abschließen; er wurde nach dreijähriger Praktikantenzeit Pharmaziestudent in Wien (1908/10). In diesen Jahren gewöhnte er sich an den Genuß der Drogen. Die Apothekerlaufbahn befriedigte Trakl nicht; aber Versuche, auf andere Berufe auszuweichen, mißlangen, und jedesmal endete seine Flucht in Innsbruck bei Ludwig Ficker. 1914 starb die Schwester in Berlin, damals lernte Trakl Else Lasker-Schüler kennen. Nach seinem Tode hat diese mehrere Gedichte auf ihn geschrieben, und in einem heißt es:

Else Lasker-Schüler

Seine Augen standen ganz fern.
Er war als Knabe einmal schon im Himmel.
Darum kamen seine Worte hervor
Auf blauen und weißen Wolken.
Wir stritten über Religion,
Aber immer wie zwei Spielgefährten.

Aus der frühen Zeit gibt es dramatische Versuche Trakls, „Totentag" und „Fata Morgana" (beide 1906). Die Schauerstücke im Stil Maeterlincks wurden im Salzburger Theater gespielt, das erste errang einen lokalen Achtungserfolg, das zweite fiel durch. Da Trakl leidlich Französisch verstand, fand er früh Zugang zu Baudelaire, später zu Rimbaud und Verlaine (1912 erwog er, nach Rimbauds Beispiel, eine Auswanderung nach Borneo). Unter dem Einfluß Rimbauds vollzog sich wohl auch die Wendung von der Bekenntnislyrik zur unpersönlichen Vision. Er gab das traditionelle Schema auf und schrieb psalmodierende freie Rhythmen, deren Bilder, Metaphern und Farben beliebig vertauschbar sind. Die Gedichte sollen „Zeichen geben" und variieren das gleiche Material. Das formale Band ist musikalisch-lautlich, und es ist erstaunlich, daß wie in einem Kaleidoskop mit verhältnismäßig wenigen Steinchen eine faszinierende Variation erreicht wurde.

GEORG TRAKL

In einem Brief an von Ficker schreibt Trakl: „Es ist ein namenloses Unglück, wenn einem die Welt entzweibricht ... Sagen Sie mir, daß ich nicht irre bin. Es ist ein steinernes Dunkel hereingebrochen." Mit diesem Entzweibrechen kann nichts anderes als die Zerstörung eines Weltsinnes gemeint sein. Wenn Griechenland und Palästina, Antike und Christentum diesen Sinn kannten, so hat die moderne Welt ihn verloren, sie ist im Sterben begriffen, *weil* sie das Auseinandergebrochene nicht zusammenfügen kann. Für den Dichter Trakl bedeutet das – ganz ähnlich wie für den Hofmannsthal des Chandosbriefes –, daß sich die Gegenstände nicht deckten mit den Begriffen der Sprache; vor allem fügen sich die Bruchstücke dessen, was gesehen, erkannt, erlebt wird, nicht zu einem Ganzen. Es entsteht eine Reihe, deren einzelne Fakten und sinnliche Daten neben- und hintereinander stehen. Ein gemeinsamer, durchgehender oder überwölbender Sinn ist nicht mehr da; in „De profundis" sagt Trakl:

Die zerbrochene Welt

„De profundis"

Es ist ein Stoppelfeld, in das ein schwarzer Regen fällt.
Es ist ein brauner Baum, der einsam dasteht.
Es ist ein Zischelwind, der leere Hütten umkreist –
Wie traurig dieser Abend.
Am Weiler vorbei
Sammelt die sanfte Waise noch spärliche Ähren ein.
Ihre Augen weiden rund und goldig in der Dämmerung
Und ihr Schoß harrt des himmlischen Bräutigams.
Bei der Heimkehr
Fanden Hirten den süßen Leib
Verwest im Dornenbusch.
Ein Schatten bin ich ferne finsteren Dörfern.
Gottes Schweigen
Trank ich aus dem Brunnen des Hains.
Auf meine Stirne tritt kaltes Metall.
Spinnen suchen mein Herz.
Es ist ein Lied, das in meinem Mund erlöscht.
Nachts fand ich mich auf einer Heide,
Starrend von Unrat und Staub der Sterne.
Im Haselgebüsch
Klangen wieder kristallene Engel.

Auflösung im Wohllaut

Das Bild dieser Welt ist zweifellos negativ; auch die tröstlichen Details, daß im Verfall des verwesten Leibes etwas ehedem Süßes ist, daß Gott zwar schweigt, aber doch existieren muß, daß der Erlöschende noch ein Lied in seinem Mund hat und daß die Engel kristallen klingen, auch diese Details sind Kehrseiten des Verfalls, sie geben der Schwermut die Folie. Warum wird dann noch gedichtet? Trakl glaubte, wie Brentano und Novalis, an die spendende Kraft der Dichtung: in ihr fügt sich die zerbrochene Welt wieder zusammen, zwar aus Bruchstücken und allzuoft, wie die Metaphern des Dichters, „zufällig" und „spielerisch" oder bloß zu einem schönen Klang, aber doch wahr und rein gefühlt und innerhalb ihrer Tongrenzen musikalisch gültig. Es ist ein „gewaltiger Schmerz", der – in „Grodek" – „die heiße Flamme des Geistes nährt".

Trakls Gedichte suchen diesen Schmerz zu artikulieren, der ja eigentlich im Wahn-

Zeichnung von A. Kubin zu G. Trakl, Offenbarung und Untergang

sinn und am Rande des Todes existiert und kaum aussagefähig ist. Er zeichnete den Flug der Krähen: „Ihr Flug gleicht einer Sonate; voll verblichener Akkorde und männlicher Schwermut; leise löst sich eine goldene Wolke auf.“ Das ist zugleich ein Bild der eigenen Kunst.

Gegen Ende seines Lebens wurde sie inbrünstiger. Die romantische Todeserotik jener aus der Dekadenz aufbrechenden Jugend überkam ihn und ließ ihn zum Gift greifen, weil er dies Leben nicht aushielt. Seine Gedichte geraten in dunkle Verzückung, schäumen über von Empfindungen, drängen die Metaphern immer enger aneinander, bis zur hermetischen Verriegelung der Lyrik. Und dann wird sie ein Ziehen und Treiben ahnungsschwerer und tiefer Bilder und Klänge in Wohllaut und Wehmut.

Trakl hat meditative Prosa geschrieben, und es gibt einige Texte, die wie Motivreihen zu Gedichten wirken. Die Sätze haben wohl die metaphorische und gleichnismäßige Umsetzung erfahren, nicht aber die Rhythmisierung zum eigentlichen Gedicht. Nach Baudelaire klingt der Titel „Verwandlung des Bösen"; aber der Schluß des unergründlichen Stückes hat den Ton der Hölderlinschen Elegien. Immer wieder meditiert der Dichter seine Thematik, und immer wieder stellen sich die gleichen Schlüsselworte ein:

GEORG TRAKL

„Verwandlungen des Bösen"

O Hölle des Schlafs; dunkle Gasse, braunes Gärtchen. Leise läutet im blauen Abend der Toten Gestalt. Grüne Blümchen umgaukeln sie und ihr Antlitz hat sie verlassen. Oder es neigt sich verblichen über die kalte Stirne des Mörders im Dunkel des Hausflurs; Anbetung, purpurne Flamme der Wollust; hinsterbend stürzte über schwarze Stufen der Schläfer ins Dunkel. — Jemand verließ dich am Kreuzweg und du schaust lange zurück. Silberner Schritt im Schatten verkrüppelter Apfelbäumchen. Purpurn leuchtet die Frucht im schwarzen Geäst und im Gras häutet sich die Schlange. O, das Dunkel; der Schweiß, der auf die eisige Stirne tritt und die traurigen Träume im Wein, in der Dorfschenke unter schwarzverrauchtem Gebälk. Du, noch Wildnis, die rosige Inseln zaubert aus dem braunen Tabaksgewölk und aus dem Innern den wilden Schrei eines Greifen holt, wenn er um schwarze Klippen jagt in Meer, Sturm und Eis. Du, ein grünes Metall und innen ein feuriges Gesicht, das hingehen will und singen vom Beinerhügel finstere Zeiten und den flammenden Sturz des Engels. O! Verzweiflung, die mit stummem Schrei ins Knie bricht. — Ein Toter besucht dich. Aus dem Herzen rinnt das selbstvergossene Blut und in schwarzer Braue nistet unsäglicher Augenblick; dunkle Begegnung. Du — ein purpurner Mond, da jener im grünen Schatten des Ölbaums erscheint . . .

Frühexpressionismus

Georg Trakl war wie Heym ein Wegbereiter des Expressionismus. Er artikulierte wie jener das dumpfe Entsetzen und die Erwartung apokalyptischen Unheils. Aber das Pathos und die Begeisterung der Expressionisten waren ihm fremd; vor allem widersprach der oft so naive Zukunftsglaube an „den" Menschen seinen eigenen Voraussetzungen. Trakl wollte nichts „verkünden" und hatte keine Botschaft als die eigene, welche die Schönheit des Verfalls und des Untergangs pries. So wie Else Lasker-Schüler suchte Trakl ein Traumreich, wo er mit seinen Metaphern, Gleichnissen und Symbolen allein war; und wie die Dichterin der „Hebräischen Balladen", ohne orthodox zu sein, sich unwiderstehlich angezogen fühlte vom Gottesbild des Alten Testaments, so behielt Trakl die Erinnerung und die Sehnsucht nach der christlichen Erlösung, dem sakramentalen Vollzug, der Gemeinschaft der Menschen in Gott. Es wäre verfehlt, wollte man seiner dichterischen Aussage ein orthodoxes Schema unterlegen. Trakl hat es nur in Bruchstücken besessen: mit der Welt war ihm auch das Christentum „entzweigebrochen". Die dem „Verfall" angemessene Haltung eines Dichters wie Trakl ist die Klage:

„Geistliche Dämmerung"

Stille begegnet am Saum des Waldes
Ein dunkles Wild;
Am Hügel endet leise der Abschiedswind,

Verstummt die Klage der Amsel,
Und die sanften Flöten des Herbstes
Schweigen im Rohr.

Auf schwarzer Wolke
Befährst du trunken von Mohn
Den nächtigen Weiher,

Den Sternenhimmel.
Immer tönt der Schwester mondene Stimme
Durch die geistliche Nacht.

Die stehenden Motive des Gedichts sind die geistliche Stadt (Salzburg), die Dämmerung, die Einsamkeit, die Klage und als ihr Instrument die Flöte, die schwarze Wolke, der Mohn (die Droge), der Weiher und der sich darin spiegelnde Sternenhimmel, wo beide gleichgesetzt werden, und die Schwester. Die „mondene Stimme" der Schwester ist nicht als expressionistische Metapher gemeint, sondern ein Ergebnis der spielerischen Verwechslung und Vertauschung der Motive. So lassen sich betörende Wirkungen erzielen, die eher symbolistisch als expressionistisch aufzufassen sind:

Auf schwärzlichem Kahn fuhr jener schimmernde Ströme hinab,
Purpurner Sterne voll, und es sank
Friedlich das ergrünte Gezweig auf ihn,
Mohn aus silberner Wolke.

Die Motive werden in den letzten Gedichten, unter der Überwältigung durch das Erlebnis der großen Schlachten im Osten, wieder konkreter. Sie lassen sich auf das historische Ereignis des Weltkriegs beziehen: hier sind wirklich Verfall und Untergang anschaulich, am schönsten in dem Gedicht „Grodek", aber auch „Im Osten", wo die gleichen Motive zum Gedicht zusammentraten:

„Im Osten"

Den wilden Orgeln des Wintersturms
Gleicht des Volkes finsterer Zorn,
Die purpurne Woge der Schlacht,
Entlaubter Sterne.

Mit zerbrochnen Brauen, silbernen Armen
Winkt sterbenden Soldaten die Nacht.
Im Schatten der herbstlichen Esche
Seufzen die Geister der Erschlagenen.

Dornige Wildnis umgürtet die Stadt.
Von blutenden Stufen jagt der Mond
Die erschrockenen Frauen.
Wilde Wölfe brachen durchs Tor.

Das Chaos als Seinsgrund

Die Vorstellung scheint mythisch geworden zu sein, wüßte man nicht, daß die visionären Bilder sich schon in früheren Gedichten Trakls finden.

Die Idee des Chaos hat Trakl nicht, wie Rimbaud, zu barbarischem Trotz inspiriert, sondern zur Stimmung der verzichtenden Klage. Man kann manchen Gedichten entnehmen, daß das protestantisch-christliche Erlebnis der Vergänglichkeit des Fleisches, das auch Benn und Becher immer wieder aussprechen, Trakl seit Kindertagen bedrückt hat; und er scheint nie von der Heiterkeit, dem katholischen Klima Salzburgs berührt worden zu sein. Auch das puritanische Schuldgefühl gegenüber dem Sein, am deutlichsten in Zeilen über die Schwester („Und folgend dem Schatten der Schwester; / Dunkle Liebe / Eines wilden Geschlechts"), paßt zur Verdüsterung des Dichters. Nimmt man alles zusammen, die Schulerlebnisse, die gesellschaftlichen und beruflichen Fehlschläge und die Mißerfolge auf dem Theater, so ließe sich über ihn das gleiche sagen wie über Heinrich von Kleist, daß ihm „nicht zu helfen" war.

Ernst Stadler

In den Gedichten von Georg Heym und Georg Trakl lockerte sich die Form von Werk zu Werk, als halte das Reim- und Strophengefüge dem Strudel der neuen Gefühle nicht stand. Bei Stadler ist es umgekehrt, in seinem Hauptwerk „Der Aufbruch“ (1914) ist eine feste Form gefunden. Stadlers Ausgangspunkt war das Mittelachsengedicht Arno Holz', das optische und rhythmische Ordnung kannte: ERNST STADLER

Was ist's? Die Augen reib' ich mir, Hans Träumer,
Der ich auf freiem Feld verwundert liege.
Glocken umklingen mich, Hähne krähn,
Türen knarren in morschen Angeln,
Bauern ziehen singend zur Arbeit:
Morgengrauen.

Stadlers frühe Lyrik kam dann, über Nachahmungen Stefan Georges und Hugo von Hofmannsthals, auf das Muster Walt Whitmans und Max Dauthendeys, dessen Lyrik er mit deutlicher Sympathie würdigte, während die so oft behauptete Nähe zu Heym und Trakl vor allem biographischer Art ist: Heym, Stadler und Trakl galten als jung gestorbene oder gefallene Erstlinge des Expressionismus. Obwohl Stadler, als Mitarbeiter der „Aktion“ und Freund Schickeles, noch in Pinthus' „Menschheitsdämmerung“ als Expressionist erschien, gehört er als Dichter eher zum mittleren Rilke, zu Dauthendey und dem jungen Werfel, also zu den Romantikern des neuen Lebensgefühls. In Brüssel war Stadler Gast Carl Sternheims gewesen, und dieser hatte mit richtigem Instinkt zu rühmen gewußt: „Hier war Leben unserer Tage in überzeugenden Lauten endlich rhythmisch gestanzt, und Freude des Schöpfers, Glück über die entdeckte Herrlichkeit strahlte durch alle Zeilen.“ Sternheims Lob

Die „entdeckte Herrlichkeit“ war „Der Aufbruch“. Hinter ihm spürte Sternheim das vitalistische Lebensdenken der Jahrhundertwende. Bei Verhaeren, Francis Jammes und Charles Péguy, die er übertrug, fand Stadler bewunderte Muster, die rhythmisch gegliederten Langzeilen, das Parlando; während Dauthendey noch am Schlußreim festgehalten hatte, gab ihn Stadler auf. Obgleich der reifere Stadler sich nun gegen die Gewähltheit Georges und Hofmannsthals wandte, übernahm er ihre Vorliebe für stilisierende Worte und Metaphern („heilig“ „schüchterne Flügel schlagend“, „südliche Meere“, „Schönheit“, „Geliebte“, „Sehnsuchtsvögel“), neuromantische Themen (Kirchen, Liturgie, „Wollust“, literarische Anspielung, Dirnen, „Blut“) und impressionistische Bilder. Bahnhof und Schnellzug sind Bilder romantischen Fernwehs und der Abenteurerlust – sehr im Gegensatz zu den technischen Themen Lerschs und Engelkes. Mit dem wohlüberlegten Titel „Der Aufbruch“ war das Aufgeben der George- und Hofmannsthal-Hörigkeit gemeint, die in Stadlers erstem Bändchen „Praeludien“ (1904) bezeugt war. In einem programmatischen Gedicht „Form und Wollust“ heißt es: Neuromantisches Schema „Der Aufbruch“

Form und Riegel mußten erst zerspringen,
Welt durch aufgeschlossne Röhren dringen:
Form ist Wollust, Friede, himmlisches Genügen,
Doch mich reißt es, Ackerschollen umzupflügen.
Form will mich verschnüren und verengen,
Doch ich will mein Sein in alle Weiten drängen –

Form ist klare Härte ohn Erbarmen,
Doch mich treibt es zu den Dumpfen, zu den Armen,
Und in grenzenlosem Michverschenken
Will mich Leben mit Erfüllung tränken.

Der Wandervogel

Da ist das neue Weltgefühl, das Bekenntnis zum gärenden Chaos und zum Menschenbruder. Stadlers Botschaft berührte nicht nur die Literatur, sondern auch die Wandervögel. Er selbst hatte die Romantik des Wanderns geliebt und war vom Aufbruchsgeist der Bewegung ergriffen. Nun sollte er ihr ein Stichwort geben, das er in Angelus Silesius' „Cherubinischem Wandersmann" gefunden hatte:

In einem alten Buche stieß ich auf ein Wort,
Das traf mich wie ein Schlag und brennt durch meine Tage fort:
Und wenn ich mich an trübe Lust vergebe,
Schein, Lug und Spiel zu mir anstatt des Wesens hebe,
Wenn ich gefällig mich mit raschem Sinn belüge,
Als wäre Dunkles klar, als wenn nicht Leben tausend wild verschlossne Tore trüge,
Und Worte wiederspreche, deren Weite ich nie ausgefühlt,
Und Dinge fasse, deren Sein mich niemals aufgewühlt,
Wenn mich willkommner Traum mit Sammethänden streicht,
Und Tag und Wirklichkeit von mir entweicht,
Der Welt entfremdet, fremd dem tiefsten Ich,
Dann steht das Wort mir auf: Mensch, werde wesentlich!

Das Leben

Stadler war das Kind einer aus dem Allgäu stammenden Beamtenfamilie. Er ist 1883 in Colmar geboren, ging in Straßburg auf das Gymnasium und studierte erst dort, dann in München deutsche Sprache und Literatur, im Nebenfach Französisch. Gefördert durch die Eltern, konnte er auch im Ausland studieren; er habilitierte sich 1908 in Straßburg mit einer Arbeit über Wielands Shakespeare-Übertragung. 1910 erhielt er einen Ruf an die Université Libre in Brüssel und sollte 1914 als Gastprofessor nach Toronto in Kanada gehen; er wurde jedoch gleich zu Beginn des Krieges als Leutnant eingezogen und fiel im Oktober 1914 bei Ypern.

Das geistige Elsaß

Schon mit neunzehn Jahren hatte Stadler Anschluß an eine Gruppe junger Elsässer gefunden, die von René Schickele geführt wurde und eine Zeitschrift für die künstlerische Wiedergeburt des Elsaß plante. Sie erschien am 1. Juli 1902 unter dem Titel „Der Stürmer", redigiert von Schickele. Vorher hatte die Münchner „Gesellschaft" die elsässische Gruppe in einem Sonderheft vorgestellt; zu ihr gehörten außer Schickele und Stadler Otto Flake, René Prévot und andere. Hinter dem Plan spukte der Typus des „heroischen Menschen", der gegen den bürgerlichen ausgespielt wurde. Flake stellte das heroische Ideal neben das damals moderne und modische Renaissanceideal. Auch das kosmische Thema, die „Wiedervereinigung mit dem Weltall", wurde apostrophiert. Nietzsche war der Erreger und Beweger dieser Gedanken. Politisch wirkte sich das Anliegen der jungen Literatur im Begriff des „geistigen Elsässertums" aus. Das Elsaß sei nicht bloß geographisch und historisch ein Mittler zwischen Deutschland und Frankreich, sondern, in Anknüpfung an humanistische Überlieferungen, auch literarisch und kulturpolitisch. Während zweier Oxforder Jahre hatte Stadler sein Europäertum von Deutschland und Frankreich auf England erweitert.

Ernst Stadler, Gemälde von Heinrich Beecke, 1910

„Der Aufbruch“ meinte auch diese Tendenzen, meinte eine kulturpolitische Sendung. Die wichtigste aber war die Erneuerung des ganzen Lebens. Da werden Parzival, Grimmelshausens Simplizissimus, die elsässische Äbtissin Herrad, die mittelalterlichen Kathedralen ebenso einbezogen wie die Armen, die Juden, die Irren, die moderne Technik. Eine große Anzahl von Gedichten feiert die Landschaft des Oberrheins. Einige Dirnengedichte standen 1911/12 in der „Aktion“ und waren deutlich als solche zu erkennen, während das Motiv im „Aufbruch“ verwischt wurde, vor allem bei dem Gedicht „Der Morgen“, das ursprünglich „Der Morgen der Dirne“ hieß. Stadler schrieb erotische Gedichte an eine Schauspielerin und eine Verkäuferin, im allgemeinen ist das Thema der sexuellen Enthemmung bei ihm ungleich delikater als bei den meisten Zeitgenossen artikuliert. Sosehr Stadler auf der einen Seite das Abenteuer, die Ferne, die Bewegung und „Reisen ins Metaphysische“ suchte, strebte er auf der andern nach der Stille der Landschaft, nach seelischer Ruhe, nach „festumzirktem Tagwerk“. Führend war jedoch die „Sturmseele“; sie sprach vor allem aus dem Titelgedicht „Aufbruch“, das schon vor 1913 entstanden war und trotz seines prophetischen Charakters kein Kriegsgedicht ist:

Die Weite der Themen

Die Stimmung des Aufbruchs

Einmal schon haben Fanfaren mein ungeduldiges Herz blutig gerissen,
Daß es, aufsteigend wie ein Pferd, sich wütend ins Gezäum verbissen.
Damals schlug Tambourmarsch den Sturm auf allen Wegen,
Und herrlichste Musik der Erde hieß uns Kugelregen.
Dann, plötzlich, stand Leben stille. Wege führten zwischen alten Bäumen.
Gemächer lockten. Es war süß, zu weilen und sich versäumen,
Von Wirklichkeit den Leib so wie von staubiger Rüstung zu entketten,
Wollüstig sich in Daunen weicher Traumstunden einzubetten.
Aber eines Morgens rollte durch Nebelluft das Echo von Signalen,
Hart, scharf, wie Schwerthieb pfeifend. Es war wie wenn im Dunkel
plötzlich Lichter aufstrahlen.

ERNST STADLER

Es war wie wenn durch Biwakfrühe Trompetenstöße klirren,
Die Schlafenden aufspringen und die Zelte abschlagen und
die Pferde schirren.
Ich war in Reihen eingeschient, die in den Morgen stießen, Feuer
über Helm und Bügel,
Vorwärts, in Blick und Blut die Schlacht, mit vorgehaltnem Zügel.
Vielleicht würden uns am Abend Siegesmärsche umstreichen,
Vielleicht lägen wir irgendwo ausgestreckt unter Leichen.
Aber vor dem Erraffen und vor dem Versinken
Würden unsre Augen sich an Welt und Sonne satt und glühend trinken.

Die Wirklichkeit ist mystisch

Hier kommt Stadlers Neigung zum Rausch, zum „Wolkigen“ und Metaphysischen zum Ausdruck. Man darf darüber nicht vergessen, daß der gleiche Stadler sich neu dem Alltag, den Armen, der elsässischen Landschaft und der Natur zuwandte. Die Realitäten des Alltags, auch der Technik und des Verkehrs, werden in die Welt eingeordnet. Das Metaphysische wird mit dem Werktag verbunden: in den „Dingen“ ist Gott. Das bringt Stadler in die Nähe Rilkes und Werfels und trennt ihn von den Modernen des Expressionismus, etwa Benn und van Hoddis. Die Heymsche Dämonisierung des Großstadt-Alltags ist ihm ebenso fremd wie die „steile“ Sprachgebärde eines Johannes R. Becher. In „Gegen Morgen“ wird der Zusammenhang fast romantisch ausgesprochen:

Tag will herauf. Nacht wehrt nicht mehr dem Licht.
O Morgenwinde, die den Geist in ungestüme Meere treiben!
Schon brechen Vorstadtbahnen fauchend in den Garten
Der Frühe. Bald sind Straßen, Brücken wieder von Gewühl und Lärm
versperrt –
O, jetzt ins Stille flüchten! Eng im Zug der Weiber, der sich übern
Treppengang zur Messe zerrt,
In Kirchenwinkel knien! O, alles von sich tun, und nur in Demut
auf das Wunder der Verheißung warten!

Während die eigentlichen Expressionisten zur Natur kaum ein ungebrochenes Verhältnis hatten, schrieb Stadler:

Du sollst wieder fühlen, daß alle stark' und jungen Kräfte dich
umschweifen;
Daß nichts stille steht, daß Gold des Himmels um dich kreist und Sterne dich
umwehn,
Daß Sonne und Abend niederfällt und Winde über blaue Meeressteppen
gehn,
Du sollst durch Sturz und Bruch der Wolken wilder in die hell gestürmten
Himmel greifen . . .

Der Aufbruch ohne Ziel

Auch Stadlers berühmtes Gedicht von der „Fahrt über die Rheinbrücke bei Nacht“ zeigt, was die Kunst der neuen Jugend sein will. Während Liliencrons „Blitzzug“ Bild an Bild reihte, sang Stadler einen Hymnus, an dessen Schluß nur noch einzelne Worte stehen, die eher wie Material zu einem Gedicht anmuten, als daß sie „Ausdruck“ sind. Auch Dauthendeys und Whitmans Eisenbahngedichte waren hymnisch; sie besangen das neue Erlebnis, den Rausch der schnellen Fahrt und drückten in ihren Metaphern den Triumph der technischen Errungenschaft im demokratischen Zeitalter aus. Bei Stadler wird die Nachtfahrt gleich in der zweiten Zeile zu einem Bild der Welt: Nicht die Technik, sondern der durch sie vermittelte Rausch ist entscheidend. Darum reiht Stadler am Schluß die widersprüchlichsten Begriffe aus der seelischen, sexuellen und religiösen Sphäre. Eine irrationale „Wollust“ scheint den Aufbruch aus der alten, formal gebundenen Welt zu rechtfertigen. R. Sorge, G. Kaiser, der junge Werfel priesen in ähnlicher Weise die Befreiung des Menschen aus den Tabu-Schranken, des Künstlers aus dem Ghetto des Ästhetischen. Stadler wußte schwerlich, wohin der Weg führen sollte; das Ziellose dieses Aufbruchs, möchte man sagen, wird im Zerbrechen der Form am Schluß des Gedichts deutlich. Es stand 1913 in der „Aktion“:

Der Schnellzug tastet sich und stößt die Dunkelheit entlang.
Kein Stern will vor. Die ganze Welt ist nur ein enger,
nachtumschienter Minengang,
Darein zuweilen Förderstellen blauen Lichtes jähe Horizonte reißen:
Feuerkreis
Von Kugellampen, Dächern, Schloten, dampfend, strömend . . nur
sekundenweis . .
Und wieder alles schwarz. Als führen wir ins Eingeweid der Nacht
zur Schicht.
Nun taumeln Lichter her . . verirrt, trostlos vereinsamt . . mehr . .
und sammeln sich . . und werden dicht.
Gerippe grauer Häuserfronten liegen bloß, im Zwielicht bleichend,
tot — etwas muß kommen . . o, ich fühl es schwer
Im Hirn. Eine Beklemmung singt im Blut. Dann dröhnt der Boden
plötzlich wie ein Meer:
Wir fliegen, aufgehoben, königlich durch nachtentrissne Luft, hoch
übern Strom. O Biegung der Millionen Lichter, stumme Wacht,
Vor deren blitzender Parade schwer die Wasser abwärts rollen.
Endloses Spalier, zum Gruß gestellt bei Nacht!
Wie Fackeln stürmend! Freudiges! Salut von Schiffen über
blauer See! Bestirntes Fest!
Wimmelnd, mit hellen Augen hingedrängt! Bis wo die Stadt mit
ihren letzten Häusern ihren Gast entläßt.
Und dann die langen Einsamkeiten. Nackte Ufer. Stille. Nacht.
Besinnung. Einkehr. Kommunion. Und Glut und Drang
Zum Letzten, Segnenden. Zum Zeugungsfest. Zur Wollust.
Zum Gebet. Zum Meer. Zum Untergang.

Der Jugendstil

Eine ähnliche Verbindung von Wollust, Untergang, Kosmischem und Schwermütigem fand sich in Beer-Hofmanns „Tod Georgs“, in Leopold Andrians und Hugo von Hofmannsthals Jugendgedichten, beim George des „Algabal“. Sie hatten sich zurückgewandt zur Renaissance oder zum Hellenismus, so wie Ernst Stadler als Germanist Wolfram von Eschenbach und die Vergangenheit des Elsaß neu entdeckt hatte. Von der Zukunft erwartete er, auch für seine Person, den Untergang. Er stilisierte sich in der Äbtissin Herrad, die sich in ihrer Zelle die Welt aus Büchern zurechtlegt. Der gleiche Stadler huldigte Sternheims zeitkritischer Dramatik, und diese bestätigt ja den Untergang der alten Welt — ohne von einer neuen zu wissen. Man hat von der „Unfruchtbarkeit“ des Jugendstils gesprochen, seiner Neigung zum sachlich Dekorativen und einer Vorliebe für das Todesthema. Wenn Stadler ein Gedicht mit den Worten „Ich bin nur Flamme,

Ernst Stadler, Handschriftprobe

Durst und Schrei und Brand" begann, so hatte er ein Schema ausgesprochen, in dem der Expressionismus aufgehen sollte, aber ähnlich wie Whitman war Stadler mehr Künder als Erfüller. Wenn die Jugend ihm freudig zustimmte, so galt das Stadlers Empfinden für Natur *und* Kultur, für die Liebe zur Heimat und zum Europa des Geisteserbes. (Er bekämpfte Fr. Lienhards Heimatkunstbewegung.) Obwohl er Gelehrter war, bekannte er sich zum „stürmischen Überschwang" Verhaerens und Whitmans und lobte deren „neue und heftigere Intensität des Welterlebens".

Stadlers Langzeile war gewiß von diesen Dichtern und Dauthendey vorweggenommen, aber Stadler gab ihr, über Deklamation und Deskription hinaus, eine neue Bedeutung. Die Zeilen sind überlang, sie lassen sich nicht in einem Atemzug hersagen, sie sind künstlich gestreckt wie gotische und Jugendstilfiguren; der Rhythmus wechselt ständig. Wenn Stadler von Wolfram sagte, daß aus dessen schwerem Stammeln

Die Bedeutung der Langzeile

plötzlich poetische Blitze schössen, so gilt das für ihn selber. Die Zeilen sind unersättlich und finden eigentlich keinen Schluß; jedes Substantiv wird durch Adjektive erweitert. Die Adjektive werden scheinbar willkürlich umgesetzt („Wie Lichtoasen ruhen in der stählernen Hut die geschwungenen Hallen", heißt es von den Bahnhöfen. Das Adjektiv „stählern" gehört eigentlich zu „Hallen".) Schirokauer hat darauf hingewiesen, daß Stadlers Adjektive von einer Sphäre in eine andere übertreten: „Straßen waren aufgewühlt von Lenzgeruch und grünem Saatregen." Oder: „Der Abend läuft den lauen Fluß hinunter." Oft fehlt der Artikel: „In meinem Blute scholl schon Meer." Die alten Ordnungen der Syntax wurden zerbrochen – auch die Sprache Stadlers war „Aufbruch".

Gustav Sack

Als Gustav Sack 1916 im Alter von einunddreißig Jahren beim Vormarsch der deutschen Truppen gegen Bukarest fiel, wußte außer dem um zehn Jahre älteren Schriftsteller Hans W. Fischer und Sacks Schwager Hans Harbeck kaum ein Dutzend Menschen, daß der Krieg den ursprünglichsten unter den früh gefallenen Dichtern des Aufbruchs hinweggerafft hatte. Denn erst im Jahre nach seinem Tode erschien der vorher von bekannten Verlegern abgelehnte Erstlingsroman „Ein verbummelter Student“ und 1919 der Roman „Ein Namenloser“. Den wahren Eindruck von der Persönlichkeit Sacks gab die von Paula Sack, seiner Frau, 1920 in zwei Bänden herausgegebene und von Hans W. Fischer eingeleitete Gesamtausgabe. Sie enthält außer den genannten Romanen das Romanfragment „Paralyse“, etwa siebzig Gedichte, die fast alle im Winter 1913/14 entstanden sind, das Bruchstück eines Versepos „Prometheus“ von 1906, das Schauspiel „Der Refraktair“, etwa zwanzig Novellen und Geschichten sowie Essays, Kritiken und das Kriegstagebuch „In Ketten durch Rumänien“. Das Ganze erscheint wie die Eruption von poetischem Magma, vermengt mit den Schlacken zeitgenössischer Philosophie und Wissenschaft. GUSTAV SACK

Gustav Sack wirkte wie ein Block aus Urgestein. Er schien den Leidenschaften hingegeben und dem Rausch der Liebe und des Weins verfallen, als Student ein Raufbruder, der an einem Abend elf Ramsche hatte. Sack schwärmte für naturhaftes Dasein, badete nackt in Sonne, Wasser und Wind, kannte die Geheimnisse alles Wachsenden, Grünenden, Blühenden, einer der ersten Dichter des Sumpfes und Moores, der libellenüberflogenen Teiche, Freund der Edda und ihrer mythisch angesehenen Urnatur, Freund des Sturms und Gewitters, ein geborener Soldat, aber in wütendem Kampf gegen Drill und Massenzucht. 1914, bei Ausbruch des Krieges, war er in der Schweiz und beobachtete die Regungen der Begeisterung; er blieb dort, solange es ging: das Schauspiel „Der Refraktair“ zeigt den Kriegsdienstverweigerer aus Egoismus. Sack liebte neben der Edda die Rebellen Shelley und Byron, verehrte die Philosophen Spinoza, Schopenhauer und Nietzsche und war ein erbitterter Feind der Literatur in Anführungsstrichen, der künstlerischen Boheme; er verachtete das Handwerkliche in der Kunst, den geistigen Betrieb. Ein einziges Mal hat er ein Theater betreten, während des Krieges in München, und sah Wedekinds „Frühlings Erwachen“. Der Mensch

Die Romanfiguren spiegeln diesen Kampf, sie bekennen Sacks eigene Auffassung. Der Namenlose (eine Prägung des Frühexpressionismus, die bei zahlreichen Autoren auftaucht) ruft: Der Geist als Widersacher

> Man zeige mir den, der ganz leibgewordener Wille zu einem Ziel ist! Das ist alles geistiger Mischmasch und Kitsch, so daß als die Erträglichen nur die bleiben, die körperliche Fertigkeiten üben und lehren. Der Soldat, der Matrose, der Flieger und Polfahrer, das geht noch an, das andere ist verkümmert und zersplittert, ist trüber Mischmasch und Aufguß und Kitsch.

Er erklärt:

> Ich pfeife auf das, was sich Geist nennt! Das ist Lug, Mittel, Dunst . . . Lieber verroht als vergeistigt . . . Ach, ich ärgere mich, wenn ich überall und stets und allerorts unseren Kopf gelobt sehe auf Kosten unseres Unterleibs, den jungen Trieb auf Kosten des uralten Stammes, die Gefahr auf Kosten der Sicherheit, das schillernde Schweifen und Vagabondieren auf Kosten der Ruhe, die geniale Krankheit auf Kosten der philiströsen

Gustav Sack

Gesundheit . . . Genießen sollen wir die Schönheit des Lebens, aber nicht über sie denken, um dann über dieses Denken wieder zu denken! O du Welle, die nur lebt, um am Felsen zu zerschellen . . .

Später wird der Rat erteilt, zu unterschlagen und an die See zu fahren; ein kleiner Beamter tut es, und in einer großartig einsamen Szene auf den Klippen des Meers wird dies Meer plötzlich zu einer Person, und da „warf das Meer, das ihn schon lange aus der Ferne beobachtet hatte, plötzlich eine breite blaue Welle hoch und schluckte ihn lautlos von der Klippe herab". Da mögen noch Strindberg-Reminiszenzen nachgewirkt haben, aber entscheidend ist „der Geist als Widersacher des Lebens"; die Formel Klages' lag in der Luft und war von Philosophen wie Th. Lessing vorbereitet: gemeint ist das Gegenteil des geschwätzigen großstädtischen Intellektualismus.

Die Paradoxe der Sexualität

So ist auch Gustav Sack, wenn wir seine Dichtungen als Bekenntnisse nehmen, ins Vergessenwollen geflüchtet, ist zum „Weibe" und zur Dirne gegangen, weil er, der Komplizierte, das Nichtkomplizierte, den „eindeutigen Trieb" als befreiende Macht körperlich spüren und „erleben" wollte – was freilich nicht zu spüren und erleben ist:

Wenn sie die Hüllen wütend von sich reißt,
wenn ihre Brüste ihm entgegenprallen,
wenn ihre Schenkel durstig ihn umkrallen
und fassungslos ihr Leib sich an ihn schweißt,

ruht immerfort sein Auge wie verwaist
auf ihrer Lust und ihrem irren Lallen
wie ein Korsar die trunkenen Vasallen
müd und verächtlich in die Schranken weist.

Und doch ist ihre Lust das eine Band,
das ihn mit dieser schalen Welt verbindet,
aus deren Mittelpunkt er – wie gebannt
von bösen Zaubern – ihren ‚Sinn' ergründet,
den Sinn, den, nur ein Wort und bunter Tand,
er ewig sucht und den er niemals findet.

Sack war eine komplizierte Persönlichkeit; und nicht nur in den sexuellen und alkoholischen Exzessen suchte er die Erlösung, sondern auch da, wo sie allen Verfluchungen des Geistes zum Trotz doch zu finden sein *müßte*: in der gedanklichen Spekulation. Er war ganz Kind der entgötterten Zeit. Der Versuch einer christlichen Verwirklichung der Menschheit erscheint ihm als zweitausendjähriger Irrweg, gut genug für Kinder und schlichte Seelen, aber wieviel „nutzlose Kraft" ist um des „melancholischen Hebräers" willen „vergeudet" worden! Er sieht sich von Rätseln umlauert, ausgeliefert der letzten Bastion des Bewußtseins, dem „ruhlos wilden Spuk, dem Geist". Er muß alles durchdenken:

GUSTAV SACK

Kritik am Überkommenen

Ein heißer Zwiespalt schreit
durch meine Welt! Mit einem Herzen weit
geöffnet aller Sinnen bunten Formen
vereinigt sich ein Drang nach Wesenheit,
nach grauen Formeln und nach ewigen Normen:
ich seh in Nymphen stets Sibyllen nur und Nornen.

Das äußere Leben

Sacks Romane sind Gedankendichtungen, er selbst war ihr Held, und in ebenso dichten wie ausschweifenden Prosadichtungen hat er den Sinn der „namenlosen" und „verbummelten" Existenz durchgrübelt. Er war der älteste Sohn des Hauptlehrers in Schermbeck bei Wesel, 1885 geboren. Nach dem „Einjährigen" ging er für dreiviertel Jahre in eine Apothekerlehre, trat dann aber in seine alte Klasse zurück, machte das Abitur und ging 1906–10 zum Studium der Germanistik und Naturwissenschaft nach Greifswald und Münster. Ein Jahr diente er beim Militär, kam dann zu den Eltern, bereits als „verbummelter Student" angesehen, und ging 1913 nach München. Kurz vor Kriegsausbruch heiratete er. Erst im Oktober meldete er sich beim Konsulat, wurde eingezogen und kam an die Westfront. Zwei Jahre später fiel er im Osten. Über sein Leben in den Jahren vor dem Kriege schrieb er leicht stilisierend im „Namenlosen":

Selbstporträt

Ich bin so oft berauscht gewesen, wie der Schaum am Champagnerkelch war ich trunken; und war nüchtern wie der Fisch im kältesten Bergbach; ich habe gehaßt mit der Ausschließlichkeit und Wucht des sinnlosen Triebes und habe in wissenden Stunden diesen Haß glühend genossen; ich habe geliebt mit der brutalsten Gier und ein anderes Mal mit dem delikatesten Bewußtsein und Selbstgenuß; ich bin großzügig gewesen wie ein Tor und neidisch wie ein hungriger Hund, ich habe in einigen kurzen Minuten rauschlos in einem purpurnen Strudel des Glückes geschwommen und habe, öfter als ich es wissen mag, in wortloser Verzweiflung vor den Toren des Todes gestanden, und habe mich dann aus all dem Fremden, das mich zerdrücken und zerquetschen wollte, emporgerissen, wie von den braunen Riesenschwingen eines Adlerpaares getragen in einen Himmel der blauesten Poesie, in ein Elysium der süßesten Narkotika; ich habe in allem Wissen umhergetastet und bin an manchen Stellen bis auf den Grund getaucht – ach! die Meere waren seicht! – und was ich aus alledem mitgebracht habe, das ist, daß ich gelernt habe, daß wir in einem Meer von ewigen Rätseln und Unergründlichkeiten schwimmen. Wir sind nichts denn ein Blitz in der Nacht, der einen kleinen Umkreis in ein fahles trügerisches Licht taucht. Was er da fahl und verschwommen und übergrell mit seinem Lichte beleuchtet, mit seinem Licht schafft, das ist unsere Welt. Wir haben nichts, wir sind nichts als die blitzartig auftauchenden Bilder. Und in ihnen ist keine Schuld und keine Güte, kein Schön und Häßlich, sie kamen so wie sie kommen mußten. Und daß wir die Fähigkeit haben, wie Schaum vom Schaume der Wellen, diese Bilder in der Erinnerung wieder zu schaffen und an ihnen weiter zu leiden, daß wir nicht vergessen können und dabei von einem wilden Hunger nach dem Wissen eines zureichenden Grundes für alles dieses gepeitscht werden, das ist unser Privileg und grundlosestes Leid.

Die Werke als Biographie

Sacks Werk ist Bekenntnis und Zeugnis dieser Entwicklung. „Der verbummelte Student" gibt die Schermbecker Monate wieder, den Sommer mit der „Teufelinne" Loo; den Rostocker Sommer beim Militär spiegelt der „Namenlose", der Mensch in der anonymen Masse. Die Entwicklung bis zum Kriegsausbruch findet man in dem Fragment „Paralyse", der Gedichtsammlung „Die drei Reiter" und den Novellen „Der Rubin". Die ersten Monate des Krieges in der Schweiz schilderte das Schauspiel „Der Refraktair", und die Kriegserlebnisse liest man „Aus dem Tagebuch eines Refraktairs und andere Novellen" und den, als „Andeutungen" bezeichneten Notizen des letzten Tagebuchs „In Ketten durch Rumänien".

Der verbummelte Student scheiterte. Wiedergeboren als Namenloser, suchte er, „um im Relativismus und Positivismus bestehen zu können, Stütze und Verbindung mit dem Innersten der Natur durch geschlechtliche Liebe". Aber die „Rauschtheorie" entpuppt sich als falsch, denn „das Ungeheure ist nur zu ertragen im Rausch und alle unsere Handlungen sind neurotica". Rausch ist Flucht und Feigheit. Der Namenlose hängt sich auf. Sein Nachfolger, ahnt er, wird der rauschlose, nüchterne und wahrhaft freie Mensch sein, welcher der Unerklärbarkeit und Haltlosigkeit „lachend" ins Auge sieht, der sie nie vergißt und ihr zum Trotz lebt, der mit seinen Freunden in Meeren ohne Ufer schwimmt, der keine Ruhe und kein Glück mehr braucht. Er ist zu stolz für das Glück. Der Held der „Paralyse" wird einsam sein, von allem Lebenden geschieden, der in Wüsten und Gletschern haust, „einsam und rein" wie die Steine, aber auch „hart und taub und kalt . . . und ganz steril". (Hans Henny Jahnn, in „Perrudja", wird zwanzig Jahre später solch einen Helden darstellen.) Der Paralyse-Held ist lustvoll müde, ein böser Selbstbeobachter seiner Zerstörung, ein Bruder von Benns Rönne. Sein einziges Medium ist die Sprache. Sack entwirft eine expressionistische Sprachtheorie, die, statt „Handwerkszeug und Meißel zu sein", „autokratisch" wird und nichts tut, „als nur mit Worten zu spielen, mit Worten spielen nur des Spielens und müden Spielens und des koketten Klingens wegen", „schimmernd in toten Farben, klingend in toten Klängen".

Der neue Held der „Paralyse"

Was die kosmischen Dichter von Däubler bis Mombert in den Kaskaden ihrer Gedichte versuchten, die Welt aus dem „schöpferischen" Ich als ein Kunstwerk zu entwickeln, das war bei Sack Gedankenstoff, bewegte ihn und färbte die dichterische Substanz. Die Welt wird selbst göttlich in diesem rauschhaften Empfinden – aber Sack hat nie ernsthaft gemeint, sie würde geschaffen, indem er sie dichtend evoziere. Er schildert im „Verbummelten Studenten" eine abendliche Landschaft:

Dichterisches Weltbild

Sieh, wie ein flacher, grüngoldener Weinbecher ist der Himmel über die Erde gestülpt. Dort wo die sinkende Sonne hinter dem Himmelsglase leuchtet, hängen purpurgoldne Schaumtropfen an der Weinschale, und drüben im Osten, wo der Mond rot und gespenstisch groß durch sie hindurch blinkt, liegt blauschwarz die kalte Nacht hinter ihr und reißt blutrote Risse in sie. – Nun werden die Rotweintropfen im Westen aussehen wie brennender Purpur, die ganze Schale leuchtet und flammt – hörst du nicht, wie sie klingt? Ein klingender, mächtiger Ton, süß und lang, als wollte er nicht enden – laß mich aufgehen, großer Gott, in deinem Farbenklang, selbst du werden und rosenrote klingende Welt!

Gustav Sack, Handschriftprobe aus dem Manuskript zu Paralyse 2

In Kaskaden fallen und springen die Sätze der Sackschen Prosa, sinnlich und abstrakt, bildhaft und gedacht, in die Handlung der jugendlichen Gesellschaft eingestreut und zugleich als monologische Blitze am Himmel zuckend. Sein Denken hat kein System, und sein Dichten hält sich nicht an das Detail. Wenn man seine Romane ohne Kenntnis des Hintergrunds läse, würde man sich rasch festlesen. Vielmehr liegt eine Stimmung darin, die hundert Jahre früher die dichterische Struktur Jean Pauls und Charles Sealsfields bestimmt hat:

Versuche absoluter Prosa

> Mein Trank war geschmolzener Schnee und meine Speise süßgefrorene Ebereschenfrüchte, Moose und Cetraria islandica – mein Lager aber war der Schnee, meine Decke der Himmel mit seinen Stürmen und Sternen, und noch manchen Bogen Papieres trug ich: so war ich gegen die schmutzige Not des Lebens zwiefach geschützt und begann nun ernstlich, die Hydraköpfe meines Denkens totzuschlagen.

Genialisch wild sind auch die Details der Romane. Da läßt sich der verbummelte Student seiner Freundin zuliebe in die Schützenzunft aufnehmen. Er „tat drei Schüsse und schoß den Vogel herab“. Er wird dörflicher Schützenkönig:

GUSTAV SACK

Und das Pokulieren begann, und bald hatte Erich ein Gelüsten, seinen drei Hofdamen die Kleider herunter zu reißen, bald zuckte es ihm in der Hand, seinen Mitpokulierenden mit einem Säbel die Köpfe vom Rumpf zu schlagen, daß das Blut in Springbrunnen in die Höhe schösse und als warmer Regen auf ihn und seine Königin niederfiele, aber er begnügte sich, mit einer feinen bissigen Ironie seine Untertanen gegen sich aufzustacheln und beim Tanz seinen Damen obszöne Dinge ins Ohr zu flüstern – sie waren es zufrieden und wären auch noch mit anderem zufrieden gewesen.

Anarchische Existenz

Diese Existenz ist sinnlos, der verbummelte Student und der Namenlose gehen freiwillig zugrunde. Man darf die Figuren, welche Stadien auf dem Sackschen Lebensweg symbolisieren, nur teilweise mit ihm identifizieren. Als Sucher nach einem neuen Weg hat Sack zumindest den Anfang des Neuen erkannt und hat erreicht, was die Masse der Expressionisten nicht erreichen konnte, weil sie im Aufruhr steckenblieb. Sack hat Goethes Vers, wenn der Mensch verstumme in seiner Qual, so habe ihm, dem Dichter, ein Gott gegeben, zu sagen, wie er leide, verspottet: der Dichter sei kein Verkünder und Erlöser, sondern:

Gewiß, er ist das Sprachrohr dieser Welt,
doch dieses Sprachrohr löst klingendes Geld.

Hier ist auf die moderne Paradoxie angespielt, daß Dichter sein ein bürgerlicher Beruf ist. Sack hat „die Literatur“ verhöhnt; dabei sprach wohl auch Ärger mit, daß er als Autor gar keinen Erfolg hatte. Er verhöhnte „die reine Seele“: „voll Arroganz und heiliger Begier – in den Dreck mit ihr!“ Seine Schmähungen des biblischen Gottes, der bürgerlichen Sattheit, der proletarischen Feigheit, der politischen Anmaßung gehören hierher. In einem ganz anderen Sinne als die Figuren Sternheims oder Kaisers fühlte sich der Held des „Refraktairs“ als Ausgestoßenen. Der mittellose Schriftsteller Egon lebt in der Schweiz vom Geld seines reichen bürgerlichen Schwiegervaters. Als er sich bei Kriegsausbruch weigert, die Schweiz zu verlassen und Soldat zu werden, droht die Frau mit Scheidung, der Schwiegervater will die Unterstützung sperren. Egon verzichtet auf alles und bleibt: nicht aus pazifistischen Gründen, sondern weil er egoistischer Anarchist ist! Der Krieg ist das Schicksal der Masse, und sie hat es verdient – weil sie Pöbel ist! Der Krieg erschien Egon-Sack als ein ordinärer Schacher um pekuniäre Vorteile und Handelsinteressen. Für einen „richtigen“, „apokalyptischen“, Krieg schwärmte er ebenso wie Nietzsche und Bloy. Auch der Titel des unvollendeten Romans „Paralyse“ beweist Sacks verzweifelten Hohn. Der Held sollte Herr und Tyrann der Erde werden und am Schluß der Menschheit „beweisen“, daß er verrückt sei – denn nur ein Verrückter kann großartig halluzinieren.

„Der Refraktair“

In der vierseitigen Erzählung „Im Heu“ erzählt Sack, wie der Bauer und seine Tochter bei der Ernte sind. Die Natur ist hier kein Gegenstand halb dichterischer, halb wissenschaftlicher Anschauung mehr, und die Reflexion der Person richtet sich nicht auf die Natur und die Arbeit. Vater und Tochter sind dumpfe Wesen, aber in ihrem Willen entschieden, durchaus nicht im Zwiespalt mit Welt und Gesellschaft. Ihr Acker wird zur Erde schlechthin:

„Im Heu“

Es ist Juli und in dem weiten Kessel liegt die Sommerglut so heiß, so drückend schwül und heiß, daß die bewaldeten Ränder dieses Kessels in der milchigen Bläue des Himmels schier verschwinden, so zittert und bebt die Luft vor ihnen auf und nieder. Und in dem Kessel steht weder Baum noch Haus, es ist eine glatte, wie auf einer Töpferscheibe gedrehte Mulde, von deren Rand sich Ackerstück an Ackerstück, Vierecke an Vierecke in nicht ganz konzentrischen Kreisen, in nicht ganz radialen Streifen in die Tiefe ziehen – gleißend gelbe Roggenfelder, bräunliche Kartoffel-, buntscheckige Buchweizen-, hellgrüne Haferfelder, in der Mitte aber, in dem Tiefpunkt der Mulde liegen die Wiesen, so fette grüne Wiesen, daß auf ihnen sogar die Sumpfdotterblumen und schwarzpurpurnen Sumpfblutaugen wachsen mögen; grau wie ein ungeheurer Flechtenbelag sind die Wiesen heute anzusehen und ein betäubender Geruch, ein süßer Geruch von welkem Ruchgras steigt von ihnen zu den Rändern des Kessels hoch – die Dichter würden sagen, blutige Sensen haben Milliarden Kinder Floras hingemordet, aber es ist nur Heu, gutes saftiges Heu, das da unten in der Mulde zum Trocknen liegt, und ein berauschender Duft.

Das ist der Ort, wo Vater und Tochter sich finden; und die Geschichte schließt damit, daß mitgeteilt wird, sie hätten fortan wie Mann und Frau gelebt, bis der Vater durch einen raschen Selbstmord der aufmerksam gemachten Justiz in den Arm fiel, die Tochter aber den bald geborenen Sohn „zu einem zweiten Ödipus erzog“.

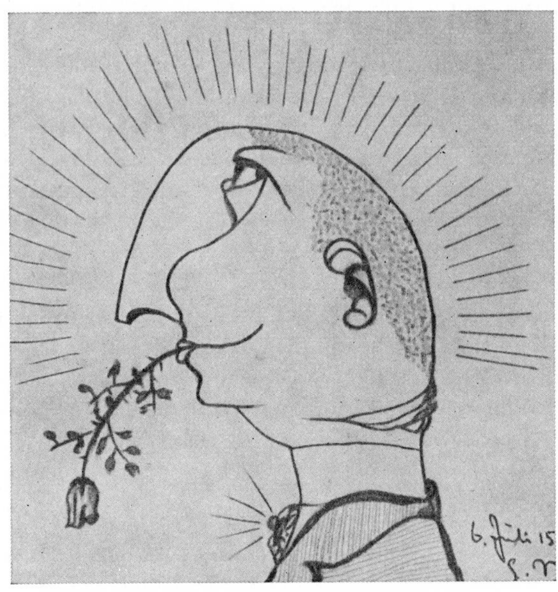

Der Literat, Zeichnung von Gustav Sack

Die Gewißheit des Herzens

In dieser Erzählung erkennt man in Vater und Tochter den autonomen, selbstherrlichen Menschen Sacks, der lieber stirbt als sich unterwirft. Aber gewandelt hat sich des Dichters Einstellung zur Welt: sie ist fraglos gegeben als etwas in sich Geschlossenes, absolut Herrliches, der gegenüber die blumige Sprache sogenannter Dichter bloß lächerlich ist. So wie die Natur sind die Menschen ihrem eigenen Gesetz gemäß „da“ und darum gut – während die Dichter der Natur und die Justiz den freien Menschen unrecht tun. Dem Gesetz des egoistischen Aufruhrs wird das höhere Gesetz einer inneren Sicherheit, einer Unbeirrbarkeit des Empfindens entgegengesetzt.

Eine ähnliche, gegen die bürgerliche Moral pointierte Lösung fand Sack in dem kleinen Gedicht „Der Hahn“. Bei seinem Krähen regt sich noch einmal das Liebespaar, zählt der Geizhals zum letzten Male, „müde“, seine Scheine. Hier wird der Welt der „Zahlen und Figuren“ (Novalis) jene andere gegenübergestellt, welche sich um die Gesetze einer schnöden Welt nicht kümmert. In „Die Klage“ und „Das Zauberlied“ hat Sack darauf hingewiesen, daß der antisoziale Übermensch zurücktritt vor dem Typus des „Unbedingten“, den er selbst verkörperte.

Oskar Kokoschka

Im Anfang war Oskar Kokoschka.
Albert Ehrenstein

Der junge Revolutionär

Im Jahre 1886 ist Kokoschka in Pöchlarn an der Donau geboren und verbrachte Kindheit und Jugend in Wien. 1908/09 besuchte er dort die Kunstgewerbeschule: Kokoschkas Freunde und Kommilitonen haben „Mörder Hoffnung der Frauen" und „Sphinx und Strohmann" aufgeführt, lange bevor es im Juni 1917 zur großen Aufführung im Dresdner Albert-Theater, mit bedeutenden Schauspielern, unter Kokoschkas Regie kam. Während Kokoschka 1917 ein berühmter Maler war und seine Stücke, als Produkte eines Außenseiters, nicht recht ernst genommen wurden, müssen die frühen Wiener Aufführungen — wie die der Dadaisten in Zürich im April 1917 — als epochale Ereignisse gewertet werden. Kokoschkas erste, um 1907 entstandene Dichtung heißt „Die träumenden Knaben" und erschien mit Illustrationen des Verfassers 1908 in Wien. Wie alle seine Veröffentlichungen sind die Erstdrucke in illustrierten Ausgaben erschienen und gehören zu den Kostbarkeiten der Bibliophilie. Heute gilt das kleine Werk als Zeugnis des Wiener Jugendstils; es wurde nicht verstanden, erregte aber nicht so wütenden Hohn und Widerspruch wie die Dramen. „Die träumenden Knaben" sind ein Erzählungsgedicht in frei psalmodierenden Rhythmen, deren Druckbild künstlich verzerrt wurde:

„Die träumenden Knaben"

und ich träumte / wie ein
zungenfeuchter baum ist
mein leib / in verlorenen
brunnen läuft das leben auf
und nieder und drängt zum
verschütten / die nächte
wunderlicher / namenloser
tiere tragen meine liebe
weg und aus meinen ver-
worrenen innigkeiten ist
kein tasten zu fremden
greifenden fingern / die ohne
erinnerungen wären . . .

Es handelt sich um allegorisches Sprechen, Darstellung von Gefühlen, Empfindungen, Ahnungen und Visionen, die ineinander übergehen: daher kein Punkt und keine reguläre Syntax, vielmehr das, was man später „Bewußtseinsstrom" und inneren Monolog nennen wird. Hinter dem allegorischen Sprechen verbirgt sich Kokoschkas dichterisches Urerlebnis, die Befreiung des Ich von den Tabus des Sexus. Es ist kein Zufall, daß Kokoschka im Wien S. Freuds, Beer-Hofmanns und Hofmannsthals aufwuchs. Ähnlich sprechen Hofmannsthals „Elektra" und Beer-Hofmann im „Tod Georgs"; unterschwellige, gewöhnlich „verdrängte" Komplexe dringen an die Bewußtseinsoberfläche.

Die Allegorie der Sexualität

Sowohl der Maler wie der Dichter Kokoschka hat sich auf Visionen berufen. Die Fortsetzung der „Träumenden Knaben" heißt „Der weiße Tiertöter", seit 1913 „Der gefesselte Kolumbus", und ist, bei gleichem Prinzip der Schilderung, in üblicher Prosa gesetzt. Hier werden stilistische Muster überraschender Herkunft deutlich: „Und ich ging mit Freuden an das Ufer des Meeres, aus dem eben der

Mond glänzend aufgestiegen war. Ich tauchte unter und spürte eine dünne Hand über mir sich bewegen. Sie kämmte mein Haar. ‚Du schöpfst mich selbst aus dem Leben und läßt mich durch die Finger gleiten, Du spielendes Mädchen!' Sie: ‚Ich will mich zu Dir legen und mit Dir tun, daß Du meinesgleichen wirst!'" Das beschworene Muster ist romantischer Symbolismus; so sprach schon Clemens Brentano im „Godwi" und später in seiner nazarenischen Prosa. Kokoschkas „Mädchen" ist Mond und Wasser, archetypische Figuration des Weiblichen, dem das zivilisatorisch Männliche unterliegen wird.

Titelzeichnung von Oskar Kokoschka zu Die träumenden Knaben

Das Wiener Modell

Kokoschkas „Weltbild" entspricht auch hier Ideen des Jugendstils und der Wiener Psychologie. Es handelt sich um die späte Phase der „dekadent" gewordenen Romantik. Stil und Motiv der Dramen fügen sich diesem Schema. Neu sind die enorme sprachliche Verkürzung und die visionäre Unbedingtheit. Was bei Eduard Stukken breit ausgemalt wird, erscheint bei Kokoschka kraß als Geschlechterkampf, der mythisch allegorisiert wird. „Mann" und „Frau" sind, wie im Expressionismus, keine Individuen, sondern Typen, deren Polarität in der modernen Welt gestört ist. Auch in Kokoschkas Zeichnungen wird das Über- und Durcheinander von Gesichtern und Gestalten deutlich – lange vor dem Kubismus und Surrealismus.

„Mörder Hoffnung der Frauen"

„Mörder Hoffnung der Frauen" entstand 1907, wurde 1910 im „Sturm" veröffentlicht und erhielt, bei der Auflage des Blattes von 30 000 Exemplaren, gleich ungeheures, wenn auch oft negatives Echo. Das Schauspiel ist nur zehn Seiten lang und spielt in einem zeitlosen Altertum bei Nacht zwischen „Mann" und „Frau" vor einer Staffage von Kriegern und Mädchen. Die Syntax verrät, daß Kokoschka Sophokles und Pindar griechisch gelesen hatte, seine Sprache ist nicht weit von der Hölderlins in den Übertragungen. Ein Krieger sagt etwa vom „Mann":

> Ihm ist, was Luft und Wasser teilt,
> Haut und Feder, Schuppen trägt,
> haarig und nackt Gespenst
> gleich untertan.

Es ist eine harte, exakte, keineswegs taumelnde Sprache. Die entscheidende Szene ist, wie in Trakls Frühdramen, von perverser Roheit, wenn der Mann der Frau sein Zeichen mit heißem Eisen aufzubrennen befiehlt, was umgehend, unter furchtbaren Schreien der Frau, ausgeführt wird; doch dann springt sie mit einem Messer auf den Mann los, bringt ihm eine Wunde bei und setzt ihn in einen

Oskar Kokoschka, Selbstbildnis

Käfig. Die Schlußszene ist gestisch und mimisch, fast ohne Worte; denn nun, wo die Frau „das wilde Tier“ sich im Käfig zu zähmen meint, unterliegt sie ihm:

Frau (immer heftiger aufschreiend):
Ich will dich nicht leben lassen. Du!
Du schwächst mich –
Ich töte dich – du fesselst mich!
Dich fing ich ein – und du hältst mich!
Laß los von mir – Umklammerst mich – wie mit eisernen
Ketten – erdrosselt – los – Hilfe!
Ich verlor den Schlüssel – der dich festhielt.
(läßt das Gitter, fällt auf der Stiege zusammen)

Sie stirbt, der Mann aber entkommt ins Freie, während die Krieger und Mädchen rufen: „Der Teufel! / Bändigt ihn, rettet euch! / Rette wer kann – verloren!" Manche Unarten des expressionistischen Dramas, Schrei statt Artikulation, sind hier schon deutlich. Auch die Anspielungen der Bilder und Vergleiche, teils biblisch („du schwächst mich"), teils märchenhaft („Ich verlor den Schlüssel"), bis zu jenem schnöden „Rette wer kann" sind mehr von jünglinghaften und pubertären Nöten als künstlerischen Forderungen bestimmt. Das nächste Stück „Sphinx und Strohmann", entstanden 1907, ist nicht „ein Curiosum", wie Kokoschka sagt, sondern surreale Groteske, und als solche wurde sie zehn Jahre später in Zürich von den Dadaisten, mit Hugo Ball und Emmy Hennings in den Hauptrollen, gespielt. Die Handlung ist einfach: Ein bürgerlicher Mann wird von der Frau – Anima, süße Anima –, die er liebt, zum Narren gemacht; buchstäblich verdreht sie ihm den Kopf, bis ihn der Tod in Person holt. Der Mann spricht mit romantischer Ironie ins Publikum, Anima wird durch einen Papagei parodiert, und den „Chor" bilden zehn Herren. Die Regiebemerkung lautet:

„Sphinx und Strohmann" („Hiob")

Firdusi wankt zur Mitte der Bühne, legt sich platt auf den Boden und erschießt sich mit einer Luftpistole. Es wächst ihm ein Geweih. Johann zieht einen Vorhang unter dem Rosazimmer auf, auf dem eine große mausfangende Katze aufgemalt war. Darunter sieht man viele Herren, schwarz gekleidet, mit Zylinderhüten, statt der Gesichter Löcher, in denen zeitweilig ein Kopf erscheint und rasch einen der folgenden Sätze spricht, worauf der nächste Herr antwortet, so läuft durch die ganze Reihe das Gespräch.

Diese Herren reden intellektuellen Jargon. War nämlich das erste Stück antik stilisiert, so hat Kokoschka in dieser Groteske romantische Ahnen, Tieck, Raimund und das Wiener Volkstheater, durchschimmern lassen. Später wurde das Stück zu dem Drama „Hiob" (1917) erweitert. Herr Firdusi, der Leidende, heißt hier Hiob. Das Stück wurde von Kokoschka in Dresden selbst inszeniert, und er pinselte, um die dritte Dimension aufzuheben, Möbel an die Wände: Auch als Regisseur hat Kokoschka Dinge getan, die später große Mode wurden.

„Der brennende Dornbusch"

Das Schauspiel „Der brennende Dornbusch" entstand 1913; es ist eine deutsche Parallele oder Variante des Erosthemas in Paul Claudels „Mittagswende", die Franz Blei 1908 übertragen hatte. Es ist eine Verklärung der liebenden Frau. Der Chor, der hier als solcher bezeichnet wird, psalmodiert am Schluß: „Erzwungen, erscheint ein Gesicht, eine Welt dem Bewußtsein." Hoffnungs- und Trostlosigkeit scheinen für den Edlen und Gütigen das Dasein auszumachen. „Wär's besser, nicht zu sein, als schlecht zu sein?" fragt die Frau. In diesem Stück ist die Polarität Weib-Mann schon unerträglich symbolisiert: „Ich seh einen metallenen Mann an ein brünstiges Tier gesperrt." Die Sprache, die im „Hiob" keck war, ist hier steif stilisiert und gereimt.

Beim „Sturm" in Berlin

Sieht man von einem um 1935 konzipierten „Comenius"-Fragment ab, so ist das Schauspiel „Orpheus und Eurydike" Kokoschkas letztes und längstes Stück, zwischen 1915 und 1918 entstanden, veröffentlicht in „Vier Dramen", 1919. Sein Thema hängt mit Kokoschkas Biographie zusammen. Im März 1910 war er als Mitarbeiter dem „Sturm" in Berlin nahegetreten und hatte dessen literarisches und graphisches Antlitz entscheidend mitbestimmt. Im Frühjahr 1911 kehrte er nach Wien zurück und unternahm eine Reise nach Italien. Als Kriegsfreiwilliger wurde er 1915 in Rußland schwer verwundet, mühsam geheilt und schließlich entlassen. 1917–24 lebte er in Dresden, wo er mit expressionistischen Autoren, vor

Bühnenbild von Ernst Stern zu Oskar Kokoschka, Der brennende Dornbusch

allem Hasenclever, Freundschaft schloß. Die Erinnerung an die Stunden, da er, von einem Bajonett durchbohrt, auf freiem Feld lag, und an ihre fiebrigen Ekstasen und Visionen hat Kokoschka nicht mehr verlassen.

„Orpheus und Eurydike“

Das Stück „Orpheus und Eurydike“ ist Niederschlag eines visionären Angsttraums, wie sie ähnlich um die gleiche Zeit Barlach in Dramenentwürfen festhielt. Kokoschka will in den Delirien der Todesnähe die Szenen des Stückes „gesprochen, geflüstert . . ., geweint, gefleht, geheult“ haben. Es ist das längste und am meisten ausgearbeitete der Dramen und wurde erst in Dresden fertig. Eurydike, die Orpheus anfangs liebt, wird von dem chthonischen Hades verführt und erwartet ein Kind von ihm. Aber nicht so sehr dies Motiv fesselt sie an Hades, sondern der mänadische Haß auf den Mann Orpheus, der keine schöpferische Person, sondern Bürger ist. Das Thema wird mythisch gefaßt. Außer Hades treten Psyche, die Furien und mänadische Weiber auf. Sogar ein shakespearisierender Narr hat sich hierhin verirrt. Die Antike wird – ähnlich wie bei Hofmannsthal der „Elektra“ – psychoanalytisch entstellt, und dadurch wirkt die Sprache sonderbar gespreizt. Es ist das letzte literarisch wichtige Werk Kokoschkas; er mochte gespürt haben, daß seine Stunde als Dichter vorbei war.

DER DURCHBRUCH DER JUNGEN GENERATION

Es lebe das Chaos, das blutende Herz, es klinge der Gesang der Menschenseele und Aufschrei donnernden Gefühls.

P. Kornfeld

KUNST OHNE MASSSTÄBE

Die Expressionisten bekannten sich zu einer Kunstauffassung und -übung, die nicht die Sinnenwelt noch einmal wiedergeben möchte und durch den Verstand greifbar ist, sondern ein Gebilde aus rauschhaftem Gefühl, ein Traumbild der Seelenaugen schafft. Sie hatten es nicht leicht und machten es sich nicht leicht, denn wer ist billigem Spott mehr ausgeliefert als der Überschäumende, dessen heilige Zeichen von den Fremden als Fratzen verhöhnt werden! Das Geschiebe von Heiligen und Unheiligen, wirklich Ergriffenen und bloßen Mitläufern bot dem Hohn der Gegner zahlreiche Angriffsflächen. Wie soll man jene darstellen, welche einer maßstablosen Kunst das Wort reden? Die Natur, die Sinne gaben Maßstäbe; aber wo ist der Maßstab für das Chaos, die blutenden Herzen, den „Aufschrei donnernden Gefühls" oder aufflammende Visionen?

Grundsätzliches zur Würdigung

Man kann die literarische Bewegung des Expressionismus nur mit den Augen der Liebe verstehen und würdigen. Sie hat immer abgelehnt, ästhetisch gewertet zu werden, auch wo sie nichts als Kunst wollte. Eher will sie Generationsbewegung sein, ist einig im Zerstören der väterlichen, d. h. naturalistischen Vorstellungen. Schon vor dem Kriege rief sie mit dem roten Titel einer Zeitschrift zur Revolution auf und lud Anfang 1914 zu einem Revolutionsball ein. Die erste Phase, die vorstürmende, reicht von etwa 1910 bis 1914. Vom neutralen Ausland und von der Etappe her unterirdisch weiterwirkend, schwelte sie in den letzten zwei Kriegsjahren, siegte scheinbar mit der Novemberrevolution, vor allem politisch, um nach kurzem Taumel in sich zu verbrennen. Die Satire nach dem Trauerspiel schrieb sie selbst, es war Dada. Der Expressionismus war arm an großen Werken, reich an Worten; jeder Aufruf war immer wieder – mit Jean Paul zu reden – nicht „ruhige", sondern mehr als temperamentvolle Darlegung jener Gründe, warum die jungen Leute jetzt von den Alten Ehrfurcht erwarteten, eine Ehrfurcht, die sonst das Alter von den Jungen beansprucht. Jugend wurde zum Wert an sich: Weil man jung war, mußte man besser und tüchtiger als die Alten sein. 1913 erschien im ersten Heft der „Neuen Kunst" ein Leitaufsatz von Rudolf Kurtz:

Jugend und Alter

Denn dies verleiht dem jungen Dichter seine historische Attitude: die Unbekümmertheit um reale Möglichkeiten, die herrliche Gebärde des sich in die Welt Schleuderns, die zügellose Liebe zum Außerordentlichen. Wer den Bluff nicht feurig umwirbt, ist nicht zwanzig Jahre alt, und wer mit zwanzig Jahren zögert, geheiligte Konventionen höhnisch in das Gesäß zu treten, ist ein Seminarist. Der junge Dichter muß demolieren und wenn kein Objekt des Angriffs da ist, wird – eine Tradition seit Jahrhunderten – eine Normalfigur des Bürgers erfunden, der zerfetzt und verhöhnt wird ... Der junge Dichter hat nur eine Mission: ruhestörenden Lärm zu verursachen. Die Hochspannungen seiner Seele schwungvoll in die Menschheit zu schleudern – unbekümmert um das Schwanken und Krachen vermorschter Gebeine. Er ist spielerisch, boshaft, unverschämt, ungerecht, brutal; brückenlos vom gewagtesten Bluff zu strahlendem Pathos sich schwingend, in einem unirdischen Lärm wie in einer Gloriole lebend ... Wer jung ist, soll es bis zur Katastrophe sein: und Unreife ist das triebkräftigste Ferment der Weltgeschichte.

GEGEN DIE KLASSIKER

Auflage 3000 | Zweiwochenschrift | Preis 10 Pfg.

Jahrgang 1913 | Verlag: Heinrich F. S. Bachmair

Nummer 1 | München | 15. Oktober

Richard Seewald: Revolution

(Original-Holzschnitt)

Inhalt:

Richard Seewald: Revolution — Johannes R. Becher: Freiheitlied — Erich Mühsam: Revolution — Hugo Ball: Der Henker — Leonhard Frank: Der Erotomane und diese Jungfrau — Klabund: Drei Gedichte — Fritz Lenz: Das endlose Sein — emmy hennings: Ich bin zu gleicher Zeit — Hans Harbeck: Georg Büchner — Franz Blei: Über Maurice Barrès — Kurt Hiller: Alfred Kerr — Adam: Die katholischen Gegenfüßler — Leybold: Der Vortragsreisende Roda Roda — Klabund: Das Herz der Lasker — Bachmair: Die Aufregung in Wien — Notizen.

Mitarbeiter:

Adam, Hugo Ball, Johannes R. Becher, Gottfried Benn, Franz Blei, Max Brod. Friedrich Eisenlohr, Engert, Leonhard Frank, John R. v. Gorsleben, emmy hennings, Kurt Hiller, Friedrich Markus Hübner, Philipp Keller, Klabund, Else Lasker-Schüler, Iwan Lazang, Erich Mühsam, Heinrich Nowak, Karl Otten, Sebastian Scharnagl, Richard Seewald und andere.

Die Typik des Aufstands

Da wiederholt sich eine mit jeder jungen Generation fällige Empörung. Vor dreißig Jahren hatte es geheißen: „Heyse lesen heißt ein Mensch ohne Geschmack sein — Heyse bewundern heißt ein Lump sein." Jetzt spöttelte man über „Exzellenz Piefke" (August Bebel) und sein „Wesen des Christentums". Einst rümpfte man die Nase über den „vielen idealistischen Unfug", den Schiller verübte; jetzt ging es unter Sternheims und Max Herrmann-Neißes Führung gegen Goethe, der als Freund der Ordnung zum Urbild des Bürgers, Philisters und Spießers wird, ein jämmerlicher Fall von Entartung in „bodenlose" Feigheit und Beschränktheit. In einem ironisch gemeinten Aufsatz von 1921 konnte Iwan Goll sagen:

Die Lyrik wird elektro-radial werden, wie alles ringsum, wie auch die Sterne es langsam für uns werden. Ist nicht Radium Urnatur, Ausgang neuer Leben und Tode, göttlich unerhört? Und wir tragen in unsere Kunst dies neue Element, weil wir ein neues ‚Ur' brauchen. Oder Europa ist kaputt und hat den größten Heldenmut zu sagen: Schluß. Unsere Kultur ist Gerümpel. Kommt, Barbaren, Skythen, Neger, Indianer, stampft! Das tun die übrigens auch. Lest die neue russische, die alte Herero- und die Eskimolyrik: daneben gähnen Goethe und Werfel nur. Also es gilt, tiefstes Erlebnis in Telegramme zu komprimieren, und zwar stenographiert.

ALLE GEGEN ALLE

Aphoristische Poetik

Die poetischen Forderungen überschlugen sich in radikalen Aphorismen. „Wer heute Dramatiker sein will und dennoch ein anständiger Mensch ist, hat Aphorismen oder Glossen zu schreiben. Oder er plagiiere Frank Wedekind." Ein Drama, das nicht gefilmt werden kann, ist überhaupt kein Drama. Wer das nicht glaubt, ist ein Greis, und sei er zwanzig Jahre alt! Welt ist blitzschneller Ablauf, darum ist der Jüngste immer voran, „in Deutschland hält der Achtzehnjährige den von Zwanzig für einen Idioten". Wer die Verse des „Kondor" nicht für die besten hält, die seit Rilke in deutscher Sprache geschrieben wurden, ist – für Kurt Hiller – ein „Lausejunge", ein „antisemitisches Schwein", ein „Schwachdeetz"; Hiller verbittet sich die Kritik durch Ehrenstein, Stössinger, Lissauer und R. Kurtz. Für Josef Adler ist Paul Zech ein „lyrischer Schieber"; für Carl Einstein ist Max Beckmann „ein betrübendes Vermächtnis der Gartenlaube"; für Hiller ist Kandinsky ein „geschmackvoller Laffe"; George Grosz nennt Kokoschka ein „Kunstbürschchen"; für Max Herrmann-Neiße sind Toller und Kranz bereits „Pseudo-Revolutionäre". Bezeichnend ist dieser Kampf aller gegen alle; der Kritiker beschimpft den Propheten, ein Messias seinen Apostel. Einer stürzt den andern in die Grube, die Richtungen kreuzen und befehden sich, der Politiker beschimpft den „Literaten", der Literat den „Dichter", der Aktivist schlägt den „Abstrakten", der „Futurist" den „Mystiker", der „Äternist" den „Kreationisten". Der Betrachter nennt es „Anarchie" (Diebold). Noch nicht Anarchie genug! schallt es zurück. Es ist Most, der absurd schäumt – wo bleibt der Wein?

Radikale Urteile

Solch eine Betrachtung des Phänomens ist möglich und sehr beliebt. Aber sie schiebt Beiläufiges nach vorne und sieht hinter lauten Äußerungen nicht den edlen Grund, die wahre Beunruhigung, die tiefe Sorge, auch nicht die existentielle Angst und Schwäche der Urteilenden. Der revolutionäre Widerspruch gegen die Alten und gegen die Konkurrenten spiegelte eine seit zwei und drei Jahrzehnten immer schwieriger gewordene Situation: Der Expressionismus wiederholte in mancher Hinsicht die Motive der Revolution von 1884 der damals jungen Naturalisten, wobei das Pendel allzuoft nach der entgegengesetzten Seite ausschlug: Freiheit gegen den Zwang der Mechanisierung und Industrialisierung, der Kunst gegen die Natur, Sammlung der schöpferischen Kräfte gegen die nur aufnehmenden und registrierenden, die Vision einer besseren Zukunft vor dem Hintergrund der europäischen Katastrophe von 1914–19. Vage standen die Forderungen der Reinheit und Liebe, der Gewaltlosigkeit und des Glaubens gegen die Wirklichkeit des politischen und ökonomischen Alltags. So wandte man sich ab vom Pathos des Fortschritts, des Intellekts, der Zivilisation, der Geschichte. Zugleich wußte man um den notwendigen Widerspruch in jedem Menschen: Wer die Zivilisation schmäht, kann ihren Lockungen doch nicht widerstehen, wer das

Innere Widersprüche und Verstrickungen

HEINRICH EDUARD JACOB

Kurt Pinthus, Zeichnung von Ludwig Meidner

ichsüchtige „Erlebnis“ geißelt, ist selbst erlebnissüchtig, wer gegen den Intellekt wettert, weiß, daß die neue Kunst ohne dessen Geburtshelferdienst nicht zustande kommen kann. Wer auf die Väter herabblickt als (in einem höheren Sinn) Schicksalslose, hungert selbst nach dem Glück. Wer die Gewalt als das Urböse haßt, kann ohne sie nicht leben. Alle, die jetzt aufschluchzen, aufjubeln, stammeln, schreien, vor Sehnsucht fast vergehen, das Land der Träume, den Völkerfrühling, Utopia endlich zu sehen, sind verstrickt in die Erbschuld aller Lebenden, Kinder einer unseligen Zeit, die keinen „werden“ läßt, den sie als Opfer nicht auch verzehrt. Expressionismus war der Aufschrei von zerrissenen Opfern einer Zeit, die glaubte, Retter dieser Zeit zu sein.

H. E. Jacobs technische Utopia

Als 1922 Heinrich Eduard Jacob, Erzähler, Dramatiker und Herausgeber der Anthologie „Verse der Lebenden“ (1924), Jahrgang 1889, Rückschau hielt auf das erste Jahrzehnt des Jahrhunderts, schrieb er:

Die Jahre 1900 bis 1910 sehen Deutschland auf der Höhe einer dichterischen Kultur, die man nicht vergleichen kann, ohne ein Jahrhundert zurückzugehen. Heißt dies, daß eine Iphigenie, ein Tasso – daß ein Goethe da ist? Aber ich sprach von einem Niveau. Es ist kein Goethe da – und doch: woher stammen diese Iphigenien und diese Tassos? Eine Akademie von Dichtern ist da, die sich ergänzt. Der Qualität wird die Quantität hilfreich. Ein unvergeßliches Gesamtbild von Ruhe, Stärke, Anmut und Würde ist da, wie in der Dekade von 1800 bis 1810. Eine Mischung von Adel und Sinnlichkeit, von Dithyrambik und Schwere, von Charakter und Leichtmut, eine Flugkraft – und welch ein Können! Wie schön ist aber auch das Leben! Wie glückhaft das Atmen! Die Technik, das dunkle Los noch hinterm Rücken verborgen haltend, scheint einzig geschaffen, die Wünsche einer vergeistigteren Sinnlichkeit zu befriedigen. Hunderttausend Jahre nach Daidalos lehrt die Maschine der Brüder Wright die Menschen das Fliegen. Mit Freunden, die in Paris oder Rom Vorlesungen hören, verknüpft uns das Telefon: ein halbstündiges Warten – und sie sind da. Im Münchner Hauptbahnhof harrt der Blitzzug, der auf den Brenner rauscht ... und bald wird vielleicht der elektrische Fernseher erfunden sein, dieser Traum der Liebe, durch den man eines Morgens aus dem Berliner November die Bläue des Ligurermeeres sehen kann oder die Geliebte in einer fernen Stadt! – Denn, ach die Frauen – wie schön sind die Frauen. Noch ist ihnen Hunger und Roheit fern. Noch sind sie nicht Krankenschwestern, nicht Tippfräuleins in Kriegsgesellschaften, nicht Munitionsarbeiterinnen und noch nicht Huren. Sie haben auch noch nicht die lästige Pflicht, in den Salons für Spartakistinnen oder Zionistinnen oder Deutschnationale gelten zu müssen. Sie sind ganz strahlendes Haar und schmelzende Wange. Sie lösen sich auf in einem Vers – in einem Vers ihrer Lieblingsdichter, der großen Dichter ...

Im Vorwort der erwähnten Anthologie nannte Jacob, knapp charakterisierend, die Dichter des gerühmten Jahrzehnts vor dem Expressionismus („törichtes Wort"): George, Hofmannsthal, Rilke („das ist die Triade der Erben"), Schmidtbonn, Beer-Hofmann, R. A. Schröder mit seinen „Deutschen Oden", H. Mann mit den Assy-Romanen, die frühe Novellistik Wassermanns, R. Kassner, R. Borchardt, „die hieratische Ästhetik Gundolfs", die Essays von F. Blei und St. Zweig und „die zahllos wohlgelungenen Verse der poetae minores: der Schaukal, Schaeffer, Vollmoeller, Felix Braun, Max Mell". Ganz richtig erkannte Jacob, daß „die Chaotiker, die 1910 auftreten . . . geschworene Gegner dieses Renaissance-Klassizismus sind. Sie sind Naturalisten." Mit Chaotikern meinte Jacob die Vertreter der kosmischen Dichtung: Däubler, zur Linde, Mombert und Spitteler.

KURT PINTHUS

Die Dichter des großen Jahrzehnts

Aus dieser glücklichen oder scheinbar glücklichen Welt brachen die jungen Menschen aus, die aus Hasenclevers Gedichtbuch „Der Jüngling" reden, wie sie Kurt Pinthus, Hasenclevers Mentor in unreifen Tagen, in Versen zeichnete, die 1913 das vierte und fünfte Buch der „Bücherei Maiandros" — herausgegeben von Heinrich Lautensack, Alfred Richard Meyer und Anselm Ruest — brachte.

Kurt Pinthus: An meine Freunde

Wir: rascher rauschend im Raum und glüher als lichte Kometen.
Wir: Kenner seltner Weine, Früchte, Geflügel, sanfter Pasteten.
Wir tragen vor brüllenden Menschenmassen aufreizende Fahnen.
Wir fliegen höhnend auf in zartgeäderten Aeroplanen.
Wir hüllen uns zitternd in tausend Schleier der Einsamkeit.
Wir ballen das Leben zu kleinen Kugeln und liegen aussaugend über
Ländern und Menschen wie Berge breit.
Wir schauern vor Spinnen und ziehen in ferne Kriege ohne Grauen.
Wir ruhen im Mondschein, in fremden Häusern bei schluchzenden,
girrenden, stöhnenden Frauen.
Wir lohen wie Schmiedefeuer in kaltem Sturm und starren wie Eisberge
in müder Schwüle.
Wir: unsrer Zeit harte Fürsten und süße Dirnen weltlicher Gefühle.
Wir: weise Greise zugleich und wütende Jünglinge, alberne Kinder.
Wir lesen nachts vergeßne romanische Schriften und mystische Bücher
der Germanen und Inder . . .

Verzweiflung als Weltgefühl

Über die strahlende Sinnenwelt schwüler Wünsche legte sich plötzlich ein Schleier, und dann kam ein anderes Zeitgesicht zum Vorschein. Trakl dichtet vom Verfall und menschlichen Elend:

Die Uhr, die vor der Sonne fünfe schlägt —
Einsame Menschen packt ein dunkles Grausen,
Im Abendgarten kahle Bäume sausen.
Des Toten Antlitz sich am Fenster regt . . .

Gleichzeitig mit dem veränderten Thema entsteht eine neue Sprache bei Trakl, knapp und streng in vierzeilige Strophen gefaßt; der grammatische Ausdruck präzisiert „Weltunglück durch den Nachmittag":

Weltunglück geistert durch den Nachmittag.
Baracken fliehn durch Gärtchen braun und wüst.
Lichtschnuppen gaukeln um verbrannten Mist,
Zwei Schläfer schwanken heimwärts, grau und vag.

Auf der verdorrten Wiese läuft ein Kind
Und spielt mit seinen Augen schwarz und glatt.
Und Gold tropft von den Büschen trüb und matt.
Ein alter Mann dreht traurig sich im Wind.

Hier war ein Erlebnis in beschreibende Metaphern und dunkle Bilder eingegangen. Scheinbar wird nur registriert, was der Autor wahrnimmt; aber jenes Kind hat zugleich etwas Gespenstisches, und der alte Mann ist alles andere als bloße Erscheinung, er macht die Idee „Trübsinn“ transparent. Trakls Erlebnis war genährt durch bedrückende Stimmungen seiner Psyche, eine gesteigerte Empfindsamkeit der leidenden Natur. So kann er vom Wahnsinn der Zeit und der Stadt sprechen:

Georg Trakl

O, der Wahnsinn der großen Stadt, da am Abend
An schwarzer Mauer verkrüppelte Bäume starren,
Aus silberner Maske der Geist des Bösen schaut;
Licht mit magnetischer Geißel die steinerne Nacht verdrängt.
O, das versunkene Läuten der Abendglocken.

Hure in eisigen Schauern ein totes Kindlein gebärt.
Rasend peitscht Gottes Zorn die Stirne des Besessenen,
Purpurne Seuche, Hunger, der grüne Augen zerbricht.
O, das gräßliche Lachen des Golds.

Aber stille blutet in dunkler Höhle stummere Menschheit!
Fügt aus harten Metallen das erlösende Haupt.

Trakl und Heym haben der literarischen Elite gezeigt, wie die vermeintlich so feste Welt der Bürger erschüttert war. Jakob van Hoddis und Alfred Lichtenstein artikulierten das gleiche Empfinden in grotesken, fast lustigen Bildern:

Jakob van Hoddis

Dem Bürger fliegt vom spitzen Kopf der Hut,
In allen Lüften hallt es wie Geschrei,
Dachdecker stürzen ab und gehn entzwei,
Und an den Küsten – liest man – steigt die Flut.

Der Sturm ist da, die wilden Meere hupfen
An Land, um dicke Dämme zu zerdrücken.
Die meisten Menschen haben einen Schnupfen.
Die Eisenbahnen fallen von den Brücken.

Georg Heym

Der jüngere Lichtenstein nahm diesen Ton auf. Dämmerung und Nebel bedecken den ehmals so blendenden Tag. „Umbra vitae“, Lebensschatten, Schicksalszeichen vor dem Ewigen, nennt Georg Heym seinen Gedichtband. Ist es nicht wie vor großen Katastrophen, die sich mit rätselhaften Zeichen am Himmel und auf Erden ankündigen?

Die Menschen stehen vorwärts in den Straßen
Und sehen auf die großen Himmelszeichen,
Wo die Kometen mit den Feuernasen
Um die gezackten Türme drohend schleichen.

Und alle Dächer sind voll Sternedeuter,
Die in den Himmel stecken große Röhren,
Und Zauberer, wachsend aus den Bodenlöchern,
Im Dunkel schräg, die ein Gestirn beschwören.

Selbstmörder gehen nachts in großen Horden,
Die suchen vor sich ihr verlornes Wesen,
Gebückt in Süd und West und Ost und Norden,
Den Staub zerfegend mit den Armen-Besen . . .

. . . .

Schatten sind viele. Trübe und verborgen.
Und Träume, die an stummen Türen schleifen,
Und der erwacht, bedrückt vom Licht der Morgen,
Muß schweren Schlaf von trüben Lidern streifen.

KRIEGS-VISIONEN

Die Welt starrt von Visionen. Überall jagt der Tod Heimatlose in die Dunkelheit. Die in den Städten heute leben müssen, viel zahlreicher als früher, sind verflucht; denn hinter ihnen steht eine Welt der Dämonen. Baal ist der Gott dieser Städte und wartet auf Opfer für seinen feurigen Bauch. Das gleiche Thema finden wir bei Paul Zech, dem jungen Becher, Gottfried Benn, Bert Brecht und Wilhelm Klemm. Ludwig Meidner, geboren 1884, der Illustrator der Expressionisten, sah und malte apokalyptische Landschaften:

Apokalyptische Visionen

So hab ich den Hochsommer vor dampfenden Leinwänden geschlottert, die in allen Flächen, Wolkenfetzen und Sturzbächen die künftige Erdennot ahnten. Ich habe zahllose Indigo- und Ockerfarben zerbrochen, und ein schmerzhafter Drang gab mir ein, alles Geradlinig-Vertikale zu zerbrechen. Auf alle Landschaften Trümmer, Fetzen und Asche zu breiten. Wie baute ich immer auf meine Felsen die Häuserruinen, klagevoll gespalten, und der Weheruf der kahlen Bäume zackte in den krächzenden Himmel hinauf. Wie rufende, warnende Stimmen schwebten Berge in den Hintergründen; der Komet lachte heiser, und Aeroplane segelten wie höllische Libellen im gelben Nachtsturm. Mein Hirn blutete in schrecklichen Gesichten. Ich sah nur immer einen Tausendreigen der Skelette tänzeln, viel Gräber und verbrannte Städte durch die Ebene sich winden.

Hatte Johannes R. Becher aus zerstörerischer Lust nach dem Krieg gerufen, so ahnt Gustav Sack ihn als Erwecker aus der Sinnlosigkeit dieses Daseins:

Der Krieg als Erwecker

— — — o gäbe es Krieg! Käme der Krieg. In gleißenden Wolkentürmen lauert er rings —: erwachte ein Sturm, der ihn aufjagte aus seiner lauernden Ruh, daß er über uns kommt in seiner schwarzblauen Wetternacht mit seinen Schwefelwinden, seinen goldenen Blitzen —! Volk gegen Volk, Land gegen Land — *ein* Stern nichts denn *ein* tobendes Gewitterfeld, eine Menschendämmerung, ein jauchzendes Vernichten —! oh, ob dann nicht ein Höheres —

Diesen Krieg hat Johannes R. Becher als Erlöser herbeigewünscht, freilich ohne das metaphysische Grauen Sacks und Heyms, die Todeserotik der großen Dichter, sondern als Sensation für die politische Boheme:

Wir horchen auf wilder Trompetdonner Stöße
Und wünschten herbei einen großen Weltkrieg
. . . Erreget Skandale! Die Welt wird zu enge . . .

Diesen Krieg sah Albert Ehrenstein als heidnischen Kriegsgott Ares, der die Menschheit in böser Lust zerfleischen will. Ares höhnt, die Menschen sollten doch ablassen, „den Gott zu rufen, der nicht hört"; schließlich hat Heinrich Lersch den Krieg christlich gedeutet und psalmodierend als Mahnung zur Umkehr besungen. Als der Krieg 1914 ausbrach, hat er die Jungen innerlich gelähmt. Die eingeführte

DIE WEISSEN BLÄTTER

Die weißen Blätter

EINE MONATSSCHRIFT

HERAUSGEGEBEN VON RENÉ SCHICKELE

ZEHNTES HEFT ◆ 6. JAHRGANG ◆ OKTOBER 1919

INHALT:

EINZELPREIS 2,50 MARK VIERTELJÄHRL. 6,50 MARK

1919

VERLEGT BEI PAUL CASSIRER, BERLIN W.

Zensur verbot die öffentliche Erörterung der Fragen. In der Entwicklung eines Dichters wie René Schickele kann man den Zwiespalt erkennen, als er, der geborene Elsässer, in der Schweiz eine „elende Zeit" des Wartens verbringen muß. „Die europäische Gemeinschaft scheint heute vollkommen zerstört — sollte es da nicht Pflicht aller sein, die keine Waffen tragen, mit Bewußtsein bereits heute so zu leben, wie es nach dem Krieg die Pflicht jedes Deutschen sein wird?" Schickele lebte mit einigen Gleichgesinnten in der Schweiz, seit 1915 als Herausgeber der „Weißen Blätter":

Schickeles Kriegsredaktion

In der engen Stube eines Häuschens auf dem Schweizer Ufer des Bodensees, das ich bewohne, sitzt Leonhard Frank und liest mit aufgesperrten blauen Augen, unter denen das harte Geißlergesicht sich weiß verkrümelt, eine Novelle. Es ist der „Kellner" (später „Der Vater" genannt), die erste jener kaltheißen Anklagen, die er später unter dem Titel „Der Mensch ist gut" herausgeben wird. Schnell in die Druckerei damit, für die „Weißen Blätter", und hinaus mit den Heften nach Deutschland, Frankreich, Italien, England und Österreich, daß sich das Echo runde! Carl Sternheim schickt „Tabula rasa", nach „1913", diesem glänzendsten deutschen Beitrag zur Vorgeschichte des Krieges, die frühzeitige Warnung vor der Anpassung des Proletariats an den Bourgeois. Von Heinrich Mann kommt „Madame Legros", von Werfel „Der Traum einer neuen Hölle", der wunderbare „Hölderlin" von Gustav Landauer, wilde Aufschreie von Becher, Zornrede von Ehrenstein, beschwörende Gedichte von Däubler, Leonhard, Hasenclever, Wolfenstein und vielen vielen andern jungen Dichtern: Kameraden, alle die sich als solche fühlen, sich als solche bewähren, alle! In trüben Zürcher Tagen flammt Rubiners „Himmlisches Licht" auf. Ich erhalte ein noch ganz frisches Exemplar des „Feuers" von Barbusse. Zwanzig Seiten, aus dem Buch gerissen, gehn an Hugo Ball: schnell übersetzen! Und in die Druckerei. Die Korrekturen schon fliegen, in einigen Dutzend Abzügen, nach Deutschland. Zur gleichen Zeit bringt die Post ein Manuskript aus Davos, von einem kranken ungarischen Offizier, „Heldentod" von Andreas Latzko. Der Kreis wächst und verzweigt sich jenseits der Grenzen . . . Georges Duhamel be-

schreibt das „Leben der Märtyrer", Raymond Lefèbvre und Vaillant-Couturier zeigen ingrimmig, wie der „Krieg des Soldaten" aussieht, das, was der Bürger kollernd „Krieg" nennt, was die Soldaten draußen tun, wie er geführt wird . . .
Wie gern gäbe ich zu, daß wir feige und träge und selbstsüchtig gewesen seien, wir, die, den Häschern entronnen, glaubten nicht mitkämpfen zu dürfen, auf welcher Seite, für welchen Vorwand immer. Aber das wäre eine Lüge. Feig waren wir nicht. Nein, auch nicht träge. Und selbstsüchtig nur insofern, als wir oft krank und auf uns angewiesen waren. Vielmehr ließen wir es uns viel kosten, geduldig zu bleiben und, nichts als ein Maulwurfshaufen in der bengalischen Beleuchtung des falschen Heldentums, die Dunkelheit und die Stille um uns zu prüfen, ob wir wahrhaftig seien . . . Wir hatten nichts für uns als die Zweideutigkeit und das Dunkel unserer Lage, als diese Stille. Freunde haben mir gesagt, daß sie in solcher Stille durch das Sperrfeuer gewandelt seien . . .
Plötzlich aber geschah es. Endlich. Was? Das Ungeheure. Das Flügelbreiten, groß wie im Traum, und die Erhöhung.
Jetzt fangen wir an. Wir sind beisammen, du und ich und alle Kinder der Erde. Durch unsern einmütigen Entschluß allein schaffen wir das Elend aus der Welt. Die Trauer. Den bösen Zorn. Und, mit dem frechen Glanz des Herrn, den bittern Aufstand des Sklaven, der der Herr sein möchte, um nicht länger der Sklave zu sein. Der Unterweisungen und Gesänge waren genug: in den Trümmern des Zusammenbruchs liegt das neue Werk und wartet, handgreiflich, daß es getan werde . . .
Die neue Welt hat begonnen. Das ist sie, die befreite Menschheit. Das Bild von Sais hat sich enthüllt. Ein Gesicht erscheint im Atmosphärenwust der Angst und Lüge: das Gesicht des Menschen. Das Gesicht einer Kreatur, überirdisch glänzend. Davonfliegend im Licht. Jetzt macht er Ernst, der Mensch. Endlich. Ernst mit sich, der leben will für sein Glück. Es gibt nur das eine und unteilbare Glück des Menschen, an dem alle teilhaben, die des Morgens eine menschliche Stirn heben vor dem aufziehenden Tag und den Mund bewegen zu Lauten, die für seinesgleichen das Erkennungswort sind im kosmischen Tumult. Jetzt! Beginnen wir, befreit vom Gepäck des Mittelalters, den Marsch in die Neuzeit! Los!

Vom Aufbruch zur Revolution

Schon 1913 proklamierte Ernst Lotz „Aufbruch der Jugend", 1914 erschien Stadlers „Aufbruch". Aus dem Untergang der alten Welt, der Apokalypse, erhebt sich das neue Jerusalem der Zukunft. Alle ekstatischen Hoffnungen der Zeit, seien sie politisch oder „geistig", haben religiöse Töne. 1918 erschienen Kurt Heynickes „Gottes Geigen", 1919 Adolf von Hatzfelds Gedichte „An Gott". Die Idole der „Entwicklung" und des „Fortschritts" wurden von Gottfried Benn höhnisch in Frage gestellt. Er verspottet den „rüstigen Fortschritt vom Mantelgeschoß bis zur Lydditgranate". Ähnlich Ludwig Rubiner: „Ich kenne das Aufplatzen der Erdkruste, Staub zerfliegt, alte Dreckschalen werden durchschlagen, heraus siedet das Feuerzischen des Geistes . . . Ich weiß, daß es nur noch Katastrophen gibt. Feuersbrünste, Explosionen, Absprünge von hohen Türmen, Licht, Umsichschlagen, Amoklaufen. Diese alle sind unsere tausendmal gesiebten Erinnerungen daran, daß aus dem fletschenden Schlund einer Katastrophe der Geist bricht. Nur ein sittliches Lebensziel gibt es: von diesen Erinnerungen die neuen sanften Süßigkeiten der kurz vergangenen Zeit herabzureißen . . ."

Religiöses Pathos der Zerstörung

Das heißt Zerstören, aber dies Zerstören ist „ein religiöser Begriff", Revolution, und die Revolution ist gleichbedeutend mit „Gott, Leben, Brunst, Chaos, Rausch". Friedrich Wolf ruft: „Nieder diese Ordnung um jeden Preis! – das Regellose ist die Geburt neuer Gesetze!" Die Revolution wird proklamiert als der immer wiederholte „Versuch der Umformung des Stoffes durch den Geist".

MENSCHHEITSPATHOS

Hier ist der Ort der frühen Werfelschen Gedichte, die wie eine Offenbarung empfunden wurden, einten sich doch religiöses, ethisches und revolutionäres Empfinden in einem schwelgerischen Ton:

Ich will dir ein Wort sagen, das du nicht begreifen wirst.
Ich sage dir: Die Selbstbehauptung im Geiste ist Selbstvernichtung,
die Selbstvernichtung im Geiste aber ist Selbstbehauptung.
Kennst du die starke Waffe
Der wirklichen Sieger?
Sie verachten das Wort, sie ziehn die Niederlage dem Sieg vor,
sie ergeben sich, sie lassen sich gefangennehmen . . .
Denn furchtbar ist der Demütige, furchtbarer der Reine,
der sich erkennt, und ein Tamerlan, wer sich aufgibt.

Werfels sensationelle Wirkung

Dem Helden der alten Zeit stellte Werfel das neue Ideal des Heiligen gegenüber. Prophetisch unterhalten sich Held und Heiliger, dieser wird siegen, jener zugrunde gehen. Von seinem Freund Kurt Pinthus wurde Werfel 1916 in der „Aktion" als „europäische Erscheinung" bezeichnet. Über die Wirkung seines „Weltfreunds" (1911) schrieb Otto Pick:

Ein Wirbelwind war in unsere Ecke im Prager Café Arco gefahren, hatte uns die Literaturblätter aus den Händen gerissen . . . Die Köpfe drängten sich zusammen über den ersten Bürstenabzug des „Weltfreunds". Halbversiegter Quell jugendlicher Gefühle rauschte auf, Morgenwind der Kindheit wehte uns an. Müde Miene des skeptisch traurigen Freundes ward glatt und herzlich. Belesenheit und philosophischer Ehrgeiz schwanden dahin. Schülerhaftes Geplänkel, Wettlauf der Talente, Überhebung des wühlenden Geistes, grotesker Indifferentismus und beharrliche Anrufung von Gazettengrößen – wie fortgeweht waren die abendlichen Spukgeister unseres Kreises. Und dann begann – wir kannten und kannten sie nicht – diese und jene Strophe, gesprochen-gedichtet vom Dichter, aufzusteigen in das Stimmengewirr, in das bläuliche Grau des Zigarettenrauchs, zu übertönen die Cafégeräusche . . . Und Werfel sprach, Werfel sang, Werfel wogte, Werfel wurde, nachdem er geworden . . . Der zarte und kräftige Traum ward endlich Buch, Literatur, Besprochenes. Der Ruhm stampfte heran.

Unerhört schien die Bewegung, welche durch Gedichte wie dieses ausgelöst wurde. *Eine* emotionale Woge trug den Dichter und seine Leser:

Mein einziger Wunsch ist, Dir, o Mensch, verwandt zu sein.
Bist Du Neger, Akrobat, oder ruhst Du noch in tiefer Mutterhut.
Klingt Dein Mädchenlied über den Hof, lenkst Du Dein Floß im
Abendschein.
Bist Du Soldat, oder Aviatiker voll Ausdauer und Mut.

Trugst Du als Kind auch ein Gewehr in grüner Armschlinge?
Wenn es losging, entflog ein angebundener Stöpfel dem Lauf.
Mein Mensch, wenn ich Erinnerung singe,
Sei nicht hart und löse Dich mit mir in Tränen auf!

Denn ich habe alle Schicksale durchgemacht. Ich weiß
Das Gefühl von einsamen Harfenistinnen in Kurkapellen,
Das Gefühl von schüchternen Gouvernanten im fremden Familien-
kreis,
Das Gefühl von Debutanten, die sich zitternd vor den Souffleurkasten
stellen.

Ich lebte im Walde, hatte ein Bahnhofamt,
Saß gebeugt über Kassabücher und bediente ungeduldige Gäste.
Als Heizer stand ich vor Kesseln, das Antlitz grell überflammt.
Und als Kuli aß ich Abfall und Küchenreste.

So gehöre ich Dir und allen!
Wolle mir bitte nicht widerstehn!
O könnte es einmal geschehn,
Daß wir uns, Bruder, in die Arme fallen!

ALFRED WOLFENSTEIN

Emotionale Gründe für Werfels Erfolg

Werfel wirkte wie Ferdinand Freiligrath im Jahre 1838, weil er alle Themen der Zeit in sich verbinden konnte und mit dem Menschheitspathos einte. Form und Sprache seiner Gedichte haben wenig mit dem eigentlichen Expressionismus zu tun. Musil sagte, Werfel habe Erfolg, weil er zu den Schriftstellern zähle, die jedem etwas sagten, er sei ein Eklektiker. Hinter Werfel stand seine religiöse Ahnung, die ähnlich bei Barlach zu finden ist: Gott sei unvollkommen, der neue Gott sei im Werden. Das verband sich bei beiden Autoren mit Einflüssen Tolstois und Dostojewskis. Aus solchem Pathos lebten Werfels Verse. Da sie außerdem Erfahrungen und Gefühle mitteilen wollten, die die Kosmiker nur einem kleinen Kreis vermittelt hatten, wirkten seine Gedichte trotz ihrer deskriptiven Plattheit neu. Er brachte Bilder, aber keine Gleichnisse und metaphorischen Umsetzungen der Erfahrung.

Werfels späterer Weg wurde als Verrat an seiner Jugend empfunden. Tatsächlich ist es umgekehrt: der Autor der Romane aus der religiösen Welt ist der wahre Werfel. Wieviel echter erschien da Alfred Wolfenstein:

Alfred Wolfenstein, „Das Herz“

Vergessen lag das Herz in unsrer Brust,
Wie lang! ein Kiesel in des Willens Lust,
Nur mit den wasserkühlen spiegelnden Händen
Manchmal berührt, unbewußt.

Einsiedlerisch in sich geschweift so klein
Nicht nötig für den lückenlosen Stein
Der großen Stadt und für den stählernen Geldthron,
In spitzes Rad griff volles Herz nicht ein.

Doch einmal endet der entseelte Lauf,
Nie steigt aus Umwelt Licht herauf,
Was uns umscheint, ist Himmel nie! Der Morgen
Bricht innen aus dem Menschen auf.

Das Herz – das schmal wie eine Sonne brennt,
Doch Sterne rings nach seinen Strahlen nennt,
Das kleine Herz blickt unermeßlich
Aus seiner Menschenseele Firmament!

O Stirn, das Zeichen dieses Herzens trag,
Gedanken, tiefer hallt von seinem Schlag.
Das Herz wird die gewaltige Einheit innen!
Im Weltall leuchtets als des Menschen Tag.

Der neue Mensch ist frei

Die Frage nach dem Menschen war nicht pathetisch gemeint; die Antworten zeigen, daß es sich um den Entwurf eines Weltbildes handelte, wo der Mensch nicht als Arbeiter, Soldat, Reicher, Armer, Bürger, Proletarier, wo er nicht als Glied einer Gemeinschaft, sondern als *freier* Mensch leben sollte. Er soll handeln

Zeichnung von L. Meidner zu Meidner, Septemberschrei

aus dem „Zentrum seiner Natur“, „gesetzmäßig, aber nicht zwangsläufig“, aus Liebe. Dahinter steht bei vielen Dichtern das biblische Bild vom „Gerechten“, dem Gewaltlosen: schon Stefan George hatte „geraden Wandel vor dem Herrn“ gefordert. Der Gedanke lebte in der Jugendbewegung und hatte sich entzündet am Widerspruch zum stolzen, als überheblich empfundenen Menschenbild des neunzehnten Jahrhunderts, das einerseits vom Glauben an die Wissenschaft und den Fortschritt, andererseits vom Typus des Übermenschen bei Gobineau und Nietzsche fasziniert gewesen war. Man liest in Wilhelm Michels frühen Schriften:

Wilhelm Michel

Und also: Der Mensch sei. Der Mensch sei gut. Ewige, tausendmal vernommene Forderung, von allen aus dem Abgrund geholt, von welcher Seite sie auch in ihn eindrangen. Gut?

Vielleicht muß man dieses Wort dem modernen Menschen erst übersetzen. Es klingt ihm fremd. Es ist ihm belastet mit Vorstellungen der Schwäche. Er fühlt etwas Flaues darin: zerschnittene Sehne; gelähmte Kraft. Gut? Aber allererst will man doch angemessen sein dieser Welt voll Kraft, Tat, Sieg, Mord. Brüderlich will man neben aller Kreatur stehen; Mensch, aber doch nicht fremd jener Lust, mit der die Wolke sich kreatürlich vom Wind über das Meer jagen läßt. Mensch will man sein, Wille, Ethos, Forderung, Geist; aber man will auch gehorsam sein, sinnlos, Glied der Macht, die ja alles übersittlich schafft und hält.

Ja, wir müssen das Wort „gut“ dem heutigen Menschen übertragen in seine Sprache. Wie lautet es darin?

Es lautet: Groß, Mächtig, Gewaltig.

Der bestialische Weg, Weltschöpferkraft zu werden, ist uns verschlossen. Er ist von den Illusionisten des letzten Jahrhunderts gepredigt worden. Aber er führt geradeswegs aus der Kraft in die erbarmungswürdigste Ohnmacht. Alles, was Menschen von Gott und seinem Reich geträumt oder geschaut haben, kann einzeln zerpflückt werden. Aber die Tatsache, daß der Mensch in einer entscheidenden Weise aus der dunkeln Flut der

Individuationen herausgehoben ist, kann nie widerlegt werden. Das Ich, der Geist, ist in ihm angezündet. Nichts löscht diese Flamme wieder aus.
Es ist uns nicht mehr möglich, in der eindeutigen Weise des Kristalls den Gesetzen gehorsam zu sein. Wir müssen es auf andere Weise tun: indem wir den Hechtsprung tun mit ausgebreiteten, vorgestreckten Armen in das Meer der unermüdlichen Kraft...
Es gibt nur einen Weg, absolute Heimkehr in die Kraft der Welt. [*Zum Schluß heißt es:*]
Es gibt auf alle Fragen nur eine Antwort: sich niederbeugen zu einem armen Leben, gut sein zu einer Blume. Alles andere ist Versagen, Feigheit, Täuschung.

Man sieht, daß der Expressionismus nicht minder populäre Fürsprecher fand als der Naturalismus etwa in Bölsche und seiner Lehre von Dichtung. Sie zehren in der Tiefe von der gleichen Substanz, dem monistischen Weltglauben, der das Böse überwindet durch Güte, denn, wie Wilhelm Michel sagt: „Nichts ist's, das Böse." Das ist ebenso tief gemeint wie platt ausgedrückt.

Die neue Aufgabe der Kunst

In so gewandelter Zeit müssen Künstler und Dichter anders bilden und sprechen als früher. Wer dem Geist dient, verachtet den Stoffglauben der Naturalisten. Wer die Berufung zur Ewigkeit in sich spürt, ist weit entfernt von dem Glauben der Impressionisten an die lockende Süße des Augenblicks.
Barlach schrieb, warum sich eines Tages die Augen seines Leibes erschüttert schließen müßten. Wie hat überhaupt das, was meine Netzhaut trifft, mein Trommelfell schwingen läßt, meine Haut berührt, mit meiner Seele, meiner Kunst zu tun? Hat je ein impressionistischer oder naturalistischer Künstler eine Vision gehabt oder dargestellt? Manet ödete die jungen Maler an; wußte seine Olympia „mehr als daß sie schön war und eine laszive Stellung möglichst naiv einnahm?" fragte Iwan Goll. Steht uns nicht Richard Strauß ebenso fern „wie sein Cousin Paul Lincke?" (Rubiner). Es ist ein Irrtum, daß Kunst die lockende Sinnenwelt noch einmal entstehen lasse. „Kunst gibt nicht das Sichtbare wieder, sondern macht sichtbar", sagte Paul Klee.

Gegen die Psychologie

Einer der Wortführer und Verfasser programmatischer Manifeste der expressionistischen Bewegung war Kasimir Edschmid, 1890 in Darmstadt geboren. Im Mai 1918 erklärte er „den Weg der Dichtung unserer Tage" in Stockholm: „Sie führt aus der Hülle zur Seele, aus dem Rang zum Menschen, vom Schildern zum Geist. Die Kunst wird positiv, sie zerfetzt den Menschen nicht mehr, sie gibt den Kosmos in seine Lunge." Daher sei es ein Irrtum, anzunehmen, die Kunst habe Beziehung zur psychologisierenden Kunst der Vergangenheit. Die alte Zeit, fußend auf einer materialistischen Seelenlehre, habe die Seele analytisch zerlegt – das neue Sehen aber sei synthetisch. „Die Psychologie sagt vom Wesen des Menschen ebensowenig aus wie die Anatomie" (Paul Kornfeld). Zusammenfassend kann Edschmid von den jungen Dichtern sagen:

Edschmid: Über den Expressionismus

Sie gaben nicht mehr die nackte Tatsache. Ihnen war der Moment, die Sekunde der impressionistischen Schöpfung nur ein taubes Korn in der mahlenden Zeit. Sie waren nicht mehr unterworfen den Ideen, Nöten und persönlichen Tragödien bürgerlichen und kapitalistischen Denkens.
Ihnen entfaltete das *Gefühl* sich maßlos.
Sie sahen nicht.
Sie schauten.
Sie photographierten nicht.
Sie hatten Gesichte.

EDSCHMIDS MANIFESTE

Statt der Rakete schufen sie die dauernde Erregung. Statt dem Moment die Wirkung in die Zeit. Sie wiesen nicht die glänzende Parade eines Zirkus. Sie wollten das Erlebnis, das anhält.

Vor allem gab es gegen das Atomische, Verstückte der Impressionisten nun ein großes umspannendes Weltgefühl.

In ihm stand die Erde, das Dasein als eine große Vision. Es gab Gefühle darin und Menschen. Sie sollten erfaßt werden im Kern und im Ursprünglichen. Die große Musik eines Dichters sind seine Menschen. Sie werden ihm nur groß, wenn ihre Umgebung groß ist. Nicht das heroische Format, das führte nur zum Dekorativen, nein, groß in dem Sinne, daß ihr Dasein, ihr Erleben teil hat an dem großen Dasein des Himmels und des Bodens, daß ihr Herz, verschwistert allem Geschehen, schlägt im gleichen Rhythmus wie die Welt.

Dazu bedurfte es einer tatsächlich neuen Gestaltung der künstlerischen Welt. Ein *neues Weltbild* mußte geschaffen werden, das nicht mehr teil hatte an jenem nur erfahrungsmäßig zu erfassenden der Naturalisten, nicht mehr teil hatte an jenem zerstückelten Raum, den die Impression gab, das vielmehr *einfach* sein mußte, eigentlich, und darum schön.

Die Erde ist eine riesige Landschaft, die Gott uns gab. Es muß nach ihr so gesehen werden, daß sie unverbildet zu uns kommt. Niemand zweifelt, daß das das Echte nicht sein kann, was uns als äußere Realität erscheint. Die Realität muß von uns geschaffen werden. Der Sinn des Gegenstands muß erwühlt sein. Begnügt darf sich nicht werden mit der geglaubten, gewähnten, notierten Tatsache, es muß das Bild der Welt rein und unverfälscht gespiegelt werden. Das aber ist nur in uns selbst.

So wird der ganze Raum des expressionistischen Künstlers Vision. Er sieht nicht, er schaut. Er schildert nicht, er erlebt. Er gibt nicht wieder, er gestaltet. Er nimmt nicht, er sucht. Nun gibt es nicht mehr die Kette der Tatsachen: Fabriken, Häuser, Krankheit, Huren, Geschrei und Hunger. Nun gibt es ihre Vision . . .

Parallele zur romantischen Theorie

Das Edschmidsche Programm enthielt nicht bloß die Forderungen des Neuen, sondern gab dem geschulten Blick den historischen Raum frei, aus dem diese Forderungen in ihren Paradoxien eigentlich kamen: die deutsche Romantik, wie sie bei Novalis, F. Schlegel, dem jungen Schleiermacher – also im „Athenäum“ – verkündet worden war. Alle Formulierungen, welche die Aufrührer von 1798 gegen den klassischen Stil und die Nachahmung der Antike richteten, fanden sich leicht verwandelt wieder. So tauchen im weiteren Verlauf der Proklamationen Edschmids die gleichen Pole auf: der einzelne und das Volk, der Mensch und Gott, der individuelle Charakter und das verpflichtende Ethos; es ist wohl bezeichnend, daß der glänzenden Theorie – wie in der Romantik – keine entsprechenden Kunstwerke folgten oder folgen konnten. Edschmid polemisierte (übrigens am naturalistischen Lieblingsexempel, dem Freudenmädchen), daß Naturgegenstand und Kunstgegenstand nicht bloß deskriptiv zur Deckung zu bringen seien, und fuhr fort:

Anti-Nationalismus

Die Welt ist da, es wäre sinnlos, sie zu wiederholen. Sie im letzten Zucken, im eigentlichsten Kern aufzusuchen und neu zu schaffen, das ist die größte Aufgabe der Kunst.

Jeder Mensch ist nicht mehr Individuum, gebunden an Pflicht, Moral, Gesellschaft, Familie.

Er wird in dieser Kunst nichts als das Erhebenste und Kläglichste: *er wird Mensch.*

Hier liegt das Neue und Unerhörte gegen die Epochen vorher.

Hier wird der bürgerliche Weltgedanke endlich nicht mehr gedacht.

Hier gibt es keine Zusammenhänge mehr, die das Bild des Menschlichen verschleiern.

Plakatentwurf von Max Oppenheimer für den Revolutionsball (Titelbild Die Aktion 1914)

Keine Ehegeschichten, keine Tragödien, die aus dem Zusammenprall von Konvention und Freiheitsbedürfnis entstehen, keine Milieustücke, keine gestrengen Chefs, lebenslustigen Offiziere, keine Puppen, die an den Drähten psychologischer Weltanschauung hängend, mit Gesetzen, Standpunkten, Irrungen und Lastern dieses von Menschen gemachten und konstruierten Gesellschaftsdaseins spielen, lachen und leiden.
Durch alle diese Surrogate greift die Hand des Künstlers grausam durch. Es zeigt sich, daß sie Fassaden waren. Aus Kulisse und Joch überlieferten verfälschten Gefühls tritt nichts als der Mensch. Keine blonde Bestie, kein ruchloser Primitiver, sondern der einfache schlichte Mensch.
Sein Herz atmet, seine Lunge braust, er gibt sich hin der Schöpfung, von der er nicht ein Stück ist, die in ihm sich schaukelt, wie *er* sie wiederspiegelt. Sein Leben reguliert sich ohne die kleinliche Logik, ohne Folgerung, beschämende Moral und Kausalität lediglich nach dem ungeheuren Gradmesser seines Gefühls . . .

Edschmids Reden und Aufsätze

Edschmid wollte Welt, Leben und Menschen in ihrem „eigentlichsten Kern" geben. Darum sprach er sich über alles aus, über Dinge des Lebens und der Kunst, von Jahr zu Jahr in immer weiterem Ausmaß, immer als Redner (mindestens in Gedanken hatte er stets ein Publikum vor sich). Seine vielbändige

PSYCHOLOGIE DER KUNST

Schriftensammlung „Tribüne der Kunst und Zeit“ (1919) war mit der Rede über den dichterischen Expressionismus eingeleitet. Das Thema wurde in den Reden über „Flaubert und Hamsun“ (1922) und andern Büchern fortgesponnen. Er betonte sein Außenseitertum, schmähte die Professionals und Subalternen der Literatur, die „Bürokraten der Kunst“. Er machte sich lustig über G. Hauptmann, der sich als Dramatiker in die seelischen Konflikte der Azteken Mexikos vertiefe, und gestand, er könne W. Schäfers „Dreizehn Bücher der deutschen Seele“ nicht lesen. Seine eigentliche Absicht ging schon damals weiter und hat sich in den Reisebüchern und Romanen mannigfach bezeugt: er wollte Weltmann und Weltdichter sein, ein großer Herr, der nebenher schreibt und unsterblich wird. Als junger Mann formulierte er freilich so kühn, daß kein Genie das Programm erfüllen konnte:

Psychologie als Grenze zur Kunst

Das ist das größte Geheimnis der Kunst: Sie ist ohne gewohnte Psychologie.
Dennoch geht ihr Erleben tiefer. Es geht auf den einfachsten Bahnen, nicht auf den verdrehten, von Menschen geschaffenen, von Menschen geschändeten Arten des Denkens, das, von bekannten Kausalitäten gelenkt, nie kosmisch sein kann.
Aus dem Psychologischen kommt nur Analyse. Es kommt Auseinanderfalten, Nachsehen, Konsequenzenziehen, Erklärenwollen, Besserwissen, eine Klugheit heucheln, die doch nur nach den Ergebnissen geht, die unseren für große Wunder blinden Augen bekannt und durchsichtig sind. Denn vergessen wir nicht: alle Gesetze, alle Lebenskräfte, die psychologisch gebannt sind, sind nur von uns geschaffen, von uns angenommen und geglaubt. Für das Unerklärliche, für die Welt, für Gott gibt es im Vergangenen keine Erklärung. Ein Achselzucken nur, eine Verneinung. Daher ist diese neue Kunst positiv.
Weil sie intuitiv ist... So kommt es, daß diese Kunst, da sie kosmisch ist, andere Höhen und Tiefen nehmen kann als irgendeine impressionistische oder naturalistische, wenn ihre Träger stark sind. Mit dem Fortfall des psychologischen Apparates fällt der ganze Dekadenzrummel, die letzten Fragen können erhascht, große Probleme des Lebens direkt attackiert werden. In ganz neuer Weise erschließt sich aufbrandendem Gefühl die Welt.
Der große Garten Gottes liegt paradiesisch geschaut hinter der Welt der Dinge, wie unser sterblicher Blick sie sieht. Große Horizonte brechen auf...

Minderwertigkeitskomplexe

Hinter den expressionistischen Wünschen nach dem Echten, Reinen, Elementaren stecken gewisse bürgerlich-literarische Minderwertigkeitsgefühle. Bei Werfel, Sternheim, Kaiser versagt der Literat vor dem Phänomen der herzlichen Liebe zur Frau. August Stramm stenographiert dies Empfinden:

Mich krallt die Gier
und herbe Dünste bluten
in seinen Ketten
rüttelt
der Verstand

Franz Werfel gesteht, daß er „nach Liebe weine. Und hab doch keinen gern.“ Albert Ehrenstein nennt das Geschlecht der Frauen weltwendisch, Böses kochend, schrillhaarig, schändlich, „jede sinnt ihrem Magen nach – oder den Lüsten des Spiegels“, und er, der Dichter, möchte den Dolch „gut versenken in deinen hochmütigen Nacken“. Im Laufe der Entwicklung wurde klar, daß man den Bürger beneidete um seiner naiven Liebesfähigkeit willen. Sternheim bewunderte

EKSTATISCHER STIL

Christian Maske wegen seiner erotischen Natürlichkeit (im Gegensatz zu dem Literaten Scarron); und beim Dadaismus möchte Huelsenbeck Literatur mit dem Revolver machen. Die Literaten wußten um ihre vitale Schwäche. Niemand hatte dem Expressionismus besser vorgearbeitet als die Brüder Mann, die den ästhetischen Typus als vital minderwertig und dekadent beschrieben hatten. Ihre heimliche Verliebtheit in das Bürgertum und seine Tüchtigkeit blieb im Expressionismus stets lebendig.

Schlußbild von L. Meidner zu Meidner, Septemberschrei

Die neue Zeit wollte alles umwerten, und weil sie den morbiden Ästheten, den Nur-Literaten verachtete, betonte sie den Vorrang der Gesinnung vor der Leistung, des Wollens vor dem Können. Kurt Hiller dekretierte:

Die Kunst soll wirken

> Das Können, an sich, ist moralisch indifferent. Werte, als deren Werkzeug es auftritt, adeln es; als Werkzeug des Unwerts wird es zur Sünde. Eigenwert hat Können nirgends – außer im System einer künstlerischen, das ist: spielerischen Weltauffassung . . . die hoffentlich *war*. Sieht man tüchtige Technik an nichtiger Materie entwickelt, so kann man nur beklagen, daß Gott da einem Windbeutel gnädig verlieh, was er manchem Tieferen und Edleren ungnädig vorenthielt, der sehr verstanden haben würde, es zum Frommen der Menschheit zu verwenden: so bleibt Unwirksamkeit sein Los, ihr Schade. Folglich ist es gut, wenn ein Geistiger auch Talent hat; aber wer Talent hat, ist darum nicht geistig. Was hätte die Verschwommenheit des üblichen Lyrikers, die Spießigkeit des üblichen Musikanten, die rohe Dummheit des üblichen Schauspielers mit Geist zu schaffen? Der durchschnittliche revolutionäre Maler: welch ein Pinsel pflegt er zu sein!

Da wird Börnes unerwartetes Wort zitiert: „Die schlechteste Madonna ist mir wichtiger als das bestgemalte Stilleben.“ Die klassische These, man dürfe nur aus dem Herzen und mit vollem Herzen dichten, feiert unerwartet ihre Auferstehung.

Der Expressionist will nichts von Sachlichkeit oder Objektivität wissen, die er für eine Konsequenz naturalistischer Ansichten oder für die lächerliche Entschuldi-

EKSTATISCHER STIL

gung lauer Gemüter hält, die sich nicht begeistern können oder wollen. Er will Himmelfahrten und Höllenstürze, man soll hingerissen, leidenschaftlich, pathetisch, ekstatisch sein. Man ist „Flamme" oder „Brand", „Durst und Schrei". Das Drama darf mit Schreien beginnen, die Zeitschriften können „Der Schrey", „Die Rettung", „Revolution", „Die Rote Erde", „Die Sichel", „Tribunal" und „Der Feuerreiter" heißen. Man darf Oh und Ach sagen; man benütze Gebärden, die es in der „Wirklichkeit" nicht gibt! Man redet und schreibt von *dem* Menschen, *dem* Vater, *der* Mutter, *dem* Bettler, *dem* Liebenden und immer wieder *dem* Menschen; eine Zeitschrift heißt einfach „Menschen".Will man zeigen, wie *der* Mensch, mit unnennbarer Sehnsucht nach der südlichen Stadt, dort Heimat fand, so läßt man die Stadt sich entgegenblühen, in sich münden, sein wie ich. Gottfried Benn beschreibt 1915 in den „Weißen Blättern" die Stadt:

Benn, „Die Eroberung"

Er schritt aus, schon blühte um ihn die Stadt. Sie wogte auf ihn zu, sie erhob sich von den Hügeln, schlug Brücken über die Inseln, ihre Krone rauschte. Über Plätze, vor Jahrhunderten liegengeblieben und von keinem Fuß berührt, drängten alle Straßen hernieder in ein Tal; es war ein Abstieg in die Stadt, sie ließ sich sinken in die Ebene, sie entsteinte ihr Gemäuer einem Weinberg zu. – Er verhielt auf einem Platz, sank auf eine Mauer, schloß die Augen, spürte mit den Händen durch die Luft wie durch Wasser und drängte: Liebe Stadt, laß dich doch besetzen! Beheimate mich! Nimm mich auf in die Gemeinschaft! Du wächst nicht auf, du schwillst oben nicht an, alles das ermüdet so. Du bist so südlich; deine Kirche betet in den Abend, ihr Stein ist weiß, der Himmel blau. Du irrst so an das Ufer der Ferne, du wirst dich erbarmen, schon umschweifst du mich.

Vertauschung von Ich und Welt

So wie hier eine Vertauschung der Bewegung konstatiert wird, die Stadt als Handelnde erscheint, so treten beim frühen Döblin anläßlich der „Ermordung einer Butterblume" (erschienen 1913) die Bäume zum Gericht zusammen; der psychopathologische Zusammenhang wird zur Motivierung benützt. In Gustav Sacks Roman „Der verbummelte Student" liegt der Held im Bett und meditiert: „Wie schwer es hält, mich gegen dies Alles, das mich so träumerisch süß in sich bettet, abzuschließen und es sachlich zu betrachten. Es durchdringt mich, ich nehme es in mich auf und bin selbst der grüne Himmel, in dem wie sonnenbeschienene Porphyrinseln die Abendwolken schwimmen, das friedliche Plaudern, das da um die Leute schwebt, und ruhevoller Sommerabend." Bei Sack ist der Einfluß der Kantischen Philosophie wichtig, so wie er andererseits einer der ersten Dichter der Sümpfe und Moore ist, die für ihn, ähnlich wie Benn, entwicklungsgeschichtlicher und biologischer Quellgrund des Lebens sind. Geradezu „klassisch" wurde die neue Lehre von Lothar Schreyer formuliert. Die Poetik des „Sturm", der größte konstruktive Beitrag der Zeit zu einer neuen Poetik, kam bei Blümner, Nebel und Schwitters rasch an „absolute" Grenzen. Beim frühen Loerke lernen 1919 die Chausseebäume „die Sprache der Urweisheit". Ehrensteins „Tubutsch" (1911) ist geradezu eine Groteske der Vertauschung, der „humoristisch" sich gebenden Verwechslung, des Versinkens des Ich in einem unheimlichen Es:

Ehrensteins „Tubutsch" als Groteske

Oft in der Nacht fahre ich auf. Was ist? Nichts, nichts! Will denn niemand bei mir einbrechen? Alles ist vorausberechnet. O, ich möchte nicht der sein, der bei mir einbricht. Abgesehen davon, daß – meinen Stiefelknecht Philipp und vielleicht noch ein Straßenverzeichnis ausgenommen – bei mir nichts zu holen ist, ich gestehe es offen und ehrlich:

ich kenne den Betreffenden zwar nicht im geringsten, aber ich habe es auf den Tod des armen Teufels angelegt. Das Federmesser liegt gezückt, mordbereit auf dem Nachtkastl. Philipp, der Stiefelknecht, wacht wurfgerecht darunter ...

EKSTATISCHER STIL

Ähnliche Stellen lassen sich bei Nebel, Schwitters, Musil und Kafka finden; das Kafkasche Verwandlungsmotiv stammt nicht nur aus Träumen, sondern aus der literarischen Tradition, der Groteske von Cervantes über Rabelais bis zu Rilkes „Malte" und Robert Walser, der eins seiner Vorbilder wurde.
Wichtiger als das Motiv mag die Wandlung des grammatischen und syntaktischen Gefüges erscheinen. Bei Döblin und Ehrenstein bleibt der Stil „normal"; expressionistische Stimmungen werden in die Sätze der um 1910 üblichen, teilweise „neuromantischen" Prosa gebracht. Alfred Döblin hat das Problem klar gesehen. Seine Bemerkungen zum Roman, im „Sturm" 1913 und einige Jahre später in der „Neuen Rundschau", warnen vor der Handlung, „Menschen und Vorgänge vom Ei ab". Er verlangt, „die Hegemonie des Autors ist zu brechen", fordert „Entselbstung" und „man lerne von der Psychiatrie". Trakl hat sein „entartetes Geschlecht" 1914 im „Brenner" beschworen:

Der neue Stil bei Trakl

Am Abend ward zum Greis der Vater; in dunklen Zimmern versteinerte das Antlitz der Mutter und auf dem Knaben lastete der Fluch des entarteten Geschlechts. Manchmal erinnerte er sich seiner Kindheit, erfüllt von Krankheit, Schrecken und Finsternis, verschwiegener Spiele im Sternengarten, oder daß er die Ratten fütterte im dämmernden Hof. Aus blauem Spiegel trat die schmale Gestalt der Schwester und er stürzte wie tot ins Dunkel. Nachts brach sein Mund gleich einer roten Frucht auf und die Sterne erglänzten über seiner sprachlosen Trauer. Seine Träume erfüllten das alte Haus der Väter. Am Abend ging er gerne über den verfallenen Friedhof, oder er besah in dämmernder Totenkammer die Leichen ...

Trakls Prosa ist durchdrungen von seinem eigenen Wesen, es spiegelt sich in Ton und Rhythmus. Schon werden etliche Artikel fortgelassen (eine stilistische Eigenart, die Sternheim fast zum Tick entwickelte), die Sprache wird, wie bei den Präraffaeliten, mit schweren Metaphern beladen, und diese sind ihrerseits die Träger eines „unaussprechlichen" Geheimnisses.

Neue Syntax für den neuen Menschen

In Benns „Insel", einer Erzählung des Rönne-Komplexes (1916), wird von Rönne geradezu gesagt: „Seine Studien galten der Schaffung der neuen Syntax. Die Weltanschauung, die die Arbeit des vergangenen Jahrhunderts erschaffen hatte [sie wird im weiteren Verlauf als die naturwissenschaftlich-materialistische bestimmt] sie galt es zu vollenden. Den Du-Charakter des Grammatischen auszuschalten, schien ihm ehrlicherweise notwendig, denn die Anrede war mythisch geworden." Hofmannsthal hatte noch kurz vorher von der Unmöglichkeit dichterischer Identifikation gesprochen; seine Auffassung wurde jetzt als Gegenposition empfunden; denn man will den „neuen Menschen", und der begreift sich als organisierende, nicht als leidende Mitte des Seins. Schwitters „Anna Blume" ist – die Grammatik! Leonhard Frank war, wie Werfel, einer der ersten Verwerter der neuen sprachlichen Möglichkeiten; er sagte in dem Roman „Der Bürger": „Die Häuser neigten sich: die Straße drehte sich um Katherine herum. Sie mußte sich festhalten an Jürgen, nicht zu versinken in dem schwarzen Nebel vor ihren Augen." Da man die neue Seele, das neue Leben, die religiöse und politische Revolution will, und weil diese Veränderungen der gesellschaftlichen Struktur ein Ausdruck des neuen Pathos der „Menschen" ist, werden neue Sprache, Gram-

NEUE SYNTAX

matik und Syntax zu Vorbedingungen des Umsturzes. In diesem Sinne hat Herwarth Walden die Dichtung August Stramms gedeutet, verteidigt und gegen die ältere klassische Redeweise auszuspielen gesucht. Den nächsten Schritt taten Blümner, Nebel und Hugo Ball mit ihren Lautgedichten. Sie wollten die durch den Alltag, die Presse, die Geschäfte entweihte Sprache der Konvention aufgeben und schrieben Lautgedichte in der freilich unerfüllbaren Hoffnung, von der sinnlichen Gestalt des Lautes her lasse sich eine geistige bestimmen.

Mißtrauen gegen das „schöne" Wort

Die expressionistische Generation war — im Gefolge der Naturalisten — mißtrauisch gegen das artikulierte und das schöne Wort. Darum haßte sie die sogenannten Neuromantiker von Hofmannsthal und George bis zu Stucken und Eulenberg. Das schöne Wort wurde für „Beschwindelung" gehalten; das Wort „verstellt die Dinge". Auch hier hat Werfel sich zum Sprecher machen können:

Ach, es ist nicht gut zu sagen,
Denn wer sagt, versagt.
Könnten wir den Schwall ertragen,
Wär er Baum, der ragt.

Alle Wesen — Augenabend —
Kommen wie die Hirschkuh trabend,
Lehnen zart das Innig-Scheue
Ihres Haupts an unsre Atem-Treue.

Aber wir, ein schwarzer Samen,
Lügner, die zu Worte kamen,
Tatlos Tauscher, Tuer, Täter,
Weltzernenner, Waldverräter,
Morden Gott und uns mit Namen Namen.

Wilhelm Klemm trägt die Bitte um Einfachheit und Kürze, die Beschränkung des Satzes auf Hauptwort und Zeitwort vor. Man liebte das Zeitwort, weil es Bewegung sei, und man bevorzugte es in der Nennform ohne Artikel:

O Herr, vereinfache meine Worte,
Laß Kürze mein Geheimnis sein.
Gib mir die weise Verlangsamung.
Wieviel kann beschlossen sein in drei Silben!

Paul Boldts Sprachgebet

1913 ließ Paul Boldt unter dem Titel „Lyrik" in der „Aktion" ein Sonett erscheinen. Es spricht nicht nur wie Klemm eine Forderung aus, sondern verwirklicht sie in einem gewagten Zugriff von religiösem Anspruch:

Wie Wellen fallen, wollen wir es halten,
Die ewig springen mit Elan ans Land.
Zwecklos. So sollen immer überrannt
Die dumpfen Dinge sich nach uns gestalten.

Hasse die Unkunst aller Atemalten!
Gebäre Verse — Schreie, nervgespannt!
Laß Worte anglühn in der Reime Brand
Und dunkeln von Gefühl, wenn sie erkalten.

Schreib kräftig, grade; gib dem Worte viel,
Dem Vers die Worte wie der Brücken Joche.
Die runde Zahl der Tage ist die Woche!

Arbeite und forciere deinen Stil!
Bete zu Nietzsche! Spann dich mit Verven
Des Croisset-Christus, Jesus unserer Nerven.

NEUE SYNTAX

Im Jahre 1920 hat sich Gottfried Benn mit dem Problem der neuen Sprache auseinandergesetzt:

„Da geschah ihm die Olive“

In der Novelle „Der Geburtstag“ [1916 veröffentlicht] schrieb ich: „da geschah ihm die Olive“, nicht: da stand vor ihm die Olive, nicht: da fiel sein Blick auf die Olive, sondern: da geschah sie ihm, wobei allerdings der Artikel noch besser unterbliebe. Also, da geschah ihm „Olive“ und hinströmt die in Frage stehende Struktur über der Früchte Silber, ihre leisen Wälder, ihre Ernte und ihr Kelterfest. Oder an einer anderen Stelle derselben Novelle: „groß glühte heran der Hafenkomplex“, nicht: da schritt er an den Hafen, sondern: groß glühte er als Motiv heran, mit den Kuttern, mit den Strandbordellen, der Meere uferlos, der Wüste Glanz.

Bei den großen Autoren wurde die Sprache, im Laufe der Entwicklung, dann wieder bloßes Mittel, mit dem sie Zustände oder Gegenstände exakter, besser, tiefer und kühner schildern können. Sie gewannen den Anschluß an die erzählerische oder lyrische Überlieferung und schrieben „normal“, etwa Robert Musil, Hugo Ball, Franz Kafka und Alfred Döblin in „Berlin Alexanderplatz“ und „Hamlet“.
Die minderen Autoren blieben in dem Neuen stecken, das spätestens um 1924 zu

Ludwig Meidner, Apokalyptische Landschaft 1912/13

NEUE SYNTAX

etwas Altem geworden war und manieristisch wirkte. Johannes R. Bechers Syntaxgedicht (1916) ist einer der Höhepunkte, an dem sich der Expressionismus überschreit:

Bechers „Die neue Syntax"

Die Adjektiv-bengalischen-Schmetterlinge
sie kreisen tönend um des Substantivs erhabnen Quaderbau.
Ein Brückenpartizip muß schwingen! schwingen!!
Derweil das kühne Verb sich klirrend Aeroplan in Höhen schraubt.

Artikeltanz zückt nett die Pendelbeinchen.
In Kicherrhythmen schaukelt ein Parkett.
Da aber springt metallisch tönend eine reine
Strophe heraus aus dem Trapez. Die Kett

der Straßenbogenlampen ineinander splittern.
Trotz jener buntesten Dame heiligem Vokativ.
Ein junger Dichter sich Subjekte kittet.
Bohrt des Objektes Tunnel . . . Imperativ

schnellt steil empor. Phantastische Sätzelandschaft überzüngelnd.
Bläst sieben Hydratuben. Das Gewölke fällt.
Und Blaues fließt. Geharnischte Berge dringen.
So blühen wir in dem Glanz mailichter Überwelt.

Becher war gegen das Logische, wie er es verstand: „Alogische Bomben unterminieren den traditionellen akademischen Satzbau, die bürgerliche Spracharchitektur." Aus Sprache muß wieder Chaos werden, bevor sie Kosmos werden kann. Rubiner schlug vor, von dem Maler Picasso zu lernen: „Seine Bilder sagen, daß Macht nichts ist, und daß man ohne Macht, ohne Mittel, ohne Realität – allein aus dem Geiste – ungeheure Reiche verwirklichen kann." Die Grammatik muß zerschlagen werden, da sie die Sprache hemmt. Alfred Lichtenstein interpretierte sein Gedicht „Dämmerung" („Ein dicker Junge spielt mit einem Teich . . ."):

Lichtensteins Selbstdeutung

Lichtenstein weiß, daß der Mann nicht an dem Fenster klebt, sondern hinter ihm steht. Daß nicht der Kinderwagen schreit, sondern das Kind in dem Kinderwagen. Da er nur den Kinderwagen sieht, schreibt er: Der Kinderwagen schreit. Lyrisch unwahr wäre, wenn er schriebe: Ein Mann steht hinter einem Fenster. Zufällig auch begrifflich nicht unwahr ist: Ein Junge spielt mit einem Teich. Ein Pferd *stolpert* über eine Dame. Hunde *fluchen.* Zwar muß man sonderbar lachen, wenn man *sehen* lernt: Daß ein Junge einen Teich tatsächlich als Spielzeug benutzt. Wie Pferde die hilflose Bewegung des Stolperns haben . . . Wie menschliche Hunde der Wut Ausdruck geben. Zuweilen ist die Darstellung der Reflexion wichtig. Ein Dichter wird vielleicht verrückt – macht einen tieferen Eindruck als – Ein Dichter sieht starr vor sich hin –.

Gegen George und Hofmannsthal

Die expressionistische Sprache und ihre Theorie zielten auf die Befreiung vom klassisch-romantischen Schema. Geschichtlich wollte man die letzte Epoche des klassischen Sprachgeistes, das neunzehnte Jahrhundert, treffen, das Wort der urbanen, dekadenten, verbürgerlichten Dichter. Hatten sie sich im kultischen Dienst an der Sprache, zumindest theoretisch, nicht weit vom Elementaren und Reinen entfernt? Der Widerstand richtete sich gegen das stärkste Bollwerk einer „schönen" Sprache, gegen Stefan George und seinen Kreis. Sie haben, wie ihre Freunde und Geistesverwandten – vor allem Rudolf Borchardt und Hugo von Hofmannsthal – die Feindschaft der Expressionisten mit Ablehnung erwidert.

Das Elementare und Chaotische, den Widerstand gegen die leiblichen, geistigen, religiösen und biblischen Väter mußten die Traditionalisten, die keinen Bruch, sondern eine „konservative Revolution" (Hofmannsthal/Borchardt) wollten, entschieden verwerfen. In Bewußtsein und in der Theorie unterschieden sie sich scharf; aber man darf nicht übersehen, daß es bei Rilke, Hofmannsthal, Borchardt und George ausgesprochen expressionistische Bestandteile auch der Sprache gibt und daß die Masse der Expressionisten nie loskam von der damaligen Literatursprache. Heute kennt man nicht mehr die kühnen Vorreiter und Experimentatoren, sondern jene, die Werke schufen, in denen alt- und neuromantische, expressionistische und sogar naturalistische Elemente zu etwas Neuem umgeschmolzen wurden. Das sind Trakl, Heym, Loerke, Benn als Lyriker, Sternheim und Brecht als Dramatiker, Ball, Benjamin und E. Jünger als Essayisten, Musil, Broch, Sack und Kafka als Erzähler.

DIE AKTION UND IHRE WIRKUNG

Politische Publizistik in Deutschland

Gewöhnlich nimmt man an, der Schriftsteller habe in Deutschland nicht in die Politik hineinzureden; wenn er es doch tut, verdächtigt man seine staatsbürgerliche Gesinnung. Franz Pfemfert, der Gründer der „Aktion", war ein ausgesprochen kulturpolitischer Kopf, und zwar verband er die bereits in Gang befindliche literarische und künstlerische Revolution mit einer revolutionären Politik. Das hat der „Aktion" und ihrem Kreis Wirkung und Sprengkraft gegeben, hat der Zeitschrift große Verbreitung unter der Jugend verschafft und trug ihr andererseits die polemische Ablehnung weiter Kreise ein, die instinktiv eine Gefahr witterten. Drangen hier nicht Literaten in die den Könnern und Kennern vorbehaltenen Bereiche der Kunst und Politik ein, um die Ordnungen zu stören?
Adam Müller, Friedrich Gentz, Joseph Görres hatten die neuere deutsche Publizistik begründet. Sie hatten Literatur in den Dienst der Politik gestellt und waren ihren Gegnern ungeahnt gefährlich geworden. Eine Generation später haben Ludwig Börne und Heinrich Heine, beeinflußt von englischen und französischen Mustern, ihrer politischen Literatur das Feuilleton nutzbar gemacht. Hatte Görres mit dem Schwert gefochten, so benützte Heine das Florett.

Zeichnung von Conrad Felixmüller zu Der Rote Hahn

Maximilian Harden hatte sich in der „Zukunft" ein Organ geschaffen, in dem mit literarischen Mitteln, in einem von Karl Kraus verhöhnten wilhelminischen Stil, Politik „gemacht" wurde. Hardens „Zukunft" hat Einfluß auf Pfemfert gehabt, vermutlich weil es Harden durch seine Furchtlosigkeit gelungen war, als

Opposition gehört zu werden und gegenüber „faulen“ Verhältnissen recht zu bekommen. Im übrigen sollte die neue Zeitschrift ebenso verschieden von der „Zukunft“ sein, wie Pfemfert von Harden verschieden war.

Der Stamm der „Aktion“

Franz Pfemfert stammte aus Lötzen in Ostpreußen, verlebte aber seine ganze Jugend in Berlin, wo er früh politische und literarische Interessen zeigte. 1910 war er Redakteur des von Zeppler herausgegebenen „Demokraten“ und zog bereits die Masse jener Autoren zur Mitarbeit heran, die später den Stamm der „Aktion“ bildeten. Pfemfert glaubte an eine neue Gemeinschaft von Ständen, Völkern und Menschen, wo Herrschende und Beherrschte, Besitzende und Besitzlose identisch geworden wären. Er war mit Karl Liebknecht und Rosa Luxemburg befreundet und meinte für eine Revolution zu streiten, deren Vorkämpfer er in der „Antinationalen Sozialisten-Partei, Gruppe Deutschland“, seit 1915 zusammenschloß. Während Herwarth Walden vom „Sturm“ erst spät zur Politik kam und in Panikstimmung nach Rußland ging, wo er verschollen ist, war Franz Pfemfert von Anfang an Aktivist: er wollte die Literatur für politische Zwecke benützen, wie seine Weggenossen Kurt Hiller, mit dem Jahrbuch für geistige Politik „Das Ziel“, und Ludwig Rubiner, der Verfasser des Buches „Der Mensch in der Mitte“ und des Dramas „Die Gewaltlosen“. Als Zeppler einem Beitrag Kurt Hillers für den „Demokraten“ die Aufnahme verweigerte, legte Pfemfert die Redaktion nieder. Acht Tage später, am 1. März 1911, erschien die erste Nummer der Wochenschrift „Die Aktion“. Sie ist bis 1932 unter Pfemferts Leitung herausgekommen und in der Tendenz nur mit den „Weißen Blättern“ (1914/20) zu vergleichen.

Politischer Aktivismus

Die „Aktion“ stand politisch weit links, sie begrüßte die russische Revolution als entscheidenden Schritt auf dem Wege zur neuen und wahren Gemeinschaft der Menschen. Als Liebknecht und Rosa Luxemburg 1917 den Spartakusbund, als Vorläufer der deutschen kommunistischen Partei, gründeten, setzte sich Pfemfert begeistert dafür ein. Er publizierte als erster die Verfassung der Union der Sozialistischen Sowjetrepubliken. Verschieden von diesem parteipolitischen Motiv war das pazifistische. 1918 schrieb Pfemfert: „Nichts geschah, das namenlose Grauen, das unsere kleine Erde nun schon vier Jahre lang täglich ertragen muß, zu verhindern. Allwöchentlich versuchte ich durch ‚Die Aktion‘ Hindernisse zu organisieren — ich langweilte damit eine Zeitgenossenschaft, die nicht gestört sein wollte in ihrer Gemütlichkeit.“ 1915 ließ Pfemfert eine Luxusausgabe der „Aktion“ in numerierten Exemplaren erscheinen, damit er die Hälfte der normalen Ausgabe wöchentlich kostenlos ins Feld schicken konnte. Während Pfemfert seinen pazifistischen und utopisch politischen Zielen zeitlebens treu geblieben ist, hat er am Kommunismus und seiner Praxis früh Kritik geübt und entwickelte sich in den zwanziger Jahren zu seinem entschiedenen Gegner — darin den Intellektuellen seiner Zeit um mehr als ein Jahrzehnt voraus. Pfemfert hatte den Beruf eines Fotografen gelernt, und als er 1933 Berlin nach mehreren Haussuchungen durch rechtsradikale Elemente verlassen mußte, machte er in Karlsbad ein Fotoatelier auf. 1936 ging er nach Paris, 1940 nach Spanien und über Portugal nach New York, im März 1941 nach Mexiko City, wo er mit seiner Frau wieder ein Fotoatelier eröffnete. Dort ist Franz Pfemfert 1954 im Alter von vierundsiebzig Jahren gestorben.

Radikaler Pazifismus

Die Emigration

Die Absichten und Ziele der neuen Zeitschrift faßte Pfemfert in einer Note zur ersten Nummer zusammen:

Holzschnitt von G. Tappert (Die Aktion)

FRANZ PFEMFERT

Programm der „Aktion"

Die „Aktion" tritt, ohne sich auf den Boden einer bestimmten politischen Partei zu stellen, für die Idee der großen deutschen Linken ein. Die „Aktion" will den imposanten Gedanken einer „Organisation der Intelligenz" fördern und dem lange verpönten Wort Kulturkampf (in einem freilich nicht bloß kirchenpolitischen Sinne) wieder zu seinem alten Glanz verhelfen. In den Dingen der Kunst und der Literatur sucht „Die Aktion" ein Gegengewicht zu bilden zu der traurigen Gewohnheit der pseudoliberalen Presse, neuere Regungen lediglich vom Geschäftsstandpunkt aus zu bewerten, also sie totzuschweigen. Bei vollkommener Unabhängigkeit von Rechts und Links ist die „Aktion" eine Tribüne, von der aus jede Persönlichkeit, die Sagenswertes zu sagen hat, ungehindert sprechen kann.

Die Zeitschrift schien zunächst zu halten, was sie versprochen hatte. Fast alle jungen Autoren jener Zeit sind hier zu Wort gekommen. Die Lyrik, sonst ein Stiefkind der Redakteure, fand breiten Platz, vor allem während des Krieges, als

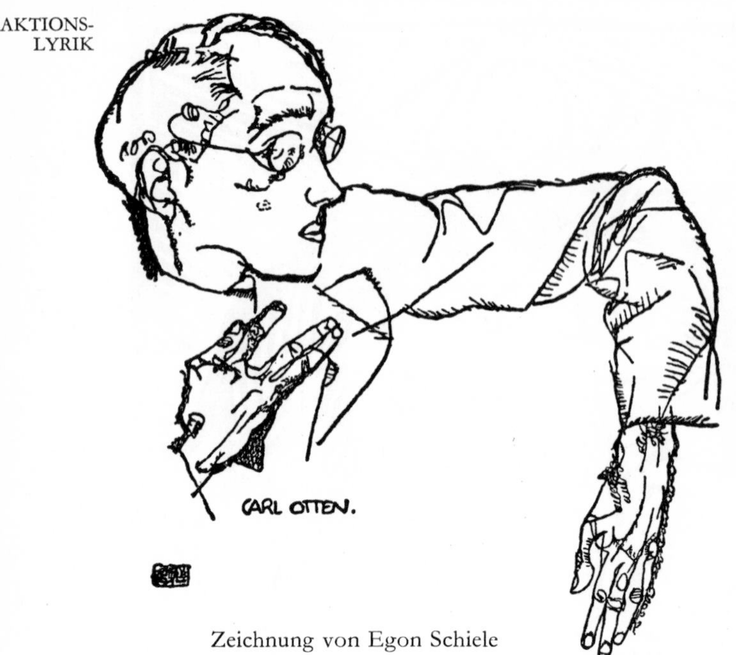

Zeichnung von Egon Schiele

die „Aktion“ – als politisches Organ zu schweigen verurteilt – sich ausschließlich der Aufgabe widmen wollte, „ein Asyl zu sein für internationale Literatur und Kunst“. Gleich der erste Jahrgang brachte Gedichte von Georg Heym, Ernst Blaß, Ernst Stadler, Jakob van Hoddis, Max Brod und Viktor Hadwiger – es waren bezeichnende Proben frühexpressionistischer Lyrik. Der zweite Jahrgang vermittelte Arbeiten von Alfred Wolfenstein, Paul Boldt, Gottfried Benn, Emmy Hennings, Salomo Friedlaender (Mynona); der dritte veröffentlichte schon drei „lyrische Anthologien“ als Sonderhefte, darunter eine französische. Neben den bisherigen Mitarbeitern erschienen nun Gedichte von Max Herrmann-Neiße, Alfred Kerr, Anselm Ruest, Alfred Richard Meyer, René Schickele, Peter Scher, Hugo Ball, Johannes R. Becher, Franz Blei, Friedrich Eisenlohr, Walter Hasenclever, Gottfried Kölwel, Hanns Johst, Martin Gumpert, Hermann Kasack, Ed Schmidt (der sich später Kasimir Edschmid nannte), Edlef Köppen, Wilhelm Klemm und vielen inzwischen wieder verschollenen Autoren: eine große Anzahl tauchte in der Sammlung „Der jüngste Tag“ wieder auf. Im ganzen erschienen sechs Anthologien der „Aktion“. In den letzten Heften fanden sich Maximilian Brand, Hans Flesch von Brunningen, Paris von Gütersloh, Arnim T. Wegner, Kurd Adler, Theodor Däubler, Walter Ferl, Anton Schnack, Erwin Piscator, Otto Pick, Alfred Lichtenstein, Hugo Sonnenschein, Otto Steinicke und Franz Werfel unter fast ebenso vielen literarisch nicht weiter bekannt gewordenen Beiträgern. Anstelle dieser Anthologiehefte traten von 1916 an Sonderhefte, die jeweils einem Autor gewidmet wurden, etwa Theodor Däubler, Paul Adler, Franz Werfel, Iwan Goll, Ludwig Rubiner, Karl Otten, Albert Ehrenstein und Alfred Wolfenstein. Dazu kamen die Bände der „Aktions-Lyrik“, eingeleitet durch eine „Antikriegs-Anthologie 1914 bis 1916“, fortgesetzt durch eine Anthologie „Jüngste tschechische Lyrik“, die gesammelte Lyrik Gottfried Benns unter dem Titel „Fleisch“ und Wilhelm Klemms „Verse“. Dazu traten Veröffentlichungen aus der Reihe „Der rote Hahn“: Karl Ottens Vers- und Prosaband „Die Thronerhebung des Herzens“ (1918), van Hoddis' „Weltende“ und Claire Studers Gedichtband „Mitwelt“ (1918). 1922 erschien hier Max Herrmann-Neißes berüchtigter Vortrag „Die bürgerliche Literaturgeschichte und das Proletariat“.

Anthologien der „Aktion“ · *„Aktions-Lyrik“* · *„Der rote Hahn“*

Die kritischen und epischen Beiträge kamen gegenüber den lyrischen und kulturpolitisch-allgemeinen nicht zu kurz, wenn auch schon die große Verlegenheit deutlich wurde, die sich auf epischem Gebiet auftat: wie schwer es wäre, „expressionistische" Prosa zu schreiben. Tatsächlich sind die epischen Großwerke ausgeblieben oder erst Ende der zwanziger und Anfang der dreißiger Jahre erschienen, etwa Döblins „Alexanderplatz", Jahnns „Perrudja" und Brittings „Lebenslauf eines dicken Mannes, der Hamlet hieß"; Musils und Kafkas Romane haben nur geringe Spuren des expressionistischen Stils. Carl Einstein (1885–1940) verwarf Anekdote, Pointe und Lyrismus als Koketterie: „Seien Sie versichert, mir sind Tristan und Isolde ganz egal – aber Gullivers Reisen bete ich an." Er lehnte jede Deskription ab, da sie Ruhe sei, während das Wesen des wahren Romans in Bewegung bestehe. Der alte Roman habe zu verschwinden, besonders der erotische. Wer aus Empfindung schaffe, sei natürlich auf „das Weib" und die Liebe angewiesen. Enthaltsamkeit, Gott, Denken seien würdigere Gegenstände der Epik, allerdings müsse man eine gewisse Anstrengung daran wenden. „Ich ... schlage eine Literatur für differenzierte Junggesellen vor. – Denken ist eine Leidenschaft ersten Ranges, die von den Philosophen, der Schule, dem Militär, dem Staat, vor allem der Ehe, vergewaltigt, nur mühsam im Religiösen fortbesteht. Wer hätte nicht sein philosophisches System? – Wer aber weiß um die Menschen, die nicht anwandten, die Gedanken an ihnen fanden, an ihnen beteten, Tee tranken, rauchten, ja starben." Man erkennt hinter Einsteins Ideen, wie bei Efraim Frisch und Kafka, die jüdisch-religiöse Überlieferung; auch Musils Forderung eines Essayismus ist als Zeitgedanke sichtbar. Einstein hat sein Programm in dem zwischen 1906 und 1909 geschriebenen Roman „Bebuquin oder die Dilettanten des Wunders", der 1912 im Aktionsverlag veröffentlicht wurde, zu erfüllen gesucht.

CARL EINSTEIN

Forderungen an die Prosa

Einsteins „Bebuquin"

Eine blaue Hutfeder Euphemias besoff sich blitzend in der grünen Chartreuse. Bebuquin schaute mit seinem linken Bein in die Ecke der Bar, wo Heinrich Lippenknabe nachdenkerisch in die broncierte Nabelhöhle einer Hetäre eine Orchidee arrangierte und sie mit Kognac begoß.
„Wer ist der Vater [des Kindes von Euphemia]?" schrie die Buffetdame.
Der Schein der elektrischen Lampen fuhr ihr durch die Spitzen zum Knie, tanzte über die Kristallflakons und die Sektkühler erregt rückwärts; das sonst anständige elektrische Licht!
„Keiner," schaute Euphemia mit kreisförmig ausgebreiteten Augen. „Ich kriegte ihn im Traum."
„Quatsch," rief Heinrich Lippenknabe, „sie meint ein vergebliches Präventiv."
„Erstens hatte ich keine Ahnung, wer der Vater sein kann. Das ist auch gleichgültig." Sie sah erschreckt drein.
„War es vielleicht Böhm?" fragte Bebuquin.
Euphemia schrie senkrecht auf.
„Der kommt immer, er wird das Kind stillen, er hat jetzt eine solch milchfarbene Schädelplatte, seit er starb, und er benutzt seinen Schlingdarm, für den er jetzt keine Verwendung mehr hat, als Zither und singt sehr ergreifend dazu den Pythagoreischen Lehrsatz. Er sagte, der Junge müsse ein ganz intellektueller werden."
„Ja, dein Embryo schrieb doch eine philosophische Arbeit und doktorierte auf Geburt; nicht wahr, die Geschichte heißt: die zerstörte Nabelschnur oder das principium individuationis."
„Ja," flüsterte Euphemia, „er hat bereits der Welt entsagt, er wird geistig, ist ganz wunschlos, unreinlich und schweigsam. Außerdem hat er eine sensible Haut, die wechselt

fortwährend Farbe. Kann man ihn nicht als Reklametransparent benutzen? Man spart farbige Glühlampen." „Das Alogische wächst, das Alogische siegt, er wird nicht abgeleitet."
Bebuquin balanzierte auf dem kippligen Barstuhl.
„Darum, meine Damen, werden so viele verrückt . . ."

Das Programm der Äternisten

Der Roman ist eine Groteske, zugleich das Programm der in einer andern Buchreihe dargebotenen „Äternisten". Einstein entwarf ihr Programm: „Das Absurde zur Tatsache machen! Kunst ist eine Technik, tatsächliche Bestände und Affekte zu erzeugen." Einsteins Aufsätze in der „Aktion" erschienen gesammelt als „Anmerkungen" (1916). Mitte der zwanziger Jahre wurde er wegen seines Buches „Die schlimme Botschaft, zwanzig Szenen" (1921) in einen Gotteslästerungsprozeß verwickelt. Es ist bezeichnend, daß Einstein schon 1915 ein Buch über Negerplastik erschienen ließ, ein Thema, das er wissenschaftlich weiterverfolgte. Seit dem Prozeß um „Die schlimme Botschaft" hatte Einstein Deutschland verlassen und lebte in Paris. Beim Einmarsch der deutschen Truppen nahm er sich das Leben.

Ferdinand Hardekopf

Außer in Einsteins „Bebuquin" und „Anmerkungen" findet man äternistische Szenen und Forderungen in Ferdinand Hardekopfs „Lesestücken" (zuerst in der „Aktion", als Buch gesammelt 1916). Hardekopf, ein Oldenburger aus Varel (1876—1954), lebte 1910—1916 als Parlamentsstenograph in Berlin und wurde ein eifriger Mitarbeiter der „Aktion". 1916 ging er in die Schweiz, wo er, durch Aufenthalte in Berlin, Nizza und Paris unterbrochen, als Übersetzer von André Gide, Jean Cocteau, Georges Duhamel, Jules Laforgue, André Malraux, der Colette und Charles-Louis Philippes tätig war. Er schrieb wenig: „übt mehr Verheimlichung als Veröffentlichung". 1913 erschien im „Jüngsten Tag" ein kleines Gespräch „Der Abend" und 1921 „Privatgedichte". Das Gedicht „Spät" war 1916 in der „Aktion" gedruckt worden:

Der Mittag ist so karg erhellt.
Ein schwarzer See sinkt in sein Grab.
Dies ist das letzte Licht der Welt,
das bleichste Glimmen, das es gab.

Aus Sümpfen schwankt Gestrüpp und Baum,
Die Birken-Nerven ästeln weh.
Die Zeit erblaßt, es krankt der Raum.
Tot steht das Schilf im toten See.

Die Luft strömt grau ins Mündungs-All.
Der Rabe schreit. Der Wald schläft ein.
Mich trennt ein rascher Tränenfall
vom Ende und der Flammenpein.

Hardekopf war, wie Pfemfert und Kurt Hiller, eine Schlüsselfigur des frühen Expressionismus. Er verstand härter und nüchterner als Einstein zu formulieren. Hiller forderte die Jungen auf: „Lernet bei ihm . . . la formule; die Verdichtung psychischer Nebelschwaden zu Kristallkörpern, Fassung des Verfließenden, Klärung des Dumpfen. Lernet bei ihm die Klarheit der Tiefe, die göttliche lucidité." 1916 ließ Hardekopf unter dem Pseudonym Stefan Wronski „Die Aeternisten, erste Proklamation des Aeternismus" erscheinen:

NACH ZEHN KAMPFJAHREN FÜR

Die Aktion

VON GENOSSEN / FREUNDEN / MITARBEITERN

Felixmüller *Widmungsblatt für Franz Pfemfert*

INHALT DIESES HEFTES: Beiträge von Felixmüller, Richter-Berlin, Max Dortu, Max Herrmann-Neisse, Victor Fraenkl, Julius Moses, Georg Davidsohn, Paul Robien, Albert Ehrenstein, Oskar Kanehl, Wilhelm Stolzenburg, Wilhelm Klemm, Ernst Blaß, Hilde Stieler, Erich Mühsam, Otto Rühle, Grete Rühle, Carl Sternheim, Heinrich Stadelmann-Dresden, Tobias Sternberg-Wien, Ludwig Kassak — Josef Kalmer und Georg Tappert.

Äternistische Proklamation

Bisher gemachte Kunst: ein Spaß für Bürger. Wildnis Zerrüttung Schrei wurden säuberlich eingetragen in die dicken Kataloge der Nationalbibliotheken. Hm ja: manche versuchten den Bourgeois zu bluffen. Wie denn? Plattes platt machen? Der Bürger, ungeplättet, registrierte. Derlei langweilte uns sehr. Wir Aeternisten wünschen uns keineswegs zu langweilen! Wir sind nicht einregistrabel. Kontrolle Kritik Approbation gleiten an uns ab . . . Hier wird, auf einem Kap, Extremes geformt. Unsere Bücher werden euch

WILHELM
KLEMM

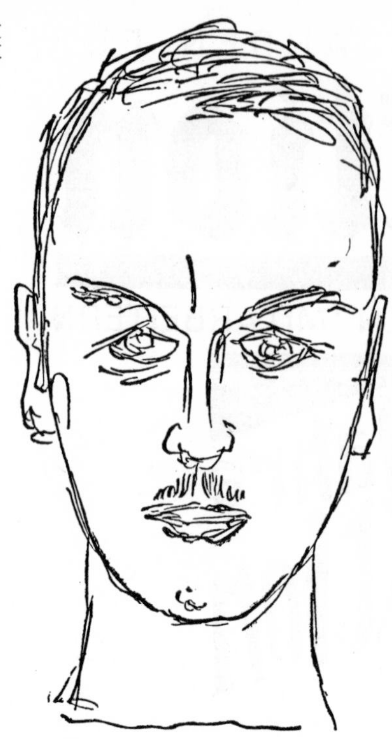

Wilhelm Klemm, Selbstbildnis
nach einer Zeichnung aus dem Felde

unfaßlich sein, Bürger. Nicht für euch haben wir Alpen durchfressen von der Monstruosität Delicatesse Neurose Luxus Orgie. Tiefprivat sind wir gegangen durch alle Bücher alle Bilder alle Frauen. Durchwühlt haben wir die Eingeweide der Millionenstädte und phosphoreszierenden Seelen. Lustig zu Hause sind wir auf macabren Redouten und bei scabreusen Dérouten, in geschminkten Katakomben und clair-obscuren Cafés, in subcutanen Bars und auf ogivalen Stil-Spitzen . . . Ein Kolon das wir irgendwo sehen wird dröhnend proklamieren unsere leidenschaftliche Kenntnis etwa des Shakespeare. Ein Komma das wir irgendwo sensationell weglassen wird verraten triumphalische Katastrophen nächtlicher exercitia spiritualia – ein Negativ-Bazillus vom überletzten Boot . . .

Man erfährt also, daß der Äternismus die formale Höhe eines neuen Stils eben doch mit neuen Erlebnissen begründete. Die Berufung auf die Sphäre der großstädtischen Bars, wo auch Bebuquin seine Nächte verbrachte, erinnert an entsprechende Manifeste der Naturalisten vierzig Jahre früher, in denen die Hure zum Prototyp des biologisch verstandenen „Weibes“ erhoben worden war. Und das war die neue Prosa, wie sie Ferdinand Hardekopf zu schreiben versuchte:

Aus „Lesestücke“

Am Nachmittag war im Café de la Métempsychose eine helle Dame gewesen – o: in den zarten Farben des späten Renoir. Sicherlich war sie würdig angebetet zu werden. Schon hatten meine Nerven in den großen Rausch jagen wollen; aber ich zügelte sie: ein erfahrener Bereiter. Kalt sei, wer das Chaos genießen will. Man präpariere jeglichen Taumel, wie die Compagnie Générale du Travail einen Streik. Die Hände dieser Dame besagten, daß sie die Tochter eines Eisenbahnkönigs sei. Sie mußte viele reizende und nachahmenswerte Irrtümer begangen haben. Und auf die Frage ob sie an Gott glaube würde sie geantwortet haben: ‚Das hängt davon ab, ob Gott an mich glaubt.‘ Vielleicht würde ich diese Milliardärin wiederfinden und ihr, aus anregender Entfernung, Hübsches in den Mund legen dürfen. – – –

Franz Jung

In der vom Aktionsverlag herausgegebenen Äternistenbücherei erschien 1916 das Drama „Saul“ von Franz Jung (1888 in Neiße geboren), der seit 1912 als freier Schriftsteller in Berlin lebte. Zu den äternistischen Büchern des fruchtbaren, seit 1918 dadaistischen und seit 1920 kommunistischen Autors gehörten der Roman „Opferung“ (1916) und „Der Sprung aus der Welt“ (1918), deren Stil jedoch bürgerlich brav war. Max Herrmann-Neiße rühmte „Opferung“ mit den Prädikaten „leuchten von innen“, „vollkommenst“, „schlichtest“, „wahrhaftigst“, „eine Musik darin, die im Blute bleibt“. 1920/21 spielte Erwin Piscator Jungs Stücke im proletarischen Theater, später veröffentlichte Jung Werke über Sowjetrußland, das er 1920 illegal besucht hatte. Bis 1937 lebte er in Berlin und floh über Prag, Wien und Ungarn nach Amerika.

Auch Wilhelm Klemm gehörte zu den Dichtern, welche Pfemfert entdeckte und in der „Aktion" druckte. Er stammt aus Leipzig, studierte Medizin, verbrachte die Jahre 1914—1918 als Oberarzt im Felde und wurde Verlagsbuchhändler. 1917 erschienen seine gesammelten Verse unter dem Titel „Aufforderung" im Aktionsverlag. Das erste Bändchen war „Gloria, Kriegsgedichte aus dem Feld" (1915) gewesen. Hier findet man etwa „Schlacht an der Marne" aus Jahrgang IV der „Aktion" (1914). Im Vergleich zur Masse der andern Gedichte zeigte es, über den schon schulmäßigen Gebrauch expressionistischer Mittel hinaus, die Bewegung des Gemüts. Das formale Talent Klemms reifte durch das Erlebnis des Krieges zu sich selber. Die Gedichte wirkten durch ihre Sachlichkeit und ließen Klemm als Kriegsgegner erkennen. Er gab Stimmungen und Bilder wie „An der Front", „Vorrücken", „Schanzen", „Granaten", „Lazarett", „Sterben" oder „Schlacht am Nachmittag":

WILHELM KLEMM

Kriegslyrik der „Aktion"

Fern in dunkles Blau staffelte sich
Das Land. Dörfer brannten. Flammenfahnen
Standen schräg empor. Der Rauch ging träge
Und dünn über den Horizont, der geheimnisvoll gärte.

Geschützdonner rollte ernst. Über den Fluß
Drang verworrener Lärm. Gewehrfeuer meckerte.
Überall platzten Schrapnells. Die Wolken des Himmels
Wurden gefasert. Standen in blassen Flocken

Trübe über der Erde. Bis der Regen kam,
Gegen Abend. Lückenlos fallend auf Freund und Feind,
Auf das Feld der Ehre und Unehre. Auf Mann und Roß,
Auf Rückzug und Vormarsch. Auf Tote und Lebende.

Ähnlich wie der Krieg wurde die Zeit kritisch erfaßt. In allen Gedichtbüchern Klemms, „Verse und Bilder" (1916), „Ergriffenheit" (1918), „Traumschutt" (1920), „Verzauberte Ziele" (1921) und „Die Satanspuppe" (1922, unter dem Pseudonym Felix Brazil), fehlen die damals schon gründlich verbrauchten Begriffe von Recht, Freiheit, Menschlichkeit, wurden Fragen gestellt oder Fakten bemerkt. Nur selten spricht Klemm ein Urteil über „Meine Zeit" aus:

O meine Zeit! So namenlos zerrissen,
So ohne Stern, so daseinsarm im Wissen
Wie du, will keine, keine mir erscheinen.

Noch hob ihr Haupt so hoch niemals die Sphinx!
Du aber siehst am Wege rechts und links
Furchtlos vor Qual des Wahnsinns Abgrund weinen!

Klemm war kein politischer Dichter, kannte keine „eudämonistischen" Zwecke, denn „nur das Zwecklose ist schön". Seit 1922 publizierte er nicht mehr.

Das Programm der „Aktion" bezog auch die älteren Autoren ein. Man trifft in ihren Jahrgängen bis 1916 Hermann Bahr, Georg Brandes, Richard Dehmel, Maximilian Harden, Heinrich Mann, Rolf Wolfgang Martens, Stanislaus Przybyszewski, Jakob Wassermann, Frank Wedekind, Arthur Holitscher, Siegfried Trebitsch, Heinrich Stadelmann, Paul Scheerbart, von den Jüngeren: Heinrich Lautensack, Martin Beradt und Robert Musil. Dazu kamen Ausländer: Strindberg, Chesterton, Wilde, Flaubert, Stendhal, Mallarmé, Maeterlinck, Verhaeren, Frederik van Eeden, Charles Péguy, André Suarez, Paul Claudel, Francis Jammes,

Mitarbeiter der „Aktion"

Kurt Hiller

André Gide und Henri Bergson, außerdem d'Annunzio und Marinetti und die Russen Tschechow, Puschkin, Dostojewski und Krapotkin. Beiträge bildender Künstler, zum Teil Originalholzschnitte, erschienen – unter anderen – von Delacroix, Daumier, Toulouse-Lautrec, Cézanne, Derain, Matisse, Picasso, van Gogh, Laurencin, Archipenko, Hodler, Soffici, Moritz Melzer, Erich Heckel, Karl Schmidt-Rottluff, Egon Schiele, Max Oppenheimer, Georg Tappert, Wilhelm Morgner, Hans Richter, Josef Eberz, Rudolf Großmann, Felix Müller und César Klein. Diese Namen bestätigen die Unabhängigkeit, den europäischen Zusammenhang mit Symbolisten, Futuristen, Fauves und Kubisten. Andererseits fehlte jede Beschränkung auf Schulen und Gruppen – um so bedauerlicher, daß sich die Zeitschrift seit 1918 politisch in den Dienst der kommunistischen Partei stellte. Nun wurde nicht mehr nach der künstlerischen Leistung, sondern nach ihrer Bedeutung für die proletarische Bewegung gefragt. Herrmann-Neißes Vortrag „Die bürgerliche Literaturgeschichte und das Proletariat" in der Reihe „Der rote Hahn" zeigte, wie ein angesehener Lyriker, ohne es zu ahnen, seiner eigenen Kunst den Boden entzog.

Die Wende zur Politik

Kurt Hiller

Kurt Hiller und Ludwig Rubiner waren die Vorkämpfer des literarischen Aktivismus. Sie waren maßgeblich an der Gründung der Zeitschrift „Die Aktion" beteiligt, aber ihr Aktivismus meinte politisch etwas anderes als Pfemferts „Aktion". Pfemfert und Hiller haben sich nach wenigen Jahren gemeinsamen Kampfes gründlich zerstritten. Der entscheidende Unterschied zwischen Hiller und der mit dem Weltkrieg alternden „Aktion" lag in der Auffassung vom Wesen der engagierten Literatur. Die „Aktion" wandte sich dem proletarischen Marxismus, der kommunistischen Partei als Massenbewegung zu, während Hiller von einer Herrschaft der Besten, der griechischen „Aristoi", träumte, die den „Aufbruch zum Paradies" literarisch vorbereiten sollten. Hiller wollte „Litterat" sein – er schrieb das Wort mit zwei t –, wie alle Revolutionäre ein „Täter des Wortes", wobei er sich darauf berufen konnte, „alle Religionsstifter, Propheten, Philosophen, Parteiengründer, Staatsdestruktoren und -schöpfer, was sind die großen

Das Wort als Tat

Ketzer und Gesetzgebenden anderes gewesen als ‚politisierende Litteraten'? Ihr Ziel war Änderung im Raum; ihr Weg: das Wort." Habe Christus, „der große Aktive von Nazareth", eine Symphonie, eine Bildsäule, eine Siedlung, einen Dom, einen Staat oder irgend ein „Ding" oder „Gebild" geschaffen? – „Worte sprach er; und selbst seine Wunder waren Worte, aus unerhörter Liebe und unermessener Kraft ..." Hiller stellte fest:

KURT HILLER

Das psychologische Zeitalter ist vorüber, und das politische begann. Wir werden nicht musisch sein, wir werden moralisch sein; nicht betrachten, sondern bewirken; Redner, Lehrer, Aufklärer, Aufwiegler, Bündegründer, Gesetzgeber, Priester, Religionsstifter werden wir sein, wir werden Litteraten sein. Untätiger Tiefsinn sank im Kurse; er sinke weiter; Geist ist Ziel. Man schimpfe uns fortan nicht mehr „Intellektuelle"; Willentliche wollen wir heißen.

Der Neue Club und Neopathos

Kurt Hiller ist 1885 in Berlin geboren, wuchs dort auf und studierte Jura. Kurz nach der Promotion über „Die kriminalistische Bedeutung des Selbstmords" (1907) gründete er, im März 1909, den „Neuen Club", eine literarische Vereinigung mit Jakob van Hoddis, Ernst Blass, Georg Heym, Erwin Loewenson, David Baumgardt, Erich Unger und Simon W. G. Ghuttmann. 1910 trat der Kreis im „Neopathetischen Cabaret" an die Öffentlichkeit; hier „führten wir uns, unter dem Gefeix des Pöbels, einer kleinen Schar Sachverständiger (die blieb und wuchs) kraft Sprechens zu Gemüte". Hiller war der Wortführer, der Debattierer, der Pamphletist. Unter dem neuen Pathos verstand man „das alleweil lodernde Erfülltsein von unserm geliebten Ideelichen, vom Willen zur Erkenntnis und zur Kunst und zu den sehr wundersamen Köstlichkeiten dazwischen. Das neue Pathos ist nichts weiter als: erhöhte psychische Temperatur ... Heiterkeit ... panisches Lachen ..." Deshalb kein Katheder und keine Zeitschrift, sondern ein Kabarett! Das klingt einigermaßen gespreizt. Literarisch eleganter drückte sich Hiller in seiner Aufforderung an die Berliner Studenten aus, den „Neuen Club" zu besuchen:

„Daß wir wirkende Wesen, Kräfte sind, ist unser Grundglaube," sagt Friedrich Nietzsche. – „Aber wenn der Mensch unter solchen Individuen lebt, die mit seiner Natur übereinstimmen, so wird eben dadurch seine Produktivität gefördert oder ausgebrütet werden," sagt Spinoza. – „Wir leben in einer Zeit, die zu viel arbeitet und zu wenig erzogen ist, in einer Zeit, wo die Leute vor Fleiß blödsinnig werden," sagt Oskar Wilde. – „In der jetzigen Zeit soll niemand schweigen oder nachgeben; man muß reden und sich rühren, nicht sich zu überwinden, sondern sich auf seinem Posten zu erhalten," hat Wolfgang von Goethe gesagt. – „Welche Kurzweil bereitet uns denn das Leben, wenn wir es nicht ernst nehmen?" sagt Wedekind. – „Merkt auf, merkt auf! die Zeit ist sonderbar," sagt Hugo von Hofmannsthal.

Ein Weltverbesserer

Hiller wollte den Geist in der Politik einführen. In zahlreichen Manifesten schrieb er gegen die Reaktion, die mißverstandene Demokratie, den „gottverlassenen" Marxismus. Er verlangte eine „radikale Realisierungspolitik", eine „Logokratie", das heißt einen „Weltbund des Geistes", eine „tätige Gemeinschaft geistig gerichteter Menschen, denen Geist kein Spiel der Erkenntnis oder des schönen Formens, sondern sittliche Aktivität bedeutet: eine Kraft, zutiefst nicht auf sich selber aus, vielmehr auf Umgestaltung des Gegebenen, auf Änderung der Welt." Gelegentlich verwandte Hiller auch den Ausdruck „Meliorismus – die Lehre, nein nicht die Lehre, sondern der Vorsatz: die Welt besser zu machen."

Diesem Ziel dienten Hillers Bücher und Manifeste: „Die Weisheit der Langeweile, eine Zeit- und Streitschrift“ (zwei Bände, 1913 bei Kurt Wolff), „Ein deutsches Herrenhaus“ (1918), „Geist werde Herr“ (1920), „Logokratie“ (1921) und „Der Aufbruch zum Paradies“ (1922). In den Jahrbüchern „Das Ziel“ (Band 1–4, 1916–1920) sollte die Literatur an der Politik teilnehmen, so wie Hiller sie verstand. Er war aus dem Mitarbeiterkreis der „Aktion“ ausgeschieden und hatte

Die Manifeste, „Das Ziel“

zuerst bei der Gründung des Kabaretts „Gnu“, 1913, seine Thesen unter dem Begriff des „Aktivismus“ zusammengefaßt. Hier setzte er Eth (Ethos) gegen Ästhet, er wollte die ethische Wort-Tat. In der 1912 erschienenen ersten expressio-

„Der Kondor“

nistischen Anthologie „Der Kondor“ veröffentlichte Hiller eine „Dichter-Secession“ als lyrisches Manifest mit Gedichten von Ernst Blaß, Max Brod, Arthur Drey, S. Friedlaender, Herbert Großberger, Ferdinand Hardekopf, Georg Heym, Arthur Kronfeld, Else Lasker-Schüler, Ludwig Rubiner, René Schickele, Franz Werfel, Paul Zech und eine eigene „rigorose Sammlung radikaler Strophen“ – Hiller war nämlich, wie Pfemfert in einem bös einseitigen Bild seines einstigen Mitarbeiters schrieb, ein ehrgeiziger junger Dichter gewesen. Im Vorwort zum „Kondor“ sagte Hiller, er wolle keine „Richtung“ fördern, ließ aber klar erkennen, daß er die neue Großstadtdichtung meinte: „Erscheint die Erlebnisart des geistigen Städters, die uneinfachere, bewußte, nervöse (mit Dynamos und Massenstreiken hat sie nichts zu tun!), hier als bevorzugt, so rührt das daher, daß man sie anderswo quäkerisch vernachlässigt hat“, und zwar dort, wo die „agrarischen Emotionen“ die Poesie bestimmten – das ging gegen die Heimatkunstbewegung, den Bauernroman, Hesses und L. Thomas „März“ und die antisemitisch gefärbte Los-von-Berlin-Bewegung.

Aufbruch zum Paradies

Wohin wollen wir? Klipp und klar sei es ausgesprochen: Wir wollen, bei lebendigem Leibe, ins Paradies. Das ist utopisch, doch nicht phantastisch. Nämlich das Paradies ist kein Garten Eden, es sieht eher aus wie eine schöne, ganz große Stadt. Aber es ist ein Ort, der allen seinen Bewohnern erlaubt, nichts denn vital zu sein; und zur Vitalität gehört mehr als das Animalische.

Das Paradies ist der Ort, an dem es jedem gut geht: in leiblicher, seelischer und Gott weiß welcher Beziehung. Über des Paradieses Insassen (die nicht Schemen noch Engel sind, sondern Menschen) herrscht das Glück der unbewußten Kreatur – ohne die Dumpfheit des Unbewußten.

Das Paradies kennt keine Armut, bloß Verschiedenheit der Bedürfnisse; keine Krankheit, bloß den Rhythmus des Turgor: ein zeugungsstarkes Auf und Ab zwischen Müdheit und Überschwang.

Im Paradies ist Feindschaft (weil die Herrlichkeit der Freundschaft ohne sie nicht möglich wäre), doch keine Niedertracht; Haß – um der Liebe willen –, doch keine Lüge. Nicht wüsten Krieg der Körper gibt es, wohl Kampf; nicht Arbeit, wohl Tätigkeit; nicht Dienst, wohl Werk.

Recht und Macht koinzidieren; so daß Macht als Einrichtung überflüssig wird. Der Wertbegriff, angewandt auf Menschen, ist aufgehoben; denn es reiht sich jeder gemäß seinem natürlichen Range dem heiligen Bau der Gemeinschaft von selber ein. Alle stehen auf ihrem Platz.

Das Paradies ist nicht arkadisch (obschon der Liebhaber auch Arkadisches in ihm findet); vielmehr zeigt es die fabelhafteste Zivilisation – mit Industrie, Technik, Schule, Verkehr, allem. Man trifft im Paradies sogar Zeitungen an; sie sind ebenso unentbehrlich wie Wasserklosetts.

Das Geschlechtliche tritt hier unschuldig auf, als aparte Funktion der Menschennatur,

ähnlich Durst und Hunger. Man nimmt kein Blatt vor den Mund und vor andere Teile kein Feigenblatt – wenigstens nie aus Scham eines, höchstens aus Differenziertheit. Man verübelt es nicht dem Apfelbaum, daß er Frucht ansetzt, und dem Mädchen nicht, wenn es Mutter wird. Im Paradies dürfen selbst die Varietäten sich lieben.
Das Paradies ist Ziel, folglich ziel-los; es ist legitime Stätte der Künste. Auch des Schmausens, der ‚Wissenschaft um ihrer selbst willen' und anderer Vergnügungen, deren unrechtmäßige Vorwegnahme sich heute ‚Kultur' nennt. Der Ernst im Paradies ist der Ernst im Spiel.

Die abstrakte Menschlichkeit

Aus solch einem Absatz liest man nicht nur das Utopische und Politische heraus, sondern man erkennt ein frühexpressionistisches Wunschbild des abstrakt Menschlichen. Schon 1889 hatte Scheerbart das Paradies eine Heimat der Kunst genannt. Der illusionäre Charakter ist in der Ironie angedeutet, wenn das Pathos auch ernst war und den Späteren als letzte Phase deutsch-idealistischen Denkens erscheint. Hiller hat Brods Idolisierung des „Indifferenten", des amoralischen Ästheten in „Nornepygge", als Faust der jungen Generation gepriesen. Der bevorzugte Bürger des Paradieses ist der antisozialistische Intellektuelle. Rubiner trieb diese Forderungen so weit, daß er sagte: „Kein höheres Wesen in der menschlichen Gemeinschaft als der Literat." Der Literat ist „der Führer" und als solcher „für uns alle da". Rubiners und Hillers Ideen erinnern an den gleichzeitigen präfaschistischen Futurismus in Italien, wenn Hiller forderte, „Geist werde Herr". Der Literat ist der Christus und Prometheus der neuen Gesellschaft, er muß zum Opfer bereit sein wie Eustache de Saint Pierre, der „neue Mensch" in G. Kaisers damals entstehenden „Bürgern von Calais".

Der neue Mensch

Der Schatten des Nietzscheschen Übermenschen hatte sich über das platonische Idealbild gelegt. Heinrich Manns Essay „Geist und Tat" (1909 im „Pan"), Alfred Kerr, Brod, Werfel und Hardekopf nahmen entscheidenden Anteil an der Bildung des „aktivistischen" Programms. Während des Krieges wurde die „Hölle zu löschen" die wichtigste Aufgabe. In der Revolution von 1918 bildete Hiller den „politischen Rat geistiger Arbeiter" – er schien am Ziel zu sein, die Literaten bestimmten die Revolution. Das Experiment schlug aber völlig fehl; Hiller stellte schon kaum ein Jahr später fest: „soviel Köpfe, soviel Sekten". Aber er gab den Kampf für den „Logokratischen Aktivismus" nicht auf, veröffentlichte Bücher und Manifeste und kritisierte die politischen Ideologien. Bald erkannte er den aufkommenden Nationalsozialismus als die schimpflichste unter allen verdummenden Barbareien. 1933/34 wurde er in ein Konzentrationslager gesteckt und konnte nach der Entlassung über Prag nach England fliehen. In der Emigration erschienen die gesammelten Aufsätze „Profile" (Paris 1938), in einem Privatdruck die Gedichte „Der Unnennbare" und „The Problem of Constitution" (London 1945). Bald nach dem Kriege erregte Hillers Rede „Geistige Grundlagen eines schöpferischen Deutschlands" (1947) noch einmal großes Aufsehen.

Emigration und spätere Entwicklung

Ludwig Rubiner

In den Jahren 1916–17 wurden die ersten Revolutionsdramen geschrieben, sammelte Unruhs „Jüngster Sohn" die Kameraden zum Sturm gegen die Kasernen der Macht, entstanden Tollers „Wandlung" und Ludwig Rubiners (1881–1920) von abstrakten Gefühlen überströmtes Drama „Die Gewaltlosen". Es eröffnete die Revolutionsdramen der Reihe „Der dramatische Wille". Rubiner hatte 1911 einen mäßigen Kriminalroman, „Die indischen Opale", und zusammen mit Friedrich Eisenlohr und Livingstone Hahn „Kriminalsonette" (1913) erscheinen lassen. Seine im Stil Whitmans verfaßten Gedichte „Das himmlische Licht“ (1916) kamen in der Sammlung „Der jüngste Tag“ heraus und erhoben schon literarische Ansprüche. Der Essayband „Der Mensch in der Mitte“ erschien 1917 in der Politischen Aktionsbibliothek – seither galt Rubiner als politischer „Aktivist“. Das Drama „Die Gewaltlosen“ (1919) will ein politisches Ideenstück sein. Es predigt die Gewaltlosigkeit in einer wirbelnden Handlung von „Der Mann“, „Die Frau“, „Der Gouverneur“, „Der Offizier“ und ähnlich genannten Figuren. Gefangene bekehren ihre Wärter, den Gouverneur und die sadistische Tochter des Gefängniswärters zur Gewaltlosigkeit und fliehen mit ihnen und andern – durch Reden gewonnenen – Proselyten auf einem Schiff. Die Liebe der „Brüder“ heilt Kranke, und auch die Verfolger beugen sich dem Ruf „Nie wieder Gewalt!“ Sie stärken die

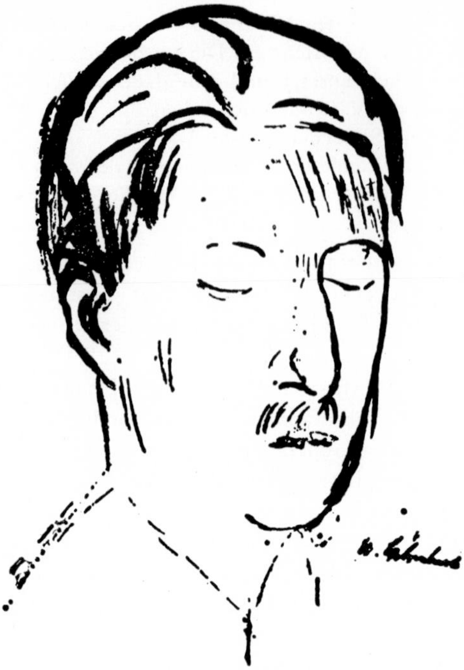

Ludwig Rubiner,
Zeichnung von Wilhelm Lehmbruck

„Die Gewaltlosen“

Moral der schon wankelmütigen Bewohner der revolutionären Lichtstadt. Doch da bricht innerhalb der neuen Gemeinschaft die Herrschaft des Tiers mit Mißtrauen, Plünderung, Raub, Mord und sogar Verrat wieder auf. Nauke, der Nachsprecher, der Entwerter der Gefühle zu revolutionären Phrasen, ein eß- und trinkfroher Materialist unter den Aposteln des Geistes, verrät die Brüder an die Bürger. Durch Opfer der eigenen Existenz retten „Der Mann“ und „Der Gouverneur“, die prominentesten der Brüder, ihren Glauben an die Menschen:

Die Überwindung der Geschichte

Der Gouverneur: Wir müssen den Verrat aus der Welt schaffen.

Der Mann: Aber er ist geschehen.

Der Gouverneur: Wir laufen ihm entgegen, wir kommen ihm zuvor, wir überbieten ihn. Wir stellen uns ihm.

Der Mann: Verhandeln mit den Feinden, den Bürgern, den Generälen?

Der Gouverneur: Nein, nicht verhandeln. Wir geben uns dem Feind. Er fordert – wir geben alles. Er fordert Waffen, wir legen sie hin. Er will Geld, wir geben ihm, was da ist, er will Speise, wir geben ihm die unsere. Er will unser Leben, wir zeigen ihm, daß wir es opfern. Er kann nichts mehr fordern. Er ist allein, und ihm bleibt nur noch zu verlangen, daß er werde wie wir selbst.

Der Mann: Und das Volk?

Der Gouverneur: Wir geben zurück, was wir vom Volk empfingen. Wir bringen ihm Brüder, aber so lange die Brüder noch Feinde sind, werfen wir uns vor sie, und wir opfern ihnen unser Schicksal! – Zu den Feinden! – Ich kreuze ihren Angriff. Ich laufe durch die Stadt, und wo ich nur einen Windstoß von bürgerlicher Luft wittre, da trete ich hin, als ein Mensch, der die Ehre der Vergangenheit nicht mehr hat. – Ich gehe zu den Feinden, den Gang der Selbstvernichtung.

Wirklich und sinnbildlich werden die Führer erschlagen, doch mit der Untat tritt der Umschwung ein. Alle umarmen sich, es kommt zur Wiedergeburt des Menschen und der Erde. Das Drama will nicht den „elenden Allerweltsstandpunkt des sogenannten rein künstlerischen Wertes“ einnehmen, sondern durch mitreißendes Vorbild zur klassenlosen Gesellschaft bekehren. Ähnlich wie bei Ernst Toller durchdringen sich Politik und Literatur, und ähnlich wie bei Toller kann man im Zweifel sein, ob der politische Ideologe die Dichtung oder der Dichter die politische Ideologie beflügelt. Im Gegensatz zu Toller decken sich bei Rubiner die Vertreter der neuen klassenlosen Gesellschaft, der neue Adel der Menschheit, mit den Unterdrückten und Asozialen der bisherigen Welt. Allerdings läßt die Formulierung erkennen, daß Rubiner auch ironische Reserven gegenüber der neuen Diktatur hatte: „Wer sind die Kameraden? Prostituierte, Dichter, Unterproletarier, Sammler von verlorenen Gegenständen, Gelegenheitsdiebe, Nichtstuer, Liebespaare inmitten der Umarmung, religiöse Irrsinnige, Säufer, Kettenraucher, Arbeitslose, Vielfraße, Pennbrüder, Einbrecher, Kritiker, Schlafsüchtige, Gesindel. Und für Momente alle Frauen der Welt. Wir sind der Auswurf, die Verachtung, der heilige Mob.“

LUDWIG RUBINER

Der heilige Mob

Leicht erkennt man die Typen des naturalistischen Anarchismus wieder, aber auch das Apachenmilieu des literarischen Kabaretts; schon 1914 schrieb Rubiner „Der Aufstand, Pantomine für das Kino“. In der Anthologie „Kameraden der Menschheit, Dichtungen zur Weltrevolution“ (1919) wollte Rubiner eine Mannschaft „zum Marsch in das neue Menschenland“ sammeln. Da finden sich Dichtungen von Johannes R. Becher, R. Leonhardt, Karl Otten, Toller, Werfel, Zech, Wolfenstein, Hasenclever und andern: „Hier tritt der Dichter endlich an die Seite des Proletariers.“ Die Gedichte sind durchweg mäßig, Rubiners eigene Beiträge, mit Ekel an der Zivilisation und wilden Schmähungen der überlieferten geistig-religiösen Werte, beschwören eindringlich die neue Welt des Glücks und als Weg dazu den Willen des Menschen. Schließlich wird „Der Führer“ in rhythmischen Psalmen aufgerufen, den Tag des Heils zu bringen. In einer parallelen Sammlung „Die Gemeinschaft, Dokumente der geistigen Weltwende“ (1919) vereinte Ludwig Rubiner „Menschen, die in der Änderung der Welt ihr Lebensziel sahen“.

Hier stehen Sprecher des revolutionären Proletariats absichtlich neben Frondeuren und Skeptikern des Geistes und der Künste. Zu den Beiträgern gehörten: Barbusse, Georg Kaiser, Gustav Landauer, Upton Sinclair, Leonhard Frank, Peter Tschaadew, Ernst Robert Curtius, Ferruccio Busoni, Peter Krapotkin, A. Lunartscharski und Hedwig Lachmann.

Literatur und Politik

Wollte Rubiner in der russischen Revolution *seine* Weltrevolution sehen? Sicher hat ihn, der die russische Sprache fließend sprach, dieser Gedanke lange beschäftigt. Aber die Ahnen seines eigenen Denkens lagen weit ab vom blutigen Terror. Er hat 1918 Leo Tolstois Tagebücher übersetzt und herausgegeben und im Jahre darauf die Romane und Erzählungen Voltaires. An Tolstoi gefiel ihm die Verwerfung der bürgerlichen und Weltliteratur von Homer über Shakespeare zu Goethe und der rigorose Moralismus, bei Voltaire die Idee des Lichts durch Aufklärung und die Verwerfung von Königtum und Kirche. Er war ein politischer Literat wie seine Freunde Hiller und Pfemfert und schrieb im Kauderwelsch der Anarchisten:

> Ich muß immer lachen, wenn ein Synthet ängstet: Destruktion. Uns macht nur die (einzig) sittliche Kraft des Destruktiven glücklich. Beweis: der politische Dichter hat jedesmal seine Sprache bereichert. Er hat Schmähworte gelehrt, Schmähworte aus Liebe, die in seinem Volksbereich noch keiner ausgedacht hatte. Immer, wenn er auffliegen ließ, wurden einzig unzerstörbare Geistigkeiten freigelegt . . . Wir leben erst aus unsern Katastrophen. Störer ist privater Ehrentitel, Zerstörer ein religiöser Begriff, untrennbar heute von Schöpfer. Und darum ist es gut, daß die Literatur in die Politik sprengt.

Daß es Ludwig Rubiner ernst war mit dem Aufgehen der Persönlichkeit in der Gemeinschaft, wird durch seine knappe Notiz in Pinthus' „Menschheitsdämmerung" erhellt:

> Ludwig Rubiner wünscht keine Biographie von sich. Er glaubt, daß nicht nur die Aufzählung von Taten, sondern auch die von Werken und von Daten aus einem hochmütigen Vergangenheits-Irrtum des individualistischen Schlafrock-Künstlertums stammt. Er ist der Überzeugung, daß von Belang für die Gegenwart und die Zukunft nur die anonyme, schöpferische Zugehörigkeit zur Gemeinschaft ist.

Das Pathos der Weltrevolution

Kronberg und Rubiner gehören stilistisch zusammen als Vertreter des abstrakten und ekstatischen Theaters. Ihre dichterische Potenz ist fixiert auf die berühmteste, aber auch wirkungsloseste Phase des expressionistischen Theaters, jenen O-Mensch-Schrei, den niemand so laut ausstoßen durfte wie die glühend Gläubigen des neuen Menschen. Für Kronberg war der Jude zugleich der älteste und der neueste Mensch, daher Vorbild – wie es für die europäische Bildung bisher der Grieche gewesen war. Sein Schimen ist der Heiland der neuen Gemeinschaft. Bei Rubiner ist das Ideal politisch verwischt und wurde deshalb ungleich folgenreicher: Nahezu alle expressionistischen Autoren waren gewisse Zeit Anhänger der russischen Weltrevolution, da man glaubte, deren Auftrag sei mit der eigenen, religiös verstandenen Botschaft an die Welt identisch: im Zustand abstrahierender „Ekstase" konnte man die Praxis des Bolschewismus übersehen.

„DER STURM" UND DIE STURMDICHTUNG

Gründung und Mitarbeiter

Am 3. März 1910 erschien das erste Heft der Zeitschrift „Der Sturm, Wochenschrift für Kultur und die Künste". Sie wollte Bewegung und Aufruhr in die träge und schwüle Zeit der Vorkriegsjahre bringen, darum der Name „Sturm". Das Blatt sammelte die Wortführer und Künstler der später expressionistisch genannten Richtung. Allgemeines Aufsehen erregte „Der Sturm" mit seiner Herbstausstellung 1913 („Erster Deutscher Kunstsalon – Der Sturm"). Allmählich bildete sich durch engere Auswahl der Mitarbeiter, schließlich durch Beschränkung auf einen programmatisch gebundenen Kreis das heraus, was als Sturmkunst und Sturmtheorie Anspruch auf allgemeine und internationale Geltung erhob.

Während die Wochenschrift zu halbmonatlicher, später monatlicher Erscheinungsweise überging, erweiterte der Herausgeber und Schriftleiter Herwarth Walden bis 1919 seinen Wirkungskreis. Er gründete einen Sturmverlag, veranstaltete in Berlin ständige, im Reichsgebiet und außerhalb Deutschlands wiederkehrende Ausstellungen, gründete eine bald eingegangene Sturmschule (später Sturm-Hochschule), die in Berlin von Walden selbst, in Holland von Jacoba van Heemskerk geleitet wurde, errichtete eine Sturm-Bühne, welche von 1919 an ein Jahrbuch mit acht Folgen gleichen Namens herausgab, und veranstaltete regelmäßig sogenannte Sturm-Abende.

Herwarth Walden,
Gemälde von Oskar Kokoschka, 1910

Nirgends ist – neben der „Aktion" – die Entwicklung der neuen Bewegung besser zu verfolgen. In den ersten Jahrgängen findet man die Künstler Franz Marc, Erich Heckel, Ernst Ludwig Kirchner, Oskar Kokoschka, Emil Nolde, Ferdinand Hodler, Karl Schmidt-Rottluff, Cesar Klein, Max Pechstein, Melzer, Segal, Tappert, später die von Walden neben Marc als entscheidend und führend erkannten Kandinsky, Chagall, Léger, Metzinger, Boccioni, Severini, Picabia, Delauney, Klee, Jacoba van Heemskerk, Campendonck, Bauer, Muche, Molzahn, Nell Walden, Itten, Stuckenberg, Topp, Baumann, Filla, Kubin, Maria Uhden, Archipenko, Wauer, Oswald Herzog, Gleizes und Kurt Schwitters.

Maler und Bildhauer

Man las Beiträge von August Strindberg, Per Hallström, Richard Dehmel, Alfred Mombert, Alfred Döblin, Paul Scheerbart, Else Lasker-Schüler, Max Brod, Friedrich Kurt Benndorf, Otto Stoeßl, Walter Heymann, Jacob van Hoddis, Ernst Blaß, Ernst Wilhelm Lotz, Paul Zech, Alfred Richard Meyer, Albert Ehrenstein, Franz Jung, Otto Rung, Friedlaender-Mynona, Joseph Adler, Peter Altenberg, Alfred Walter Heymel, Oskar und Peter Baum, Samuel Lublinski, Lothar von Kunowski, Wilhelm Worringer, Kurt Hiller, Guillaume Apollinaire, Claire und Iwan Goll, F. T. Marinetti, Peter Scher, René Schickele, Tristan Tzara, Adolf und Willi Knoblauch, Walter Mehring, Peter Scher und vielen andern. Später verschob sich das Gewicht auf die Künstler und Theoretiker des „Sturm"; das waren der Herausgeber Walden selbst, Lothar Schreyer, Rudolf Blümner, William Wauer, August Stramm (seit 1913), Hermann Essig, Kurt Heynicke, Adolf und Willi Knoblauch, Wilhelm Runge, Franz Richard Behrens, Kurt Liebmann, Otto Nebel und Kurt Schwitters.

Dichter und Essayisten

Seit 1910 bildete „Der Sturm" den linken Flügel der geistigen Bewegung. Im zweiten Jahrgang überraschte und entrüstete Marinetti das Publikum mit dem „Manifest des Futurismus", im zehnten stand Schwitters' „Selbstbestimmungs-

Umfang acht Seiten — Einzelbezug: 10 Pfennig

DER STURM

WOCHENSCHRIFT FÜR KULTUR UND DIE KÜNSTE

Redaktion und Verlag: Berlin-Halensee, Katharinenstrasse 5 Fernsprecher Amt Wilmersdorf 3524 / Anzeigen-Annahme und Geschäftsstelle: Berlin W 35, Potsdamerstr. 111 / Amt VI 3444	Herausgeber und Schriftleiter: HERWARTH WALDEN	Vierteljahresbezug 1,25 Mark ; Halbjahresbezug 2,50 Mark / Jahresbezug 5,00 Mark / bei freier Zustellung / Insertionspreis für die fünfgespaltene Nonpareillezeile 60 Pfennig

JAHRGANG 1910 — BERLIN/DONNERSTAG DEN 14. JULI 1910/WIEN — NUMMER 20

Zeichnung von Oskar Kokoschka zu dem Drama
Mörder, Hoffnung der Frauen

INHALT: OSKAR KOKOSCHKA: Mörder, Hoffnung der Frauen / PAUL LEPPIN: Daniel Jesus / Roman / ALFRED DÖBLIN: Gespräche mit Kalypso über die Musik / SIEGFRIED PFANKUCH: Liegt der Friede in der Luft / PAUL SCHEERBART: Gegenerklärung / KARL VOGT: Nissen als Theaterdirektor / MINIMAX: Kriegsbericht / Karikaturen

Mörder, Hoffnung der Frauen

Von Oskar Kokoschka

Personen:

Mann
Frau
Chor: Männer und Weiber.

Nachthimmel, Turm mit großer roter eiserner Käfigtur; Fackeln das einzige Licht, schwarzer Boden, so zum Turm aufsteigend, daß alle Figuren reliefartig zu sehen sind.

Der Mann

Weißes Gesicht, blaugepanzert, Stirntuch, das eine Wunde bedeckt, mit der Schar der Männer (wilde Köpfe, graue und rote Kopftücher, weiße, schwarze und braune Kleider, Zeichen auf den Kleidern, nackte Beine, hohe Fackelstangen. Schellen, Getöse), kriechen herauf mit vorgestreckten Stangen und Lichtern, versuchen müde und unwillig den Abenteurer zurückzuhalten, reißen sein Pferd nieder, er geht vor, sie lösen den Kreis um ihn, während sie mit langsamer Steigerung aufschreien.

Männer

Wir waren das flammende Rad um ihn,
Wir waren das flammende Rad um dich, Bestürmer verschlossener Festungen!

gehen zögernd wieder als Kette nach, er mit dem Fackelträger vor sich, geht voran.

Männer

Führ' uns Blasser!

Während sie das Pferd niederreißen wollen, steigen Weiber mit der Führerin die linke Stiege herauf.

Frau rote Kleider, offene gelbe Haare, groß,

Frau laut

Mit meinem Atem erflackert die blonde Scheibe der Sonne, mein Auge sammelt der Männer Frohlocken, ihre stammelnde Lust kriecht wie eine Bestie um mich.

Weiber

lösen sich von ihr los, sehen jetzt erst den Fremden.

Erstes Weib lüstern

Sein Atem saugt sich grüßend der Jungfrau an!

155

Die Kunstlehre

recht der Künstler", das berüchtigte Vorwort zu „Anna Blume". In Aufsätzen und Schriften von Walden, Blümner, Wauer und Schreyer wurde eine Deutung des Begriffs und der Kunst des Expressionismus versucht, vor allem in dem Sammelband „Expressionismus, die Kunstwende" (1918), in Waldens Schrift „Die neue Malerei" (1920), in seinen Aufsätzen über das Begriffliche in der Dichtung und seiner Kritik der vorexpressionistischen Dichtung, und in Schreyers Schrift „Die neue Kunst" (1919, zuerst im „Sturm") sowie in dessen Aufsätzen über expressionistische Dichtung. Bei Walden und Schreyer wurde die neue Kunst- und Dichtungslehre programmatisch entwickelt — ein wenig didaktisch und rechthaberisch, so daß man guttut, auch die mehr gelegentlichen Äußerungen Blümners, Wauers, O. Herzogs, Schwitters' und Nebels zu berücksichtigen. Bei der planmäßigen Ausdehnung des Sturmprogrammes auf Malerei, Bildhauerei, Graphik und Musik muß man auch Äußerungen Kokoschkas, Marcs, Kandinskys, Worringers und die kritischen Stimmen von Paul Klee und Walter Gropius heranziehen. Auch haben die Künstler und Schriftsteller oft über einander im „Sturm" geschrieben, so daß die Gegner von Kliquenwirtschaft sprechen durften; für uns sind diese Äußerungen als Zeitdokumente wichtig. Wenn Walden in seinem Nachruf Hermann Essig neben H. v. Kleist stellt oder Else Lasker-Schüler, einige Jahre mit Walden verheiratet, Außenseiter wie Peter Baum — aus dem Hille-Kreis — zum „Sturm" brachte, so sind das bezeichnende Fehlleistungen von Enthusiasten. Mehr zufällig kam 1913 August Stramm zum „Sturm"; er schien die Theorie zu bestätigen und wurde von Herwarth und Nell Walden zum Helden des „Sturm" und der Sturm-Bücherei gemacht.

HERWARTH WALDEN

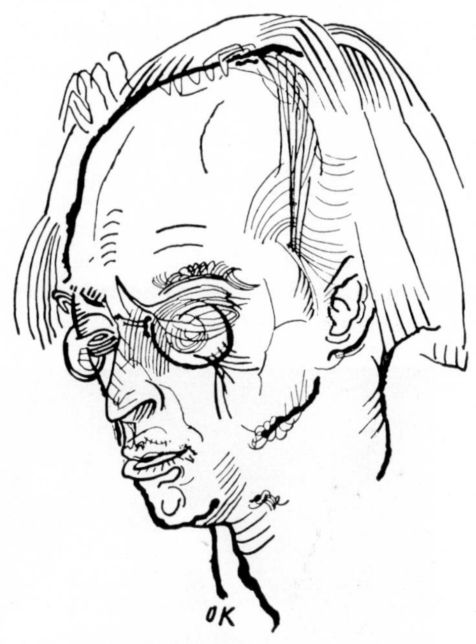

Herwarth Walden, Zeichnung von Oskar Kokoschka

Die Theoretiker des „Sturm" haben nicht nur den Begriff und die Sache „Expressionismus" in Deutschland eingeführt und so verwandt, wie wir ihn heute benützen; sie haben auch, wie Holz und Schlaf den Naturalismus mit deutscher Gründlichkeit zum „konsequenten Naturalismus" entwickelt hatten, versucht, ihre Bewegung als „abstrakten Expressionismus" zu definieren. Damit war gemeint, daß der Geist beim Hervorbringen von Kunst der entscheidende Faktor sei: erst durch die Kunst würden die Objekte erschaffen. Die normale Sprache des Alltags sei nicht die der Dichtung, Wiedergabe von Wirklichkeit sei nicht Aufgabe der bildenden Kunst. Dadurch ist „Der Sturm" zum Zeugnis und Abbild der zweiten Phase der expressionistischen Bewegung geworden, als die erste, die messianisch-welterlösende, die ihre breiteste Wirkung durch Werfel, L. Frank, Toller und von Unruh gewonnen hatte, kaum beendet war. Das hängt mit Herwarth Waldens Charakter und Persönlichkeit zusammen.

„Der Sturm" als zweite Phase des Expressionismus

Walden hieß eigentlich Georg Levin und war 1878 in Berlin geboren. Er studierte Musik und wurde ein glänzender Klavierspieler. 1901 heiratete er Else Lasker-Schüler. Er begann erst zu dichten, als „Der Sturm" schon berühmt und die intellektuelle Theorie ausgearbeitet war. Um 1903 organisierte er Vortragsabende im Verein für Kunst und war Redakteur verschiedener literarischer Blätter, in denen schon Autoren des „Sturm" auftauchten. So war Walden glänzend vorbereitet, nicht zuletzt durch die literarischen Freundschaften seiner Frau, als er 1910 die Wochenschrift „Der Sturm" gründete. Er erfaßte instinktiv, daß der

Herwarth Walden

Expressionismus eine *künstlerische* Bewegung war – während er bisher eine der vielen um jene Zeit aufgestellten Lebenslehren zu sein schien, welche utopische, politische und soziale Ziele verfolgten und die Künste als Propagandamittel benützten.

Expressionismus als künstlerische Bewegung

So wurde Walden Impresario und Vermittler des Neuen, zog die Talente an, sammelte sie und führte die Bewegung zum Siege. Seit 1912 stellte er die neuen Künstler in eigenen Ausstellungsräumen in Berlin W aus. Er machte Kokoschka, Klee, Marc, Macke, Kandinsky, Feininger und Chagall in Berlin und Deutschland bekannt. 1912 heiratete er in zweiter Ehe Nell Walden, die ihn organisatorisch und ideell unterstützte. Junge Künstler betrachteten den „Sturm" jetzt als ihr Experimentierfeld, das waren Georg Schrimpf, William Wauer, Georg Muche und andere. (Der Sturm-Verlag brachte nicht nur Bücher, sondern auch Kunstmappen heraus.) Seit 1914 veranstaltete man Vortragsabende, die durch Waldens Freund, den Schauspieler Rudolf Blümner (1873–1945), in ganz Deutschland berühmt wurden. 1918–21 gab es unter Lothar Schreyer eine Sturm-Bühne. So hatte die Bewegung sich Mitte der zwanziger Jahre durchgesetzt; da wandte sich Walden, bisher Vorkämpfer des Abstrakten, ganz unvermutet zum Bolschewismus, verließ 1931 Deutschland und ging nach Moskau, wo er Sprachlehrer wurde. Ein Jahr darauf stellte der „Sturm", nachdem er bis zum Ende expressionistische Literatur veröffentlicht hatte, sein Erscheinen ein. Walden wurde 1941 in Moskau verhaftet und ist seither verschollen.

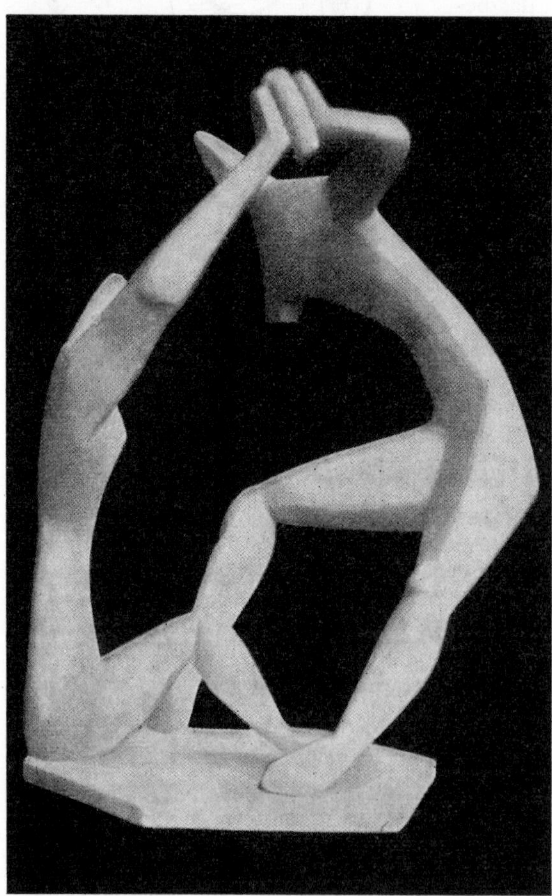

Alexander Archipenko, Der Tanz
aus Herwarth Walden, Einblick in Kunst

Walden war vor allem Kritiker. Er hatte außer seiner Gabe, Neues zu wittern, ein scharfes Auge für die Schwächen früherer Kunstformen. Er schrieb gegen Heine, Wedekind und Sternheim, sie „sagten bloß aus", seien also keine schöpferischen Künstler gewesen. Goethe mußte sich gefallen lassen, daß Walden – es war mehr didaktisch als polemisch gemeint – sein Gedicht „Über allen Gipfeln ist Ruh" mit dem Ergebnis zerpflückte: „Eine künstlerische Gestaltung der Wortverbindungen liegt nicht vor. Metrik und Rhythmik des Gedichts sind willkürlich. Nicht einmal die Absicht der künstlerischen Logik ist erkennbar. Die Klangwerte der Silben sind nicht beachtet. Ein Gefühlswert der Wortverbindungen entsteht nur durch Nachdenkvorstellungen . . ." Herwarth Walden arbeitete mit dem Apparat der Musiktheorie: Klang und Rhythmus waren ihre entscheidenden Begriffe. Der Musiker Walden hat Lieder von Dehmel, Arno Holz, die „Judentochter" aus „Des Knaben Wunderhorn", Goethes „An Schwager Kronos" vertont und Klavier- und Orchesterwerke komponiert. Seine „Komitragödien", „Weib" (1917), „Glaube", „Trieb", „Letzte Liebe", „Erste Liebe, ein Spiel mit dem Leben", „Die Beiden, ein Spiel mit dem Tode" und „Sünde, ein Spiel an der Liebe", alle 1918 erschienen, sowie die Tragödien „Kind" und „Menschen" (1918) sind gegen die eigene Theorie geschriebene, programmatische Stücke in einer „rhythmisch komponierten Form", die jedoch spielerisch erscheint. Typisch sind einige Repliken. In „Kind" antwortet die Sechzehnjährige dem Großvater auf seine Worte „Die Liebe ist ein Augenblick": „Die Liebe ist ein Blick der Augen." In dem Roman „Das Buch der Menschenliebe" (1916) folgt auf den Ausspruch „Du bist überspannt" die Erwiderung: „Du hast überspannt." Dort liest man auch: „Ja, wenn man so früh unten durch ist, ist man früh oben raus." Walden meinte in solchen Formulierungen etwas von den „Korrespondenzen" des Kosmos getroffen zu haben, tatsächlich kommen sie vom Berliner Witz. Überhaupt ist der Anspruch des Kosmischen überall spürbar, das sich 1900 bis 1910, im Gefolge des Monismus, als zweite Phase des Naturalismus durchsetzte und später vom Expressionismus als Vorstufe beansprucht wurde.

Herwarth Walden, Gemälde von Edmund Kesting

Dramen und Romane

Waldens Bedeutung liegt, außer in seiner Herausgebertätigkeit, in seinen kritischen Schriften „Kunstkritiker und Kunstmaler" (1916), „Einblick in Kunst: Expressionismus, Kubismus, Futurismus" (1917), „Die neue Malerei" (1912) und ihren erweiterten Neuauflagen sowie in den zahlreichen Beiträgen hinweisender, erklärender, lobender und kritischer Art, die im Lauf der Jahrzehnte in seinem „Sturm" erschienen sind.

Auch die Lehre des „Sturm" begann mit der Feststellung: „Der Expressionismus ist keine Mode. Er ist eine Weltanschauung." Aber die nächsten Sätze lauten: „Und zwar eine Anschauung der Sinne, nicht der Begriffe. Und zwar eine An-

Lothar Schreyer

schauung der Welt, von der die Erde ein Teil ist." Diese Lehre kennt keine sozialen, ethischen oder politischen Ziele, sondern möchte reine Kunstlehre sein. Damit ist freilich etwas anderes gemeint als in den zeitgenössischen Lehren über reine Kunst etwa bei George, den Ästheten der Neuromantik und kosmogonischen Dichtung, in deren Mittelpunkt das Ich, die schöpferische Person stand. Die Theorie des „Sturm" bekämpft jede Absonderung des Ich als Persönlichkeitskult einer verflossenen „impressionistischen" Zeit. Denn der Impressionismus habe „abgebildet", habe Ähnlichkeit seiner Porträts mit den dargestellten Personen erstrebt. Die letzten vier Jahrhunderte seit der Renaissance müßten als Epoche radikaler Individualität ausgestrichen werden, denn sie waren eine Zeit der Un-Kunst und Nicht-Kunst: Alle klassischen und klassizistischen Gedanken über die Nachahmung und Abbildung seien Perversionen der *wahren* Kunst, des Expressionismus; er ist „die geistige Bewegung einer Zeit, die das innere Erlebnis über das äußere Leben stellt". Als Gegenpol dieser Bewegung wurde der Impressionismus begriffen, die Kunst der Vätergeneration. Dieser habe äußere Eindrücke nachgeahmt und die inneren optisch oder akustisch, als Reflexe der Dinge auf die Sinnesorgane festgehalten. Der wahre Künstler „will" nicht, sondern ist Diener, er gibt nicht Erfahrungen wieder, sondern das Unerfahrene, die Offenbarung, ein inneres Reich des Geistes, das Erlebnis „intuitiver Erkenntnis".

Lothar Schreyer als Ekstatiker

Die Kunst der Gegenwart, also des Expressionismus, wird bei ihrem Wortführer im „Sturm", Lothar Schreyer, geboren 1886 in Dresden, geradezu als „Kunde einer offenbarten Erkenntnis" hingestellt. Bei Schreyer steht die Kunstlehre in enger Verbindung mit einer Lebenslehre, einer Weltanschauung mit sittlich-religiösem Anspruch: „Die Weltwende [des Expressionismus] scheidet die armen Menschen, die behaupten, zu wissen, was Liebe ist, von den Menschen, die Liebe haben. Sie scheidet die Menschen, die behaupten zu wissen, was Kunst ist, von den Menschen, die Kunst haben." Im gleichen Atem wird der Künstler aber auch von den gewöhnlichen Menschen getrennt. Er *hat* nicht nur Gesichte, sondern er kann sie auch gestalten. Er hat die Vision ohne oder auch gegen seinen Willen, er steht unter Zwang und schafft sie zur Gestalt um. Er dient dabei keiner „Idee oder Sache". Es ist ein Unding, von ethischer und politischer Kunst zu reden, denn „Ethik und Politik sind Grundsätze, nach denen der Mensch sein tätiges Leben gestaltet, das Gesicht [Vision] aber ist die Abkehr vom tätigen Leben."

Die Wendung zum Ursprünglichen

Steht der Künstler unter visionärem Zwang, so sind Lehre und Schule überflüssig, ja störend. Die künstlerische Gestalt ist ja mit der Vision zugleich gegeben! Daher hat die Kunst kein Gesetz, während jedes Kunstwerk sein einbeschlossenes individuelles Gesetz besitzt. Darum fort mit Kunsterziehung, Kunstwissenschaft, Kunstpflege, Kritik, diesen „willkürlichen Erfindungen" (Schreyer)! Auch die alte Ästhetik braucht man nicht; denn sie entstammte dem kindlichen und kindischen Willen einer Zeit, „die das Wahre, Schöne und Gute in diesem Leben finden wollte". Kunstwerke zu erklären ist ein Wahn, hinter dem der Dünkel einer Persönlichkeit steckt, sie muß herab von diesem „selbsterrichteten göttlichen Thron". „Die Gegenwart ist der Tod der Persönlichkeit. Der Einzelne hat keinen Wert. Es gibt kein Recht auf Glück. Wir wissen, daß wir für unser Werk sterben." (Charles Péguy, der katholische sozialistische Prophet einer neuen Gemeinschaft, wurde vom „Sturm" in Deutschland bekannt gemacht.) Hier liegt die Wurzel der expressionistischen Wendung zum Ursprünglichen, Anfänglichen, zu Sage und Märchen, Tanz, Volksspiel und Mysterienspiel; man entdeckte die Naturvölker mit ihren Kulten und Tänzen, das deutsche Mittelalter, die Gotik, das Urchristentum, den Buddhismus, den Proleten und seinen amoralischen Charakter (A. Döblin, August Stramm), den Krieg, das Volk, die Jugend, die Sexualität und die revolutionären Dichter: Villon, Rimbaud, Jean Paul, Kleist, Büchner. Schreyer sagte in „Die neue Kunst" (1918):

Expressionismus als Wiedergeburt

Schreyer: Die neue Kunst

Uns ist es gleichgültig, ob die Körperform eines Menschen schön ist oder nicht. Der nackte Mensch ist für unser Werk ebenso gleichgültig wie der bekleidete. Der menschliche Körper ist nicht das Ausdrucksmittel unserer Bildhauerwerke. Die menschenähnliche Form ist ein Einzelfall in den Erscheinungen der Gesichte. Es gibt gegenständliche und ungegenständliche Bildhauerwerke. Auch das Material ist nicht wie in der klassischen Zeit maßgebend für die Gestaltung. Es wird nicht einmal ein Körper gestaltet ... Jedes Bildhauerwerk ist nach seinem eigenen Gesetz mit einem Rhythmus gestaltet. Die rhythmische Linie als wesentlich ist zuerst in der Gegenwart in den Bildhauerwerken von Umberto Boccioni gegeben. Die rhythmische Fläche als wesentlich haben zuerst in der Gegenwart die Bildhauerwerke des Russen Archipenko und des Deutschen Oswald

Trauer

Glanz fällt dein Haar
Sehnen Blasen stumm empor
Neigt dein Schoss Empfangen
Nur dein Auge dunkelt
Tiefer Tropfen
Tränenloses Weinen

Lothar Schreyer

Lothar Schreyer, Handschriftprobe

Ganzmaske Erde aus dem Bühnenspiel von Lothar Schreyer, Mann, 1920

Herzog. Rhythmische Linie und rhythmische Fläche als wesentlich vereinen zuerst in der Gegenwart die Bildhauerwerke des Deutschen William Wauer. Wenn es von W. Wauer Bildhauerwerke gibt, die als Porträtbüsten bezeichnet werden, so darf man hierbei nicht an das denken, was die unkünstlerische Zeit Porträtbüsten nennt. Diese unkünstlerische Zeit hat Modelle, die sie mehr oder weniger idealisiert, nachzubilden sucht. Dieses Nachahmen ist eine Tätigkeit der Handfertigkeit und des Wissens . . . Dennoch ist ein Gemeinsames zwischen dem Bildhauerwerk „Herwarth Walden“ und dem Menschen Herwarth Walden fühlbar. Dieses Gemeinsame ist aber keine körperliche Ähnlichkeit, sondern eine rhythmische Ähnlichkeit. Das Lebendigsein des Menschen, seine innere Bewegung hat einen bestimmten Rhythmus, der durch die Körperform verhüllt wird.

Ein diesem Rhythmus des Menschen ähnlicher Rhythmus ist das werkgestaltende Gesetz des Bildhauerwerkes.

Ekstase und Rhythmus

Der neuen Anschauung, daß das Kunstwerk rhythmische Gestaltung einer Vision sei, haben nacheinander Futuristen, Kubisten und Expressionisten die Bahn gebrochen. Futuristen wie Umberto Boccioni und Gino Severini haben den Glauben widerlegt, die Maler könnten keine Bewegung darstellen. Ist das Kunstwerk eine Schöpfung der Ekstase und unterliegt es einem inneren Rhythmus, so muß man zum Fertigen und Verstehen auf Logik, Bildung, Intellekt und Erinnerung verzichten. Jedes Kunstwerk ist „alogisch“. Speziell die Dichtung „hat als Kunde von dem Unerfahrenen nicht mit der Logik zu tun, die aus der Erfahrung hergeleitet wird, aus der Erfahrung der Sinne oder der Erfahrung der Tatsachen“. Es gibt eine besondere „künstlerische Logik“, und das ist die Logik des Rhythmus! Die alte statuarische Vollkommenheit der Kunstwerke und ihre sogenannte Lebenswahrheit waren Illusionen. „Wir leben nicht wahr.“ An die Stelle der alten Harmonie tritt als Gesetz der Bewegung der Rhythmus. „Unvollkommen, unendlich ist der Rhythmus. Er ist die Auflösung jedes Maßes.“

Wendet man diese Theorien über Kunst auf die Dichtkunst an, so ergeben sich die merkwürdigsten Aussichten, und eine Reihe von Dichtern hat die Konsequenzen gezogen. Im Fall August Stramms ist die Dichtung nicht aus der Theorie entstanden, sondern umgekehrt: Stramm war für Walden und Schreyer Prototyp des neuen Dichters, an seinen Gedichten konnte man die Theorie entwickeln. Generell ist ein Dichter, wer mit Worten sein Gesicht kündet:

Schreyer über den Wortkünstler

Jedes Wortwerk hat sein rhythmisches Gesetz. Der Rhythmus bewegt Worte. Das Wort ist das Mittel der Wortkunst. Das Wort hat als Inhalt einen Begriff. Jeder Begriff ist ein komplexer Wert. Das heißt: jedes Wort umfaßt in einer Vorstellung eine Vielheit von Vorstellungen. Jedes Wort ist ein Lautwerk. Es ist aus Konsonanten und Vokalen zusammengesetzt. Das Wortwerk ist eine rhythmische Wortreihe. – Das Gesicht, die Vision des Dichters besteht aus Vorstellungen. Diese Vorstellungen gestaltet er mit rhythmischen Wortreihen . . .

Das Prinzip der Konzentration

In dieser Weise geht es weiter; man merkt, wie der Autor einen unfaßbaren Vorgang in Worte fassen möchte, sich aber ständig in Tautologien verirrt. Interessant werden die Ausführungen da, wo Schreyer Hinweise gibt, wie das neue Wortwerk aussehen müsse: „Die rhythmische Gestalt der Vorstellung ist entweder konzentrisch oder dezentrisch. Durch einen konzentrischen Rhythmus der Gestaltung wird die Lautkomposition knapp, der Wortinhalt kurz gefaßt. Durch die Dezentration wird die Vorstellung zersplittert, in ihre Teile aufgelöst oder in besondere Wortfiguren gebracht. Dezentrisch wirkt die Assoziation von Wort zu Wortform." Der Dichter darf also Worte kürzen, bären für gebären, schwenden für verschwenden, wandeln für verwandeln. Er kann die Endungen der Deklination und Konjugation fortlassen, auch den Artikel. Dadurch werden die Worte verändert, es entstehen neue Worte, aus Verben werden Substantive, aus Substantiven Verben; da wird aus Kind ein Verbum kinden gebildet. Der Satz wird konzentriert durch Umstellung der Worte, Fortlassen der Präpositionen und Kopula, durch transitive Verwendung intransitiver Verben. Aus der Aussage: „Die Bäume und die Blumen blühen" wird nach Fortlassung von Artikel und Kopula über die Zwischenformen „Baum und Blume blüht" und „Blühender Baum, blühende Blume" der Wortsatz: „Baum blüht Blume", der seinerseits wieder, fordert die Wortreihe keinen Satz, zu dem Einzelwort „Blüte" konzentriert werden kann.
Mittel zur Dezentration sind die Wortfiguren:

Dezentration zu Wortfiguren

Solche Wortfiguren sind die unmittelbare Wiederholung, die Wiederholung in Zwischenräumen, die Parallelismen der Wortsätze. Die Umkehrung der Wortstellung wirkt die Einheit umgekehrter Begriffe. Nicht nur die Umkehrung der Begriffe, auch die Abwandlung der Begriffe nach Unterbegriffen und Oberbegriffen ist ein wichtiges Dezentrationsmittel. Auch der Teilbegriff kann abgewandelt werden. Seine Abwandlung wird bezeichnet durch die Stellung des Wortes in der Wortfamilie. Mittel der Dezentration ist vor allem die Assoziation von Wortform zu Wortform. Die Assoziation ist eine komplexe Vorstellung. Kunstmittel ist sie, wenn der Assoziation der Wortgestalt eine Assoziation des Wortinhaltes entspricht. Konzentration und Dezentration sind die Mittel, die Begriffsgestalten der Worte in Kunstgestalten der Worte zu wandeln.

Das ekstatische Theater

Schreyers Ausführungen gipfeln in der Darlegung, die Gegenwart habe kein Drama. Was man so nenne, sei ein widersprüchliches Gebilde, es bestehe aus Worten, brauche aber das Theater zu seiner Realisierung. „Das Theater aber ist eine Angelegenheit des Publikums und nicht der Kunst." Mit dem Publikum

William Wauer, Tanz (Der Sturm 1918)

aber, „dieser Häufung von Individuen, die alle das vermeintliche Glück der Persönlichkeit genießen wollen," „wird auch das Theater fallen". Nichts künde heute mehr von seinem Ursprung aus der Ekstase religiöser Kulthandlung. Das psychologische Drama seit Euripides („der sich gegen den großen Expressionisten Äschylos auflehnte") ist jetzt zu Ende, weil das expressionistische Theater die Gesichte (Visionen) der Gegenwart als Kunstwerk des Volkes verwirkliche. So tritt an die Stelle des früheren Dramas das „Bühnenwerk" als die Gestalt, in welcher der Bühnenkünstler von seinem Gesicht künde. Hier gibt es die alten Spannungen zwischen Aufführungsleiter, Schauspieler, Dekorationsmaler, Beleuchter und Maschinenmeister nicht mehr, welche – je nachdem, wer sich selbständig gemacht hatte – das Regiedrama, die Reliefbühne, die Stilbühne, die technische Dreh- oder Versenkbühne geschaffen hätten. Auch die sogenannte expressionistische Bühnenkunst sei überwunden: das Theater, bei dem sich der Beleuchter selbständig gemacht habe. Das neue Bühnenwerk ist „Kunstwerk, also künstlerische Einheit". Der wirkliche Dichter verschmäht Vers und Metrum, sondern gibt nur „innere Wirklichkeit". Von diesem Standpunkt her lehnen Walden und Schreyer, nach Wedekind und Sternheim, auch jene Dichter ab, die vorgaben, Gesichte zu haben, während sie in Wirklichkeit Theater im alten Sinne machten; Werfel, Becher, Edschmid, Hasenclever, Goering wurden vom „Sturm" verworfen. Schließlich blieb nur der eine, dessen Werk die Grundlagen für die neue „Handwerkslehre der Dichtung" gegeben hatte: August Stramm.

Schreyers extreme Bühne

Da Schreyer erkannt hatte, das neue Bühnenkunstwerk sei nicht für das große Publikum bestimmt, schuf er eine Reihe von „Bühnenwerken" („Mann", 1920, „Kreuzigung", 1921, „Geburt", 1921, und andere), die vor einem kleinen Kreis mit Masken und Figurinen als „graphisches Kunstwerk" gespielt und gesprochen wurden, „das Theater als lebendiger Ausdruck der Teilnahme an der göttlichen Offenbarung und Wiederherstellung des Kosmos", also kultisches Spiel, das religiöse Wandlung bewirken sollte. Der Reiz der Schreyerschen Dichtung besteht darin, daß freie Stellen gelassen werden, die durch die „Arbeit" des Spielers, Lesers, Zuschauers und Hörers gefüllt werden müssen.

Ähnliche Versuche sind im Neoexpressionismus der fünfziger Jahre von Franz Mon und Eugen Gomringer unternommen worden, übrigens nicht ohne einen soziologisch-theoretischen Unterbau. Ähnlich wie „Sang" formuliert Schreyer die Rede des Mädchens im gleichen Stück (nun normal geschrieben): „Insel haust tiert blumt steint Sonnt, mondet sternt Weibt mannt kindet Weit aus mir." Darauf erwidert der Knabe: „Du inselt Mich Um uns Monden Sonne Sterne Kinden Mann Weib Hausen Stein Tier Blume Uns Um Erde." Schreyer fand schließlich zur christlichen Mystik und katholischen Kirche. 1929 erschien im „Sturm" sein visionäres Gedicht „Erde":

AUGUST STRAMM

Das schöne Tier belächelt seinen Leib
das Meer erhebt sich
Berge wandeln
Städte sinken in den Staub
Städte fallen über Menschen
das Meer schwemmt über Menschen
Menschenwoge überschwemmt die Welt
die Leichen schwimmen in den Mund der Tiefe
der Schrei erstickt
der zarte Hauch der fernen Berge glüht
die Leuchteblume schwankt im blassen Himmel
zwei Hände falten sich im Tal
du sprichst das Wort der Erde
und die Erde tönt.

Solche religiöse Rückwendungen hatte es seit je im Expressionismus gegeben. Sorge, van Hoddis, Hugo Ball und Paul Zech bezeugen den inneren Zusammenhang, und auch bei August Stramm gibt es einen religiösen und liturgischen Bereich.

August Stramm und die Dichter des „Sturm"

Und dann kam einer, der hieß August Stramm. Und er erlöste die Dichtung.
Rudolf Blümner

Herkunft und Entwicklung

August Stramm ist der Gegenpol der expressionistischen Programmatiker und Pathetiker. Er verzichtet auf den Satz und reduziert seine lyrische Aussage zu Wort, Bild und Begriffsketten, die grammatisch nahezu unverbunden hintereinanderstehen. Es ist ein Irrtum, diese Abbreviaturen ergänzen oder eine grammatische Logik zwischen den Gliedern herstellen zu wollen. Der alogische Charakter der Dichtung ist Gegenstand einer poetischen Logik, in der Stramm Meister ist. Das hat Herwarth Walden wohl als erster begriffen, als er ihm den „Sturm" öffnete, nachdem Stramm zwanzig Jahre lang vergebens versucht hatte, in andere Zeitschriften aufgenommen zu werden. August Stramm (1874–1915) war Westfale, in Münster geboren, und besuchte die Gymnasien von Eupen und Aachen. Er ließ sich zum Beruf des Postbeamten bestimmen, studierte nebenher, wurde Doktor der Philosophie und war bei Ausbruch des ersten Weltkrieges Postinspektor beim Reichspostministerium in Berlin; vor ihm lag die Laufbahn des höheren Postdienstes. Da brach der Krieg aus. Stramm fiel als Hauptmann vor dem Feind, nachdem er zahlreiche Gefechte und Schlachten mitgemacht hatte. Er war eben vierzig Jahre alt, und Walden hatte gerade (1913) sein Dramolett „Sancta Susanna" gedruckt.

Der Hauptmann August Stramm ist am zweiten September in Rußland gefallen. Der Soldat und Ritter. Der Führer.

Du großer Künstler und liebster Freund.

Du leuchtest ewig.

Herwarth Walden

Berlin am 16. September 1915
Beim Eintreffen der Todesnachricht

Nachruf in „Der Sturm“

Die frühen naturalistischen Grotesken

Stramms erste Dichtungen waren Kurzdramen; sie sind 1920 in den beiden Sturm-Bänden seiner „Dichtungen“ gesammelt erschienen. Die Titel des ersten Bandes sind: „Die Unfruchtbaren“, „Rudimentär“, „Sancta Susanna“, „Die Haidebraut“, die des zweiten: „Erwachen“, „Kräfte“, „Die Menschen“, „Weltwehe“ und „Geschehen“. Sie umfassen zusammen noch keine dreihundert Seiten. Ähnlich wie Büchner exerzierte Stramm alle Ausdrucksmöglichkeiten der Epoche – vom Naturalismus bis zum Expressionismus – vor. Das Dirnen- und Zuhältermilieu von „Rudimentär“ wirkt wie eine Studie nach Holz und Schlaf, ähnlich die Studentenszenen in „Die Unfruchtbaren“. „Sancta Susanna“ und „Die Haidebraut“ erinnern an Maeterlinck, besonders der in melodische Sätze und Rhythmen gefaßte sexuelle Aufschrei der Nonne Susanna. Die Stücke des zweiten Bandes drängen von einer gegenständlich begrenzten Welt fort, schon die Titel klingen expressionistisch: „Erwachen“, „Menschen“. Thematisch sind die Stücke von der bürgerlichen Dirnenproblematik des Fin de siècle bestimmt, Mann und Dirne, sexuelles Triebverlangen, proletarische Zuhälterehen, Zerstörung bürgerlicher Verhältnisse durch Aufdecken einer sexuellen Vergangenheit. Auch das kosmische Thema findet sich; Liebe wird zum Sternenhimmel transponiert und mit kosmischen „Schauern“ angereichert. Das Neue bei Stramm ist eine Verkürzung der Sprache, die sozusagen naturalistisch motiviert werden kann: wenn die Liebenden Sterne sind, ihr Verhältnis kosmisch ist, wird Menschensprache überflüssig. Schon den Titeln „Erwachen“, „Kräfte“, „Geschehen“ kann man die Abstraktion entnehmen. Schließlich müssen einzelne Worte ganze Gefühlsfolgen und Sinngruppen aufnehmen. Am liebsten wird auf das Wort verzichtet, Gesten und Pantomime treten an die Stelle des Dialogs. Bezeichnend ist der Anfang von „Geschehen“:

„Geschehen“

Gartendunkel   ferne Musik   Menschenwirren
SIE: herrschen?!
ER (roh): herrschen!
SIE (lacht)
ER (betroffen)
SIE (läuft lachend fort)
ER (starrt nach)
MÄDCHEN (aus dem Dunkel berührt seinen Arm): Du
ER (starrt)
MÄDCHEN (gekränkt): Du
ER (gleichgültig): ich
MÄDCHEN (stampft zornig)
ER (stampft)
MÄDCHEN (vor ihm): quälen
ER (lacht auf)
MÄDCHEN (schluchzt)
ER (umarmt)

Später kommt „Weib“ und wird von der Dirne, die „aus dem Dunkel hüpft“, verscheucht:

DIRNE (höhnt): Du?! (rüttelt ihn frech lachend): Du?!
(reißt und wirft an, küßt und kugelt mit ihm ins Gebüsch)
SEUFZER (aus dem Gebüsch): Ich!
DIRNE (horcht auf): He?!
SEUFZER: Ich!
DIRNE (springt auf und raschelt den Strauch): Wer?
SEUFZER: Ich!
DIRNE (stampft): nu dich!
STIMME: führe mich nicht in Versuchung
DIRNE (stampft): nu dich!
STIMME: führe uns nicht in Versuchung
DIRNE (kreischt wütend): Diiich!
SCHREI (schrickt)

DIRNE (reißt wild das Gebüsch): verrückt?! (zerrt die Beterin aus dem Busch)
BETERIN (die Hände auf der Brust gefaltet)
DIRNE (schüttelt wütend): Dich!
BETERIN (ergeben): ich
DIRNE (pufft und stößt): Du
BETERIN (wimmert): beten
ER (tritt wehrend dazwischen)
DIRNE (wild, höhnisch): Du! Du! Du! beten beten beten (schüttelt ihn, läuft in kreisches Lachen fort): ik ik ik ik schrei mir dod! Ik schrei!

Die Spannweite der Themen

Freilich ist das Wesen dieser Dichtungen aus solchen Szenen nicht zu erkennen. Sie gleiten aus dem Wirklichen, Gegenwärtigen, scheinbar realistisch Nahen ab in das Unwirkliche und Traumhafte, bis schließlich die Mächte selbst, nämlich Sterne und Erde, miteinander ringen. Auch der Ausgangspunkt, die Spiegelung seelischer Kämpfe in geschlechtlichen Spannungen, ist nicht entscheidend; es handelt sich, wie Julius Bab formulierte, um „mystische Pantomimentexte mit gesprochenen Interjektionen“. Lichter blitzen auf, Schwaden ziehen, eine Stimme ertönt im unendlichen Raum. Die Szene „Warte Eisgipfel blicken“ endet mit den Worten: „*Schreie* (flirren, schwirren türmen bergen haufen pressen sticken zittern strecken sterben flirren) *Brausen Sausen Donnern Beben Abgrund Rasen Nacht.*“ Darauf verwandelt sich die Szene, und „Hallen strahlen Sterne baden den Weltraum“. Die drei „Strahler“ beten an, ein Schatten wälzt den Raum, der Weltraum selbst gewinnt Sprache wie der Welthauch und die Erde. Dazwischen nimmt sich die menschliche Rede von „Er“, „Sie“ und „Mich“ wie ein Stammeln aus. Kasimir Edschmid hat Stramm denn auch „einen der wenigen wahrhaft echten Stotterer“ genannt, der das Blut errege wie javanische Instrumente, Bartänze und Niggersongs. Man darf aber nicht übersehen, daß auch kultische Elemente der katholischen Liturgie, das Instrumentarium der deutschen kosmischen Dichtung und des spätnaturalistischen Literaturjargons verwendet worden sind. Ähnliches hat der junge Kokoschka in seinen Dramen versucht; und schließlich hat L. Schreyer, weicher als Stramm, expressionistische Worttonreihen auf künstlerische Figuren und Masken verteilt.

Die Herkunft der Motive

Herwarth Walden hat im „Sturm“ das Bild seines neuen Freundes gezeichnet: ein starker, nervenloser Mann, von seinen Gesichten überwältigt, Werkzeug seiner Stimmen und Medium seiner Dichtung. Die Worte, meint Walden, „strömen durch ihn, aus ihm“, er sei „außer sich und ihnen“, sie „sammeln sich in ihm“. Nie mit sich zufrieden, schreibe Stramm jedes Gedicht dreißig-, fünfzig- und hundertmal nieder. Blümner hat einige Briefe Stramms an Walden veröffentlicht, sie gewähren Einblick in die dichterische Werkstatt:

Zwei Briefe über zwei Gedichte

Anbei schicke ich Ihnen das gewünschte Gedicht [es ist das unten abgedruckte „Untreu“] und zwar in doppelter Ausführung. Beide unterscheiden sich nur durch ein einziges Wort. Mir scheint die angekreuzte Fassung stärker und besser. „Welkes Laub“ klingt zwar weicher und melodischer, aber meinem Empfinden nach auch unbestimmter, während „Laubwelk“ mehr den Begriff des Duftes enthält, auf den es mir ankommt. Auch fällt dadurch der doppelte aufeinanderfolgende Wortanfang mit W fort, den ich gerade deshalb vermeiden möchte, weil ich die Vorsilbe „ver“ als Gefühlswecker des Vergehens, des Verlassens absichtlich gehäuft habe. Endlich erweckt in mir die Häufung des T mit nachfolgendem L auch eine Vorstellung des Gleitens, des Vorbeiwehens des Atems! Also alles Gründe, weshalb ich die letzte Fassung bevorzuge; doch will ich mich noch nicht endgültig festlegen, da ich noch zu tief drin stecke und überlasse Ihrem Gefühl daher die Wahl ...!

AUGUST STRAMM

Untreu

Dein Lächeln weint in meiner Brust
die glutverbißnen Lippen eisen
im Atem wittert Laubwelk!
Dein Blick versargt
und
hastet polternd Worte drauf.
Vergessen
bröckeln nach die Hände!
Frei
buhlt dein Kleidsaum
schlenkrig
drüber rüber!

Anbei schicke ich Dir die Korrektur. Es sind einige Kleinigkeiten drin. Besonders erwähnenswert erscheint mir die vorletzte Zeile [in dem unten abgedruckten Gedicht „Freudenhaus"], in der das Wort ‚schamzerpört' zu ‚schamzerstört' geworden ist. Ich weiß nicht, ob da nur ein Lesefehler oder eine Regung des Sprachgefühls des Druckers vorliegt. Jedenfalls sagt mir schamzerpört mehr als das andere. Scham und Empörung ringen miteinander und die Scham zerdrückt. Auch „schamempört" sagt das lange nicht; außerdem liegt das Wesen des Wortes empören meinem Gefühl nach nicht in dem „em", das höchstens für die Wortlehre als Erklärung Bedeutung hat, für das Gefühl liegt der Begriff des empören aber lediglich in dem „pören" oder vielmehr einfach vollständig in der Lautverbindung „pö". Laß übrigens die beiden Striche darüber fort und der ganze Begriff stürzt zusammen! Deshalb halte ich „schamzerpört" hier für das einzige, alles sagende Wort. Ich traue dem Drucker nicht, der denkt! ...

Freudenhaus

Lichte dirnen aus den Fenstern
die Seuche
spreitet an der Tür
und bietet Weiberstöhnen aus!
Frauenseelen schämen grelle Lache!
Mutterschöße gähnen Kindertod!
Ungeborenes
geistet
dünstelnd
durch die Räume!
Scheu
im Winkel
schamzerpört
verkriecht sich
das Geschlecht!

August Stramm hat etwa achtzig Gedichte geschrieben; sie stehen in den Bändchen „Du" (1914) mit Liebesgedichten und der Sammlung „Tropfblut" (1919) mit Kriegsgedichten. Gedrängtheit und Einfachheit sind das Ziel. Außer Ausrufungszeichen gibt es keine Satzzeichen – Signale des Ekstatischen. Die Worte

„Du" und „Tropfblut"

liegen wie Blöcke nebeneinander, meistens ohne syntaktische, oft ohne grammatische Verbindung. Sie sind gleichsam bis auf den Kern abgeschält. Vor- und Nachsilben können fehlen. Glaubte man früher, mit dem „Du" der Gedichte sei das Weib schlechthin gemeint, als zoologischer oder überzeitlicher Gattungsbegriff, so hat die Tochter des Dichters in der Einleitung der „Gesammelten Gedichte" (1956) darauf hingewiesen, daß mit diesem Du Else Krafft-Stramm, die Frau des Dichters, gemeint war. Sie betont, daß Stramm ein durchaus bürgerlicher

Psychologisches Motiv des Dichtens

Familienvater und Beamter gewesen sei, der mit größter Verwunderung seinen Namen plötzlich bei der literarischen Avantgarde entdeckt habe. Sie weist auch darauf hin, daß das Dichten plötzlich, „wie eine Krankheit", etwa 1912 über August Stramm gekommen sei – und zwar weil er es seiner Frau nachmachen wollte, die „eine wirkliche Schriftstellerin war, aus der der Brunnen des Fabulierens leicht und singend sprang, um – gefaßt in das Becken des Berliner Lokalanzeigers und vieler Zeitschriften und ‚Sonntagsbeilagen' – alle Herzen zu rühren, zu erbauen und zu erquicken. Nur meines Vaters Dichtkunst erquickte ganz und gar nicht, weder seine Familie, noch andere, am wenigsten ihn selbst."

Es ist möglich, daß der populäre Erfolg seiner Frau August Stramm gereizt hat. Er scheint von Kollegen wegen seiner dichtenden Frau gehänselt worden zu sein. Daraufhin soll er mit Liebesgedichten begonnen haben, die er seiner Frau auf den Nachttisch legte. Die Erklärung mutet etwas billig an; sie gilt auf keinen Fall für die lange vorher geschriebenen Dramen, sondern nur für die Lyrik des Bändchens „Du". Auch ist nicht zu übersehen, daß ein lyrisches Beginnen ab ovo, nach einem „primanerhaften" Verfahren, dilettantische Züge hat, während

Stramm und die expressionistische Kunst

sich bei Stramms Dramen der Zusammenhang mit dem Zeitgeist und den literarischen Strömungen der Vorkriegszeit nachweisen läßt. Die Tochter bezeugt, daß Stramm sich vor Lachen habe ausschütten wollen, als er von einem Besuch in Waldens Sturm-Ausstellung zurückkam, wo Kokoschka, Schwitters, Chagall und Wauer zu sehen waren. Er ahnte nicht, daß diese bildenden Künstler Gegenstücke seiner Dichtungen geschaffen hatten. Stramm wurde von seiner Frau zur Veröffentlichung der ihr unverständlichen Dichtungen gedrängt – als Tochter eines

August Stramm
Schwermut.
Schreiten Streben
Leben sehnt
Schauern Stehen
Blicke suchen
Sterben wächst
Das Kommen
Schreit!
Tief
Stummen
Wir!

August Stramm, Handschriftprobe

Berliner Feuilletonredakteurs war sie in den Fragen der Publikation viel aufgeschlossener als der Postinspektor und Hauptmann d. R. August Stramm. Herwarth und Nell Walden erkannten und sagten, daß Stramm ein Dichter, ein großer Dichter sei; und nun erst stieg sein Selbstbewußtsein zu dem Grad, der ihm als Autor zukam. Er blieb in seiner Mentalität jedoch Beamter, Familienvater und Reserveoffizier.

AUGUST STRAMM

Es ist wahrscheinlich, daß Stramm durch seine Tätigkeit bei der Post auf das Phänomen der Telegrammsprache und des Code gestoßen ist und versucht hat, der ökonomisch gemeinten Verknappung der Sprache dichterische Wirkung zu entlocken. Es kommt dann zu „dekonzentrischen" Gedichten, wo ein Wort das andere herbeizieht kraft eines magischen Gleichklangs oder verwandter Sinnbezeichnung. Darunter her geht eine „rhythmisierte Sprachmelodie"; alles, was sich ihr einfügen läßt, reichert die Emotion an, so im Gedicht „Zwist":

Anregung durch die Telegrammsprache?

„Zwist"

Gallen foltern bäumen lösen
knirschen zürnen meiden Haß
zittern stampfen schäumen grämen
suchen beben forschen bang
wenden zagen schauen langen
stehen rühren seufzen gehn
streicheln klagen
kosen schelten

Schämen schmäht
und
Fliehen wirbt
Schmiegen wehret
Armen sträubet
Quälen küßt
Vergessen
lacht!

Manche Gedichte sind ausgesprochen sinnlich erregt, die neuromantische These vom Kampf der Geschlechter fand in Stramms Empfinden ihren Widerhall:

„Trieb"

Schrecken Sträuben
Wehren Ringen
Ächzen Schluchzen
Stürzen
Du!
Grellen Gehren
Winden Klammern
Hitzen Schwächen

Ich und Du!
Lösen Gleiten
Stöhnen Wellen
Schwinden Finden
Ich
dich
Du!

Das erschütterte Sprachbewußtsein der Zeit

Stramms Wortgedichte stehen in geistesgeschichtlichen Zusammenhängen. Weil die Alltagssprache immer mehr verwilderte, durch Presse und Geschäft banalisiert wurde, hatte die Dichtung begonnen, Auswege zu suchen. Karl Kraus hatte der sprachlichen Entartung satirisch begegnen wollen, die Neuromantiker flüchteten in die „schöne" Sprache, die Naturalisten in Geste, Pantomime, Dialekt und Jargon, die Mundartdichter in die literarisch weniger abgenützten Dialekte. Es war die Zeit des Kampfes gegen Fremdwörter, eines allgemein erwachenden Empfindens, daß die Sprache geschützt und gehegt werden müsse – und sei es durch amtliche Erlasse, Wörterbücher und Vereine. Die Sprache selbst war zum Problem geworden; es war die Zeit, da Husserl, Cassirer, Wittgenstein, F. Ebner über die Sprache nachdachten und skeptische Publizisten wie Mauthner mit ihren „Beiträgen zu einer Kritik der Sprache" (1901–03) Erfolg hatten. Diese Ideen hat Stramm gekannt. Im „Sturm" bildeten sie den teilweise schon unbewußten Hintergrund für die Theorien und Versuche Blümners; im Dada wurde schon Kabarett daraus gemacht.

AUGUST STRAMM

August Stramm hat, um mit Schreyer zu reden, konzentrische und dekonzentrische Gedichte geschrieben. Beispiele für die konzentrierte, westfälisch wortkarge Art bieten besonders die Kriegsgedichte. Berühmt ist die sechszeilige „Patrouille“:

Die Steine feinden
Fenster grinst Verrat
Äste würgen
Berge Sträucher blättern raschlig
gellen
Tod.

Schrei als Entlastung des Gemüts

Die Gedichte wirken wie Wortwirbel oder -spiralen. Sie kreisen und fluten, sie sind, wie der „Sturm“-Dichter Kurt Liebmann gesagt hat, eine „Gewalt befreiter Wortstürze“, welche „Namenlos-Gefesseltem die namenlose Bewegung“ geben sollen. Stramm hat sich in den Kriegsgedichten ebenso von der Übermacht der Erlebnisse und Visionen befreit, wie er sich in „Du“ von der Qual erotischen Verlangens befreit zu haben scheint. Der Schrei „erlöst“. In dunklen Stichworten entlastet sich die Seele in „Urtod“, „die Menschheit“, „Weltwehe“, nicht unähnlich Trakls Kriegsgedichten, die ebenfalls den syntaktischen Zusammenhang aufgaben. Die Verwandtschaft wird in „Gefallen“ sehr deutlich:

Der Himmel flaumt das Auge
die Erde krallt die Hand
die Lüfte sumsen
Weinen
und
schnüren
Frauenklage
durch
das strähne Haar

Ähnlich in „Krieggrab“, wo die Verkürzung konkreten Charakter behält, obwohl die Verben metaphorische Funktionen haben. Das Wort ist wie erstickt, wird zu einem Ächzen und ertrinkt in Pantomime:

Stäbe flehen kreuze Arme
Schrift zagt blasses Unbekannt
Blumen frechen Staube schüchtern
Flimmer
tränet
glast
Vergessen

Weitere Entwicklung

Man kann darüber nachdenken, wie Stramm sich weiter entwickelt hätte, ob es überhaupt einen Ausweg aus der von ihm geschaffenen poetischen Lage gab. Der folgerichtige Schüler Rudolf Blümner löste seine Lyrik von Wortsinn und Begrifflichkeit und vindizierte ihr Aufgaben, die eigentlich der Musik gehören. Die Dadaisten, die dort begannen, wo Stramm aufgehört hatte, sind später verstummt — außer Hans Arp — oder „normale“ Schriftsteller geworden.

Daß der „Sturm“ für eine neue Sprache und ein neues Sprachempfinden Vorarbeit geleistet hat, bleibt ein Verdienst vor allem der „Sturm“-Lyriker. Neben

Umfang acht Seiten | Einzelbezug 2o Pfennig

DER STURM

WOCHENSCHRIFT FÜR KULTUR UND DIE KÜNSTE

Redaktion und Verlag Berlin W 9 / Potsdamer Straße 18	Herausgeber und Schriftleiter HERWARTH WALDEN	Ausstellungsräume Berlin W / Königin Augustastr. 51

DRITTER JAHRGANG — BERLIN OKTOBER 1912 — NUMMER 129

Inhalt: **Kandinsky**: Ueber Kunstverstehen / **Karl Borromäus Heinrich:** Menschen von Gottes Gnaden / **Albert Ehrenstein:** Die alte Geschichte / **Günther Mürr**: Gedicht / **Grete Tichauer**: Gedichte / **Alfred Döblin**: Tänzerinnen / **Jacques Rivière:** Baudelaire / Empfohlene Bücher / **Kandinsky**: **Sechs** Originalholzschnitte / **Franz Marc**: Pferde: / Originalholzschnitt

W. Kandinsky: **Originalholzschnitt / 1910**

Ueber Kunstverstehen

Von Kandinsky

Zu großen Zeiten ist die geistige Atmosphäre von einem präcisen Wunsch, von einer bestimmten Notwendigkeit dermaßen erfüllt, daß man leicht zum Propheten werden kann.

So sind überhaupt die Wendungsperioden, die Zeiten, in welchen die innere, vor dem oberflächlichen Auge versteckte i n n e r e Reife dem geistigen Pendel unsichtbar einen unüberwindlichen Stoß gibt.

Das ist der Pendel, welcher demselben oberflächlichen Auge als ein immer an derselben Stelle hin und her wackelnder Gegenstand erscheint.

Er steigt diesen gesetzmäßigen Berg auf. Bleibt einen Augenblick, einen unaussprechlich kurzen Augenblick, da oben stehen und nimmt den neuen Weg, die neue Richtung an.

In dem unglaublich kurzen Augenblick des Stillstandes kann jeder leicht die neue Richtung prophezeien.

Es ist nur merkwürdig, fast unerklärlich, daß „die große Menge" diesem „Propheten" nicht glaubt.

Alles „Präcise", Analytische, Scharfkantige, Hartbestimmende, im Harten Gesetzliche, das durch Jahrhunderte ging und im neunzehnten Jahrhundert allumfassend uns heute zum Entsetzen sich „entwickelt" hat, ist heute „plötzlich" so fremd, so abgeschlossen, und wie es manchem heute scheint „unnötig" geworden, daß man sich beinahe mit Gewalt den Gedanken, die Erinnerung aufzwingen muß. „es war erst gestern" Und . . . „in mir sind noch manche Ueberreste dieser Zeit zu finden". Diesen letzten Gedanken glaubt jeder von uns ebenso wenig, wie den uns persönlich bevorstehenden Tod. Aber auch das Wissen ist hier nicht leicht.

Ich glaube nicht, daß es heute einen einzigen Kritiker gibt, der nicht weiß, daß „der Impressionismus aus ist". Manche wissen auch, daß er der natürliche Abschluß des naturellen Wollens in der Kunst war.

Es scheint, daß auch die äußeren Ereignisse die „verlorene Zeit" nachholen wollen.

„Die Entwicklung" spielt sich mit einer in Verzweiflung bringenden Geschwindigkeit ab.

V o r d r e i J a h r e n wurde jedes neue Bild vom großen Publikum, vom Kunstkenner, vom Kunstfreund, vom Kunstkritiker beschimpft.

153

August Stramm sind es weniger dessen eigentliche Jünger wie Lothar Schreyer, Franz Richard Behrens, Adolf Knoblauch, Willy Knobloch, Kurt Liebmann und Otto Nebel als der früh gefallene Wilhelm Runge (1894—1918), dessen Gedicht in dem Bändchen „Das Denken träumt" (1918) Strammschen Gesetzen folgt, und der 1891 in Liegnitz als Sohn eines Arbeiters geborene Kurt Heynicke. Schon seine erste Gedichtsammlung, Walden gewidmet, „Rings fallen Sterne" (1917) ist frei von schrillen Klängen, gesuchten Wendungen und Verstößen gegen die

HEYNICKE UND NEBEL

Gesetze der Logik und Schulgrammatik. Hier kündete ein Jüngling von seiner Sternenheimat:

„Im Zuge“

> Heb dein Herz ins große Schweigen.
> Stunden neigen dämmerhaft ihr Abendangesicht.
> Hebe deine Augen unerschöpflich in das Licht.
> Sterne beben erdenwärts in unsre Brust.

Hier gibt es keine Gier und Geilheit, die sich mit kosmischen Deutungen über das Sexuelle erheben. Heynicke zielte wie Stramm auf Ehe und religiöse Bindung. Er schmäht die Welt nicht, sondern läßt sie geläutert entstehen:

> Durch die Fenster steigt das Land
> in die Blicke blühen Wälder
> rote Dächer an den Brüsten
> und im Arm die Sommerbirken.
>
> Mein Herz braust laut den Rädern zu
> ich träume Tanz und atme Du
> und glühe Glück in alle Sonnen
> urewig aufwärts dunkel Du!

Heynickes Talent war nicht revolutionär gestimmt; er war mehr ein Dichter des Einklangs mit Kosmos, Welt und Du. Aber es gibt bei ihm Verse, die vom expressionistischen Ton beeinflußt sind. So stehen neben lyrisch gefühlvollen Zeilen ganz krasse und steile Metaphern und Verschränkungen:

> Morgen erschießt meine Seele die Sterne
> Morgen zerreißt mein Willen die Tore der Welt.
> Morgen hebe ich meinen Körper auf über den Abgrund
> und falle in das Tal der Nacht.
>
> Meine Seele aber wird auffliegen mit brennender Fackel
> und den Menschen entfliehen,
> die ihre Speere des Hohns nach mir schießen.
>
> Ich bin zerrissen wie du
> Seele der Schwester im Weltall.
> Tausend Lichtjahre tragen uns dem Einander zu . . .

Das Gedicht erreicht den Höhepunkt in einem Gebet an Gott, der „die Liebe in uns“ ist. Heynickes nächste Bände „Gottes Geigen“ (1918) und „Das namenlose Angesicht, Rhythmen aus Zeit und Ewigkeit“ (1919) bestätigten diesen Weg. Die Beziehungen zum „Sturm“ schliefen gegen Ende des Krieges, als er den Kleistpreis erhielt, ein. Nun wandte Kurt Heynicke sich von der avantgardistischen Literatur ab und schrieb Essays und Spiele und seit 1924 unterhaltende Erzählungen und Romane wie „Fortunata zieht in die Welt“ (1929), „Herz, wo liegst du im Quartier?“ (1938) und „Rosen blühen auch im Herbst“ (1942).

Otto Nebels Assoziationsdichtung

Wie weit die Verwirrung gehen konnte, wenn ein Autor unter den Zwang eines Systems geriet, zeigt Otto Nebel, geboren 1892, der von Beruf Bautechniker und mit Klee, Kandinsky, Walden und Muche befreundet war. Er gab über Kurt Schwitters ein Sturm-Bilderbuch heraus (1920) und schrieb 1924 im „Sturm“ über „GELEIT- und BEGLEIT-ERSCHEINUNGEN zur absoluten Dichtung“, wo er die Meinung vertrat, die Literatur des europäischen Schrifttums sei der Reihung des Alphabets mit seinen sechsundzwanzig Buchstaben entnommen. Ordne

Rudolf Blümner, Bildnisbüste von William Wauer

man sie klanglich und rhythmisch kunstvoll an, so ergebe sich „absolute Dichtung". Ähnliches gilt für Worte und Begriffe; wenn man sie rhythmisch, klanglich, aber auch witzig-spielerisch gruppiert, gewinnt man Texte, an deren langwierige Ausarbeitung der Dichter sein Leben setzt. Ähnliche Dinge haben Pound und Joyce etwa um die gleiche Zeit (1920) versucht. Solch ein Text Nebels lautet: „Meine Flieger / Flugstaffel / Stoffel / Staffelstab / Staffelei / Aflei / (Artilleriefliegerei)..." Es handelt sich um Assoziationspoesie. Die Titel der Nebelschen Schriften reizen kaum die Neugier: „Unfeig, eine Neun-Runen-Fuge – zur Unzeit gegeigt" (1923/24), „Das Wesentliche" (1924) und als letztes Werk, geschrieben 1926–55, „Das Rad der Titanen, eine Zwölf-Runen-Fuge: Des Inneren Wortsinns Weiser-Orden eines reinen Innewerdens."

Rudolf Blümners Theorie der Dichtung

Wenn man von absoluter Dichtung reden will und darunter „reine Wortkunst" als Klangkunst meint, muß man sich an den in der Schweiz aufgewachsenen Schauspieler und Sprecher der „Sturm"-Dichter Rudolf Blümner (1873–1945) halten. Der Sturmkreis hat Blümners Verdienst darin gesehen, daß er „Sprechkunstwerke" gestalten konnte, und zwar nicht in der altmodisch-pathetischen Deklamation, sondern, wie Walden sagt: „Hier ist der lebende Künstler, der sein Leben in die Kunst gibt und dem die Kunst, erkannt und gekonnt, ihr ewiges Leben gibt." Blümners Ehrgeiz hatte freilich höhere Ziele. Er wollte nicht nur Kunstwerke vortragen, die in der „realen Sprache" gedichtet worden waren, sondern absolute, abstrakte Dichtung als Wortkunst. Diese Dichtungen hätten aus Worten zu bestehen, bei denen jede reale Assoziation fortfiele, aus „entfremdeten" Worten. Alle Wörter der Sprache hätten ihre ursprüngliche „Bildung" und damit ihre Urkraft verloren. Blümner scheint anzunehmen, obwohl der Begriff nicht auftaucht, daß es hinter der realen Sprache mit ihren Wortbegriffen als Trägern der Bedeutung eine poetische Ursprache gibt, die Günter Eich und Walter Höllerer vierzig Jahre später als „Zentralsprache" definieren sollten. Da Blümner als Schauspieler und Sprecher an die Dichtung ging und versicherte, der

RUDOLF BLÜMNER

Rudolf Blümner, Zeichnung von Oskar Kokoschka (Der Sturm)

„Sinn“ der älteren Dichtungen habe ihn am guten Sprechen gehindert, war er für das rhythmisch-klangliche Element der Dichtung besonders aufgeschlossen. Die Akzente in seinem Text deuten das Metrum an, dessen Träger sonst der natürliche Akzent der Wörter ist. Blümner hat „Die Quirlslanze“ (1921), „Der Geist des Kubismus und die Künste“ und „Ango Laina, absolute Dichtung“ (1921) geschrieben. Der Anfang dieser absoluten Dichtung lautet:

Oiaí laéla oía ssísialu
Ensúdio trésa súdio mischnumi
Ja non stuáz
Brorr schjatt
Oiázu tsuígulu
Ua sésa masuó tülü
Ua sésa maschiató toró
Oi séngu gádse ándola

Oi séngu
Gádse
Ina
Leíola
Kbaó
Sagór
Kadó

Von Laut, Rhythmus und Klang her ist das ein reizvolles Gebilde, aber ebenso spielerisch wie Mynonas, Morgensterns, Stefan Georges und Hugo Balls entsprechende Versuche, ganz davon zu schweigen, daß Kinder und Schüler seit ewigen Zeiten ihren Spaß am „großen Lalulá“ der Morgensternschen Galgenbrüder hatten und weiter haben werden.

Kurt Schwitters

Ein merkwürdiger Grenzfall sind die dichterischen Gebilde von Kurt Schwitters (1887–1948). Schwitters war ein Maler und Plastiker aus Hannover und Mitarbeiter des „Sturm“. Er stellte in der Sturm-Galerie seine Bildwerke aus. Auf der Flucht vor der Gestapo, als „entarteter Künstler“, kam er 1933 über Norwegen nach England, wo er gestorben ist. Seine Dichtungen sind nicht im Sinne Blümners absolut; denn sie bestehen aus einem realen Wortmaterial, dessen Sinn der Autor Schwitters verblüffende Wirkungen entlockt. Da gibt es ein Porträt Rudolf Blümners:

Der Stimme schwendet Kopf verquer die Beine.
Greizt Arme qualte schlingern Knall um Knall.
Unstrahlend ezen Kriesche quäke Dreiz.
Und Knall um Knall.
Verquer den Knall zerrasen Fetzen Strammscher quill.
Und Knall um Knall.
Und Knall um Knall.
Kreuzt Arme beinen quill den Stuhl.
Der Stuhl ist eine Schraube, klammerwinden Stramm.
Und Knall um Knall der Stimme köpft.
Die Arme schrauben Arme würgend liß.

Dada in Hannover

Man mag fragen, weshalb banale Zeilen plötzlich so verfremdet werden müssen, daß sie klanglich, rhythmisch und metrisch jede Qualität vermissen lassen wie in „Unstrahlend ezen Kriesche quäke Dreiz“. Schwitters war, ähnlich wie die Zürcher Dadaisten, zu denen seine hannoverschen Experimente ein Gegenstück bildeten, ein glänzender Kabarettist; er wollte die Bürger schrecken und verblüffen, betrieb das Experiment dichterisch und malerisch um seiner selbst willen, wobei er sich selber ironisierte. Das zeigen seine „Banalitäten aus dem Chinesischen", die als Gedicht nicht viel taugen, aber als Dokument lesenswert sind: KURT SCHWITTERS

Fliegen haben kurze Beine.
Eile ist des Witzes Weile.
Rote Himbeeren sind rot.
Das Ende ist der Anfang jedes Endes.
Der Anfang ist das Ende jeden Anfangs.
Banalität ist aller Bürger Zier.
Das Bürgertum ist jedes Bürgers Anfang.
Würze ist des Witzes Kürze.
Jede Frau hat eine Schürze.
Jeder Anfang hat sein Ende.
Die Welt ist voll von klugen Leuten.
Kluge ist dumm.
Nicht alles, was man Expressionismus nennt, ist
Ausdruckskunst.
Dumme ist klug.
Kluge bleibt dumm.

Da ist die Tendenz, den Bürger der Vorkriegszeit zu frozzeln, offen ausgesprochen. „Anna Blume" Schwitters' Anliegen als Dichter ist nicht seinem mageren und ideologisch beengten Programm zu entnehmen, sondern eher den Dichtungen „Anna Blume" (1919) und ihren skurrilen Anhängen „Elementar die Blume Anna Die neue Anna Blume, Einbecker Politurausgabe" (1922) und „Die Memoiren Anna Blumes in Bleie, eine leichtfertige Methode zur Erlernung des Wahnsinns für jedermann" (1922). Das erste Gedicht „An Anna Blume" hat Schwitters berühmt gemacht:

Merzgedicht

O du, Geliebte meiner siebenundzwanzig Sinne, ich liebe dir! — Du deiner
dich dir, ich dir, du mir. — Wir?
Das gehört (beiläufig) nicht hierher.
Wer bis du, ungezähltes Frauenzimmer? Du bist — — bis du? — Die Leute
sagen, du wärest, — laß sie sagen, sie wissen nicht, wie der Kirchturm
steht.
Du trägst den Hut auf deinen Füßen und wanderst auf die Hände, auf den
Händen wanderst du.
Hallo, deine roten Kleider, in weiße Falten zersägt. Rot liebe ich Anna Blume,
rot liebe ich dir! — Du deiner dich dir, du mir. — Wir?
Das gehört (beiläufig) in die kalte Glut.
Rote Blume, rote Anna Blume, wie sagen die Leute?
Preisfrage: 1. Anna Blume hat ein Vogel.
2. Anna Blume ist rot.
3. Welche Farbe hat der Vogel?
Blau ist die Farbe deines gelben Haares.
Rot ist das Girren deines grünen Vogels.
Du schlichtes Mädchen im Alltagskleid, die liebes grünes Tier, ich liebe dir!
— Du deiner dich dir, ich dir, du mir, — Wir?
Das gehört (beiläufig) in die Glutenkiste.
Anna Blume! Anna, a — n — n — a, ich träufle deinen Namen. Dein Name
tropft wie weiches Rindertalg.

Weißt du es, Anna, weißt du es schon?
Man kann dich auch von hinten lesen, und du, du Herrlichste von allen,
du bist von hinten wie von vorne: „a — n — n — a".
Rindertalg tröpfelt streicheln über meinen Rücken.
Anna Blume, du tropfes Tier, ich liebe dir!

Es ist ein erstaunliches Gedicht, eine Huldigung an Anna, und Anna ist Frau, Blume, Rätsel, Vogel, ist rot, grün, gelb, ein Tier, ein Name: Geschöpf der Poesie und diese selbst. Ihre Form ist die Grammatik, die Deklination und Syntax (du deiner, dich dir, ich dir, du mir). Der Name ist das Wesen, die Dichtung gibt diesem Wesen die Existenz.

„Merz"-Dichtung

Im Vorwort zu „Anna Blume" — gleichzeitig im „Sturm" veröffentlicht — forderte Schwitters das „Selbstbestimmungsrecht der Künstler" und argumentierte, ganz im Sinne der kosmischen Dichtung: „Die abstrakte Dichtung wertet Werte gegen Werte. Man kann auch Worte gegen Worte sagen. Das ergibt keinen Sinn, aber es erzeugt Weltgefühl und darauf kommt es an." Weiter heißt es:

Die Merzdichtung ist abstrakt. Sie verwendet analog der Merzmalerei als gegebene Teile fertige Sätze aus Zeitungen, Plakaten, Katalogen, Gesprächen usw. mit und ohne Abänderungen. (Das ist furchtbar!) Diese Teile brauchen nicht zum Sinn zu passen, denn es gibt keinen Sinn mehr. (Das ist auch furchtbar!) Es gibt auch keinen Elefanten mehr, es gibt nur noch Teile des Gedichts. (Das ist schrecklich!) Und Ihr? (Zeichnet Kriegsanleihe!) Bestimmt es selbst, was Gedicht und was Rahmen ist. Anna Blume verdanke ich viel. Mehr noch verdanke ich dem Sturm. Der Sturm hat meine besten Gedichte zuerst veröffentlicht . . .

Schwitters Merz-Bilder waren dadaistische Collagen; er nannte sie abstrakte Kunstwerke und bezeichnete mit dem Wort Merz „die Zusammenfassung aller erdenklichen Materialien für künstlerische Zwecke . . ." Er malte nicht bloß Merzbilder, sondern führte in seiner Wohnung einen Merz-Bau auf und gab die Zeitschrift „Merz" (1923—1931) heraus, wo in einem Manifest die „Proletkunst" gefordert wurde (unterschrieben von Theo van Doesburg, Schwitters, Arp, Tzara und Chr. Spengemann), hielt Vortragsreisen über „Merz", schrieb und illustrierte eine Reihe von Kinderbüchern und Märchen.

Neue Sprache und Weltrevolution

Mit August Stramm hat Kurt Schwitters nicht mehr gemein als die Mitarbeit am „Sturm". In beiden sah Herwarth Walden „abstrakte" Dichter und Künstler. Eine gewisse Mittlerstellung nahm Blümner ein, der beider Dichtungen durch seine Rezitationen bekannt machte und sich für das Gedicht „Porträt Rudolf Blümner" in „Anna Blume" dadurch bedankte, daß er schrieb: „Anna Blume, meine 3 Buchstaben zu dich, bin ich." Damit meinte er, daß „Blume" in dem Namen Blümner buchstabengetreu enthalten sei.

Schwitters war kein Expressionist, sondern Dadaist. Der tiefere Grund seiner Zeitkritik wurde in seiner Definition der Merzdichtung mit den Worten „furchtbar" und „schrecklich" angedeutet: die gewöhnliche Sprache, die Sprache des Alltags, der Presse, der Geschäfte (Merz soll u. a. auch eine Ableitung aus Com-Merz sein) und der Bürger ist durch Mißbrauch zur Poesie untauglich geworden; deshalb ist eine groteske, ja absurde Verfremdung notwendig. Wie viele Künstler war Schwitters der Meinung, der neue proletarische Stand werde eine neue Sprache und Kunst hervorbringen.

Vergleicht man die Gattungen der Literatur im Expressionismus und in den verwandten Richtungen (Aktivismus, Neopathos, Äternismus, Ekstatiker, Visionäre), so lassen sich eigentlich nur in der Lyrik Dichter von Rang nachweisen, und hier gehören die größten mit Teilen ihrer Werke zum Symbolismus oder zur Neuromantik. Wer wird heute noch Trakl, Benn und Loerke reine Expressionisten nennen? Selbst „klassische" Expressionisten wie Heym, Lotz, Boldt und van Hoddis verlieren mit zunehmendem zeitlichen Abstand das Stigma eines spezifischen Zeitstils. Die reinsten Vertreter dieser Richtung waren wahrscheinlich der spätere Stramm und seine Anhänger beim „Sturm". Am geschlossensten scheint die Gruppe im Drama. Sorge, Unruh, G. Kaiser in seiner mittleren, Hasenclever und Johst in ihrer frühen Zeit repräsentieren den Stil nicht rein, aber deutlich. Sie stehen in enger Verbindung zu dem außerliterarischen Begriff des Theaters, das eine Kunst für sich ist, durch eine traditionsbewußte Zunft überliefert und fortgesetzt: ohne den Stilwillen der expressionistischen Bühne stehen die Stücke in einem leeren Raum; das haben die Versuche zur Wiederbelebung dieser Dramen seit 1948 gezeigt.

DIE GATTUNGEN

Betrachtung der Gattungen

K. Edschmid, Radierung von Max Beckmann, 1917

Die neue Prosa

Robert Musil notierte nach dem ersten Weltkrieg in seinen Tagebüchern: „Bevor ich einrückte, gab es eine explosive, intellektuelle Vorstellungslyrik, eine Lyrik intellektueller Intuition, herausgesprengte philosophische Gedankenpartien mit mitgerissenen Fleischfetzen von Gefühl behangen. – Als ich zurückkehrte, gab es den Expressionismus." Er fand es schwierig, ihn zu definieren und eindeutige Vertreter festzustellen. Er selbst rechnete sich nicht dazu und hat es auch später abgelehnt, obgleich er in seinen Erzählungen und dem „Törleß" Musterstücke im neuen Stil gegeben hatte. Seine Bemerkung läßt erkennen, warum das expressionistische Experiment in der Prosa am wenigsten Erfolg haben konnte. Prosa braucht jenes volle und reiche „Fleisch", von dem in der intellektuellen Lyrik ein paar Fetzen genügen. Es gibt kein einziges großes Werk in expressionistischer Prosa, und die entsprechenden Versuche – soweit sie ernst zu nehmen sind – mußten scheitern. Sie wurden von Ehrenstein, Gustav Sack, Carl Einstein, Efraim Frisch, Ernst Weiß, Alfred Döblin, Paul Adler, dem jungen Otto Flake, Leonhard Frank, René Schickele, Arnold Zweig, Georg Trakl, Alfons Paquet, Carl Sternheim, Ludwig Meidner, Hermann Kasack, Iwan Goll, Max Krell, Franz Jung, Ferdinand Hardekopf, Gottfried Benn und Kasimir Edschmid unternommen. In späterer Zeit finden sich wohl Großwerke im neuen Stil, aber man kann sie schwerlich als expressionistisch in engerem Sinne bezeichnen; es sind Jahnns „Perrudja", Georg Brittings „Hamlet" und Döblins „Berlin Alexanderplatz".

Kennzeichen der neuen Prosa

Musil war auf der Spur des expressionistischen Stils, wenn er bei den – von ihm nicht sonderlich geschätzten – Döblin und Edschmid von Kürze, Nervosität, Romantik und ideologischer Bewegung sprach („Brillante Oberflächenbewegung bei geringer Innenbewegung"). Andere haben von Neobarock gesprochen, einem Phänomen, das besonders bei Edschmid, dem Spätling des Stils, deutlich wird. Seine berühmte Novellensammlung „Die sechs Mündungen" (1915 bei Kurt Wolff erschienen, 1913–14 geschrieben) gehört zeitlich und thematisch in die Nachbarschaft der Ricarda Huch: gesteigerte Figuren, adlig-heroisches Menschentum, Renaissancethemen, barbarische Vorwürfe in fataler Monumentalisierung.

Als der Held des „Aussätzigen Waldes" einer Gruppe zudringlicher Kranker begegnet, heißt es von ihm:

Edschmids exaltierter Stil

Da warf Jehan sein Maultier auf die Erde, hieb drei Kerbschnitte in den Oberschenkel, drehte das Bein aus dem Gelenk und erschlug ein paar der Angreifer, ging zurück, streichelte rasch das schreiende Tier über Maul und Hals, tötete es und schritt lässig, hochmütig den freien beschienenen Waldweg weiter.

Eine grausame Vorstellung löst die andere ab, eine exaltierte Szene folgt der andern. Die Vorstellungen sind ebenso überspannt wie die Bilder: „Da fuhr ein Lachen mit tausend süßen Spitzen in ihr Gesicht . . ." Das Buch besteht, wie der Roman „Die achatnen Kugeln" (1920), aus Kaskaden von nervöser Kürze, die in ihrer Reihung fast unerträglich sind. Die Denkweise Edschmids wollte die des großen Herrn im Sinne des achtzehnten Jahrhunderts sein, gewaltsamer Amoralismus mit Sensibilität. Darüber wurde der neue Stil allzu forciert: Wo die Anstrengung nachläßt, wird banal erzählt. Merkwürdig ist der dekadente Ausgangspunkt, die nervöse Erschöpfung:

„Bin ich blasiert?"

Fiele ich dort an der Straßenecke in einen gewaltigen und (oh!) varieté-grünen See oder sauste ich in einen grandiosen Backofen – – – es wäre objektiv ganz gleich, ich würde mich in dem einen Falle nicht mehr erstaunen als in dem zweiten oder andere Bewegungen machen, man würde die Tatsache als eine kleine zwischenakthafte Sensation anständig, vielleicht graziös aufarbeiten – – – ohne viel Verwunderung . . . nur Onkels bedauernswerte schwarze Glacés würden einige Tage lang steigen und sinken, monoton und heftig wie Pumpenschwengel . . . – Doch diese Möglichkeit ausdenken ist sehr langweilig. Monologe sind literarisch. Die Geste ist verwundert – alt und blasiert. Bin ich blasiert? Bestimmt? Ehrlich? Nein! Wenn ich am Sonntag reite, den Dreß spüre, das leichte Keuchen höre aus der Gurgel des Gauls und von seinem Mundschweiß beschneit dahänge zwischen Zügeln, Rücken, Gegnern und Welt – – – weiß ich, daß dies eine Sekunde Seligkeit sein wird, ist.

Paris von Gütersloh,
Zeichnung von F. A. Harta (Die Aktion 1914)

Der spätere Edschmid hat diesen Stil beibehalten; er hat in ihm zahlreiche Reisebücher geschrieben und als Siebzigjähriger noch Tagebücher veröffentlicht, allerdings nicht aus seinen frühen, sondern späten Tagen. Die Allüren des Stils blieben die gleichen wie in den „Sechs Mündungen", wo einmal gesagt wird: „Sein Gesicht hatte eine vollendete Güte, die das Kühne und Auffallende dieses Profils in einen seltsamen Adel steigerte." Musil hat den „Rausch der Abstrakta" als eins der Mittel des Expressionismus definiert.

Umgekehrte Vorstellungen

Bezeichnend für den Prosastil des Expressionismus war die Umkehrung der Bilder. Paris von Gütersloh ist Meister darin; er sagt nicht: er löste sich vom Hintergrund los, sondern „der Hintergrund entließ ihn". Edschmid schreibt, wenn er auf einem Jahrmarkt lächerlich aufgeputzte Cowboys sieht, daß „die ganze Prärie unbändig eine halbe Woche lang eitel brüllendes Gelächter wäre". Bei Heym heißt es: „Ihre Herzen entzündeten sich an diesem Abendrot." Ernst Weiß sagt: „Unter den Händen des Studenten wanderte Gesicht um Gesicht, unter seinen Fingern fühlte er süß hinrollen beruhigt wellenschlagendes Leben . . ." Bei L. Frank hört man einen „Schrei, so dick wie der Platz, zum Himmel" steigen. Sternheim sagt: „Für ihn, jenseits von Gut und Böse, sei Morgenröte." Bei Zech heißt es: „Die Brüste tragen alle ein waches Geheimnis, das vorüberspringt und Männergedanken anspornt." Und Döblin schreibt: „Die Bäume schritten rasch an ihm vorbei."

Paris von Gütersloh

Albert Konrad Kiehtreiber, geboren 1887 in Wien, begann als Schauspieler, zeitweise bei Reinhardt in Berlin. Als Schriftsteller nannte er sich Paris von Gütersloh und veröffentlichte 1911 den Roman „Die tanzende Törin". Hier schildert Gütersloh seine eigene Welt, das junge, reiche, versnobte, bisexuell erotisierte Wien der Jahrhundertwende, des Jugendstils, der Literaten und rauschenden Feste, der elenden Künstlerquartiere und des schizoiden Zustands der Intellektuellen. Im Mittelpunkt steht Ruth, die von einem Schwarm von Galanen umlagerte „tanzende Törin". Die politische Wirklichkeit spielt keine Rolle. Nur „der Künstler" hat wahre Existenz; denn er sucht die Einheit der Welt auf dem Weg des „Schaffens", des vor allem sexuellen Genusses und der Befreiung von den

Konventionen. Es ist kein Zufall, daß die meisten der verspotteten Literaten – wie bei Edschmid – jüdische Namen tragen. Sprachlich suchte der Roman die Konvention zu sprengen. Es wird z. B. beschrieben, wie eine Kutsche wartet:

Aus „Die tanzende Törin“

> Die sonnenheißen Gassen wogen seinen jetzt schwerfälligen Schritt mit dampfenden Händen, über seine Schuhe hüpfte der aufgeräderte Staub, seine Hose ergraute bis an das Knie, sein etwas unreiner Teint wurde röter, und punktierter durch die Wärme. Vor seinem Hause stand noch immer der atemlos befohlene Wagen, der Kutscher drehte die Peitsche, und sah zu unbeweglichen Vorhängen auf. Moses verschwieg sich die harrende Stellung der Pferde, wollte einen Befehl, der glückstrotzenden Gebärde wegen, womit er gegeben wurde, nicht widerrufen, ließ Gefährt, Tier und Lenker zu einem minutenlangen Denkmal eines vergangenen Zustandes erstarren, und schlich, einen neuen zärtlichen Gedanken im Schweben erhaltend, über die zufällig leere Domestikentreppe auf die Straße.

So wie Edschmid kam Gütersloh nicht mehr von seinem Stilmodell los. Mit seinem Freund Franz Blei gab er 1918–19 „Die Rettung, Blätter zur Erkenntnis der Zeit“ heraus und bekam für den Roman „Innozenz oder Sinn und Fluch der Unschuld“ (entstanden 1914, erschienen 1922) den Fontanepreis, Gütersloh wandte sich dann der Malerei zu und begann erst wieder im hohen Alter biographisch genährte Prosa zu schreiben. Ein Roman „Sonne und Mond“ ist angekündigt.

Gründe des Scheiterns

Es erscheint uns heute als selbstverständlich, daß man kein größeres Prosawerk ohne „Fleisch“, also ohne Fabel, Anschauung, zentrale Figur, erzählenswerte Handlung und andere Urelemente des Epischen schreiben kann. Der bedeutendste Fall des Scheiterns ist wohl Paul Adler: eine allzu hoch gespannte Thematik und widersprüchliche Bestandteile ließen seine Romane mißglücken. Auch Ehrenstein ist nichts Ähnliches wie „Tubutsch“ mehr gelungen. Benn hat nach seinen Rönne-Geschichten die erzählende Prosa aufgegeben: die wahre Form des Expressionismus war die Lyrik, und deren Gesetze ließen sich nicht auf die Prosa übertragen. Epische Qualitäten erweisen sich, wie die eines trabenden Pferdes, erst auf langen Strecken.

Jakob van Hoddis

Futuristische Stadtdichtung

Das Thema der modernen Großstadt konnte erst dichterischer Vorwurf werden, als Autoren auftraten, denen die Stadt als Erlebnis in Fleisch und Blut übergegangen war. Die frühen Naturalisten hatten in der Stadt vor allem den Ort sozialen Unglücks und sittlicher Verkommenheit gesehen; daraus erklärten sich ihr Mitleidspathos, die sozialistische Einstellung und der politische Eifer. Die ersten deutschen Großstadtgedichte von dichterischem Rang finden sich bei Ludwig Scharf, Arno Holz und Otto zur Linde. Es ist nicht verwunderlich, wenn dort Töne auftauchten, die man „expressionistisch“ nennen konnte. Während das politische Thema die Literatur, mehr als gut war, propagandistisch beflügelte, haben Holz, Scharf und zur Linde eine neue Form für das Erlebnis „Stadt“ gefunden. Ein wenig später hatten die Italiener Filippo Tommaso Marinetti, der in Alexandrien (Ägypten) 1876 geboren wurde und in Mailand 1944 gestorben ist, die „Destruction“ (1904) verkündet und jene Bewegung eingeleitet, die er in seinen vierbändigen „Manifesten des Futurismus“ (1915) verkündete. Marinetti sah, daß die alte Ästhetik, welche die geschlossene Form zum einzigen Mittel der

JAKOB VAN HODDIS

Jakob van Hoddis, Zeichnung von Ludwig Meidner

Kunst erklärt hatte, un-„zeitgemäß“ geworden war: er wollte aus einer Vielfalt der Formen jene geschlossene Form nur noch ahnen lassen. Er gab die alte Form auf und wurde der Impresario der futuristischen Malerei. Seine eigenen Dichtungen drangen nämlich nicht zu einer neuen Form vor. Hier sind also Parallelen zu Kandinskys und Kokoschkas Forderungen, auch zu ihren dichterischen Versuchen. Für Marinetti waren „moderne“ Gegenstände wichtig, er dichtete auf das Rennauto und die Großstadt in einem neuen Ton, den seine Übersetzerin, Else Hadwiger, übertrug: „Die Stadt ummauern Eitelkeit und Sonne ...“ Aber es finden sich auch Hymnen auf das Meer, die Wellen, die Berge, den Sonnenuntergang und den Tod als kosmische und sphärische Mächte. Marinetti war abhängig von Jules Laforgue und Arthur Rimbaud, Vorbildern und Mustern der deutschen jungen Generation. Sie hat Marinetti früh als Kampfgenossen erkannt.

Marinettis „Moderne“

Jakob van Hoddis hat vor allem durch acht Zeilen gewirkt, eins der berühmtesten Gedichte des neuen, später Expressionismus genannten Stils. Mit seinem Titel „Weltende“ deutete es den eschatologischen Aspekt an:

„Weltwende“

Dem Bürger fliegt vom spitzen Kopf der Hut,
In allen Lüften hallt es wie Geschrei,
Dachdecker stürzen ab und gehn entzwei
Und an den Küsten — liest man — steigt die Flut.

Der Sturm ist da, die wilden Meere hupfen
An Land, um dicke Bäume zu zerdrücken.
Die meisten Menschen haben einen Schnupfen.
Die Eisenbahnen fallen von den Brücken.

Das Gedicht wurde im Januar 1911 in der Zeitschrift „Der Demokrat“, dem Vorläufer der „Aktion“, veröffentlicht. Später wurde es das Titelgedicht des einzigen Bändchens, das van Hoddis im Verlag der „Aktion“ 1918 veröffentlicht hat. Das

Hamlet

(Alexander Moissi gewidmet)

Verlaßt mich. Nicht um blasses Mitgefühle
Entdeckten wir das Fieber das hier brennt,
Wenn wieder grausige erstickte Brünste
Den Tag durchflacken und der Sonne Ziel.

Wir tragen dies wie einen Herrscherstab
Und einen Helm der blendet und versteint
Wir gehen gern zur Qual.
Wie einst ein Held
Sein Blut dem gieren Todesengel gab
Das feige Volk verhöhnend.
Denn es weint
Gleich einem Kinde dem ein Hund mißfällt.

Jakob van Hoddis

Handschriftprobe

Neue bestand in der Mischung ernster und grotesker Behauptungen, der kabarettistischen Frische und Keckheit sowie einer scheinbar lässigen Sprachbehandlung. Die Welt wird wie ein Spielzeug betrachtet und im Gegensatz zum Pathos der Zeit nicht ernst genommen – wobei das Spielerische als Ausdruck der Verzweiflung bewußt bleibt. Van Hoddis hat einen neuen Ton angeschlagen und in seinen jungen Berliner Jahren in dem von ihm und anderen begründeten Neuen Club und Neopathetischen Cabaret öffentlich vorgetragen.

Er war der Sohn eines Berliner Arztes und hieß eigentlich Hans Davidsohn. Durch Buchstabenumstellung kam er auf das Pseudonym Jakob van Hoddis. Er ist 1887 geboren, ging in Berlin zur Schule und begann 1907 ein Architekturstudium in München, wechselte dann, nachdem er ein halbes Jahr als Maurer praktisch gearbeitet hatte, in Jena zur griechischen Philologie über und kam in der Freien Wissenschaftlichen Vereinigung, einer Studentenverbindung, mit Kurt Hiller zusammen. Die Freundschaft war „hauptsächlich aus gleicher Abneigung gegen Gleiche" (Hiller) zustande gekommen. Sie und einige andere, zu denen auch Ernst Blaß gehörte, gründeten 1909 den Neuen Club und traten 1910 mit dem Neopathetischen Cabaret an die Öffentlichkeit, dessen Manifest „Neopathos" von Hoddis' langjährigem Freund Erwin Loewenson verfaßt wurde. Bald wurde Georg Heym in diesen Kreis eingeführt. Der Älteste und Vorsitzende des Kreises war Kurt Hiller, dessen intellektuelle Gewandtheit die jüngeren Dichter zeitweise stark beeinflußte. Oscar Wilde, Karl Kraus' und Alfred Kerrs pointiert witziger Stil waren Hillers Vorbilder.

Der Berliner „Neue Club"

Da sich Hiller mehr nach der politischen Seite hin entwickelte, trat er aus dem Kreis aus und gründete sein „Cabaret Gnu", während für den alten Club jetzt die Idee des Neopathos bestimmend wurde. „Wir verstanden darunter den Umbauwillen, der nicht den Vordergrund-Symptomen verhaftet bleibt, sondern auf eine neue Gesamtsynthese reagiert" (Loewenson). Später zitierte Loewenson den Hegelschen Satz: „Sind die Vorstellungen erst einmal revolutioniert, so hält die Wirklichkeit nicht stand." Die Zeitschrift „Neopathos" war zugleich das Organ der Künstlergemeinschaft „Die Brücke".

„Neopathos"

Der junge van Hoddis wurde im Gegensatz zu Heym von Stefan George positiv beeindruckt. Man hört den Jugendgedichten die neuromantischen Metaphern, Bilder und Töne des „Meisters" deutlich an. Die Beschwörung der Großstadt als eines Orts der Riesen und Dämonen steht in der Nähe Georg Heyms, geht aber in der Anspielung auf das christologische Motiv über ihn hinaus:

> Und auf den Straßen tönt der Schrei der Riesen
> Durch Kinderlärmen und der Sturmgesang
> Der Telegraphendrähte. Horch! Er brüllt.
> Wie Wagenrasseln tönt sein Ruf zum Kampf.
> Zum Kampf mit Ihm, um den die Engel weinen?
> Das Opferlamm, des Blut die Welt verhüllt,
> Daß alle Sonnen nur verdrossen scheinen?

Van Hoddis' wichtigste Gedichte mit eigenem Ton sind „Tristitia ante", „Tortur", „Tohub", die von Hugo Ball in seine Anthologie „Cabaret Voltaire" 1916 aufgenommene „Hymne", der vierteilige Zyklus „Der Todesengel" – aus der „Aktion" – und das dem Freunde Georg Heym gewidmete „Lietzensee":

Die Freundschaft mit G. Heym

> Die rote Sandsteinbrücke packt
> Staubig die andere Seite vom staubigen Tümpel.
> Laternen. Das verirrte Mondlicht zackt
> Über Sträucher und Wellen und träges Gerümpel.
>
> Doch zu uns tönt der Abendschrei der Stadt.
> Ich spüre noch die Lust der vielen Straßen
> Und Trommelwirbel um Fortunas Rad
> Doch du stehst vor mir schläfrig und verblasen.
>
> Feindselig reichst du mir die plumpe Hand,
> Von neuem Zorn die starke Stirn betört.
> Und als ich längst schon meinen Weg gerannt
> Hat alle Schritte noch dein Traum gestört.

Das Gedicht spricht aus, welche Last die Freundschaft des mächtigen düsteren Heym für van Hoddis gewesen sein muß. Die Fama berichtet, daß sie sich leidenschaftlich gestritten haben, wobei van Hoddis' jäh wechselnde Stimmungen ihn unberechenbar machten. Wenn er seine Gedichte selbst vortrug, kam der widersprüchliche Charakter von tolldreister Herausforderung und religiösem Ernst zu groteskem Ausdruck. Da mischten sich Unflätigkeiten und Blasphemien mit den Rufen echter Verzweiflung und Erlösungssehnsucht. Er experimentierte mit überraschenden Effekten, und es war ernster gemeint, als es klingen mochte, wenn er rief: „Belausch den Tod, der schon im Hirn dir dröhnt." Die schizophrene Anlage kam zum Ausbruch; van Hoddis überwarf sich mit der Familie, lernte Lotte Pritzel und Emmy Hennings in München kennen, trat zur katholischen Kirche über, lebte in Sanatorien, dann auf dem Lande bei einfachen Leuten in Pflege. Kurz vor Ausbruch des ersten Weltkriegs trat er zum letztenmal bei einem Autorenabend der „Aktion" auf; dann verstummte der Dichter Jakob van Hoddis. 1933 wurde er in Sayn in die einzige jüdische Irrenanstalt Deutschlands verbracht und 1942 zur physischen Vernichtung deportiert. Das genaue Todesdatum ist unbekannt.

Alfred Lichtenstein

Berliner Anfänge

Die ersten Gedichte Alfred Lichtensteins erschienen im „Simplicissimus", in der „Aktion", im „März" und in einigen andern Zeitschriften; es waren halb phantastische, halb spielerische Gebilde, „Der Traurige", „Die Gummischuhe", „Capriccio", „Der Lackschuh" und „Wüstes Schimpfen eines Wirtes". Sie weisen auf die Welt des jungen Berliner Studenten, Kneipe, Kabarett und die großstädtische Straße mit ihren Mädchen hin. Etwa achtzig Gedichte „im landläufigen Sinne", die sich „wenig von Gartenlaubenpoesie unterschieden", wurden nach des Dichters eigenen Mitteilungen bis auf eines nicht veröffentlicht. Den Antrieb erhielt Lichtenstein durch die Franzosen (Laforgue) und Jakob van Hoddis. Dessen berühmte „Weltwende" hatte im Kreis der neopathetischen Gruppe sensationelle Wirkung, es erschien hier vollkommen neu. Lichtenstein selbst schrieb: „Tatsache ist, daß A. Li. Wi. dies Gedicht gelesen hatte, bevor er selbst Derartiges schrieb. Ich glaube also, daß van Hoddis das Verdienst hat, diesen Stil gefunden zu haben, Li das geringere, ihn ausgebildet, bereichert, zur Geltung gebracht zu haben." Den gleichen Tatbestand berichtet Franz Pfemfert, er wiederholt Lichtensteins Worte über van Hoddis' Stil. Lichtenstein ist dann bekannter geworden als van Hoddis selbst, wozu sein früher Soldatentod beigetragen haben mag; als einen der jungen Toten des neuen Stils pflegte man ihn mit Heym, Stadler und Trakl zu nennen.

Van Hoddis als Anreger

Alfred Lichtenstein wurde 1889 in Berlin geboren, besuchte dort das Gymnasium und die Universität. Er sollte Jurist werden und promovierte in Erlangen mit einer Arbeit über Theaterrecht. 1913 trat er in München als Einjähriger in das 2. Bayerische Infanterieregiment Kronprinz ein und zog mit ihm im August 1914 nach Frankreich. Schon am 25. September 1914 ist er bei Vermandovilliers in der Nähe von Reims gefallen. Zu Lebzeiten war lediglich ein Kinderbuch „Die Geschichte des Onkels Krause" (1910) und ein Lyrisches Flugblatt bei A. R. Meyer mit Gedichten „Die Dämmerung" (1913) erschienen. Er war jedoch durch die Zeitschriften und Anthologien so bekannt, daß 1919 eine zweibändige Gesamtausgabe der Gedichte und Geschichten verlegt werden konnte; es sind nicht mehr als 200 Seiten. Lichtenstein hat im Kriege seinen wilden „schwarzen“ Humor nicht verloren, und er scheint — einer der Propheten kommenden Untergangs — gewußt zu haben, was ihm bevorstand; vor der Abfahrt zum Kriegsschauplatz schrieb er das Gedicht „Abschied“.

ALFRED LICHTENSTEIN

Vorm Sterben mache ich noch mein Gedicht.
Still Kameraden, stört mich nicht.

Wir ziehn zum Krieg. Der Tod ist unser Kitt.
O, heulte mir doch die Geliebte mit.

Was liegt an mir, ich gehe gerne ein.
Die Mutter weint. Man muß aus Eisen sein.

Die Sonne fällt zum Horizont hinab.
Bald wirft man mich ins milde Massengrab.

Am Himmel brennt das brave Abendrot.
Vielleicht bin ich in dreizehn Tagen tot.

Lichtenstein redete von der Leiche der Welt, von Totenschädeln auf leerem Feld, „ich fühle deutlich, daß ich bald vergeh“. Er wünschte diesen Untergang, aber vielleicht war das nicht so ernst gemeint; jedenfalls kannte er das Gefühl des Ekels, des Angewidertseins, der Übersättigung. Wenn er von Sturm sprach, meinte er nicht eine Revolution der Kunst, sondern den Untergang der sanften Welt, die er gelegentlich auch einen „fetten Sonntagsbraten“ nannte. Immer fand er groteske Bilder dafür: „Der Hund hält erschrocken den Mund. / Der Himmel liegt auf der falschen Seite. / Den Sternen wird das Treiben zu bunt. / Die Droschken suchen das Weite.“ In dem Gedicht „Der Sturm“ ist das Katastrophengefühl schmerzhaft deutlich. Die kurzen Sätze und Zeilen sind wie aufeinanderfolgende Detonationen:

Das Absurde der Katastrophe

Im Windbrand steht die Welt. Die Städte knistern.
Halloh, der Sturm, der große Sturm ist da.
Ein kleines Mädchen fliegt von den Geschwistern.
Ein junges Auto flieht nach Ithaka.

Ein Weg hat seine Richtung ganz verloren.
Die Sterne sind dem Himmel ausgekratzt.
Ein Irrenhäusler wird zu früh geboren.
In San Franzisko ist der Mond geplatzt.

Das Gedicht ist die Lichtensteinsche Variation auf van Hoddis' „Weltende“. Stilistisch bezeichnend sind Koppelungen alltäglicher Gegenstände mit grotesken und sachlich unmöglichen Prädikaten. Ein kleines Mädchen „fliegt von den Geschwistern“. Ein Weg „hat seine Richtung ganz verloren“, ein „junges“ Auto „flieht nach Ithaka“. Indem das Auto und nicht das Mädchen „jung“ genannt wird, erreicht Lichtenstein den Eindruck apokalyptischer Verwirrung. Ähnlich wie die Maler des frühen Expressionismus löst er die natürlichen Verbindungen, die Ordnung der Welt auf. Er ist einen Schritt über van Hoddis hinausgegangen und zählt zu den Surrealisten der frühexpressionistischen Phase.
Die abrupte Machart der Lichtensteinschen Gedichte gehört zum kessen und kecken Ton des Kabaretts. Ihre von Strophe zu Strophe, ja Zeile zu Zeile wech-

ALFRED LICHTENSTEIN

selnde Qualität bewirkt, daß zwischen den Gedichten, obgleich sie syntaktisch gesehen nur Aussagen reihen, immer so viel Luft bleibt, daß sie leicht wirken. Anderseits sind sie durch harten, strengen Rhythmus und drastischen Reim nach Bänkelsängerart gebunden. Lichtenstein selbst hat von seiner „Artistik“ gesprochen. Die Erzählungen zeigen, daß Lichtensteins dichterische Tätigkeit einen inneren Zusammenhang hat. Sie sind Teile eines großen epischen Werkes, und auch die Gedichte gehören zum Teil in den Zusammenhang der Geschichten, weil ihr Held, Kuno Kohn, ein Pseudonym Lichtensteins ist, unter dem er anfangs auch publiziert hat (ein weiteres Pseudonym war A. Li. Wi., Alfred Lichtenstein, Wilmersdorf).

Das Kabarett

Alfred Lichtenstein,
Zeichnung von Max Oppenheimer (Die Aktion)

Der Held der Geschichten

Kuno Kohn ist ein Dichter. Von ihm sagt Dr. Bryller in Fragmenten zum Roman: „Kuno Kohn ist dasselbe in Grün, was Else Lasker-Schüler in Blau ist.“ In einem andern Fragment wird die Vorgeschichte Kuno Kohns erzählt. Demnach hatte der verwitwete Gefängnisgeistliche Christian Kohn sein einziges, herz- und geisteskrankes Kind in eine Anstalt geben müssen und adoptierte – „niemand weiß warum“ – den kleinen Krüppel Kuno. Das Gerücht hält ihn für einen natürlichen Sohn des Geistlichen mit einer Gefängnisinsassin, die ihren abtrünnigen Zuhälter erschossen hatte. Kuno verbrachte seine ersten Jahre in den Räumen und Höfen des Zuchthauses. In andern Novellen, vor allem in der größten Erzählung „Der Sieger“, wird Kohns Existenz als Konterfei eines buckligen, homosexuellen, großstädtischen Literaten dargeboten:

Kuno Kohn bewohnte in einem Gartenhaus einer westlichen Nebenstraße ein großes Zimmer, in dem nichts auffiel. Nur das Bett war ungewöhnlich breit, fast prunkhaft. Auf den Kissen lagen gelbliche und rote Blumen. Vor seinem Fenster stand ein Schreibtisch; auf ihm waren einige Bücher, vielleicht Baudelaire, George, Rilke; daneben und dazwischen lagen Papierbogen, die anscheinend mit vollendeten oder unvollendeten Gedichten und Abhandlungen beschrieben waren. Auf einem Brett an der Wand standen Bände Goethe, Shakespeare, eine Bibel, eine Homer-Uebersetzung ... Der Schlosser [Mechenmal, den Kohn von der Straße mitgenommen hatte] sah alles neugierig an. Bald saßen sie. Die Unterhaltung, die erst lebhaft war, stockte allmählich. Kuno Kohn drehte die Lampe klein. Später redete er weich und flehend dem Schlosser zu. Nachher bot er ihm das Bett an. Er selbst werde auf dem Sofa schlafen. Der Schlosser war einverstanden. – Kuno Kohn verschaffte seinem Freund Mechenmal eine untergeordnete Stellung bei einem Zeitungsverlag. Überraschend schnell arbeitete sich Mechenmal in den neuen Beruf ein, erlangte sehr bald genügende kaufmännische Kenntnisse. Wechselte Stellungen. Erreichte durch Energie und allerhand Gemeinheiten, daß er schon nach einem Jahr und wenigen Monaten als selbständiger Geschäftsführer eines Zeitungskiosks eine Vertrauensstellung bekleidete ...

Der verzweifelte Literat

Mechenmal ist der vitale Ellbogenmensch – im Gegensatz zu dem Künstler Kohn; schließlich bringt er seinen Gönner Kohn aus Eifersucht auf eine Frau um – er ist, im Sinne des Titels, „Der Sieger". Kohn aber ist ein „Geistiger", er hat Schwierigkeiten im Verkehr mit gewöhnlichen Menschen, sei es in der Unterhaltung, sei es in der Liebe. Sein Buckel ist das Sinnbild der Ächtung durch die Gesellschaft. Der jüdische Name und andere halb reale, halb symbolische Bezüge, seine Lues, sein radikaler Nihilismus, seine Selbstmordgedanken und die grotesken Notizen („Ein Pferd macht Laufschritt") weisen darauf hin, daß Kohn der wahre Lichtenstein, der verzweifelte Literat ist. Die intensive Neigung Kohns zu einem sexuellen Genußleben spiegelt einen Grundgedanken Lichtensteins, den er in einem Schauspielentwurf, „Die Tiere", einmal so formuliert: „Heilige Sehnsucht aus dem tierischen Triebleben zur seelischen Reinheit. Je größer der Dreck, desto heftiger die Sehnsucht. Aber vergebens: die Sehnsüchtigen gehen im Dreck unter. Nur der Bürger, der sich über nichts schwere Gedanken macht und nichts tief empfindet, blüht im Dreck." An anderer Stelle begegnet der Schriftsteller Schulz der Kokotte Kitty.

„‚Nicht so laut', sagte Kitty, als Schulz ihr von Gott erzählte." Die Anekdote wirft ein Licht auf Lichtensteins Chiffrierungen: ähnlich wie bei Kafka ist die Kokotte Sinnbild der „Welt", des spießig in sich verriegelten, antimetaphysischen Bürgertums.

Die Straßenmädchen

Zahlreiche Gedichte gehören in den Umkreis und die Textur seiner Geschichten; und es ist kein Zufall, daß es Gedichte auf und über Straßenmädchen sind. Ihnen begegnet der Dichter, der „erlöst" zu werden hofft und natürlich immer enttäuscht wird. „Das Komische wird tragisch empfunden. Die Darstellung ist ‚grotesk'", sagt Alfred Lichtenstein.

Bezeichnend ist dafür das Gedicht „Der Rausch auf dem Felde". Lene Levi läuft durch die Straßen und findet keinen Kavalier:

Lene Levi lief, bis alle
Dächer schiefe Mäuler zogen,
Und die Fenster Fratzen schnitten
Und die Schatten

Ganz betrunkne Späße machten –
Bis die Häuser hilflos wurden
Und die stumme Stadt vergangen
War in weiten

Feldern, die der Mond beschmierte ...
Lenchen nahm aus ihrer Tasche
Eine Kiste mit Zigarren,
Zog sich weinend

Aus und rauchte ...

LXXXV

Die Dämmerung

Ein dicker Junge spielt mit einem Teich.
Der Wind hat sich in einem Baum gefangen.
Der Himmel sieht verbummelt aus und bleich
als wäre ihm die Schminke ausgegangen.

Auf lange Krücken schief herabgebückt
Und schwatzend kriechen auf dem Feld zwei Lahm
Ein blonder Dichter wird vielleicht verrückt
Ein Pferdchen stolpert über eine Dame,

An einem Fenster klebt ein fetter Mann
Ein Jüngling will ein weiches Weib besuchen
Ein grauer Clown zieht sich die Stiefel an
Ein Kinderwagen schreit und Hunde fluchen –

Alfred Lichtenstein, Handschriftprobe

Es handelt sich um ein kabarettistisches Gedicht und zeigt in den Reim- und Alliterationskünsten den „Artisten“ Lichtenstein. Andere Lene-Levi-Gedichte, Porträts eines betrunkenen Straßenmädchens, führen immer wieder in jenes Milieu, in dem Lichtensteins Roman spielen sollte, im neopathetischen Kabarett, in ein schon von Wedekind vorgezeichnetes Milieu der Literaten, Zuhälter, Dirnen, Verrückten, Schwärmer und „grotesken Gelehrten“: „Ein erst sechzehnjähriger Gelehrter namens Neumann spricht über Mutterschutz und Kindererziehung . . . scheint ihm hier nicht der Ort, über gefallene Mädchen zu reden.“ Der Roman ist natürlich ein Schlüsselroman, und man kann vor allem in Dr. Bryller leicht einen der Impresarios des „Neopathos“ erkennen. Immer bekommen die brutalen Fakten einen metaphysisch deutbaren Hintersinn, wenn es zum Beispiel von Kohns zweiter Geliebten heißt: „Backfisch (in der einen Hand hatte sie eine illustrierte Himmelskunde).“ Kohn schreibt sich auf, wenn sie etwas Komisches sagt, um es später schriftstellerisch zu verwenden. Natürlich hat Lichtenstein auch

Schlüsselroman um „Neopathos“

sein letztes Milieu, das militärische, grotesk gesehen. Er schrieb witzig-traurige Parodien auf Volks- und Soldatenlieder:

Ganz hinten sind Stadt und Geliebte
Ich bin so verraten allein.
Ich falle langsam von einem
Auf das andere Bein.

Rings kreischen komische Türen.
Ich greife nach Dolch und Gewehr.
Ach, wenn ich doch zu Hause
Bei meiner Mutter wär.

Der Lichtensteinsche Ton hat weitergewirkt. Während van Hoddis, Blass, Boldt, Lotz und sogar Stadler, die als Dichter ursprünglicher waren, nach dem Expressionismus für lange Jahre verschollen und vergessen blieben, hat das Lichtensteinsche Gedicht sich zumindest untergründig durchsetzen können. Es lebte weiter bei Hugo Ball, Hans Arp, in der „Aktion", bei Wolfenstein, Kurt Hiller, A. R. Meyer, in Pinthus' „Menschheitsdämmerung" und einigen andern Anthologien. So wurde Alfred Lichtenstein denn auch einer der ersten, die beim Neoexpressionismus der fünfziger Jahre Pate standen.

Ernst Blass

Der Dichter als Literat

Getreu der Forderung Kurt Hillers, der Dichter solle „Litterat" werden, ein aktives Mitglied der zu bildenden idealen Gesellschaft, hat Ernst Blass neben Gedichten auch Kritiken geschrieben, war Lektor eines bedeutenden Verlags und gab 1914–17 die Monatsschrift „Die Argonauten" heraus, zu deren Mitarbeitern Walter Benjamin, Franz Blei, Ernst Bloch, Rudolf Borchardt, der Freund Arthur Kornfeld, Robert Musil, Gustav Radbruch, Max Scheler und Carl Sternheim gehörten. Blass war ein Mitbegründer des „Neuen Clubs"; die ersten Gedichte waren in der „Aktion" erschienen; nach dem Kriege wandte er sich Stefan George zu. Er ist, seit 1926 krank und allmählich erblindend, als Dichter verstummt und Anfang 1939 in seiner Geburtsstadt Berlin, 48 Jahre alt, gestorben.

Die Klärung des Chaos

Blass' erster Gedichtband erschien 1912 unter dem Titel „Die Straßen komme ich entlang geweht". Den literarischen Charakter des Autors kann man an dem nervösen Vorwort ablesen, wo Blass sich dem proklamierten Typus des „zukünftigen intellektuellen Lyrikers" zurechnet. Er liebte den paradoxen Ausdruck: „Meine Empfindungen heut abend stehen in keinem Gedichte des Bandes, – dennoch sind die Gedichte des Bandes meine Empfindungen." Bald fallen die wichtigen Stichworte vom Chaos und dem Chaotischen, das der Lyriker in „träumerisch-potenter Lust fühlen" wird, um immer bewußter zu empfinden, „daß es darauf ankommt (und daß eine große Schönheit darin liegt), für die Klärung der irdischen Phänomene zu sorgen, – ob er gleich weiß: Der Kern der Lyrik ist etwas anderes." Der Lyriker soll einerseits Kämpfer sein, an der Klärung jenes Chaos beteiligt, damit die fortschreitende Menschheit endlich auf einen „morastlosen Boden" komme, andererseits ein poetisches „Urwesen" und Urgeschöpf. Das sind Gedanken, die in der Zeit lagen. G. Hauptmann hat um die gleiche Zeit, in den

Ernst Blaß, Zeichnung von Arthur Drey

„Ratten", den triebhaften Verbrecher Bruno und seine unselige Schwester, Frau John, als „Urwesen" dargestellt. Was für Hauptmann eine antiintellektualistische These war, die eng mit seinem Selbstverständnis zusammenhing, das war für den großstädtischen Literaten Blass Ausdruck seiner Gebrochenheit, die von Paul Zech mit Blass' Judentum in Verbindung gebracht wurde, wenn er von „Hysterie des jüdischen Gebrochenseins" schreibt.

Blass' schönste Gedichte stehen in seinem ersten Band. Da findet sich das Thema des großstädtischen, bis in den Jargon berlinischen Milieus mit Cafés, Sport, der Sehnsucht nach Natur, aber viel verspielter als bei Lichtenstein. Die Erotik ist harmlos, gleichsam auf die Pleureusen beschränkt, wenn man an Lotz' oder gar Paul Boldts sexuelle Besessenheit denkt. Blass schreibt ein Sonett auf den Sonntagnachmittag:

Die Töchter liegen weiß auf dem Balkon.
In Oberhemden spielen Väter Kachten:
Ein Roundser steigt nach einem Full von Achten.
– Und singen tut sich eins der Grammophon.

In Straßen, die sich weiß wie Küsse dehnen,
Sind Menschen viel, die sich nach Liebe sehnen.
Noch andre sitzen in Cafés und warten
Die Resultate ab aus Hoppegarten.

Der Dichter sitzt im luftigsten Café,
Um sich an Eisschoklade zu erlaben.
Von einem Busen ist er sehr entzückt.

Der Oberkellner denkt hinaus (entrückt)
An Mädchen, Boote, Schilf, . . . an Schlachtensee.
Der Dichter träumt „. . . und werde sie nie haben . . ."

Die Stimmung der nächtlichen Straßen, der städtischen Parks, der Bars, des flutenden Verkehrs („Da unten rollen meine Autobusse"), der Redouten, auch des Karnevals, bezaubert Ernst Blass; wenn gelegentlich gar das Schnitzlersche „süße Mädel" durch seine Verse geistert, so klingt es ein wenig verkehrt. Blass hat Anwandlungen eines grotesken Humors, aber er wird nie „schwarz" wie bei van

Hoddis. Seine Sprache ist nicht konzentriert, schon fallen zwischen den „intellektuellen“ Gespanntheiten liedhafte Strophen auf. Eine „blonde Stimme“ verfolgt ihn, gefühlvoll sinnt er der Entschwundenen nach, aber das gleiche Thema kann auch keß und zynisch behandelt werden: „Ferne fließt der Freundin Grete / Seele, die ich tief erflehte, / Sanft erlöst zu guten Kitschern . . . / Vögel zwitschern.“

ERNST BLASS

Nur einmal ist es Blass gelungen, im Anschluß an den von van Hoddis in „Weltende“ erfundenen Ton, ein Gedicht zu schreiben, in dem seine Welt übergeht in eine andere. Das chaotische Fin de siècle löst sich in ein paradiesisches Idyll mit Erinnerungen an Goethe, Rilke und die Bibel auf:

„Vormittag“

Den grünen Rasen sprengt ein guter Mann.
Der zeigt den Kindern seinen Regenbogen,
Der in dem Strahle auftaucht dann und wann.
Und die Elektrische ist fortgezogen

Und rollt ganz ferne. Und die Sonne knallt
Herunter auf den singenden Asphalt.
Du gehst im Schatten ernsthaft, für und für.
Die Lindenbäume sind sehr gut zu dir.

Im Schatten setzt du dich auf eine Bank;
Die ist schon morsch; — auch du bist etwas krank —
Du tastest heiter, daß ihr nicht ein Bein birst.

Und fühlst auf deinem Herzen eine Uhr,
Und träumst von einer schimmernden Figur
Und dieses auch: daß du einst nicht mehr sein wirst.

Der Einbruch des Sentimentalen

Mit seinen nächsten Bändchen erschien Blass bei Kurt Wolff, es sind „Die Gedichte von Trennung und Licht“ (1915) und in der Sammlung „Der jüngste Tag“ „Die Gedichte von Sommer und Tod“ (1918). Blass ging zu elegischen Gedichten über und schrieb liedhafte Chöre, die nichts Modernes mehr haben, wohl aber wie ein Nachklang Eichendorffscher Musik wirken:

Wir lagen lang an Küsten
Und sind nun aufgewacht,
Ach wenn die andern wüßten
Um unsere Mitternacht.

Das Wasser in dem Tale,
Der Berg in dunkler Ruh,
Die Luft ist leis und fahle
Und schillert immerzu.

Das nächste Bändchen — mit Widmung an Ernst Bloch und einer Erinnerung an seine frühen Gedichtbände („Vergangene Jahre ruhen in den Blättern / Mit der Musik von Trennung und von Licht . . .“) — hieß „Der offene Strom“ (1921). In den Gedichten an eine Dame, „Lieder aus einem Roman“, ging Blass zum neuromantischen Klischee über, wo sich Schwäne auf Träne reimt: „Wirst du, Teure, es nicht ahnen, / Wie ich ganz voll Liebe bin, / Wie voll Drang den Weg zu bahnen, / Der mich führe zu dir hin?“ . . . Auch diese Entwicklung ist typisch und sollte sich bei vielen Autoren wiederholen, die „steil“ begannen und beim allzu Populären endeten.

PAUL BOLDT Paul Boldt ist der Autor einer Handvoll Gedichte, die im Januar 1914 unter dem Titel „Junge Pferde, junge Pferde" erschienen sind. Ein Echo der Berliner Begeisterung, die nicht geringer war als die Prager über Werfel, findet sich bei A. R. Meyer. Es sind vierzig Gedichte in klassischen Formen, vor allem Sonette und liedhafte Strophen. Thematisch entnimmt man den Versen, daß der Autor, über dessen Leben (1886 bis etwa 1919) fast nichts bekannt geworden ist, aus dem Mündungsgebiet der Weichsel stammen muß, lange in Berlin gelebt, eine höhere Schule besucht hat und in den klassischen Fächern unterrichtet worden ist. Ähnlich wie Lotz muß er ein vitaler Mann gewesen sein; seine Gedichte an Mädchen und Frauen können sich an sexueller Sinnlichkeit mit den „Documenten der Liebesraserei" von Lautensack messen. Wahrscheinlich sind sie, mit ihrer Verehrung des nackten Leibes und aufstachelnder Schönheit der Frau, in der modernen Literatur einzigartig. Bedenkt man die Zahmheit, mit der soeben Dauthendey in Hunderten von Bettgedichten die Liebe besungen hatte, so wirkt Boldts Unverblümtheit unerhört.

Eros und Sinnlichkeit

Formale Kühnheit

Das Thema an sich wäre uninteressant, wenn nicht der motivischen die sprachliche Kühnheit entspräche und ein ungewöhnlicher Rhythmus gewonnen würde:

Wer weiß seit Fragonard noch, was es heiße,
Zwei stracke Beine haben in dem Kleide;
Roben gefüllt von Fleisch, als ob die Seide
In jeder Falte mit dem Körper kreiße.

Aus dem Korsage fahren eure Hüften
Wie Bügeleisen in den Stoff der Röcke,
Darauf wie Bienen auf die Bienenstöcke
Unsere Blicke kriechen aus den Lüften.

Ihr jugendlichen Sonnen! Fleischern Licht!
Wir haben den Ehrgeiz der Allegorien
Und hübschen Dinge im Gedicht.

Ich will mit eurer Bettwärme Blumen ziehn!
Und einen kleinen Mond aus dem Urin,
Der sternenhell aus eurem Blute bricht!

Welch befremdliche Bilder, Vergleiche und Vorstellungen! Sie reichen von Kunstgeschichte und Mode zur brennenden Begierde, plötzlich schlägt alles um in ein poetologisches Allegorisieren, um am Schluß beinah geschmacklos, doch mit dichterischem Takt, an die Physiologie der Frau zu rühren. Der Ort, an dem sich Boldts Frauen und Mädchen bewegen, ist die Großstadt Berlin; und so, wie er den „Schrei des Blutes", der sinnlichen Gier unter Bruch aller Tabus der Sitte und Konvention gestaltete, hat er auch das Phänomen der Großstadt aus der Deskription zu einem Bild von berauschender und verzaubernder Magie erhoben, wie sie sich erst bei Loerke wieder finden sollte:

Die Weltstadt im Gedicht

Wer weiß, in welche Welten dein
Erstarktes Sternenauge schien,
Stahlmasterblühte Stadt aus Stein,
Der Erde weiße Blume, Berlin.

Im Gegensatz zu Heym sieht Boldt die Stadt nicht mit dämonisch-apokalyptischen Zügen, sondern als ein künstliches und kunstvolles Gehäuse der eleganten Jüdinnen und verführerischen Mädchen:

PAUL BOLDT

Mit Wald gepudert und Laternenschein,
Schreiten die Linden und ein paar Platanen
— Unter den Bäumen sind die Kurtisanen —
Den Mädchenstrom Kurfürstendamm hinein.
Ihr Wäldermädchen mit den Laubfrisuren —
Man muß wohl Wind sein, um euch zu umarmen . . .

In diesem Milieu sehen wir für einen Augenblick den Dichter selbst:

Aha! Ihr seid schon elegant geworden,
Jüdinnen, die ich liebte, ein Barbar,
Im Blut Unwetter und den wilden Norden.

Poetische Formeln

Die Gedichte Boldts wimmeln von „expressionistischen" Bildern und Metaphern: „Einsame Pappeln pressen ihre Schreie — Angst vor den Stürmen in die blonde Stille." „Die Dirnen sommern brünstiger als Haie." Von den eigenen Sonetten heißt es: „In meiner Kehle sammeln sich die Schreie." Vereinzelt kommt es zu wahrhaft „gesehenen" Bildern von rein dichterischer Anschauungskraft: „Die Dirnen umstehn mit Hirschgeweihn / Die Circe meines Gesichtes." (Erst bei Regina Ullmann und F. G. Jünger finden sich so scharf geschnittene Medaillons wieder.) Man trifft ausgesprochen barocke Vorstellungen: „Dein Fleisch ist Schnee." Ähnlich überschwänglich erscheint auch der gelegentliche Widerwille gegen die „abgeküßte" Nacktheit, wenn er die Mutter, „weißhändige Greisin", anfleht, sie möge ihn zurücknehmen „ins Nichtgeborensein". Einmal fällt das Stichwort: „Spukhaftes Wandeln ohne Existenz!", und die Welt selbst, verkörpert in der trügerischen Erscheinung eines Gespenstes, dem der Dichter nachjagt, wird „ins Netz der Sonette" gelockt, als wäre für Boldt das Dichten die Wahrheit des Seins.

Die Festigkeit der Form kann den grammatischen Rhythmus der Worte zugunsten des dichterischen Rhythmus der Zeile brechen, etwa in der zweiten und dritten Zeile dieser Strophe, wo plötzlich Nebensilben betont werden:

Die Wiese atmete nicht mehr,
Knirrte der Rinder Schlund;

Das Julilicht spritzte umher
Die Wolken zogen und . . .

Bestimmung des dichterischen Ortes

Ist man einmal auf Boldts Kunststücke aufmerksam geworden, so entdeckt man sie in fast jedem Gedicht. Es gibt keine spannungslosen Stellen oder konventionellen Bildgebrauch bei Boldt. Überall sind federnde Wildheit und Intelligenz zu spüren, so wie das Stadt- und Weiberthema überall kompensiert wird durch Erinnerungen an Finnland, die Weichsel, das freie Leben der Natur, besonders schön und dichterisch konzentriert in „Herbstgefühl":

Der große abendrote Sonnenball
Rutscht in den Sumpf, des Stromes schwarzen Eiter,
Den Nebel leckt. Schon fließt die Schwäre breiter,
Und trübe Wasser schwimmen in das Tal.

Ins finstre Laub der Eichen sinken Vögel,
Aasvögel mit den Scharlachflügeldecken,
Die ihre Fänge durch die Kronen strecken,
Und Schreien, Geierpfiff, fällt von der Höhe.

Ach, alle Wolken brocken Dämmerung!
Man kann den Schrei des kranken Sees hören
Unter der Vögel Schlag und gelbem Sprung.

Wie Schuß, wie Hussah in den schwarzen Föhren
Ist alle Farbe! Von dem Fiebertrunk
Glänzen die Augen, die dem Tod gehören.

Paul Boldts Lyrik nimmt die spätere Naturdichtung der „Kolonne" voraus, der Eich, Huchel, Langgässer und Horst Lange, wo Natur Sumpf- und Moornatur ist. Boldts Vitalität ist den Zeitgenossen umheimlich gewesen. Neben ihm wirken die Verse Werfels, B. Viertels, Stadlers und Ehrensteins romantisch oder blaß. Erst bei Georg Britting werden manche Töne Boldts, auch die Form des Sonetts, wieder aufgenommen.

Ernst Wilhelm Lotz

Werk und Leben

Einen Tag nach Alfred Lichtenstein, am 26. September 1914, ist Ernst Wilhelm Lotz als Kompanieführer im Westen gefallen. Er war kaum fünfundzwanzig Jahre alt; außer dem lyrischen Flugblatt „Und schöne Raubtierflecken" (1913) waren nur einzelne Gedichte im „Sturm" und in der „Neuen Rundschau" veröffentlicht. 1916 erschien Lotz' lyrische Sammlung „Wolkenüberflaggt" als 36. Bändchen der Sammlung „Der jüngste Tag". Später sind hie und da noch einzelne Gedichte gedruckt worden. Der Nachlaßverwalter Hellmut Draws-Tychsen gab „Prosaversuche und Feldpostbriefe" (1955) heraus, die durch die Fragmente eines Romans interessant sind. Etwa sechzig Gedichte sind noch nicht veröffentlicht.

Lotz ist 1890 als Sohn eines Professors am Kadettenhaus in Kulm an der Weichsel geboren. Die Wohnorte der Familie wechselten häufig, am längsten lebte sie in Plön in Holstein. Hier besuchte Lotz das Gymnasium und wurde mit siebzehn Jahren Kadett, kam auf die Kadettenanstalt Lichterfelde und auf die Kriegsschule in Kassel. In Straßburg und Hamburg, während seiner Leutnantszeit, entdeckte er mehr ahnend als wissend jene Freiheit, die er in dem großen Gedicht „Glanzgesang" auf beinahe Freiligrathsche Manier auffaßte:

Und irgendwo hingen die grünen Küsten der Fernen,
Ein Duft von Palmen kam schwankend vom Hafen geweht,
Weiß rasteten Karawanen an Wüsten-Zisternen,
Die Häupter gläubig nach Osten gedreht.

Auf Ozeanen zogen die großen Fronten
Der Schiffe, von fliegenden Fischen kühl überschwirrt,
Und breiter Prärieen glitzernde Horizonte
Umkreisten Gespanne, für lange Fahrten geschirrt.

Lotz nahm seinen Abschied vom Militär; er scheint sich in Hamburg einige Zeit als kaufmännischer Angestellter betätigt zu haben, hielt es aber nicht lange aus, und lebte bis zum Kriege mit seiner jungen Frau und den Eltern in Dresden. Mit der Begeisterung des Berufsoffiziers der jungen Generation zog er in den Krieg, aber die Briefe an die Frau bezeugen, daß er schnell durch das Wesen des technisierten Massenkrieges, unnötige Grausamkeiten und die Leiden der Frauen und Kinder in der Gefahrenzone ernüchtert wurde. Vor allem erregte ihn, daß Leute aufeinander schießen mußten, die eigentlich Brüder waren, Franzosen und Deutsche. Wie sein Freund Ernst Stadler hat Lotz Frankreichs Volk und Literatur geliebt und gehofft, er werde noch die Vereinigten Staaten von Mitteleuropa erleben.

ERNST WILHELM LOTZ

Ernst Wilhelm Lotz, Zeichnung von L. Meidner

Vierzehn Tage vor dem Tode schrieb er: „Eine schöne Freude hatte mir neulich Kurt Hiller bereitet, der mir, auf eine Postkarte aufgeklebt, einen Auszug aus dem ‚Berliner Tageblatt' schickte, in dem ich mit den besten der jungen Literaten als Künstler im Felde namentlich aufgeführt wurde, die andern waren Musil, Werfel, [Peter] Baum [aus Elberfeld, ein Freund der Lasker-Schüler, die ihn mit dem „Sturm" in Verbindung gebracht hatte], Lichtenstein, Stadler; und Hiller hat diese Notiz in die Zeitung lanziert . . ."

Der Messianismus

Lotz' messianischer Auftrag bezog sich nicht auf die politische und soziale Gemeinschaft, sondern auf die Menschheit und den Kosmos – hier würden die politischen und sozialen Gemeinschaften neu zu ordnen sein. Im Anfang wurde das Allgefühl freilich auf engstem Raum erlebt, ähnlich wie bei Dauthendey. in der Liebe zur Frau, im entbundenen Trieb, in der Herrlichkeit „tierischer" Instinkte. Reminiszenzen an Nietzsche verbanden sich mit dem zeitgenössischen Vitalismus und dem Kraftgefühl eines jungen Menschen, der sich in seiner Welt sicher fühlte. Der Körper weiß sich als Spiegel des Makrokosmos:

Bist du es denn?
Groß aus dem Weltraum nachts, der Spiegel ist,
Tönt dein zerwehtes Bildnis in meine Seele.
Die Sterne durchziehen harfend deine Brust.
Du aber . . .

Du glänzst vielleicht versehnt im weißen Federbett,
Traum liegt dir hart im Schoß. –

Oder ein junger Liebling
Zieht fühlsam mit zeichnendem Finger
Die festen Runden deiner Brüste nach.
Ihr seid sehr heiß.
Und schöne Raubtierflecken zieren eure Rücken.

Lotz stand seinem Wesen und seiner Erziehung nach der modernen Literatur fern; er liebte weder die Berliner noch die Münchener Avantgarden, mißtraute dem L'art pour l'art und der Dekadenz, verhöhnte „das kosmische Schwatzen im Kaffeehaus“ und den russophilen Sozialismus. Sympathie verband ihn mit den Wandervögeln, den „Heide-Touristen“, welche die zivilisatorischen Konventionen ablehnten. Außer jenem Fernweh artikulierte Lotz immer wieder Sturm-und-Drang-Gefühle:

Wir sind nach Dingen krank, die wir nicht kennen.
Wir sind sehr jung. Und fiebern noch nach Welt.
Wir leuchten leise. – Doch wir können brennen.
Wir suchen immer Wind, der uns zu Flammen schwellt.

Die neue Form, der Stil

Das klingt fast so resigniert wie entsprechende Strophen beim jungen Hofmannsthal. Es handelt sich um die vierte Strophe eines Gedichts, dessen erste in Klang und Rhythmus anders intoniert war:

Hart stoßen sich die Wände in den Straßen,
Vom Licht gezerrt, das auf das Pflaster keucht,
Und Kaffeehäuser schweben im Geleucht
Der Scheiben, hoch gefüllt mit wiehernden Grimassen.

Das Neue liegt bei Lotz nicht in Motiven und Inhalten weltanschaulicher Art. Diese bleiben bei ihm herkömmlich und rücken ihn eher in die Nähe des naturalistischen Aufruhrs, der modernen Stadtdichtung, der kosmogonischen Gefühle und Gesänge. Neu ist bei ihm die Form, sind jene Wendungen und Ausdrücke, die man bald expressionistisch, bald ekstatisch, bald visionär nannte. Der Lotzsche frühe Expressionismus kennt schlechte, verunglückte, übertriebene Äußerungen des neuen Ausdrucks („aller Erde Mannheit . . . umwogt die runde Fahne meiner Mannbarkeit“, oder „Versenkt die Brunst, die stöhnt und aufwärts möchte“) oder besser gelungene: „Ich flamme das Gaslicht an. Aufrollendes Staunen umprallt die vier Zimmerwände“ oder: „Die Straßen biegen aus und flackern davon“ und richtige Bilder:

Die Häuser kommen, geflaggt mit Licht,
Leicht und befedert trägt uns das Pflaster,
Alle Passanten flammen auf und sind nah.
Elektrisch fühlen wir: Wir sind da!

Solche Stellen ließen sich häufen. Die Freunde Ludwig Meidner und Kurt Hiller bezeugen, daß Lotz Schwärmer, Romantiker, „verliebt in Wolken und Wind“ war, den die Inspiration plötzlich überfiel.

Plan und Schema des Romans

Die Frische und das Glück des Lichtes, des federnden Gehens und Tanzens haben auf andere ansteckend gewirkt, oder mit Kurt Hillers Worten: „Der so bewegteste Sinnlichkeit sang, injizierte zerquälten Nervensystemen auf magische Art Mut.“ Hiller erzählt auch das Schema des Lotzschen „politischen Romans von ungeheurem Format": Der Held, ein zweiter Rimbaud, der Europa verläßt, gründet jenseits des Ozeans den Idealstaat. Die erhaltenen Szenen lassen diesen Zusammenhang nicht erkennen; aber sie zeigen in Porträts des genialischen Hauptmanns, des jungen Feldherrn, der alle Schlachten gewinnt, und jenes jungen Mannes, der eines Tages beschließt, nicht zum Dienst in sein Hamburger Büro zu gehen, die Stimmung des „Aufbruchs der Jugend", des berühmtesten Lotzschen Gedichts.

Eine Französin.

Eine Französin im sächsischen Schwarme,
Kühle Frühlinge züngelt ihr Blick.
Leichte Gewässer
Spielen die Finger über den Tisch.
Träumen die Winde von ihrem Gelächter.
Doch das Kaffee, die Musike und wir und mein
flackernder Stift
Kreisen belichtet, verebben mit Bücklingen fliessend
Und lassen gekräuselt
Im Lächeln Madonna zurück.

17. 4. 14.

Ernst Wilhelm Lotz

Ernst Wilhelm Lotz, Handschriftprobe

Der Held, ausgebrochen aus dem tristen Alltag, sieht die Welt mit neuen Augen, als er eines Sommermorgens durch die Stadt spaziert: „Ein sehr süßer Schmerz breitete sich in seiner Brust erwärmend aus. Er kannte so etwas gar nicht mehr, so etwas Helles, Bildhaftes wie eine Morgenstraße. Und doch war er jeden Morgen selbst Akteur in diesem Schauspiel, wenn er die Geschäftsbriefe zur Post brachte. Und alle diese Leute, die vorüberkamen, wußten nicht, wie schön sie waren, wie schön sie ihre Geschäftigkeit machte." Eine schöne Frau und ein Dichter, die priesterlichen Gestalten – gesehen im Klischee der Neuromantik –, offenbaren dem jungen Mann, in dem man Lotz selbst erkennt, den geradezu mythisch-geheimnisvollen Sinn des Aufbruchs:

ALBERT EHRENSTEIN

Aufbruch der Jugend

Die flammenden Gärten des Sommers, Winde, tief und voll Samen,
Wolken, dunkel gebogen, und Häuser, zerschnitten vom Licht.
Müdigkeiten, die aus verwüsteten Nächten über uns kamen,
Köstlich gepflegte, verwelkten wie Blumen, die man sich bricht.

Also zu neuen Tagen erstarkt wir spannen die Arme,
Unbegreiflichen Lachens erschüttert, wie Kraft, die sich staut,
Wie Truppenkolonnen, unruhig nach Ruf der Alarme,
Wenn hoch und erwartet der Tag überm Osten blaut.

Grell wehen die Fahnen, wir haben uns heftig entschlossen,
Ein Stoß ging durch uns, Not schrie, wir rollen geschwellt,
Wie Sturmflut haben wir uns in die Straßen der Städte ergossen.
Und spülen vorüber die Trümmer zerborstener Welt.

Wir fegen die Macht und stürzen die Throne der Alten,
Vermoderte Kronen bieten wir lachend zu Kauf,
Wir haben die Türen zu wimmernden Kasematten zerspalten
Und stoßen die Tore verruchter Gefängnisse auf.

Nun kommen die Scharen Verbannter, sie strammen die Rücken,
Wir pflanzen Waffen in ihre Hand, die sich fürchterlich krampft,
Von roten Tribünen lodert erzürntes Entzücken,
Und türmt Barrikaden, von glühenden Rufen umdampft.

Beglänzt von Morgen, wir sind die verheißnen Erhellten,
Von jungen Messiaskronen das Haupthaar umzackt,
Aus unsern Stirnen springen leuchtende, neue Welten,
Erfüllung und Künftiges, Tage, Sturmüberflaggt!

Albert Ehrenstein

Die kurze literarische Phase

Wenn Expressionismus Abkehr vom Naturwirklichen und bewußt Erfaßbaren und Hinwendung zum Unbewußten und seelisch Wesenhaften bedeutet, wenn Expressionismus Verzicht auf verstandesmäßige und erkennbare Wiedergabe der äußeren Welt und stattdessen Bekenntnis zu einer durch das Fühlen aufgenommenen Innenwelt bedeutet, so war Albert Ehrenstein reiner Ausdruckskünstler.
Er ist 1886 in Wien geboren und studierte Geschichte und Philologie. Früh fand er Zugang zur Literatur, seine ersten Gedichte erschienen in Karl Kraus' „Fackel". Oskar Kokoschka vermittelte Beziehungen zum Berliner „Sturm", und so kam Ehrenstein einige Jahre vor dem Kriege nach Berlin. Er hatte als Erzähler mit dem genialischen „Tubutsch" (1912, von Kokoschka illustriert) und den Geschichten „Der Selbstmord eines Katers" (1912) begonnen. Erst zwei Jahre später erschien der Gedichtband „Die weiße Zeit" (1914). Nach dem Kriege unternahm Ehrenstein Reisen in Europa, Afrika und Asien. Nach Ablauf der expressionistischen Epoche wandte er sich übersetzend und nachdichtend („China klagt", revolutionäre chinesische Lyrik, 1924) der chinesischen Literatur zu. Später emigrierte Ehrenstein in die Schweiz und kam 1941 nach New York. Hier ist er verbittert und unter ärmlichen Verhältnissen 1950 gestorben.
Die Gesamtausgabe der Gedichte konnte schon 1920 erscheinen. Sie und die frühen Erzählungen sind Ehrensteins typischer Beitrag zur Literatur im eigentlichen Sinne. Der Lyriker Ehrenstein hatte zwei Ahnen, Hölderlin und Rimbaud,

und von den Lebenden hat er sich nur zu zweien bekannt, Kokoschka und Trakl. Kokoschka seinerseits hat ihn in einer Zeichnung mit dem Tödlein (in „Tubutsch") treffend charakterisiert. In der Prosa hat Ehrenstein sein gebrochenes Weltverhältnis in skurrilen Varianten ausgesprochen. Die Geschichten leben durch das, was Loerke und B. Viertel in ihnen erkannten, den phantastischen Humor und einen grotesk springenden Stil, „die penetrante Geistigkeit eines Intellektuellen" (Viertel), eine in Clownerie umschlagende jüdische Verzweiflung und wohl auch das, was der Freund Ernst Weiß 1922 über „Tubutsch" schrieb, daß jüdischer Geist sich mit griechischem Geist vereinigen wollte: „Ahasver, der ruhelose, auf griechischer Insel, erstaunt über das Groteske der Welt, ewig hungrig nach dem wirklichen Getriebe, nach dem ungeheuren, rettenden Schwung, nach dem großen, endlich beruhigenden, stillenden und sei es selbst tötenden Zauberwort . . ." Die Erzählung „Tubutsch" besteht aus den Reflexionen eines Mannes, der außer seinem Namen nur wenige Dinge besitzt; an ihm gleiten die Phänomene, die Menschen, die Erlebnisse ab, weil er nicht zum Genuß des Daseins kommt, den er sich wünscht:

„Tubutsch"

> Weil eben die Leere in mir eine vollständige, sozusagen planmäßige ist bei dem beklagenswerten Fehlen irgendwelcher chaotischer Elemente. Die Tage gleiten dahin, die Wochen, die Monate. Nein, nein! nur die Tage. Ich glaube nicht, daß es Wochen, Monate und Jahre gibt, es sind immer wieder nur Tage, Tage, die ineinanderstürzen, die ich nicht durch irgendein Erlebnis zu halten vermag.

Einmal bezeichnet Tubutsch seine Stimmung mit dem Wort Galgenhumor. Er möchte sein wie die Kneipwirte, der Schuster Kokoschnigg, ein Chauffeur oder jener alte Huterer, der in seiner Jugend mit Kaiser Max als Soldat nach Mexiko gegangen war und wenn man ihn fragte, was er erlebt habe, machte er seinen einzigen Witz: „Ja, in Veracruz, da hams keinen so guten Sliwowitz g'habt wie hier." Indem Ehrenstein die Position des Spießers, des hartnäckig Naiven und bedenkenlos Tüchtigen zur Groteske erhöht, wird jene „Leere" völlig absurd, und aus dieser Spannung kommt der Reiz seiner Erzählungen. Dahinter steht freilich noch etwas anderes, das in der Geschichte „Der Selbstmord eines Katers" deutlich wird. Ehrenstein erzählt von seiner Liebe zu dem Kater Thomas Kerouen und wie

Zeichnung von Oskar Kokoschka
zu Albert Ehrenstein, Tubutsch

er das Tier durch einen Tritt aus dem Wege schafft, als er sich einem Mädchen nähern will. Als der Gärtner sieht, wie sein Herr den Kater behandelt, glaubt er sich berechtigt, ihm den Rest zu geben, und erschlägt ihn. Von einem „Selbstmord" des Katers kann also nur in einem übertragenen Sinne die Rede sein. Ehrensteins zwei Grunderlebnisse lassen sich hier analysieren: sein Gefühl erotischer Unzulänglichkeit und sein Judentum, die beide wiederum untergründig verbunden sind. Der „Kater" ist das Symbol eines besseren, des „geistigen", des reflektierenden und dichterischen Ich. Es existiert nur, soweit es auf den naiven Genuß der Welt verzichtet. Ehrenstein hat den Weg anderer jüdischer Autoren verschmäht, die Jesus von Nazareth als Propheten oder überragende Gestalt des Menschentums anerkannten, wenn sie nicht selbst zum Christentum übertraten. Wie Kafka und Brod blieb Ehrenstein dem Christentum fern, ja er nahm Ärgernis am Christentum, etwa in der autobiographisch interessanten Novelle „Wudandermeer":

Der Kater als Schlüsselfigur

Stellung zum Christentum

Ich wurde am 13. Dezember [in Wirklichkeit am 23. Dezember] geboren. An meine Krippe kamen nicht die Heiligen Drei Könige, sondern verwunschen drei Onkel in Knoppern, alten Kleidern und Leder. Das furchtbarste Jugenderlebnis: Ich wagte es, mich einige Tage vor Weihnacht in die Welt zu drängen, dem gekreuzigten Zwingherrn der Erde den Vortritt nicht zu lassen. Seither geht es mir schlecht. Nicht nur, daß ich stets zu Weihnachten unbeschenkt, leer ausging, üble Gymnasialzensuren, die mir auf den Geburtstag fielen, mir immer die kargen Ferien versäuerten . . . Ich war damals zwölf Jahre alt, von gläubigen Zweifeln sehr geplagt — ihnen ein Ende zu setzen, bat, beschwor ich Moses, Jesus und Mohammed, mir zu erscheinen. Wer von ihnen in meinen Schlaf käme, an den wollt' ich glauben. Moses und Mohammed — diese Bazillen mochten ihre Virulenz bereits verloren haben oder ich ihrer Inkubation keine Chancen bieten, jedenfalls: sie starteten nicht. Der dritte hatte Lust zu kommen, er wäre gern angetreten, zu mir niedergestiegen. Es war ja von je seine Art, alle Menschen an Demut und Leidensfähigkeit zu besiegen. Er ließ sich kreuzigen, vom Schmerzkreuz aus die Menschheit desto sicherer zu beherrschen . . . Mich frißt die Wut, ich ärgere mich schwarz darüber, daß mich Gott nicht zum Gotte schuf.

Stoff und Motiv der Groteske

Der Gehalt solcher Stellen scheint von Nietzsche vorweggenommen zu sein; der kosmologische Zusammenhang des Textes („am Nachthimmel flammt in Agonie eine ‚Nova' empor, ein funkelneuer Stern: es starb ein Gestirn") deutet auf einen anderen „Weltschmerz" hin; Ehrenstein nennt den Grund selbst, wir „winzige Kaninchen" sind „machtlos mitten im Feuerwerk der Weltsysteme". Die Göttlichkeit oder Gottebenbildlichkeit des Menschen zerschellt an der modernen Unendlichkeit des Weltenraums und der Materie. Das sind Empfindungen, die mit dem Wissenschaftsglauben des neunzehnten Jahrhunderts zusammenhängen. Die theologischen Attribute der Unendlichkeit und Allmacht Gottes waren auf die Natur übertragen, in welcher der Mensch „winziges Kaninchen" ist; hier muß der Anspruch Jesu, Gottes Sohn zu sein, ihn zum „Zwingherrn" machen. Vor dem Hintergrund dieser Vorstellungen lassen sich die Chiffren und Siglen der Ehrensteinchen Lyrik lösen.

Der Lyriker der Anklage

War „Tubutsch" ein Musterbeispiel für S. Freuds psychoanalytische Annahme, daß Kunst „sublimierte Erotik" sei, so drückt das Gefühl der „Leere" einen Zustand aus, den Ehrenstein, der „ewige Schlemihl" (Kurt Pinthus), im Traum überwinden möchte. Seine Dichtung ist Spiegel seiner Sehnsüchte. Ähnlich wie bei Werfel, Goll und Rubiner hat sie eine naiv rhetorische Form, sie will aufrufen,

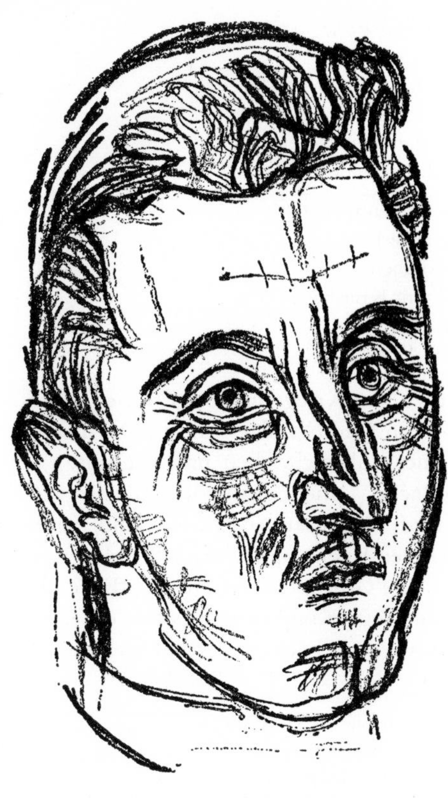

Albert Ehrenstein, Porträt von Oskar Kokoschka (Die Aktion 1919)

mahnen, beschwören und klagen. Der Lyrikband „Die weiße Zeit" war Ausdruck schnell erloschener Knabenhoffnung, bleibender Ernüchterung durch die Lust; dem Glühenden verfärbt die weiße Zeit Herz und Hirn. Als der Krieg in das Traumglück einbrach, schrie Ehrenstein auf: „Der Mensch schreit" (1916); er brandmarkte den Krieg in Gedichten als „Die rote Zeit" (1917). Die Politik motivierte Prosa und Verse der Klage und Anklage: „Den ermordeten Brüdern" (1918). Mit „Wien" (Gedichte, 1921), „Die Heimkehr des Falken" (1921), „Briefe an Gott" (1922), „Die Nacht wird" (1920), „Dem ewigen Olymp" (1921) und „Herbst" (Gedichte, 1923) klang Ehrensteins expressionistische Phase aus. Im Jahre 1922 war die Nachdichtung des chinesischen Schi-king erschienen; sie eröffnete Ehrenstein ein neues Feld.

Einsamkeit, Liebe und Tod

Drei Grunderlebnisse kehren in den Dichtungen immer wieder: die Verzweiflung des Ich und des Juden, die Liebe und der Tod. Der Verbitterte und Einsame, der im Christusbild nach brüchigen Stellen suchte, fand auch bei seinem Volk nicht Gemeinschaft und Wärme. Die Rabbiner hatten ihm die Religion verleidet, der materialistische Geschäftsgeist erbitterte ihn, und die zionistischen Träume erschienen ihm als „unfruchtbarer Historizismus". Nachdem die Jugenderlebnisse Ehrenstein den Glauben an die Liebe zerstört hatten, entwickelte er einen intellektuellen Weiberhaß: „Edel wuchs ich Knabe heran, / Weib verdarb mich rasch zum Mann." „Diener des Lichts / wird Anbeter des Nichts", reimte er rhetorisch oder schrie: „Beschütze mein Herz vor Liebe, genug schon litt meine unsterbliche Seele." Eine Art von frigidem Sexualismus ergriff ihn. Ähnlich erregte der Tod ihm Sehnsucht und Grauen. Das hing mit Ehrensteins Zeitgefühl zusammen, er empfand sich als einen Zeitblock, der abbröckelte und ins Meer fiel. Dieser Zustand wird als Erlösung von der Qual der Existenz ausgegeben:

So laß auch Du die purpurne Gebärde,
Du bist der gute Tod,
Ich bin ein Häuflein Erde,
O komme bald und menge mich,
Erde in Erde.

Auf der andern Seite bedeutet der Tod Wiederkunft und Pforte zu einem entsetzlichen Kreislauf, in den die Kreatur unentrinnbar gezwungen erscheint:

Wer weiß, ob nicht
Leben Sterben ist,
Atem Erwürgen,
Sonne die Nacht?
Von den Eichen der Götter
fallen die Früchte

durch Schweine zum Kot,
aus dem sich die Düfte
der Rosen erheben
in entsetzlichem Kreislauf,
Leiche ist Keim,
und Keim ist Pest.

Der Krieg als Ende Barbaropas

Das Bild des Kosmos wurde vollends durch den Krieg verdüstert. Krieg machte den Traumflug in die Ferne unmöglich. Ein Gedicht, das früher „Der Dichter und der Krieg" hieß, wurde jetzt „Homer" überschrieben und beginnt: „Ich sang die Gesänge der rot aufschlitzenden Rache, / Und ich sang die Stille des waldumbuchteten Sees." Obwohl Ehrenstein, im Gegensatz zu Werfel, kein Ethiker und Moralist war, fand er die schrecklicheren Bilder und Worte. Wie Heym beschwor er den Dämon des Krieges. Er möchte Gott töten, weil der die Erde nicht mehr liebe. (In seiner Wut nannte Ehrenstein Krankenschwestern die „Säue Gottes".) Europa wurde zu Barbaropa, das wie die Heimat vertilgt werden soll:

Ich beschwöre euch, zerstampfet die Stadt,
Ich beschwöre euch, zertrümmert die Städte,
Ich beschwöre euch, zerstört die Maschine:
Ich beschwöre euch, zerstöret den Staat!

Der Dichter ist zum Propheten eines Untergangs geworden, den er bejaht. Aber in Worten der Sehnsucht, „Wann blüht es blau / Über Blutwolken hin?", in Nachrufen und den Schlußgedichten „Land" und „Friede" fand der Tageslyriker zu den Klängen seiner zerrissenen Frühzeit zurück. Unüberhörbar ist die kosmische Hymnik – aber – im Ton des Verzichts:

Trage mich, du tiefer Zug,
Zu Sonnentau und Falkenflug.
Blume, Vogel, Baum und Tier
Will ich wieder werden!

Wenn der Dichter seinen „Bericht aus einem Tollhaus", wie er 1919 die Neuauflage seines „Der Selbstmord eines Katers" nannte, mit dem vernichtenden Rapport eines Jupiterbewohners über die Menschen und ihren Untergang schließt, so streift sein Zynismus das Geschmacklose. Weitere Geschichten und Märchen von der Flucht in sein Traumreich enthalten die „Zaubermärchen" (1919), Prosastücke, die 1916 schon unter dem Titel „Nicht da, nicht dort" im „Jüngsten Tag" erschienen waren. Der Drang in illusorische Welten erinnert an Kafkas und Werfels Motive. Sie kontrastieren mit den Enttäuschungen Ehrensteins. In den „Briefen an Gott" von 1922 heißt es geradezu: „Ich glaube nicht an den Menschen." Die Bitterkeit wird bestimmend für den Dichter. Das All wird in allen Motiven der Kosmologie verworfen und verflucht. Die Existenz des Menschen ist verdorben.

Es war
Gift, Nacht, Rabengewölk!
Nicht kann ich mehr die Anker lichten,
aus frohem Wasser hoch zur Sonne heben.
Nicht mehr fleh ich betend
die Hände empor zu den heiligen Türmen,
Lautauf drohe ich schon dem blauhinhallenden Himmel.
Den Mond möchte ich schlucken
und ausspeien ins All.
Heimtückisch ein jeder gebohrt in die Wölbung,
den Aussatz des Himmels, die Sterne,
achte ich längst nicht mehr.

Die Flucht in die chinesische Literatur

Das klingt wie ein ferner Nachhall Hölderlinscher Verzweiflung. Ehrenstein hatte sein Arkanum in den Provinzen der chinesischen Literatur gefunden. Nach dem Schi-king erschienen „Pe-Lo-Thien, Nachdichtung chinesischer Lyrik“ (1923), „Po-Chü-I“, Nachdichtung (1924), „Räuber und Soldaten, ein Roman frei nach dem Chinesischen“ (1927), „Mörder aus Gerechtigkeit, Roman, frei nach dem Chinesischen“ (1931), sowie Anthologien eigener Essays und Erzählungen, eine Nachdichtung des Lukian und kleinere literarische Arbeiten, etwa ein Pamphlet über Karl Kraus und eine Studie zu Droysens „Alexander der Große“. Die Neigung zur chinesischen Literatur war nicht bloß Modesache. Klabund, Franz Kafka, Alfred Döblin, Otto Hauser, Franz Kuhn, Walter Strzoda, Richard Wilhelm und andere haben sich literarisch und wissenschaftlich mit China beschäftigt: hier war – wenigstens für westliche Augen und Ohren – die Welt intakt, weil sie von der technischen Zivilisation unberührt geblieben war. Ehrensteins Chinoiserie war ein Ausdruck von Fernweh, dem Lotz einen expressionistischen Ausdruck gegeben hatte: „Wir sind nach Süden krank, nach Fernen, Wind . . .“ Die epische Phantasie wurde entbunden. Ehrenstein war geistig längst aus Europa geflüchtet, als er vor dem Antisemitismus der Nationalsozialisten emigrieren mußte.

Arnim T. Wegner

Selbstbildnis

Arnim T. Wegner gehört wie Werfel und Sack zu den frühen Expressionisten. Die eben gefundene neue Form wurde von ihnen als Ausdruck des Protestes gegen eine verrottete Welt aufgefaßt. Der Drang in die Ferne, zum Abenteuer, zur Großstadt korrespondierte dem Überdruß an der Heimat, einem mehr oder minder eingebildeten Vaterhaß, der Rebellion gegen den Schulzwang und die Konventionen der Bildung. Es war folgerichtig, daß sich Wegner zum Pazifisten entwickelte, und es war tapfer, daß er 1933 ein Protestschreiben an Hitler richtete, um gegen die Judenverfolgungen zu protestieren. Darauf folgten Verhaftungen, Konzentrationslager und Gefängnisse, bis es Wegner gelang, nach England, Palästina und Italien zu emigrieren. In Italien fand der 1886 in Elberfeld geborene Autor eine zweite Heimat.
Eine Vignette zeigt vor einem nächtlichen Sternenhimmel in der Mitte den Kreuzbuchstaben T, an ihm hängt ein Mensch. Was dies anspruchsvolle Sinnbild bedeutet, sagt ein Bekenntnis „Torso des Lebens“ von Wegner selbst:

Armin T. Wegner im ersten Weltkrieg als Sanitäter in Bagdad

Ihr fragt mich, in welchem Lande ich zur Welt kam? In jedem. Zu welcher Stunde? Aber kann dies sagen, wer immer auf der Erde gewesen ist? Ich bin der Sohn einer Revolutionärin. Meine erste Erinnerung ein schwarzer Fluß zwischen böse blickenden Häusern: die von Fabrikwassern schwarze Wupper in Elberfeld. Die zweite das Begräbnis des Großvaters in den Straßen Berlins. So sind auch die Pole meines Schaffens geblieben: Arbeit und Tod. / Das Gefühl meiner Kindheit schwankte zwischen der Feindschaft zum Vater, dem Erben einer hundertjährigen Familie starrer Beamten, und der Liebe zur Mutter, Renegatin aus reichem Hanseatengeschlecht. Mit sechs Jahren wurde ich in ein Gefängnis gesperrt. Sieben Schulen am Rhein und in Schlesien streiten sich um den Ruhm, daß ich ihr schlechtester Schüler gewesen bin. Mit dreizehn Jahren erfand ich Maschinen und elektrische Apparate. Mit fünfzehn ergab ich mich der Dichtung. Mit siebenzehn entlief ich dem schmutzigen Bordell der Stadt, um als Landwirt unter der Liebesrohheit der Knechte und Mägde meine Sehnsucht nach der Reinheit der Erde zu büßen. Mit zwanzig rief ich den zurückbleibenden Kameraden in der Aula des Gymnasiums zum Abschied die Worte zu: „Widersetzt euch viel und gehorcht wenig!“ Meine Lehrer waren: Marie Wegner, Shakespeare, Goethe, Tolstoi, Laotse und Walt Whitman. Auf den Hochschulen in Breslau, Berlin, Zürich und Paris vervollkommnete ich mich in allen Fächern, die nicht zu meinem Studium der Volkswirtschaft und der Rechte gehörten. Als Landfahrer sah ich im Fluge ganz Europa und die Küste von Afrika. Wo mein Bett stand, war mein Vaterland. In Antwerpen, Berlin und Paris geschah mir das Wunder der großen Stadt unserer Zeit. Ich war Ackerbauer, Hafenarbeiter, Schauspielschüler, Hauslehrer, Redakteur, Volksredner, Liebhaber und Nichtstuer, erfüllt von einer tiefen Begierde nach dem Geheimnis aller Dinge der Welt. / Der Krieg, eine verschollene Sage, traf mich im innersten Sein. In den blutigen Unterständen von Polen schaute ich in den Augenspiegeln der Toten das Gesicht der Menschheit. Auf dem Zuge nach Bagdad erlitt ich in der Wüste den Untergang des armenischen Volkes. Heimgekehrt, fand ich sterbend die Mutter. Seit dieser Nacht ging die Sonne nicht wieder auf. Immer bin ich ein Empörer gewesen.

Jugenderlebnisse im Gedicht

Je jünger ein Dichter ist, desto leichter fließen Bild der Welt und Bild des Ich zusammen. So ist Wegners erster Gedichtband „Zwischen zwei Städten“ (1908) – später „Der Vorhof“ genannt – „ein Buch Gedichte im Gang einer Entwicklung“. Das zweite Werk, „Gedichte in Prosa“ (1910), ist ein „Skizzenbuch aus Heimat und Wanderschaft“. Das erste Buch hielt Eindrücke vom fünfzehnten bis einundzwanzigsten Lebensjahr fest, es waren unerlöste Jahre, da sich Wegner so alt wie später nie wieder fühlte: „Ich bin nie älter gewesen als mit sechzehn Jahren.“ Er litt unter Haus und Schule, ein gott- und heimatloses Kind des Stadtlebens, das Bauer werden wollte und doch in die Städte zurückging; der Herrenmensch lag mit dem Volksbeglücker im Kampf. Die Gedichte wirken lehrhaft, teilweise impressionistisch gefärbt, dann werden sie hymnisch und rhythmisch: rasch entwickelte sich Wegners Stil zu „Das Antlitz der Städte“, zwischen 1909 und 1913 geschrieben, 1917 als Buch erschienen. Das von Arno Holz und Dehmel mächtig angeschlagene Thema der Stadtdichtung, von Däubler auf hoher Ebene odisch stilisiert, von Engelke sozial, von G. Heym als drohendes Schicksal, von Becher enthusiastisch verstanden, wird bei Wegner an zwei mythischen Leitbildern entwickelt, Jesaias' Beschwörung der Hure Babel und Walt Whitmans pathetischer Gestaltung der demokratisch modernen Stadt. Die Häuser singen:

ARNIM T. WEGNER

„Das Antlitz der Städte“

Wir wälzen den plumpen steinernen Leib darüber,
die Dörfer, die Felder, die Wälder, wir nehmen sie mit!
Mit unserem rauchendem Atem verbrennen
wir jede Blüte und reifende Frucht.
Die Saaten, die nicht mehr grünen können,
ersticken in Qualm wir. Vor unserer Wucht
zersplittern die Bäume, in rasender Schnelle
sind alle Menschen im Land auf der Flucht
vor unserer steinernen Welle.
Wir aber erreichen sie doch. Uns hält
kein Strom, kein Graben. Wir morden das Feld.
Und die Menschen, aus ihrer Qual sich zu retten,
aus einsamen Höfen, verlassenen Auen,
mit dem Wahnsinn gepaart, mit dem Hunger, dem Schmerz,
Gebeugte Männer, verzweifelte Frauen
ziehen dahin in schweren Ketten,
hinein in der Städte pochendes Herz . . .

Kosmologische Zusammenhänge

Dies Stadtbild wurde durch eine neue Sammlung ergänzt, 1909 bis 1920 entstanden, „Die Straße mit den tausend Zielen“ (1924). Hymnisch und ekstatisch weitete sich der Blick in die Tiefe der Geschichte: „Babylon versank. Das greise Rom / Welkt in Fäulnis . . .“ Die Erde wird zur Schreibtafel: „Meine Schreibtafel ist die Erde. / Mit dem Griffel der Füße sang ich mein Leben über die Welt. / Ließ auf den Gipfeln der Berge das Gesicht meiner Trauer / Und meine Lustspiele über dem Meer“, und am Ende heißt es: „Einst singt dir das Weltall mein Lied.“ Der Zusammenhang der kosmologischen deutschen Dichtung und ihres Stils mit dem Expressionismus, gewöhnlich nur bei Däubler gesehen, ist also auch bei Wegner deutlich. Nur daß Wegner kein Dichter in der Klause, Literat am Schreibtisch war, sondern teils freiwillig, teils durch den Weltkrieg außerordentliche Erlebnisse hatte. Als freiwilliger Krankenpfleger war er nach dem östlichen Kriegsschauplatz gekommen und hatte im Stabe des Feldmarschalls von der Goltz den mesopotamischen Feldzug mitgemacht, hatte Fleckfieber, Elend, Hunger, Durst am eigenen Leibe erlebt und war Augenzeuge des Untergangs des armenischen Volkes in der Wüste. Er beschrieb seine Erlebnisse zuerst in „Der Weg ohne Heimkehr, ein Martyrium in Briefen“ (1919). Das Buch gehört zu den erschütterndsten Dokumenten des ersten Weltkrieges. Hinter einer gewaltigen

Erlebnisse in Vorderasien

Landschaft taucht der lieblose, gewalttätige Mensch auf. Der Dichter fühlt sich mitschuldig am Untergang des armenischen Volkes, stöhnt sein Mea culpa und vernimmt aus dem Himmel visionär die Aufforderung, ein Reich des Friedens und der Liebe auf Erden mitzugründen. Hier ist die Wurzel des Wegnerschen Pazifismus und der Aufrufe zur Revolution. „Der Ankläger“ (1921) und „Die Verbrechen der Stunde – die Verbrechen der Ewigkeit, drei Reden wider die Gewalt“ (1922) heißen die Bücher.

Niederschlag in Erzählung und Gedicht

Den dichterischen Niederschlag findet man in zwei erzählenden Werken, „Der Knabe Hüssein, Türkische Novellen“ (1921) und „Im Hause der Glückseligkeit, Aufzeichnungen aus der Türkei“ (1920). Die vier Geschichten des „Knaben Hüssein“ schildern Türken und Armenier, ihre traurigen und blutigen Schicksale vor dem Hintergrund vorderasiatischer Städte und Landschaften. Die Stimmung wird am besten durch ein Gedicht „Heroische Landschaft“ wiedergegeben. In ihm hat Wegner sich von der deklamatorischen Dichtung befreit:

Nun sticht die Zwergin Nacht mit schwarzem Pfahl
das Sonnenauge aus der Himmelsstirne,
daß es verblutend aus dem wehen Hirne
hintropft. Erblindet schreit in ihrer Qual

die Erde auf. Um offne Gräber knien
die Palmen, und sie werfen voll Verzagen,
wie Klageweiber ihre Brüste schlagen,
die Zweige schluchzend in der Winde Glühn.

Im Schilf verröcheln mit geborstnen Speeren
des Tempels Säulen, wo im Aas der Sümpfe
ein Lachen schielt. Die toten Städte stehn

im Sande auf. Sie zeigen ihre Schwären
und heben stumm die blutigen Mauerstümpfe,
wie Bettler, die um eine Münze flehn.

Die Bilder von der „Zwergin Nacht“, vom Sonnenauge, die Vergleiche der Palmen mit Klageweibern, der alten Städte mit Kriegsinvaliden, der Torsi mit amputierten Gliedern beschwören das Grauen. Es sind expressionistische Lieblingsvorstellungen, und das unsinnliche, aber drastische Bild „im Schilf verröcheln mit geborstnen Speeren / des Tempels Säulen“ macht die Verwandtschaft des barocken mit dem expressionistischen Stil deutlich. Wegners weitere Werke, der Roman „Das Geständnis“ (1922) etwa, in dem er, „was der Welt als Wollust und Bacchanal erscheint“, als Flucht vor Qual und Leiden einer Frau schilderte, führten weg von den Erlebnissen der Jugend und des Krieges, die den jungen Wegner zum Empörer und Dichter gemacht hatten.

Später schrieb er den Roman eines zweijährigen Kindes „Moni oder die Welt von unten“ (1928), ein Rußlandbuch „Fünf Finger über dir“ (1929), die Schilderung einer Reise vom Kaspischen Meer zum Nil mit dem Titel „Am Kreuzweg der Welten“ (1930) sowie ein Israelbuch „Jagd durch das tausendjährige Land“ (1932).

Seit dem Jahre 1913 war René Schickele, ein Elsässer, Mitarbeiter der „Weißen Blätter", einer vornehmen und hochliterarischen Zeitschrift, die von Erik-Ernst Schwabach und Franz Blei herausgegeben wurde. Hier erschienen von Schickele Gedichte, Erzählungen und der sonderbare Roman „Benkal der Frauentröster", in dem sich Schickele in dem damals neuen, später „expressionistisch" genannten Stil versuchte.

RENÉ SCHICKELE

Schickele war 1883 in Oberehnheim im Elsaß geboren, besuchte das Gymnasium in Zabern und das Internat des bischöflichen Gymnasiums in Straßburg, wo er Ostern 1901 das Abitur bestand. Er ging zum Studium der Naturwissenschaft und Philosophie – eine damals noch mögliche Kombination, die wir bei vielen Autoren jener Zeit finden – auf die Universität in Straßburg, München und Paris. Bereits 1901, in Straßburg, plante er die Zeitschrift „Der Stürmer", die 1902, gefolgt von dem noch kurzlebigeren „Der Merker" (1903), erschien und eine geistige Wiedergeburt des Elsaß heraufführen sollte. Die Münchner „Gesellschaft" hatte die von Schickele geführte elsässische Gruppe bereits in einem Elsaß-Sonderheft der Öffentlichkeit vorgestellt. Zu ihr gehörten Ernst Stadler, Otto Flake, Rainer Prévot und andere.

Das junge Elsaß

René Schickele, Zeichnung von Ludwig Meidner

Die dichterischen Vorbilder der Gruppe waren Charles Péguy, Max Dauthendey, Walt Whitman, also Dichter, die formal mit ihren rhythmisierten Langzeilen zwischen Lyrik und Prosa standen. Stadler, ursprünglich von Hofmannsthal und George beeinflußt, hat seine Erfüllung in diesem lyrischen Parlando gefunden, während Flake und Schickele eine neue Prosaform anstrebten. Ideell war der „Stürmer" als das zu verstehen, was er bezeichnete: Prototyp eines „heroischen" Menschen. Nietzsche steckte dahinter, und auch die damalige Kosmogonie („Wiedervereinigung mit dem Weltall") ge-

Formale und ideelle Vorbilder

hörte zum Programm. Die konkrete Form wollte man mit einem „geistigen Elsässertum" vorstellen – das Elsaß als Mittler zwischen Galliern und Germanen, Wiederaufnahme der burgundischen und humanistischen Überlieferungen, Überwindung vor allem der antieuropäischen Rivalität Frankreichs und Deutschlands: Stadler ging nach Oxford, Schickele an die Sorbonne, Flake nach Deutschland. Später, in München, lernte Schickele Weisgerber, Kubin und W. Geiger kennen,

Der Journalist

vor allem den damals meteorisch aufsteigenden Lyriker Hans Brandenburg, dessen Schwester er 1904 heiratete. Kurz vorher war er Jacques (Jakob) Hegner begegnet, und dieser bot ihm die Redaktion der alten Zeitschrift „Magazin für Literatur und Kunst" an. Im Sommer 1904 begann sie unter dem Titel „Das

„Es winkt ein grosser grüner Stern,
und neigend huldigen die andern:
'Mein Herz, du hast das Schicksal gern,'
mein stolzes Herz sollst wandern."

Die Tiefen warfen alle Himmelsbrände
in ihre blauen Flammenhände,
ein Vogel schlug in meinen Träumen –

René Schickele, Handschriftprobe

neue Magazin" zu erscheinen, und zwar mit Beiträgen von George, Hofmannsthal, Dehmel, Holz, Schlaf, Hesse, Altenberg, Hille, Norbert Jacques, Hegner und den elsässischen Freunden vom „Stürmer". Schickele hatte sich auch finanziell am „Magazin" beteiligt. Der Selbstmord des Hauptgeldgebers ruinierte jedoch das Blatt, und Schickele wurde freier Schriftsteller, Feuilletonist und Theaterkritiker. In Berlin verkehrte er in dem berühmten Café des Westens. Hier lernte er Else Lasker-Schüler, Heinrich Mann und viele andere kennen. 1907

Die ersten Bücher

erschien „Die Fremde", sein erster Roman, den H. Mann mit Lob bedachte. Dann ging er einige Jahre als Korrespondent nach Paris. Hier entstanden der kleine Liebesroman „Meine Freundin Lo", die Feuilletons „Schreie auf dem Boulevard" und der Gedichtband „Weiß und Rot".

Der Lyriker

Der Lyriker Schickele war in Pinthus' „Menschheitsdämmerung" mit elf Gedichten vertreten. Seine ersten Verse waren 1902 unter dem Titel „Sommernächte" und „Pan" erschienen, beide Bändchen gehören in die frühe Straßburger Zeit; 1905 erschien „Mon Repos" und 1906 „Der Ritt ins Leben". Der Durchbruch des Lyrikers erfolgte mit „Weiß und Rot" 1911 (eine erweiterte Ausgabe unter dem gleichen Titel erschien 1920). Schickeles Lyrik besteht formal aus freien Rhythmen, Hymnen, Kurz- und Langzeilen. Die Hebungen sind unregelmäßig, die Reime stehen frei. Manche Stücke haben einen sentimentalen Klang, die späteren ein pazifistisches Pathos. Am besten ist er in Impressionen:

Ich stieg vom Keller
Bis unters Dach,
Immer heller
War das Gemach,
Die Stadt, sonst verdrossen,
Hob Kuppeln aus Gold,
Es glühten die Gossen
Wie Adern von Gold.

RENÉ SCHICKELE

In seinem schönsten Gedicht, „Pfingsten", verbinden sich katholische Erinnerungen mit dem Gemeinschaftsgefühl des „neuen" Menschen. Hier finden sich expressionistische Motive und surrealistische Bilder, vor allem am Schluß:

„Pfingsten"

Die Engel unserer Mütter
sind auf die Straße gestiegen.
Das Raufherz der Väter
stiller schlägt.
Feurige Zungen fliegen
oder sind wie Kränze
auf Stirnen gelegt.

Gehör und Gesicht kennen keine Grenze,
wir sprechen mit Mensch und Tier.
Was unser Blick trifft, antwortet „Wir".
Die Kiesel am Weg sind schallende Lieder,
jeder Pulsschlag kommt von weither wieder,
Blühendes strebt, von kleinen Flammen beschwingt.

Die Fische schaukeln den Himmel auf ihren Flossen
und sind von blitzenden Horizonten umringt,
Sonne tanzt auf dem Rücken der Hunde.
Jedes ist nach Gottes Gesicht in Licht gegossen
und weiß es in dieser einzigen Stunde
und erkennt Bruder und Schwester und singt.

Im Jahre 1911 wurde Schickele Chefredakteur der „Straßburger Neuen Zeitung", zog aber schon zwei Jahre später nach Mecklenburg. Als die Redakteure Schwabach und Blei im Herbst 1914 eingezogen wurden, übernahm Schickele im neuen Jahr die Leitung der „Weißen Blätter". Er mahnte: „Die europäische Gemeinschaft scheint heute vollkommen zerstört – sollte es da nicht Pflicht aller sein, die keine Waffen tragen, mit Bewußtsein bereits heute so zu leben, wie es nach dem Krieg die Pflicht eines jeden Deutschen sein wird?"

„Die Weißen Blätter"

Schickele war glänzend für die Aufgabe vorbereitet. Seine literarischen und persönlichen Bekanntschaften kamen den „Weißen Blättern" zugute. Eben hatte er eine Reise über Griechenland und Ägypten nach Indien gemacht, eben hatte er sein Schauspiel „Hans im Schnakenloch" geschrieben, das sensationellen Bühnenerfolg hatte, aber bei Kriegsbeginn wegen seiner elsässischen Haltung, die den deutschen und französischen Chauvinismus und den naiven Patriotismus in gleicher Weise lächerlich fand, verboten wurde. Da die Kriegszensur den „Weißen Blättern" allerhand Ärger machte, verlegte Schickele die Redaktion nach Zürich. Zu den Mitarbeitern gehörten G. Benn, Max Brod, Martin Buber, Edschmid, Else Lasker-Schüler, Johannes R. Becher, Walter Hasenclever, Rudolf Borchardt,

„Hans im Schnakenloch"

René Schickele
DIE
FLASCHEN
POST
Roman

Umschlag von Gerhard C. Schulz

in die Schweiz geflüchtete Kriegsdienstverweigerer wie Leonhard Frank, die elsässischen Freunde Flake und Stadler – der seinerseits Carl Sternheim als Mitarbeiter vermittelte –, Theodor Däubler, Robert Musil, Theodor Tagger (Bruckner), Robert Walser und die in allen Zeitschriften vertretenen Werfel, Zech und Wolfenstein. Annette Kolb und Mechtilde Lichnowsky tauchten hier auf, aber auch Mynona/Friedlaender, Paul Adler und Henri Barbusse. 1915 erschien Franz Kafkas Novelle „Die Verwandlung“ in den „Weißen Blättern“.

Schickele hatte früher an der „Aktion“, am „Sturm“ und an der von Hermann Hesse und Ludwig Thoma herausgegebenen Zeitschrift „März“ mitgearbeitet; nun schrieb er, gelegentlich unter Pseudonymen, in den „Weißen Blättern“ Glossen zur Literatur, zur Politik, Aufsätze über Bekannte oder seinen Freund Edschmid. Waren „Der Sturm“ und „Die Aktion“ kämpferische Blätter, „Die Aktion“ mit ausgesprochener Tendenz nach links, so suchten die „Weißen Blätter“ das Europäertum der Zukunft wachzuhalten. Das höhere Niveau und strengere Auswahlprinzip ließen ohnehin keinen scharf politischen Kurs zu, es sei denn gegen die sich überschlagenden Nationalismen auf deutscher und französischer Seite. Lebte Schickele damals in der Schweiz, wartend und Kräfte für die Zukunft sammelnd, der Lebenskraft seiner Ideale sicher, so vergaß er darüber doch die dichterische Arbeit nicht. Die Schweiz des Jahres 1917 verspottete er in dem Schauspiel „Am Glockenturm“ und die Parvenüs und Kriegsgewinnler in der Komödie „Die neuen Kerle“ (beide 1920 erschienen). 1916 entstand „Die Genfer Reise“, 1918 (in Berlin) „Der neunte November“ und „Der deutsche Träumer“; diese Essaybände erschienen 1919. Es war das Jahr, in dem Schickele in Uttwil am Bodensee sein neues Haus bezog, aber die Inflation zerstörte alle Pläne: Carl Sternheim, der Millionär, mietete das Haus, und die „Weißen Blätter“ gingen nach Berlin zu Paul Cassirer. Schickele wurde wieder freier Schriftsteller, zog nach Badenweiler und schrieb sein

Haltung der „Weißen Blätter“

Weitere Dramen und Aufsätze

episches Hauptwerk, die Trilogie „Das Erbe am Rhein“ mit den Teilen „Maria Capponi“ (1925), „Blick auf die Vogesen“ (1927) und „Der Wolf in der Hürde“ (1931).
Mit diesem Roman hat sich Schickele freigeschrieben. In „Benkal“ hatte er versucht, im modischen Stil des Expressionismus zu schreiben. Die falschen Mythisierungen der Nacht, die Übersteigerung des Ausdrucks hatten wenig zu Schickeles knapper und genauer Diktion gepaßt.

Frühe Prosa aus „Benkal“

Der sie den Tag über mit bangem Herzen entgegenspielten, halb wie Verlobte, halb wie Rekonvaleszenten, sie kam wieder, die Nacht, mit den Lichtern der Königstadt, dem Raunen der Straßen und der Menge. Benkal fühlte ihr Blut, das Blut dieses grell getigerten finsteren Wesens, das die Straßen mit dem Atem seiner ächzenden Lunge füllte, in den Häusern lagerte, stumpf oder so im tiefsten belebt, daß ein Abglanz seiner Seele durch die Poren der Häuser drang und selbst scheinbar leblosen Dingen einen ekstatischen Glanz verlieh ... Fühlte das Blut des Riesen, das die großen Städte geschaffen haben, dieses organischen Wesens, der Masse, ihn durchschwemmen, dickflüssig, mit betäubendem Schlag, und wieder ganz leicht und wie fein gekräuselt.
Denn so war die Art der ungestümen Seele, die im Goliath träumte, daß sie sich wie ein Unwetter zusammenzog...

Die letzten Romane

Mit der „Erbe-am-Rhein“-Trilogie schuf Schickele einen flott berichtenden Roman mit vielen Figuren, aus eigenem Erleben, von seinen Reisen und der Familiengeschichte genährt — aber er wußte, daß er im Grunde seines Wesens kein Erzähler war, der wie Brecht sein Chicago, Joseph Roth einen deutsch-jüdischen Osten oder Albrecht Schaeffer ein niederdeutsches Herzogtum Trassenberg phantastisch-ironisch ausstaffiert hätte. Schickele war am besten da, wo er witzig und beziehungsreich plaudern oder impressionistisch schildern konnte, wie in „Die Witwe Bosca“ (1933) oder „Die Flaschenpost“ (1937), dem geistvollsten seiner Romane. „Die Witwe Bosca“ hielt Schickele für sein bestes Werk; Thomas Mann, leicht mit freundlichem Lob bei der Hand, hat „die Anmut“ dieses Buches gerühmt. Hinter einer grotesken Unfallgeschichte mit Rechtsansprüchen verstecken sich Ereignisse des Jahres 1933; „eine (etwas hermetische) Auseinandersetzung mit dem in Mord und Tod verstrickten Europa“, schrieb Schickele an Stefan Zweig.
Wahre Anmut hat Schickele in dem Essay-Roman „Die Flaschenpost“ (1937) erreicht. Hier ist er über die Gegensätze von rechts und links hinausgewachsen, die Faschisten sind in der Methode den Bolschewisten gleich, Anarchisten und Royalisten finden sich im Exil als Nachbarn. Auch die Streitigkeiten zwischen jüdischen und andern deutschen Emigranten, die Schickele in seiner neuen und letzten südfranzösischen Heimat seit 1933 miterlebte, spielen in die hoffnungslos zerfallene Sozialwelt dieses Romans hinein, wo niemand mehr vom andern weiß, wer und was er in Wirklichkeit ist:

Zitate aus der „Flaschenpost“

Wir sind deutscher Abkunft, ich kann ohne eine Weltanschauung nicht leben. Ich bin Anarchist. Ein wissenschaftlicher, versteht sich, kein Bombenschmeißer ... Trotz andauernder Verfolgungen neige ich zu Frohsinn und liebe die Frauen. Sie sind das anarchische, unbezähmbare Element der Gesellschaft. Leider habe ich verlernt mit ihnen umzugehen. Man muß sie beherrschen, und das verbietet mir meine Weltanschauung ...
Josefo ist Kommunist. Sein Sohn, geborener Prolet, hat keinen größeren Wunsch, als zu den reichen Leuten überzugehn, und dem Alten ist es recht. Er sieht darin eine Art

Rückversicherung. Kommen die Sowjets, wird der Alte ein großer Mann, kommen sie nicht, wird es der Sohn. Seit der Erklärung der Menschenrechte will alle Welt die Leiter hinaufklettern. Aber soviel Leitern gibt es nicht. Daher das Gedränge ...
Er ist Freigeist und schickt seine Tochter zu den katholischen Schwestern in die Schule, er verneint die bürgerliche Kultur und läßt seinen Sohn das Lyzeum besuchen. Er sympathisiert mit den Kommunisten, ob Emigranten oder Franzosen, und bewacht sie ... Er sieht zu, wie ein ehemaliger russischer Weißgardist, den ein polnischer Jude als Chauffeur beschäftigt, die Telegrafenstangen mit Hakenkreuzen beschmiert, und er merkt sich den Mann ... Alle halten Josefo für ihren Freund oder Parteigänger.

Ähnlich höhnisch hatte sich dreißig Jahre vorher schon Franz Blei geäußert, als er den weltanschaulichen Mischmasch der Décadence beschrieb, welche die Amoral snobistisch über die Moral setzte: bloß daß der Vorgang jetzt zum politischen Alltag gehörte. Schickele hat in merkwürdiger Überlegenheit das Treiben der deutschen Emigranten in Südfrankreich beobachtet und als ihr Freund, Helfer, Gegenspieler und Kritiker in seinen Tagebüchern festgehalten. Wie treffend ist der kleine Disput mit Wilhelm Herzog:

Theorie und Praxis eines Pazifisten

Wilhelm Herzog meinte heute [März 1933], als Pazifist müsse man wünschen, daß Frankreich unverzüglich einen Präventivkrieg gegen Deutschland führe. Ich antwortete, ich sei dafür unter der Bedingung, daß er in der vordersten Reihe marschiere. Er blieb eine Weile verknurrt und schweigsam. Dann stemmte er die beiden Fäuste in die Nierengegend und klagte über Schmerzen.

Als den eigentlichen Feind unserer Welt erkannte Schickele, der geborene Katholik, den „Kollektiv-Wahn“ der Völker, sei es im Faschismus, im Bolschewismus oder in den Ideologien der ewigen Theoretiker, die nie zum Handeln kommen. Als Schriftsteller geriet er in eine eigentümliche Lage. Er bemerkte, daß von der

„Witwe Bosca" keine Notiz genommen wurde, weder in Deutschland, wo er für „rot" galt, noch bei den Emigranten, denen seine irenische Haltung, der Doppelsinn, der „unterirdische Strom" der „Flaschenpost" mißfiel. Als dann der zweite Weltkrieg ausgebrochen war, stellte er sich „auf die rechte Seite"; zum erstenmal in seinem Leben, schrieb er vierzehn Tage vor dem Tode, im Januar 1940, an Thomas Mann, sei er Konformist.

BEKENNTNISDRAMA

DAS EXPRESSIONISTISCHE DRAMA

Denkwürdiger Abend. Großes Spiel und bestreitbares Stück. Wie heut öfters.
Alfred Kerr

Eigenart des dramatischen Theaters

Unter den literarischen Leistungen des Expressionismus stand das Drama im grellen Licht. Vorort des Dramas war Berlin; hier gab es große Bühnen, bedeutende Regisseure, eine Reihe von Schauspielern ersten Ranges, die noch nicht – oder erst seit Mitte der zwanziger Jahre – vom Film abgesogen wurden. Die naturalistische Schule hatte einen neuen Stil der Schauspielkunst entwickelt. Da das naturalistische und neuromantische Drama nicht vom literarischen Wort ausging, wie es seit Lessing und Schiller für die deutsche Überlieferung selbstverständlich gewesen war, sondern von der Geste und Pantomime, vom Schweigen, also von den Künsten des Mimus, der in gewissem Gegensatz zu den durch Dichtung und Literatur erreichbaren und erstrebten Wirkungen steht, waren die Schauspieler nicht mehr an Vers und Reim gewohnt. Sie konnten keine Verse mehr sprechen, oder sie sprachen sie bewußt so, daß sie nicht mehr als Verse zu erkennen waren, d. h. sie wurden nicht deklamiert, sondern gesagt. Die vom Atem des Schauspielers wahrgemachte Rolle und die von den Regisseuren an alten und neuen Stücken geübte Kunst der individuellen Auslegung, willkürlichen Kürzung, Raffung, Umstellung von Szenen und Akten kam der Subjektivität der jüngeren Stücke entgegen. Sie waren auf Ausbruch, Schrei, Überraschung, Effekt und „Gläubigkeit" gestellt. Der Expressionist neigte zur Dogmatik, wie Musil bemerkt: „Er sucht deshalb das neue Weltgefühl so, wie ein Chemiker den synthetischen Kautschuk sucht. Seine Grenze: daß es ein rein synthetisches Verfahren nicht gibt."

Bekenntnischarakter des neuen Dramas

Das religiöse oder politische Bekenntnis wurde leidenschaftlich vorgetragen. Die zeitgenössischen, oft kurzlebigen, selbst modischen Strömungen der Philosophie, Politik und Religion begegneten sich im Drama und in der Dichtung. Die Masse der Autoren suchte nach einer festen Weltanschauung oder „Ideologie". Judentum, Christentum, Kommunismus, Nationalismus, alles wurde von ihnen aufgenommen; daneben gab es Anhänger wissenschaftlicher oder wissenschaftlich getarnter Lehren über das Leben, die oft genug sektenhaften Charakter annahmen. Es gab verschiedene Richtungen der Psychologie und Psychoanalyse (Adler, Freud, C. G. Jung), zeitkritische Philosopheme in geschichtlichem Gewand (Spengler, G. Simmel, Keyserling), esoterische Lehren über Kunst und Religion (Kassner, Rilke, Goldberg, Buber). Ebenso merkwürdig ist die eigenwillige Auslegung der jüdischen, germanischen, christlichen und buddhistischen Glaubenslehren bei Autoren wie Simon Kronberg, Dietzenschmidt, Alfred Brust, Ludwig

Gläubige Fixierung der Stücke

Rubiner, Rolf Lauckner, Franz Werfel und Ernst Barlach. Die Spannweite reichte von strenger Orthodoxie (Kronberg) bis zur Behauptung antiorthodoxer Positionen (Barlach). Neue Themen bot die primitive Glaubenswelt mit ihren Tiefen in Else Lasker-Schülers „Die Wupper", Kronbergs „Schimen", Barlachs „Sedemunds", Lautensacks Komödien aus dem bayerisch-katholischen, Jahnns Stücken aus dem nordischen, Brusts Dramen aus dem pruzzischen und slawischen Raum. Die Stücke waren Proteste gegen das bürgerliche Theater und den vornehmen

Gegen den klassischen Kanon

klassischen Kanon, der nur eine Religion über den Religionen, die „Gebildetenreligion", kannte und konfessionelle Aspekte nur historisch gelten ließ, z. B. den Katholizismus der „Maria Stuart" bei Schiller oder Gretchens in Goethes „Faust". Das politische Engagement von Autoren wie Rubiner und Toller hatte religiöse Wurzeln und kann eher von sozialen Forderungen des Christentums abgeleitet werden als von marxistischen. Das Studium des Marxismus erfolgte bei den

Marxismus und Judentum

Autoren – die alle bürgerlicher und großbürgerlicher Herkunft waren – erst in reifen Jahren aus dem Bedürfnis des ideologischen Überbaus und einer durch den Marxismus angebotenen intellektuellen Theorie. Während die bedeutenden Dichter des expressionistischen Theaters, außer Sternheim, eine lange Entwicklung, gewöhnlich von naturalistischen Anfängen über extreme künstlerische Positionen zu einer neuen Sachlichkeit, ja zur Klassik und zum Lustspiel alten Stils durchmachten, hatten Talente wie Kronberg, Rubiner, Brust, Jahnn, Goering und Kokoschka bestimmte Möglichkeiten der neuen Form radikal zu Ende gedacht und gedichtet. Sie sind Prototypen einer Entwicklung, die viele Möglichkeiten bot. Sie haben ihre Formen auf die Gefahr hin entwickelt, in eine Sackgasse zu geraten, am deutlichsten Kronberg, Rubiner und Brust, deren Stücke völlig verschollen sind. Auch Fritz von Unruhs Weg der schematischen Abstraktion eines neuen Ideendramas führte nicht weiter. Sehr auffallend sind die vielen biblischen Stücke nach Themen oder Gestalten des Alten und Neuen Testaments; selbst modernen Figuren wie dem sektiererischen Friseurgehilfen Paul Schumann in Rolf Lauckners „Der Sturz des Apostels Paulus" (1917) oder Iwan Golls „Ur-Bürger" Methusalem (1922) wurde eine biblische Folie untergelegt.

Auf den ersten Blick mag die Neigung zu biblischen Figuren den Überlieferungen der vielen israelitischen Autoren der Epoche zu danken sein. Es fällt aber auf, wie die Figuren des expressionistischen Theaters dem Gehalt der biblischen Religion entfremdet wurden. Wie die Griechen und Römer der französischen klassischen Tragödie wurden die Hiob, Judith, Methusalem und Adam kostümierte Gegenwartsmenschen. Der Vorgang wird dialektisch verwickelt. Simon Kronberg unterlegt dem jüdischen Milieu, Stoff und Stil seines Schimen-Dramas eine antike Folie, den Ödipusstoff, der dann christlich aufgefaßt wird, nämlich als eine Geschichte von der Erlösung durch Leiden.

Die neue Bühne

Der Jugendstil, die Tanzkunst, das Vorbild Stanislawskis, das Théâtre libre, die Architektur und die Bedürfnisse des großstädtischen Publikums drängten zu einer neuen Bühne. Da man das Neue vorerst nicht artikulieren konnte, begann man radikal alles fortzulassen, was die Bühne des Hoftheaters, der historischen Dramatik und naturalistischen Exaktheit ausgezeichnet hatte. Man nahm eine sogenannte Stilbühne, auf der nichts war, eine Relief- oder Treppenbühne mit Stockwerken und guckkastenartigen Ausschnitten. Man befreite sich von Requisiten und dem Ballast der historischen und naturalistischen Genauigkeit. Die alte

Illusionsbühne hatte dem Publikum jede Arbeit abgenommen – die neue wollte es „aktivieren". Je weniger zu sehen war, desto mehr mußte die Phantasie oder der Gedanke des Zuschauers hinzufügen. Von dieser Wirkung waren Sorge und Hasenclever geradezu besessen. Sorge verlangte eine flache Schaubühne mit verschiedenen Stockwerken. So entstanden Kästchen, die mittels der modernen Beleuchtungstechnik anzustrahlen, also hervorzuheben waren, während alles übrige im Dunklen blieb. Zwar hatte die barocke Bühne Lichtwirkungen als Effekte verwandt; ihre Tradition war – vor allem in der Oper – nie verlorengegangen. Aber Sorge machte aus der Simultanbühne ein Prinzip; man konnte gleichzeitig mehrere Szenen zeigen. „Der Bettler" verlangte eine neue Bühne für neue Gesichte. Reinhardt hat Sorges geniale Idee 1917 im Deutschen Theater verwirklicht; er trennte die Szenen mit Scheinwerfern und Vorhängen.

DIE NEUE BÜHNE

Das aktivierte Publikum

Max Reinhardt kam aus Wien, vom großen Theater der alten Zeit, und er suchte seine Wirkungen zu steigern, indem er in Zirkussen und Varietés spielen ließ. Deren Mittel waren marktschreierisch und laut, sie bezogen Massen von revueartigen Szenen ein und rechneten mit der naiven Schaulust des Publikums. Im Grunde war Richard Wagners Idee von „Gesamtkunstwerk" hier erneuert worden. Der große Theatermann Max Reinhardt sah, daß die Forderung der jungen Leute nach Fortlassen des historischen Ballasts einem Bedürfnis der Zeit entsprach. Er verstand, der neuen Idee die Mittel der modernen Bühne nutzbar zu machen. Es waren vor allem das elektrische Licht, dessen Scheinwerfer die Szenen „ausschneiden" konnten, das Einblenden von Filmstücken, die Verwendung von Lautsprechern, also „entfremdete" Sprache, und die mit Hilfe von Drehbühnen möglichen schnellen, oft sichtbaren Szenenwechsel. An die Phantasie des Publikums wurden Ansprüche gestellt: Ein Busch war ein Park, zwei Stühle eine Bar. Kokoschka und Unruh stellten sich „zeitlose" Szenen vor, G. Kaiser arbeitete mit szenischem Parallelismus. Handlungsverläufe ohne pragmatische Beziehung wurden als ironische Spiegelungen neben- oder hintereinandergestellt. Die Logik der Fabeln wurde oft aufgehoben. All das verlangte Mitarbeit des Publikums. Seine „Aktivierung" war nicht ästhetisch gemeint, sondern politisch und pädagogisch. Es sollte die leeren Stellen der Bühne oder des Textes mit seiner Phantasie ausfüllen und auch mitsingen und mitsprechen. Schauspieler erhoben sich aus seinen Reihen und gingen auf die Bühne.

Der neue Mensch

Das ältere Theater, das daneben weiterlebte und auf dem Gipfel des Erfolgs stand, wurde von der Bühne herab attackiert. Sternheim, Johst und Sorge griffen G. Hauptmann, Stucken, Hardt und Vollmoeller an. Später, bei Brecht, wurden die Klassiker parodiert. Der Grund war ganz einfach: man verstand sich als „neuer" Mensch, und dessen Sieg schloß die Ablehnung der Traditionen ein. Jede Revolution lebt von der feierlichen Verdammung der Überwundenen. Die Stärke der neuen Position war freilich zugleich ihre Schwäche, und diese Schwäche wurde ihr Verderben. Wer war dieser neue Mensch? Wo lag sein Ziel? Was hatte er zu sagen? Es war natürlich, aber auch verdächtig, daß seine Autoren sich auf religiöse Visionen beriefen, so Sorge vor dem Kriege, Unruh in ihm und Kronberg, Johst und Hasenclever nach ihm. Die Art und Weise, wie sie davon gesprochen haben, läßt eine außerordentliche Erschütterung erkennen. Ein Berufsoffizier wie Unruh wird nicht ohne Anlaß Pazifist, und ein Atheist wie Sorge läßt sich nicht ohne weiteres von Christus überzeugen. Viele Autoren zeigten sich von einer neuen, umstürzenden Idee ergriffen, vor allem Georg Kaiser. An ihm wurde die Problematik besonders deutlich.

Der Typus G. Kaisers

Es ist merkwürdig, daß Kaisers große Erfolge auf dem Theater mit Stücken errungen wurden, deren dichterische Substanz gering war, mit „Gas I“, „Gas II“ und „Hölle Weg Erde“ (umgekehrt hat Sorges genialischer „Bettler“ jahrelang auf die Aufführung warten müssen). In ihnen sind die Figuren keine Menschen von Fleisch und Blut, sondern sie deklamieren die Ideen ihres Autors. Der Theaterkritiker Bernhard Diebold hat Kaiser deshalb einen „Denkspieler“ genannt, und dies Etikett war so gut, daß es ihm bis heute anhaftet. Alfred Kerr, der einflußreichste und böseste Gegner der Richtung, fragte Kaiser ironisch: „Ist nun diese Dramengegenwart schöpferisch?“ Er erklärte Kaisers Stücke für Parodien – der Courths-Mahler. Er konnte sich nicht vorstellen, daß Kaisers Pathos anders als hohl sei und bezogen auf eine nicht in ihm selber liegende Wirklichkeit, wohl aber auf die der Courths-Mahler. Es ist verblüffend, zu sehen oder zu lesen, wie Kaisers Figuren sich bei den einfachsten Vorfällen auf das All, die Ewigkeit oder das Nichts berufen. Wenn ein Bauernmädchen hört, ihr Freund sei ihr untreu geworden, schreit sie: „Ich bin in das Nichts geworfen.“ Der sterbende Sokrates fragt sich, ob er Tragödie oder Komödie spielt. Ohne Rücksicht auf die Psychologie werden Bezüge hergestellt. Bei Sorge, Brust und Unruh spürte man hier die Grenze ihres Könnens; ein so erfahrener Dramatiker wie Kaiser mußte eine Absicht damit verbinden. Es ist die „Unbedingtheit“ des neuen Typs: In Kaisers „Oktobertag“ werden Mord und Totschlag zur Erreichung der Menschlichkeit benützt.

Die Verwechslungen

Wir sind geneigt, solche Einfälle für Macchiavellismus zu halten. Auch das Lieblingsthema der jungen Expressionisten, der Vatermord bei Sorge, Johst, Hasenclever, Werfel, wird moralisch verteidigt, und Brechts „Baal“ pocht auf ein höchst amoralisches „Lebensrecht“. Darf der neue Mensch unrecht tun um der Verwirklichung des Neuen willen? Unruh hat das Problem erkannt – wenn auch künstlerisch nicht bewältigt –, wenn er in Dietrich den neuen Menschen positiv, in Schleich negativ zeigt. Im allgemeinen aber verwirren die Expressionisten die Kategorien. Vielleicht hängt es mit ihrer Jugend, vielleicht mit ihrer – als Voraussetzungslosigkeit bezeichneten – Unbildung und Traditionsfeindlichkeit zusammen, wenn sie Anarchismus mit Freiheit, Soldaten mit Mördern, Könige mit Tyrannen, Väter mit Unterdrückern, Macht und Gewalt, Roheit und Kraft, Kommunismus und Urchristentum, Bürgertum und Kapitalismus verwechseln. Daraus lassen sich allerhand Wirkungen gewinnen, vor allem wenn gesellschaftliche Tabus gebrochen werden. Kaiser sagte: „Mensch! – das ist ein Rausch, der mich durchschüttelte.“ Wer aber war mit „dem“ Menschen gemeint, wenn es eine Erneuerung der alten Spezies sein sollte? Das Idol vom „Menschen“ richtete sich – unausgesprochen und oft auch unbewußt – gegen den modernen „Pöbel“, den Massenmenschen der Großstädte, dem man sentimental gegenüberstand. Die Lösung der sozialen Frage wollte der Kaiser des „Gas“ darin sehen, daß die Arbeiter auf den Trümmern der Fabriken als Bauern angesiedelt würden. Die Proklamationen und Manifeste jener Zeit bezeugen einen allzu knabenhaften Idealismus.

Das expressionistische Theater hat all diese verkehrten Töne und Akzente überspielt. Mit der Aufführung von Kaisers „Bürgern von Calais“ im Jahre 1917, einem ausgesprochen messianischen Stück von theatralischer Wirkung, hatte es einen entscheidenden Sieg errungen. Das Wort „theatralisch" ruft unangenehme Nebentöne auf. *Das* Theatralische ist eine Gegenposition des Wahren und Echten, des von den Expressionisten umworbenen „Wesentlichen" und „Eigentlichen". Während heute klar ist, daß das Drama „Die Bürger von Calais" ein zweideutiges, pathetisches und schillerndes Stück ist, empfand man es damals als Offenbarung des neuen Menschen auf einem neuen Theater: die Abkehr von der Konvention des Naturalismus und einer als illusionär empfundenen „Bildung" überdeckte die Schwächen der Konzeption und von Eustaches Charakter. Der neue Stil trat ekstatisch und visionär in Erscheinung. Gerade den Bruch mit den alten Vorstellungen, die Radikalität des Handelns und Sprechens fand man echt. Außerdem kam Kaisers Gestalten der Weltruhm des Rodinschen Denkmals in Calais zugute, ein für jene Zeit bezeichnendes Bildungserlebnis des Jugendstils.

KORNFELDS LEHRE

Theatralische Wirkung

Die Expressionisten sahen den neuen Typus „Mensch" am liebsten in Wesen verkörpert, die für das klassische und romantische Theater nicht existiert hatten. Vom Naturalismus übernahmen sie als ebenso attraktives wie fragwürdiges Idol die Dirne. Die Naturalisten hatten diese Frauen bemitleidet und als Opfer schnöder männlicher Genußsucht hingestellt. Für die jungen Autoren war die Dirne ein antipuritanischer Bürgerschreck. Hasenclevers Sohn verlangt von seinem Vater die Freiheit, das „Leben" in den Armen der Kokotte zu genießen. Ähnlich ist es bei Sorge, Johst, Werfel, Kaiser, Brust, Dietzenschmidt und dem jungen Brecht. Sexuelle Triebenthemmung war für diese Söhne braver Bürger der ärgste Tabubruch, den sie ihren Elternhäusern antun konnten. Daneben war das Lallen der Idioten und das Gestammel von Kindern ein wichtiges Mittel des melodramatisch und pantomimisch agierenden neuen Theaters. Bei Sorge schlägt der verrückte Vater die Blechtrommel, bei Unruh erfüllt das Geschrei vergewaltigter Frauen und Kinder die Szene. Das Kind ist bei allen Autoren ein Sinnbild der besseren Zukunft: im Kinde sieht man den Menschen von morgen, so wie man im Idioten den Träger einer „heiligen" Krankheit erblicken möchte. Der Idiot ist der im Elend der Gegenwart zusammengebrochene Mensch, ein Opfer der Zeit. Hure, Kind und Idiot sind Typen, keine Charaktere. Sie kamen der Forderung nach einem unpsychologischen und metaphysischen Drama bei Paul Kornfeld nach. Dieser sonderbarste aller Apostel des neuen Dramas läßt seinen Helden alle Frauen begehren – aus religiös verstandener „Menschlichkeit". Der Umschlag von rohester Szenerie in sublimste Deutung hat bei Kornfeld etwas Überspanntes. Wie alle Puritaner will er nicht wahrhaben, daß der Mensch Körper und Seele, Trieb und Geist ist und daß sich das eine nicht vom anderen trennen läßt.

Dirne, Idiot und Kind

Kornfelds Doppelwelt

Die meisten expressionistischen Dramatiker haben die Schwächen ihrer Positionen bald erkannt. Reinhard Sorge wandte sich zur katholischen Liturgie, Hanns Johst setzte an die Stelle des heillosen Intellektualismus eine völkische Idee, Hasenclever flüchtete zu Swedenborg, und Georg Kaiser machte sich später über seine eigenen Typen lustig. Fast alle Dramatiker wurden Komödienschreiber für das Unterhaltungstheater und kehrten zur alten Illusionsbühne zurück. Die aktivierende Bühne glitt bei Piscator ins proletarische Theater hinüber; der Kampf gegen das Illusionstheater wurde als Forderung der russischen Revolutionsbühne durchschaut. Die enge Verbindung der Dichter, Schauspieler und Regisseure mit der politischen Linken löste sich auf, je mehr die Künstler erkannten, daß ihr „neuer

Die Abwendung

Mensch" wenig mit der revolutionären Praxis in Rußland und Deutschland zu tun hatte. Zudem ging die radikale Linke ihrer größten Niederlage entgegen. Keiner der Autoren hat die Gefährlichkeit und Dämonie des Nationalsozialismus begriffen. Während sie noch gegen Bürger, Kirchen, Militärs, Weimarer Demokratie und eine sehr liberale Zensur kämpfen zu müssen glaubten, hatten sie in den Hakenkreuzlern nur eine völkische Sekte gesehen. Deren Sieg traf eine völlig überraschte und desorientierte Linke: Nur Sternheim scheint gewußt zu haben, was Deutschland und Europa bevorstand.

Carl Sternheim

Sternheim und Wedekind

Wedekinds Werk war aus der Kritik an einem lebensängstlichen und triebscheuen Bürgertum entstanden. Sternheim ging von Wedekind aus; er kritisierte, vieles bei Wedekind sei durchaus in bürgerlichen Begriffen befangen: Lulus Niedergang – in der „Büchse der Pandora" – sei nur in bürgerlichen Augen und von philiströsen Voraussetzungen her ein Niedergang. Wedekind ließ seine Figuren in ihren Gesprächen Wedekindsche Ideen vortragen, es waren immer Gestalten von seinem eigenen Blut. Durch Herkunft, Erbe und Heirat reich und verwöhnt, konnte Sternheim Distanz vom Bürgertum und von den Künstlern halten. Wenn Wedekind sich zu den Fahrenden rechnete, mußte man es glauben; wenn aber Sternheims Selbstbildnis, in seinem Roman „Europa", sich einen Plebejer nannte, mußte man lächeln.

Literarische Anfänge

Sternheim ist 1878 in Leipzig als Sohn eines Bankiers geboren; die Kindheit verlebte er in Hannover, vom sechsten Lebensjahr an in Berlin. 1898–1902 studierte er Psychologie und Jura in München, Göttingen, Leipzig, Jena und Berlin. Damals begann er zu schreiben; es erschienen „Der Heiland", Komödie (1898), „Fanale!" und „Judas Ischarioth", Tragödie (beide 1901). In seiner Autobiographie „Vorkriegs-Europa im Gleichnis meines Lebens" (1936) stellte Sternheim es so dar, als hätte er kaum etwas dazulernen können. Er war bereits vor dem Studium „im Bilde" über Hochfinanz, den preußischen Adel, die Armee, Rennsport, Journalisten, Schauspieler, Offiziere und Geschäftsleute. Er gehörte als Student einem feudalen Corps an, heiratete früh und ließ sich in Weimar, ab 1903 in München nieder. Von hier unternahm er Reisen nach Italien, Griechenland und Konstantinopel und heiratete 1907 zum zweitenmal. 1908–10 gab er zusammen mit Franz Blei die Zeitschrift „Hyperion" heraus. Mit dem Lustspiel „Die Hose" (1910) begann der Zyklus „Das bürgerliche Heldenleben", dessen Stücke bis 1919 Skandale hervorriefen und verboten wurden. 1912 zog Sternheim nach Belgien, wo er, wie in München, ein Schloß mit Dienerschaft bewohnte. Er lernte Rathenau, Heymel, Vollmoeller, R. A. Schröder, Hofmannsthal und Harry Keßler kennen, später in Berlin Verhaeren und Ernst Stadler. 1915/16 kehrte er nach Deutschland zurück und schloß Freundschaft mit Ernst Ludwig Kirchner und Otto Klemperer. 1917, wieder in Brüssel, nahm er Beziehungen auf zu Carl Einstein und Gottfried Benn, siedelte bald nach Holland und 1919 in die Schweiz über, wo Schickele ihm sein Haus verkaufte. 1930 schloß er eine dritte Ehe (mit Pamela Wedekind) und kehrte nach Brüssel zurück. Dort ist er 1942 nach schwerer Krankheit gestorben.

Lebenslauf

Ähnlich wie bei Unruh liegt die literarische Bedeutung Sternheims in der Zeit von 1910 bis 1922. Seine Epoche fällt mit der Hauptzeit des Expressionismus zu-

Carl Sternheim
Porträt von Ernst
Ludwig Kirchner

Wert der Selbst-interpretation

sammen. Sternheim hat seine Eigenart 1920 in „Berlin oder Juste Milieu" und 1921 in „Tasso oder Kunst des Juste Milieu" theoretisch dargelegt und seinem Werk dadurch einen zweischneidigen Dienst erwiesen, indem er es von aller Tradition abhob, der er seine Zeitgenossen, vor allem Gerhart Hauptmann, zurechnete: nur Sternheim existiert als der absolute Dramatiker und Erzähler der Gegenwart. Freilich muß man die gewaltigen Übertreibungen und Einseitigkeiten cum grano salis verstehen; denn die Groteske war sein Element. Kein neuer Dramatiker steckte so tief in der Überlieferung der handfesten Komödie und des verabscheuten naturalistischen Dramas wie Sternheim. Die zwölf Stücke des „Bürgerlichen Heldenlebens" sind zum Teil, wie Zolas Rougon-Macquart, durch gleiche Personen, die Entwicklung eines Geschlechts, verbunden. Die Familie Maske – schon der Name ist Sinnbild – gehört zu den instinktsicheren Erfolgsbürgern, die entarten, weil ihr Streben rein materialistisch ist. Ihre Entlarvung macht die Komik der Stücke aus. Sternheim vermag – im Gegensatz zu den „echten“ Expressionisten – kein Gegenbild eines „neuen Menschen“ aufzustellen, wie Sorge, Kaiser, Toller und Unruh: Sternheim will den Bürger in seinen Lastern bestärken und seinen Untergang herbeiführen. Sternheim möchte die Welt überzeugen, daß die europäische Entwicklung, seit sie bürgerlich ist, ein

Sternheim und der Bürger

Irrweg war. Bürgerliche Entwicklung ist ein Weg zur Unwahrhaftigkeit und Unnatur. Der Bürger ist ein verächtliches Wesen, das nicht den Mut zu sich selber hat. Nach oben den Lastern der Geldgier, Habsucht, Streberei und Kriecherei verfallen, übt der Bürger nach unten einen anmaßenden Klassenhaß. Nach außen gilt der Schein, der goldene Mittelweg, das *juste milieu*. Um seine hohle, nichtige Existenz schlägt er ein idealistisches Mäntelchen. Er schwärmt in „Metaphern“, verstiegenen Bildern und Vergleichen, benebelt sich mit moralischen Redensarten und lügt sich poetische Gefühle vor, die er nicht besitzt. Er lebt in einer Doppelwelt. Der rechnerische und materielle Vorteil gilt. Seine Dichter haben eine eingebildete romantische Welt geschaffen, in die sein schlechtes Gewissen flüchtete. Sie begehen nach Sternheim die Ursünde: neben dem Bürger steht der Dichter als Verherrlicher des juste milieu.

Die Verwerfung der Literatur

Der Angriff des literarischen Moralisten Sternheim machte vor Goethe nicht halt. Der sei ein Philister; „höchstens angemessen versonnen, niemals entrückt“, sei er jeder großen Erschütterung, besonders dem Kriege, ausgewichen; Goethe „scherzte um ihn herum, ließ, sich entziehend, in Anmerkungen und Reiterliedern einiges Artige in falschen Tönen über ihn hören und packte seiner Landsleute und die eigenen Narben in Watte, daß, von strammer Bürgerin gepflegt, er dreiundachtzig irdische Geburtstage feiern konnte“. Sternheim wirft Goethe vor, er habe die „ursprüngliche aufständische Menschlichkeit“ „verraten“, indem er die Idee der Freiheit umgebogen habe zur Mäßigung des juste milieu, er habe in „verruchte Freiheitsberaubung“ eingestimmt. Wie Shakespeare und Goethe lebten auch die Dichter des neunzehnten Jahrhunderts am Leben vorbei – mit Ausnahme von Hölderlin, Novalis, Heine, Büchner, Stendhal, Flaubert, Dostojewski und Tolstoi. Habe einer, wie Kleist im „Prinz von Homburg“, eine Vision, so mache er einen Kniefall vor der Satzung daraus. Die Späteren hätten ihre Kniefälle vor der „vernünftigen“ Weltentwicklung Hegels gemacht oder gar vor dem „naturwissenschaftlichen Wirklichkeitsgesetz von ausgesprochen diesseitiger Tendenz, das alle Kultur nach Preiskurant zu ökonomischer Wirtschaftsgeschichte wandelt und jede andere Vision des religiösen Menschen oder Künstlers ausschließt“. Von Schiller über Hebbel bis Unruh gebe es keinen Artunterschied. Romantik und Neuromantik des bürgerlichen Lyrikers wurden verhöhnt: „Mit wenig Farben, fast nur mit Blau, Blond, Gold und Purpur arbeitete er, setzte ein paar typische Blumen, Rosen und Lilien, als Büsche Holler und Jasmin, als Baumschmuck meist die Linde, vereinzelt Eiche und Birke ins Bild und brachte mit einer Schwalbe sparsame Bewegung in die Landschaft.“ Diese Formel bestätigten ihm die Beispiele von des Knaben Wunderhorn über Klopstock, Gellert und alle Klassiker

Gegen den modernen Schmock

bis zu den Dichtern seiner Zeit. Um keinen Preis möchte Sternheim das eigene Werk mit dem der dichterischen Jugend von 1915 verwechselt oder identifiziert wissen; er meinte:

Gute Verse gab es, einige kräftige Prosasätze und sogar eine wirklich zu sehende Dramenszene. Aber was trotz gehöhtem Stil, unbändig kreisenden Perioden aus diesen oft mit

Carl Sternheim, Handschriftprobe aus einem Essay (verkleinert)

Schaum am Mund Sprechenden mir nicht entgegentönte, war der Beweis großer einzelner Personen mit eigenem, fertigem, neuem Bild der Welt, von dem den Zeitgenossen sie den überwältigenden Eindruck gibt. Alle diese einsam Ragenden teilten im Grund mit der Umgebung des Wünschens und Spekulierens sämtliche Voraussetzungen. Überall klang aus dem Donner ihrer künstlich gemachten Gewitter irgendwie friedlich das Weserlied. Noch immer hatten mit aller Welt sie gleiche Begriffe, die sie nur mit vollen Backen bis zum Platzen aufgeblasen hatten.

Sternheim ließ nur seine Freunde Ernst Stadler und Gottfried Benn, den Dichter-Kritiker Franz Blei, der fünfzehn Kapitel „Über Wedekind, Sternheim und das Theater“ (1915) geschrieben hatte, und – mit ironischer Nachsicht – Ernst Kamnitzer gelten, der sich mit seinem Lustspiel „Die Nadel“ (1914) zu ihm bekannt hatte. Auch den Erzähler Franz Kafka schätzte er, so daß er den Fontane-Preis an ihn weitergab. Auf der andern Seite verhöhnte er alles, was eine „Weltbühne“, „Menschheitsdämmerung“ oder ein „Zielbuch“ herausgab. Hier warben „die Schmocks“, gesinnungslose Journalisten, mit angeblich neuen „ethischen“ Geboten und ihrem Menschheitspathos für ein neues juste milieu. Ihre Kunst bleibe „Affiche zur Verkündigung bürgerlicher Schönheit“. Der eigentliche Irrtum des bürgerlichen Zeitalters sei nämlich der Glaube an Schönheit, vermittelt durch Genuß, gewesen.

Theorie der Beziehungsinhalte

In den Büchern vom juste milieu und dem Roman „Europa“ unterschied er Denkinhalte von Beziehungsinhalten. Denkinhalte sagen das Logische, Naturnotwendige von den Erscheinungen aus und gelten „ohne Relation zu irgendeinem anderen, stets unverändert, statisch und an sich: Baum ist grün. Wasser = H_2O.“ Die aus Beziehungsinhalten stammenden Begriffe bezeichnen „gerade nicht das Konstante, Ansich des Phänomens, sondern sein aus Bindung mit anderem und Reaktion auf anderes stets neu Entstehendes: dieses Kind gehorcht.“ Das juste milieu versucht auch diese Urteile schematisch einzuordnen, in ein Schema zu pressen und in seiner Kunst zu verherrlichen. Deutsche und Europäer seien durch das puritanische und ökonomische Denken „vergewaltigt“, „von ihrer Epoche wegorientiert“.

Der neugeborene Mensch

Diese zeitgenössische, momentane Welt aber besitzt der Mensch immer von neuem neu und unabhängig von Vernunft nur durch Kraft der *Vision*. Er, Mensch, Deutscher, Berliner, frei als Subjekt, das Objekt „Welt der Beziehungen“. Und zwar nach seinen visionären Fähigkeiten in abgestuften Graden jeder andere Mensch immer anders, so daß auf diesem Gebiet der Beziehungen jeder historische Vergleich sinnlos ist. Erst durch diese individuell gestufte Möglichkeit zum immer verschiedenen Besitz des „Beziehungsganzen“ ist der neugeborene Mensch mit einem eigenen unvergleichlichen Schicksal frei, das heißt ganz seine eigene Nüance! Macht man Sozialismus, wie ihn das juste milieu schließlich akzeptiert, bedeutet das doch nichts als die Absicht, zu Urteilen erster Reihe, die aller Kreatur als gegeben notwendig gemeinsam sind und einen natürlichen Sozialismus, keine Diktatur des Proletariats, aber eine der Notwendigkeit ausmachen, schließlich auch die Begriffe der zweiten als für jedermann fix darzustellen, indem man sie in bestimmtem Richtungssinn erst künstlich knebelt und dann Massen zur Erkenntnis eines erstarrenden Prinzips auch in ihnen erzieht. Erst durch diesen, aus Gruppenübermut propagierten Aftersozialismus, der Gemeinschaft materiellen Besitzes nur als ersten Vorwand für die als Apotheose erstrebte allgemeine Unfreiheit auf allen Lebensgeistern nimmt, wird Hoffnung auf Durchsetzung wirklich doppelter sozialer und mitmenschlicher Gemeinschaft: allgemeine Unfreiheit vor ewigen Denkinhalten (Diktatur der Notwendigkeit) und allgemeine Freiheit vor Beziehungsinhalten des Augenblicks (Freiheit des Schicksals) in Deutschland so gut wie zerstört.

Carl Sternheim

Die Bedeutung der Kunst

Das Kauderwelsch des damals vierzigjährigen Sternheim wird durch eine Definition der Kunst abgeschlossen, wo es heißt, sie sei die untendenziöse „Aufzeichnung dieser immer wieder neue Kombinationen ergebenden Wechselwirkung beider schaffenden Gewalten“ – also des sozialen Systemzwangs und der visionären Freiheit. Nur bedingt lassen sich Sternheims Stücke nach diesem Schema deuten; sie sind mehr und weniger, aber die Theorie zeigte die Richtung an. Man muß sie sich ergänzen aus G. Benns Rönne, von dem Sternheim 1918 gesagt hat, „er erschüttert Begriffe von innen her, daß Sprache wankt und Bürger platt auf Bauch und Nase liegen“, und dem Vergleich mit Wedekind. Was Wedekind für den sexuellen Teilbereich der Existenz erstrebt hatte, dehnte Sternheim auf den ganzen bürgerlichen Menschen aus, er wollte ihn von seinem eingeschränkten System befreien. Mit dem „Mangel“ Sternheims setzte sich 1916 schon Hugo Ball auseinander:

> Wenn man in Sternheims Komödien die „menschlichen Werte“ vermißt, sollte man bedenken, daß die Komödie ohne Humanität überhaupt nicht vorhanden und fühlbar zu machen ist. Alle Komik entsteht aus der humanen Beleuchtung verbildeter Gegenstände. Der Komödiendichter empfindet das Leben zwiefach: als Utopie und als Wirklichkeit, als Hintergrund und als Figur. Der Abstand zwischen beiden erscheint ihm als Zerrbild, und um so mehr, je mehr er auf Seiten des Ideals steht. Ein solcher Dichter ist immer kritisch beanlagt. Er leidet an seiner Zeit und Umgebung ... Sternheims Entdeckung ist der schöngeistige Banause, der Snob, der stämmige Schwärmer, ein Typus von einigem Umfang.

„Aus dem bürgerlichen Heldenleben“

Sternheims frühe Dichtungen wurzelten im klassisch-romantischen Schema. Er schrieb ein Trochäengedicht über die Liebe zweier Halbgeschwister „Ulrich und Brigitte“ (1909) und die Tragödie „Don Juan“ (1910), deren Paten Cervantes, Shakespeare, Goethe, Byron und Hofmannsthal heißen. Seine Kritik an allem Klassischen war zugleich Selbstkritik! Er wollte der Molière unserer Zeit werden, dramatischer Dichter als „Arzt am Leibe seiner Zeit“. Er ging bewußt daran, die

CARL STERNHEIM

Bürgerwelt der Vorkriegszeit zu entlarven. Er benützte alltägliche, provozierend banale Vorfälle; die Modelle seiner Figuren waren Bekannte. Aus dem Hausfreund Maske in Berlin sollte der Vater seiner dramatischen Sippe werden. Sternheim hat diese Stücke dann unter dem ironischen Titel „Aus dem bürgerlichen Heldenleben" gesammelt. Es sind seine Schauspiele und Komödien aus den Jahren 1908–22.

„Die Hose", 1911

Die Frau des kleinen Beamten Theobald Maske verliert eines Morgens auf der Straße, als unweit die königliche Majestät vorbeifährt, ihre Hose. Auch der Friseur Benjamin Mandelstam und der Literat Frank Scarron – das soll Wedekind sein – bemerken den Vorfall und machen ihre Späße. Maskes erstes Wort lautet: „Daß ich nicht närrisch werde!" Ruf und Karriere des kleinbürgerlichen Haustyrannen scheinen auf dem Spiel zu stehen. Die Frau ist eine Romantikerin, ihre Welt ist nicht „unten im Kochtopf, auf dem mit Staub bedeckten Boden der Stube", sondern „im Unmaß, Traum, Phantasie". Das Unglück mit der Hose schlägt jedoch zum Vorteil aus: Mandelstam und Scarron ziehen als gut zahlende Untermieter ins Haus. Frau Luise läßt sich mit beiden ein, geht aber leer aus, da beide nichts Ernstes mit ihr vorhaben. Nur Maske, der sich als „Riese" fühlt, benützt die Gelegenheit zu einem Seitensprung und triumphiert mit dem Geld aus der Zimmermiete, das ihm den bisher nicht erschwinglichen Luxus einer Vaterschaft erlaubt: Das ist die Demaskierung der Liebe und Ehe eines Kleinbürgers. In diesem Schema laufen alle Stücke ab, die Typen werden immer wieder abgewandelt.

„Die Kassette", 1912

Der Oberlehrer Heinrich Krull und sein zukünftiger Schwiegersohn, der Fotograf Alfons Seidenschnur, ein Romantiker, zeigen ihre wahre Natur vor der Kassette einer Erbtante. Geld- und Machtgier treiben den Bodensatz ihrer Gemüter hoch. Die zweite Frau muß aus dem Schlafzimmer hinaus, und in ihr Bett kommt jener Gegenstand wahrer Liebe, die Kassette mit 140 000 Mark; aber die Anbeter des Goldenen Kalbes ahnen nicht, daß die Tante ihr Geld längst der Kirche vermacht hat.

„Bürger Schippel"

Ein Gesangsquartett standesbewußter Bürger, des Goldschmieds Hicketier, des fürstlichen Beamten Krey und des Buchdruckereibesitzers Wolke, sucht Ersatz für den gestorbenen Tenor. Der Proletarier Schippel hat eine herrliche Stimme, sie braucht man für den Fürstenpreis am Sängerfest. Schippel, den die hochmütige Gesellschaft klein halten will, kommt der Fehltritt Theklas, einer Schwester Hicketiers, mit dem Fürsten zu Hilfe. Thekla und Serenissimus sind „Romantiker" wie die Sänger. Während jene im Zimmer singen, steigt Thekla zum Fürsten in den Garten:

Der Fürst (mit einer Leiter):
Du fürstliche Freude! Du männlich Verlangen!
Das Quartett (singt):
Wenn Wälder und Felder uns hallend umfangen,
Tönt freier und freud'ger der volle Pokal.
Thekla: Die Leiter, schnell die Leiter her!
(Der Fürst trägt die Leiter heran.)
Das Quartett: Johohoho, tralala . . .
Thekla: Schau fort! Ich steige herunter. (Sie tuts eilig)
(Der Fürst empfängt und umfängt sie.)
Das Quartett: Tralala, tralala, tralala . . .

Als nun Schippel die Schwester zur Frau will, „oder ihr zieht mir mit Zangen keinen Ton aus der Kehle", entdeckt er, daß das Mädchen bereits „höchsten Glanzes verlustig" ist, und schlägt sie aus. Der Bastard proletarischer Herkunft, der seinen Vater nicht kennt, reagiert wie ein Bürger, tritt in Frack und Zylinder gegen Krey zum Duell an und wird am Ende von Hicketier mit dem Hut in der Hand durch ein: „Auf Wiedersehen, lieber Herr Schippel!" verabschiedet. Aus dem Proletarier Schippel ist *Herr* Schippel, ein „kompletter Bürger" geworden. (In „Tabula rasa" wird er als Fabrikdirektor erscheinen.) Die Welt der Bürger, der „Stützen der Gesellschaft", wie Ibsen sie ironisch genannt hatte, wird von Sternheim ebenso demaskiert wie Schippels proletarische Sehnsucht; glückselig sagt er zu sich selbst: „Du bist Bürger, Paul." Die Szenen Theklas mit dem Fürsten zeigen, daß beide außerhalb des juste milieu stehen; sie sind freie Menschen, die sich nicht scheuen, verlogene Tabus zu brechen und sich zu ihrer „Vision" der Liebe, zu bekennen. Beide wissen, daß Spiel ist, was sie tun; und eben diese Hingabe, die Verführung ist das, was dem karikierten Bürgertum Sternheims als „unmöglich" gilt.

Thekla und der Fürst

Absichtlich behandelt Sternheim alle „diese albernen Dinge" mit dürrem Ernst. Wie die Personen Puppen sind, die sich in bestimmten Lagen maschinenhaft einstellen, so erhält auch die Sprache etwas Starres und Krächzendes: Verbindungsteile fehlen, der bestimmte Artikel entfällt, Infinitive und Partizipien bestimmen den Satz, das Subjekt tritt an das Satzende. Wie die bürgerliche Welt scheint die Sprache in ihre Bestandteile aufgelöst zu werden; hinter der Verstiegenheit der Metapher wird die klappernde Hohlheit dieser Sprache deutlich. Hicketier sagt zu Schippel: „Das Andenken an das von Ihnen Geleistete darf nicht verloren gehen, und ich setze mich dafür ein, daß Ihnen die höheren Segnungen des Bürgertums voll und ganz zuteil werden." Schippel glaubt es aufs Wort, verbirgt sein Gesicht „überwältigt" in den Händen: „Die Segnungen voll und ganz — zuviel." Es ist die Sprache der Satire, wie sie Wedekind aus einem schnarrenden Buchdeutsch entwickelt hatte, das Karl Kraus entzückte. Sternheim brachte die Elemente dieser Sprache aus der Welt der Geschäftsleute, Offiziere, Sportsleute und Snobs mit. Sternheim verwendet auch Namen in karikierender Absicht, so redet Wolke in wolkigem Schwulst. Scarron, Mandelstam, Stadler, Seidenschnur, Maske, Elsbeth Treu sind symbolische oder literarische Anspielungen. Der geschäftliche Telegrammstil, der im Wilhelminischen Deutschland

Sprache der Komödien

„Schippel, Bürger geworden,
weiß nicht, wie er wählen soll."
Aus Ottomar Starke, Schippeliana

eine groteske Verbindung mit militärischer Schneidigkeit eingegangen war, wird bei Sternheim Literatur. Oberlehrer Krull sagt: „Was die Kurse verbürgen, soll näher untersucht werden – und mein ganzes Schulmeisterelend fällt in den Papierkasten." In „1913" heißt es: „Nach uns Zusammenbruch. Wir sind reif." Mit solchen Sätzen erwies sich Sternheim als Prophet.

Überlegene Herrenmenschen

Sternheim wirkte in diesen Dramen durch Ironie und Satire; aber er wollte vor allem nein sagen zu dem Verlogenen, „Romantischen", Brutalen und Triebhaften in Maske und Schippel. Das sollen „nicht mehr wahnverwirrte, nein, schon zur Wirklichkeit geweckte Deutsche" sein, Menschen, die auf ihren „frischen Einzelton nur hören, ganz unbesorgt darum, wie Bürgersinn seine manchmal brutale Nuance nennt". In der vierten Komödie, „Der Snob" (1913), ist Christian Maske, der Sohn Theobald Maskes (aus der „Hose"), bereits ein großer Herr, der Vater und Geliebte auszahlt, um als Generaldirektor eine romantische Gräfin Pahlen heiraten zu können. Sternheim zeigt einen Streber, der in der Hochzeitsnacht sogar das Andenken der toten Mutter schändet, indem er die Geschichte mit der Hose in ein galantes Abenteuer der entzückenden Frau mit einem Vicomte umlügt – „es mag ein Jahr vor meiner Geburt gewesen sein".

„Der Snob"

Die Masse der Stücke

Auf diese Stücke folgten einige schwächere Werke, „Der Kandidat", Komödie in vier Aufzügen, nach dem gleichnamigen Drama von Flaubert, die Familienkomödie zweier Schwäger „Perleberg" (1913, bereits 1902 als „Mihlow" entworfen), „Das leidende Weib", ein Drama nach Friedrich Maximilian Klinger (1915), das Lustspiel „Die Scharmante" (1915), das Schauspiel „Tabula rasa" (1916), das die Parteisozialisten als kapitallüsterne Bürger entlarvt, „Die Marquise von Arcis" (1919) nach Diderot, das Lustspiel „Der entfesselte Zeitgenosse" (1920), das Schauspiel „Manon Lescaut" (1921) und „Das Fossil" (1922). Das Fossil ist ein altpreußischer General, dem genauso der komische Prozeß gemacht wird wie dem Bürgertum und dem Salonbolschewismus; es ist das Schlußstück der Maske-Dramen. Zeigte schon die Benützung fremder Vorlagen, daß Sternheims Hand eine Stütze brauchte, so wiederholten die Lustspiele „Der entfesselte Zeitgenosse" (1921) und „Der Nebbich" (1922) die alte Problematik auf schwächere Weise.

Das Schauspiel „1913"

Im Winter 1913/14 entstand das Schauspiel in drei Aufzügen „1913" (1915), nach der „Hose" und dem „Snob" der Höhepunkt der Maske-Dramen; es ist Sternheims Groteske vom deutschen Übermenschen kurz vor dem Fall. Es zeigt die dritte Generation der Familie Maske; und ähnlich wie in Thomas Manns „Buddenbrooks", dem Roman vom Niedergang einer Familie, schlägt der Aufstieg in das Gegenteil um. Der Industriemagnat Freiherr Christian Maske von Buchow, Exzellenz, Herr über zwölf Fabriken und 15 000 Arbeiter, mit 120 Millionen Mark Vermögen, will mit siebzig Jahren Ordnung in seinem Hause schaffen. Der Sohn ist ein Modegeck, der seine Rechte um einer Marotte willen preisgibt, die jüngste Tochter ist unzuverlässig, die älteste skrupel- und mitleidslos, vom Satan kapitalistischen Denkens besessen. Sie streckt die Hand nach dem Erbe aus. Aber der Alte, feinhörig genug, fühlt die Wende der Zeit: „Ist eines Systems Höhe erreicht, steht die Möglichkeit eines Wechsels stets vor der Tür." Er wittert Krieg und Zusammenbruch und – beeinflußt von dem nationalen Sozialisten Wilhelm Krey – eine neue Wirtschaftsordnung. Christian ist nicht gewillt, sich die Leitung aus der Hand nehmen zu lassen. Eben verhandelt seine Tochter mit der pro-

Lithographie von Frans Masereel zu Carl Sternheim, Fairfax

testantischen holländischen Regierung über einen Waffenauftrag, ein Riesengeschäft, das ihren Einfluß in der Maske-AG übermächtig machen wird:

Christian: Gott steh mir bei. Ich will nicht zum alten Eisen geworfen werden, habe noch dreißig Jahre zu leben. Mein Werk ist alles, ich bin der Schöpfer, der den Abgang nach eigenem Willen hat. Dies kleine mickrige Weib [gemeint ist die Tochter] und solch inneres Ausmaß. Denn ihre Pläne sind umfassender, als ichs vorausgesetzt. Hier ist Kampf aufs Messer. Gut ... Wir konnten uns hier den Sinn ihres Handelns nicht erklären. Dann ließ sie durch einen Mittelsmann im Haag den Gedanken auffliegen, es müsse seltsam berühren, gäbe das stockprotestantische Holland katholischen Firmen, eben unserer Konkurrenz, Millionen zu verdienen. Sie, die bisher von ihrem Glauben nicht das geringste gewußt hat.

Wilhelm: Das ist über alles Begreifen schimpflich.
Christian: Das ist einfach genial, Freundchen.
Wilhelm: Beweist die Richtigkeit Ihres Urteils über die Gräfin.
Christian: Genial. Das ist jetzt mein Urteil ohne Nebensinn.
Wilhelm: Exzellenz erlauben mir zu erwidern?
Christian: Nein.
Wilhelm: Ich *muß* antworten.
Christian: Ruhe! Ist die Handlung folgerichtig?
Wilhelm: Mit der Voraussetzung, es gibt auf Erden nur materielles Gut zu erwerben.
Christian: Mit der Voraussetzung.
Wilhelm: Ist sie genial.
Christian: Den Rest olle Kamellen, behalten Sie für sich. Oder wollen Sie sich moralisch entrüsten, Erziehungsrudimente speien, he?
Wilhelm: Ich möchte mich nicht lächerlich machen.
Christian: Zurück zum Thema. Diese genialen Instinkte sind gegen mich, mein persönliches Ansehen gerichtet. Vom Direktor bis zum Aktionär soll man wissen, ich bin schon jetzt entbehrlich. Sehen Sie den Fall deutlich?
Wilhelm: Gewiß.

Haupt- und Nebenhandlung

Neben der kapitalistischen Haupthandlung laufen zwei weitere. Krey, der nationale Ideologe, wird aus edlen Motiven zum Verräter an der Familie; er verbündet sich mit Stadler, Sternheims schwachem Porträt seines Freundes Ernst Stadler, um eine soziale und nationale Revolution herbeizuführen; denn „Deutschlands besserer geistiger Teil ist von einem so grenzenlosen Haß gegen die Herrschaft des Geldes und jede Überlegenheit, die aus seinem Gebrauch folgt", erfüllt, „daß nur die Ausrottung des Prinzips sie beruhigen kann". Es kommt zum Gedanken der „heiligen allgemeinen vaterländischen Verbrüderung". Stadler sagt, Deutschland solle an dem „klaren Wasser unserer Wälder" genesen. Freilich sind die Ideale zu vag und ihre Träger gegenüber den Raubtierinstinkten von Vater und Tochter Maske zu schwach. Die andere Tochter, Ottilie, „Romantikerin" im üblen Sinne, schwärmt für Literatur und Musik und singt, vom Piano begleitet, Eichendorffs „Mondnacht" in Robert Schumanns Vertonung, wozu ihr Bruder Philipp bemerken darf: „. . . sich hier musikalisch langweilen zu lassen. Schade um meinen neuen Frack." Alles endet mit einem Knalleffekt — der nun weder komisch noch tragisch ist. Christian läßt nämlich, um der Tochter das holländische Geschäft zu zerstören, ausstreuen: „Christian Maske AG — — — wurde heute katholisch" und fällt vor Erregung tot zu Boden. Das Gewebe löst sich pantomimisch auf.

Grotesker Effekt als Schluß

Das Stück zeigt Sternheims Kraft und seine Schwäche. Sternheim steht — wie in der „Hose", in der „Kassette" — seinem Einfall selbst im Wege, er kann seine Helden nicht ernst nehmen, und ihr Chargenrang hängt mit den verschlissenen Typen der wilhelminischen Plüschzeit zusammen. Wenn Sternheim meinte, man müsse dem Bürger Mut zu seinen Lastern machen, so ist das eine ähnlich zweifelhafte Moral wie die Heinrich Manns in der „Kleinen Stadt": „Auf einmal ist ihnen der Mut gekommen, ihre Laster in Freiheit zu setzen."

Vergleich mit H. Mann

Mit H. Mann hat Sternheim in Stil und Thema manches gemeinsam. H. Manns Trilogie vom betrogenen Betrüger — „Der Untertan", „Die Armen" und „Der Kopf" — ist vom gleichen Haß gegen die Romantik, gegen falsche Gefühle getragen wie Sternheims Werke. Sternheims Abneigung gegen den Norden, das

Später erstarrte dieser Stil. Pronomina wurden nebeneinandergestellt, die Satzteile verschachtelt, Schlußworte klappten nach, fielen aus dem Ton-, Takt- und Klanggefüge heraus. („Man glaubte Preußentum, Christentum und kaum sein Menschtum ihm.“) Dazu kommen Mode- und Kitschwörter, mondäne Fremdwörter, Ausdrücke des Sports. Sternheim sucht schließlich eine neue Sprache zu „starten“.

Der Roman „Europa“

In dem zweibändigen Roman „Europa“ (1919) wollte er den Untergang der alteuropäischen Welt bis 1914 zeigen; aber der Stil zerstört das Unternehmen, wenn es etwa über die Kunst heißt:

Das war, hatte sie Zusammenhänge begriffen, nicht deutsch. War alter Chronisten Einfachheit, guter Wille, was sich zutrug, ohne Zurechtweisung anzuschauen. War schlichtes Ja, ja — Nein, nein, aus dem kein politisches, religiöses oder soziales Werkzeug gemacht werden sollte; Aufrichtigkeit, die nicht persönliche, sondern sachliche Autorität wollte. Keine Aufklärung, die wahre Freiheit vernichtete, doch mit großen Mitteln der Ironie preußische Tradition zerschlug und der Natur heilige Physik aufrichten wollte. Zum natürlichen Lustgefühl war das Alarm; Aufschrei übergrübelten Hirns und des sich sehnenden Herzens.

Wenn man bedenkt, daß das Werk zur gleichen Zeit geschrieben wurde, als James Joyce an „Ulysses“ und Marcel Proust an seinem Roman „Auf der Suche nach der verlorenen Zeit“ schrieb, bekommt die Marotte Sternheims geschichtliches Gewicht. Die Erzählung „Fairfax“ über einen amerikanischen Milliardär war satirische Groteske, während Sternheim in den „Memoiren“ „Libussa, des Kaisers Leibroß“ (1922) in Tratsch und Klatsch versank; so wurde Sternheim von seinen eigenen Intentionen weggeführt. Äußeres Zeichen dafür sind die Überarbeitungen von Komödienstoffen aus der Rokokowelt. Sternheim hörte zu schreiben auf und hat in den letzten zehn Jahren, nach der Autobiographie, nichts mehr veröffentlicht. Die Versuche, Sternheims beste Stücke in den fünfziger Jahren neu zu beleben, haben keinen rechten Erfolg gehabt. Die Welt, gegen die sich Sternheim gewandt hatte, gab es nicht mehr — vielleicht hat es sie überhaupt nur in seiner Phantasie gegeben.

Holzschnitt von Frans Masereel zu Sternheim, Chronik von des 20. Jahrhunderts Beginn

Sternheims Bedeutung

Von dieser Welt her erklärt sich der Angriff des Großbürgers und Snobs Sternheim auf das deutsche Spießertum. Er empfand sich als Mitglied einer über die Welt verstreuten „Oberschicht der Besitzenden“, mit gemeinsamen Konventionen, an denen es keine Kritik gab. „Für den Mann der guten Gesellschaft war der Engländer Vorbild, die Pariserin für die Frau der großen Welt. Aber auf strengster Verabredung gab es für den Hellsichtigen die Nuance, die entschied.“ Sternheims Urteil über seine Gegenwart stimmte also nicht überein mit dem Nietzsches und G. Hauptmanns, die er vielmehr als Lieblinge der Bourgeoisie verhöhnte, und erst recht nicht mit dem der Sozialisten und Kommunisten. Mit der ihm eigenen Schärfe hat er tiefer gesehen und formuliert:

CARL STERNHEIM

Die Gleichmacherei naturwissenschaftlicher Begriffsbildung, die den Menschen zur Kreuzung von Tier und Sklaven gestempelt hatte, war durch Einstein und seine Relativitätstheorie ... um eine Katastrophe vermehrt. Die Menschheit erlitt darüber hinaus Friedrich Nietzsches „Willen zur Macht"; sein „Jenseits von Gut und Böse". Seines „Übermenschen" Willkür übernahm die Führung der Welt! Schatten der Ibsenschen, Strindbergschen, Hauptmannschen Jammergestalten, alle faszistischen, kommunistischen, bolschewistischen Massenbewegungen sind aus dieser Volksverführer Kommandos zu verstehen. Überall war das gleiche Ziel: der elementaren, menschlichen Bestie Entfesselung.

Die letzten Komödien

Der Schule der Rickert, Windelband, Husserl, Scheler – und seiner eigenen „Phänomenologie" – schrieb Sternheim die Wirkung zu, diese „allgemeine geistige, galoppierende Anarchie" unschädlich zu machen. Hatte sich der Eifer des jungen Sternheim gegen die Laster des wilhelminischen Bürgertums gerichtet, so sah der ältere das Komische, Alberne und Groteske der zwanziger Jahre, ihren übersteigerten Vitalismus, den Glauben an Erlösung durch Körper oder Geist, kultischen Tanz und die vielen Erneuerungsbewegungen, die von der weltanschaulich bedingten Ernährung bis zur Schule der Weisheit, von der Eurhythmie zu pädagogisch absurden Experimenten reichten. Diese Richtungen nahm Sternheim in seiner letzten großen und „bösen", G. Benn gewidmeten Komödie aufs Korn, „Die Schule von Uznach, oder Neue Sachlichkeit" (1926). Ein gescheiterter Dichter hat am Bodensee eine Schule für junge Damen gegründet. Hier gelten die natürlichen Verhaltensweisen als lächerlich. Die Liebe und die von ihr ausgehenden oder mit ihr verbundenen körperlichen oder emotionalen Regungen sind hoffnungslos überholt; Keuschheit von Mann und Frau sind abgetan. In diesen Kreis kommt Fräulein Mathilde aus Lüneburg, sie denkt und empfindet natürlich. Während die Schülerinnen turnend und tanzend einer radikalen Leiblichkeit huldigen, fragt Mathilde:

Mathilde: Überanstrengt ihr euch nicht? Ihr schwitzt so.

Maud: Verströmen Kraft, gießen mystische Spannungen in die Maschine gewordene Welt. Du gehst und stehst sittige Schablone; wir glauben, du tust sie leider auch. Das Geradeaus deiner Wuchsrichtung fehlt. (sie macht vor) Nicht als atme Freiheit, Berechnung in dir, gehst du im Raum; schwingst falsch durch deinen eigenen Körpertag; *wir* tanzen jedem Schritt phantastisches Eigenbild. Sag' was schöner ist?

Mathilde: Soll man sich vierundzwanzig Stunden täglich ballen, aus jeder Mücke einen Elefanten machen?

Maud: Sogar das Nichts soll man beleben. Veranlasser, selten veranlaßt sein ...

Das klassische Frauenbild

Geistreich und witzig werden die Amazonen in tanzender Aktion vorgeführt – und ebenso amüsant durch den Sohn des Direktors zur Natürlichkeit zurückerzogen. Man hatte den jungen Mann nämlich für einen Jünger der väterlichen Lehre gehalten, muß aber entdecken, daß er in den Manieren törichte Fratzen sieht. Er sagt: „Mit dem Mangel an Nüance wirkt ihr grauenhaft" und empfiehlt Hölderlin-Eichendorffsche Modelle. An entscheidender Stelle variiert er die Verse von Novalis:

Ich weiß nur, daß der Welt Getümmel
Seit Dir mir wie ein Traum verweht,
Und ein unnennbar süßer Himmel
Mir ewig im Gemüte steht

und knüpft daran die Frage: „Was können Sie mir, ohne die Augen niederzuschlagen, antworten? *Was* noch?“ Mathilde kann darauf sagen: „Ich müßte die Augen nicht niederschlagen“, und daran erkennen sich die beiden. Ähnlich wie in „Bürger Schippel“ handelt es sich um eine Entlarvungskomödie, nur daß der Kern, der hier herausgeschält wird, keine Marionette, sondern der wahre und wesentliche Mensch ist. Übrigens erkennt die Schule von Uznach jetzt, daß die neue Sachlichkeit nicht im „Gemüller“ und in Eurhythmie besteht, sondern in aufgeschlossener Natürlichkeit. Der Schluß ist eine Pantomime, und sie wird von Musik aus Mozarts „Figaros Hochzeit“ untermalt. Das Stück enthält zahlreiche Selbstparodien und Anspielungen; Wedekinds Hidallaproblem wird gelöst und R. Steiners Dornach ironisiert.

Zeitkritiker und Moralist

Sternheims Kampf richtete sich immer gegen eine Pseudoromantik. In seinen „Berichten über europäische Politik, Kunst und Volksleben“, die er 1926 unter dem Titel „Lutetia“ ankündigte, wollte er Deutschlands und Frankreichs Gewissen wecken. In seiner letzten Komödie „Aut Caesar – aut nihil“ (1931) wandelte er das Thema noch einmal auf spannungslosere Weise ab. Seine jugendlichen Invektiven gegen Bildung und Literatur wurden relativiert: nicht *die* Klassik sollte getroffen werden, sondern das Zerrbild, welches der bequeme Bürger von ihr gemacht hatte. So erscheint der „amoralische“ Sternheim – wie Wedekind, George und Hofmannsthal – am Ende durchaus als Moralist.

Reinhard Johannes Sorge

> Aus tiefster Reinheit brennen meine Ziele:
> Ich will die Welt auf meine Schulter nehmen
> Und sie mit Lobgesang zur Sonne tragen.
> Sorge, „Der Bettler“

„Halb genial halb dilettantisch“

Der Expressionismus empfand sich als Kunst einer neuen Jugend, einer von vorne anfangenden Generation. Reinhard Sorge schuf mit neunzehn Jahren das erste expressionistische Drama. In seinem Falle stimmt die Generationsthese. Als Sorge den „Bettler“ schrieb, stand ihm eine neue flache Schaubühne vor dem inneren Auge. Für dies Stück ist typisch, was Julius Bab gleich nach Erscheinen feststellte, es sei halb genial und halb dilettantisch. Sorge hat mit Leben und Werk bewiesen, was der Expressionismus will und kann und was er nicht wollte und nicht konnte. Er hat innerhalb zweier Jahre die Entwicklung vom Dichter zum christlichen Propheten durchgemacht; er meinte, daß Literatur nur Sinn habe, wenn sie sich engagiere. Das ist ein Weg, den – viel langsamer – etliche Schriftsteller jener Epoche gingen, H. Mann zur Sozialdemokratie, Kaiser zum Pazifismus, Johst zum Nationalsozialismus, Barlach zur Mystik, Brod zum Zionismus, George zu seinem „neuen“ Gott, Morgenstern zur Anthroposophie und Hofmannsthal, auf dem Weg über Calderon, zum christlichen Welttheater. Bei Sorge ist der Übergang rätselhaft, er erlebte ihn als Vision auf Norderney in einem Augenblick der Gnade, ähnlich wie eine Generation vor ihm Paul Claudel in Paris.

Reinhard Sorge wurde am 29. Januar 1892 in Rixdorf-Berlin als Sohn eines reich verheirateten Stadtbauinspektors geboren. Beim Vater trat früh Wahnsinn auf,

1905 mußte er in eine Heilanstalt überführt werden. Reinhard besuchte das Luisenstädter Gymnasium und lernte die Weltstadt kennen: ohne diese Erfahrungen sind die Journalisten-, Kokotten- und Fliegerszenen des ersten Aktes im „Bettler" nicht zu erklären. Nach einer Lehrzeit in einem Eisengeschäft und einer Bank ging Sorge in das Charlottenburger Kaiserin-Augusta-Gymnasium. Er wollte Dichter werden. Nach dem Tode des Vaters zog die Mutter 1909 nach Jena; im folgenden Jahr verließ Sorge als guter Schüler, ohne Abitur, endgültig die Schule und knüpfte Beziehungen mit Richard Dehmel und Ernst Hardt an. Durch den Kunsthistoriker Botho Graef wurde Sorge in Stefan Georges Welt eingeführt. Dehmels Lehre der freien Triebe hatte großen Einfluß; erst auf dem Weg über Dehmel lernte er im Jahre 1910 das Werk Nietzsches kennen.

Nietzsche und Goethe

Aus der späteren Auseinandersetzung des Autors Sorge mit Nietzsche konnte man den Eindruck haben, er sei ein begeisterter Schüler Zarathustras gewesen. Die Tagebücher lassen jedoch erkennen, daß er Nietzsche mehr aphoristisch aufgenommen hat; die stilistische Schärfe faszinierte ihn; er war aber nicht blind für gewisse „Torheiten" des Meisters. Ein Gegengewicht bildete Goethe. Die ersten literarischen Versuche waren unsicher, immerhin tauchte zweimal Bonifatius auf, das Thema des religiösen Schicksals der Deutschen. Auch die Zeitströmungen, Ibsenscher Pessimismus und Renaissancestoffe, berührten ihn. Merkwürdig ist die Sprache, ihre Symbolik, Gedrängtheit, eine an Stramm erinnernde „verkürzte" Grammatik. So im Gedicht „Das Drama":

Nackt wie eine Welle
Schau ich einen Menschen
Am Meerufer liegen.
Ihm zur Linken
Starr aus Felsen

Steilt eine Wand –
Ihm zur Rechten
Winddurchsungen dunkeln hochgereckte
Stumme Zypressen. –

In den frühen dramatischen Dichtungen, die in der Sammlung „Der Jüngling" (1925) vorliegen, spielen Naturmystik, die Sonne, das Licht, die Helle, die Höhe, die Läuterung, enthusiastische Freundschaft, der Lichtbringer Prometheus eine große Rolle. Christus und Nietzsche werden Brüder genannt. Die Szene ist mit Vorliebe unter freiem Himmel, bei Sternenlicht, in Grotten. Kosmische Zusammenhänge werden überschwenglich gefeiert. Die Artikulation wechselt zwischen Bildern von neuromantischer Üppigkeit und Anrufen, Schreien und Stammeln. Sorge will nichts Geringeres als „das Werden" dramatisch vorführen; und da es sich ekstatisch vollzieht, kann alles Sprechen nur Umschreiben oder Stammeln sein, während „es" unausgesprochen bleibt. Alle Unarten symbolischen Sprechens werden aufgeboten: „Warst du nicht stumm bisher die ganze Zeit. Sage, wo stahlst du deine Worte her? Du schleuderst sie, daß sie mich würgen. Würger sind es und lüstern nach Totschlag. Würger sind es und lüstern, Seelen zu stehlen", heißt es im „Jüngling". Schon taucht der Gedanke auf, Dichtung sei „Lobgesang" der Schöpfung. Die Zarathustra-Töne – wenn die Heimkehr des Odysseus nach dem Schema der ewigen Wiederkehr gedeutet wird –, das Drama „Guntwar / Ein Werden, dem zugeeignet, der dies in mir schuf" und der Prometheus-Entwurf könnten nach Vergötterung des Ich klingen, wäre diese kosmische Mystik, mit der Sonne als Sinnbild verzehrender Reinheit, nicht durch ein anderes Ziel bestimmt. Der Dichter ist jenes „Ich"; und wenn er sagt: „Ich will die Welt auf meine Schultern nehmen", so will er das Menschengeschlecht „erhöhen". Der Dichter ist der „neue Mensch", der sich opfert für die vielen.

Das Ich und der Kosmos

Der neue Mensch

Im „Bettler", der 1911 entstand, findet sich eine Szene, wo Kritiker über die neue Literatur urteilen. Sie wenden sich gegen das neuromantische Drama von Ernst Hardt, Vollmoeller und Stucken, in der Urfassung bei Namen genannt; auf Hardts „Gudrun" beziehen sich die Zeilen:

Sorges Kritik am zeitgenössischen Drama

Mit Liebe und Putzsinn. Mit edlem Verständnis.
Die Menschen hören gern das alte Märchen
Von Isot und von Gudrun. Andern Tages
Ist es vergessen, und das Warten lastet
Wie Mahnung, Drohung, Frage über den Dichtern.

Im „Bettler" ist nur *ein* Name, leicht entstellt, stehengeblieben: Hauptmann. Von ihm heißt es: „Wir warten auf einen, der uns unser Schicksal neu deutet, den nenne ich dann Dramatiker und stark. Unser Haupt-Mann, sehen Sie, ist groß als Künstler, aber als Deuter befangen. Es ist sehr an der Zeit: einer muß einmal wieder für uns alle nachsinnen."

Das Drama, das den neuen Dichter zeigen soll, zugleich eine neue Dichtung sein will, ist „Der Bettler". Das Stück hieß erst, in Anlehnung an die eben entdeckte Urfassung von Goethes „Wilhelm Meister" („Wilhelm Meisters theatralische Sendung"): „Theatralische Sendung, Handlung in fünf Aufzügen." Dann entstand der zweite Titel, der später Untertitel wurde: „Dramatische Sendung." Den endgültigen Titel entnahm Sorge einem Gedicht „Lied der Bettler", das er auf

„Der Bettler"

Bühnenbild von Ernst Stern zu Reinhard Johannes Sorge, Der Bettler

eine Eingebung durch Maeterlincks „Schatz der Armen" schrieb. Der Titel ist symbolisch gemeint, in dem Drama komme „ein großes Schreien an den Tag", „ein bettelndes Hungern und Flehen in den Himmel hin". Sorge hat sein Stück nicht auf der Bühne gesehen, denn erst 1917 führte Max Reinhardt es im Deutschen Theater in Berlin in großer Besetzung auf.

Held des Stückes ist Sorge selbst, der junge Dichter, der für seine neuen Gesichte eine neue Bühne verlangt, eine Stätte zur Heiligung, zu der Menschen aus allen Ländern, Ständen und Berufen, Hungernde und Krüppel und nicht nur ein „kleines Häuflein Erlesener" strömen. Der Dichter ist zugleich der Mystiker, er sieht aus tiefen Himmeln wachsen „das gnädige Bild des Ankers, der uns alle unerbittlich erzgeschwungen hält an dem Grund der Gottheit". Anfangs unterhält sich der Dichter mit einem Freund. Man erfährt, daß der Vater die Familie mit einer furchtbaren Krankheit schreckt. Der junge Dichter verficht bei Freund und Mäzen vergeblich seine Idee einer neuen Schaubühne. Dazwischen öffnet sich der Vorhang, und man blickt auf drei mit äußerster Realistik gebaute Szenen der alten, geschwätzigen, nichtigen und verwesenden Welt: Die Zeitungsleser und die Kritiker, die sich um die Kokotten raufenden Liebhaber und die Flieger, die ihres abgestürzten Kameraden gedenken. Aus den Nachrufen der Flieger spricht eine neue Menschensehnsucht:

REINHARD JOHANNES SORGE

Fünfter Flieger: Deine Hoffnung entsiegelt verborgenen Klang,
Ja, es tönt schon das ewige Leben.
Sechster Flieger: Spende die Weisheit, spende die Allmacht!
Dritter Flieger: Wo zerstob seine Glut, wo zerknickte sein Mut?
Er fuhr flammender nur in uns nieder!
Erster Flieger: Ja, du brichst meine Wolken mit himmlischem Strahl –!
Zweiter Flieger: Schmückst mit innigem Lächeln die Trübsal!
Dritter Flieger: Sinnet ganz! Steiget tief! Starb er hin? Stand er auf?
Unser Auge wird voll seiner Seele –
Vierter Flieger (mit Geste): Seine Sehnsucht reckt auf unsre Hände.
Fünfter Flieger: Sein Tod ward dem Bunde die Mehrung:
Band sich ein uns als Faser und Herrschaft.
(Stille)
Dritter Flieger (leiser, doch mehr eindringlich – und seine Stimme kommt wie fern her):
Über suchenden Worten die Ahnung –!
Alle (wie tastend): Über suchenden Worten die Ahnung –
Dritter Flieger: Über schwankendem Troste der Glaube.
Alle (die Häupter geneigt): Über schwankendem Troste der Glaube!

Symbolik der Generationen

Die zweite Lösung, die von der Familie, geschieht im zweiten und dritten Aufzug. Wie ein Spuk der absterbenden materialistischen Welt poltert der irre Vater mit seiner Blechtrommel durchs Haus, „die alten Fratzen" vor sich herscheuchend. Er ist in gehobener Stunde „Gottes Baumeister", bedeckt Papier mit wirren Linien und holt noch in der Todesstunde aus dem ermordeten Vögelchen rotes Blut statt der fehlenden Tinte für sein unfruchtbares Werk. Bewußt mischt der Sohn, der Dichter, den Eltern den Todestrank. Sie gehen hinüber mit verklärten Erinnerungen an die hohe Zeit, da zeugend der eine Leben gab, die andere Leben empfing. Die Geliebte symbolisiert in den beiden letzten Akten neue Bindung und Sendung, sie ist mütterliche Trägerin neuen Lebens. Das Idol des biologischen Lebens ist eins mit der metaphysischen Sehnsucht nach einem höheren Leben. Der Dichter spricht zum Zuschauer:

Der reine neue Mensch als Erlöser

Ihr! Ihr! Bereitet mit die Pfade!
Seht doch, ich stürme unter euch, die Fackel
Rot in geschwungener Hand. Empfangt mich doch!
Umdrängt mich doch! Ich bin des Segens voll!
Öffnet mir weit
Der Irrenhäuser Tore, daß ich zündend
Des blöden Lachens trübe Spinnennetze
Verwandle in ein glühendes Geäst!
Verworfne Leichen brechet auf vor mir –!
Ich hebe euch aus stinkender Verwesung
Blinkend den Stern, daß ihr zu Boden brecht
Vor Glanz und Glut! Donnernd gewölbte Hallen

Mit finstrem Himmel: schwerer Wolken Rauch,
Gepreßt aus Leibern stöhnender Maschinen
Bestreue meiner Fackel heiliges Blut!
Tut auf! Tut auf! Die stieren Reihen der
Lüstlinge reiht mir auf: der Laster und
Der Lüste schwarze Perlen reiht mir auf;
Ich schmücke euch die Götterbilder, daß
Die Perlen und die Lüste musisch klirren.
Tut auf! Tut auf! Ich will die Bilder recken,
Die Götter türmen – Ewiges Geschlecht –
(Er bricht nieder. – Stille. Sich aufrichtend)
Nicht anders, Scheu ist hier Vermessenheit.
Aus tiefster Reinheit brennen meine Ziele:
Ich will die Welt auf meine Schultern nehmen
Und sie mit Lobgesang zur Sonne tragen.

Am Ende des Stückes schaut der Dichter auf das Werk zurück, dessen Schöpfer und Held er ist, und was er sagt, ist Ziel und Grenze der neuen Kunst, Wille zu solcher Kunst und Geständnis ihrer Ohnmacht. Fast alle expressionistischen Dichter haben ähnlich empfunden:

Selbstrückschau und Kritik

Der Dichter: Wie lebe ich dies? Wie lebe ich die Erleuchtung? (Er hat die Kerze auf den Tisch rechts gestellt.) Mit dem ewigen Fernblick: welch einen Trostkreis hellte mir dieser Blitz auf, daß ich noch leben kann!? Ja, ein Blitz fuhr nieder und zerriß mein Erdreich! Oh Erlebnis! Nacht und Erlebnis; Nachterlebnis! Alle Tiefen hatten sich um mich gelagert, wechselweise mir ihren Kuß aufgepreßt, aber dann schleuderte sich der Blitz aus ihnen ... er warf die Verkündung in mich ... Lichtwort ... Lichtmacht ... Oh Segen des Blitzes! Seligkeit der Lichtmächte! Oh zitterndes Glück der Nähe Gottes, ewiger Kummer seiner Nähe! Wie soll ich leben, da mich dies verdammt – ! (Er ist jetzt am Tisch rechts vorn und betrachtet das Manuskript.) Glücklich ist die Arbeit gearbeitet, schön geplant und mit Glück gefügt, ja, in welchem Glückstaumel kreiste oft die Feder! Nun kann kein Strich mehr daran geschehen ... (Er blättert im Manuskript.) Ja, es ist unglücklich, es ist ohne Stille ... Pfui, wie die Dirnen keifen? und dies! und dieses! Rohe Laute, roher Lärm, roh, aber ohne Leben! ohne Stille! ohne Ewigkeit! Wie ein Nilpferd: schwerfällig, trompetend, wälzt sich hier die Handlung durch ihre trüben Gewässer ... Was ist Handlung! ... Was ist wahrhafte Handlung!? ... Sie hat keinen Ausdruck, nicht im Wort, denn sie ist schweigend, nicht in der schauspielerischen Gebärde ...

Die „Symbole der Ewigkeit"

Die Meditation versucht sich an Szenen, bricht aber immer wieder verzweifelnd aus, keine Kunst könne jenes Ende wirklich werden lassen, das „vorgeht, ich fühle es in mir, brennend, das Unaussprechbare –". Der Dichter aber muß reden, denn er ist „zum Wort verdammt", und endlich, nach langem Sinnen, kommt ihm die Erleuchtung, er müsse in Symbolen, „DURCH SYMBOLE DER EWIGKEIT REDEN". Nur wenige Jahre zuvor hatte Hofmannsthal im Chandosbrief eine ähnliche Verzweiflung ausgedrückt. Otto zur Linde, Rainer Maria Rilke und Karl Kraus hatten die Krise des dichterischen Worts signalisiert. Sie sollte den Expressionismus zu einer neuen Poetik aufrufen, und der Weg dazu wurde durch Stammeln, Schweigen und gewaltsame Abbreviaturen bereitet.

Was die „Symbole der Ewigkeit" anging, so legte Sorge in seinem nächsten Drama „Guntwar, die Schule eines Propheten" (Handlung in fünf Aufzügen, einem Vorspiel und einem Nachspiel, geschrieben 1912, als Buch 1914) Zeugnis

Dichter:

Nach solchem Erlebnis kannst du kaum noch Gedanken für meine Sache haben

Freund:

Rede nicht so! Aber wir konnten die Begegnung nur auf diese Stunde legen, das weißt du. Ich muß heute Nacht wieder abreisen, und dein Mäzen – so nenne ich ihn schon – er war übrigens auch im Theater......

Dichter:

Sprachst du ihn?

Freund:

Ich war am Nachmittag bei ihm. Er hatte alle deine Dichtungen gelesen und schien Eindruck davon zu haben; wenigstens sagte er mir Lob. Ich glaube, daß es gut wird. Selbstverständlich darfst du in keiner Weise die Förderungen erwähnen, von denen du mir neulich erzähltest; ich versuchte ihm gegenüber heute eine Anwendung; er lehnte aber sofort ab.

Dichter:

Du sprachst ihm davon und er lehnte ab?

Freund:

Natürlich lehnte er ab. Ich tat es nur, um dich selbst von der Unmöglichkeit zu überzeugen. Ich habe dir genug zugeredet und du scheinst es auch einzusehen, nicht wahr?

Dichter:

Sicherlich, ich verstehe deinen Rat.

Reinhard Johannes Sorge, Handschriftprobe

dafür ab. Das Stück spiegelt nicht bloß die durch eine Vision ausgelöste Entwicklung zum Christentum, sondern auch die persönlichen Umstände der Begegnung mit einem älteren Ehepaar, dessen Förderung der junge Autor entwuchs, indem er zum Propheten Christi wurde. Susanne Sorge hat diese Entwicklung geschildert und teilt einen Brief des Dichters mit, in dem er sich über das Drama ausspricht:

Das Vorspiel und Nachspiel rahmen vorausschauend und zurückblickend ein. Das mittlere Zwischenspiel, das zweite, hält Gericht über die Menschen unserer Zeit. Das dritte hält das Gericht über die nicht nach Gottes Absicht im Weibe Wurzelnden. Das erste Zwischenspiel endlich behandelt die bildende Kunst. Es übt Gericht an solchen, die in Form befangen, steckengeblieben in Form, Gott nicht schauen. Dies Gerichthalten soll keine Verdammung der Form sein, sondern nur eine Verdammung der mißbrauchten Form ... Über alles Gericht hebt sich die Helle der Neuerungen.

Das dürre Schema gibt kein Bild von der Fülle des „Guntwar". Während die dramatische Handlung, wie im „Bettler", im fast naturalistischen Wechselgespräch verläuft, sind die Vor- und Nachspiele luziferischer und englischer Geister den entsprechenden Szenen in Goethes „Faust" nachgedichtet. Auch die Gericht haltenden Zwischenspiele über die Künstler, die Irrenden und die Liebenden sind von Faust II, Dante und der Bibel inspiriert. Spieltechnisch hat Sorge, wie im „Bettler", an eine flache Bühne gedacht, wo durch Vorhänge und Scheinwerfer bestimmte Szenen abgehoben werden. So ergibt sich eine traumhafte Spielweise, die gut zum ekstatischen Ton paßt. So genau nämlich der Realismus der bürgerlichen Wohnstube vorgeschrieben wird, so unbedenklich werden kosmische Vorgänge wie eine Sonnenfinsternis und mediale Zustände der Personen mit der eigentlichen Handlung verbunden. Das Ganze steigert sich am Schluß zu einem himmlischen Chor der Engel, welche die Seele des Verklärten emportragen.

Die neue Form des Ausdrucks

Sorges „Guntwart" ist nicht nur ein ekstatisches Bekehrungsdrama. Wichtiger ist die neu gewonnene Form religiös-liturgischen Ausdrucks mitten im Alltag. Richard Dehmel erkannte gleich Sorges Bedeutung und verlieh ihm den eben gestifteten Kleistpreis als erste öffentliche Anerkennung. Dieser Preis, verbunden mit einer Stiftung des Norddeutschen Lloyd, ermöglichte Sorge eine Reise nach Italien. In Rom faßte er den Entschluß, katholisch zu werden. Im Herbst 1913 erfolgte die Konversion zusammen mit seiner jungen Frau, anschließend fuhr Sorge nach München, wo er Rilke, Carl Muth und später Stefan George besuchte; von hier reiste das Ehepaar zum zweitenmal nach Italien und zu Weihnachten nach Lourdes. Das auf der Rückkehr von Rom 1913 entstandene Preisgedicht „Mutter der Himmel" ist nach Danteschem Vorbild geschrieben: ein Mönch leitet den Dichter und seine Geliebte zur Muttergottes. Zu Ehren Mariens schrieb Sorge im Januar 1914 seine drei Mysterienspiele „Metanoeite" (1915 erschienen), Marienszenen nach der Bibel: Mariä Empfängnis und Heimsuchung, Christi Geburt, die Darstellung Jesu im Tempel und das Wiederfinden im Tempel. Da wird liturgisch-symbolisch in Worten gesprochen, die unmittelbar aus den heiligen Texten variiert werden; Maria sagt:

Die Konversion und religiöse Dichtungen

Tritt mächtig auf, tritt mächtig auf! Mein Geist,
Erhebe dich und werde Jahwes trunken
Und deines Gottes voll! Hei! Eyja! Hei!
Es sah der Herr, der Heiland, an die Niedrigkeit
Der schlechten Magd, da hüllt Er sie ins Düstere,
Ins Düstere Seiner heiligen Wolke, hob sie hoch empor!
Hei! Eyja! denn Demütige erhebt Er
Und stellt sie ganz ins Licht und macht sie siegreich.

Sorge versuchte, vom „Guntwart" bis „Metanoeite" in zunehmendem Maße, die Worte der biblischen Offenbarung als Symbole der Ewigkeit fertig zu übernehmen. In einem „König David" (1916) wollte er wieder dichterisch sprechen. Da setzte der Krieg, in den er mit jugendlichem Enthusiasmus zog, im Sommer 1916 seinem Leben ein Ende. Außer dem „Jüngling" und „Gericht über Zarathustra" erschienen nach dem Tode noch „Mutter der Himmel, ein Sang in zwölf Gesängen" (1917), „Mystische Zwiesprache" (1922), „Der Sieg des Christos, Vision" (1924), „Preis der Unbefleckten, Gesang von Lourdes" (1924) und „Nachgelassene Gedichte" (1925).

FRITZ VON UNRUH

Unruh, Offizier aus schlesischem Uradel, Sohn eines Generals, litt an einem Beruf, der im Frieden kein Beruf sein konnte und im Krieg keiner werden durfte. Seine Figuren reiben sich wund am strengen Pflichtbegriff. Der Seelenkampf eines Prinz Louis Ferdinand erinnerte an den Prinzen von Homburg. Unruh rang um das Bild eines neuen Menschen und stand abseits unter den Autoren seiner Jahrgänge. Er war 1885 in Koblenz geboren und wurde, entsprechend der Familienüberlieferung, nach seiner Kadettenzeit in Plön, Reiteroffizier. 1911 erschien das Drama „Offiziere“, und ein Jahr später nahm der aktive Soldat den Abschied, um sich ganz der Schriftstellerei zu widmen. Im bald ausbrechenden Weltkrieg, den er teilweise an der Front, teilweise im Großen Hauptquartier mitmachte, wurde Unruh Pazifist; nach dem Kriege kandidierte er für eine republikanische Partei und wurde in den Deutschen Reichstag gewählt. Hier hielt er die Gedächtnisrede auf den ermordeten Walther Rathenau. 1933 verließ er Deutschland, ging nach Italien, der Schweiz, Frankreich und endlich Nordamerika. Nach Kriegsende kam er zurück und hielt 1948 in der Frankfurter Paulskirche die Festrede auf die Revolution von 1848.

Der Vergleich mit H. v. Kleist

„Offiziere“

Das vieraktige Drama „Offiziere“ zeigt in breiten Eröffnungsszenen junge Offiziere bei Spiel, Trunk, Flirt und Scherz. Ihr Leben ist leer, ihre Kraft wird in ödem Dienst vergeudet. Das Milieu des Kasinos und die szenisch rasch wechselnden Bilder erinnern an Hartlebens „Rosenmontag“. Die Machart ist vom Naturalismus bestimmt, Erlebnis und Milieu sind echt. Die Offiziere sprechen preußischen Jargon, der Pfarrer gar rheinischen Dialekt. Der Held kann sagen: „Na, – mein Friedensbedarf ist gedeckt. Aber reichlich.“ Sie werden durch den Aufstand der afrikanischen Hereros gegen die deutsche Kolonialmacht alarmiert. Ihr Leben scheint einen Sinn zu bekommen. Aber die romantisch tatendurstigen Offiziere erfahren, daß ihr Beruf auch im Ernstfall durch Pflicht und Gehorsam bestimmt wird. Ernst von Schlichting sucht in einem Patrouillengefecht den Feind, den Ruhm und den Sieg. Er wird darauf von seinem Oberst und Schwiegervater zum Leiter der Signalstation bestimmt, wo er auf Befehl das Zeichen zum Angriff geben, aber nicht kämpfen darf. „Geh deinen Weg unbeirrt ... den graden Weg der Pflicht ... *Wie* du ihn gehst, mein Sohn, *darin* sei Held.“ Die Station kommt durch Wassermangel in eine gefährliche Lage und wird schließlich durch einen heroischen Entschluß gerettet. Die Höhepunkte des Stückes liegen da, wo der „neue Mensch“, ein ekstatischer Typus, sichtbar wird. Mit Gesten und Schreien bricht er aus dem konventionellen Gefängnis aus. Als Ernst den Befehl zum Angriff gegeben hat, breitet er mit expressionistischer Gebärde beide Arme zum Himmel aus („aufjauchzend“): „Ach! ... Dir zu gehorchen! ... Titanenrausch!“ und geht schnell ab.

Der neue Mensch

„Prinz Louis Ferdinand“

Im nächsten Stück, „Louis Ferdinand, Prinz von Preußen“ (1913), scheint Unruh das Schicksal eines Berufenen aus der Überlieferung des preußischen Ethos darzustellen. In einer Reihe einander locker folgender Szenen schwärmt und trinkt der Prinz mit Künstlern, liebt ein Mädchen, verehrt die Königin Luise als Seelenfreundin, ringt mit dem König und seinen unfähigen Ratgebern um einen Entschluß, läßt sich von der Jugend feiern, ist Held und Liebling der Massen. Schließlich weist er die ihm von unzufriedenen Generalen angebotene Krone zurück und sucht den Reitertod im Kampf gegen den einen, der den Bann der Jahrhunderte bricht, Napoleon.

Unruh war 1914 innerlich über seine patriotischen Helden hinausgewachsen; er entdeckte in der Wirklichkeit des Weltkriegs das Grauen, den Tod, die Verwesung, das Unrecht der Phrasen, die Sünde des Herzens. Am 19. September um vier Uhr morgens vor Reims hatte er eine religiöse Vision, und aus ihr kam das Gedicht „Das Lamm"; es wurde Gerhart Hauptmann, „dem Dichter der Liebe unter den Menschen", gewidmet:

Die Vision des Friedens

Ein Fußartillerist kam die Straße entlang,
Er lacht und raucht und lacht.
Auf der Schulter trug er ein stöhnend Lamm,
Zum Schlachten wirds gebracht.

In der Kirchhofseck' liegen zwei Musketier',
Verkrampft, zerlumpt, blutrot.
Ein Kastanienzweig deckt die Gesichter zu –
Wachsweiß und steif und tot.

Lamm Gottes, ich sah deinen wehen Blick,
Bring Frieden uns und Ruh,
Führ uns bald in die Himmel der Liebe zurück
Und deck die Toten zu.

Wo Verwesung über die Felder weht,
Da halte dein Opfermahl.
Bis wieder Mensch mit dem Menschen geht
Durch deinen Sternensaal.

„Vor der Entscheidung"

Im Oktober 1914, in Moyencourt, entstand das Bekenntnis der Wandlung, „Vor der Entscheidung" (erschienen 1919), Unruhs erstes mythisches Spiel, aus Gesichten des kriegerischen Untergangs gestaltet, ein dramatisches „Gedicht" von visionärem Charakter, emotionale Quelle der Trilogie „Ein Geschlecht". In der Gestalt des Ulanen, der um den Sinn der Kriegsgreuel ringt, hat Unruh sich selbst dargestellt. Ihm gegenüber steht der Freiwillige, der sich an die Begriffe von Pflicht und Ehre hält. Der Totentanz besteht aus einer Reihe eindringlicher Szenen. Ulan und Freiwilliger kommen in die Stadt, wo alle Männer vom Standgericht zum Tode verurteilt werden. In der zweiten Szene gebiert eine junge Frau, während Vater, Mann und Bruder erschossen werden, und stirbt. Der Ulan steht im „wuchtzerstampften Kampfgelände", und er kriecht unterm Artilleriefeuer in einen Schützengraben, steht vor einem Massengrab und der Mörserbatterie. Dem General muß er den Tod seines Sohnes melden. Da gibt ihm in einer Traumvision Shakespeare die erste Antwort auf seine Fragen. Während Ulan und Freiwilliger umherirren, stoßen sie auf einen Wegarm, ihr Zündholz beleuchtet das Gesicht des Heilands am Kreuz: „Als er am Kreuze Gott begehrte, war Gottes Antwort: Nacht." Da kommt ihm das Gesicht einer neuen Zeit: „Mutterland soll aus dem Krieg sich heben / Frühlingsjung und stark vor Werdeglück." Es wird eine neue Zeit kommen, deren eschatologischer Charakter die religiösen Erwartungen des Expressionismus spiegelt:

Neuer Mensch auf neuer Erde

Tausend Jahre sind wie gestern!
Ja, es kommt, es kommt die Zeit,
Wo wir Brüder, wo wir Schwestern
Seelenreif und staubbefreit.

Fritz von Unruh

FRITZ VON UNRUH

Nun ist der Ulan reif, um im Bunde mit der „verhüllten Gestalt" dem Schatten seines alten Ich zu begegnen, verkörpert als Heinrich von Kleist: Ein Haßsänger Kleist tritt dem Sänger der neuen Liebe entgegen. Nach dieser Danteschen Beschwörung steht der Ulan wieder auf und geht der Sonne entgegen:

> Aufgetaucht aus Flammenbächen
> Schreiten wir ihm kühn entgegen.
> Junges Volk auf allen Wegen:
> Kommt, wir wollen Burgen brechen.

Dann stimmen alle in den Ruf der Lichtsymbolik ein, der seit dreißig Jahren durch die deutsche kosmische Dichtung schallte: „Lügengötter stürzen nieder! / Sonne! Sonne leuchtet wieder!"

Ein Parallelwerk in erzählender Prosa wurde 1916 geschrieben, durfte aber erst 1918 erscheinen, „Opfergang". Es ist ein Kriegsbuch in vier Teilen und schildert das Leben der Soldaten, vom General bis zum Landsturmmann, in der Hölle vor Verdun. Sie werden einer Prüfung ihres Gewissens unterworfen. Abermals mischt Unruh naturalistische Details mit symbolischen Gesten, wenn Tambour- „Opfergang" gefreiter und Freiwilliger Kruzifix und Eisernes Kreuz vergraben, die sie beide lieben. Einmal heißt es: „Gerichtstag naht! Ach, Erdenvölker, geht es nicht um das Licht eures Geistes – dann wurde alles Pulver umsonst verschossen.“ Die Sprache ist eigenwillig zusammengepreßt, hämmernd, läßt den Artikel weg und stellt das Subjekt, ähnlich wie Sternheim, mit Vorliebe an das Ende:

Ekstatische Prosa

Atmosphäre begann hinter Windstößen zu leuchten. Aus erregterem Traum löste sich Krieg von der Erde ab, daß sie sich aufhob, atembefreit, und das Lachen der Kinder über alle Vernichtung stieg. Waren es Augen, waren es Tränen! Glanz überall! Ihm entgegen jauchzte der Erdball wie eine Lerche am Morgen und zerfloß und verlor sich in der Wonne des Lichts. Clemens streckte ihm seine Arme nach. Aber an seinen Beinen zerrten noch tausend Greuel schrecktoller Tiefen. Da griff er entschlossen in die Umklammerung und zerriß seinen Traum. Aug in Aug mit der Sonne erwachte er auf der Brustwehr. „Tag“, jubelte er auf. „Geduld, wir kommen! Heimat! Wir brechen nicht Gräben allein! Wir blasen neuen Odem! Baut feste Giebel, wenn Ihr bei Luft bleiben wollt!“ – Kox, der Pionier, trat an den Lehrer heran: „Endlich ist mir eine Dynamitladung bewilligt, daß sich vorsehen soll alles, was nicht aus Granit geschaffen!“ Clemens sah ihn über sein Gewehrschloß an: „Wir wollen Feuer in die Erde schleudern!“

„Ein Geschlecht“

In „Ein Geschlecht“ sollte der neue Mensch gezeigt werden, am Beispiel einer Mutter von vier Söhnen und einer Tochter. Die Mutter steht im Mittelpunkt der symbolischen Handlung; sie ist Spenderin des Schicksals, Gebärerin und Verwandlerin des Lebens, Trägerin von Leid und Lust, Inbegriff von Leib und Kopf, Nacht und Tag, Leib und Seele, mater dolorosa und mater gloriosa. Der Krieg hat alles Leid auf sie gehäuft. Sie steht mit ihrer Tochter am Grab des toten Sohnes. „Die Tragödie ist an kein Zeitkostüm gebunden, ihre Handlung spielt vor und in einem Kirchhof auf Bergesgipfel.“ Der jüngste Sohn schaufelt dem „schlachtgefallenen Liebling“ ein Grab. Unterdessen binden Soldaten die beiden andern Söhne an den Gittern des Kirchhoftors fest. Beide sollen sterben, der eine, weil er in wilder Leidenschaft geschändet hat, der andere, weil er feige war. Das Geschlecht soll nun entsühnt werden, indem der jüngste Sohn das Urteil an den Brüdern vollzieht. Er kann es nicht und wird weggeschleppt. In maßloser Leidenschaft begehrt der Älteste die Schwester und sie, die ihn losbindet, ihn: beide wollen der Mutter ans Leben! (Das Urmärchen von Blutschande und Muttermord.) Die Mutter weiß:

In mir fließt jeder Brunnen Eurer Sinne,
auch mich trieb Lust in Arme eines Mannes,
auch mir versagten Kniee oft vor Angst.
Nun schäumt es auf in euren lieben Leibern
und reißt die Schönheit Eurer Unschuld,
die Sorge meiner Nächte so entzwei,
daß ich mich selbst vor Schauder nicht erkannte.

Der Älteste schändet, die Kreuze aus dem Boden reißend, die Toten, wirft die Mutter nieder, und nachdem sie „aufgelöst“ gebetet und der Älteste ihr zugerufen hat: „Die Finger vom Gebet!“, faßt sich die Mutter und hat, während der Älteste sich von der Kirchhofsmauer stürzt, die Vision einer heiligen jungen Welt:

O weites Land. O selge Flächenlust!
Dich möcht ich streicheln wie ein Wiegenbett,
darunter heil'ges Leben schläft!

Es naht der Tag, voll Lachen steigt er auf,
da wir von der Erinnrung harter Last,
die uns in unsres Ursprungs Dämmer zwingt,
befreit sind, und wie Adler hoch im Flug
der Qualgebirge Gipfel selig streifen!

O Mutterleib, o Leib, so wild verflucht
und aller Greuel tiefster Anlaß erst,
Du sollst das Herz im Bau des Weltalls werden
und ein Geschlecht aus deiner Wonne bilden,
das herrlicher als Ihr den Stab gebraucht! –
Ihm werf ich ihn erschauernd so entgegen!

Zweiter Teil, „Platz“

Als zweiter Teil der Trilogie folgte „Platz, ein Spiel“ (1920), 1917–20 entstanden, G. Hauptmann „in Ehrfurcht“ gewidmet. Hier kämpft Dietrich, der jüngste Sohn, mit den Schatten der alten und neuen Welt, die um den von Staatsgebäuden flankierten „Platz“ geistern. Sein Sinnbild ist der Platzgötze des Krieges und der Gewalt. Ihm huldigen der Oberherr, der Greis und Graf Gutundblut, die Vertreter des Machtprinzips und adligen Kriegertums. Neben ihnen steht Christlieb Schleich, „ein Zeitgenosse“, sein Name ist ebenso wie der Gutundbluts ein Sinnbild. Schleich ist Inbegriff aller Schliche, des Wechselnden, Fließenden, das mit sich handeln läßt, voll Ressentiments und verdrängter Sexualität. In das Hochzeitsfest, das die Töchter des Oberherrn, die schöne und geistige Irene mit Gutundblut, die sinnliche Hyazinte mit Schleich verbinden soll, läuten Sturmglocken: um sein Geschlecht zu sühnen, die Mutter zu rächen, stürmt Dietrich mit junger Mannschaft den Platz. Dietrich, der neue Mensch, macht eine Wandlung durch; er erkennt, daß seine Generation sich mit der Übernahme der Macht in die gleichen Laster verstricken wird wie die alte. Das Machtproblem ist nicht zu lösen; Dietrich sieht sich und seine Genossen die gleichen Plätze beanspruchen, die der Oberherr und Gutundblut einnahmen. Die „wahre Revolution“ erfährt er durch Irenes Liebe; das ist nicht die abstrakte Liebe zur Menschheit, sondern die erotisch-sinnliche Liebe zu einer konkreten Person. Sie rollen sich gleichnishaft einen Globus zu, zwei Menschen, die *ein* Kosmos sind, wenn auch mit zwei Polen. Schleich übernimmt die Rolle des wilden Revolutionärs und rächt sich an der Gesellschaft durch Aufrichtung eines Terrorregimes.

Wahre und falsche Revolution

Schleich: Hin werft sie hier! Türsplittern? Sind's Millionen?
Und lästern Gott! (jauchzend) Sie lästern Gott?
Sie lästern?
Brimborium ab!
(Wirft Gewand und Heiligenschein von sich)
Neuteiler Welt! Nun redet!
Was heimlich erst: Hinbrüllt's: Zersetz! Zersetz!
Die Weiber werden Eigentum! Verkündet's.
(Freunde ab. Er wickelt Hyazinte aus)
Verhüllt? Modell? Zartlinig? Schleckerfleisch?
Frisch, blutig Pfirsichkern? Good bye! Good bye!
(Salutiert mit Heiligenschein)
Charlotte Corday? Wie sie brüllen! Good bye!
Ans Leben mir? Mich morden? Mich? Den Gott?
Hyazinte (bäumt sich, er wirft sie)

Fritz von Unruh, Handschrift aus „Heinrich von Andernach“

Schleich: Kein Laut! Loch zu! Pandorabüchse zu!
(Knebelt sie)
Steißwackeln Ente? Brüsteprotzen? Aus!
Die Gretchenspiele haben aufgehört! –

Die Verwirrung erreicht ein beträchtliches Maß, Schleich übernimmt Dietrichs revolutionäre Idee aus egoistischen Gründen, benützt die Schlagworte als demagogische Lockmittel, will Dietrich als Gegenrevolutionär exekutieren und den feigen Sohn, Dietrichs Schatten, auf den Thron erheben. Doch da sprengen die Truppen der alten Mächte das Gefängnis, und Dietrich wird frei. Schleich und die alten Mächte erscheinen im „Gespensterkampf verwester Phantasieen": Unruh spricht von Schleichs Truppen als den „Roten", von denen des Platzes als den „Weißen". Dietrich und Irene aber gehören keiner dieser Parteien an, sondern symbolisieren das künftige Geschlecht aus Liebe:

Die Roten und die Weißen

Irene: Beginn! Beginn! Der Menschheit erster Tag!
Dietrich: So reiße ich das letzte Siegel auf!
Zeig eine Lüge in die Welt,
auf daß sie sterbe –:
Ich bin's' Der Mann, der ewige Held!
Daß ich daran verderbe!
Der Waage tiefster Sinn blüht auf:
Der Löwe war der Männer Flucht!
Die Zwillinge das ewige Du und Ich!
Dazwischen Lust und Tod –, der Krebs.
(Leuchtend)
Daß wir in der Jungfrau Stern
unsern wahren Weltenherrn:
Liebeseinheit, dich erkennen
dazu, Mutter, sage: Amen!
Irene: Heut ist der jüngste Tag!
Und gestern war der Tod!
Dietrich (reicht seine Hände)
Der Geist spricht: Komm!
Irene: Die Braut spricht: Komm!
Dietrich (fest): Ja, der Geist spricht: Komm.
Irene (überwältigt): Ja, die Braut spricht: Komm.
Dietrich: Die Nacht ist um.
Irene: Heil'ge Liebe, laß mich jetzt nicht sterben;
der höchsten Gnade bin ich schrecklich nahe.

Die neuen Menschen

Unruhs Drama enthält die erste Selbstkritik des Expressionismus und des expressionistischen Stils. Während Kaisers und Tollers Helden, wie früher Sorges Bettler und Johsts Sohn, an ihre Botschaft glühend glauben, ist Unruhs Schleich, das plebejische und dämonische Zerrbild der neuen Ideen, selbst Expressionist: er benützt das Telegrammvokabular und neue Weltbild zur Befriedigung seiner bisher unterdrückten Macht- und Sexualtriebe. Schleichs Verhältnis zur Geschichte, zur Liebe, zur Religion ist radikal negativ. W. H. Sokel hat mit Recht betont, Unruh habe nicht nur das Grundproblem der antistalinistischen Literatur der folgenden Generation – der Autoren der Ernüchterung über den „Gott, der keiner war", Koestler, Silone und Orwell – vorweggenommen, sondern er

Expressionistische Selbstkritik

Fritz von Unruh,
Büste von Wilhelm Lehmbruck

„bietet uns gleichzeitig auch das erste Beispiel jener Selbstverurteilung, mit der der späte Expressionismus den eigenen Traum in Frage stellt und sich von ihm abkehrt."

In Unruhs Trilogie (das dritte Stück, „Dietrich", wurde 1936 in Frankreich geschrieben) sah man das Hauptwerk der expressionistischen Dramatik. Zweifellos sind hier Grundtendenzen der Bewegung in einer mythisierenden Fabel, einer neuen Sprechweise, einer auf die große Tradition (Kleist und die Griechen) keineswegs verzichtenden Überlieferung ausgesprochen worden. Eine ähnliche Form hat nur Reinhard Goering in der „Seeschlacht" erreicht.

Bedeutung und Wertung

Aber der Versuch, den neuen Menschen und die neue Welt in symbolischer Überhöhung darzustellen, ist an Unruhs Sprache gescheitert. Sie ist deklamatorisch, pathetisch, aufgeregt. Die Gestalten schreien und gestikulieren, aber man glaubt nicht an die visionären Erlebnisse, von denen sie stammeln. Mutter, Tochter, der feige Sohn und Dietrich sind nicht Menschen aus Fleisch und Blut, sondern Rollensprecher. Der Oberherr und Gutundblut sind Schatten. Irene und Hyazinte kann man sich sinnlich schwer vorstellen; und Schleich, der wild gewordene Kleinbürger und Prolet, ist ein Klischee des politischen Verbrechers.

Man soll vom expressionistischen Drama keine psychologische Motivierung oder kunstvollen Aufbau erwarten; aber Unruh, der sich anfangs als tüchtiger Techniker des Dramas erwiesen hatte, nimmt keine Rücksicht auf die künstlerische Wahrscheinlichkeit. Schon die zeitgenössische Kritik stellte fest, daß „Ein Geschlecht" wohlgefällig in den Tiraden einer toten Zeit schwelge. (Damit meinte man das Wildenbruchsche Pathos.) So wie Sternheims Figuren, trotz ihrer Lebendigkeit, einer Plüschzeit verhaftet bleiben, die sie überwinden wollen, so hat Unruhs Drama nichts von jenem „Atem der Ewigkeit", den sein Vorbild Heinrich von Kleist besaß.

Anstelle des erwarteten dritten Teils der Trilogie „Ein Geschlecht" erschien 1922 das Drama „Stürme", das 1913/14 entstanden war. Es handelt von der Geburt der neuen Zeit. Überall soll Freiheit herrschen, vor allem in den Beziehungen der Geschlechter. Die wild bewegte Handlung erinnert an die Renaissancedramen der Décadence. In „Reden" (1924), besonders in der Goethe-Ansprache „Stirb und werde" von 1922, hat Unruh sein Anliegen deutlicher gemacht. Das neue Verhältnis der Geschlechter meint das Gegenteil der Schleichschen Enthemmung, Unruh sagt mit Goethe:

„Stürme" und „Bonaparte"

Und dich reißet neu Verlangen
Auf zu höherer Begattung.

In dem Buch einer Frankreich- und Englandreise „Flügel der Nike" (1925) bekannte der Gläubige sich zu einer Zukunft Deutschlands und Europas; er beschwor die Jugend, die im Krieg empfangene Vision nicht zu verraten, sondern eine Welt ohne Mammon, Krieg, Haß und Trieb, der sich ausleben will, zu bauen. Das Schauspiel „Bonaparte" (1927) verbindet die Erschießung des Herzogs von Enghien mit der Übernahme der Monarchie durch Napoleon. Bonaparte gelangt über die Leiche des Herzogs und unter dem Jubel des Pöbels zum Kaisertum. Wie Dietrich weiß er um die Zweideutigkeit der Macht, nimmt sie aber an, denn er verachtet die Menschen: „Grenadiere, jagt den Pöbel aus meinen Höfen!" lautet sein Befehl. Das Schauspiel hat die expressionistische Form aufgegeben und ist, ähnlich wie das Festspiel zur Jahrtausendfeier der Rheinlande „Heinrich von Andernach" (1925), ein dramatischer Bilderbogen mit ethischer Tendenz.

Lustspiele und letzte Stücke

In den folgenden Jahren hat sich Fritz von Unruh, wie Kaiser, Kornfeld, Johst und Hasenclever, der Komödie zugewandt: „Phaea" (1930), „Zero" (1932), „Gandha" (1935) und „Miß Rollschuh" (1941). 1933 erschienen „Politeia. Aufsätze, Reden und Verse", 1936 die Rede „Europa erwache" gegen den Nationalsozialismus. Außer „Dietrich" entstanden die Schauspiele „Hauptmann Werner" und „Charlotte Corday" (beide 1936).

„Der nie verlor"

Im Sommer 1944 wurde ein Roman abgeschlossen, der 1947 zuerst in englischer Übertragung unter dem Titel „The End is not yet" erschien, im Jahre darauf deutsch als „Der nie verlor". Hier wollte Unruh „den Kampf gegen die totalitären Schinder der Menschenwürde auf meine Art in dramatischer Prosa wieder aufnehmen". Es ist ein gespenstischer Totentanz, in dem eine kolportagehafte Handlung, im Milieu der Balletteusen und Spione, plötzlich mit Figuren versetzt wird, die Hitler, Keitel, Göring und Heß heißen. Der Roman spielt in Paris; wir begegnen hier auch Unruhs eigener Figur aus „Platz", jenem Schleich, wieder, der als Nutznießer roter und brauner Macht erscheint. Überhaupt zeigt der Roman die historische Anwendung des „Platz"schemas auf das Jahr 1940. Damit ist seine Bedeutung aber auch erschöpft; denn eine erschreckend banale, grammatisch verderbte und wie beim späten Heinrich Mann mit französischen und englischen Brocken und Satzkonstruktionen durchsetzte Sprache macht den Roman kaum lesbar: „In dem nun knirschenden Gegrolle der Tafelrunde . . ." „Eh bien, als ich eines Nachmittags von Starnberg aus bei pladderndem Regen die Chaussee entlang zurück nach München fuhr, da . . ." „Oder sollte es denn nie möglich sein, daß wir Liebenden ein erstes bräutliches Gefühl in uns ebenso herrlich durchbauen und gestalten . . . Ich meine durch Frost und Sturm! Durch Hitze

Lithographie von Willy Jaeckel zu Fritz von Unruh,
Ein Geschlecht (Das junge Deutschland)

und Blitz! Bis in solche Vollendung hinauf — — wie diese gotische Kathedrale hier?“ In diesem Stil ist das Buch geschrieben. In andern Romanen („Die Heilige“ und „Fürchtet nichts“, beide 1952) wird der Gedanke der Freiheit an historischen Modellen, Katharina von Siena und der Fürstin Gallitzin, gezeigt. „Der Sohn des Generals“ (1957) ist eine romanhafte Autobiographie Unruhs. Mit keinem seiner späten Werke hat er den Erfolg seiner „Schrei“-Dramatik von 1919 erreichen können.

Georg Kaiser

Die Formel stimmt – und sie stimmt nicht.
G. Kaiser, „Gas"

Die expressionistischen Dichter kreisen um Ideen, wandeln Gedanken ab, sind mehr oder minder leicht auf eine Formel zu bringende Variantenspieler. Georg Kaiser ließe sich nicht auf dieses Bild festlegen. Er war rätselhaft vieldeutig und vielseitig. Schon zu Lebzeiten und in den Jahren des öffentlichen Ruhms hat man das empfunden; auch einer späteren Betrachtung haben Kaiser und sein Werk sich nicht recht erschließen wollen. Er galt lange Zeit als der größte Dramatiker des Expressionismus, obwohl man damals schon bemerkt hatte, daß er zwei expressionistische Merkmale nicht erfüllte: den „Schrei" als Ausdruck und die Auflösung der Form des Dramas. Kaiser bemühte sich um eine genaue und bestimmte Sprache und „baute" seine Dramen auf klassische Weise. „Das Drama schreiben ist: einen Gedanken zu Ende denken." Diebold hat ihn als „Denkspieler" bezeichnet.

Vieldeutigkeit von Leben und Werk

Kaisers Anfänge waren teils naturalistisch, teils neuromantisch. Hofmannsthal und George hatten ebenso wie Strindberg und Wedekind auf ihn gewirkt. In den dreißiger Jahren hat sich Kaiser von der Form seiner Ruhmeszeit gelöst; er, der in den „Bürgern von Calais" gerufen hatte: „Ich habe den neuen Menschen gesehen – in dieser Nacht ist er geboren!", diesen neuen Menschen aber nie hatte zeigen können, hat im „Soldaten Tanaka" und den griechischen Dramen seiner letzten Zeit dem „neuen Menschen" Fleisch und Blut verliehen, aber auf den Spuren Büchners, Kleists und Hebbels.

Die stoffliche Spannweite als Gefahr

Ähnlich wie die großen Lyriker gehört Georg Kaiser nur für seine mittlere Periode in den Expressionismus. Wie Johst, Werfel und andere erkannte er in der expressionistischen Ausdrucksweise die beste Möglichkeit, seine Gedanken und Ideen auszusprechen. Seine Welt war vielfältig, farbig, bewegt. Sie umfaßte griechische Götter, das Alte Testament, assyrische Heerlager, das Mittelalter, die christliche Legende, die moderne Zeit mit Sportpalast, Schule, Gefängnis, Ballsaal, Industrierevier, Büro, Luxusjacht und Betonhalle der Fabriken. Auch die Zukunft wurde einbezogen, wenn Kaiser eine militaristische Industrie vorführte, deren von Blau- und Gelbfiguren bedientes Drähtesystem unheimlicher als die Phantastik der Vergangenheit erschien. Wir treten mit ihm in die von Sonne und Licht überstrahlte Ebene des utopischen Paradieses. Wo aber stand der Dichter, was war seine Meinung, was wollte er demonstrieren? Die angebotenen Lösungen widersprechen einander. Die Figuren sind einseitig, ja schemenhaft. Eins der Schlüsselstücke ist „Die Koralle", wo der Milliardär von Sohn und Tochter überführt wird, daß sein Leben eine einzige Ungerechtigkeit darstellt. Dieser Milliardär erklärt einem Wedekindschen „Herrn in Grau", wie er beide Eltern verloren hat und allein dastand: Die menschliche Not des Kindes soll ein Grund für die ökonomische Laufbahn des Milliardärs sein. Dieser Mann tötet seinen Doppelgänger, um für einige Stunden jenes andere Ich zu „sein". Das Doppelgängermotiv wurde nicht ausgenützt, es blieb ein theatralischer Gag; aber die sozialen und politischen Nebenfragen des Stückes gaben dem Autor Gelegenheit, „Die Koralle" zum ersten Teil einer Trilogie zu machen, deren zweiter und dritter

Verschenkte Motive, „Die Koralle"

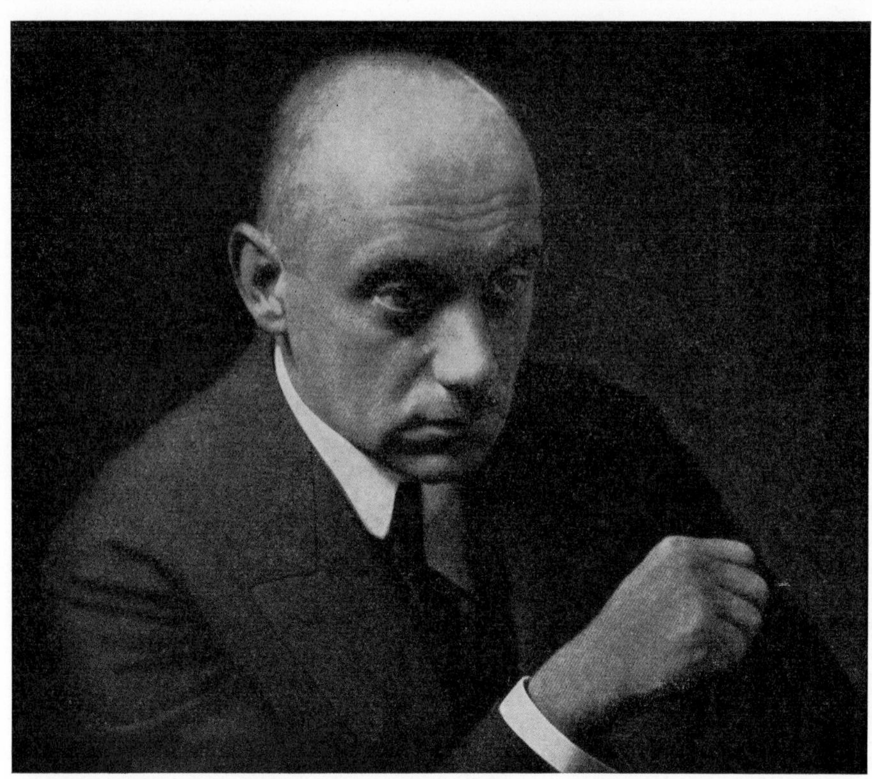

Georg Kaiser

Teil, „Gas I" und „Gas II", großen Erfolg hatten. Das menschliche Anliegen der inneren Not und Vereinsamung wurde überspielt durch eine ideologische Auseinandersetzung mit Problemen der Zeit.

Die Masse der Stücke – es gibt mehr als vierzig Dramen – war so rätselhaft wie die Person des Verfassers und seine wirkliche Meinung. War er Spötter und Ironiker? War er Verneiner oder Bejaher? Was bedeutete sein Eintreten für die neue Klasse des Arbeiters? War er Kommunist und Pazifist? Meinte er Christus oder Buddha? Keine Figur schien Sprachrohr des Dichters zu sein. Dieser wich allen Fragen nach der Person aus, bis er wegen eines Prozesses 1920 zum Sprechen gedrängt wurde.

Jugend und Südamerikareise

Georg Kaiser ist 1878 in Magdeburg als fünfter von sechs Brüdern in einem Kaufmannshaus geboren. Er war ein stilles, überempfindliches Kind, das an epileptischen Anfällen litt. Er besuchte mit Widerwillen die Schule im Kloster Unserer Lieben Frau und machte eine kaufmännische Lehre durch. Dann ging er für drei Jahre zu einer Elektrizitätsgesellschaft nach Buenos Aires und „wurde hier zum Deutschen". Auf einem monatelangen Überlandritt, dem sein Begleiter, ein argentinischer Offizier, erlag, holte er sich die Malaria. Über Spanien und Italien kehrte er nach Hause zurück und führte acht Jahre lang ein Leben in der Krankenstube. Als „Rektor Kleist" fertig wurde, war der Autor fünfundzwanzig Jahre alt, mit dreißig wurde das erste Stück gedruckt, mit fast fünfunddreißig ein Drama auf die Bühne gebracht.

Kaiser lebte von Vorschüssen und Darlehen, seit 1908 war er verheiratet. Seine Stunde schien 1919 gekommen zu sein, Theater und Film begannen ihn zu umwerben. Blind gegen jede Wirklichkeit, verkaufte er, um Geld zu bekommen, Teile des Inventars einer ihm überlassenen Wohnung. Er verstand nicht, daß man ihn vor Gericht stellte; denn „wer viel geleistet hat, ist schon dadurch straffrei", und „ich muß meine Kinder schlachten können, wenn ich an mich glaube". Er sei ein „Bruder im Leid" Kleists und Büchners, ein Schöpfer, der „die deutsche Sprache in eine so neue Möglichkeit gelenkt habe wie lutherische Bibelübersetzungen". Seine Verhaftung sei ein nationales Unglück; der Dramatiker vor Gericht sei ein „exorbitanter" Fall, *der* Fall des Dichters. Er müsse vornehm leben, erster Klasse reisen und in Berlin im Hotel Esplanade wohnen. „Tut dem Geist nicht zu weh, denn Geist ist schon eine unheilbare Wunde!" Er wurde jedoch verurteilt und meinte, „ich bedaure meine schriftstellerischen Kollegen schon heute, ihnen durch das Erleben des Gefängnisses soweit vorausgekommen zu sein". Auffallend häufig gibt es in Kaisers Werk Gefängnisszenen, und auch das Geld spielt eine erstaunliche Rolle. Kaiser sah Symbole in ihnen, eine Art von schicksalhafter Chiffre. Aber er kam nie auf den Gedanken, seine Faszination durch das Geld in der Darstellung eines modernen Geschäftsmannes zu objektivieren. Geld erhält man bei Kaiser nämlich durch das Große Los, und die Gewinner haben Sorge, es möglichst schnell wieder anzubringen.

GEORG KAISER

Der Prozeß gegen den Dichter

Das erste Stück war die einaktige blutige Groteske „Schellenkönig" in 769 Blankversen, später wesentlich erweitert unter dem Titel „Simplizissimus". Hofmannsthals „Tor und Tod" hat das dramatisch bewegte Stück angeregt. Kaiser war damals schon ein fleißiger Leser, die nächsten Stücke sind Parodien auf Goethes „Faust", auf Wildenbruch, eine naturalistische Milieuschilderung mit einem Epilog auf Arno Holz. Aus dieser Skizze wurde später eine Tragikomödie in fünf Akten, frei nach Hauptmanns „Biberpelz": „Die melkende Kuh". Zwischen das Studium Holz' und Hauptmanns fällt, wohl gleich nach der Rückkehr aus Südamerika, 1901, die Bekanntschaft mit Wedekind, dessen Welt ihn jahrelang festhielt. 1901/02 entstand der „Fall des Schülers Vehgesack" und 1903/04 „Rektor Kleist".

Erste Versuche, „Der Schellenkönig"

Über H. v. Kleist kam Kaiser damals zu Hebbel und schrieb, angeregt von dessen „Judith", eine biblische Komödie „Die jüdische Witwe" (erste Fassung 1904, zweite Fassung 1908). Hatten „Schüler Vehgesack" und „Rektor Kleist" die triebhaft drängende Jugend im Stil von Wedekinds „Frühlings Erwachen" gegen eine impotente und karikierte Lehrerschaft gestellt, so begab sich Kaiser mit der „Jüdischen Witwe", „König Hahnrei" (1910) und „Europa" (1914) auf Wedekinds eigenstes Gebiet, die Erotik. Judith, Tristan und Isolde, Zeus und Europa wären bei Wedekind Sprachrohr seiner Lehren geworden; bei Kaiser reden nur die Schwächlinge, die Starken handeln triebhaft. Judith, als Zwölfjährige versprochen, flieht und sucht den Mann, da ihr Gatte, ein Schwätzer, sie nicht zur Frau machen konnte. Während sie badet und er vor Gier vergeht, schweigt sie und wickelt sich immer fester in ihr Laken. Die Szene ist eine fast stumme Pantomime, bis der Mann losbricht und höhnt, daß sie nach dem Gesetz nicht von ihm loskomme. Als er fort ist, antwortet sie sich selbst: „Jetzt will ich mir einen jungen Bräutigam suchen." Gesetz, Recht, Ehe gelten ihrem katzenhaften Wesen nichts. Aber der, den sie mag, Nebukadnezar, nimmt vor ihr mitsamt seinem

„Die jüdische Witwe"

Heer Reißaus, als sie ihm zuliebe dem ungeschlachten Bramarbas Holofernes den Kopf abgeschlagen hat. Das gerettete Volk bestimmt die lüsterne Judith nun zur Tempeljungfrau, so daß sie auf die Dauer eines Fußfalls mit dem Hohenpriester das Allerheiligste betreten darf. Ihre Sehnsucht hätte sich nie erfüllt, nähme nicht der Hohepriester sich im Allerheiligsten ihrer kräftig an. Bezeichnend für Kaisers dramatische Sprache ist die Mordszene:

Holofernes (blickt an Judith hinaus, streift, mit unruhigem Lächeln den König Nebukadnezar – steht auf): Hebt ein Fell vom Bett ab und bildet eine Wand vor uns: – meine Heere sollen mich nicht dabei erblicken, denn sie würden über mich herfallen! Ich will den Tag zur Nacht machen!! (Höhnend gegen den König, stark an Judith:) Komm! – Weib! (Hinten haben zwei Ägypter nach dem Befehl getan: sie verbergen mit dem hochgehaltenen Ziegenfell das Lager.)

Holofernes (ohne sich umzusehen, geht dahinter)

Judith (hängt mit rieselndem Lächeln an Nebukadnezar – wirft Holofernes Blicke nach – sie umspannt den Schwertgriff härter. Kurz wirft sie den Kopf zurück, huscht nach hinten: sie packt den Ägypter, der dort zunächst am Ziegenfell tragend steht, mit dem rechten Arm um den Leib und führt so gestützt linkshändig einen waagerecht gewaltigen Streich hinter das Fell.)

Der Ägypter (stößt einen dumpfen Schrei aus)

Der König (erwachend): Arzt –!

Der Arzt: Du bist nicht getroffen! (Die beiden Ägypter haben das Fell über Holofernes zusammengeworfen, fliehen nach vorn.)

Der König (reißt die Augen auf): Was machst du?

Judith (steht lächelnd da, wie ein Kind, das sich eine Belohnung verdiente)

Der König: Was machst du – denn? (Wimmernd wie verlassen) Was hast du denn gemacht? (Alle andern stehen unbeweglich und schauen nur noch auf den König.)

Judith (bückt sich nieder, fühlt unterm Ziegenfelle: sie bringt den noch Blut verlierenden Kopf hervor.)

Der König (stammelnd, bleich): Holofernes – ist gestorben! Holofernes ist – ! (Der Schrecken faßt ihn, stößt ihn in die Flucht. Mit Schreien erreicht er den Zeltausgang.)

„König Hahnrei" und „Europa"

Es ist eine Groteske, ein Schauerdrama, ein Literatenwitz, der den Glauben an die alte Geschichte und ihre tiefsinnigen Dichter, einschließlich Hebbel, erschüttern will. Ähnlich drastisch geht es im „Hahnrei" zu, wo König Marke, von Tristan und Isolde betrogen, ein lustverzehrter Greis, sich drei Akte lang vor unseren Augen windet. Das groteske Spiel entgleitet seinem Autor fast zur Tragödie. Das fünfaktige Tanzspiel „Europa" (1915) sollte ein „Sinnspiel auf das Kriegsganze" sein. Es zeigt anfangs in griechischem Gewand das überfeinerte und verweichlichte Geschlecht, welches die angebetete Europa in Weiberröcken tanzend umwirbt. Am Ende bricht eine waffenklirrende, rauhe Kriegerkaste mit Drohung und Raublust ein. Europa zeigt, daß sie etwas anderes war, als ihre Anbeter meinten, ein triebsicheres Wesen, das dem prächtigen Stier Zeus zu folgen bereit ist.

Der Weg zur eigenen Form

Bevor Kaiser mit der „Jüdischen Witwe" die Befreiung von Wedekind gelang, indem er den historischen Raum atmosphärisch einfing und hochmoralische Skrupel als Hemmungen einbaute, hatte er eine ganze Reihe von Stücken geschrieben, in denen das nicht gelungen war. Die meisten waren Komödien. In der ersten Auflage war auch „Die jüdische Witwe" als eine biblische Komödie bezeichnet. „Der Zentaur" (1916) war schon 1906 entworfen, 1907 „Der mutige

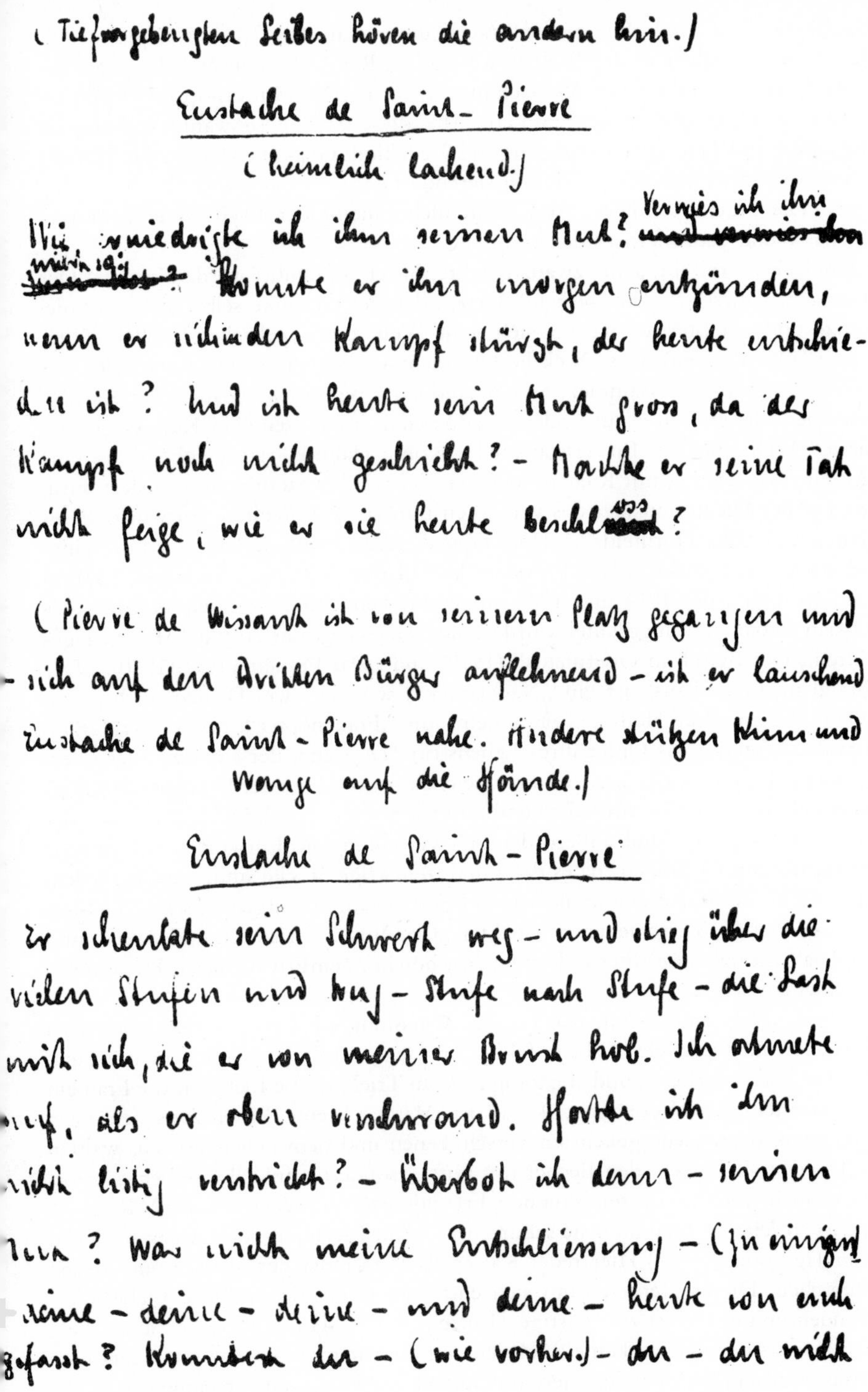

(Tiefvorgebeugten Leibes hören die andern hin.)

Eustache de Saint-Pierre

(heimlich lachend.)

Wie erniedrigte ich ihm seinen Mut? Vergass ich ihm ~~und verwies den~~ ~~...~~? Konnte er ihn morgen entzünden, wenn er in schwindenden Kampf stürzt, der heute entschieden ist? Und ist heute sein Mut gross, da der Kampf noch nicht geschieht? – Machte er seine Tat nicht feige, wie er sie heute beschloss?

(Pierre de Wissant ist von seinem Platz gegangen und – sich auf den dritten Bürger auflehnend – ist er lauschend Eustache de Saint-Pierre nahe. Andere stützen Kinn und Wange auf die Hände.)

Eustache de Saint-Pierre

Er schenkte sein Schwert weg – und stieg über die vielen Stufen und trug – Stufe nach Stufe – die Last mit sich, die er von meiner Brust hob. Ich atmete auf, als er oben verschwand. Hatte ich ihn nicht listig verstrickt? – Überbot ich denn – seinen Sinn? War nicht meine Entschliessung – (zu einzigen) seine – deine – deine – und deine – heute von euch gefasst? Konntest du – (wie vorher.) – du – du nicht

Georg Kaiser, Handschriftblatt des Dramas „Die Bürger von Calais“

Seefahrer" und 1909 „Die Sorina" (auch unter dem Titel „Der Kindermord"). Die „Sorina" spielt in der Welt von Gogols „Revisor", während die Tragödie unter jungen Leuten „Die Versuchung" (zuerst „Die Muttergottes") Einflüsse Ibsens und Schnitzlers spüren ließ. Alle diese Stücke schwankten zwischen Komödie und Tragödie. Sternheims und Wedekinds Grotesken hatten den Dichter ebenso verwirrt wie das psychologisierende Drama des ausgehenden Naturalismus. Die Stücke schillern; man weiß nicht, meint der Dichter seine Marke, Manasse und Judith ernst oder komisch.

Neue Technik und Sprechweise

„König Hahnrei" brauchte zwanzig Jahre, bis er aufgeführt werden konnte. Der Fortschritt dieses Stückes bestand darin, „daß der Gedanke selbst sich ins Spiel setzte und schöpferisch wurde, sich seine Welt reiner seelischer Intellektualität schuf" (W. Paulsen). Das Stück besteht nicht aus Szenen, sondern setzt sich aus „Zellen" (Paulsen) zusammen. So entstand jenes Webstück gedanklicher Kombinationen, die einzeln absurd oder paradox sind, im ganzen aber Kaisers „rätselhafte" Welt spiegeln. Im Tristanstück „König Hahnrei" steckt obendrein eine Auseinandersetzung mit Richard Wagner, der wie bei Sternheim ironisiert wird, weil er der Dichtermusiker des verhaßten Bürgers war. Weitere Entwürfe dieser Jahre sind „Die Dornfelds", „Hete Donat" (das Drama der reichen Frau eines schwachen Künstlers), „Der Präsident", 1914 und 1927 neu bearbeitet, „David und Goliath", der 1914 und 1920 umgeschrieben und 1934 noch als „Los des Ossian Balvesen" umgestaltet wurde, und „Der Geist der Antike". Hierher gehören „Der Brand im Opernhaus" (1919) und „Das Frauenopfer" (1920). „Der Brand im Opernhaus" ist ein „Nachtstück", wo sich zwei Dirnen, nicht recht glaubhaft, in zwei Heilige verwandeln. Im „Frauenopfer" bringt die Gräfin Lavalette freudig das Opfer ihres Lebens für den Mann, der sie, ihre Liebe verkennend, fast verstoßen hat. An ihrer Leiche erwacht er zu der Erkenntnis: „Muß man sich nicht ekeln — vor jedem entbrannten Streit — vor der Ruhmredigkeit der Menschen? ! !" Es sind außerordentlich verschlungene Entwürfe, viel zu sehr befrachtet mit Gedanken; da es drei- und fünfaktige Stücke sind, wird bei jedem Akt ein neuer Anlauf genommen. Um dieser Gefahr zu entgehen, schrieb Kaiser die drei erst 1918 erschienenen Einakter „Claudius", „Friedrich und Anna" und „Juana", die teilweise unter andern Titeln schon in einem Privatdruck („Hyperion") erschienen waren.

Drama der platonischen Ideen

In diesen Dramen erkennt man Kaisers Wandlung am Bild der Frau; sie ist zu allem — zum Opfer des Lebens fähig. Im Gegensatz zum Mann, der schwach, treulos, abenteuerlustig und abhängig ist vom Trieb, ist die Liebe für die Frau ein unwiderstehliches Verlangen; Liebe ist Magie. Wenn Juana zwischen zwei Freunden, dem wiedergekehrten verschollenen und dem neuen Gatten, wählen soll, reicht sie keinem den Becher mit Gift — sondern trinkt ihn selber: „Liebe, die ist nicht wichtig. Ihr seid Freunde, Freundschaft — bei euch — unter Männern — die ist so selten — man muß sie schützen — — Nur Frechheit von Dirnen tasten an euer Heiligtum! — —" Hier redet Kaiser als Verkünder der Moral seines neuen Menschen. Dieser Mensch kann sich entfalten, wenn die sinnliche Liebe überwunden und er frei ist zur geistigen Entscheidung. Man muß freilich anmerken, daß Kaisers neue Moral keine Rücksicht auf die alte nimmt — das war Nietzsches Erbe — und daß ihn nicht kümmert, ob Gericht und Polizei einverstanden sind. Die „Wirklichkeit" der irdischen Verhältnisse und Gegebenheiten steht keinem

Kaiserschen Helden im Wege. Den Bräutigam Friedrich kümmert es nicht, ob seine junge Frau unberührt ist, wenn sie bei dem früheren Geliebten nur glücklich war; er lernt an seinem Hochzeitsmorgen über der Entdeckung der platonischen Dialoge, daß es für Glückliche keine größeren Ausschweifungen geben kann als platonische Erkenntnisse. Für Kaiser waren Platos Dialoge die herrlichsten Dramen: hier ist der Gedanke frei vom „dünnen und dummen Spiel".

GEORG KAISER

Kaisers berühmtestes Stück „Die Bürger von Calais" (1913) ist jenen sechs Bürgern von Calais „ad aeternam memoriam" gewidmet, die sich nach der Froissartschen Chronik freiwillig dem englischen König überlieferten, um ihre Stadt zu retten. Es wurde 1917 aufgeführt und gilt als dramatisches Hauptwerk des Expressionismus und seines Autors, als das Drama vom „neuen Menschen".

„Die Bürger von Calais"

Der englische König belagert Calais. Das zum Entsatz erwartete französische Heer ist geschlagen, der König wird totgesagt, Widerstand ist sinnlos. Der englische König will die Stadt am nächsten Morgen stürmen, wenn die Bürgerschaft nicht sechs ihrer Bürger im Kittel der armen Sünder, den Strick um den Hals, in sein Lager schickt. Die patriotische Partei will den Kampf um den neuen Hafen und die Stadt; lieber sollen beide zerstört werden, als daß der Feind sie besetzt. Man weiß, daß man Waffen hat. Duguesclins, der Hauptmann, will kämpfen, bis der Feind in die Stadt dringt: „Dann wirft der letzte Arm, den einer regt, den Funken aus. Die Flammen rütteln in den Häusern – die Wände schwanken und bersten – und mit stäubendem Fall sinkt die Stadt in ihren Hafen. Calais ist untergegangen." Der Wortführer der neuen Denkweise argumentiert anders: Entlauft nicht in letzter Stunde eurem Werk, dem Hafen, den ihr mühsam gebaut habt, der nun euer Opfer fordert, „wir suchten den Ruhm Frankreichs nicht. Wir suchten das Werk unserer Hände!" Rede und Gegenrede bereiten die Dramatik der Schlußszene des ersten Aktes vor. Hier ist fast alles in stummes Tun, pantomimische Geste aufgelöst – der „neue Mensch" muß sich im Handeln bezeugen. Jean de Vienne, der Bürgermeister, wird aufgefordert: „Du sollst mit deiner Frage suchen . . . Sie soll nach einem von uns rufen . . ." Die Reden sind streng stilisiert:

Der alte und der neue Mensch

Jean de Vienne (ohne von seinem Platz wegzugehen – mit schwerer Stimme): Der König von England hat Gewalt über Calais. Er tut mit Calais nach seinem Willen. Nun fordert er dies: sechs Gewählte Bürger [Ratsherren] sollen den Schlüssel vor die Stadt tragen – sechs Gewählte Bürger sollen aus dem Tor schreiten – barhäuptig und unbeschuht – im Kleide der armen Sünder – den Strick in ihrem Nacken. – (er hebt den Kopf) Sechs sollen am frühen Morgen von der Stadt aufbrechen – sechs sollen sich im Sande vor Calais überliefern – sechsmal schnürt sich die Schlinge –; das wird die Buße, die Calais und seinen Hafen heil bewahrt! – (Nach einem Warten) Sechsmal soll hier die Frage aufgerufen – sechsmal muß die Antwort gegeben werden! – (Mit äußerster Anstrengung) Wo sitzen sechs – die aufstehen – und von ihren Sitzen gehen – und hier zueinander treten? – – (Die Last der Frage bedrückt anfangs noch; dann sind die Geräusche der bewegten Körper und gedrehten Köpfe schwach; nun schwillt Lärm in Lauten des Spottes an.)

Eustache de Saint-Pierre (steht auf und geht von seinem Sitz weg bis zur Mitte. Seine Hände rücken an seinem Gewande auf den Schultern, wie um es abzulegen): – – Ich bin bereit!

(In den Reihen wird es still. Jean de Vienne starrt staunend nach Eustache de Saint-Pierre. Auf der Plattform läuft das Gemurmel: Eustache de Saint-Pierre!)

DIE
BÜRGER VON CALAIS
Bühnenspiel
von
GEORG KAISER
SFV
S·Fischer·Verlag
Berlin

Umschlag der Erstausgabe

Ein fünfter Bürger (rechts, fast hinter dem Platz Eustache de Saint-Pierres – dem Dritten und Vierten gleichaltrig – erhebt sich; er schreitet – den Kopf tief senkend und die Hände auf die Brust spreizend – und stellt sich wortlos neben Eustache de Saint-Pierre. Die Gewählten Bürger blicken in atemlosen Staunen hin. Auf der Plattform ist dies Murmeln: – Der Zweite! Nun schweifen alle Blicke der Gewählten Bürger in den Reihen: sie prüfen den nächsten neben sich und über sich.)

Der dritte Bürger (links hochgerissen und mit den Fingern um seinen Hals greifend, schreiend): Ich – bin bereit! (Gejagt und keuchend erreicht er die beiden in der Mitte . . .)

Weitere Bürger melden sich, und am Ende kommt der typisch Kaisersche „Trick“: es sind sieben Bürger statt der sechs. Im zweiten Akt soll das Los entscheiden, welcher von den Sieben frei sein soll. Doch Eustache reicht in der Schüssel mit den Losen – Höhepunkt äußerster Spannung in stummer Szene – nur Todeskugeln. Spräche heute das Los, was trennte sie dann von den Vertretern der alten Welt? Wille und Tat sollen nicht geschieden sein. Eustache will alle Kandidaten in seiner Idee einen. So wird ausgemacht, wer morgen früh als letzter in der Mitte des Marktes ankomme, solle frei sein. Im dritten Akt, Morgengrauen auf dem Markt, naht einer nach dem andern, das farblose Gewand wird den innerlich verwandelten, demütigen, uneitlen, *neuen* Menschen übergestreift. Nur Eustache kommt nicht. Schon will das empörte Volk ihn gewaltsam holen und richten, da wird er auf einer Bahre tot herbeigebracht. Um die Tat rein zu erhalten, ging er freiwillig im Tod voran und trank „an ruhigen Lippen den Saft, der ihn verbrannte“. Hingerissen deutet der alte Vater Eustaches, unaufhaltsam „aus seinem geheim redenden Munde Worte formend“, die Tat des Sohnes als Geburt des neuen Menschen.

Die Steigerung der Motive

Die Sechs brechen in lautloser Stille auf, da tritt mit neuer Botschaft „klirrend“ ihnen ein englischer Offizier entgegen: dem König von England ist in dieser

Nacht ein Sohn geboren, und aus diesem Anlaß läßt er die Geiseln frei. Der König kommt in die Kirche und will Gott danken; aber auf die höchste Stufe des Altars wird der Sarg mit Eustache gestellt; so muß der König vor seinem Überwinder, dem neuen Menschen, knien. Der Held des Friedens steht über dem Helden des Krieges.

GEORG KAISER

Das Drama ist das Werk eines vom „Geist" leidenschaftlich getriebenen Autors. Visionär stellt er den Träger seiner Idee dar, nicht mit der Verschwommenheit der meisten expressionistischen Dramatiker, nicht im beichtenden Monolog, sondern in strenger Form, in dramatisch wirkungsvoller Raffung, ja Übertreibung; denn Kaiser wußte, daß die Mitteilung einer Wahrheit nur in künstlerischer Form erfolgen kann, „daß nicht der Schrei sich über die Rede erhebt!" „Zur Stimme muß er herabsinken, um wirkend zu werden. Kühle Rede rollt leidenschaftlicher Bewegtheit entgegen – das Heißflüssige muß in Form starr werden! – und härter und kälter die Sprache, je flutüberflutender Empfindung bedrängt." Bis in die Rhythmen der knappen Sätze spürt man das Wachwerden neuer Erkenntnisse. Denken, Reden und Geschehen sollen eins werden. Gustav Landauer schrieb:

Zeitgenössische Urteile

In ihm [Kaiser] haben wir endlich wieder einen Künstler der Bühne, der ein Künstler ist, der uns nicht das Chaos der Konzeption hinwirft oder uns mit lyrischer Sprachgewalt überschwemmt, sondern der seine tiefe Natur und starke Persönlichkeit, sein Erlebnis bändigt und zur Form, zur dramatischen Form gestaltet. An ihm erleben wir wieder, daß der Dramatiker nicht bloß, vielleicht nicht einmal in erster Linie ein Dichter, Lyriker oder Gefühlssprecher und Epiker oder Berichterstatter, sondern ein Plastiker ist. Fast das nämliche sage ich, wenn ich ihn . . . statt einen Plastiker einen Drastiker nenne . . . Dieses Drama verwandelt das Hintereinander der Geschehnisse in ein Nebeneinander und Gegeneinander im Raum. Zuerst ist die Szene im Raum, das Bild, das Ereignis da: aus diesen äußeren Zeichen lesen wir allmählich die Innerlichkeit, die geheimen Vorgänge, die unvereinbaren Wesenszüge und Erlebnisse im Innern der Menschen ab.

Diebold nannte Kaisers Dichten „nicht Ohren-, sondern Augenkunst", er gebe „optische Demonstrationen vom Begriff der Seelen. Er schaut Gedanken in die farbigen Dinge und baut sinnfällig Allegorie aus unsinnlichen Programmthesen gegen Geld und Haß." Kaiser sei der Kubist des Dramas.

Innere Widersprüche

„Die Bürger von Calais" sind Kaisers erstes künstlerisch überzeugendes Stück. Das Pathos ist hier nicht durch Kritik an den sozialen Zuständen politisiert; auch hat Kaiser die gesellschaftlichen Verhältnisse nicht so gewaltsam wie in den frühen Werken verzerrt. Gegenüber der Vorlage verfuhr er frei. Am Schluß unterlief allerdings eine symbolische Überhöhung des neuen Menschen; wenn dieser den König „zwingt", vor ihm zu knien – wo bleibt da die Demut? Der aktive Pazifist ist ein Widerspruch in sich selbst. Auch der Vertreter der konservativheroischen Richtung, Duguesclins, kämpft für ein hohles Ideal, die Selbstvernichtung; nachdem er eben die französische Fahne geküßt hat, bietet er sein Schwert dem Feinde an. (Der Soldat ist bei Kaiser 1913, was später der „Bürger" sein wird, der unentschiedene, schwankende, auf Profit erpichte Mensch. Die Selbstvernichtung wird die neuen Menschen von „Gas II" bestimmen.)

Kaisers Synkretismus

Der Vater, der die Vision des neuen Menschen hat, ist ohne Umriß. Schon Sorge hatte von „dem" Vater und „dem" Sohn gesprochen. Bei Kaiser sind sie ähnlich abstrakt, Sprachrohr der Idee der Opferbereitschaft, der Erlösung, des Pazifismus, der Einheit. Eustaches größte Sorge ist, die Sechs zusammenzuschmelzen für ihre

Aufgabe: diese Aufgabe ist der Tod. Er selbst bringt sich um, damit keiner jener Sechs dem Opfertod entkommen kann: hier liegt eine Inkonsequenz von äußerster Unmoral. Froissart kannte sie nicht, sie ist Kaisers Erfindung: der Selbstmörder und Todeserotiker ist nicht sehr weit entfernt von Duguesclins rhetorischer Bereitschaft zur Selbstvernichtung. Indem Kaiser pessimistische und optimistische Züge mischte, hat er nicht nur expressionistische Leitthemen und widersprechende Gefühle artikuliert, sondern mit dramatischer Könnerschaft die „unübersehbaren Antinomien expressionistischer Einzelziele" zusammengefaßt und „kurzgeschlossen" (E. Lämmert). Kaiser hatte damals seine Technik ausgeformt; weltanschaulich griff er in großartiger Vagheit die in der Luft liegenden Themen auf. Nietzsche und Christentum, Schopenhauer und Anarchismus, der „neue Mensch" und uralte Erlösungslehren, biblische Erinnerungen und symbolische Liturgien waren in den „Bürgern von Calais" eins geworden.

Das Pathos der Sprache

Das künstlerische Medium war die Sprache; eine rhetorisch gleichmäßige, nach Personen wenig differenzierte pathetische Diktion von enormer Bühnenwirkung brachte den Erfolg. Hier ist Expressionismus „Stil" geworden. Wenn die wankelmütige Masse sich verraten glaubt, wendet sie sich gegen ihr Idol:

Ein anderer Gewählter Bürger: Eustache de Saint-Pierre hat den Hauptmann aus der Stadt geschickt!
Ein anderer Gewählter Bürger: Eustache de Saint-Pierre hat uns alle verraten!
Ein anderer Gewählter Bürger: Eustache de Saint-Pierre verbietet die Rettung der Stadt!
Ein anderer Gewählter Bürger: Eustache de Saint-Pierre hat von allem Anfang an den Verrat gesucht!!

Solch Parallelismen kommen oft vor. Sie sind Mittel der demagogischen und dramatischen Steigerung oder Zögerung. Mit jedem Akt und jeder Szene beginnt dies Spiel neu; ein Prunkteppich wird ausgerollt, die heraldischen Figuren sprechen expressionistisch (s. R. Neumanns Parodie).

„Von Morgens bis Mitternacht"

Zwei Jahre später erschien Kaisers am meisten gespieltes Stück, das zweiteilige „Von Morgens bis Mitternacht". Einen trockenen, zur Zählmaschine gewordenen Kassierer lockt das Leben, er unterschlägt 60 000 Mark und will, einmal, von morgens bis Mitternacht „leben", erfüllte Existenz haben: neuer Mensch sein. Er wird freilich enttäuscht. Das Sechstagerennen, die Heilsarmee, die Dame, die Versammlung, der er Geld hinstreut, lassen ihn erkennen: „das Geld ist der armseligste Schwindel unter allem Betrug". Am Ende grinst ihn aus den Drähten des Kronleuchters der Tod an. Wohin soll er? Er „zerschießt die Antwort in seine Hemdbrust" und „ist mit ausgestreckten Armen gegen das aufgenähte Kreuz des Vorhangs gesunken. Sein Ächzen hüstelt wie ein Ecce – sein Hauchen surrt wie ein Homo." Die Tragikomödie, von Sternheim wegen einiger Szenen und technischer Eigentümlichkeiten der Sprache für sich in Anspruch genommen, will den „Durchbruch zum Leben" als Enttäuschung zeigen. Bereits 1912, also vor den „Bürgern von Calais" entstanden, ist es ein Drama der Desillusionierung.

Die Gastrilogie

Dies Thema beherrscht die Gastrilogie, deren Vorspiel „Die Koralle" (1916/17) gewesen war. Soziologisch spiegelt „Gas" (1917/18) Kaisers Enttäuschung durch die politische Revolution. Der Milliardärssohn aus der „Koralle" ist nun Chef der ungeheuren Gasfabrik, welche die Energie der gesamten Welttechnik liefert, ein vollsozialisierter Betrieb, in dem der Chef Arbeiter unter Arbeitern ist. Alle sind am Gewinn beteiligt, je nach ihrem Alter. Alles ist besessen von der Arbeit: „Die

Bühnenbild von Karl Jakob Hirsch zu Georg Kaiser, Gas

Raserei der Arbeit war entfesselt. Sie wütete blindlings und stieß nach Grenzen vor! . . . Eine Mäßigung des Tempos, an das wir uns gewöhnt haben, wäre nicht durchzusetzen." Das Gas sei Allegorie des unheimlichen, ungreifbaren, tückischen, luftigen, nichtigen brüderlichen Gemeinschaftskapitels, fand Diebold. Da naht „das weiße Entsetzen". Eine Riesenexplosion zerstört das Werk. Der Milliardärssohn will die Arbeiter aus der Hölle der Fabrik befreien und sie im Grünen auf eigener Scholle ansiedeln. Aber die Arbeiter wollen das Rousseausche Paradies ebensowenig wie jene schwarzen Herren, die das Gas für ihre Fabriken brauchen. Verzweifelnd fragt der Milliardärssohn seine Tochter, wo „der Mensch" sei, und sie bekennt melodramatisch niederkniend: „Ich will ihn gebären!" Trotz aller Desillusionierung wird der neue Mensch also von der Zukunft erwartet. – Kaisers Sprache hat an dichterisch-intensivem Rang bedeutend verloren; nur die Dialektik zwischen den beiden Prinzipienreitern, dem fortschrittsgläubigen Ingenieur und dem menschengläubigen Milliardärssohn, spiegelt eine echte Leidenschaft.

„Gas" II

In „Gas, zweiter Teil" (1920) zeigt Kaiser eine technisch perfektionierte Fabrik. In der Betonhalle, wo alle Drähte zusammenlaufen, sitzt an einem schachbrettartigen Tisch die erste Blaufigur und bedient rote und grüne Stöpsel. An kleineren Seitentischen sitzen drei Blaufiguren steif in Uniform, auf grün und rot aufleuchtende Glasscheiben starrend. Die Gelben sind im Vormarsch. Im zweiten Akt nimmt der Milliardärarbeiter alle Stimmen einer Streikbewegung auf bis zum Schlußruf: „Verkündet euch den andern! ! Schickt den Schrei aus der Halle durch Luft über alle! . . . Schickt das Signal vom Stillstand von Kampf über Kämpfer und Kämpfer! . . . Rollt die Kuppel frei! !" Aber es kommt keine Antwort. Gelbfiguren dringen ein, machen die Energie der Blauen, das Gas, ihren Bedürfnissen dienstbar und die freien Arbeiter zu Lohnsklaven. Das Stück endet in einer Vision vom Weltuntergang, denn „nicht von dieser Welt ist das Reich" des neuen

Menschen. „Gas II" ist „das magerste Drama der Weltliteratur, ein Skelett", urteilte der Kritiker Diebold.

Noch einmal schwelgte Georg Kaiser im Glauben. Aus der Hölle bricht sein Menschheitsapostel Spazierer auf, um über zwölf Stationen eine ganze Menschheit in das Licht der „klingenden" Erde zu führen. „Hölle" ist Sein und Denken in den Formen der kapitalistischen Welt. Mit tausend Mark kann man einen Menschen vorm Selbstmord bewahren, aber zwei Damen hängen sich lieber für zweitausend Mark Perlen ins Ohr. Sind sie schuldig am Mord? Der Hafthausleutnant verweigert die Festnahme, der Anwalt den Prozeß. Da überfällt Spazierer den Anstifter des Unheils, den Juwelier. Diesen Höllenstationen folgen die des „Weges". Spazierer bewegt den entsprungenen Häftling zur Rückkehr, die Dirne zum Eingeständnis eines Verbrechens. Er weiß: keiner ist schuldig und jeder ist schuldig, immer ist ein Dritter im Spiel. Das Stück läuft nun, wie Strindbergs „Nach Damaskus", rückwärts. Spazierer gewinnt nacheinander den Juwelier, den Anwalt, den Leutnant, die Weltdamen; gemeinsam betreten sie die neue Erde und verkünden: „Die Erde klingt! ! — — Euer Blut braust — — —" Es war eins der schwächsten Dramen Kaisers, aber wie die beiden „Gas"-Dramen ein bedeutendes Ereignis für das expressionistische Theater.

„Hölle Weg Erde"

Utopie und Alltag

Mit Himmelfahrten und Kreuzigungen des Menschen begann Kaisers neues Menschheitsdrama. Erde und Paradies, Weltgericht und Utopie beenden es. Die „Vision" vom neuen Menschen war nicht so neu, wie man meinte; biblische, chiliastische, literarische und wissenschaftlich-fortschrittliche Utopien wurden vermengt. Die Botschaften Dostojewskis, Strindbergs, vor allem Nietzsches, aber auch Rousseaus, Stefan Georges, Dauthendeys, Lenins und Ludwig Rubiners („Die Gewaltlosen") sind wunderlich vermischt. Eine große Rolle spielte die „Forderung des Tages", die aktuelle Politik um 1920. Wo ist der feste Punkt im Chaos, von dem in der „Koralle" gesprochen wird? Kaiser hat ihn nicht gewußt, jede Lösung wurde im nächsten Drama schon als Fehllösung demonstriert. Er beanspruchte für sich die Freiheit des Denkers, den Standpunkt zu wechseln und neue Formeln zu entwickeln. Wo er als Prophet oder Ethiker zu sprechen schien, war er oft bloß Rechner und Dialektiker. In einem berühmten Essay legte er sein Programm unter dem Patronat Platons dar:

Das Drama Platons (1914)

Ein Irrtum ist nicht mehr fürchterlich. Das Drama Platons legt Zeugnis ab. Es ist über allen Dramen. Rede stachelt Widerrede — neue Funde reizt jeder Satz — das Ja überspringt sein Nein zu vollerem Ja — die Steigerung ist von maßlosem Schwung — und auf den Schlüssen bläht sich geformter Geist wie die Hände Gottes über seiner Weltschöpfung. Befriedigt wird die Schaulust — sich befriedigt Plato sein Vergnügen am Schauspiel: ins „Gastmahl" tritt Alkibiades, auf die Flötenspielerin gestützt, Veilchen und Efeu im Haar, angetrunken, Sokrates an der Tafel. Wann schaute ein Dramatiker eine kühnere Konfrontierung an als Sokrates und Alkibiades? Wo erfand noch einer dies Ja und Nein in seinem Drama? Maßlos groß ist der Anblick. Zuerst war dieser sicherlich. Die Kontrastierung wurde aufrüttelnd schöpferisch — entriß dem Denkenden die Form zur Denkbarkeit seiner profunden Weisheit. Es entsteht kein Buch — es wird Bühne. Es wird vollkommener mit neuer Schöpfung. Jede Bewegung von Figuren wird Anlaß — bis nur noch aus Begegnungen Gedanken entstehen.

Die Plastik der Szene ist fabelhaft geworden. Phaidon. Das Gefängnis um Sokrates. Sokrates von den Freunden umstellt. In wehem Abschied vom Weibe. Von den Kindern. Begrüßungen schwellen rasch zu Letztes entdeutenden Gesprächen an. Werden und Tod

ist darin – von Figuren erjauchzt und erlitten. Das Wort ist das Kleid der Figur – ohne sie bleibt es unauffindbar. Die Szene besteht.
Für die Würde seines Ausdrucksmittels sucht der Dramatiker in strenger Prüfung nach wichtiger Bestätigung. Jetzt entdeckte er sich die Notwendigkeit der Dramaform. Mit festem Finger zeigt er auf Platon. Hier ist Aufruf und Verheißung von allem Anfang schon geschehen. Das Gebiet weitet sich in grenzenlosen Bezirk. Da befriedigt Schauspiel tiefere Begierde: ins Denk-Spiel sind wir eingezogen und bereits erzogen aus karger Schau-Lust zu glückvoller Denk-Lust.

GEORG KAISER

„Der gerettete Alkibiades"

Diese Sätze, zu ihrer Zeit berühmt und als Programm der Kaiserschen Kunst aufgefaßt, können als Keim des „Geretteten Alkibiades" (1920) angesehen werden. Es ist ein Denkspiel, das Platonische Vorgänge und Figuren aktualisieren möchte. Der bucklige Hermenmacher Sokrates rettet dem vergötterten athenischen Helden Alkibiades das Leben. Sokrates ist durch einen Kakteendorn unfähig zur Flucht vor den nachrückenden Feinden, jedoch so gereizt, daß er, blindlings um sich schlagend, zum Retter des Feldherrn wird, der nun die zurückgekehrten Seinen zum Sieg führt. Sokrates muß das lächerliche Geheimnis mit dem Kakteendorn für sich behalten. Alkibiades jedoch tut alles, den Hermenmacher berühmt zu machen bei Freunden, Schülern und dem Volk. Selbst Phryne, seine Geliebte, verlangt nach Sokrates, während Alkibiades die heiligen Hermen umstürzt. In seinen Prozeß wird Sokrates verwickelt, er könnte fliehen, doch immer noch hindert ihn jener Dorn, und im übrigen: „Nur Sokrates kann den Sokrates retten – – sonst stürzte der Himmel über Griechenland zusammen!" Sokrates' Gifttod bildet den Schluß.

Die Form der manierierten Groteske

Das Stück ist Tragikomödie, eigentlich Groteske. Vom neuen Menschen ist nicht mehr die Rede; aber dieser Sokrates hat vor Eustache und den Milliardärssöhnen den Vorzug praktischer Menschlichkeit. Georg Kaiser beherrschte seinen Stil so routiniert, daß die Glaubwürdigkeit darunter litt, wenn man die Willkür mit der Geschichte nicht als bloßes Spiel auffaßt. Da Kaiser seinen eigenen Stil manieristisch überspitzt, wirkt das Ganze wie eine Parodie, etwa in der Begegnung Alkibiades' mit Phryne:

Phryne (trägt das Haar wie eine Säule steil – goldbestaubt. Finger- und Fußnägel sind veilchenbunt. Um den Oberleib kurzer bestickter Rock – die Beine in dünnseidiger Hose. – Flötenspieler still. Phryne zuckt zusammen – tut einige Schritte – sieht großäugig nach der Tür.)
Alkibiades (öffnet die Tür – noch draußen): Ankündigung geschieht vor dir – und Einlaß wird dir beglückend!
Phryne (schließt die Augen – biegt den Leib und streckt die Arme entgegen.)
Alkibiades (kommt – bleibt an der Tür. In Betrachtung): Siebenmal glänzender als dich mein Wunsch denkt, bin ich fern, wächst du im Anblick.
Phryne (schwach): Geliebter.
Alkibiades: Rausch und Freundschaft verweht – und steilere Flamme ist Zunge nach dir, die berührt.
Phryne: Komm.
Alkibiades: Licht verschüttet sich, das glomm – und Nachtsonne hängt sich in Raum über dein Weiß, das dein Blut scheu verheimlicht.
Phryne: Ich – warte.

Geste und Pantomime sind hier ebenso wichtig wie im frühen Naturalismus; die Sprache ist längst überwunden geglaubten Dramatikern der Neuromantik, Paul

Szenenbild-Entwurf von George Grosz für die Uraufführung des Dramas Nebeneinander von Georg Kaiser, am 3. 11. 1923

Ernst und Herbert Eulenburg, gefährlich nahe. Vor dem Tode bittet Sokrates den Heilgehilfen, ihm den Dorn auszuziehen, und meditiert:

Gebe ich euch ein Schauspiel! Ist es Tragödie oder spielt sich Lachen hinein? Der Schauspieler oben weiß es nicht – der Neugierige unten enthüllt es nicht – wie ist die Vermischung vollkommen? – Trauer hat Tränen – Freude vergießt sie – – in *eine* Seligkeit münden die beiden. Wer unterscheidet? – – Ihr nicht – – und ich nicht – –: das Große ist im Kleinen verborgen – – und aus Geringem türmt sich Erhabenes in Gipfel, wo Schnee und Sonne im Bündnis sind? – – – (langsam gehend.) Schnee – – ist Kälte – – auffrierend aus Bein und Brust – – – – Sonne – – Glut – kreisend – – im Haupt – – – – Eiszone . . .

Nachexpressionistische Stücke

Die folgenden Werke haben dem Bilde des Autors keine festeren Linien gegeben: „Der Protagonist" (1920), das Musset-Sand-Drama „Die Flucht nach Venedig" (1922), „Noli me tangere", geschrieben im Gefängnis Stadelheim in München 1920/21, „Gilles und Jeanna", Kaisers theatralisch aufgeputztes Johanna-d'Arc-Drama (1922), ferner eine Neufassung der Kleinstadtkomödie „David und Goliath" und „Der Geist der Antike" (1923), das schon 1905 in Magdeburg entstanden war. Kaiser zog in diesen Jahren des Ruhms Stöße von Manuskripten seiner Jugendzeit aus der Schublade und gab sie mehr oder minder stark bearbeitet frei. 1924 erschienen das Volksstück „Nebeneinander" und die Komödie „Kolportage". Gleichzeitig arbeitete Kaiser an „Gas". Während es erschien (1925), entwarf er bereits einen Filmtext, der als Stück „Zweimal Oliver" hieß, das Drama eines Schauspielers, der sich so an seine historischen Rollen – Zar und Kaiser von China – verliert, daß er verrückt wird. Er macht die „Glücks-Lügenstunde" seiner Bühnenrollen, auf der Flucht vor der Wirklichkeit, zu seinem Narren-

„Zweimal Oliver"

paradies. Es ist das Thema der Bennschen Amöbe, der Gideschen Utopien und von Sacks „Namenlosem". Diese Stücke sind sehr routiniert geschrieben. Das gilt auch für die weiteren Lustspiele und Libretti, „Der mutige Seefahrer" (1926), „Papiermühle" (1927), „Der Zar läßt sich photographieren" (1927, Opera buffa in einem Akt, mit der Musik von Kurt Weill), „Zwei Krawatten" (1929, Revuestück, Musik von Mischa Spolianski) und die allerdings unfreiwillig komische Moritat „Rosamunde Floris" (1936), die noch 1960 von Boris Blacher als Opernlibretto benützt wurde. Auch die Lustspiele „Napoleon in New Orleans" (entstanden 1937/38) und „Klawitter" (beendet 1940) ließen, bei genialen Einzelheiten, nach. In etlichen Dramen beschäftigt sich Kaiser mit seinen eigenen Problemen: „Alain und Elise" (1938), „Der Schuß in die Öffentlichkeit" (1939) und „Vincent [van Gogh] verkauft ein Bild" (1937). Die Dramen um den Künstler kulminieren in „Pygmalion" (1934), so wie Kaisers Auseinandersetzung mit der Hitlerzeit im Napoleonlustspiel gipfelt: einem Raritätensammler in New Orleans präsentiert man einen falschen Napoleon, während der echte auf St. Helena stirbt.

Der Weg zum Klassischen

„Mississippi" (1930) und „Der Gärtner von Toulouse" (1938) zeigen einen Kaiser, der neue Wege sucht; es sind die des alten klassischen Dramas. Im „Soldat Tanaka" stützte er sich auf Büchner, im „Amphitryon" auf Heinrich von Kleist. Dem Leser, der jedesmal verwirrt und auf ein neues Ziel gelenkt wurde, der immer, bestochen von technischer Meisterschaft, auch an die Botschaft des Dichters glaubte, war Kaiser 1924 mit einer Deutung zu Hilfe gekommen:

Selbstdeutung: „Der Mensch im Tunnel"

Das Drama schreiben ist: einen Gedanken zu Ende denken. (Wer sich ausgedacht hat, macht sich an seine verflossenen Schauspiele wieder heran und assistiert ihren theatralischen Exekutionen: Genesis des erlauchten Meisters.) Idee ohne Figur bleibt Nonsens: Platon schreibt die aufregendsten Szenen und entfaltet sein Denkwerk so. Sonstige philosophische Wälzer distanzieren mit jeder Pagina mehr vom Titel (und auch der Titel ist neblig). Man soll sich der gewaltigen Arbeit unterziehen – will man schon nachdenken –, sein Drama zu formulieren. Was ich dem Nächsten nicht mit knappem Dialog versetzen kann, entschwebt ins Stupide. Der Mensch sagt, um zu denken – denkt, um zu sagen. Die besten Münder haben sich seit Urzeit dem genus humanum eingepredigt – hört doch hin! Es kann doch unterwärts nicht immer mit Rohrstöcken gefuchtelt werden, um oben zu erhellen. Die Menschheit hat sich in ihren Dramendenkern ungeheure Dinge vorgenommen; machen sie auch das Leben jetzt schwer – in euren Enkeln triumphiert das Resultat: das Individuum denkt formend – formt denkend.
Was gilt dem Dichter sein Drama zuletzt? Er ist mit ihm fertig. Schon übermäßig quälerisch die lange Beschäftigung mit einem Gedanken. Inzwischen schossen zehn frische auf. Aber heldisch behält der Dramatiker den Strang im Griff, bis er sich an den Schluß vortastete. Da ist der Gedanke zu Ende gedacht. Sofort geschieht Aufbruch im neuen Bezirk – es heißt die Frist nützen, die Hirn und Blut hierorts haben . . .

Versuch einer Poetik

In ähnlichem Stil verteidigte Georg Kaiser das Leben als zentralen Begriff der Philosophie und Dichtung seit Nietzsche. Der „Weg durch den Kopf" braucht Training. Kaiser entwickelte seine Poetik mit Begriffen der Sportssprache:

Das Ziel des Seins ist der Rekord. Rekord auf allen Gebieten. Der Mensch der Höchstleistungen ist der Typ der Zeit, die morgen anfängt und nie aufhört. Der indisch Untätigalltätige wird in unseren Zonen überholt: der Alltätige hier schwingt in jenem Tempo, das die Bewegung sichtbar macht. Das Drama ist ein Durchgang – aber das Sprungbrett direkt ins Komplette. Nach dieser Schulung ist der Mensch vorzüglich ausgestattet, sich in der Welt einzurichten. Er haßt die Dummheit – aber er nutzt sie nicht mehr aus. (Nur der Idiot will übervorteilen – geschäftlich und geistig. Es wird sehr übervorteilt – siehe: Literaturgeschichte.) Es ist Pflicht für den Schöpfer: von jedem Werke sich abzuwenden und in die Wüste zu gehen; taucht er wieder auf, muß er sehr viel mitbringen – aber sich im Schatten seiner Sykomoren eine Villa mit Garage bauen: das geht nicht. Das heißt die Schamlosigkeit etwas weit treiben und den schlechtgestellten Kokotten infame Konkurrenz machen. Alles ist Durchgang: sich in Durchgängen (Tunnel) aufhalten – wohl dem, der diese abgehärtete Nase hat – und wehe ihm!

„Die Lederköpfe“

„Die Lederköpfe“ (1928) wurden als Schauspiel in drei Akten bezeichnet. Die Grundlinien der Fabel fand Kaiser bei Herodot. Ein tyrannischer König verspricht in verzweifelter Lage dem, der ihm den Sieg bringt, seine Tochter. Ein Mann mit einer Lederkappe über dem Kopf erbietet sich und gewinnt die fremde Stadt. Er hat sich für den Dienst des Königs der Nase, Ohren und Lippen und eines Auges beraubt: er hat das menschliche Gesicht entstellt und die Kappe aus tierischem Leder übergezogen. Heimkehrend erfährt der König, daß in der Heimat eine Meuterei im Gange ist. Der Sieg des Königs bringt einen Wechsel der Lage, und der König will die Meuterer mit jener Strafe treffen, die sein Feldhauptmann sich selbst zufügte; doch dieser stellt sich an die Spitze der Meuterer, und der Tyrann wird erschlagen. Hier ist das Drama so radikal zu Ende gedacht, daß die Idee (der Tyrannei) sich aufhebt. Zugleich wird „das Menschliche“ verfehlt, und es ist kein Zufall, daß Kaiser dafür eine Fabel der vorhumanitären Antike benützte. Diese Grausamkeit, sadistisch und sexuell bis zum Extrem, schändet alles Menschliche – aber sie war doch wohl auch eine Konsequenz Kaisers selbst, der ausweglosen Verzweiflung an den Idealen, von denen er ausgegangen war.

Theatralische Drastik, „Oktobertag“

Etwa gleichzeitig mit den „Lederköpfen“ entstand das Schauspiel „Oktobertag“ (1928). Eine innere Verbindung besteht nicht, ebensowenig wie zu dem späteren Wintermärchen „Silbersee“ (1933), gemeinsam ist ihnen die grotesk übersteigerte Handlung. Im „Oktobertag“ wird die Illusion, aus der Kaisers Menschen so gern leben, identisch mit der Wirklichkeit. Catharine siegt über den normalen Mann, der keine wesentliche Mitte hat, indem sie die Wirklichkeit – wie „Rosamunde Floris“ – verneint und Mord und Totschlag zur Erreichung ihrer „absoluten“ Ziele benützt. Darf der Mensch das? Kaiser verzichtet auf die psychologischen Übergänge, er geht unmittelbar über zur letzten Frage an das Schicksal oder Gott. Man hat von einer religiösen Wende gesprochen. Die erhaltenen Versuche einer christlichen Deutung (z. B. die Skizze „Jesus“) sind mißlungen, und die Wendung zur Antike („Das Floß der Medusa“ 1940–43) zeigte den andern Weg, der dahin führen wird, daß sich Kaiser mit seinem „Bellerophon“ „selbst in die Sterne versetzt“. Ausgesprochene Nebenwerke der Spätzeit sind die Romane „Es ist genug“ (1932) und „Villa aurea“ (1940). Der Roman „Maria Zimmermann“ (entstanden 1941) wurde nicht veröffentlicht.

„Die Spieldose“

Das expressionistische Thema der „Unbedingtheit“ ist bis zum Ende nicht aufgegeben worden. Als „Die Spieldose“ 1942 in zwölf Nächten entstanden war, erklärte Kaiser sie für sein bestes Werk, ein Heimkehrerstück, das zur Zeit der deutschen Besatzung Frankreichs im zweiten Weltkrieg spielt. Es entwickelt eine klassische Fabel: der heimkehrende Sohn findet die Braut als Frau seines Vaters. Ein wirklichkeitsnäheres Thema ließ sich kaum finden; aber Kaiser läßt das Bauernmädchen bei der falschen Nachricht vom Tod des Verlobten ausrufen, sie sei „ins Nichts verloren und ins Nichts gehalten“, gleich darauf wirft sie sich dem

GEORG KAISER

Vater des Sohns in die Arme. Die Wirklichkeit der Figuren leidet, weil sie, wie bei Paul Ernst, nur in Ideen leben und diese pathetisch deklamieren.

Kaisers Hauptidee war „der Mensch“, durchaus nicht im Sinne des europäischen Humanismus zur Zeit der Griechen, der Renaissance, der deutschen Klassik, sondern im Sinne der Neuromantik. Der eigentliche Mensch ist der Künstler. Pygmalion, der „geistige Arbeiter“, ist Kaisers höchster Typus. Dies Menschentum wird verletzt oder zerstört, wenn Geschichte, Politik, soziale Systeme, Vorurteile, Diktaturen oder die literarische Kritik („Papiermühle“) es beanspruchen. Alles, was soziale und gewachsene Form ist, beeinträchtigt Kaisers monologisches Ich, auch die Liebe und das Geld. Mit dieser Einstellung gehört Kaiser unter die anarchistischen Rebellen der Jahrhundertwende, deren Idol Nietzsches Zarathustra gewesen war. Im „Soldat Tanaka“ (1940) ist die Spannung zwischen dem „System“ und der individuellen Lebensform, wie bei Büchners Woyzeck, Drama geworden. Der Soldat Tanaka ist ein moderner Proletarier, der aus dem Krieg in Urlaub kommt. Zufrieden nimmt er die Ehrungen, die einem Soldaten des Kaisers gebühren, hin. Er entdeckt jedoch, daß der Wohlstand des Elternhauses aus dem Verkauf der Schwester in die Prostitution stammt. Er ermordet die Schwester und einen Offizier im Bordell. Vor Gericht soll er um Verzeihung bitten. Das kann er jedoch nicht, und er zerstört das Sinnbild der kaiserlichen Ordnung.

Georg Kaiser
Kreidezeichnung von Rudolf Grossmann

„Der Soldat Tanaka“

Tanakas Problematik

Tanaka ist ein „Mensch“ Kaisers. Innerhalb des Stückes entwickelt er sich nicht, aber er kommt zu sich. Der Gedanke des Opfers steht hinter der Ermordung der Schwester, und Tanaka glaubt durch das halb freiwillige Opfer des Lebens – denn er könnte ja begnadigt werden, wenn er um Verzeihung bittet – die Menschheit zu erlösen. Beide Male ist der Opfergedanke inkonsequent; denn die Schwester hat sich, indem sie um des Wohls der Familie willen ins Bordell ging, bereits selbst geopfert, und Tanaka macht aus ihrem moralischen Unglück ein pazifistisches Motiv. Die kaiserliche Diktatur wird als Feind des Lebens hingestellt, das Tun des Soldaten für mörderisch gehalten – eine Verwechslung, der die Generation von G. Hauptmann bis F. von Unruh erlegen ist. Kaiser hat seinen Tanaka „mehr als Woyzeck“ genannt; er glaubte also Büchner übertroffen zu haben. Das sollte geschehen durch die Entfaltung eines reichen japanischen Milieus, erinnernd an Klabunds chinesischen und Brechts kaukasischen „Kreidekreis", und die Mythologisierung des aktuellen Themas. Tanaka handele aktiv, während Woyzeck schicksalhaft gebunden bleibe.

Ähnlich selbstbewußte Aussprüche Kaisers gibt es über seine griechischen Dramen: „Ich glaube – fühle – weiß: daß ich fast Unmögliches geleistet habe. Der ganze Platon ist darin – der ganze Nietzsche, und alles aufgelöst in szenischer blutvollster Gestaltung. Ich habe Griechenland neu geschaffen – und das des Goethe, Winckelmann umgestürzt. Die Menschheit muß mir danken – oder es gibt sie nicht" (zitiert bei H. Jacobi). Solche Sätze versperren die Aussicht auf das Phänomen und geben denen Recht, die Kaisers Gesundheit zum Gegenstand von Analysen gemacht haben: seine Anmaßung beruhe auf der Kompensation beträchtlicher Minderwertigkeitsgefühle. Die Griechischen Dramen erschienen 1948 als Sammelband, der „Pygmalion" (entstanden 1943/44), „Zweimal Amphitryon" (entstanden 1943) und „Bellerophon" (entstanden 1944) vereinigte.

Die griechischen Dramen

Sie enthalten die Metaphysik des Künstlers und Kaisers letzte Erkenntnis vom Wesen der Kunst als einer von der Transzendenz dem Menschen verliehenen Gabe; theologisch gesprochen ist Kunst Gnade, und in seinem Nachwort hat Kaisers Freund Cäsar von Arx offen ausgesprochen, die Erlösung, als „Dank der Götter" für den Künstler, sei eine christliche Idee; Kaisers letzte Pläne hätten um die Gestalt Christi gekreist.

„Pygmalion"

„Pygmalion" kann man als Kernstück der griechischen Dramen ansehen. Der athenische Bildhauer hat sich in die selbstgeschaffene Statue eines Mädchens verliebt, und die Göttin Athene gewährt ihm die Erfüllung eines Traumwunsches: die Statue wird lebendig, erhält den Namen Chaire und wird des Schöpfers Geliebte. Sogleich regt sich die „Welt". Der Besteller der Statue fordert den Marmor zurück; Pygmalions Gönnerin, eine reiche Witwe, macht ihre Rechte geltend; der von Pygmalion erfundene Thebaner Alexias, dessen Nichte das schöne Mädchen sein soll, meldet sich wutschnaubend als wirkliche Person. Schließlich kommen alle vor Gericht:

Marktrichter: Pygmalion – wo blieb die Steingestalt?
Pygmalion (schweigt)
Alexias (höhnend): Fragt, wo zertrümmert ihre Reste ruhn!
Marktrichter: Hast du sie weggeschafft? – – Veräußert
ein zweites Mal sie widerrechtlich? – – Hier
sind Männer aufgetreten, die glaubwürdig
sind dem Gericht. Zu deinem Vorteil
tönt alles. Anders stehst du jetzt im Licht
von reinem Zeugnis da. Du bist verwirrt –
doch nicht verlogen. Was verwirrte dich
bis in den Zustand der Besessenheit,
der nein mit ja tauscht – willenlos und matt?
(Da Pygmalion schweigend verharrt – sich brüsk Chaire zuwendend:)
Man würdigt deinesgleichen keiner Worte
und züchtigt ungefragt. Doch hier entbehr' ich
dein unerwünschtes Sprechen. Sprich genau:
hast du dich als die Nichte ausgegeben
des Vornehmen Alexias in Theben –
um dich Pygmalion zu nähern, der
gemeine Dirnen meidet?

Chaire (sieht an ihm – wie vorher an allem – vorbei.)
Marktrichter: Wie heißt du?
Chaire (ein Vogellied ist ihre Stimme): Chaire!
Marktrichter: Chaire ist Gruß – von jedermann gebraucht.
Konon: Von jedermann gebraucht – das trifft's!

Nun endlich, da Chaire gefoltert werden soll, stürzt Pygmalion vor und berichtet, daß die Göttin der Gestalt Leben verliehen habe. Grinsend hört man ihm zu, und das Gelächter pflanzt sich über den ganzen Markt fort. Pygmalion wird als Mondsüchtiger und Phantast freigesprochen. Chaire soll dem zurückgegeben werden, dem sie entlaufen war, und die Hehler werden aufgefordert, den Marmorblock herbeizuschaffen. Im letzten Akt will Pygmalion sterben, wie schon zu Anfang, als er sich in Sehnsucht nach dem Kunstwerk verzehrte; da erscheint abermals die Göttin und verwandelt Chaire in die Steingestalt zurück. Chaire rät ihrem Schöpfer:

Pygmalion – errette dich. Mir tut
ein schützend Stein sich auf. Sei ohne Furcht
um mich – ich bin geborgen. Du wirst
vom Ungetüm verfolgt, solang ich weile.

Kunst und Wirklichkeit sind unvereinbar

Der träumende, ekstatische Künstler befindet sich in den Monologen des Anfangs allein in einem Paradies. Erwacht er zur Realität, findet er sich der Grimasse, dem Pöbel, dem „Ungetüm" Volk gegenüber, das für ihn nur Gelächter hat. Die Zuflucht des Künstlers ist die Lüge: er muß lügen, um rein zu bleiben, die Idee zu schützen. (Rosamunde Floris wird Mörderin und bleibt doch „rein".) Der Künstler ist Schöpfer von „Gnadenbildern für die Menschheit", und deshalb steht er außerhalb der Moral. Er ist der Heiland der Welt, aber die Welt kann dies Geheimnis nicht begreifen; kein irdisches Gericht kann – wie bei Kafka – den Prozeß so entscheiden, daß der geheime Sinn offenbar würde. Dieser bleibt immer bei den Göttern hinter der Wirklichkeit verborgen.

„Zweimal Amphitryon"

Ähnlich ist „Zweimal Amphitryon" bei Kaiser zu deuten. Das antike Drama vom thebanischen Feldherrn, dessen Gattin Alkmene von Zeus in Gestalt ihres Mannes Amphitryon besucht wird, hatte Molière und Kleist gereizt. Pygmalion- und Amphitryonstoff enthalten Lustspielmotive, und Antike und französische Klassik hatten diese entwickelt. Die modernen deutschen Dichter sahen hier ein Mysterium, die Metapher des Heils. Für Kleist und Kaiser lautete die Frage, im Sinne des deutschen Idealismus, wie werde ich meiner Identität gewiß? Wer bin „ich", wenn ein Ich, das nicht „ich" ist, bei Alkmene war? Kaisers Amphitryon klagt:

Ich bin in Theben und ich bin im Zelt.
Ich esse mit zwei Mündern – laufe auf
vier Beinen, ohne Tier zu sein. Der Mensch,
der doppelt ist. Ob man sich's wünschen sollte
zugleich der eine und der andere
zu sein – sich selber zu vertreten? Nein –
ich lehn' es ab. Es führt zuletzt hierher,
wo ich auf offnem Markt ein Schauspiel geb'
höchst widerlicher Art.

Wie in „Pygmalion" muß der erscheinende Gott, hier Zeus selber, die Lösung des Rätsels geben, und auch hier offenbart der Gott, daß der Untergang der Menschen, „verlorenes Geschlecht – verräterische Art", beschlossen war. Da sei Alkmenes

Klage und Bitte zu Zeus aufgestiegen, die den Geliebten in der niedrigsten Gestalt, als Ziegenhirten, erbat. In „Pygmalion" hatte das Kunstwerk erlösenden Sinn gehabt, hier bringt wahre und reine Liebe das Paradiesesglück.

„Bellerophon"

Ähnlich wie Pygmalion und Amphitryon ist Bellerophon, der Künstler, erhaben über Lug und Trug, obgleich der Anschein gegen ihn spricht. Er tötet die Chimaira, und Apoll sendet ihm Pegasus, das flügelschnelle Pferd. Bellerophon wird mit seiner Geliebten von Apoll unter die Sterne entrückt:

> Euch in die Sternenchöre einzustimmen
> verlaßt den irdischen Grund. Zur Himmlischkeit
> tragen euch Flügel. Seid zum Sternenflug bereit.

Das Heil ist immer jenseits

Mit der Versetzung des Dichters an den mythischen Himmel, wo er zum Stern wird, hat Kaiser die Apotheose beendet. Georg Kaisers Messianismus ist, wie der Stefan Georges, nur auf den Künstler bezogen. Der „neue Mensch" erlebt auf Erden die Passion der Wirklichkeit, des Gelächters, des Geldmangels, der Sexualität. Spielte für den jungen Kaiser die Sozialkritik noch eine Rolle, so schälte sich immer mehr als eigentliches Problem die Heilsfrage der Transzendenz heraus: keine irdische Gerechtigkeit kann dem Menschen das erträumte Paradies bringen, sondern nur die Teilnahme an jenen Bereichen hinter und über der Wirklichkeit, von der die „griechischen Dramen" am deutlichsten sprechen. Kaiser ist auch hier Expressionist geblieben. Seine Elite spricht die „steil" stilisierte Hochsprache wie bei Unruh, Sternheim, Sorge und A. Brust. Wenn die Leser oder Zuschauer der „Papiermühle" oder „Rosamunde Floris" lachen, wie Gericht und Volk in „Pygmalion", so identifizieren sie sich mit diesen, d. h. sie verstehen und empfinden nicht mehr, was Kaiser gewollt hat.

Walter Hasenclever

„Der Sohn" und Schiller

Sorges „Bettler" existierte jahrelang nur als wenig beachtetes Buch. Als Hugo Ball es kurz vor dem Weltkrieg den Münchner Kammerspielen vorschlug, drang er nicht durch. Sorge wurde erst 1917 gespielt – so konnte Walter Hasenclevers Drama „Der Sohn", das im Oktober 1916 in Dresden aufgeführt wurde und in den Jahren darauf über viele Bühnen ging, lange als erstes Drama der neuen Generation und des Expressionismus gelten. Hasenclever selbst glaubte für die Gegenwart ähnliches geleistet zu haben wie Schiller mit seinen Jugenddramen. „Was soll ich tun?" fragte der Sohn, den sein Dichter zum Lebendigen, zum Rufer und Reformator erkoren hat, den Freund. „Die Tyrannei der Familie zerstören, dies mittelalterliche Blutgeschwür; diesen Hexensabbat und die Folterkammer mit Schwefel! Aufheben die Gesetze – wiederherstellen die Freiheit, der Menschen höchstes Gut", war die Antwort.

Der Vaterhaß

Denn bedenke, daß der Kampf gegen den Vater das gleiche ist, was vor hundert Jahren die Rache an den Fürsten war. Heute sind *wir* im Recht. Damals haben gekrönte Häupter ihre Untertanen geschunden und geknechtet, ihr Geld gestohlen, ihren Geist in Kerker eingesperrt. Heute singen wir die Marseillaise! Noch kann jeder Vater seinen Sohn ungestraft hungern und schuften lassen und ihn hindern, große Werke zu vollenden. Es ist nur das alte Lied gegen Unrecht und Grausamkeit. Sie pochen auf die Privilegien des

Figurinen von Oskar Strnad zu Walter Hasenclever, Antigone

brachte. In „Jenseits“ huldigte Hasenclever einem gruseligen Okkultismus. Sollte das „die neue Dimension auf der Bühne“ sein, von der er 1918 geschrieben hatte?

„Antigone“

Im Jahre 1917 schrieb Hasenclever eine „Antigone“ frei nach Sophokles. Er glaubte im Namen der Zeit für die Ewigkeit zu sprechen und versah das alte Drama mit sozialen Klagen der Armen, mit gräßlichen Visionen von Krieg und Elend. Er ließ seine Antigone für das Recht der Völker und den Frieden kämpfen. Sie appelliert an das Volk:

Frau! Du wirst ein Kind gebären
Wann trifft die Waffe sein unschuldiges Haupt?
Wann ist die Stunde von Tod und Feindschaft?
Für welchen neuen Krieg säugst du es?
(Erregung)
Blondes Mädchen, du wirst einen Gatten wählen.
Er löst die Arme von deinem Schlummer.
Die Trompete tönt durch die Gassen.
Blut brennt auf den Türmen: Kampf!
(Erstaunen)
Ihr alle, die ihr sagt: Krieg, Feind, Ehre –
Hört euer Herz, verschüttet im Staub
Geplünderter Häuser, geschändeter Tempel.
Euer Herz ist der Feind. Wir alle sind schuld!
(Ergriffenheit)
Bürger, bevor ihr mich zertretet,
Wie euer Herr, der König, mit Recht befiehlt,
Ich will euch nicht umstimmen –
Ich habe die meiste Schuld in Theben.
Ich werde Strafe erleiden. Vergebt mir im Tod.
(Beifall)

Aus Kreon wird ein autokratischer Wüterich, der sich mit Worten Kaiser Wilhelms II. einführt („Gott gab nur Majestät ... Ihm allein schulde ich Rechenschaft ... Wer gegen mich ist, den zertrete ich!") Berittene Krieger jagen das Volk auseinander. Haufen von Toten liegen in der Arena, Menschen mit offenen Wunden, Männer mit Messern in der Brust, Wahnsinnige blöken, Kindern stolpern zwischen Leichen umher. Das Volk von Theben wird identifiziert mit den hungernden Massen des Weltkriegs.

Monty Jacobs erkannte eine gefährliche Irreführung: „Die Sophokleische Antigone schlug die Augen auf, und es erwies sich, daß ihre Seele noch immer keiner Auffrischung bedürfe. Denn in ihrer Ruhe liegt mehr Auflehnung, mehr Trotz, mehr Rebellion des Herzens, als im nervösen Gezappel der neuen Tragödie."

Eine entscheidende Wandlung

Im Jahre 1919 war Hasenclevers erstes Lustspiel „Die Entscheidung" erschienen. Schon im Jahre vorher hatte er – wohl aus Verärgerung über Mißverständnisse des „Sohn" – geschrieben: „Es ist Zeit, einen Schwindel aufzuklären, auf den die Geister hereingefallen sind. Expressionismus gibt es nicht!" Expressionismus sei eine Modefarbe, welche jedes Chamäleon annehmen könne, das selber nichts zu sagen habe. Der Okkultismus von „Jenseits" hatte bereits auf des Autors Beschäftigung mit Swedenborg hingewiesen; im Jahre 1925 erschien Hasenclevers Nachdichtung von dessen „Himmel, Hölle, Geisterwelt". Auch daß er 1925 für Jahre als Korrespondent nach Paris ging, deutet auf einen Wandel hin. Zeugnisse dieses Wandels sind die neuen Komödien „Ein besserer Herr", „Ehen werden im Himmel geschlossen" (1928), „Napoleon greift ein" (1929) und „Christoph Columbus", mit denen Hasenclever Erfolg hatte, während das Drama „Mord" und der posthum erschienene „Münchhausen" fast unbekannt geblieben sind.

„Ehen werden im Himmel geschlossen"

Hasenclevers Komödien sind heitere und witzige Konversationsstücke, die von grotesken Situationen ausgehen. Das Stück „Ehen werden im Himmel geschlossen" besteht aus vier Akten. Die Personen sind der liebe Gott, Sankt Peter und die heilige Magdalena auf der einen, der „himmlischen" Seite, und das irdische Dreieck Felix, Reneé und Tonio. Der liebe Gott ist des Treibens der Menschen müde und möchte sich pensionieren lassen; eben sind drei Selbstmörder im Himmel eingetroffen, das Motiv war Liebeskummer. Die heilige Magdalena möchte ihnen helfen:

Magdalena: Hier sind drei Menschen am Leben gescheitert. Vielleicht waren die drei am falschen Platz. Hätten sie im richtigen Augenblick gelebt, wäre alles anders gekommen.

Der liebe Gott: Ich bin zwar allwissend, aber das verstehe ich nicht.

Magdalena: Sieh mal, der fünfzigjährige Mann in Boston, der mit aller Gewalt heiraten wollte, ist der geborene Ehemann. Und die kleine Pariserin, die sich zwischen zwei Männer nicht entscheiden konnte, suchte einen einzigen. Kann man nicht die beiden miteinander verheiraten? Ehen werden im Himmel geschlossen. Wo zwei glücklich sind, ist auch Platz für den dritten. Schick die drei zurück auf die Erde. Tu sie zusammen. Laß sie noch einmal leben.

Der liebe Gott: Das geht nicht, Lenchen. Das ist gegen die Verfassung.

Magdalena: Du bist doch allmächtig. Tu ein Wunder!

Der liebe Gott: Ich bin auch allweise. Deshalb tu ich es nicht.

Es ist klar, daß Magdalena ihren Willen bekommt, und die drei Menschen dürfen in verschiedenen Situationen ihr Leben auf Erden spielen. Aber es geht schief, und schließlich erscheint Gott selber, von den Menschen als „Kommerzienrat" und Firmenboß angesprochen, und muß erkennen, daß er nicht einmal imstande ist, den beiden Männern einen Tag Urlaub zu geben, denn das, sagt Sankt Peter, kann nur die Betriebsleitung. Der liebe Gott tritt an die Rampe und sieht ins Publikum. Er will etwas sagen, aber er stockt. „Wäre er ein Schauspieler, würde er sagen: ‚Das weiß der Teufel!' Er zuckt die Achseln, dreht sich um und geht mit Petrus und Magdalena ab." Damit schließt das Stück. Nach diesem Schema sind auch die andern Stücke gebaut. Die Überlieferungen der Religion, des Glaubens, der Geschichte und Sitte werden in Konversationen versprüht. Der illusorische Charakter der Welt, die Vergeblichkeit jeder moralischen und politischen Bemühung werden in „Napoleon greift ein" ähnlich amüsant dargestellt wie in Sternheims und Kaisers Komödien um 1930. Napoleon tritt aus dem Wachsfigurenkabinett in die moderne Wirklichkeit und erfährt, als einzige Wahrheit aus „seinem" Leben, daß Josephine ihn betrogen hat. Er kehrt schleunig zurück ins Wachsfigurenkabinett, wo er zwischen dem Frauenmörder Landru und Mussolini steht. Nebenbei fällt eine Bemerkung, die als Stichwort der Komödien verstanden werden kann. Josephine sagt: „Ich brauche nicht zu spielen. Ich bin es", und Napoleon erwidert: „Vielleicht sind Sie es wirklich." Dahinter steht die Ahnung vom Verlust der Identität des modernen Menschen, einer Auflösung der Welt in imaginiertes Spiel.

Umschlag von Ludwig Meidner

Nihilismus als Theaterulk

Keiner der Expressionisten hat sich so radikal von Motiven, Stil und Themen der Jugend getrennt wie Hasenclever. Dafür haben seine Komödien, bei aller scheinbaren Blasphemie und Verzweiflung, Unschuld und Grazie gewonnen. Das mag damit zusammenhängen, daß Swedenborgs Lehre Hasenclever innerlich frei gemacht hatte. Der 1933 von Hitler ausgebürgerte Autor hat sich 1940 bei Annäherung der deutschen Truppen in Südfrankreich das Leben genommen.

REINHARD GOERING

Krieg und Drama

Die Auseinandersetzung mit dem Kriege mußte die bürgerliche Epoche aufs höchste erregen. Schien doch der moderne technisierte Massenkrieg nicht mehr den Vorstellungen, die von früheren Nationalkriegen her gewonnen waren, zu entsprechen. Auch daß der Krieg zum Weltkrieg wurde, daß er das Leben des einzelnen, an der Front oder in der Heimat, verwandelte, mußte die in materieller Sicherheit aufgewachsene Generation erschüttern. So wurde die geistige Bewältigung zu einer Belastung für alle. Der Krieg wurde als Schicksal ersehnt oder gefürchtet, gesegnet oder verflucht – ersehnt und gesegnet als Befreiung von einem drückenden Alp, als Befreiung von Alltagsnot, als Erweckung urtümlicher Instinkte; gefürchtet als Entfesselung mühsam beherrschter, gewalttätiger „tierischer" Triebe und verborgener Raub- und Mordgelüste. Man sah im Krieg das endgültige Chaos oder auch – gemäß dem antiken Wort vom Krieg als Vater aller Dinge – im Zusammenbruch das Entstehen einer neuen Kultur. Bezeichnenderweise war die Reaktion so verschiedener Strömungen wie der Jugendbewegung, der politischen Parteien und der geistigen Eliten weithin identisch: in einem ungeahnten patriotischen Pathos auf der einen und einer Weltuntergangs- und Katastrophenstimmung auf der andern Seite. In bedeutenden Persönlichkeiten der Zeit sollten sich beide verbinden, so bei Hauptmann, Dehmel, Th. Mann, Hofmannsthal, George. Die historische, politische und „menschliche" Revolution schien untrennbar zu sein. Der Expressionismus wurde ein Sammelbecken solcher Tendenzen, und je länger der Krieg dauerte, desto mehr bildeten sich Formen einer radikal antitraditionellen Erneuerung.

Csokors Mysterienspiel

Obwohl der Krieg vor allem die Dramatiker reizen konnte, fand er seinen literarischen Niederschlag in der Lyrik und dem Tagebuch. Wo sich Dramatiker am Kriegsthema versuchten, neigten sie zur Verbrämung von Gegenwartsfragen mit mythischen und historisierenden Prologen und Epilogen oder zu Zwiegesprächen wirklicher Personen mit unwirklichen Figuren, wie in Franz Csokors 1914 entstandenem Mysterienspiel „Der große Kampf", in dem ein unwirklicher Ego vergebens den Arbeiter, Ingenieur, Schiffsheizer, jungen Ehemann und Offizier in Versuchung führt, um ihren Willen zum kriegerischen Opfer zu schwächen. Bekannte Dramatiker suchten lieber historische Parallelen, als daß sie die Gegenwart unmittelbar gestaltet hätten, etwa Carl Hauptmann in seinem Tedeum „Krieg" (1913), wo das Weltschicksal geahnt wird, oder Karl Schönherr in seinem *deutschen* Heldenspiel „Volk in Not", wo mit der Andreas-Hofer-Zeit die Gegenwart gemeint ist, oder Stefan Zweig in „Jeremias", der den sogenannten heiligen Krieg als sinnlos zu entlarven sucht.

Julius Bab sprach aus, daß eine dramatische Lösung um so schwerer würde, je enger die stoffliche Beziehung zur Gegenwart sei. Im Krieg konnte wohl kaum jemand die geistige und sittliche Unabhängigkeit aufbringen, die Ereignisse unparteiisch zu gestalten, wie es das – in gewisser Hinsicht – „zeitlose" Weltgefühl der Kunst verlangt. In einzelnen Fällen wurde es gleichwohl auch damals versucht, so von René Schickele, dem Elsässer, in seinem „Hans im Schnakenloch", Hans Franck in dem Drama „Freie Knechte" (1919), Walter Hasenclever in „Die Retter" (1919) und Fritz von Unruh in dem Großgedicht „Vor der Entscheidung", die im Hörer das Gefühl des Zeitlosen, ja Ewigen aufriefen.

Reinhard Goering

REINHARD GOERING

Von all diesen Werken hat nur Reinhard Goerings „Seeschlacht" (1917) eine Bedeutung, die über das aktuelle Zeugnis hinausgeht. Das Stück löste, mitten im Kriege, eine echte Ergriffenheit aus. Man hatte das Gefühl, hier habe der Autor versucht, aus den Leiden moderner Soldaten ein Mysterium zu dichten. Er hatte in einem sogenannten Kriegsstück nach antiker Größe gestrebt und sich weder vom nationalen noch vom pazifistischen Pathos die Konzeption verderben lassen. Goering war 1887 in der Nähe von Fulda geboren und unter bedrängten Umständen – beide Eltern hatten ein tragisch-trauriges Ende genommen – Arzt geworden. 1913 erschien der Roman „Jung Schuk". Der Held wird tot aufgefunden, und der Roman rekonstruiert aus Briefen und Tagebüchern den verwirrenden Lebenslauf des Helden, der wie Goering ein psychopathologisch belasteter Arzt und Dichter war. Jung Schuks Tod nimmt Goerings eigenes Ende vorweg. Außer dem Roman, neuromantischen Gedichten und Fliegerlyrik, die 1928 im „Sturm" erschien, hat Goering eine Anzahl verstreut und versteckt erschienener Erzählungen geschrieben. Die besten sind „Ein Mann erfährt Gerechtigkeit" und die Naturszenen in „Normandie". Es sind Novellen eines Dramatikers; die Entscheidung wird auf eine Situation zugespitzt, in dem sich der Sinn eines Lebens enthüllt, Erzählungen von unrastiger Reiselust und immer wieder gebrochenen Liebesbeziehungen.

Die Erzählungen als Beichte

Goering hatte sich Anfang des Krieges als Arzt tuberkulös infiziert und mußte auf Jahre nach Davos. Hier entstand nach der Skagerrakschlacht (31. Mai 1916) die Tragödie „Seeschlacht" (1917). Sieben Matrosen fahren im Panzerturm eines Kreuzers in die Schlacht. Das Stück bringt ihre Gespräche, Träume, Erinnerungen und Visionen. Die Matrosen sind feste Charaktertypen: der Schicksalsfromme, der Aufrührer, der Pflichtgebundene, der Verzweifelte, der Gläubige und der Ungläubige. Das Stück hat keine eigentliche Handlung; die Matrosen sind in ihren Turm gesperrt und fühlen sich als Rädchen einer großen Maschine. Das Schicksal, dem sie erliegen, kommt von außen. Sie empfinden sich als machtlos und fragen

„Seeschlacht"

nach dem Sinn ihres Opfers. Das Drama ist antikisch stilisiert; die Sprache ist expressionistisch verknappt, der Artikel wird gern fortgelassen. Es beginnt mit einem Schrei, und der klassische Ruf „Wehe!“ dröhnt durch fast alle Szenen. Alfred Kerr fand nach der Uraufführung, in Berlin 1918, „in dem Empörergespräch ist Sokratisches“. Im Gegensatz zu Georg Kaiser handelt es sich nicht um einen im Drama abzuhandelnden dialektischen Prozeß, sondern um eine gleichmäßig an den Vorgängen interessierte Aufmerksamkeit, die oft lyrische Form hat:

Der fünfte Matrose: Leben ist schön und süß.
Die Sonne wirft uns Goldtage zu;
aus den Wäldern lacht Mutwille.
Liebe schmückt sich mit Blumen;
Jugend tanzt berauscht auf den Wiesen.
Da plötzlich trommelts.
Alles ist aus!
Leben gilt nichts mehr;
einer nach dem andern tritt vor den Tod.
Zwei Jahre schon schweigt die frohe Weise.
Zwei Jahre irren wir hier auf dem Wasser
blind und besessen, tötend, Tod findend.
Keiner entsinnt sich mehr eines anderen,
keiner weiß anderes mehr,
keiner kann anderes mehr,
als Töten und Sterben.

Der erste Matrose: Wenn es das Land befiehlt, muß es so sein.

Der fünfte Matrose: Sterben ist nicht so schlimm.
Aber wer sind wir denn und wer waren wir?
Siehst Du mit eigenen Augen noch?
Weißt du, was dich ergriff?

Der erste Matrose: Wenn es das Land befiehlt,
Muß es so sein.

Der fünfte Matrose: Warum befiehlt es das Land?

Der erste Matrose: Weil es notwendig scheint.

Der fünfte Matrose: Kann nicht Wahnsinn herrschen
unter einem ganzen Volk
und denen zumal, die es leiten?
Was Wahnsinnige wollen,
müssen wir tun dann?

Die Frage ohne Antwort

Schließlich fragt der fünfte Matrose: „Was denn wuchs / mit dir auf als Sinn?“, und der erste erwidert: „Dies: Gott zu dienen“, und darauf antwortet der fünfte Matrose in Versen, die aus Sophokles übersetzt sein könnten:

Wehe, o weh! Ich stürze.
Aus welchen Wolken stürzst du mich!
Bis nah ans Richtige war das Gespräch geführt,
Schritt für Schritt stieg es weiter.
Ich glaubte schon, bald können wir es nennen,
und nun du schmetterst mich hinab!
Wo ist dein Gott?

Lithographie von Ernst Stern zu Reinhard Goering, Seeschlacht

Es kommt zur Schlacht; die Szene wird verändert durch Lauf, Bewegung, Trommel, Horn, Klingelzeichen, Schüsse und schließlich Explosionen. Die Matrosen sind verwandelt, sie umarmen einander, tanzen, weihen sich dem Leben, dem Tode, werden verwundet, reden irre und bitten am Ende um den Tod. Schließlich bleiben im Chaos zwei Mann übrig, und jener fünfte Matrose schließt mit einer Frage:

> Die Schlacht geht weiter, hörst du?
> Mach deine Augen noch nicht zu.
> Ich habe gut geschossen, wie?
> Ich hätte auch gut gemeutert! Wie?
> Aber schießen lag uns wohl näher? Wie?
> Muß uns wohl näher gelegen haben?

REINHARD GOERING

Stärker als der Wille ist das Schicksal: so beantwortete die Zeit diese Frage. Das Schlußwort wurde 1919 in dem Drama „Scapa Flow" gegeben. Schauplätze des Stückes sind im ersten Akt das deutsche, im zweiten das britische Flaggschiff. Die Klage über den Untergang, der Trauergesang von Land, Volk und Welt erfüllt

„Scapa Flow"

den deutschen, die Jubelfeier („O schöne Welt! Wer kämpft, erreicht das Ziel . . . O schöne Nacht! O schönes Leben!") den britischen Akt, in dem sich Ernst und Mitgefühl für den unterlegenen Feind mischen: auch hier also eine durchaus noble und männliche Ausgewogenheit.

Pol III Teil

Tal des Hafens von Hobart auf Tasmanien am Tag der Landung Amundsens.

Chor

Geister des Nordlands
von Menschen gestört
und der grollenden auch
eilt und versammelt euch
hier in Hobart der Hafenstadt auf Tasmanien
und schaut die Ankunft des Mannes
der sich neu bewährt hat
und seinem Landsmanne Ehren
und Ruhm bringt im Frieden.

Reinhard Goering, Handschriftprobe

In Goerings andern Stücken spürt man fremdartige symbolische Züge. Das Schauspiel „Der Erste" (1917), wo ein selbstsüchtiger amoralischer Priester des Mittelalters im Kampf mit den Mächten der Gemeinschaft und des Gewissens unterliegt, ist ein expressionistischer „Meister Oelze". „Der Zweite" (1919) zeigt die Ehetragödie zweier verstrickter Paare. In dem surrealistischen Spiel „Die Retter" (1919) erleben zwei sterbende Greise in Todeseinsamkeit den Untergang der wurzellosen Zeit. Im Liebestanz eines jungen Paares sehen sie, was Leben sein kann und soll: kein Denken, Sinnen, Werten, Willen, Leiden, sondern Hingabe an den existentiellen Augenblick. Weib und Mann korrespondieren einander in knappen Versen: „Ich werde du." – „Ich werde du." Das „junge Weib" tanzt: „Abgelöst, frei / Kurzlebig / Es wissend / Oder auch nicht: / Was dauern soll, / Kümmert uns nicht, / Noch was nützt / Oder schadet. / Wir geschehen / Wir geschehen / Was gedacht wird / Was geschaut wird / Noch was gut ist / Oder böse / Kümmert uns nicht . . . /"

Die symbolischen Stücke

Mystische Religiosität

Aus diesen sprachlich reduzierten Szenen spricht Goerings buddhistisch bestimmte Lebenserfahrung. Kennzeichnend sind aphoristische Sprüche: „Wer Tod weiß, lebt. Wer lebt, weiß Tod" oder: „Wer schweigt, redet drinnen; wer redet,

schweigt drinnen." Wie bei den Dichtern des „Sturm" gibt es verblüffende Wortspiele, daneben wirkt eine Neigung zur Abstraktion, die in der Konsequenz expressionistischen Denkens und Sinnens liegt.
Da ist die lyrische Form zum Gefäß weltanschaulicher Aussage geworden, und der Sinn der Literatur geht unter. Später hat Goering ein bewegendes Ereignis der Entdeckungsgeschichte dramatisiert, „Die Südpolexpedition des Kapitäns Scott" (1929), in dem sich Abenteuer, Willenskraft und die Verlassenheit des Menschen in der eisigen Weite spiegeln. Obwohl auch hier, wie in „Seeschlacht", von einem antiken Chor die Rolle des Erzählers übernommen wird und die Aktionen Scotts und Amundsens in diesen Bericht hineingeblendet werden, wirkt das Stück nicht als Tragödie eines großen Schicksals, sondern wie eine spannende sachliche Reportage: es ist ein Wettrennen der Forscher zum Pol.

„Die Südpolexpedition des Kapitäns Scott"

Goering erhielt für „Die Südpolexpedition" – wie für „Seeschlacht" – den Kleistpreis. Mit dem Expressionismus haben Stil und Thema des Stückes nichts mehr gemeinsam, sie weisen vielmehr auf einen neuen – „sachlichen" – Typus des Dramas hin, den Curt Langenbeck im „Hochverräter" zu verwirklichen suchte. Ein Roman, den Goering mit Robert Büschgens zusammen geschrieben hatte, „Der Vagabund und das Mädchen" (1931), scheint diese Richtung zu bestätigen. Goerings Menschen sollten zu sich selbst kommen, sich kennenlernen, damit das „Seele-sich-schauend-ist-Gott" realisiert würde; demgegenüber ist die Welt „Wahn". Um die gleiche Zeit hat Sternheim, in „Die Schule von Uznach", „das Ende unserer Prinzipien" (nämlich der Übersteigerung des Ich ins Kosmische) ironisiert. Goering war der Ausweg in die Komödie versperrt. Immer tiefer fraß die Melancholie an seinem Lebenswillen; er wurde 1936 in der Nähe von Jena tot aufgefunden – er hatte selbst ein Ende gemacht.

Die Entleerung des Pathos

Ernst Toller

Die Herkunft

Ernst Toller ist *der* deutsche Revolutionsdramatiker geworden. In einem ganz anderen Sinne als Kaiser wurden ihm Krieg und Revolution zum Schicksal. Ehe man von dem Autor Toller spricht, muß man den Menschen begreifen. Er ist 1893 in Samotschin bei Bromberg geboren. Die Eltern waren wohlhabende jüdische Bürger. In dem 1933, also nach seiner Emigration, veröffentlichten Erinnerungsbuch „Eine Jugend in Deutschland" erklärte Toller, wie sich kapitalistische und rassische Minderwertigkeitskomplexe in ihm ausgebildet hatten. Als Sohn reicher Leute und als Jude empfand er sich von Kindheit auf „anders". Krieg und Gefängnis bestätigten das Anderssein und führten zu einer tiefen Wandlung. Im Sommer 1914 studierte Toller in Grenoble und mußte sich bei Kriegsausbruch unter allerhand Abenteuern zur deutschen Grenze durchschlagen. Er meldete sich, besessen von dem Gedanken des deutschen Verteidigungskrieges, sogleich als Kriegsfreiwilliger. Bei der Musterung verschwieg er frühere Krankheiten und schrieb triumphierend nach Hause, daß er ins Feld ziehe. Draußen sucht er exponierte Stellungen; er wurde im Grauen des Stellungskrieges, wie Fritz von Unruh, Pazifist. Einmal verfing sich sein Spaten in den Eingeweiden eines Toten:

Ein – toter – Mensch –
Und plötzlich, als teile sich
die Finsternis vom Licht,

das Wort vom Sinn,
erfasse ich die einfache Wahrheit Mensch,
die ich vergessen hatte,
die vergraben und verschüttet lag,
die Gemeinsamkeit,
das Eine und Einende . . .
In dieser Stunde weiß ich, daß ich blind war,
weil ich mich geblendet hatte,
in dieser Stunde weiß ich endlich,
daß alle diese Toten, Franzosen und Deutsche,
Brüder waren,
daß ich ihr Bruder bin.

Vom Nationalismus zum Pazifismus

Mit der Erfahrung des Grauens und der Entwürdigung durch den Krieg verband sich die sozialistische Idee: der Krieg ist eine Methode der kapitalistischen Unterdrückung. Die Ausbeutung des einfachen Menschen durch Maschine und Fabrik setzt sich in den Blutopfern des Krieges fort. Radikale Erneuerung der Welt aus dem Gedanken der Brüderlichkeit soll darum das Ziel der Revolution sein. Da er wegen eines seelisch bedingten Herzleidens aus dem Heer entlassen wurde, ging Toller zum Studium nach Heidelberg und München, gründete einen pazifistischen Studentenklub, lernte in Berlin die sozialdemokratische Parteileitung kennen, wurde von ihr enttäuscht und schloß sich in München dem verhinderten Dichter Kurt Eisner, dem intellektuellen Führer der Unabhängigen Sozialdemokraten an. Da Toller an streikende Munitionsarbeiter Flugblätter mit Auszügen aus seinem Drama „Die Wandlung“ verteilt hatte, wurde er in einen Landesverratsprozeß verwickelt, der ihn auf kurze Zeit ins Gefängnis brachte. Nach der Entlassung gelangte er als Vorsitzender des Arbeiter- und Soldatenrats an die Spitze der revolutionären Bewegung Bayerns. Nach der Ermordung Eisners und der Verwundung Auers trug man dem fünfundzwanzigjährigen Ernst Toller das Amt des Volksbeauftragten an, er lehnte ab, übernahm aber schließ-

Zeichnung von George Grosz
zu Ernst Toller, Hinkemann

lich den Vorsitz der Partei in München. Als die Räterepublik ausgerufen wurde, war Toller in Nürnberg und verlangte, bevor er das Manifest unterschrieb, die Einigung aller sozialistischen Parteien. Landtag und Regierung waren davongelaufen, darum lag alle Macht beim revolutionären Komitee; um das Schlimmste zu verhüten, schloß sich Toller ihm an, er hatte die sowjetisch geschulten Revolutionäre Lewien und Leviné gegen sich; Stefan Großmann berichtet darüber:

Großmann über den Menschen Toller

Sie nennen ihn einen „grünen Jungen", weil er dem Abenteuer widerstrebt, Haftbefehle zerreißt, Todesurteile verhindert, Attentate gegen den kranken Auer und den gelähmten Arco, Eisners Mörder, verhindert. Aber die schrilligen Demagogen werden mächtiger! Es wird die zweite, die echte Räteregierung eingesetzt. Toller will die Bewaffnung des Proletariats verhindern. Er spricht gegen die Entziehung der Lebensmittelkarten an die Bourgeosie. Er strebt vom ersten Tage Verhandlungen mit der Regierung in Bamberg an. Als er von der Ermordung der Geiseln vernimmt, sagt er: „Ich möchte mir selbst eine Kugel in den Kopf schießen." Er stürzt nachts zu einem Hause, wo noch sechs Geiseln im Keller sitzen, und läßt sie durchs Kellerfenster ins Freie ziehen. Vor Gericht sagt ein Zeuge von ihm: „Ihm fehlte nicht der Wille zum Guten, aber ihm fehlte zuweilen die Kraft zur Durchsetzung seines Willens." Der schmächtige sensible Mensch ist nicht robust genug für seine Aufgabe ... Seine Getreuen wählen ihn, ohne ihn zu hören, zum Kommandanten der Roten Garde in Dachau. Er übernimmt das Amt, damit es kein anderer verwalten kann, vom ersten Augenblick an entschlossen, dem törichten Münchener Krieg durch Verhandlungen rasch ein Ende zu machen. Er zerreißt einen Beschluß der Lewien und Leviné, der ihm die Erschießung aller gefangenen Offiziere der Weißen Garde aufträgt. Er verhindert die Artilleriebeschießung von Dachau ...

Die Wandlung

Nachdem die Armee beim Einzug der Regierungstruppen auseinandergelaufen war, versteckte sich Toller, wurde aber bald verhaftet und 1919 zu fünf Jahren Festung verurteilt. In diesen Jahren entstanden seine Tragödien in „expressionistischem" Stil; dann schrieb er „Die Rache des verhöhnten Liebhabers oder Frauenlist und Männerlist" (1925) und die Tragödie „Hoppla, wir leben" (1927). 1933 floh er vor dem Nationalsozialismus und starb kurz nach Beginn des zweiten Weltkrieges, im Mai 1939, in New York durch Selbstmord. Die ersten Szenen des Totentanzes „Die Wandlung", eines reinen Stationendramas, wurden 1917 geschrieben; im Februar und März 1918, im Militärgefängnis, wurde es vollendet, 1919 gedruckt und im September des gleichen Jahres in Berlin unter Regie von Karlheinz Martin uraufgeführt. Der Held, der Bildhauer Friedrich, ist Toller selbst, er fühlt sich als „Jude, der Unrecht erfuhr" (Kerr), außerhalb der Volks- und Herzensgemeinschaft und meldet sich freiwillig zum Kolonialkrieg. Heimgekehrt, arbeitet Friedrich an einer Statue „Der Sieg des Vaterlandes", doch als er den Besuch eines Kriegsinvalidenpaars erhält, tritt die seelisch schon lange vorbereitete Wandlung ein: er zertrümmert die Statue und wird in seiner Verzweiflung von der Schwester getröstet:

Noch manche Würde, die dich heute Würde dünkt,
Wirst du wie eine Maske von dir werfen.
Wer weiß, wo du einst deine wahre Würde findest;
Wer zu den Menschen gehen will,
Muß erst in sich den Menschen finden.

Weitere Bilder zeigen Friedrich in der Fabrik und im Gefängnis, wo die Menschen bluten: er selbst wird ans Kreuz geschlagen und ersteht vom Tode. Der Angeklagte wird nun zum Richter. In der Versammlung des Volkes kann der reine wiedergeborene Mensch, anders als der Alte Herr, der Professor, der Pfarrer und Kommis, die mit Phrasen hetzen, zum Volke reden. Nach dem Traumabschied vom zurückbleibenden Freund, von Mutter, Onkel, Arzt, Kranken, Dame und Schwester spricht er vor der Kirche vom inneren Menschentum und von der Bruderliebe, die auch die verirrten Reichen einschließt. So gewandelt, werden die Menschen reif für den Schlußruf: „Revolution! Revolution!"

Ernst Toller

„Die Wandlung" ist der Keim der späteren und berühmteren Werke. Man hat mit Recht gemeint, Toller sei eigentlich kein Dichter, sondern Propagandist. Tatsächlich sind weite Strekken der Dramen Deklamation und politische Rhetorik; sie erheben sich nie zum dichterischen Pathos eines Büchner. Die Konzeption seiner ersten Stükke ist bilderbogenhaft. Die viel berufene Läuterung vollzieht sich nach alten Schemata; so liegt der „Wandlung" ein Christusmodell zugrunde, und der Ablauf ist Strindbergs „Nach Damaskus" entlehnt. Die Bezeichnung „Totentanz" weist auf allegorische Bezüge, und gerade hier, auf einem der „Moderne" fremden Gebiet, liegt Tollers dichterische Inspiration. Die Traumfiguren und Gespenster bewegen sich wie in mittelalterlichen Totentänzen in packenden Szenen, wo der Dichter Lehrer, Deuter und Erzieher der Menschen ist. Toller teilt den Menschen im Gewand der Dichtung eine Lehre mit. Im Festungsgefängnis Eichstätt schrieb er zu seinem Drama „Wandlung":

Ist Toller ein Dichter?

Drama als politische Allegorie

Wenn politisches Flugblatt Wegweiser, geboren aus Not der äußern Wirklichkeit, Gewissensnot, Fülle der inneren Kraft bedeutet, so mag „Die Wandlung" getrost als Flugblatt gelten. 1917 war das Drama für mich Flugblatt . . . Also Tendenzdrama? Tendenzdrama liegt im Bezirk des bürgerlichen Reformismus. (Motto: Seid wohltätig und verachtet nicht die Huren, die auch Menschen sind.) Ein politisches Drama? Vielleicht ein brüchiger Schritt dazu. Aus der Unbedingtheit revolutionären Müssens (Synthese aus seelischem Trieb und Zwang der Vernunft) wird das politische Drama geboren, das nicht bewußt umpflügen und aufbauen wird, das den geistigen Inhalt menschlichen Gemeinschaftslebens erneuern, verweste Formen zerstören wird. Voraussetzung des politischen Dichters (der stets irgendwie religiöser Dichter ist): ein Mensch, der sich verantwortlich fühlt für sich und für jeden Bruder menschlicher Gemeinschaft. Noch einmal: der sich verantwortlich fühlt.

Nach der Enttäuschung von 1919 konnte Toller keinen Fuß in der Wirklichkeit lassen. Diese Ernüchterung spiegelt sich in den nächsten Stücken. Das den Proletariern gewidmete Drama „Masse Mensch" (1920), eins der bezeichnenden Dramen des Expressionismus, heißt „Ein Stück aus der sozialen Revolution des 20. Jahrhunderts". Tollers Erlebnisse mit der Masse während der Münchner und Dachauer Zeit haben sich hier niedergeschlagen. In der „Wandlung" stürzt am Ende des elften Bildes, als Friedrich in der Volksversammlung gesprochen hat, ein Mann mit hochgeschlagenem Mantelkragen eilig hinein. Die Szene ist Keim des neuen Stücks.

Die politische Enttäuschung

Mann: Ich hasse Sie.
Friedrich: Ich aber nenne dich Bruder.
Mann: Ich hasse Sie, ich weiß, wer Sie sind, glauben Sie nicht, daß ich Sie verkenne. Ich schaue Sie. Sie sind der, den ich in meiner Kammer erblickte, in einsamen Nächten. Warum werden Sie nicht Mönch? Lassen Sie die Menschen in Ruhe. Warum gehen Sie zu dem Pöbel? Sie schänden Gott.
Friedrich: Ich heilige ihn.
Mann (eilt hinaus): Ich hasse Sie!
Friedrich: Bruder, *du betrügst dich.*

„Masse Mensch" ist das Drama der Ernüchterung. Die Heldin ist die Frau eines bürgerlichen Professors, ihr Gegenspieler ist der Namenlose, ein Bolschewist. Sie hat sich der proletarischen Revolution aus idealistischen Gründen angeschlossen. So, wie Toller eine bayerische Sowjetdemokratie der Liebe und Brüderlichkeit hatte einrichten wollen, möchte sie ihre Vision vom Kriegsende durch einen unblutigen Generalstreik verwirklichen. Der Namenlose aber, der am eigenen Leibe ausgebeutet wurde, will Rache an den kapitalistischen Ausbeutern. Schließlich fügt sie sich seiner Forderung, denn er ist ihr „heilig", weil er ein unterdrückter Proletarier ist. An den Exzessen, die nun ausbrechen, erkennt sie ihren Irrtum und tritt dem Klassenkämpfer mit ihrer alten Idee der Gewaltlosigkeit gegenüber. Die Masse folgt natürlich dem Namenlosen, der ihre Instinkte weckt und die intellektuelle Apostolin verdächtigt, sie schütze Geiseln; so kommt sie als Verräterin vor ein Revolutionstribunal.

„Masse Mensch"

Während Friedrich in der „Wandlung" mit Erfolg predigte, erlebt die Frau in „Masse Mensch" Schiffbruch. Noch herber spricht Tollers Enttäuschung aus „Die Maschinenstürmer", einem Drama aus der englischen Ludditenbewegung (entstanden 1920/21). Es ist ein Kampfstück gegen eine wirtschaftliche Ordnung, die vierjährige Kinder in Tag- und Nachtfron ausbeutet, und zeigt Episoden aus dem englischen Frühkapitalismus. Die Maschine wird wie bei G. Kaiser durchaus romantisch als Symbol der Knechtung und Unnatur betrachtet:

„Maschinenstürmer"

Ticktack der Morgen, ticktack der Mittag . . . ticktack der Abend . . .
Einer ist Arm, einer ist Bein . . . einer ist Hirn . . .
Und die Seele, die Seele . . . ist tot . . .

Toller spricht aus zwei Masken, der des Dichters Byron im Vorspiel, und der des Webers und Agitators Cobbett. Diesem Cobbett geht es noch ärger als der Frau in „Masse Mensch". Er wird von den Genossen, den Maschinenstürmern, erschlagen. Der Bettler sagt: „Englische Arbeitsmänner von 1815, du Träumer! Freundchen, mit Göttern verbündet kämpfen, heißt zum Sieg kommen, wie eine Apfelblüte zum Apfel kommt. Erwache, erkenne, daß du mit kleinen Menschlein, gutwilligen,böswilligen, gierigen, selbstlosen, kleinlichen, großmütigen ... kämpfst, und versuchs trotzdem!" Dies Trotzdem ist Tollers letztes Wort: „Man muß einander helfen und gut sein"; mit diesen Worten beschließt der alte Reaper, der Gott sucht und ihm zugleich flucht, das Stück. Formal wendet das Drama sich schon von der expressionistischen Bilderfolge ab und kehrt zum alten, durch Handlung und Charaktere fest gefügten Drama, im Sinne Shakespeares, zurück.

„Der deutsche Hinkemann"

„Der deutsche Hinkemann" (geschrieben 1921/22) ist ein Epilog auf Krieg und Revolution. Die heiligen Begriffe sind verschlissen, das Wort Gemeinschaft entwertet. Es ist nichts mehr mit der Brüderlichkeit der Proletarier, wenn sich der Schieferdecker mehr als der Ziegeldecker dünkt, der Buchdrucker sich für besser als den Tapetendrucker hält. Die Hauptnummer des großen Budenbesitzers, des Völkerpsychologen, ist das Durchbeißen von Ratten- und Mäusekehlen bei schmalzigen Liedern: das Volk will Blut sehen! Die Zeit ist lächerlich wie der arme Hinkemann, ein Hüne, der im Kriege sein Bein und sein Geschlecht eingebüßt hat. Niemand vermag ihm sein Glück und seine Würde wiederzugeben. Sein Schicksal hat keinen Sinn:

Und es gibt Menschen, die sehen das nicht. Und es gibt Menschen, die haben das vergessen. Im Krieg haben sie gelitten und haben ihre Herrn gehaßt und haben gehorcht und haben gemordet! ... Alles vergessen ... Sie werden wieder leiden und werden wieder ihre Herren hassen und werden wieder ... gehorchen und werden wieder ... morden. So sind die Menschen ... Und könnten anders sein, wenn sie wollten. Aber sie wollen nicht. Sie steinigen den Geist, sie höhnen ihn, sie schänden das Leben, sie kreuzigen es ... immer und immer wieder.

Sonette und Schwalbenbuch

Die dramatischen Werke wurden begleitet von den Chorwerken „Requiem der gemordeten Brüder" und „Der Tag des Proletariats" (beide 1920), von dem Sonettenkranz „Gedichte der Gefangenen" (1921) und den freien Rhythmen aus „Das Schwalbenbuch" (1923), wo ein nistendes Schwalbenpaar einen Sommer lang den Gefangenen Ernst Toller tröstete:

Über mir, über mir,
Auf dem Holzrahmen des halbgeöffneten Gitterfensters, das in meine Zelle sich neigt in erstarrter Steife, so als ob es sich betrunken hätte und im Torkeln gebannt ward von einem hypnotischen Blick,
Sitzt
Ein
Schwalbenpärchen
Sitzt,
Wiegt sich! wiegt sich!
Tanzt! tanzt! tanzt!

Sind die Schwalben Sinnbild des Lebens, der Freiheit und der Kunst, so sind sie auch Gleichnis für die unglückliche Liebe des Dichters zu den Menschen:

Den Dichtern gleichet Ihr, meine Schwalben.
Leidend am Menschen lieben sie ihn mit nie erlösender Inbrunst,
Sie, die den Sternen, den Steinen, den Stürmen tiefer verbrüdert sind
Als jeglicher Menschheit.

ERNST TOLLER

Später kehrte Toller mehrfach zu seiner Gefängniszeit zurück mit „Justiz, Erlebnisse“ und „Briefe aus dem Gefängnis“ (1935). In „Eine Jugend in Deutschland“ (1933) suchte er sein Leben dichterisch zu stilisieren. Das Gefängnis wird, wie später die Emigration, zum Symbol der Existenz. Toller stellte schon seine Jugend im Schema der „Andersheit“ dar: Das reiche jüdische Elternhaus tritt in Gegensatz zu dem des armen christlichen Nachbarn, und daraus wird ein Schuldgefühl entwickelt. Die Mutter erscheint als unverständige Bürgerin, die nicht versteht, daß ihr Sohn sich auf die Seite der Proletarier stellt. Im Gefängnisspital neigen die Ärzte dazu, den „Landesverräter“ schlecht zu behandeln. In den Dramen liebt Toller ähnliche Gruppierungen, wobei dann die Gestalten, wie bei Rubiner, bloße Ideenträger werden. Schon der absurde Tanz der Skelette zwischen den Drahtverhauen, in der „Wandlung“, war eine Allegorie des Grauens. So, wie die Poesie für den bekehrten Reinhard Sorge „Griffel Christi“ sein sollte, wurde für Toller das „Aufhetzen“ Antrieb der Dichtung.

Stilisierung der Existenz

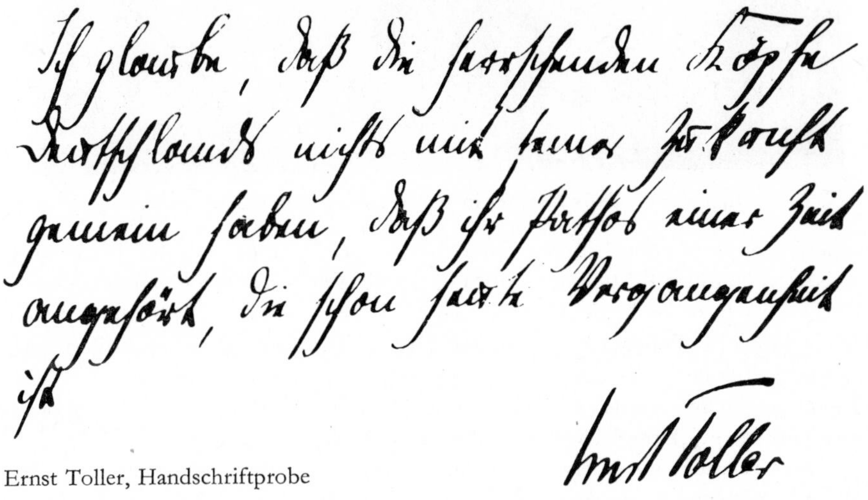

Ernst Toller, Handschriftprobe

„Der entfesselte Wotan“

Die Komödie „Der entfesselte Wotan“ (1923) ist ein bezeichnendes Beispiel grotesker Dichtung. Wilhelm Dietrich Wotan ist Friseur, der auf die Idee kommt, eine Auswanderung nach Brasilien zu einem politischen Betrug großen Stils auszunützen. Mit seiner Bloßstellung wildgewordener Spießbürger, völkischer Phrasen und politischer Demagogie hat Toller den Nationalsozialismus erstaunlich „getroffen“. Der größenwahnsinnige Wotan und seine Gehilfen Schleim und von Wolfblitz wissen die Instinkte der Massen mit Phrasen und Lügen zu wecken und erregen das Interesse von deutschnationalen jüdischen Finanzleuten – bis sich das Unternehmen schließlich als Bluff erweist und Wotan scheitert.

Wirkung und spätere Werke

Toller schrieb nicht nur Stücke, sondern auch Aufsätze, Reden, Manifeste und Aufrufe, etwa über die deutsche Revolution und über seine Reisen in Rußland und Amerika („Quer durch“). 1927 erschien „Hoppla, wir leben“; in diesem Stück haben das revolutionäre Pathos und der expressionistische Stil endgültig abgedankt. 1930 erschien das Drama „Wunder in Amerika“, zusammen mit Hermann Kesten geschrieben; es behandelte die Gründung der Christian-Science-Sekte durch Mary Eddy-Baker. 1931 brachte Toller eine Dramatisierung der

Leonie Duval als Margret in Ernst Toller, Maschinenstürmer

Kieler Matrosenrevolte, „Feuer unter den Kesseln“, und 1932 das Justizstück „Die falsche Göttin“. Nach der Autobiographie (1933) und den Gefängnisbriefen (1935) schrieb er noch die Dramen „Nie wieder Frieden“ (1937) und „Pastor Hall“. Obwohl Toller ein berühmter Dramatiker war, hatte er Mißerfolge. H. Kesten berichtet, wie er darunter gelitten habe, daß „Pastor Hall“ von den Bühnen abgelehnt wurde. Toller sollte den traurigen Weg gehen, den er seinem Karl Thomas in „Hoppla, wir leben“ bereitet hatte.

„Hoppla, wir leben“

Das Drama besteht aus einem Vorspiel und fünf Akten. Dazwischen werden Filmszenen eingeblendet, die in symbolisch-allegorischer Beziehung zur Handlung stehen. Merkwürdig ist die Anmerkung für die Regie: „Alle Szenen des Stückes sind auf einem Gerüst spielbar, das in Etagen aufgebaut ist und ohne Umbau verwendet werden kann. Die Filmteile können in Theatern, in denen aus zwingenden Gründen Filmeinrichtungen nicht möglich sind, fortgelassen, oder durch einfache Projektionsbilder ersetzt werden.“ Das filmische Vorspiel des „Vorspiels“ wird so bestimmt:

GERÄUSCHE: STURMGLOCKEN
STREIFLICHTER KNAPP
SZENEN EINES VOLKSAUFSTANDES
SEINE NIEDERWERFUNG
DES DRAMATISCHEN VORSPIELS
FIGUREN
AUFTAUCHEND AB UND ZU

Im Vorspiel sehen wir eine Gruppe gefangener Revolutionäre in einer großen Gefängniszelle, Todeskandidaten, die beim Fluchtversuch von der Begnadigung überrascht werden. Das Büchnersche Vorbild aus „Dantons Tod“ reicht bis in den Duktus des Dialogs. Im ersten Akt wird Karl Thomas aus der Gefängnisirrenanstalt entlassen, in der er acht Jahre verbracht hat. Die Handlung des Stückes zeigt, wie die Todesgefährten von einst sich mit der neuen Gesellschaft arrangiert haben, vor allem der Minister, wie andererseits der revolutionäre Kampf zum ermüdenden Kleinkrieg geworden ist.

ERNST TOLLER

Karl Thomas: Ja, ich glaube mitunter, ich komme aus einer Generation, die verschollen ist.
Eva Berg: Was hat die Welt erlebt seit jener Episode [in der Todeszelle].
Karl Thomas: Wie du von der Revolution sprichst!
Eva Berg: Diese Revolution war eine Episode. Sie ging vorüber.
Karl Thomas: Was bleibt?
Eva Berg: Wir. Mit unserm Willen zur Ehrlichkeit. Mit unserer Kraft zu neuer Arbeit.
Karl Thomas: Und wenn du ein Kind empfingst in diesen Nächten?
Eva Berg: Werde ich es nicht gebären.
Karl Thomas: Weil du mich nicht liebtest?
Eva Berg: Wie du vorbeiredest. Weil es Zufall wäre. Weil es mich nicht notwendig dünkt.
Karl Thomas: . . . Ich finde mich nicht zurecht in dieser Zeit. Hilf mir! Hilf mir. Die Flamme, die glühte, ist verlöscht.

Man erkennt, daß Karl Thomas ein Ebenbild Ernst Tollers ist. Auch für ihn hatte die Welt sich verändert, als er aus dem Gefängnis kam. Thomas muß entdecken, daß der einstige Mitrevolutionär und Zellengenosse ein geschickter Karrieremacher ist. Als der Minister von einem rechtsradikalen Studenten niedergeschossen wird, der seinerseits einen „Bolschewiken" im Minister sieht, gerät Thomas in Verdacht. Da die Indizien gegen ihn sprechen, erhängt er sich in seiner Zelle, kurz bevor die Nachricht kommt, die Polizei habe den wahren Täter gefunden.

Das technisch perfektionierte Stück

In diesem Stück bewährte sich noch einmal Tollers dramatischer Instinkt. In Verbindung mit den Mitteln der Filmreportage hatte das Stück in der Regie Piscators großen Erfolg vor einem Publikum, das sich selbst als Zielscheibe fühlen mußte. Stilistisch gehört es zur „neuen Sachlichkeit". Sein harter Realismus hat karikierend absurde Züge. Er erlaubte, ein Gefängnis mit Zellen, ein Hotel mit Zimmern und sogar ein Wahllokal zur gleichen Zeit auf die Bühne zu bringen. Jener Teil des Gerüsts, wo die Szenen spielen, wurde jeweils angeleuchtet. Das Modell solch einer Bühne hatte Sorge schon vor dem Kriege in seinem „Bettler" benutzt. Theatergeschichtlich geht sie auf die Wiener Posse und die spanischen Mantel- und Degenstücke zurück. Piscator hatte die Szene mit allen modernen Finessen, Telephonen, Klopfzeichen der Gefangenen, optischen und akustischen Effekten ausstaffiert; aber die Typen der Tollerschen Revolutionäre, Beamten, Minister, Bankiers, Intellektuellen, Richter und Zimmerkellner sprachen dünnen Amts- und Berufsjargon. Sie waren Puppen und wurden als solche von der Regie geführt: nur in solch einer Inszenierung, in Übereinstimmung mit dem Zeitgeist des Berlin der endenden zwanziger Jahre, konnte das Stück Erfolg haben.

Hanns Johst

> Der Geist rebelliert im Individuum, in der Persönlichkeit, sobald er aber die Tat, zu der er die Masse als Gemeinde braucht, seine persönliche Tat betätigt sieht, wird er immer der Zauberlehrling sein, der die Kräfte, die er rief, nicht mehr zu bannen vermag.
>
> Hanns Johst, „Ethos der Begrenzung", 1928

Der politische Dichter

Hanns Johsts erstes Buch erschien 1914, es waren die Szenen „Stunde der Sterbenden". Bis zum Jahre 1935 ließ er fast jedes Jahr ein Drama, einen Roman, einen Band mit Gedichten, Essays oder Erzählungen erscheinen. Dann publizierte er nichts Neues mehr, obwohl seine Stücke auf allen Bühnen gespielt wurden und er als Präsident der Reichsschrifttumskammer unter die Prominenten des Dritten Reiches zählte. Jahrzehnte darauf, nach Ablauf einer politischen Strafe und des Berufsverbots, erschien noch ein Roman.

Jugenderlebnisse

Hanns Johst ist 1890 in Seehausen bei Riesa in Sachsen geboren. Er hat mehrfach Skizzen seines Lebens geschrieben, und man gewinnt daraus das Bild eines schwermütigen jungen Mannes, der sich nicht von der „süßen Wollust des jähen jungen Todes" überwältigen läßt. Zwei Leipziger Mitschüler sind ihr erlegen – war es doch die Zeit der Schülertragödien, deren literarische Spiegelungen sich bei Wedekind, Hesse, Strauß, Kaiser, Musil und vielen andern finden.
Hanns Johst berichtet:

Krankenpflege bei Bodelschwingh

> Der stärkste Eindruck meiner Jugend war meine Stellung bei Bodelschwingh als Pfleger. Ich wollte Missionar werden. Ich hatte mir für 20 Pfennige ein Heft gekauft „Wie werde ich Missionar" und darin gelesen, daß Krankenpflege notwendig. Eine Gelegenheit warf mich in das Haus Afra. Siebzehnjährig stand ich mutterseelenallein unter 34 dem Tod verfallenen Epileptikern. Vergitterte Fenster. Eine große Matratze, auf die ich die Kranken warf und hielt, damit sie sich an den Kalkwänden nicht blutig schlugen. Ein langer Tisch, zwei ebenso lange Bänke, plumpes ärmliches Spielzeug. Das Zimmer voll irrer Reden, Stöhnen, Lachen, Schauen, Geifern. Kinder von 7 Jahren bis 18. Verkümmerte, idiotische, welke und zerschundene Gesichter. Verkrüppelte Glieder. Ich die Brust prall voll Mitleid und dem Glauben, helfen zu können. In der ersten Nacht, ich übernahm die Wache für einen leidenden Bruder, starb mir der erste Mensch unter den Händen.

Johst verließ die Mission und wollte, um dem Leib der Menschen zu dienen, Medizin studieren. Aber schon die Anatomie verwirrte ihn.

> Körperlich nicht befähigt, Tag und Nacht bereit zu sein, und seelisch zu weich, kam ich über die Psychologie zur Struktur des Menschen, zu den Bindungen des Menschen, zum Staat, zum Recht. Für die Forschung zu unruhig, überfiel mich der Dienst am Wort: die Schauspielkunst! Die Stimme wertlos. Und immer innerer Unruhe voll: Wohin? Von Wien nach München, von München nach Leipzig, von Leipzig nach Berlin, von Berlin nach München. Gewandert, gebummelt, studiert. Die innere Unruhe um Freiheit und ein freies Menschentum überfiel der Krieg. Frei war in ihm nur der Mensch, der das Schwert als Weltanschauung wählte. Die andern? ...

Johsts Entwicklungsroman „Der Anfang"

In dem Roman „Der Anfang" (1917) schilderte Johst in der Gestalt des Hans Werner seinen eigenen Weg; Werner wird Jurist, Germanist, Dramaturg, junger Dichter. Er erwartet von sich und andern „geistdurchdrungenes", wahrhaftiges Leben. Die hochbürgerliche Gesellschaft wird satirisch beschrieben, aber auch das

Theater – man spielt Hauptmanns „Rose Bernd" – mißfällt dem jungen Helden: „Das Leben des Theaters ist chemisches Präparat; Konfliktsanalysen, Charakteranalysen usw. Die Elemente, die sich ergeben, sind im Grunde nur Surrogate. Das Wesentliche fehlt dem [naturalistischen] Theater: die Natur." Hans Werner teilt Proben seiner eigenen Lyrik mit, wo er die Liebe zu einer Frau schwül besingt. Am Schluß fährt er mit einer Freundin nach Berlin.

HANNS JOHST

Der Einakter „Die Stunde der Sterbenden" fragte nach dem Sinn des Krieges, in dem Tausende und Millionen sinnlos leiden und sterben. Die Antwort der Sterbenden klingt ein wenig pathetisch:

„Die Stunde der Sterbenden", „Stroh"

> Nimm Schlacht und Krieg, nimm Schmerz und Pflicht,
> Nimm Leben, Tod! Nimm Rausch und Stille,
> Nenn es nicht Gott und Glauben nicht! –
> – Kröne dich selbst, Mensch! Nenn es Wille!

In einer Komödie der sächsischen Bauern, „Stroh" (1915), taucht ein echt Johstsches Thema auf: Die Masse bleibt auch in schlechten Zeiten an ihre profitliche Denkweise gebunden. Die Bauern verstecken ihr Korn vor den Städtern im Stroh. Die Schlauheit der Bauern wird dann von der Schlauheit der Gauner übertrumpft. Der Stil ist naturalistisch. Stammen die Bilderfolgen der „Sterbenden" von Strindbergs stationären Szenen, so erinnert die Kriegskomödie „Stroh" an Hauptmann und Rosenow, nur ist sie in der Mitte hoffnungslos breit ausgelaufen.

Die gleichzeitig entstandene Lyrik der Sammlung „Wegwärts" (1916) hat sich schon der expressionistischen Sprache bemächtigt. Bei einer Autofahrt heißt es:

„Wegwärts"

> Bacchantisch rasen Bäume uns entgegen
> Und immer toller tanzt der steile Chor
> Dicht neben blassen, atemlosen Wegen.

Die „der Menschenliebe" gewidmeten Gedichte wühlen sich in eine „gekreuzigte" Zeit, in der sich ein leidenschaftliches Herz in rollenden, grollenden, schreienden Rhythmen empört. Im gleichen Jahr erschien „Der junge Mensch, ein ekstatisches Szenarium" (im Münchener Delphinverlag des Dr. Richard Landauer, in dem „Der Anfang" im Jahre darauf erschien). Das Widmungsblatt lautete: „Den Manen meiner ersten Freunde! Es ist eine rasende Wollust: jung zu sein und um die Verzückung des Todes wissen . . ." Der junge Mensch, von der Schule gejagt, aus dem Gefängnis befreit, stürmt durchs Leben. Die Szenen sind Ausschnitte aus dem Leben: Studentenstube, Bordell, Bahnhof (wo der Held den Betrieb mit Fragen nach dem „Sinn" stört, bis Gendarm Nr. 567 ihn abführt), Nervensanatorium, Hotelzimmer und Krankenhaus. Der Held möchte die Welt redend verwandeln, aber er wandelt in steter Verklärung nur sich selbst. Im achten Bild sehen wir das Ziel: der junge Mensch wird begraben. Aber als Mann sitzt er nach dem Begräbnis auf der Friedhofsmauer, denn er ist in eine neue Haut gefahren: „Ich will Leben und Tod lassen. Und nicht mehr jonglieren mit Begriffen! Ich will eine Tätigkeit beginnen . . ." Als Johsts junger Mensch sich gegen die Lehrer empörte, rief Hasenclevers „Sohn", 1916 gespielt, die Jugend gegen die Väter auf. Auch das Wiederauferstehungsmotiv findet sich, in den „Menschen", bei Hasenclever wieder. Das Strindberg-Wedekindsche Modell war nicht zu verkennen; die pubertären Nöte auszusprechen gehörte zum Stil der Zeit. Was Johst unterschied, war seine ekstatisch expressionistische Sprache. Das Stück

Ekstatisches Szenarium, „Der junge Mensch"

Umschlagbild von Erich Schilling zu Hanns Johst, Mutter

war eine Folge von Einzelgeschehnissen, die nach Julius Hart einen „Literaturfilm“ bildeten. Dramatisch war das Werk eher traurig als tragisch zu nennen.

„Der junge Mensch“ ist der erste Teil einer Trilogie. Ihr zweiter heißt „Der Einsame. Ein Menschenuntergang“ (1917). Held ist der Dichter Chr. Dietrich Grabbe. In ihn legt Johst seine eigenen Probleme. Das dritte Stück, „Der König“ (1920), war eine Folge von zehn Bildern. Ein edler König geht an den „Menschen und Leuten“ zugrunde. In dem Glauben, in das menschliche Herz zu sehen, spricht er die Meineidige frei und adelt die Dirne. Die er für eine Heilige hält, ist gemein und nützt ihn aus. Die folgenden Werke, die Gedichtsammlungen „Rolandsruf“ (1919) und „Mutter“ (1921), der Arztroman „Der Kreuzweg“ (1922) und „Lieder der Sehnsucht“ (1924), sprechen Dank und Vertrauen an jene Mächte aus, die Johst nun als Genesungsmittel preist, die Familie, die bürgerliche Hingabe an die Natur, an das Land, die Heimat, Deutschland, die deutsche Sprache. Auch das Lutherdrama „Propheten“ (1923) feiert diese Mächte. Kaiser Karl sagt hier: „Ein amüsantes Volk diese Deutschen ... Sie holen sich ihren Glauben aus Rom, ihre Weisheit aus Griechenland, und sie krönen einen Spanier mit ihrer Kaiserkrone.“ Am Ende fühlt Luther, von Rom ebenso frei wie vom Druck des bäurischen Pöbels: „Deutschland stürmt in seinen Himmel. Schlagt zu ... brecht ein ... euch schlägt ein Herz, ein Herz schlägt euch entgegen!“

Das Lutherdrama

Der Wille, „leidenschaftlicher Helfer einer verirrten und kranken Heimat zu sein“, sprach aus den in der Gegenwart spielenden Dramen, der leichten Komödie „Wechsler und Händler“ (1923), einem Gaunerstück aus der Inflationszeit, und der Tragödie „Die fröhliche Stadt“ (1925). Der Titel stammt aus Jesaias, Kapitel 32: „Zittert, ihr Sicheren, denn es werden auf dem Acker meines Volkes Dornen und Hecken wachsen, dazu über allen Freudenhäusern in der fröhlichen Stadt ... denn die Paläste werden verlassen sein, die Masse wird einsam sein.“ Johst hatte in diesen Jahren in den Essays „Wissen und Gewissen“ (1924) formuliert, daß religiöser Glaube den einzelnen aus der rettungslosen Verlorenheit in der Masse retten könne. Bezeichnend für die Handlung der „Fröhlichen Stadt“ ist die Umkehrung des bei den Expressionisten beliebten Vatermordmotivs. Dieser Vater heißt nicht nur Melior, sondern er *ist* auch der Bessere, weil er den Lebensgrund des Glaubens bewahrt hat. So wie im „König“ stand Johst auch hier auf der

Religiöser und nationaler Glaube

Gegenseite der Revolution. Sein wirksamstes Drama ist vielleicht der vielgespielte „Thomas Paine“ (1927), während „Schlageter“ (1932) – eine schwache Satire auf die Dekadenz der zwanziger Jahre – die Tragödie des nationalen Freiheitskämpfers als Vorbild für das neue Deutschland hinstellen sollte.

HANNS JOHST

Johst hat den Weg von der Verzweiflung zum nationalsozialistischen Bekenntnis theoretisch unterbaut. So wie er sich früh gegen den Naturalismus wandte, weil er „dem Zeitgeist in seiner materialistischen Gesinnung entspricht“ und sein Drama „völlig in der Mechanik organischer Bindungen rotiert, die ohne jede Belebung durch metaphysische Elemente das rohe Leben an sich vorstellen“, verwarf er das klassische Drama Schillers und Goethes als Bildungstheater und glaubte, das Drama stehe vor einer neuen Schöpfungsstunde; „es gilt, das Drama vor der Macht des Theaters zu retten!“ Das echte, dichterische Drama sollte vor dem Unterhaltungs- und Vergnügungsbetrieb der Mode, der Zivilisation, des Abonnements bewahrt werden. Johst fand, daß Deutschland innerhalb des zivilisatorischen Europas besondere Kräfte besitze, nämlich „mystische, mythische, metaphysische Wesenszüge“. Die Idee des Menschen, des abstrakt Menschlichen habe abgewirtschaftet, die Politik Europas sei am Ende, die Zivilisation habe ausgespielt, und wieder beruft sich der ehemalige Missionar auf einen Propheten:

Gegen das Zivilisationstheater

Das neue, metaphysische Drama

Die Masse wird einsam sein, verheißt Jeremias, bis daß der Geist aus der Höhe ausgegossen wird. Die Masse ist einsam, und der Geist aus der Höhe wird einen Kult bringen, um dessen Stätte uns nicht zu bangen braucht! Das neue Drama wird aus übersinnlichen Quellen springen, und es wird national sein, wie es das griechische Drama war, und es wird übernational werden, wie es das griechische wurde. Ein solches Drama ist kein Programm. Programm wird bestenfalls anständige Literatur, internationales Theaterstück. Ein solches Drama bedeutet – Gnade! und Gnade setzt immer Glauben voraus.

Fast unmerklich gingen die Motive mit ihren begrifflichen und verbalen Anleihen aus dem judäo-christlichen Zeughaus der Bibel in den Kult des Völkischen über:

Ein naturalistischer Rückfall

Die Begegnung des Geistes mit der Masse bedeutet aber für diese die Wandlung zum Volk. Mögen auch politische Parteien internationale Programme aufstellen, internationale Interessengemeinschaften anstreben, so bleiben doch die trennenden Elemente der Sprache, die physiologischen und psychologischen Unterschiede an Temperament, Vitalität und Wesen überhaupt die primären Voraussetzungen, die programmatisch zeitweise übersehen werden, praktisch aber immer den Keim des Rückschlages zur nationalen Idee in sich tragen.

So schrieb Johst 1928 in seinen „Bekenntnissen“ „Ich glaube“. Er scheint nicht bemerkt zu haben, daß seine Auffassung von Psyche, Temperament, Wesen und Vitalität durchaus „naturalistisch“ ist und daß sein Begriff der Rasse dem biologischen Materialismus des neunzehnten Jahrhunderts angehört.

Im Jahr der Essays von „Wissen und Gewissen“, 1924, waren „Lieder der Sehnsucht“ erschienen und „Consuela“, das Tagebuch einer Spitzbergenfahrt. Später veröffentlichte er Gedichte und Novellen zum Mutterthema, das Johst seit dem Roman „Der Anfang“ immer wieder beschäftigte. 1930 kamen die Romane „So gehen sie hin, ein Roman vom sterbenden Adel“ und „Die Begegnung“. Den Übertritt zum Nationalsozialismus – und das Ende des Autors Johst, wenn man von dem Dienstreisebericht „Maske und Gesicht“ (1935) absieht – bezeichnet der kleine Essayband „Standpunkt und Fortschritt“ (1933). Hier werden die Posi-

Übergang zum Nationalsozialismus

tionen von der Sprache zur „Heiligkeit des Worts“. Der antizivilisatorische Standpunkt ist politisches Dogma geworden: „Ein für alle Mal: Zivilisation ist das Ergebnis einer intellektuellen Lebensauffassung. Kultur ist das Erlebnis unseres germanischen Geistes und Geisteskampfes.“ Der neuen Tragödie erkennt Johst ein nicht näher bestimmtes „kultisches Element“ zu. Das Ende des Buches ist ein Gespräch zwischen Hitler und Johst über den „Begriff des Bürgers“.

Mehr als zwanzig Jahre später konnte Johst wieder schreiben und legte den Roman „Gesegnete Vergänglichkeit“ (1955) vor. Er kehrte zurück in seine Jugend, in das Leipzig vor dem Weltkrieg, eine Welt der Tanzstunde und bürgerlichen Wohlanständigkeit, für die der Weltkrieg das Ende war; der Kolonialwarenhändler hängt sich auf, als er seine Kundschaft nicht so bedienen kann, wie es sich gehört. Die Einleitung kokettierte mit Fontane, Th. Manns „Buddenbrooks“ und Glaesers „Jahrgang 1902“, aber in keiner Zeile wird deren Niveau erreicht. Von Politik wird abgesehen. Der Stil ist ermattet. Der Aufrührer von einst verleugnet den Aufruhr und unterschlägt die Katastrophe; aber beim Tod der alten Tanzlehrerin fällt das Wort: „Es gibt keine gute Gesellschaft mehr . . . und keinen guten Ton.“ Welch späte Erkenntnis!

„Gesegnete Vergänglichkeit“

Paul Kornfeld

Menschlich ist der Charakter und irdisch.
Doch über ihn jubelt sich empor
Unsterblich die Seele!

„Himmel und Hölle“, II, 1

Leben und Werk

Das Organ der Versuchsbühne des Deutschen Theaters unter Max Reinhardt in Berlin, „Das junge Deutschland“ (1918), brachte im ersten Heft Paul Kornfelds Essay „Der beseelte und der psychologische Mensch“, eine der wichtigen Bekenntnisschriften des expressionistischen Theaters. Kornfeld ist 1889 in Prag geboren und war eine Zeitlang Dramaturg bei Reinhardt, später in Darmstadt. In den Dramen „Die Verführung“ und „Himmel und Hölle“ gab er zwei Beiträge zum expressionistischen Theater, die deshalb Aufsehen erregten, weil man meinte, Kornfeld sei in der Lage, nach den Sensationen der Hasenclever und Johst, ein dichterisches Drama zu schreiben, also dort fortzufahren, wo Sorge mit dem „Bettler“ und „Guntwar“ aufgehört hatte. Mit Sorge teilte Kornfeld ein ausgesprochen religiöses Interesse. Die Hoffnungen haben sich nicht erfüllt. Kornfeld hat den expressionistischen Weg verlassen und sich wie Kaiser und Hasenclever der Gesellschaftskomödie zugewandt. Sein „Kilian“ ist eine versteckte Selbstverspottung, und in seinem erst 1957 erschienenen Roman „Blanche“ hat er, wie sein Landsmann Werfel in „Barbara“, ein abschließendes Urteil über sich und seine Zeit versucht. Kornfeld verließ 1933 Deutschland und ging nach Prag zurück. Hier arbeitete er etliche Jahre an „Blanche“, bis er 1941 verhaftet und im Januar des Jahres darauf im Vernichtungslager Lodz umgebracht wurde.

Die Lehre vom Auftrag der Kunst

Wie Kafka hielt Kornfeld den Leib für ein Gefängnis der Seele. Den Leib fressen die Würmer, aber die Seele ist unsterblich und ewig, das wahre Zentrum der Existenz und Träger des Göttlichen:

Wer aber unter den Lebenden teilhaftig ist eines höheren Bewußtseins, erfüllt mit anderem Wissen, als dieses Leben es geben kann, begnadet mit unerschütterlichen Dogmen,

Paul Kornfeld, Zeichnung von F. K. Delavilla

die ihm festeres Fundament sind als alle Erfahrungen, wer seine Heimat im All und nicht nur auf der Erde hat, wer ein reineres, ursprünglicheres Bild von dieser Welt kennt als unsere Wirklichkeit es darstellt, und ein reineres, ursprünglicheres Bild des Menschen als das tatsächliche Leben es schafft, der setze, unbeirrt von Zufälligkeiten der Umwelt und den zufälligen Merkmalen des Menschen, der setze dieses Bild ans Licht, daß es strahle, in diese Welt, als Denkmal für den von Gott geschaffenen Menschen und als mahnende Erinnerung an ihn. Und es wird nicht anders sein können, als daß einmal alle Menschen, daß jeder Mensch erkennt, daß dieses Bild auch sein Bild und dieses Denkmal auch für ihn gesetzt ist.

Paul Kornfeld hat mit diesen Sätzen eine metaphysiche Auffassung vom Menschen gegen die monistische des Naturalismus gesetzt. Er bekennt sich damit zu einer Weltanschauung, deren Mittelpunkt der Mensch ist, und zwar als „Spiegel und Schatten des Ewigen und Gottes Mund". Er bekämpft die „Verirrung" einer politischen Dichtung, „das Mittel der Bequemen und Verantwortungslosen, die sich, statt an sich, lieber an die Masse wenden, lieber die Umwelt verändern wollen, statt sich selbst“. Kornfeld proklamiert eine „Metapolitik“, und deren Mittel sei die Kunst. Sie muß zeigen, daß alle Wirklichkeit nur Schein ist und „hinschwindet vor dem wahren menschlichen Dasein“. Kornfeld kämpfte mit seiner Lehre gegen eine mechanische Weltauffassung, wo das Leben des Menschen unter verschiedenen Aspekten verschiedene Bedeutung hat. Er wollte im Grunde das, was seine Erzählung „Legende“ (1917) berichtet. Der Herr erklärt seinem Diener: „Was würdest du dazu sagen, hättest du deine eigenen Felder, deine eigenen Wiesen, von deinen Bauern alles gepflegt, und deine eigenen Rinder, deine eigene Hütte irgendwo und wärest dann über dies alles und über dich selbst dein eigener Herr?“ Da solch ein Tausch sich als unmöglich erweist, verzichten sie auf alles, was den einen vom andern abhängig macht, und wandeln durch hilfsbereite Hingabe ein Stück Welt zum Paradies; ihr Beispiel ändert ein ganzes Dorf. Unschwer erkennt man hinter dem Schleier der historischen Legende ein religiöses und soziales Ideal, wie es ähnlich Tolstoi gelehrt hatte und wie es als Traum der vollkommenen Welt hinter der jüdischen Gnosis steht. Kornfeld hat die Lehre auf das Drama anzuwenden gesucht.

Das utopische Ideal

Die Drastik der Dramen

In Kornfelds frühen Dramen fällt die Kluft zwischen äußerem Geschehen und innerem Erleben, Schein und Sein, Ding und Bedeutung in die Augen. Da seine Menschen nicht eine Summe von Eigenschaften und Fähigkeiten sind, auch nicht von psychologischen und materiellen Kausalitäten gelenkt werden, sondern Erweckung der „Seele“ und des Ewigen im Menschen wollen, kann die äußere Handlung ruhig eine Hintertreppengeschichte sein, dürfen Zufälle eine Rolle spielen, darf die Motivierung unbeholfen sein. Da wird hinter Türen und Vorhängen gelauscht, werden Revolver hochgehoben, Giftfläschchen doppelt vertauscht. Es gibt Mord, Gefängnis, Richtstätte, Geschäft, Wissenschaft und Leidenschaft. Wenn der Held nicht eine Frau, sondern alle begehrt, so ist das nicht sexuelle Gier, sondern Ausdruck umfassender Liebe zum Menschen. Der Blick soll in einen „Spiegel des Ewigen“, „ein Gefäß der Weisheit und Liebe“, des Gewissens, der Güte, des Glaubens und der Frömmigkeit, in eine „Quelle der unendlichen Raserei und der unendlichen Ruhe“ fallen. Zu diesem Zweck treten Ekstatiker und Wahnsinnige „aus dem Dickicht des Irdischen“.

„Die Verführung“

Das erste Drama, „Die Verführung“, entstand 1913. Der Held heißt Bitterlich, ein Mensch mit umfassender Sehnsucht, die unerfüllbar bleibt. Eine symbolische Tat, der Mord an einem Durchschnittsmenschen, der ihn mit seinem seelenlosen und ungeistigen Aussehen reizt, treibt Bitterlichs Schicksal zur Katastrophe. Staatsanwalt und Richter wollen ihn, gerührt vom Wehen „des“ Geistes, aus dem Gefängnis entfliehen lassen — vergebens, auch die Mutter bittet ihn — vergebens, bis der jungen Ruth Vogelfrei „die Verführung“ Bitterlichs gelingt. In der unwürdigen Umgebung einer Schlachtfestgaudi möchte sich der Beseelte an alle verschenken. Gläubig folgt er dem Bruder der Geliebten, der Versöhnung heuchelt, ihn aber mit Schlangengift umbringen will. Bitterlich entlarvt den Mörder, zwingt ihn zum Selbstmord und nimmt, nachdem Ruth gestorben ist, sich selbst das Leben. Er stirbt mit einer Fluchgebärde gegen Gott und die Welt: „Doch wartet nur! Komme ich noch einmal auf die Welt — bin ich die Pest!!“

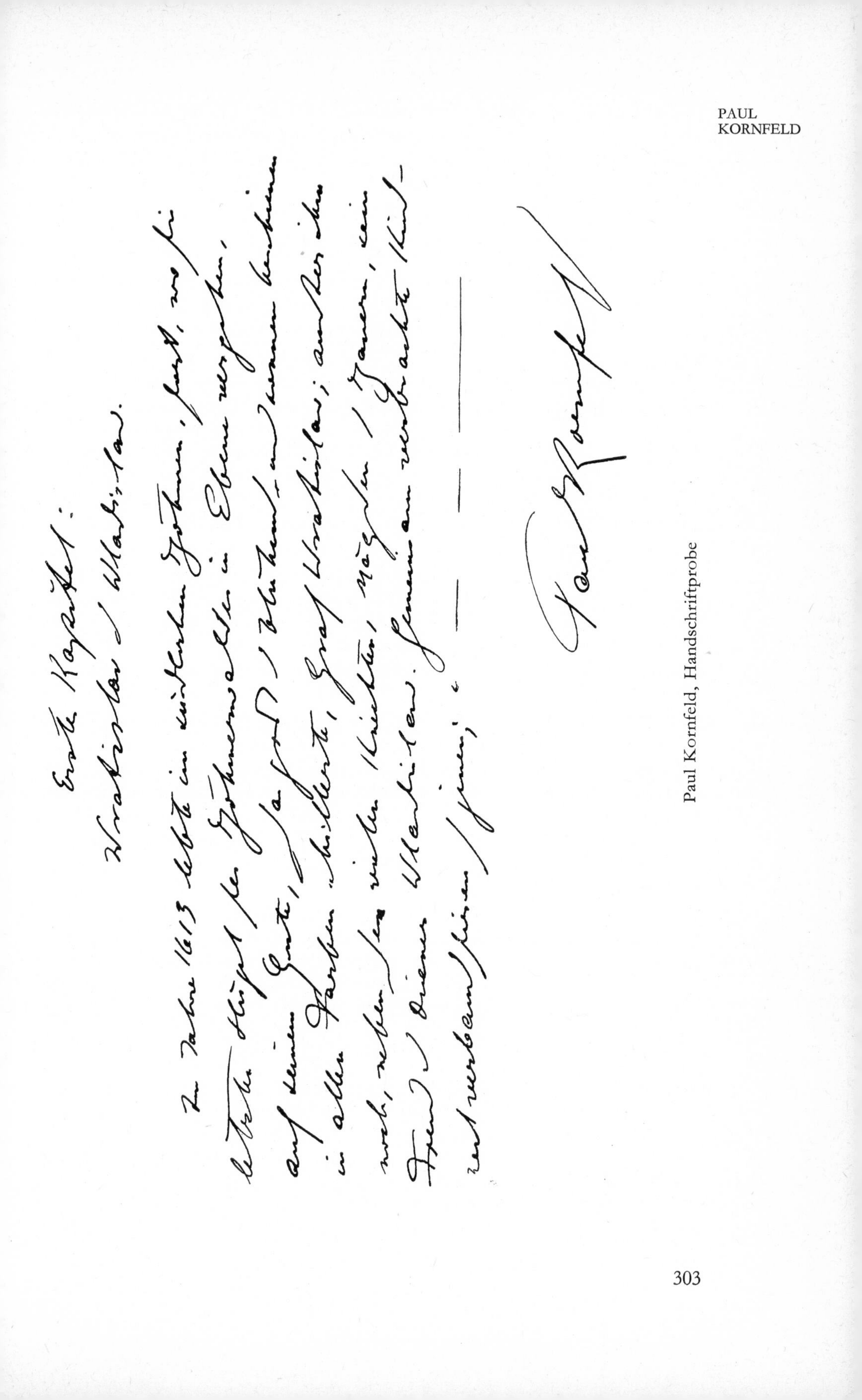

Paul Kornfeld, Handschriftprobe

PAUL KORNFELD

Fünf Jahre später erschien in Wolfensteins „Erhebung“ als zweites Drama Kornfelds „Himmel und Hölle“. Graf Umgeheuer und seine Frau Beate leben in einer Hölle der Ehe zusammen mit der Dirne Maria, die der verzweifelte Graf als Geliebte auf sein Schloß genommen hat. Sie martern einander mit Vorwürfen. Endlich flieht die Gräfin zur Tochter, doch sie findet in ihr eine durch „tierische“ Liebe „Seelenlose“. Wie Bitterlich den Philister, so würgt die Gräfin im Bann eines rätselhaften Gefühls die Seelenlose. Nun nimmt Maria die Blutschuld der Gräfin auf sich, um einen reinigenden Tod zu erleiden. Ein zweiter Mord, in der Erregung an der Mutter der Gräfin von Johanna begangen, macht diese zur Begleiterin Marias in den Tod, und jetzt finden sich Graf und Gräfin:

„Himmel und Hölle“

Ach, wie schön. Nochmals! Nochmals! – Trauerst Du? Trauere nicht! Juble! Herrlich die Qual, herrlich der Jammer, herrlich der Schrei, denn er wurde erhört, und es kam die Stunde, da ich Dich halte – Nochmals! Nochmals! ... Und nun, an der Grenze zweier Welten, wie fühl ich mich groß! Unendlich der Jammer, unendlich das Glück! Ein Ganzes bist Du, Welt, ein Rundes, und Alles, Alles war mein! Alles ist gut, auch der Kummer ist gut! – Nochmals! Nochmals! – Es lebe das Chaos, das blutende Herz, es klinge der Gesang der Menschenseele und Aufschrei donnernden Gefühls! Alles, alles war mein! Und nun neigt sichs zur Nacht, zur sanften Dämmerung ...

Als Marias Haupt unter dem Beil fällt, sinkt die Gräfin dahin. Die Sprache Kornfelds reicht freilich für soviel Gräßlichkeit und Güte nicht aus. Es ist eine ambivalente Welt, von Kleistischer Dämonie, aber sie hat keine künstlerische Gestalt gefunden – auch nicht im Sinne des späteren Surrealismus.
Abermals fünf Jahre später trat Kornfeld mit einer Komödie hervor, „Der ewige Traum“ (1923). Gedanken beherrschen die Welt, wo aber bleibt der Mensch? Den ideologisch Besessenen erscheint der wahre Mensch als Irrer, als Fall für Pathologen. Mit Worten kann man alles beweisen, mit den gleichen Worten werden Einehe und Vielehe begründet. Die Komödie „Palma oder der Gekränkte“ (1924) wirkte wie ein Widerruf der Lehre vom beseelten und psychologischen Menschen. Der den Charakter verdammt hatte, schrieb das Charakterlustspiel von einem, der sich immer gekränkt fühlt. „Nichts mehr von Krieg und Revolution und Welterlösung! Laßt uns bescheiden sein und uns anderen, kleineren Dingen zuwenden –: einen Menschen betrachten, eine Seele, einen Narren, laßt uns ein wenig spielen, ein wenig schauen, und wenn wir können, ein wenig lachen oder lächeln.“

„Kilian oder Die gelbe Rose“

Kornfelds letzte Komödie „Kilian oder Die gelbe Rose“ (1926) ironisiert die nervös gespreizte Welt der Salons. Kilian, ein Buchbinder, wird in der Gesellschaft hysterisch bildungsbeflissener Damen für den Philosophen Natterer gegehalten. Rasch findet er sich in die Rolle:

Gräfin Ziegeltrum: Haben Sie sich mit Graphologie beschäftigt? Und vor allem: glauben Sie ans Hellsehen?
Kilian: Ich sage immer, Frau Gräfin: es gibt Dinge zwischen Himmel und Erde –!
Frau Samson: Wie richtig, wie richtig! – Herr Schumpeter, Sie müssen mitschreiben – was er sagt – wenigstens Schlagworte!
Schumpeter: O nein, ich schreibe alles mit, alles! Geben Sie mir Papier! – Haben Sie sich mit dem Problem des Spiritismus befaßt?
Kilian: Es ist mir durchaus nicht unbekannt.
Frau Samson: Nichts scheint ihm unbekannt zu sein.

Bühnenbild von F. K. Delavilla
zu Paul Kornfeld, Die Verführung

Im weiteren Verlauf kommt es zu grotesken Verwicklungen, die fast auf der Linie der „Verführung" liegen. Als der echte Philosoph auftaucht, gelingt es Kilian, diesen zu überzeugen, daß er, Kilian, ihn würdig vertreten habe; schließlich sieht es gar aus, als könne sein Fluch einen Menschen töten, sein Anruf ihn vom Tode erwecken. Sein Gegenspieler ist Professor Kummer, in dem Kornfeld die mit Apparaten arbeitende, alles „erklärende" moderne Psychologie verhöhnt. Auch die böhmischen Gespenster, aus Meyrinks Schule, werden ein paarmal sichtbar. In dem grotesken Dialog Natterers mit Kilian werfen sich beide Schwindel vor. Kilian ruft: „Hinaus! Entweder bin ich ein Prophet wie Sie, oder aber Sie sind ein Schwindler so wie ich! Für zwei Schwindler aber ist in diesem Haus kein Raum und auch nicht für zwei Propheten! Hinaus!" Es klingt wie eine Verhöhnung der expressionistischen Schizophrenie der Frühzeit, wenn der achtzigjährige Vierfuß die Frage stellt: „Nicht wahr, wenn wir wählen müßten, wir wählten eher Natur ohne Geist als Geist ohne Natur?" Klug inszeniert und gut gespielt, müßte Kornfelds „Kilian" überraschende Wirkung auf das Publikum haben.

„Blanche oder Das Atelier im Garten"

Kornfelds früh angekündigte Gedichte scheinen nie veröffentlicht zu sein; aber aus dem Nachlaß wurde der Roman „Blanche oder Das Atelier im Garten" (1957) herausgegeben. Die Heldin ist Malerin und bewohnt ein hübsches Gartenhaus. Hier trifft sich eine Gesellschaft von Großbürgern, Künstlern und Gescheiterten, und Kornfeld entfaltet an einer Reihe von Medaillons, die in den Roman eingearbeitet sind, noch einmal seine Lehre vom Gegensatz der geheimnisvollen

Traumtiefe der Existenz zur oberflächlichen, psychologisierenden, erklärenden und deklamierenden Lebensweise mit dem „Raffinement der Unaufrichtigkeit". Gleich zu Anfang wird im Schicksal eines Dienstmädchens das Schicksal der Heldin vorweggenommen; sie bringt sich um. Der umfangreiche Roman wandelt das Thema der Liebe von orgiastischen Prügelszenen bis zu intellektuellem Geschwätz ab. Aber es entsteht keine innere Einheit, weil Kornfelds Sprache nicht über eine gekünstelte Deskription hinausreicht:

> Als sie aber auch noch hohe pelzgefütterte Überschuhe angezogen hatte, als ihre Gestalt ganz und gar verhüllt und von oben bis unten versteckt war, mußte es geradezu rührend und in jeder Weise erregend sein, sich vorzustellen, was für ein reizender, appetitlicher und zierlich geformter Körper sich unter dieser plumpen Formlosigkeit verberge.

Es kommt sogar zu richtigem Kitsch: „Der Engel der Zärtlichkeit legte mit wehem Stöhnen die Hand an sein Herz." Kornfeld war, wie so viele Autoren, ein Schriftsteller ohne Sprache. Er wußte viel und konnte wenig; und auch das scheint er gewußt zu haben, denn im Selbstporträt ist er ein buckliger Intellektueller, der sein Leben lang von Liebe träumt und redet, sie aber nie findet.

Nadel, Koffka, Kronberg und Brust

Das jüdische Drama

In eine dem Publikum unzugängliche Schicht führten Stücke jüdischer Autoren. Arno Nadel (1878–1943) war, ähnlich wie der Wiener Simon Kronberg, eng verbunden mit dem Leben der Synagoge. Nadel war seit 1916 Chordirigent einer Berliner jüdischen Gemeinde und schrieb ein Kompendium der Synagogalmusik. Er wurde 1943 nach Auschwitz verschleppt und ist mit seiner Frau seitdem verschollen. Seine sieben biblischen Szenen „Der Sündenfall" (1920) sind ein Bilderbogen mit Figuren der Heilsgeschichte aus dem Alten Testament: der jüdische Gott ist der einzig wahre, während die Welt „nur Götter kennt aus Gold und Silber". Nadel gehört weniger zu den Expressionisten als – wie der späte Wolfskehl, Martin Buber, Mombert und Else Lasker-Schüler – zu den prophetischen Autoren eines in allen Verführungen der Zivilisation seinem Gott treu bleibenden Judentums, zur religiösen Ekstatik der Zeit. Im Jahre 1917 war ein Adam-Drama von Nadel in Karlsruhe uraufgeführt worden. Im Jahre darauf erschien die Tragödie „Siegfried und Brunhilde". Aber nicht das Germanische hat den Judengriechen mit der deutschen Bildung fasziniert, sondern der indische Osten und die von Nietzsche als dionysisch bezeichnete Seite der Antike. Die Zeugnisse findet man in Nadel hymnischer Lyrik, in dem Hauptwerk „Der Ton" (1921, „Die Lehre von Gott und Leben, Religiöses Gedichtwerk") und dem erst aus dem Nachlaß vollständig von Friedhelm Kemp herausgegebenen Gedichtwerk „Der weissagende Dionysos". Im Jahre 1914 waren im Insel-Verlag die Gedichte „Um dieses alles" erschienen. Nadel war ein Außenseiter, der gleichwohl Strömungen aller Ismen seiner Zeit in sich aufgenommen hatte.

Friedrich Koffka

Friedrich Koffka, 1888–1951, hat nur zwei Stücke geschrieben, „Kain" (1917) und „Herr Oluf" (1919). Im Kain-Drama wird das Thema des Brudermords Kains an Abel allegorisch begriffen. Mitten im europäischen Bruderkrieg entstanden, spiegelt das Stück den Zwang der Nötigung: Kain *muß* den reinen und edlen Bruder töten. Die äußere Handlung, ohne naturalistische Details, wird

Weinlaub über einem Grabe,
In dem Weinlaub Vogelsang,
Gezwitscher wie im grünen [illegible]
Zur Abendzeit.

Zuweilen fliegt ein Vogel
Zum leeren Baum hinüber
Und ruft und ruft – wen ruft er?

Niemand starb und niemand schläft.
Doch das Laub ist nah und traurig
Und schafft Erinnern auf und niederwärts.

Arno Nadel
am 7.4.14.

Arno Nadel, Handschriftprobe

deklamatorisch genährt; die Brüder erregen sich gegenseitig an ihrem Wesen. Die Sprache ist ein Beispiel für den abstrakten und intellektuellen Stil.

Simon Kronberg

Ähnlich quälend, von einer Idee her geplant, sind die Stücke Simon Kronbergs, 1891–1947. Der Rabbinersohn wurde Schauspieler und begann in der „Aktion“ und verwandten Blättern Gedichte zu schreiben. Wie Arno Nadel war Kronberg im Gemeindedienst tätig, beschäftigte sich als Chorleiter mit jüdischer Musik und jüdischem Choralgesang. 1934 wanderte er nach Israel aus und konnte sich nach längerer Tätigkeit im praktischen Leben wieder der Musik und Dichtung zuwenden. Von seinen Dramen ist nur eins gedruckt, „Schimen in der Stille“ (1920), fünf weitere Dramen und zwei Lustspiele, aus den Jahren 1922–1947, gibt es im Manuskript. Eine Selbstdeutung des Dichters enthält die Erzählung „Chamlam“ (1921), die Loerke zu Bewunderung hinriß. Der von Gegenständlichen abstrahierende Stil ist ein Muster expressionistischer Ausdrucksweise. Die Welt wird als Chaos aufgefaßt, in dem nichts mehr selbstverständlich ist:

„Chamlam“

Ich bin und sehe Menschen, die ich nicht kenne. Ich denke meine kindische Angst durch. Ich messe mit Herzschlägen ein Modell zur großen Freude ab. Es beginnt an einem Abend, der geschaffen war, Leid zu sein – und zur Freude wurde. Das war ein Wunder. Ich war unter vielen Menschen, erschrak bei jedem Wort, hüllte mich vor jedem Gespräch in ein Zittern, wie ein Tier tut vor dem Zerstörer. Es half. Die Menschen ließen ab von mir, und ich lief bis in die Nacht. Noch sehen Sterne aus wie Sterne. Ich aber rief sie an und bat um ihre Güte, sie, die nur zusammen kreisen und das Maß der Güte nicht zersplittern. Ich fiel vor einem Haus zur Erde und rief, wie gierig in Zerstörung, Mutter. Da erlosch ein Stern und kam zur Erde. Ich erhob mich, ging die Treppe hoch, kam vor eine Tür, hielt und klopfte. Ich öffnete und sah ein junges Weib und wenig von Gerät um sie. Ein Stuhl stand in der Ecke. Ich setzte mich und faltete die müden Schultern in die Wärme dieses Raumes. Ich war angekommen.

SIMON KRONBERG

Hier wird versucht, aus persönlichem Erleben, mythischem Fühlen und einem vorerst nur geahnten Sinn der Existenz etwas Neues zu amalgamieren. Diese Empfindungen kannte Kronberg vom jüdischen Schicksal her: in den Jahren der radikalen Emanzipation des östlichen Judentums und seines Übertritts in den Raum der mitteleuropäischen Zivilisation wurde ein Gefühl der Fremdheit in dieser Welt bestimmend.

„Schimen in der Stille"

Kronbergs Drama „Schimen in der Stille", erschienen in der zweiten Folge von Wolf Przygodes „Die Dichtung" (1920/23), ist ein jüdisches Ödipusstück. Schimen liebt seine Mutter; sie wird abstrakt „Die Mütterliche" genannt. Das Schicksal ist blind, es wütet ohne Sinn und Vernunft; so läßt Die Mütterliche Schimen, der auf einer Bahre liegt, von der antisemitischen Menge totschlagen. Schimen, der „Zerknitterte in Bangen", hat gebüßt, doch zugleich ruft die Mutter zur Rache. Schimen mußte wie Ödipus sterben, aber die moralische Tragödie ist zugleich mythisches Spiel: er verkörpert jene Schuld des Existierens, die nur durch das Opfer dieser Existenz gesühnt werden kann. Kronbergs Drama ist ähnlich wie Rubiners „Die Gewaltlosen" ein abstraktes Stück, die Figuren sind Typen einer Idee, welche in einer hebraisierenden Sprache ekstatisch vorgetragen wird. Anfang des dritten Akts hat sich Die Mütterliche zum „Abfall" von Schimen entschlossen:

Ekstatisches Theater

Die Mütterliche (ihr Kleid ist offen vor der Brust): Wie meine leergeweinten Glieder sich betrinken mit dem Licht aus einer Erde, die nicht wärmt!

Schimen: Wie ein Gedanke tief verwittert wurde diese Nacht! Mit allen meinen Schmerzen sei ich einsam ... wenn ich weine, glaube ich nicht mehr ...

Die Mütterliche: Ich aber prahle Lachen zu der Nacht. Ich krümele aus dieser Nacht der Erde einen Morgen mütterlich. (Es wird heller.)

Schimen: Derweil mich eine Furcht beginnt.

Die Mütterliche: Ich eben stemme meine Füße in den Raum. Ich breite meinen Leib zudienst, daß alle außer dir ihm Wehen geben. (Sie schließt ihr Kleid vor der Brust.) Nimm von mir dieses Letzte für den Tag, Zerknitterter! Ich aber sehe jetzt schon jenseits aller Wände, die dir heimlich tun.

Schimen (auffahrend): Läßt meine Not dir diesen Atem noch, du Mütterliche? Ist ein ausgeharktes Grab nicht Erde mehr?

Die Mütterliche: Sei still. Und weil ich weiß, daß ich nicht schuldig bin, beginne ich für dich und mich das zweite Weh, die Tat. (Leise:) Ich falle ab von dir.

Schimen: Ah (in körperlichem Schmerz). Alle deine Wege biegen ab von mir.

Die Mütterliche: Dein Weh verwelke auch in fremdem Blick!

Schimen (schreit gequält auf. Stille ...): Wohl dem, der je begreift, dir leise zu entgehen (Mütterliche ab).

Der Freund tritt ein.

Schimen (liegt wie zertreten auf der Bahre): In diese Stille weine ich eine Röhre Schmerz und neige mich den Dingen zu. Lala – lala – Ewiger, du hörst? Ich spiele jetzt mit dir. Dann fordre ich ...

Zeitgenössische Parallelen

Die literarische Bedeutung des Kronbergschen Dramas muß in Parallele gesehen werden zu Max Brods Sintflutdrama „Die Arche Noachs" (1912) oder Friedrich Wolfs Mohammed-Drama „Der Löwe Gottes" (1917). Auch das Kain-Drama des Berliners Friedrich Koffka und Arno Nadels biblische Szenen „Der Sündenfall" (1920) sind prophetische Stücke eines neuen, verinnerlichten religiösen Judentums.

Ein verwandtes Amalgam religiöser und mythischer Elemente findet man bei Alfred Brust (1891—1934). Er stammte aus Insterburg in Ostpreußen, war Sohn eines Gastwirts und machte den Weltkrieg im Osten mit. Er war zeitweise Redakteur, lebte aber meistens einsam und in bedrängten Verhältnissen in Heydekrug, Cranz und Königsberg. Schon die Titel seiner Dramen, Erzählungen und Gedichte („Ich bin", 1929) verraten seine Orientierung, etwa sein erstes Stück „Das Spiel von Schmerz und Schönheit des Weibes" (1918) und „Der ewige Mensch, Drama in Christo" (1919). Darauf folgten „Die Schlacht der Heilande" (1920), die „Spiele" (1921) und die Tragödie „Tag des Zorns" (1921). 1923 erschienen die Erzählungen „Himmelstraßen" und 1921—24 die Trilogie „Tolkening". Das religiöse Pathos trat in sektiererischem Gewand auf. Einflüsse von Tolstoi und Dostojewski verbanden sich mit ostdeutscher Paradiesmystik, erotischem Drang nach „Erlösung" und biblischen Vorstellungen vom Reich Gottes. In der Betrachtung „Heiligung", aus „Himmelsstraßen", stellte Brust eine für ihn typische Überlegung an. Da spiegelt sich ein visionäres Erlebnis, das in „Tolkening" zum entscheidenden Motiv des Helden, des ehemaligen protestantischen Pfarrers Tolkening, wird:

ALFRED BRUST

Alfred Brust, 1934

Der paradiesische Hintergrund

Wie aber ist es schreckhaft, wenn sich mit den großen Tagen die längst vergessenen unheimlichen Gestalten der Kindheit wieder einstellen, wenn sie langsam deutlicher werden. Doch wie herrlich, wenn man dann erkennt, daß es nur die schlimmen Gedanken unruhiger Mitmenschen sind, die in sich zusammenfallen, wenn das volle Paradies sich vor den starren Augen auftut, breitet vor den halbgehobenen Händen des verklärten Blickers. Und wie schwer ist es dann, *nicht* einzutreten in diese seligen Gefilde, sondern *hier*, *an der Schwelle* zu verharren und rückwärtsgewandt den Menschen zu erzählen, was man erschaut . . . Weh ihm, der eintritt im irdischen Kleid, ohne dazu geboren zu sein! Weh den Ungesalbten, die dem Gebläse gewissenloser Korybanten verfallen und mit der angelernten Geste eines „Eingeweihten" den vermessenen Schritt wagen! Auch in diesen Tagen gab es Künstler, die das taten. [Gemeint ist u. a. Stefan George.] Wahnsinn stürzt in ihr Hirn. Nicht „Einweihung" ist, was sie so erreichen, sondern *Entweihung*. Denn: „Wahrlich, ich sage euch: wer das Reich Gottes nicht empfängt als ein Kindlein, der wird nicht hineinkommen."

ALFRED BRUST

In der „Schlacht der Heilande" sind Zeit, Ort und Namen der Handelnden abstrakt. Eine mythische Vorzeit, Einsiedlerhöhle mit Feuerstelle, wird von Leuten eingenommen, die Alk, Mora und Gasta heißen. Am Ausgang steht ein von „scheinbar ungeübter Hand aus Holz geschnitzter Christuskopf". Die „Heilande" sind Erlöser von der Übermacht der Libido, der triebhaft sexuellen Gier, ein Thema, das Strindberg und Wedekind eine Generation lang zum Schrecken und Vergnügen ihrer bürgerlichen Hörer für eine antipuritanische Moral in Anspruch genommen hatten. „Brust dagegen ist der Apostel der unterbewußten Hemmungslosigkeit, der im Traume sich entfesselnden Libido, der reinen tierischen Lust also, als deren Symbol ihm im ersten Teil der ‚Tolkening-Trilogie' ‚Die Wölfe', der Wolf dient ... Immer im Kampf gegen das Unterbewußtsein erleben wir die abenteuerlichen Experimente mit christlichen Sektierern, dem Mammon, und den Sieg des Eros in der Vereinigung mit der reinen Jüdin, die der Erlöste schließlich kurzerhand entführt" (Karl Otten). Der schwärmerische Charakter dieser Geschichtsphilosophie will in der Liebe den Höhepunkt des neuen Lebens, des Paradieses sehen. Deshalb entführt Alk dem Himmelfarben seine Tochter Reine, deshalb wird dem Pfarrer Tolkening im zweiten Stück der Trilogie („Die Würmer, Tragödie im Feuerofen") von dem geheimnisvollen Versucher Geheimrat Sinnsam die Welt gezeigt, und er erkennt sie als Würmerhölle und Feuerofen. Er greift nach seiner Frau Luise, umarmt sie, erlebt „Seligkeit" – doch schon hat er ihr das Rückgrat gebrochen, und Sinnsam beschert ihnen ein merkwürdiges Auferstehen, indem Luise ihrem Tolkening die Adern bei Vaterunserworten durchbeißen soll. Der dritte Teil „Der Phönix, ein Märchenstück" beginnt vor dem Kruzifix mit Vaterunserworten; das Pandämonium endet damit, daß der Mann am Kreuz Tolkening die Hand reicht. Aberglaube der halbheidnischen slawischen Bevölkerung mischte sich mit christlichen und psychoanalytischen Beständen, wie in Zeiten des Spätmittelalters. Man muß schon von pathologischen Formen reden, wenn ein Mädchen vor Zornebock, dem Dämon, nach himmlischer Weise zu tanzen beginnt:

Der Apostel der Libido

Tolkening-Trilogie

Seraphische Tänze

Anja: Im nächsten Traum besuchte mich ein Engel – und sagte mir –

Zornebock: Die Engel wissen allerhand zu künden. Die kriechen hin, wo unsereins nichts weiß ... Und – sagte was?

Anja: Und – sagte – mir (In plötzlicher Erinnerung wird ihr Gesicht von Seligkeit übergossen.) Ich darf nicht sagen, was der Engel sprach! –

Zornebock (in Wut und Schreck): Und sagte – was?

Anja (siegesgewiß tanzend): Ich tanze schon!! Ich tanze schon!! Ich tanze – – (Zugleich ertönt eine seraphische Melodie zu ihren Schritten.)

Zornebock: Verfluchtes Weibsbild, tust du mir das an? Hör auf, ich sag! Ich werf dich in die See! Ich schlepp dich in den Wald! Ich töte dich! Die scheußliche Musik! – – Eeeee – – welche Töne!! –

Anja (erstaunt): Hörst du die Himmelsklänge?

Es ist eine ähnliche Welt, wie sie Andrej Belyi in seiner „Silbernen Taube" darstellt, wo christliches Schwärmertum, verkappte Erotik und politische Revolution ein Bündnis eingegangen sind. Brust hat bezeichnenderweise den skurrilen slawischen Gott Zornebock zum Vertreter der „Welt" gemacht, jener wilden Liebe, die Gegenteil der paradiesischen sein soll. Die Entwicklung der Gedanken Wedekinds und Strindbergs zur expressionistischen Ekstase ist hier deutlich zu bemerken. Gemessen an den beiden Vorläufern des expressionistischen Dramas, hat Brust Ideendramen geschrieben, Stücke in einem erdichteten Raum der Besessenen, nicht unähnlich Kafkas imaginärer Welt – doch ohne symbolische Kraft. Brusts letztes Drama, „Cordatus“ (1926), war wieder ein Heilandsdrama, in dem ein Toter den unerlösten Seelen eine neue Existenz vorlebt.

Der Dichter des pruzzischen Ostens

Brusts weitere Entwicklung gehört zur ostpreußischen Folklore. Die Romane „Die verlorene Erde“ (1926), „Jutt und Jula“ (1928) und „Festliche Ehe“ (1930) preisen den neuen Menschen, der nun Pruzze ist im Sinne des heidnisch aufgefaßten „Eva ist alles, was wir wissen“. Erwählte Menschen führen eine paradiesische Ehe, und schon warten die Ungeborenen auf die Stunde der Empfängnis: kosmische und ethische Ideen gehen einen Bund ein. Das christliche Schwärmertum tritt zurück hinter einem von Brust entdeckten und gefeierten Pruzzentum; er selbst sah sich als letzten Priester der verschollenen Urbevölkerung des Landes zwischen Königsberg und Wilna. Die ostpreußische Natur wird verherrlicht, und nichts hätte gehindert, Brust als Blut-und-Boden-Dichter auszugeben, wenn seine einsiedlerische Sicherheit und die Berufung auf Hamann und E. T. A. Hoffmann nicht dagegen gezeugt hätten.

DAS SATYRSPIEL – DADA

Herkunft des Namens

Im Frühjahr 1916 suchten fünf Schriftsteller in Zürich nach einem Namen für eine Sängerin. Es waren die Deutschen Hugo Ball, Richard Huelsenbeck, der Elsässer Hans Arp, die Rumänen Tristan Tzara und Marcel Janco. Hugo Ball und seine Freundin und spätere Frau Emmy Hennings hatten, von München kommend, ein winziges Etablissement gegründet, das „Cabaret Voltaire“. Zürich war damals Sammelpunkt einer Internationale von „Refraktären“, die weder mit der Politik der kriegführenden Staaten noch mit Krieg und Kriegsdienst überhaupt einverstanden waren. Sie lebten in bedrängten Verhältnissen und waren sich außer im Haß auf Krieg und Nationalismus auch in dem radikalen Willen zur künstlerischen Modernität einig. Man hatte anfangs kein Programm als die Verhöhnung des Bürgers und seiner Kunst. Auch den Expressionismus erklärte man als Spätstadium einer in Verwesung übergehenden Gesellschaft. Das Cabaret Voltaire wollte ein Brennpunkt „jüngster Kunst“ sein; bald ergaben sich auch persönliche Verbindungen nach Paris, Berlin und Mailand. Man korrespondierte mit Marinetti; Tzara und Arp kannten Pariser Künstler wie Picasso; Ball war von München und Berlin her mit van Hoddis bekannt. Über den Namen „Dada“ schrieb R. Huelsenbeck:

Das Wort Dada wurde von Hugo Ball und mir zufällig in einem deutsch-französischen Diktionär entdeckt, als wir einen Namen für Madame le Roy, die Sängerin unseres Cabarets, suchten. Dada bedeutet im Französischen Holzpferdchen. Es imponiert durch seine Kürze und Suggestivität. Dada wurde nach kurzer Zeit das Aushängeschild für alles, was wir im Cabaret Voltaire an Kunst lancierten. Unter „jüngster Kunst“ verstanden wir damals im großen und ganzen: abstrakte Kunst.

Die Idee des Dada hat sich später in mancherlei Weise geändert. Tzara hatte den Ehrgeiz, durch radikal entwickelte Formen der „jüngsten Kunst“ Aufsehen zu erregen und berühmt zu werden in Kreisen, die den Ruhm der literarischen Zirkel,

NO. 4 **DER · BLUTIGE · ERNST** PREIS 60 PFENNIG

1. JAHR SATIRISCHE WOCHENSCHRIFT. HERAUSGEBER: CARL EINSTEIN, GEORGE GROSZ.

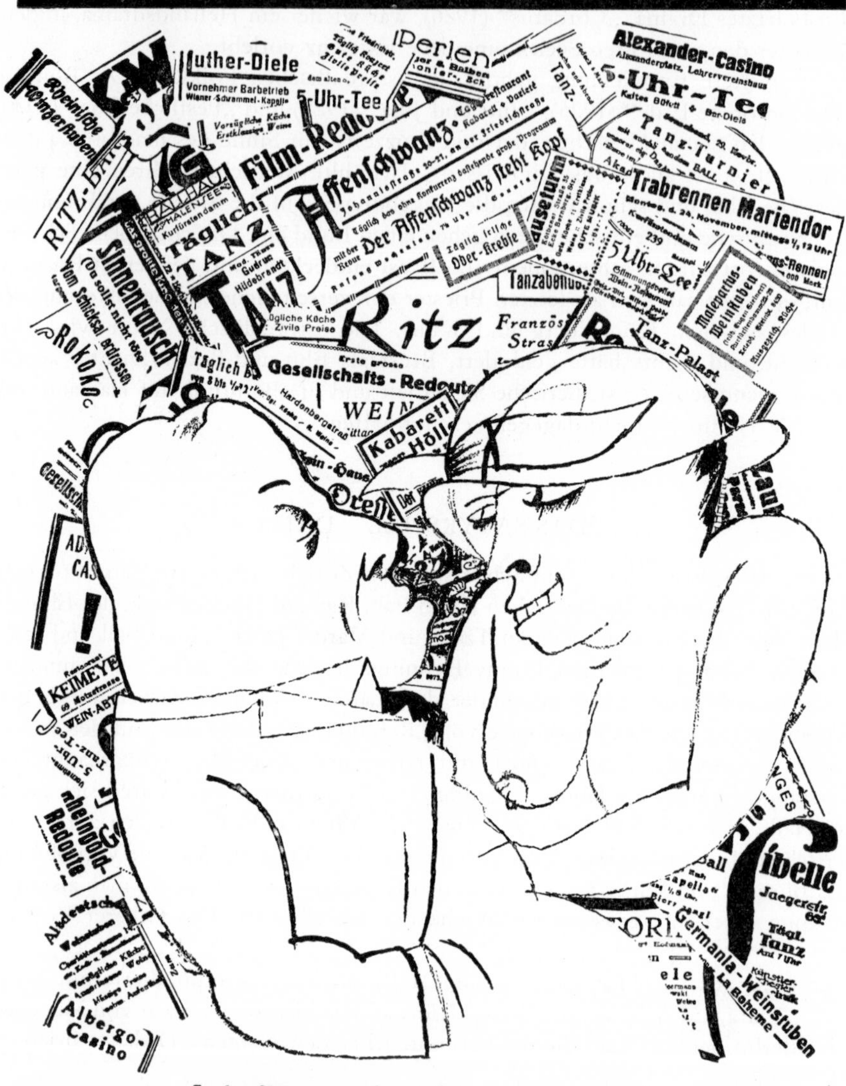

Arbeiten und nicht verzweifeln!

SONDERNUMMER IV. DIE SCHIEBER.

des Kaffeehauses der Vorkriegszeit, trugen. Andere, wie Huelsenbeck, wollten nicht als Intellektuelle gelten; er hatte den Ehrgeiz, „mit dem Revolver in der Tasche Literatur zu machen", als „ein Raubritter der Feder, ein moderner Ulrich von Hutten". Außer Ball waren die ersten Dadaisten keine Schöpfer, sondern Verwerter. Ziemlich wahllos wurden Literatur und Kunst der europäischen

Länder, vor allem Deutschlands, Frankreichs und Italiens, zu komischen und absurden Zwecken, anfangs in kabarettistischem Stil, ausgeschlachtet.
Die Techniken des Bruitismus (Geräuschmusik) und der Simultaneität wurden ohne nähere Kenntnis des Ideenzusammenhangs von Marinetti übernommen:

Futuristische Technik nach Marinetti

Wir fanden Marinettis Weltauffassung realistisch und liebten sie nicht, obwohl wir den von ihm oft verwendeten Begriff der Simultaneität gern übernahmen. Tzara ließ zum erstenmal Gedichte gleichzeitig auf der Bühne sprechen und hatte damit großen Erfolg, obwohl das „poème simultané" in Frankreich schon von Derème und anderen bekanntgemacht worden war. Von Marinetti übernahmen wir auch den Bruitismus, le concert bruitiste, das seligen Angedenkens beim ersten Auftreten der Futuristen in Mailand als Réveil de la capitale so ungeheures Aufsehen erregt hatte . . . „Le bruit", das Geräusch, das Marinetti in der imitativen Form in die Kunst einführte, das er durch eine Sammlung von Schreibmaschinen, Kesselpauken, Kinderknarren und Topfdeckel „das Erwachen der Großstadt" markieren ließ, sollte im Anfang wohl nichts weiter als ein etwas gewaltsamer Hinweis auf die Buntheit des Lebens sein. Die Futuristen fühlten sich, im Gegensatz zu den Kubisten oder gar den deutschen Expressionisten, als reine Tatmenschen.

Für die kampflustigen Futuristen war der Krieg ein Simultangedicht aus Schreien, Schüssen und Kommandos: eine Idee, die den Zürcher Pazifisten nur widerlich sein konnte. Huelsenbeck stellte fest, die Dadaisten des Cabaret Voltaire hätten diese blutrünstige Philosophie nicht einmal geahnt – „sie wollten im Grunde das Gegenteil: die Kalmierung der Seele, ein unendliches Wogelaweia, Kunst, abstrakte Kunst", und sie „wußten eigentlich überhaupt nicht, was sie wollten". Huelsenbeck erläuterte in seiner 1920 erschienenen Geschichte der Bewegung unter dem Titel „En avant dada" auch das Simultangedicht:

Das Simultangedicht

Es setzt eine erhöhte Sensibilität für den zeitlichen Ablauf der Dinge voraus, es dreht das Nacheinander des a = b = c = d in ein d = c = b = a, es sucht das Problem des Ohrs in ein Problem des Gesichts umzuwandeln. Simultaneität ist gegen das Gewordene für das Werden. Während ich mir z. B. nacheinander bewußt werde, daß ich gestern eine alte Frau geohrfeigt und mir vor einer Stunde die Hände gewaschen habe, fällt der Schrei der Bremse einer elektrischen Straßenbahn und das Poltern des Ziegels, der vom nächsten Dache fällt, gleichzeitig in mein Ohr und mein Auge (mein äußeres und mein inneres), richtet sich auf, um in der Gleichzeitigkeit dieser Geschehnisse einen schnellen Sinn des Lebens zu erhaschen. Aus den mich gleichzeitig umgebenden Ereignissen des Alltags, der Großstadt, des Zirkus Dada, Gepolter, Schreien, Dampfsirenen, Häuserfronten und Kalbsbratengeruch erhalte ich den Impuls, der mich auf die direkte Aktion, das Werden, das große X hinweist und -stößt. Es wird mir unmittelbar bewußt, daß ich lebe, ich fühle die formbildende Kraft, die noch hinter dem Hasten der Kommis der Dresdner Bank und der einfältigen Gradheit der Schutzleute steckt. Simultaneität ist direkter Hinweis aufs Leben . . . Ein Simultangedicht heißt also am Ende . . . „Es lebe das Leben!"

Das neue Material der Kunst

Ähnlich philosophisch deutete der Berliner Huelsenbeck von 1920 die Verwendung des „neuen Materials". „Der Begriff der Realität ist ein durchaus variabler Wert und ganz abhängig von dem Gehirn und den Bedingungen des Gehirns, das sich mit ihm befaßt." In der Malerei ist etwa die Perspektive „ein Schema, das man in willkürlicher Weise der ‚Natur' übergeworfen hatte; die Parallelen, die sich am Horizonte schneiden, sind eine blamable Täuschung – dahinter steht die Unendlichkeit des Raumes . . ." Darum ist das Malen mit Ölfarben „ein ganz bestimmtes Symbol einer ganz bestimmten Kultur und einer genau determinierten Moral". Perspektive und Ölfarbe sind nämlich „Mittel der Naturimitation, sie

Hans Arp in seinem Atelier

laufen hinter den Dingen her, sie haben den eigentlichen Kampf mit dem Leben aufgegeben, sie sind Teilhaber jener feigen und zufriedenen Weltanschauung, die zur Bourgeoisie gehört". Die neue Realität läßt sich „direkt" ausdrücken, wenn ich die perspektivische Tiefe aufgebe, Sand, Haare, Postzettel und Zeitungsfetzen auf die Bilder klebe. Das neue Material ist „ein Hinweis auf das unbedingt Selbstverständliche, das im Bereiche unserer Hände ist, auf das Natürliche und Naive, auf die Aktion".

Wendet man diese Lehren auf die Dichtkunst an, so muß sie auf Logik, Psychologie und Naturähnlichkeit verzichten und grotesk übertreiben. Zeitungsnotizen und Annoncen laufen durch den Text.

Während Herr Schulze liest, fährt der Balkanzug über die Brücke bei Nisch, ein Schwein jammert im Keller des Schlächters Nuttke. Das *statische* Gedicht macht die Worte zu Individuen, aus den drei Buchstaben Wald tritt der Wald mit seinen Baumkronen, Försterlivreen und Wildsauen, vielleicht tritt auch eine Pension heraus, vielleicht Bellevue oder Bella-vista.

Zusammenhang mit dem Naturalismus

Die Ästhetik des Dadaismus wurde rasch Mode, sie entsprach in vielen Dingen der „Aktions"-Poetik, den Lehren der zeitgenössischen englischen Imagisten und französischen Surrealisten. Im Grunde handelte es sich nicht um eine neue Poetik und Ästhetik, sondern um Ausläufer der Dichtungslehre des „konsequenten Naturalismus" des jungen Arno Holz. Nur waren die Dadaisten beweglicher, lustiger, viel mehr als der ostpreußische Didaktiker auf Wirkung vor dem Publikum bedacht. Auch wußte man um den schizophrenen Zustand der modernen Kunst, nahm sich darum selbst nicht ernst und genoß die Wirkung seiner Provokationen. Ein Simultangedicht „Der serbische Olymp oder der schlecht ermordete Detektiv" von Arp und Serner lautet:

kerze schämt sich auf dem alpenkamm
herzen brechen gong kanal und lamm
platon holt noch mit dem kirchturm aus
blatt und ei und regen singen rund
fastenfauna glänzt im toten fisch
dotterblau bestirnt der glast die laus
bärtig wachsen psalmen in den mund
und die loreley hält stundentisch
glastramway ist meteor und handschuh
für verliebte welche im juli die
ressentiments und andere monopolbarometereffekte
als saldorvortrag zu seinen gunsten buchen

Simultangedicht

Bald wurde es ein Vergnügen zahlloser Leute in Europa und Amerika, so zu dichten. Sie nannten sich Dadaisten. Aus Zeitungsnotizen, Berichten über Dada-Skandale und kabarettistischen Radauszenen drang die Vorstellung in die Öffentlichkeit, Dada sei ein kindischer Ulk. Im Vorwort zu den Simultangedichten von Arp, Serner, Tzara und Huelsenbeck schrieb Arp: „Das Café Odeon in Zürich wurde zu einem Mekka und Medina Dada's. Die Schar der Dadaisten schwoll dermaßen an, daß, wer sich einem zarteren Gedankenaustausch hingeben wollte, eine ruhigere Stätte aufsuchen mußte. Da Tzara, Serner und ich gemeinsame dadaistische automatische Dichtung verfassen wollten, trafen wir uns im Café de la Terrasse.“ Arp berichtet, zu dritt hätten sie den Gedichtzyklus „Die Hyperbel vom Krokodilcoiffeur und dem Spazierstock“ geschrieben, und diese Art Dichtung sei später von den Surrealisten „automatische Dichtung“ genannt worden. „Der Dichter kräht, flucht, seufzt, stottert, jodelt, wie es ihm paßt. Seine Gedichte gleichen der Natur.“ (Gerhart Hauptmanns „Vor Sonnenaufgang“ hatte diese Forderungen ungleich großartiger erfüllt.) „Angeekelt von den Schlächtereien des Weltkrieges 1914, gaben wir uns in Zürich den schönen Künsten hin“, schrieb Arp. Unweit des Cabaret Voltaire wohnte „der Genosse Lenin“. „Die kurzsichtigen Zürcher Bürger hatten

Dada als Weltmode

Hans Arp, Blatt in Grau, Rot und Schwarz

nichts gegen Lenin einzuwenden, da er nicht herausfordernd aufgeputzt war. Dada jedoch ergrimmte sie. Unsere freundlich hervorgebrachten Warnungen, daß es aus sei mit der gemütlichen Zeit, ließ ihren Kamm vor Wut feuerrot schwellen" (Arp). In Zürich war Dada ein Spiel, erst in Berlin sollte die Bewegung ein politisches Gesicht bekommen. Liest man die beiden Schlüsselromane des Zürcher Dada, Otto Flakes „Ja und Nein" (1920) und Hugo Balls „Flametti" (1918), nimmt man vor allem Hugo Balls Tagebücher „Die Flucht aus der Zeit" (1927) und die Erinnerungen und Briefe von Emmy Hennings und Hugo Ball, so bestätigt sich der Eindruck, den auch die späteren, dokumentarisch oder bibliographisch gemeinten Publikationen Arps, Huelsenbecks, Tzaras, Mehrings, Robert Motherwells sowie Marcel Jancos/Willy Verkaufs vermitteln: daß Dada in Zürich die grotesken Züge der modernen Literatur und Kunst bis an die Grenze des Irrsinns demonstrierte und der geistige und geistliche „Vater" (Mehring) des Unternehmens und seiner Mitglieder Hugo Ball gewesen ist.

Mitarbeiter und Gäste

Balls weitere Entwicklung, in den Tagebüchern zu verfolgen, zeigt die innere Tendenz der Dadabewegung. Hier kann man die Namen der persönlichen und literarischen Mitarbeiter finden. Außer den genannten fünf und Emmy Hennings waren es: Kandinsky, Else Lasker-Schüler, Wedekind, Blaise Cendrars, Jakob van Hoddis, Werfel, Morgenstern, Mynona, Lichtenstein, Mühsam, Apollinaire, Max Jacob, Laforgue, Oskar Kokoschka und Alfred Jarry, der Verfasser des „Ubu Roi". Debussy, Rubinstein, Reger, Strawinski und andere moderne Musiker wurden – natürlich neben und außer den eigentlich kabarettistischen „Nummern" und Huelsenbecks stereotyper Trommel – gespielt. Es gab „abstrakte" Tänze von Sophie Taeuber und der Labanschule, man tanzte zu Versen von Arp und Tzara und trug bereits Negerverse vor. Etwas später wurden Ausstellungen expressionistischer und abstrakter Kunst veranstaltet, und obwohl Arp die Abstrakten gegen die Expressionisten auszuspielen suchte, blieben die Übergänge gleitend. Der entscheidende Gesichtspunkt war die jeweilige Neuigkeit.

Hugo Balls Spott auf die „Geistigen"

Während die Mitwirkenden mehr oder minder ernst im Betrieb und Spaß der Veranstaltungen aufgingen, sah Hugo Ball tiefer: „Die Bildungs- und Kunstideale als Varietéprogramm –: das ist unsere Art von ‚Candide' gegen die Zeit." Früh durchschaute er den anarchischen Intellektualismus:

Es ist jetzt eine Unsumme von Geist unterwegs; nach der Schweiz ganz besonders. Die Bonmots hageln nur so. Die Köpfe kreißen und strömen einen ätherischen Glanz aus. Es gibt eine Partei der Geistigen, eine Politik des Geistes, die Finessen erschweren geradezu den Verkehr. „Wir Geistigen" ist bereits zum Schnörkel der Umgangssprache und zu einer Floskel der Geschäftsreisenden geworden. Es gibt geistige Hosenträger, geistige Hemdenknöpfe, die Journale strotzen von Geist und die Feuilletons übergeistern einander. Wenn das so weitergeht, ist der Tag nicht mehr fern, an dem der spontane Ukas einer Zentrale für geistige Sammlung die allgemeine Psychostasie und das Ende der Welt verkündet.

Der Ausverkauf der Kultur

Ball erkannte, daß Dada „ein Narrenspiel aus dem Nichts" sei, in das alle höheren Fragen verwickelt wären, er bezeichnete es als Spiel mit den schäbigen Überresten der Kultur. Der Dadaist wisse, daß die Welt der Systeme in Trümmer gegangen sei und „daß die auf Barzahlung drängende Zeit einen Ramschausverkauf der entgötterten Philosophen eröffnet hat". Zugleich bezweifelte er, ob man trotz aller Anstrengungen über die Zeitkritik Oscar Wildes und Baudelaires hin-

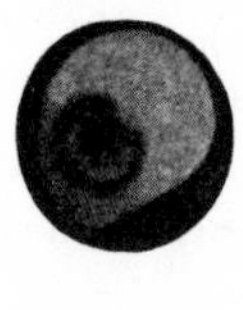

d a 3 D A

No. 3

DIRECTEURS:
groszfield
hearthaus
georgemann

DER MALIK-VERLAG, Berlin-Halensee
Abteilung: DADA

DADA-SCHALMEI.

Auf der Flöte groß und bieder
Spielt der Dadaiste wieder,
Da am Fluß die Grille zirpt
Und der Mond die Nacht umwirbt.
Tandaradei.

Ach, die Seele iſt ſo trocken
Und der Kopf iſt ganz verwirrt,
Oben, wo die Wolken hocken,
Grauſiges Gevögel ſchwirrt,
Tandaradei.

Ja, ich ſpiele ein Adagio
Für die Braut, die nun ſchon tot iſt,
Nenn es Wehmut, nenn es Quatſch, — O
Menſch, du irrſt ſo lang du Brot ißt,
Tandaradei.

In die Geiſterwelt entſchwebt ſie,
Nähernd ſich der Morgenröte,
An den großen Gletſchern klebt ſie
Wie ein Reim vom alten Goethe.
Tandaradei.

Dadaiſtiſch ſei dies Liedlein,
Das ich Euch zum beſten gebe,
Auf zwei Flügeln wie ein Flieglein
Steig es langſam in die Schwebe.
Tandaradei.
Denk an Tzara, denk an Arpen,
An den großen Huelſenbeck!

R. HUEL+SEN+BAG.

GROSZ-HEARTFIELD:

Der Dadaist HANS ARP (z. Zt. Berlin, Hotel Bristol, Zimmer 35, Tel.: Zentrum 10061) der Dichter des Dramas „Die Schwalbenhode". Das bedeutendste Buch der Saison! Erscheint demnächst im MALIK-Verlag.

Titelblatt der Zeitschrift Dada

auskommen werde, die immer Romantiker geblieben seien, während nur *einer*, Arthur Rimbaud, es gewagt habe, die europäische und zivilisatorische Welt aufzugeben – und dafür mit dem Leben bezahlt habe. Dada ist also Widerspruch gegen die Zeit; Ball überlegte, ob es nicht andere, wirksamere Formen gebe, und nannte die Askese, die Kirche. Hier wurde der Weg zu einem „neuen Kultideal" sichtbar, den Ball auch Rimbaud unterlegte.

Verse ohne Worte

Es war für Ball alles andere als ein Ulk, wenn er die Sinnlosigkeit des Alten und die Unartikulierbarkeit des Neuen in Verse ohne Worte brachte; die Idee findet sich früh bei Scheerbart und Stefan George und etwa gleichzeitig bei Ezra Pound, James Joyce, Blümner und ihm.

Ich habe eine neue Gattung von Versen erfunden, „Verse ohne Worte" oder Lautgedichte, in denen das Balancement der Vokale nur nach dem Werte der Ansatzreihe erwogen und ausgeteilt wird. Die ersten dieser Verse habe ich heute abend vorgelesen. Ich hatte mir dazu ein eigenes Kostüm konstruiert. Meine Beine standen in einem Säulenrund aus blauglänzendem Karton, der mir schlank bis zur Hüfte reichte, so daß ich bis dahin wie ein Obelisk aussah. Darüber trug ich einen riesigen, aus Pappe geschnittenen Mantelkragen, der innen mit Scharlach und außen mit Gold beklebt, am Halse derart zusammengehalten war, daß ich ihn durch ein Heben und Senken der Ellbogen flügelartig bewegen konnte. Dazu einen zylinderartigen, hohen, weiß und blau gestreiften Schamanenhut . . . und begann langsam und feierlich:

gadji beri bimba
glandridi lauli lonni cadori
gadjama bim beri glassala
glandridi glassala tuffim
  i zimbrabim
  blassa galassasa tuffim
  i zimbrabim . . .

Hugo Ball
beim Vorlesen seiner Verse

Während des Vortrages dieses Gedichtes merkte Ball, daß seine Stimme unwillkürlich in die Kadenz des Meßgesangs fiel, und fuhr fort im rezitativen Kirchenstil. – Schon in den Anfängen, im Mai 1916, hatte Ball erkannt, daß die Dinge, die dem Dadaismus möglich waren, „erschöpft" seien, und so wurde sein Manifest beim ersten öffentlichen Dada-Abend zu einer kaum verhüllten Absage an die Freunde. Auch Huelsenbeck fand, daß nervöse Störungen der Gesundheit eine Strafe seien für die

„dadaistische Hybris“; so wie Ball Rimbaud als Vorbild erkannt hatte, fand Huelsenbeck einen außerordentlichen Franzosen, Léon Bloy, und meinte, er haben nicht wenig Lust, Jesuit zu werden.
In der Folge ergaben sich freilich noch allerhand Gelegenheiten, das dadaistische Renommee zu festigen; man veranstaltete Ausstellungen Paul Klees, Kostümfeste bei Mary Wigman, „Sturm“-Abende und ließ Vorträge über abstrakte und expressionistische Kunst halten. Tristan Tzara gab eine Zeitschrift „Dada“ heraus, die 1917 bis 1920 auf sieben Nummern kam, Walter Serner veröffentlichte einige Nummern einer Zeitschrift „Sirius“ (1915–1916), und Hugo Ball ließ eine Nummer „Cabaret Voltaire“ (1916) erscheinen. Nach dem Kriege erschienen in Zürich noch drei weitere kurzlebige Dada-Zeitschriften; aber inzwischen hatte die Bewegung, mit andern Akzenten, den Weg nach Berlin, New York und Paris gefunden. Bereits im Sommer 1916 waren Hugo Ball und Emmy Hennings, etwas später Hans Arp und Sophie Taeuber über die Alpen ins Tessin gezogen. Die „Zürcher Versuche“ lagen hinter ihnen. Den lauten Ruhm ernteten vorerst die andern. Vor allem ist die Anregung für Theorie und Praxis des Surrealismus nicht zu übersehen.

Hugo Ball, 1926

Ende der „Zürcher Versuche“

Dada in Berlin

Richard Huelsenbeck kehrte 1917 nach Berlin zurück und gründete mit Raoul Hausman, George Grosz, Walter Mehring, Wieland Herzfelde, John Hartfield und dem „Oberdada“ Baader eine Bewegung mit sozialkritischem und politischem Akzent. Ihr Sinn enthüllt sich in Huelsenbecks „Geschichte des Dadaismus“ (1920), in Walter Serners Dadamanifest „Letzte Lockung“ und dem von Huelsenbeck „im Auftrag des Zentralamtes der Deutschen Dadabewegung“ herausgegebenen „Almanach“ (1921). Hier hatte Dada sein Ziel erkannt: alles Bürgerliche müsse zerstört und zerschlagen werden. Man predigte den Relativismus, nichts sei ernst zu nehmen; erhebe dich ohne Scham mit Spott und Hohn über alles, sympathisiere mit der russischen Revolution!
Der Einsatz für die abstrakte Kunst erscheint hier als Irrtum, vor allem für ihre deutsche Form, den Expressionismus, der den „akademischen Begriff

der Intuition" „zum Reklameschild ihres künstlerischen Friseurladens machte", die „mit ihrer Expression an die unkontrollierbare Verinnerlichung des einzelnen Subjekts appellierte und hierdurch dem ‚Kolossalen' und dem Grotesken freien Spielraum ließ, wie er sich dann in der willkürlichen Verzerrung der anatomischen Verhältnisse geäußert hat."

Oberdada Baader, Zeichnung von Ludwig Meidner

Ein Schwall von modischen Begriffen ging in die Manifeste ein; da war die Rede von höchsten Bewußtseinsinhalten, welche die Kunst zu bestimmen haben; außerkünstlerische, soziologische und klassenkämpferische Motive drangen in die Argumentation ein. Eine Fülle teils unverständlicher, teils großsprecherischer Fremdwörter wurde zum Kampf gegen den gleichen Expressionismus aufgeboten, der diese Worte und Begriffe literaturfähig hatte machen wollen. Den Expressionisten wird von Huelsenbeck vorgeworfen, daß sie die quietistische Ekstase über den politisch gemeinten Kampf für eine bessere Welt setzten:

Argumente gegen den Expressionismus

Die Bühnen füllen sich mit Königen, Dichtern und faustischen Naturen jeder Art, die Theorie einer melioristischen Weltauffassung, deren psychologisch naive Manier für eine kritische Ergänzung des Expressionismus signifikant bleiben muß, durchgeistert die tatenlosen Köpfe. Der Haß gegen die Presse, der Haß gegen die Reklame, der Haß gegen die Sensation spricht für Menschen, denen ihr Sessel wichtiger ist als der Lärm der Straße, und die sich einen Vorzug daraus machen, von jedem Winkelschieber übertölpelt zu werden ... Jener sentimentale Widerstand gegen die Zeit, die nicht besser und nicht schlechter, nicht reaktionärer und nicht revolutionärer als alle andern Zeiten ist, jene matte Opposition, die nach Gebeten und Weihrauch schielt, wenn sie es nicht vorzieht, aus attischen Jamben ihre Pappgeschosse zu machen — sie sind Eigenschaften einer Jugend, die es nie verstanden hat, jung zu sein. Der Expressionismus, der im Ausland gefunden, in Deutschland nach beliebter Manier eine fette Idylle und Erwartung guter Pension geworden ist, hat mit dem Streben tätiger Menschen nichts mehr zu tun ...

Demgegenüber wurden die Dadaisten als elementare „Wirklichkeitsmenschen" hingestellt, die Wein, Weiber, Reklame und Körperkultur lieben und obendrein

Altes Lautgedicht.

HHH HH HH HHH

HHH

HHH HHH

AAA

O la la la OA OA la la

Plinius (i. J. 1847.)

(zu Art. DADA complet in Merz 5.)

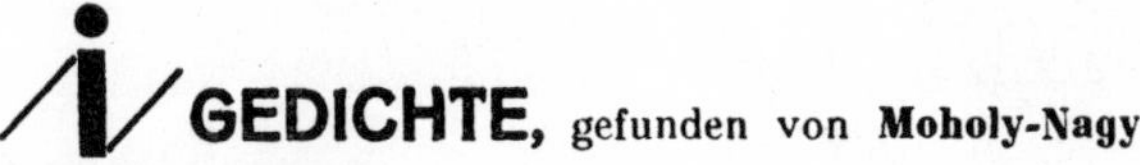
i GEDICHTE, gefunden von **Moholy-Nagy.**

Vergangenheit:

Ich hatte, Du hattest, er sie es hatte, wir hatten, Ihr hattet, sie hatten.

Zukunft:

Ich werde haben, Du wirst haben, er sie es wird haben, wir werden haben, Ihr werdet haben, sie werden haben.

RIRA BIEN QUI RIRA LE DERNIER

T. FRAENKEL.

MPD Mancher hat noch nichts von der Merzpartei Deutschland gehört. Begreiflich, da sie nur aus einem Mitgliede, aus mir, besteht. Näheres siehe Merz 5. MERZ

Wohl ihm, den sein Geschick liebend auf beiden geführt.
Wer einmal Ssachse ist, der bleibt auch Ssachse.

Aus Kurt Schwitters' Merz Nr. 4, Juli 1923

den Beruf hätten, „den Deutschen ihre Kulturideologie zusammenzuschlagen ... mit allen Mitteln der Satire, des Bluffs, der Ironie, am Ende aber auch mit Gewalt ..." In den Angriff wurden Kurt Hiller und die Seinen sowie die Aktionsleute einbezogen. Ihre Ideen von Weltverbesserung seien so hoffnungslos wie lächerlich. Die Welt ist ja ein Narrenhaus geworden, wo Philosophie, Ethik und Kunst als Vorwände gegen die konstitutive Langeweile benützt werden. Zirkus Dada ist ein Abbild dieser blödsinnigen Welt. Es ist eine Anmaßung der „Geistportiers, welche derzeit in Mitteleuropa mit der Stiltrompete grassieren" – der Expressionisten also –, abschätzig vom Zirkus des Lebens zu reden, als ob sie nicht teil daran hätten. Diese Haltung sei purer Snobismus – im Effekt bliebe die Sorge für blanke Schuhe und tadellosen Anzug. Serner bekannte in einem Manifest, kurz bevor er nach Rußland ging (1922), er würde sich freuen, wenn diese Seiten der letzte „*Mist*" gewesen seien, der geschrieben wurde. Zirkus Dada

In Berlin hat der Dadaismus Irrwahn und Blödsinn der Weltstadt proklamiert und entlarvt. Künstlerisch ist so gut wie nichts dabei herausgekommen. Huelsenbecks „Phantastische Gebete“ (1916) und „Schalaben, Schalabai, Schalamezomai“ (1916), die „Wolkenpumpe“ (1920) von Hans Arp und dessen „Vogel selbdritt“ (1920) sind Kämmerchen in Morgensterns Worttraumreich. Flake hat Arp in „Ja und Nein“ als gewinnende Persönlichkeit geschildert, Laotse und Jakob Böhme lesend. Arps weitere Werke über den „Pyramidenrock“ (1924) und „wortträume und schwarze sterne“ (1953) bis zu den „Worten mit und ohne Anker“ (1957) bezeugen die Echtheit des grotesken Welterlebnisses. Für Arp waren das Wort und sein Klang Teile des „Elementaren“, zu dem die dadaistische Bewegung strebt. Seine Gedichte entsprechen den überraschenden Verkürzungen der Graphik Paul Klees. Kurt Schwitters und August Stramm haben auf ähnliche Weise das expressionistische Pathos zum Wort-Spaß umgekehrt. Arp dichtete:

DADA ALS WORT-SPASS

Er kommt abhanden mit der hand
er kommt abfußen mit dem fuß
und trägt in seinem taschenfleisch
den aufgerollten redefluß.

In acht und bann und neun und zehn
so übermannt und überfraut
daß keiner je sich je und je
und an der tafel nacktes kaut.

In einem der späten Gedichte, das einfach „Menschen“ heißt, wird gesagt:

Dadaistische Zeitkritik

Kentaurmenschen halb Auto halb Mensch.
Plaudertaschenmenschen, die aus der Wespentaille plaudern.
Menschen die dem Urgrund
keinen rechten Geschmack abgewinnen können
lieber im Diesseits hangeln
und in ihrem entnasten Gesicht
drei streng übereinander angeordnete und üppig gediehene
heraldisch stilisierte Schnurrbärte
täglich sorgfältig bürsten vergolden und lackieren.

Hier ist das dadaistische Simultangedicht zu einem neuen Ausdruck gekommen. Es ist kein Zufall, daß Arp eigentlich Bildhauer war. Als Autor blieb er noch Dadaist, als die eigentlichen Schriftsteller aus den Zürcher Tagen sich längst andern Richtungen zugewandt hatten oder überhaupt die Literatur aufgaben. Während Ball mit seinen Lautgedichten, auf der Flucht vor der verdorbenen Sprache des Alltags, die von Rimbaud vorgeschlagene „Alchemie der Worte“ versuchte, hat Hans Arp die Sprache der Kinder, Clowns und Volkslieder zu Träumen in einer dichterischen Wortwelt benützt, nachdem reale und poetische Vorstellung unvereinbar geworden waren. Er ist seinen Anfängen immer treu geblieben.

Verlagszeichen des Kurt Wolff Verlages
gezeichnet von Emil Preetorius

SPIELFORMEN UND ERGEBNISSE DES AUFBRUCHS

DIE JUGENDBEWEGUNG

Der Begriff des Expressionismus

Die frühen Vertreter der als Expressionismus bezeichneten literarischen Phase haben das Wort und den Begriff nicht gekannt, etwa Sack, Heym oder Trakl. Autoren, die für den „Expressionismus" in Anspruch genommen wurden, wie August Stramm und Franz Kafka, hat man erst viel später dazugezählt. Der Begriff stammte aus der bildenden Kunst. 1901 wurde er im Katalog des „Salon des Indépendants" in Paris erwähnt, Worringer sprach 1911 von Expressionismus, die Sturm-Ausstellungen verwandten den Begriff ab 1912. Paul Fechter und Hermann Bahr haben ihn in ihren Monographien über „Expressionismus" (1914 und 1916) in die Literatur eingeführt. Es ist klar, daß die Sache eher als das Wort da war und daß das Etikett nicht alle Inhalte decken konnte. In den Zeitschriften „Die Aktion", „Der Sturm", „Die Argonauten" stehen Naturalisten neben Symbolisten und „Expressionisten". Programmatiker und Autoren des Naturalismus – wie Holz und Stramm – wurden die ersten Expressionisten. Im Expressionismus steckten zahlreiche neuromantische Elemente, sie wurden von den sogenannten Arbeiterdichtern in die Maschinenpoesie aufgenommen. Die „Werkleute auf Haus Nyland" begannen im ersten Heft der „Quadriga" mit einer Burns-Übertragung von Jakob Kneip als bedeutendstem dichterischem Beitrag.

Die Spielformen, Der Krieg

Viel beachtete Spielformen des Aufbruchs waren die Jugendbewegung und das Frontkämpfertum. Die expressionistische Generation war zugleich die Generation der Langemarckkämpfer und jener Studenten, deren Kriegsbriefe ein Denkmal für den Ausklang einer Bildungsepoche waren. Das neue Drama entstand bei vielen Autoren aus der Erschütterung des Krieges; Goering, Unruh, Bronnen, Toller, Wolf wurden hier zu expressionistischen Dichtern. Sie nahmen das damals in der Luft liegende literarische Medium auf als eine ihnen natürliche Form der pathetischen oder elegischen Äußerung. Zahlreiche Autoren begannen als Kriegsdichter, viele sind es geblieben oder haben nach ihren Kriegsbüchern zu schreiben aufgehört. Alle Arbeiterdichter waren Soldaten des Weltkrieges und haben dem nationalen Pathos ihren Tribut gezollt – ein Beweis für die ideologische Schwäche des internationalen Gedankens in der Arbeiterbewegung. Im Kriege entstand neben dem primitiven Chauvinismus ein neuer Nationalismus mit dem Ziel, das heroische Ideal in der modernen Gesellschaft neu zu beleben. Sein literarisch wichtigster deutscher Vertreter wurde Ernst Jünger. Daß diese Bewegungen – der Arbeiterdichter und des Nationalismus – vom Nationalsozialismus usurpiert wurden, war ein Verhängnis, das zur deutschen Geistesverwirrung in den dreißiger Jahren wesentlich beigetragen hat.

Auch die Jugendbewegung, soweit sie politisch oder religiös in Verbänden zusammengefaßt war, hat dies Schicksal erlebt: in den Jugendformationen der NSDAP wurden die Gedanken der Jugendbewegung pervertiert und liquidiert. Die Jugendbewegung war keine literarische Bewegung. Sie ist zwar in den Erinnerungen vieler Autoren wichtig geworden, hat aber keine Dichtung hervorgebracht. Es gab nur *ein* Büchlein, das von der Jugendbewegung in vielen Varianten anerkannt und als „Gesetzbuch" (Helwig) verstanden wurde, „Der Zupfgeigenhansl" (1910), eine Sammlung alter und neuer Volks-, Tanz-, Landsknechts- und Soldatenlieder meist anonymer Herkunft. Die Lieblingsautoren der Jugendbewegung waren – außer Nietzsche, Hölderlin, Stefan George – Carl Spitteler, Walter Flex, Hermann Burte und Hermann Löns, später auch Klabund und Bert Brecht. Anregungen, Berührungen und Darstellungen der Jugendbewegung oder ihrer Motive findet man bei zahlreichen Autoren jener Jahre, etwa bei Ernst Stadler, Kurt Hiller, Arnolt Bronnen, Hans Fallada, Manfred Hausmann, Friedrich Lienhard, Lisa Tetzner, Martin Luserke, unter den Jüngeren bei Gerd Gaiser und Werner Helwig, in Spiegelungen bei Hans Carossa, Ernst Penzoldt, Karl Benno von Mechow, Otto Flake, Wilhelm Lehmann und Walter Benjamin. In der Schlußszene von Hofmannsthals „Der Turm" erscheint der Kinderkönig mit seinen Scharen. Hermann Poperts literarisch wertloser Roman „Helmut Harringa" (1910) vermittelte der Jugend ein damals unerhörtes Weltbild, in dem das Erbe Strindbergs und Nietzsches popularisiert war. Die einzige dichterische Darstellung dieser Jugend findet sich in Paul Alverdes' Roman „Die Waldbrüder", von dem Teile in den ersten Jahrgängen der „Corona" vorliegen.

JUGENDBEWEGUNG UND LITERATUR

„Der Zupfgeigenhansl"

Die Programmatisierung und literarische Fixierung der Jugendbewegung konnte nicht ausbleiben. Sie geschah durch Gustav Wyneken und Hans Blüher. Im Jahre 1913 verkündete Wyneken auf dem Hohen Meißner das Programm der Freideutschen Jugend. 1912 hatte er in seinem Buch „Schule und Jugendkultur" Anspruch und Ziel der Jugendbewegung in Übereinstimmung mit der Zeitkritik des Jugendstils und des Expressionismus formuliert:

Wyneken fordert „Jugendkultur"

> Die Jugend unserer gebildeten Stände ist zur vollen Karikatur geworden, und manche ihrer Besten empfinden sich selbst so. Muß es uns nicht mit Schrecken erfüllen, wenn wir denken, daß diese jungen Menschen, die den größten Teil des Tages dem Drill einer uniformierten Gelehrsamkeit unterworfen sind, die, in lächerliche Kleidungsstücke gehüllt, mit dem Zeichen der Kurzsichtigkeit ihres Zeitalters auf der Nase, vom Haus nach der Schule, von der Schule nach Haus trottend täglich unser Erbarmen und unsern Zorn wachrufen, diese verarmten Existenzen, deren geistiger Habitus, wenn man ihn näher kennenlernt, oft etwas von dem grinsenden Jammer eines Skeletts hat, muß es uns nicht tief erschrecken, zu denken, daß diese jungen Menschen von Leben glühen, daß sie schimmern und leuchten könnten, schön und stark, wie wir uns die griechischen Epheben vorstellen, und daß sie davon keine Ahnung und danach keine Sehnsucht haben? Das Glas Bier und die Zigarette sind die Symbole ihres schlaffen Verzichts auf Selbstachtung. Und das ist die Elite unseres Volkes. Es wäre lächerlich, angesichts dieser hoffnungslosen Gesamtlage noch zu glauben, daß uns ein wenig Schulreform not täte. Not tut uns eine neue Jugendkultur, endlich eine Jugendkultur, denn noch nie hat es eine bei uns gegeben. Not tut uns eine neue, eine wirkliche Jugend, denn noch wissen wir kaum, wie Jugend aussieht . . .

Wyneken war gegen das Bürgertum, gegen die humanistische Schulform, das Christentum und die Massenkultur. Seine Idole waren Schiller, Pestalozzi, Nietzsches Zarathustra, Karl Marx und Carl Spitteler. Er erstrebte eine marxistisch

getönte „Arbeitsschule“ und den Klassenkampf in Verbindung mit einem Elitismus platonischer Prägung. Bereits 1912 konnte Hans Blüher drei Bände über „Wandervogel, Geschichte einer Jugendbewegung“ schreiben: die Literarisierung war im Gange, und Blühers Behauptung der homoerotischen Grundlage hat der Bewegung durch ihre sensationelle Wirkung mehr geschadet als genützt.
Die Jugendbewegung war von Haus aus literaturfeindlich, das gehörte zu ihrem antizivilisatorischen Charakter, das „Leben“ kam vor der Kunst, die Wahrheit der Erlebnisse war wichtiger als ihre Fixierung in Büchern. Solche Feindschaft gegen die Formen der modernen Literatur hat sich böse gerächt; statt ihrer drang eine falsche Romantik ein, in der die Jugendbewegung die Kräfte deutschen Volkstums verkörpert sah. Ihr Widerspruch gegen die bürgerliche, städtische und technische Gesellschaftsordnung führte zu einer Nachahmung alter Landsknechts- und Rittersitten, wie man sie sich vorstellte. Man verlor sich in einer Siegfried- und Parzivalromantik ohne den Versuch, die Problematik dieser Figuren in moderne Entsprechungen umzusetzen. So wie der Bauernroman des neunzehnten und zwanzigsten Jahrhunderts die Reflexion von Städtern über das bäuerliche Leben wiedergab, so spiegelten die Berichte der Jugendbewegten im Kern das romantische Naturerlebnis der Städter. Da man literarisch ohne eigenen Ausdruck blieb und eine versunkene Sprache der „Fahrenden“ zu artikulieren suchte, ist die Jugendbewegung nie aus der Opposition gegen die Zeit herausgekommen.

DIE WERKLEUTE AUF HAUS NYLAND

Die „Quadriga“

Im Sommer 1912 erschien zum ersten Male „Quadriga, Vierteljahrsschrift der Werkleute auf Haus Nyland“. Die Zeitschrift war vornehm und üppig gedruckt im Verlag von B. Vopelius in Jena. Sie betonte in der Einleitung, die Bezeichnung „Werkleute auf Haus Nyland“ enthalte nichts Geheimnisvolles. „Alle, die in diesen Blättern das Wort ergreifen werden, haben längere oder kürzere Zeit unter den breiten Dächern des Hauses Nyland geweilt, das irgendwo im Reich seine überaus reale Existenz hat.“ Es wurde nicht mitgeteilt, wo Haus Nyland liege, und die Namen der Mitarbeiter der Zeitschrift blieben anonym. Dann folgte ein Aufsatz über die Bedeutung der Lokalpresse und ein Gespräch „Resurrexit“: in Bethanien vor dem Haus des Lazarus unterhalten sich Maria, Martha und Lazarus über Jesus, bis dieser als der Auferstandene vor sie hintritt. Darauf folgten Gedichte und eine Reihe von Übertragungen Robert Burnsscher Gedichte. Am Schluß las man einen sozialpolitischen Aufsatz, der als „Einleitung zu einem Werke über die Verstaatlichung der Wasserkräfte“ bezeichnet wurde. Das Unternehmen mußte noch ein wenig zufällig erscheinen. Immerhin konnte man den programmatischen Aufsätzen entnehmen, daß die Mitarbeiter nicht Literaten, sondern „Werkleute“ seien, die am Werk deutscher Kultur und Freiheit arbeiteten. Sie wollten sich vom bloßen Ästhetentum und von „unfruchtbarer L'art pour l'art-Anmaßung“ fernhalten. Man bekannte sich zu Technik und Wirtschaft: „Nicht sentimentales Bedauern erweckt in uns der Rauch der Schlote und der Hochöfen, die menschenverschlingende Großstadt und das landüberzitternde Gestampf der Maschinen.“ Einer „zersetzenden Verneinung“ wollte man „entschlossene Bejahung" entgegensetzen. Man wollte das Gefühl für die Heimat pflegen und auch den „nomadisierenden" Arbeitern ihren Teil an Kultur und Schönheit geben. Unüberhörbar war die nationale Note; das alte Kulturvolk der Deutschen verjünge sich in seinen Stämmen, „daß die umwohnenden Nationen in Furcht geraten vor dem aufgestandenen Riesen".

Die Gründer

Acht Hefte der „Quadriga" konnten erscheinen, das letzte im Frühjahr 1914. Der Grundsatz der Anonymität wurde gewahrt, eine Ausnahme machte man bei Richard Dehmel, den man zum ersten Ehrenmitglied ernannt hatte. Der Bund der Werkleute ging auf die Bonner Studentenjahre von Jakob Kneip, Wilhelm Vershofen und Josef Winckler zurück. Sie hatten 1904 ein gemeinsames Versbuch „Wir Drei" herausgegeben. Der Älteste war der Bonner Vershofen, 1878 geboren, während Winckler aus Hopsten bei Rheine stammte und Kneip aus dem Hunsrück kam, beide 1881 geboren. Auf dem Wincklerschen Familiensitz Haus Nyland in Hopsten hatte man Ostern 1912 den „Bund" gegründet. Die kulturpolitische Absicht war, Leute des praktischen Lebens, die zugleich Künstler waren, mit Förderern zusammenzufassen und eine Synthese von Industrie und Kunst, Imperialismus und Kultur, moderner Wirtschaft und individueller Freiheit herbeizuführen. Die Tendenz richtete sich einerseits gegen Stefan Georges Kunst-für-die-Kunst-Prinzip, andererseits gegen klassenkämpferische und gleichmacherische Ideen des Sozialismus. Auch föderalistische Gedanken spielten eine Rolle, wenn man stolz auf die Heimat, die „Scholle", hinwies und den großstädtischen Literaten den Kampf ansagte. Dabei wurden Industrie und Technik ausdrücklich bejaht. Wincklers „Eiserne Sonette", die 1914 als Inselbändchen (anonym) erschienen, wurden zuerst in der „Quadriga" gedruckt:

„Eiserne Sonette"

In Ehrfurcht staunend bannst du alle Blicke,
Wie du mit herrlichen Organen dir
Kraft saugst aus Leben, über Häfen hier
Wie ein Naturgebilde wächst als Brücke.
Du wiegst den Leib in wundervollster Ruh,
Und deine Stimme ist ein leises Singen,
Ein pendelnd, schwindelnd sich im Winde Schwingen,
Zornig im Sturm, wie klagst, wie donnerst du!

So spür ich's, wenn ich in Gigantenhöh
Verloren über Damm und Dielen geh,
So spür ich's, wenn ich unter dir tief fahre . . .
Du lebst — — leibhaftig, anders als ein Tier,
Mit Wasser und Wolken, anders auch als wir,
Gesetz und Geist, traumhaft und tausend Jahre.

Der Mythos der Industriearbeit

In einem längeren Aufsatz „Kunst und Industrie" begründete der Autor (Winckler), weshalb die Werkleute nicht „den Weltschmerz der Dekadenz" teilten: „Die Wunder der Technik, die Märchen naturwissenschaftlicher Erkenntnis sind viel fabelhafter als die kühnsten Phantastereien alter Poeten und Mythen." Die moderne Technik, gewöhnlich als ordinär geschmäht, entbehre keineswegs „der hohen Tragik und Größe antiker Weltbetrachtung". Ausdrücklich berief er sich auf Kallmorgens berühmtes Hamburger Hafenbild, traf in seinen Urteilen über andere Maler aber meistens daneben. Interessant ist die geforderte – bis heute unerfüllt gebliebene – „künstlerische Inkarnation des organisatorischen

Selfmademans, des geld- und geistesgewaltigen Unternehmers, des Großkaufmanns und Konstrukteurs, des gesteigerten Arbeitsmenschen“. Winckler wollte einen Mythus der Industrie und Technik begründen, wo Kapital und Arbeit, Unternehmer und Arbeiter, Kollektiv und Individuum nicht gegen-, sondern miteinander ständen. Wilhelm Vershofen hat in seiner Person dies Ideal später am meisten verwirklicht.

Die Mitarbeiter

Winckler blieb der führende Geist der Zeitschrift. In einer etwas lang geratenen Ballade, „Die Jungfer Baronin Eufemia von Tütenhausen lamentiert“, parodierte und verhöhnte er die Adelsromantik des Börries von Münchhausen. Im gleichen Heft fand sich ein dichterischer Beitrag (von Kneip) „St. Zeppelin“, eine Prosa, die als „Ekstasen“ bezeichnet wurde. Während der Messe in einem stillen Dorf erscheint ein Zeppelin am Himmel, und die Leute stürzen ins Freie – das Volk jubelt dem neuen „Götzen“ der Technik zu. Das Pendant ist die wunderbare Heilung eines Gelähmten, der bei dem Ruf „Zeppelin!“ plötzlich aufspringt und gehen kann – „das Evangelium einer neuen großen Zeit“. Es war den Dichtern also gelungen, für ihre Botschaft poetische Gleichnisse zu finden und zu gestalten, wenn man den „Eisernen Sonetten“ und dem „St. Zeppelin“ auch eine gewisse Naivität zugute halten muß. Im dritten Heft begann Vershofen ein vorerst titelloses „Epos aus dem Leben des Kapitals“, einen kaufmännischen Roman, der in

Vershofens „Fenriswolf“

Form von Geschäftsbriefen, Denkschriften, Sitzungsprotokollen und Telegrammen montiert war. 1913 ist das Werk als „Der Fenriswolf“ in Buchform erschienen und wurde in sechs Sprachen übersetzt.

Holzschnitt von Franz M. Jansen zu Jakob Kneip, Barmherzigkeit

Im sechsten Heft, zu Dehmels fünfzigstem Geburtstag, feierte Winckler den „lieben, großen, schönen, wilden Weltdichter Dehmel“ als einen „Herold der menschlichen Werdekraft“. Daraufhin gingen der Zeitschrift eine „Anzahl dichterischer Gaben“ zu von Hedwig Lachmann, Alfred Mombert, Alfred Walter Heymel, Emanuel von Bodmann und Paul Zech: „aus dem Dichterkreise, der die Zeitschrift ‚Das neue Pathos‘ herausgibt“. Jakob Kneip huldigte dem Dichter Dehmel unter dem Titel „Ecce homo“. Das achte und letzte Heft wandte sich an die akademische Jugend. Etwa das halbe Heft nahmen Gerrit

Engelkes „Dampforgel und Singstimme, Rhythmen“ ein. Den Autor Engelke hatte Kneip entdeckt. Damit war der bedeutendste dichterische Beitrag der „Quadriga“ geleistet. Sie begann erst 1918 unter dem Titel „Nyland“ („Die Zeitschrift einer geistigen Gewerkschaft“) bei Eugen Diederichs wieder zu erscheinen, nachdem Anton Kippenberg die Übernahme in den Insel-Verlag höflich abgelehnt hatte. Diederichs hatte seinerseits neue Mitarbeiter und ein frischeres Programm gewünscht. Er meinte, daß der mächtig hervortretende Expressionismus stärker zu berücksichtigen sei, wenn man eine „Gegenburg“ gegen Kurt Wolff, den Verleger des „Jüngsten Tag“, errichten wolle. Er schlug Oskar Maria Graf als Mitarbeiter vor. Tatsächlich erschienen im ersten Heft von „Nyland“, ausdrücklich als Heft neun der „Quadriga“ bezeichnet, Beiträge von G. Zschimmer, Gerrit Engelke, Max Barthel, Oskar Maria Graf, Karl Bröger, Wilhelm Vershofen, ein Bruchstück aus dem Zeitroman „Der rote Ignaz“ von Albert Talhoff, Alfons Petzold, Jakob Kneip, Josef Winckler, Heinrich Lersch, Julius Maria Becker und Richard Dehmel. Alle Beiträge erschienen jetzt mit den Namen ihrer Verfasser. Damit war die neue Mannschaft fast schon vollständig. In den nächsten Heften fanden sich noch Ernst Lissauer, Franz Pauli („Gott, Mensch, Teufel“, ein Schauspiel), Erich Peuckert, Richard Euringer, Berend de Vries, Hans Friedrich Blunck, Hermann Sendelbach, Hans Franck, Carl Maria Weber und einige Mitläufer. „Nyland“ wurde eine Zeitschrift der jungen „Arbeiterdichter“. Technik und Stadt blieben ihre Themen; die soziale und politische Revolution wurde als Sieg der neuen Menschheit im expressionistischen Sprachmuster gefeiert. Nach zwei Jahren stellte „Nyland“ das Erscheinen ein. Auf der Rückseite des letzten Heftes zeigte Diederichs, außer den Gründern, die jungen Arbeiterdichter Barthel, Bröger, Engelke, Lersch, Petzold, ferner Talhoff und Blunck als Autoren an.

Jakob Kneip, Kreidezeichnung

Gelegentliche Mitarbeiter

JAKOB KNEIP

Man erhält eine einseitige Vorstellung von den Werkleuten, vertieft man sich nur in die Manifeste Wincklers und Vershofens oder in das ihr Verhältnis zur Technik begründete Werk Eberhard Zschimmers „Philosophie der Technik". Winckler und Vershofen wollten Logik, Tat und Sturm, der dritte Gründer wollte Stille und mystische Frömmigkeit. Jakob Kneip (1881—1958) hatte das Gymnasium in Koblenz und das Trierer Seminar besucht, sich von der Theologie zur Philologie gewandt, die er in Bonn, London und Paris studierte. In dem Sammelband „Wir Drei", der Liliencron gewidmet war, schrieb er Verse aus der Schule Goethes, Uhlands, Storms und Liliencrons. Ein naturfrommer Ton durchdrang sein ganzes Werk, auch als der Dichter sich nach dem Weltkrieg wieder dem Katholizismus zuwandte. Die Kriegsgabe der drei Werkleute war „Das brennende Volk" (1916), ein gemeinsamer Versband, den Kneip mit seinem „Deutschen Testament" eingeleitet hatte. Da wird Gott in langzeiligen Parlandorhythmen angefleht:

Das fromme Parlando

Ich bin nur eine Stimme im Völkergewirr; aber Wut und Donner will ich überschrein mit dieser Stimme, meines Volkes Stimme, das mich erschuf.

Mitten aus dem Menschenbrodem stieg ich auf; ich komme aus rauhem, ruhmlosem Land, wo Väter und Urväter die Scholle bauten. Waldbäche und Winde hab ich belauscht; jagte das Wild, hielt mit den Vögeln Zwiesprach, band Garben im Feld und ritt junge Füllen zur Tränke.

Dann stand ich unter berußtem Volk in Werften, Gruben und Lagerhallen; ich aß mit ihnen, ich litt mit ihnen, ich stritt mit ihnen um die Herrschaft der Welt, wenn der Wahltag kam.

Und unter den Studenten saß ich am Rhein in der Sommernacht; und wir sprachen hoch und weise über die Dinge der Welt und die Rätsel des Alls . . .

Das ist der Ton aus der Nachfolge Walt Whitmans, Max Dauthendeys und Emil Verhaerens, wie man ihn bei Ernst Stadler, Ernst Lissauer, Gerrit Engelke, Iwan Goll, Alfons Paquet und Gertrud von le Fort findet. Beim frühen Kneip kamen ein gesteigertes Pathos, ein Zarathustra-Überschwang hinzu. Sein „Buch der Erscheinungen, Wallfahrten, Wunder", „Der lebendige Gott" (1919) ist eine Darstellung der katholischen Volksfrömmigkeit des Rheinlandes, wie Lautensack sie für Altbayern um die gleiche Zeit gegeben hatte. Das Jenseitige wird irdisch, die Kultformen werden von einem jungen Gemüt dankbar aufgenommen, wie Brauchtum und Liturgie sie vor Augen führen. Das Fortleben germanisch-heidnischer Züge im christlichen Gottesbild wird unbefangen vorausgesetzt. Die Frömmigkeit selbst ist von einer Naturmystik durchsetzt, die gar nicht so weit von Dehmels Kult der Erde und der wachstümlichen Kräfte entfernt war.

„Der lebendige Gott"

Später hat Kneip unter dem bezeichnenden Titel „Bauernbrot" (1934) nochmals Verse herausgegeben. Sein bestes erzählerisches Buch ist „Hampit der Jäger" (1927), das Volksbuch eines rheinischen Eulenspiegel, eine Art Gegenstück zu Wincklers „Tollem Bomberg". Als sein Hauptwerk gilt jedoch der umfangreiche Doppelroman „Porta Nigra" (1932—36). Hier hat Kneip, auf dem Substrat seiner eigenen Entwicklung, die Geschichte eines Bauernjungen aus dem Hunsrück, seine Gymnasialjahre in Koblenz, die Zeit im Trierer Seminar, die geistlichen Stellungen bis zum Pfarramt eindrucksvoll beschrieben. Auch hier erscheint der liebe Gott in Person und blickt wohlgefällig hinab auf die Äcker und Wälder des sommerlichen Hunsrück; auch hier wird die bäuerliche Frömmigkeit auf die Vegetation bezogen, werden die Geschichten unglücklicher Mädchen und armer

Radierung von Franz M. Jansen zu Josef Winckler, Der chiliastische Pilgerzug

Teufel mit dem Schicksal der Studiosi und braver Eltern verbunden. Das Buch ist trotz seiner Breite ein gutes Zeugnis des bis in die zwanziger Jahre ländlich bestimmten Lebensgefühls des mittelrheinischen Katholizismus. Da es Himmel und Erde verband und das Priestertum über alle Versuchungen triumphieren ließ, gehörte es zu den unerwünschten Büchern des Dritten Reiches.

Wilhelm Vershoven

War Kneip der Freund der Dichter, zuerst Engelkes, dann Lerschs, so entwickelte sich Vershofen (1878–1960) zu einem industriellen Organisator. Sein „Fenriswolf" suchte aus Geschäftsvorgängen, wie wir sahen, Kunst zu machen, und in dem Industrieroman „Das Weltreich und sein Kanzler" unternahm er einen ähnlichen Versuch. Elf „Wirtschaftsgrotesken" nannte er „Rhein und Hudson" (1929). Außerdem schrieb er volkskundliche Bücher, Erinnerungen an Haus Nyland und, wie Winckler, Geschichten um das Zweite Gesicht der Niederdeutschen sowie Abhandlungen über Technik, Kulturpolitik, Autobiographisches und zwei Dramen, darunter „Eulenspiegel" (1919). Als alter Mann kehrte er zum Christentum seiner Jugend zurück („Der Ungläubige").

Winckler als Sänger der Zeit

Es gibt kaum eine literarische Gattung, in der sich Josef Winckler nicht versucht hätte. Er wuchs auf dem großväterlichen Haus Nyland im Emsland als Sohn eines „Frondeurs" auf, von dem er die „gnadenlose Unruhe der Schöpferkraft" erbte. Nach den „Eisernen Sonetten" suchte er als Autor den Weltkrieg zu bewältigen. „Mitten im Weltkrieg" (1915), „Die mythische Zeit" (1916) und „Ozean", „des deutschen Volkes Meergesang" (1917) verbanden Tatsachen, Namen, Zahlen, Aufrufe, Telegramme, Zeitungsnachrichten und -schnitzel in einem hymnischen Stil. Wincklers Patriotismus sah, wie Mombert, im Krieg ein strahlendes Sagenzeitalter. Der „Ozean" schildert naturalistisch und pathetisch den Weltkrieg zur See oft strophisch oder balladesk, dann wieder breit fließend in Parlandostrophen nach Whitman und Verhaeren. Der „Irrgarten Gottes" (1922) bezeugte die Desillusionierung. Im Untertitel hieß das Buch „die Komödie des Chaos". Winckler fühlte sich als Deuter und Prediger. Das wilde Pathos und die feste Überzeugung von der Gewißheit seiner „Gesichte" sind nur noch zeitgeschichtlich zu verstehen.

Die oft wechselnde und immer verwilderte Form hat beim Kriegsdichter Winckler keine literarische Evidenz. Die findet man am ehesten in Büchern, mit denen er bald zu großem Erfolg kam, vor allem in dem westfälischen Schelmenroman „Der tolle Bomberg" (1924). Das Buch wird durch ein witziges Vorwort eingeleitet „über des Verfassers ungeheuren Fleiß, seine verschlagene Findigkeit und Protektion hoher und gelehrter Herrschaften". „Der tolle Bomberg" ist kein barock imitierter Held, sondern ein verspäteter, ins moralisierende Biedermeier versetzter Renaissancekraftmensch, ein volkstümlicher Typus wie Kneips Hampit und Vershofens Eulenspiegel: „bei den geistlichen Herren ein Besessener, bei den adligen ein Trottel, bei den Spießern ein Hundsfott, bei den Militärs ein Saufgenie, bei den Damen ein Wüstling, aber beim Volk ein ‚Kerl'!" Unter ähnlichen Versuchen Wincklers gelang vor allem „Pumpernickel, Menschen und Geschichten um Haus Nyland" (1926); es sind Jugenderinnerungen, die in der zweiten Ausgabe „Im Banne des zweiten Gesichts, Schicksale und Gestalten um Haus Nyland" (1936) genannt wurden. Von seinem schweren Leben unter dem Nationalsozialismus hat Winckler später in Erinnerungen an seine Freunde und Leidensgefährten Leo Sternberg und Alfons Paquet berichtet.

„Der tolle Bomberg"

DIE ARBEITERDICHTER

EINE SONDERENTWICKLUNG

In die deutsche Literatur strahlten ein paar besondere Erlebnisse ein, die um das Jahr 1900 einsetzten; sie hängen mit der damals sichtbar werdenden sozialen und geistigen Umschichtung zusammen. Es sind der Wandervogel und die Industrialisierung, das Phänomen der Industriestadt und der rapide Vormarsch der Naturwissenschaften. In England und Frankreich hatte diese Entwicklung früher eingesetzt und war geistig bewältigt worden, in Rußland begann sie viel später unter revolutionären Bedingungen. Die kosmische (kosmologische oder kosmogonische) Dichtung kann man als eine Art romantischer Flucht in die Unendlichkeit des Ichs und des Weltraums bezeichnen, wobei das Ich mit dem Schöpfer des Alls identifiziert wird. Ihr ausgesprochen hybrider Zug ließ diese Dichtung nie populär werden; sie blieb auf intellektuelle Sekten oder Gemeinden der Autoren beschränkt. Die gleichzeitig entstehende Arbeiterdichtung benützte weitgehend, teilweise unbewußt, das geistige Rüstzeug und Vokabular des „kosmischen" Vorkriegsjahrzehnts, das wird vor allem bei Gerrit Engelke deutlich.

Ablehnung des organisierten Kampfes

Die meisten Arbeiterdichter sprachen über ihr eigentliches Thema, die Fabrikarbeit, fast immer bürgerlich und in romantischen Tönen. Nur sehr selten schrieben sie die Sprache des „Proletariats", wie man es damals nannte. Der politische Kampf des vierten Standes interessierte sie weniger als die Klage darüber, daß sie nicht Beethoven und Bach hören konnten, so oft sie mochten. Abgesehen von Karl Bröger standen sie den Gewerkschaften und Parteien ablehnend gegenüber. Sie waren viel eher Tippelbrüder und Anarchisten als örtlich organisierte Kämpfer für das Arbeitertum. Soziologisch hängt das damit zusammen, daß sie noch keine eigentlichen Fabrikarbeiter, sondern proletarisierte Handwerker waren; Engelke war Anstreicher, Lersch Kesselschmied, Barthel Bauhandwerker, Petzold versuchte sich als Schuster, Bäcker und Kellner und wurde Gelegenheitsarbeiter, Brögers Vater war Maurer, der Sohn besuchte einige Jahre die Realschule und wurde in eine Kaufmannslehre gesteckt. Das Ideal all dieser Dichter blieb bürgerlich. Der größte Glücksfall für einen Vagabunden ist bei Lersch das Finden einer Zigarettenschachtel mit Goldstücken: „Lachend über die Sinnlosigkeit des Daseins, brach er auf, der nächsten Großstadt entgegen, wo er den Fund ohne Gefahr für sein Dasein in menschenwürdige Existenz umsetzen konnte". Fast alle Arbeiterdichter stimmten in die bürgerliche Kriegsbegeisterung von 1914 ein. Der Reichskanzler Bethmann-Hollweg zitierte im Deutschen Reichstag die berühmt gewordenen Zeilen Karl Brögers: „Herrlich zeigte es aber deine größte Gefahr, / daß dein ärmster Sohn auch dein getreuester war. / Denk es, o Deutschland!"

Kleinbürgerliche Ideale

Das neue Lebensgefühl

Arbeitertum, Großstadt und Fabrik waren sozialistische Motive des Naturalismus gewesen. Friedrich Adler, Karl Henckell, Arno Holz, Wilhelm Hegeler, Felix Hollaender, Ludwig Scharf, J. H. Mackay und Gerhart Hauptmann hatten das Thema aufgenommen und galten lange Zeit als sozialistische Autoren — aber sie waren weder Arbeiter noch Proletarier, sondern Bürger in Gehrock und Zylinder. Für sie war die soziale Frage ein Gegenstand sozialen Mitleids und der Menschlichkeit. Die jungen Arbeiterdichter fielen zwar gern in sentimentale Gefühle zurück, aber sie empfanden sich, wenn sie Dampfmaschinen und Niethämmer besangen, stolz als Helden eines neuen Lebensgefühls, des technischen, und hatten das Bewußtsein, Schöpfer und Träger der neuen technischen Zivilisation zu sein – nur daß sie arm waren und ausgebeutet wurden, bedrückte sie. Im allgemeinen haben sie mit der Bürger-Schippel-Haltung die Wünsche und Empfindungen der Arbeiterschaft besser getroffen als die Marxisten, die aus jedem Arbeiter einen Kämpfer für die Weltrevolution und aus jedem Autor einen Propagandisten machen wollten.

Karl Bröger war Nürnberger (1886–1944) und hat seine Entwicklung in dem Roman „Der Held im Schatten" (1920) dargestellt. Er ist das proletarische Bekenntnis zum geistigen Leben. Der Held, armer Maurersleute Kind, wird durch den Vikar, da er begabt ist, auf die Realschule gebracht und kommt in die Kaufmannslehre. Der Übergang zur bürgerlichen Existenz hat seine Schwierigkeiten; zweimal kommt der Held ins Gefängnis, dann arbeitet er als Handarbeiter, bis der Künstler in ihm erwacht; er geht in die Arbeiterbewegung, wird deren Führer und bringt es zum – Theaterkritiker. Er heiratet und zieht in den Krieg. Vor dem Kriege hatte Bröger „Die singende Stadt" veröffentlicht. Das Erlebnis des Krieges bestimmte die Bändchen: „Kamerad, als wir marschiert" (1915) und „Soldaten der Erde" (1918). In den Kriegsbüchern wurde die Dichtung auf ein neues Ziel, von der Kameradschaft der Kämpfenden zur Brudergemeinschaft aller Liebenden, gewiesen. Davon redeten die Gedichte und Spiele der „Flamme" (1920). Der krank heimgekehrte Autor hatte sich, mit dem „Mut zur Utopie", gefunden: „Wir wollen der Erde neue Gewichte geben, / die Liebe aufrichten aus ihrem tiefsten Fall / und alle künden: Heilig der Mensch und dreimal heilig das Leben!" Er träumte in freien Rhythmen von dem Tag der Weihe, da alle Menschen „eine freie, neue Sterngenossenschaft" sein würden. Bröger schrieb „Die vierzehn Nothelfer" (1918, Legenden), Oratorien („Kreuzabnahme", „Kanaan", „Der junge Baum") und das Drama „Tod an der Wolga" (1923), in dem ein Volk am Hunger stirbt. Die Lyrik wurde in dem Band „Unsere Straßen klingen" (1923) gesammelt. In dem Buch „Deutschland, ein lyrischer Gang in drei Kreisen" (1925) legte er ein Bekenntnis zu seinem Vaterland ab. Brögers Lyrik sprach vom Erlebnis der Fabrik und Großstadt. Die Sprache ist matt, die Bilder gehen eins aus dem andern hervor. Die Heymschen Metaphern, die Personifizierung des Hungers, sind wie nachgemacht. Das zweite Sonett über die Fabrikstadt lautet:

Nation und Mensch

Und weiter rollt der Morgen seine Bahn
Dem Mittag zu. Da zittert durch den hellen
Und lichtgetränkten Raum ein schrilles Gellen,
Und in den Lüften hebt ein Klingen an.

Von Ost und Westen wogt es da heran,
Und Wellen mischen tönend sich mit Wellen
Bis ob der Stadt sie ineinanderschwellen
Zu einem mächtig brausenden Päan.

Sirenen heulen ringsher um die Wette
Und werden zuzujauchzen nimmer satt
Dem, der da kommt, daß er die Stadt errette.

Gebietend tritt der Hunger in die Stadt
Und streift ihr ab die erzgegoßne Kette,
Daran die Arbeit sie gehalten hat.

Karl Bröger, Gemälde von Hans Werthner

Mythos der Arbeit

Hier werden die Arbeit und die Fabrik mythisiert. Das ist auch in Brögers „Lied der Arbeit“ der Fall, wo eine mythologische Figur der Antike bemüht wird:

> Ungezählte Hände sind bereit,
> Stützen, heben, tragen unsre Zeit.
> Jeder Arm, der seinen Amboß schlägt,
> Ist ein Atlas, der die Erde trägt.

In den Nothelferlegenden geht Bröger noch einen Schritt weiter und stellt die heiligen Nothelfer in die Fabriklandschaft; wenn der heilige Korbinian an den Hochofen tritt und „dem Ofen ein Guß in jähem Schwalle“ „entstürzt“, dann zieht er Hemd und Weste aus, hängt den Heiligenschein an einen Nagel in der Wand und „singt und lobpreist / Zwischen zwei Griffen Gott, Vater, Sohn und Geist“, und dann heißt es:

> Tausend Orgeln müßten in diese Halle herein,
> Hier soll das schönste Hochamt gefeiert sein.
> Hier wird dem Herrn gehuldigt in seinem höchsten Reich.
> Hier ist alles Schöpfer und dem Gotte gleich.

Mein Tagwerk ist! im engen Kesselrohr
bei kleinem Glühlicht kniend krumm zu sitzen,
an Nieten hämmernd, in der Hitze schwitzen.
verrußt sind Aug und Haar und Ohr,

Nur noch ein kleiner Menschenkraftmotor
bin ich, daß Hebel, meine Arme, flitzen.
ich will die Adern mit dem Messer ritzen:
Dampf stößt, statt roten Blutes Strahl hervor.

Heinrich Lersch, Handschriftprobe

Da werden in humoristisch gemeinter Weise viele Kategorien verwechselt, und der dilettantisch beflissene Zug dieser Dichtungen wird allzu deutlich. Brögers spätere Romane und Erzählungen suchten einem Wandel Ausdruck zu geben: der Internationalismus wurde aufgegeben zugunsten des Gedankens, daß der Arbeiter im neuen Staat und neuen Volk seinen Platz gefunden habe.

Heinrich Lersch

Viel fester und reiner ist der Umriß von Heinrich Lersch, dem Rheinländer (1889–1936). Auch in ihm stritten verschiedene Empfindungen. Sein „Selbstbildnis“ deutet die emotionale Tiefe des Widerstreits an:

Ich bin wie du, ein armer Knecht,
bin ein Prolet von Gottes Gnaden.
Mit allem, was da gut und schlecht,
bin ich, ein Mensch, von Gott beladen.

Ein Kind noch, mich die Arbeit nahm
und preßte mich in ihre Arme.
Der Mutter Zucht, der Jugend Scham
verlor ich bald im Menschenschwarme.

Den Tag verschafft in Ruß und Rauch,
den Abend irr und wirr vertrunken –
die Straße rief mit Baum und Strauch –
ich spie den Herren an den Bauch,
bin dann, ein Vagabund, versunken.

Und wanderte von Land zu Land,
voll Haß und Not und gottverlassen.
Ich fühlte darin Gottes Hand,
und lernte sie in Inbrunst fassen,
daß sie mich aus dem Staube hob.

In Gott erwachte mir das Leben!
Nun muß ich alles ihm zum Lob
den Brüdern um mich wiedergeben.

Lersch war in Schule und Werkstatt ein einsamer Träumer; mißtrauisch gegen den Zwang der Gewerkschaften und Parteien, brach er in die Welt auf und wurde „Wald- und Landläufer“. „Die Landstraße piesackte ihn mit Hunger, Gendarmen und Läusen, die Fabrik mit Terror und Organisation.“ Aber seltsam, immer wieder kehrte er aus der Schweiz oder von der Nordsee zurück in die Fabrik. Einen Winter über trieb er sich obdachlos in Wien umher, kam nach Italien, sah Rom, wo ihn „der ganze Wahnsinn Europas schlug, Autos, Konsule, Schergen, die fehlenden Lire zum Besuch der Museen. Die Kuppel Michelangelos kostete drei Tage Warten und Hungern“. Der Niederschlag dieser Jahre fand sich in dem Lyrikband „Abglanz des Lebens“ (1914).

HEINRICH LERSCH

Wanderungen

Lerschs erste Gedichte waren in der Wiener Arbeiterzeitung erschienen, sie brachten ihm die Freundschaft von Felix Braun und Alfons Petzold. Trotz manchem nur Gedachten und Ungeformten wirkte der Band nicht autodidaktisch, seine Welt war die der Arbeiter und ihrer Leiden:

Unheimlich klingt die Stille der Fabriken
Am Sonntagsmorgen durch die dumpfen Gassen;
Die Fenster starren grau mit müden Blicken
Aufs Pflaster, das nun einsam und verlassen.

Weltkrieg und innerer Wandel

Im Kriege fand Lersch neue Töne. Das erste Lied, der „Soldatenabschied“ mit dem Kehrreim „Deutschland muß leben, und wenn wir sterben müssen!“, machte ihn überall bekannt. Der Wunsch nach neuer Gemeinschaft schien erfüllt zu sein, Krieg als Gottesbündnis, Kriegsleid als heiliger Notweg. Bei keinem Autor kehrte das Wort „heilig“ in diesem Zusammenhang so oft wieder wie bei Lersch. Dahinter stand sein Glaube, durch das Opfer des Lebens sei die Welt zu erlösen; der Katholik Lersch trug ein Welt-Karfreitagsgefühl im Herzen, er bat die Gottesmutter Maria, sie solle die Menschheit „von der Sünde des Krieges“ „losschneiden“. Lerschs Begeisterung war nicht naiv patriotisch, sie teilte nur die Todeserotik der Zeit als Vorbedingung der Erlösung: Mitten auf dem Schlachtfeld erscheint Christus als Gehängter. Die Gefallenen werden Mahner zum Frieden.

Heinrich Lersch

HEINRICH LERSCH Die Kriegsgedichte stehen in dem Band „Herz! Aufglühe dein Blut“ (1916). Lersch war in der Champagne verschüttet gewesen, kam nach Hause und machte eine große Krise durch. Sein Glaube an die Liebe, den Menschen, den Geist war enttäuscht. „Das Wort Mensch war bei Konventionalstrafe verboten.“ Er wurde für einige Jahre proletarischer Vorkämpfer, aber in dem Band „Mensch im Eisen, Gesänge von Volk und Werk“ (1925) sprach der Dichter wieder. Der umfangreiche Band enthält zugleich die Lebensgeschichte.

„Mensch im Eisen“ Der einst den Krieg „heilig“ genannt hatte, sprach jetzt unter Stöhnen das Werken mit Kohle und Eisen heilig:

Mein Tagwerk ist: im engen Kesselrohr
bei kleinem Glühlicht knieend krumm zu sitzen –
an Nieten hämmernd in der Hitze schwitzen.
Verrußt sind Aug und Haar und Ohr –

Als wär ich nur ein kleiner Schlagmotor,
so laß ich meine Arme federnd flitzen –
Die glühnde Luft sticht wie mit giftigen Spitzen:
immer von neuem bricht der Schweiß hervor ...

O Mensch! Wo bist du? Wie ein Käfertier
im Bernstein eingeschlossen hockst du rings im Eisen,
Eisen umpanzert dich in schließendem Gewirr.

Im Auge rast die Seele, arm und irr.
Heimweh heult wahnsinnswild, Heimweh weint süße Weisen
nach Erde, Mensch und Licht. So schrei doch, Mensch, im Eisen.

Im nächsten Augenblick fängt sich die Verzweiflung, ist Lersch, an sein Werk hingegeben, der glücklichste der Menschen:

Die blanke Amboßfläche ist jetzt meine Welt.
Die blanke Amboßfläche ist mein Acker, mein Weinberg,
mein Rheinstrom, mein Ozean.

Unschwer hört man aus solchen Strophen die Verwandtschaft mit der expressionistischen Form heraus; es mag auch an literarischen Mustern nicht gefehlt haben. In dem Roman „Hammerschläge“ (1931) erzählte Lersch dicht und präzis von seiner Welt, teils naturalistisch, teils romantisch, mit der Sehnsucht nach Wald und Feld. Zuletzt sammelte er noch die Erzählungen „Im Pulsschlag der Maschinen“ (1935). Im Lauf seiner Entwicklung galt er den einen als national, den andern als proletarisch oder katholisch, expressionistisch oder nationalsozialistisch. In Wirklichkeit war er mehr als das, kein literarischer Mensch, sondern ein Autor aus dem Volk, ein „Arbeiterdichter“.

Max Barthel Als ungelernter Arbeiter, sächsischer Maurerssohn, gehörte Max Barthel (geboren 1893) in seiner Jugend zur sozialistischen Jugend und wanderte als Tippelbruder vor 1914 durch halb Europa. Schon damals schrieb er Verse und Skizzen. Er fühlte sich im Gegensatz zu Bröger und Lersch von Anfang an als Dichter der Klasse, aus der er stammte. Darum heißt sein Hauptwerk „Arbeiterseele, Verse von Fabrik, Landstraße, Wanderschaft, Krieg und Revolution“ (1920). Vorhergegangen waren die „Verse aus den Argonnen“ (1916), denn Barthel war vierzig Monate Frontsoldat, und „Freiheit“ (1917). Dieser Titel deutet an, daß der Krieg

DER PLATZ DER
VOLKSRACHE
ERZÄHLUNGEN VON
MAX BARTHEL
Karl Holtz

Umschlagzeichnung von Karl Holtz

für Barthel Station auf dem Wege zu einer sozial verwandelten Welt war. Nach dem Kriege schloß er sich den Linksradikalen an, verbrachte wegen seiner Beteiligung am Straßenkampf eine Haftzeit, zog nach Berlin und bereiste 1920/21 und 1923 das von ihm gepriesene russische Arbeiterparadies bis nach Sibirien. Er war nun Journalist und freier Schriftsteller, schrieb Jahr für Jahr einen Roman oder Erzählungsband, auch Kinderbücher, und wurde nach dem Umsturz von 1933 Nationalsozialist, wie er ehedem Kommunist gewesen war. Er lebte als Schriftleiter in Dresden und zuletzt am Rhein.

Die Lyrik des Arbeiters

Thematisch anziehend, die Quelle seines Ruhms, waren Barthels Gedichte des Bandes „Arbeiterseele", der wie die Bücher aller Arbeiterdichter bei Eugen Diederichs erschienen ist. Formal sind sie einfach, mit strengem Reim und Rhythmus, klassischer Vers- und Strophenform. Die Zeitgenossen bewunderten den „neuen Menschen", das „gedankenreiche Innenleben" („Kunstwart"), den unpathetischen, rein lyrischen Ausdruck. Barthel dichtete auf einem Baum:

Es ist bald Nacht, die Sägen kreischen
Schrill her aus dem Maschinenraum.
Die blanken Eisen, sie zerfleischen
Das Holz von einem Wunderbaum,
Der irgendwo in heißer Ferne
Die reichbelaubten Äste reckte
Und seine Blüten nach der Sterne
Himmlisch verstärktem Feuer streckte.
Die Lampen glühn in weißer Pracht.
Glüht nur und sprüht – es ist bald Nacht.
Ein Kreischen noch, dann Grabesstille.
Wie sich das tolle Treiben kuscht!
Wie mächtig ist doch euer Wille,
Die ihr so scheu den Saal durchhuscht!
Das Tor steht auf. Die grauen Scharen
Bescheint die rote Wachlaterne
Und keiner will sich offenbaren!
Und keiner blickt zum Glanz der Sterne.
Ach ja – in dem Maschinenraum
Zerschnitt man einen Wunderbaum.

Töne der Gartenlaube

Selten gelangen Barthel solche Strophen; viele sind neuromantisches Geklingel, Waldwiesen- und Vögleinpoesie, triste Beschreibung von Volksversammlungen („Du gehst mißmutig zur Versammlung", beginnt ein Gedicht) oder hohle Deklamation: „Die Welt soll erzittern vor unserm Schreiten!" Die Kriegsverse waren frei von der üblichen Begeisterung, auf den Ton der Trauer über die Schändung der Menschenwürde gestimmt, aber in banaler Sprache: „Eine große Knochenmühle ist die Front, / Mahlt in heißem Schlachtgewühle, / Mahlt auch in der Winterkühle / Grauenhaft am Horizont." Die russischen „Brüder" werden aufgerufen: „Ihr, die ihr phönixgleich / Aus den Trümmern der Schuld aufsteigt / In den glanzvollen Himmel der Menschheit . . ." Hilflos werden Barthels Verse, wenn er Eva, die Frau, besingt: „Eva hat so viel Gelüste / Wie die Meeresflut, / Die an schätzereicher Küste / Tief in Andacht ruht . . ." Ein Gedicht wie „Die Zeit", das in der Haft entstand und seine Freiheitssehnsucht ausdrückt, erreicht seine Wirkung trotz Floskeln und des Bildungsputzes:

Gelassen schreitet die Zeit,
Im Mantel die ewigen Menschenrechte,
An meiner Zelle vorüber,
Und alle Sprachen der Welt
Reden in ihren Schritten.

Der Hauch asiatischer Gebete weht mich an.
Ich sehe der Neger fanatischen Tanz
Und höre die Trommelschläge und Gongs fremder Völker.
Priap und Phallus, Zeus, Luther und Marx:
Alle Dichter und Denker sind mir gegenwärtig.

Mädchengelächter lockt von der Gasse.
In ihm lachen die Jungfrauen der ganzen Welt . . .

Am Schluß des Bandes findet sich ein langes Revolutionsgedicht „Petersburg", das Lenin verherrlicht und „Karl Radek in brüderlicher Freundschaft" gewidmet ist; aber ihm fehlt die politische Glaubwürdigkeit.

Paul Zech und Josef Winckler

Gemessen an Bröger und Barthel war Paul Zech moderner, wenn er schon vor dem Kriege die „Stadt in Eisen" in expressionistischer Weise besang:

Schrei —: Eisenstadt! Da packen dich der Türme
Stahlscheren schon und pressen Atmung, Denken und Gesicht.
Das Gas der Armut eitert durch dein Blut und sticht
Im Fleisch wie Rudel tausendfüßiger Gewürme . . .

Josef Winckler konnte schreiben: „Ich war in Deutschland mit Paul Zech der erste, der ihr [der Industrie] bis dahin als unkünstlerisch verschrieenes Problem dichterisch zu meistern versuchte, nachdem in Europa nur Verhaeren uns vorangegangen war . . . Ich habe auch den Industrieherren kulturelle Verpflichtung in meinen ‚Eisernen Sonetten' gepredigt, huldigte nur nie dem Masseninstinkt, sondern dem schöpferischen Tatmenschen." Diese Probleme wurden von den andern Arbeiterdichtern kaum gesehen; sie bedichteten die Großstadt und die Fabrik, so wie die Spätromantik die Natur besungen hatte. Das gilt für den Wiener Alfons Petzold, den Essener Christoph Wieprecht, die aus dem Ruhrgebiet stammenden Richard Kraushaar und Karl Vaupel (der von sich schrieb: „Was mir auf den Fingernägeln brennt: Die schwarze Sonne der Industrie") und für den Saarländer Wilhelm Haas.

Gerrit Engelke

Zusammen mit Lersch ist Gerrit Engelke (1891—1918) die überzeugendste Erscheinung. Er war 1917/18, als Lersch wieder in seiner Kesselschmiede arbeitete, auf Genesungsurlaub dessen Gast. Engelke war ein armer Teufel aus Hannover, Anstreichergeselle, der tags auf „schwindelnden Gerüsten zwischen Wolken und Großstadtrauch" stand, nachts aus mühsam ersparten Büchern und in gelegentlichen Konzerten geistige Bildung aufnahm. Sein dichterisches Vorbild wurde Walt Whitman. Kurz vor dem Kriege war Engelke mit seinen Gedichten zu dem verehrten Richard Dehmel nach Blankenese gepilgert; dieser hatte ihn, hilfreich wie stets, an die Werkleute auf Haus Nyland weiterempfohlen. Hier wurde aber nicht der frische Josef Winckler, sondern der stille gebildete Jakob Kneip sein Mentor. Kneip druckte ihn in der „Quadriga", der Zeitschrift der Nylandleute, sammelte die Gedichte zu einem Band und schrieb dem in den letzten Tagen des Krieges mit siebenundzwanzig Jahren gefallenen Dichter den Nachruf. Kneip ist auch die Herausgabe des Nachlasses zu danken.

GERRIT ENGELKE

Der mit Kneip konzipierte Gedichtband Engelkes erschien, vermehrt um wesentliche Stücke aus dem Nachlaß, 1921 bei Diederichs unter dem Titel „Rhythmus des neuen Europa". Der Titel stammte von Engelke selbst und spricht eins seiner nicht bloß politischen, sondern auch geistigen Anliegen aus. Noch während des Krieges arbeitete Engelke an dem Buch und drängte Kneip, den zögernden Verleger zur Herausgabe zu bewegen. „Rhythmus des neuen Europa" ist Engelkes einziges Buch. So vieles auch jung und unreif erscheint, nirgends ist es seicht und banal. Die Großstadt mit ihren Fabriken, Straßenbahnen und dem Verkehr, die Häfen mit Helligen und Kais, Dampfern und Docks, die Eisenbahnen und hundertfenstrigen Häuser sprechen vom Rhythmus einer neuen und im ganzen bejahten Zeit:

Gerrit Engelke
Zeichnung von Rudolf Eubel

Der elementare Ton

Ziegelstein an Ziegelstein mit Kalk und Schweiß geklebt
Rote, weißgefugte Mauer über Mauern strebt —
Winden knirschen — Hände heben, fassen —
Axtschall — roher Dachstuhl — Richtfestbier —
Tür und Fensterglas ward eingelassen —
So wuchsest du in dieser Straße hier;
Kummergraue, fünfstockhohe Mietskaserne.

Selbstbewußter ist der Ton in dem Gedicht „Neuer Stolz des Weltmenschen":

Hundert Straßen, angefüllt mit Menschenrotten:
Arbeitsmänner, Polizist, Kokotten,
Reinigungsmaschinen, die den Asphalt scheuern,
Straßenbahnen, Güterwagenflotten . . .

Das Rhythmische gibt dem Gedicht den Halt; Reim und Strophe werden spielend beherrscht, aber der Ton ist neu, man möchte an G. M. Hopkins denken, den Engelke nicht gekannt haben kann. Gerrit Engelke überbot, wie Dehmel rühmte, alle deutschen Stadtdichter:

Seht da: London! Tower-Bridge, Dom, Westminster,
Palastfronten von grauem Nebel triefend, morgenfinster —
Auf einmal: brennend, auflodernd, Türme glühen,
Aufquirlend, hingerissen im gleißenden Mittagsgold!

Wissen und Bildung

Das sind Stadtlandschaften von metaphysischem Charakter, die Stadt ist Mosaikstein in einem kosmischen Schöpfungsgedicht, das Engelke „Sonne" nannte. Engelke war kein naiver Autor wie die andern Arbeiterdichter, sondern trotz seiner Jugend ein belesener Mann, der Stefan George ebenso kannte wie Whitman, Arno Holz, Dauthendey, Dehmel, Schiller und Freiligrath; sie waren seine Muster und haben ihre Spuren im Werk hinterlassen. Weltanschaulich war er ein „Monist" oder Pantheist, aber nicht von der kämpferischen Art, es gibt merkwürdig mythische und kosmische Gedichte; dem Christlichen stand er vor allem seit der Freundschaft mit Lersch und Kneip respektvoll gegenüber. Er schwärmte für die Maler und Graphiker Hodler und Munch, lehnte aber die krampfhafte Moderne ab: „Warum solch ein Geschrei um die Futuristen und Kubisten? – Sie geben doch nur unvollkommene Kunst, glänzende Einseitigkeit. Sie geben chaotischen Inhalt ohne zusammenzwingende Form."

„O göttliche Benommenheit"

Er suchte in seinem berühmten Gedicht auf die Lokomotive ein Objekt zu erfassen, das keine Natur mehr war, sondern Menschenprodukt. Industrie und Technik erzwingen für den Rhythmus neue Träger, modernen Ausdruck. Der metaphysische Aspekt wird deutlich in dem kleinen Gedicht „Gott braust":

Weißt du, was die Mittags-Straße schüttert, lebt,
Wenn chaotisch tausend Lebenstakte schlagen
Aus den Menschen, Häusern, Pferden, Wagen?
Gottesrhythmus!

Jede Strophe endet mit dem Bekenntnis zum „Gottesrhythmus". Wie das gemeint ist, wird aus einem Gedicht klar, das geradezu „Göttliche Benommenheit" heißt:

Mein Gott, du flutest mit dem Wehen in mein Ohr,
Du lachst im Trällern der Kinder da am Gartentor –
Du willst dies Leben: diese Bilder, dieses Rauschen
In mich für meine Seele tauschen!
So ström' ich mit dem Orgeln dieser Landschaft hin –
So kann ich nicht anders: ich muß mich berauschen,
Daß ich nicht weiß, wie ich bin
In diesem Allen.

Die verknappte Form

Der Dichter ist von einer Vision überwältigt, darüber zerbrechen Reim und Strophe. Im Kriege wurden einzelne Versgebilde auf ein fast telegraphisches Schema verknappt, so daß man an August Stramm und die Aktionslyrik erinnert wird: „Heere stampfen / Schlachten morden / Blute dampfen – / Sieg im Norden". Auf der andern Seite brechen bei Engelke, ähnlich wie bei G. Heym, die Motive des zeitgenössischen Jugendstils in das Gedicht: Tod und Untergangsstimmungen werden in einer fast wollüstigen Diktion gespiegelt. Wie Heym benützte Engelke den antiken Untergangsmythos zu einer Schattenbeschwörung. „Expressionistisch" sind die sprunghaft einander folgenden Bilder und die stabende und alliterierende Sprache. In der Elegie auf einen gefallenen Freund wird das Thema ausgesponnen:

Hinweg in das qualschwarze Nichts,
Regiment und Brigade, Armee und Armeen
Ins blutigbefleckte Ruhm-Reich des toten Soldaten.

„Don-Juan"-Fragment

Gerrit Engelkes dichterischer Auftrag blieb also nicht beschränkt auf seine Sozialwelt. Aus den Briefen geht hervor, daß er sich nach dem Kriege als Existenzgrundlage eine Bücherstube dachte, wo auch Graphik verkauft werden sollte. Er schätzte die kleinbürgerlichen Idole der echten und falschen Arbeiterdichter nicht, sondern wußte um die allen Ständen überlegene, „unbedingte" Existenz des Künstlers. Engelkes Romanfragment „Don Juan" erzählt von einem arm geborenen Don Juan. Er lebt an der von Engelke so geliebten Grenze des niederdeutschen und dänischen Gebiets. Sinnlich und faunisch bricht der junge Mann „spanischer" Herkunft in die Welt der Philister und des Adels ein, überwältigt ihre Frauen und erfüllt deren tiefste Sehnsucht. Wenn auch im Ton des Romans Anklänge an den von Engelke gelegentlich angeprangerten Pansexualismus der

Auf der Straßenbahn

Wie der Wagen durch die Kurve biegt,
Wie die blanke Schienenstrecke vor ihm liegt:
Walzt er stärker, schneller.

Die Motore unterm Boden rattern,
Von den Leitungsdrähten knattern
Funken.

Scharf vorüber an Laternen, Frauenmoden,
Bild um Bild, Ladenschild, Pferdetritt, Menschenschritt.
Schütternd walzt und wiegt der Wagenboden –
Meine Sinne walzen, wiegen mit:
Voller Strom!
Voller Strom!

Der ganze Wagen, mit den Menschen drinnen,
Saust und summt und singt mit meinen Sinnen –
Das Wagensingen sausebraust, es schwillt!
Plötzlich schrillt
Die Klingel! –
Der Stromgesang ist aus –
Ich steige aus –
Weiter walzt der Wagen –

Gerrit Engelke, Handschriftprobe

Zeit, an den verehrten J. P. Jacobsen und den Gesellschaftsroman, zu spüren sind, so ist doch etwas anderes gemeint. Engelke hat es in einer Notiz zu formulieren gesucht: „Ganz aussprechen und hingeben kann man sich immer nur dem einen einzigen Herzen, das man immer sucht. Ist es nicht so, als sei es unser eigenes Herz, das außerhalb unseres eigenen Körpers irgendwo in der Welt auf uns wartete – nach dem wir auf ruheloser Entdeckungsfahrt zeit unseres Lebens jagen? Ich habe es immer gesucht.“ In „Don Juan“ stecken Selbstdarstellung und Wunschbild Engelkes: er selbst ist es, der aus geheimnisvoll unbekannter Herkunft zum Propheten der Zukunft wird, der Dichter.

DER ERSTE WELTKRIEG

KRIEG UND LITERATUR

Das große Erlebnis, auf das die junge Generation vor dem ersten Weltkrieg wartete, sollte die Befreiung von den Traditionen und Konventionen bringen; es sollte den Zustand der Leere, der Langeweile, der bürgerlichen Ruhe und der im Schema erstickenden Existenz beenden. Die Stimmung des „Aufbruchs“ war ja nicht eine Erfindung der Literaten, ebensowenig wie „Die Aktion“ und „Der Sturm“ nur literarisch gemeint waren. Trotzdem kam der Ausbruch des ersten Weltkrieges überraschend. Wenn eine Welle überschwenglicher Begeisterung durch das Volk lief und der Krieg als Befreiung von langem Druck begrüßt zu werden schien, so hatte sich kaum jemand vorgestellt, wie ein moderner Krieg im Zeitalter der Massenarmeen mit vielfach gesteigerter Feuerkraft verlaufen würde. Sehr rasch kam es zu einer Desillusionierung; diesen Prozeß spiegelt die Literatur aus dem Kriege und über den Krieg. Sie ist ungemein breit, die Zahl der Erinnerungsbücher ist Legion. Literarisch belangvolle Kriegsbücher, deren Form zu fesseln vermag, gibt es wenige.

Schwierigkeiten des Themas

Es wurde gezeigt, wie eine Reihe von Autoren im Kriege erst zu sich selbst kam, sei es, daß sie emotional gepackt wurden oder daß sie den Krieg als eschatologisches Erlebnis begriffen, als Ende der alten und Beginn einer neuen Welt. Das wurde bei Unruh, Toller, A. T. Wegner, den Arbeiterdichtern, bei Ehrenstein, Schickele, August Stramm, Rubiner und Trakl deutlich. Bei Georg Heym erscheint der Zustand des Weltendes vorweggenommen. Die Wirklichkeit des Krieges, zeigte sich, war mit den Mitteln der deskriptiven – realistischen oder naturalistischen – Dichtung nicht zu fassen. „Stilisierung“ galt nicht als legitimes Kunstmittel; sie wurde mit pathetischer Deklamation verwechselt, die ihrerseits leicht verlogen wirkte. Darum haben die besten Kriegsbücher ein gewisses Understatement. Sie gehen, schlicht erzählend, vom Persönlichen aus und machen den Abstand des privaten Ich vom weltgeschichtlichen Ereignis spürbar. Hier liegt die Zone des Leidens, jenes „Schmerzes“, aus dem Ernst Jünger einen verwandelten Typus des „neuen Menschen“ sichtbar machen sollte.

Die neue Sachlichkeit

Nicht nur thematisch, sondern auch stilistisch hat der Krieg eine neue Phase eingeleitet. Während die ersten Äußerungen der Kriegspoeten ein romantisches oder expressionistisches Pathos hatten (Dehmel, Lissauer, Flex, Kerr, Ganghofer), brachte der Krieg selbst meistens schon nach wenigen Wochen die Ernüchterung. Das ist deutlich abzulesen aus den Büchern der kriegsfreiwilligen Studenten und Intellektuellen, die nach eiliger Kurzausbildung an die Fronten kamen und hier von den „Alten“, den Kameraden und Unteroffizieren, rasch über die Realität eines Krieges aufgeklärt wurden, der nach wenigen Wochen zum Stellungs- und Materialkrieg erstarrt war (von der Vring, Edlef Köppen, Renn, von der Goltz, E. Maaß, Dwinger). Das gewohnte Pathos konnte vor der Realität nicht bestehen. Die nationale und menschliche Begeisterung nahm andere Gestalt an, sie verwandelte sich in Heroismus (E. Jünger) oder radikalen Pazifismus (F. von Unruh). Seitdem schieden sich die Kriegsbücher in zwei Gruppen: die eine verherrlichte den Krieg als elementares Ereignis, die andere verdammte ihn als Schlächterei und Massenwahn. Dabei spielte die politische Meinung eine große Rolle – die Masse der Kriegsbücher begann mehr als zehn Jahre nach dem Ende des Krieges zu erscheinen! Die inzwischen gewonnene menschliche und historische Distanz hat die Bücher stilisiert, und zwar in Richtung auf eine berichtende Sachlichkeit hin. Die Ernüchterung der Kriegsteilnehmer ist eine der Voraussetzungen des neuen sachlichen Stils in der Literatur.

Ludwig Renn

Ludwig Renns „Krieg" erschien 1929, eins der nüchternsten Bücher über ein Ereignis, das pathetisch nicht mehr zu fassen war. Renn heißt eigentlich Arnold Vieth von Golssenau, er gehörte einem der ältesten sächsischen Adelsgeschlechter an und war Offizier. Er hat seine militärische Jugendzeit in dem Roman „Adel im Untergang" (1947) persiflierend beschrieben. Im ersten Weltkrieg wurde Renn Kriegsgegner und entwickelte ein Ethos, das die Besten der Generation bestimmte: Obwohl man die Sinnlosigkeit dieses Krieges erkannt hat, kämpft man als tapferer Soldat weiter. Der Kämpfer fühlt sich nicht mehr als Glied seines Volkes, sondern als isoliertes Individuum in heroischer Einsamkeit. Typisch dafür ist die scheinbare, unbeteiligte Kälte des Berichters in einem Augenblick höchster Spannung:

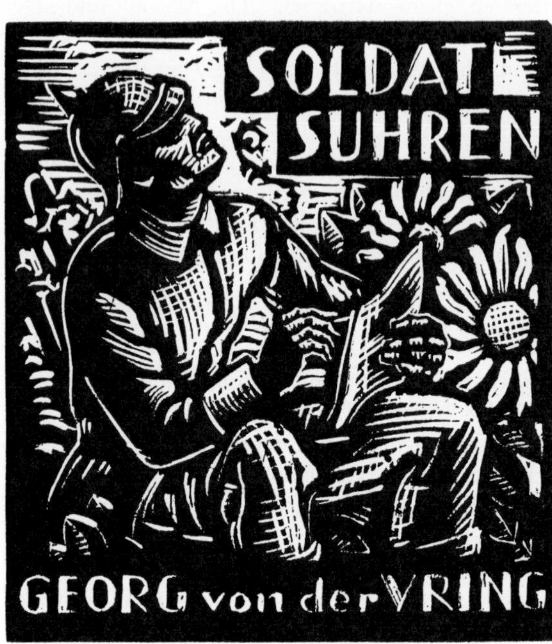

Holzschnitt von Frans Masereel

Aus „Krieg"

Er stand auf, stellte sich nach dem Wind und steckte eine Zigarette in den Mund. Ein Schuß! Er kniete hin. „Verfluchte Bande! – Aber ich rauche doch! – Pfui!" Er spuckte aus. „Das hat mir n' paar Zähne eingehauen!"

Der Schuß war ihm quer durch den Mund gegangen. Ich rutschte zu ihm.

„Lassen Sie nur! Der Zunge hat's nichts getan. – Da sieht man doch, wozu das Rauchen gut ist!"

Ich sah, daß es ihm doch weh tat.

Ich kroch zu Weiß. „Was ist denn mit dir?"

„Ich habe einen Brustschuß."

Ich half ihm in das Loch.

Ziesche kam herübergekrochen, auf die linke Hand und den rechten Ellbogen gestützt. Sein Daumen war oben breit und blutig.

„Soll ich dich verbinden?"

„Verbinde lieber die andern!" sagte er schroff. Er mußte starke Schmerzen haben.

Unterdessen hatte der links von mir den mit dem Schuß ins Fußgelenk in unser Loch gezogen und schnitt ihm den Stiefel auf . . .

Solch eine Szene ist aus schriftstellerischer Absicht stark stilisiert. Kurz nach Fertigstellung des Buches wandte sich Renn zum Kommunismus und erklärte den Grund dafür in seinem Buch „Nachkrieg“ (1930). 1933 und 1934 von den Nationalsozialisten verhaftet, konnte Renn fliehen und nahm als hoher Funktionär in der internationalen Brigade in Spanien am Kampf gegen Franco teil („Der spanische Krieg“, 1955). Von Spanien kam er, über Mexiko und Rußland, 1947 in seine sächsische Heimat zurück.

KRIEG UND LITERATUR

Renn machte keinen Versuch, das Kriegserlebnis dichterisch zu erfassen, Dichtung und Literatur lagen nicht in seiner Absicht. Der sachliche Ansatz der Kriegsbücher ließ solche Versuche nur selten gelingen: es setzte voraus, daß der Soldat auch Dichter war (Carossa, von der Vring). Dagegen schien der Krieg ein geradezu exemplarischer Stoff für Dokumentation und Reportage zu sein. Die Verbindung dieser Elemente ist Edlef Köppen gelungen, einem Mitarbeiter der „Aktion“ und der „Dichtung“ Przygodes. Sein „Heeresbericht“ (1930) ist die Geschichte des Artilleristen Reisiger, der es bis zum Leutnant bringt und 1918 im Irrenhaus verschwindet. Die Erlebnisse Reisigers mit seinen Kameraden in einer Geschützbatterie waren deskriptiv nüchtern und sehr spannend erzählt: „Heeresbericht“ ist wohl das beste Kriegsbuch neben E. Jüngers „Stahlgewittern“, die zehn Jahre früher erschienen waren. In den Text sind Dokumente eingeblendet, Aktenstücke der Militärverwaltung, Heeresberichte, Zeitungsnachrichten, die besonders grausig wirken, weil sie das genaue Gegenteil dessen behaupten, was in Wirklichkeit geschehen ist. Besonders boshaft ist die Einblendung eines Textes von Ludwig Ganghofer, dem Lieblingsschriftsteller Kaiser Wilhelms II., aus dessen „Reise zur deutschen Front 1915“ mitten in die Schilderung eines Gasangriffs: „Immer ist ein feines Pfeifen in der Luft. Und von der Tiefe des Feldhanges, der sich hinuntersenkt gegen das Tal, klingt ununterbrochen ein lustiges Knallen herauf, als stände da drunten die Schießstätte des Münchner Oktoberfestes.“

Edlef Köppen

Ganghofers Krieg als Oktoberfest

Köppen verwendet die damals neue Technik des inneren Monologs, wenn er etwa schildert, wie der Hauptmann Mosel zu Pferde der Gaswolke entkommt. Gräßlich exakt ist die Beschreibung eines englischen Kavallerieangriffs:

> Maschinengewehre zwischen die schlagenden Beine der Pferde, daß die zerhackten Stümpfe über die Erde schlurren, Schrapnells vor die Brust, Granaten unter den Bauch, Bündel schwefelgelber Stichflammen, Säulen aus braunem Rauch, Fontänen armdick Blut und Gedärme, hochgeschleudert Glieder und Rümpfe aus Menschen und Tieren. Das alles, soweit sich das Massiv dehnt, von Loos bis zur Halde.
>
> Das Ganze zerfällt zu Quadern jetzt, Lücken dazwischen. Die Quadern, noch schwerfällig im Druck nach vorn, brechen, türmen sich ungefügig, lösen sich, daß überall etwas hochspringt, hoch, absackt, um sich schlägt, liegt. Das alles: zermalmte Pferde, zermalmte Reiter von Loos bis zur Halde ...
>
> Schnellfeuer. Wie will auch nur Ein Reiter entfliehen?
>
> Der Irrsinn ist wach, die letzte Angst, das entsetzlichste Entsetzen. Nicht Ein Pferd wendet. Noch das Tote drängt nur nach vorn ...

Es gibt eine Reihe von Erlebnisbüchern der Frontsoldaten, die keine Tendenz wollen, die lediglich darstellen möchten, was sie getan, gesehen und gelitten haben. In den meisten Fällen brechen aber die Gefühle der Angst und Bestürzung, der Verzweiflung und Trauer, der Kälte und Kaltblütigkeit, des Mutes und Leichtsinns durch. Edgar Maaß' „Verdun“ (1936) will das Gedächtnis der Gefallenen von Verdun ehren. Josef Magnus Wehners Roman „Sieben vor Verdun“ (1930)

Edgar Maaß und Josef Magnus Wehner

Holzschnitt von Frans Masereel zu Georg von der Vring, Soldat Suhren

will „Den toten Brüdern ein Denkmal" setzen. Wehner meint, die deutsche Führung hätte Verdun nehmen müssen, statt den Feind sich verbluten zu lassen, wobei man schließlich selbst verblutet sei. Hier wird die Sinnlosigkeit des Kampfes um Verdun von der Jugend gegen das Alter, die Führung, ausgespielt.

Im Jahre 1934 erschien der Roman „Der Baum von Cléry" des Joachim von der Goltz, der in den zwanziger Jahren eine Reihe von Schauspielen geschrieben hatte. „Der Baum von Cléry" ist sein dichterisches Hauptwerk und gibt, wie sonst nur von der Vring und Carossa, die Stimmung des Soldaten wieder. In der Form handelt es sich um ein leicht stilisiertes und doch echtes Tagebuch. Von der Goltz interessiert die geistige Auswirkung des Krieges, er beschreibt eine Frontstellung:

Joachim von der Goltz

Phantasie und geschickte Hände schufen die Öde unseres Grabens um zu einem Wandelgang voll köstlicher Sehenswürdigkeiten, man sah Beete mit Primeln, Stiefmütterchen und Goldlack, mit Fensterglas bedeckt, wahre Treibhäuser, neben den Unterständen, Sprüche in Holztafeln geschnitzt über den Eingängen und die Kalksteinwände des Grabens geschmückt mit herausgehaunen Reliefs: Christusköpfe, weibliche Figuren, Beethoven, Hindenburg. Überall erscholl aus den Unterständen Musik, Ziehharmonika, Zupfgeige und mehrstimmiger Gesang. Wir lebten ohne Sorgen, ohne Gedanken an das Kommende. Wir fühlten uns frei und schuldlos wie Kinder. Wir vertrauten einander und sprachen ohne Scheu von Dingen, die sonst Angst oder falsche Scham zudecken. Man sprach mit derselben andächtigen Sachlichkeit vom Unterstandsbau, von der Beschaffenheit des Brotes und von den tiefsten Fragen des Daseins.

von der Vring, „Soldat Suhren"

Intensiver sind die Bilder und Berichte Georg von der Vrings in „Soldat Suhren" (1923 entstanden, 1927 als einer der ersten Kriegsromane erschienen). Von der Vring legte sich für die Darstellung ein künstlerisches Schema zurecht: bestimmte Motive, die immer wieder auftauchen, etwa der Vergleich eines Schlachtfeldes voller Schützenlöcher mit Bienenwaben, ein humoristischer Ton und soziologische Betrachtungen. Den Reiz des Buches bildet seine Lockerheit:

Ich hole mein Buch aus dem Brotbeutel. Es ist der Zarathustra, neben der Bibel und dem Faust das am meisten gelesene Buch des Frontsoldaten, wie die Zeitungen schreiben. Ich las sogar einmal eine Statistik darüber. Die Bibel wird sicherlich das schwerste von diesen drei Büchern sein – nämlich an Gewicht. Darum – alle Achtung vor den bibellesenden Kameraden! Alle Achtung auch vor mir, daß ich meinen Zarathustra noch nicht wegschmiß. Es würde aber wohl die Statistik um ein kleines verschieben und wenn alle es tun würden, sogar um ein Vielfaches.
Mit so spitzigen Gedanken schlage ich mein Buch auf, so spitzige Gedanken habe ich immer, wenn ein großer Marsch bevorsteht. Also – folgere ich – wird es heute einen heißen Tag geben. Auf meine Art komme ich zu ähnlichen Denkergebnissen wie Eisen, der Rote, der sich nicht mit Büchern belastet. Da er in einem Eisengeschäft arbeitete, trägt er vielleicht einige Pakete Nägel als Erinnerung mit sich. Wenn er verrückt wäre! Ruhig Blut, Suhren, denke ich. Und ich lasse die großen goldenen Fliegen ihre Exerzierübungen vollführen und lese, um ein paar gute Gedanken zu finden. Ich lese halblaut, ohne es zu bemerken. „Von den Fliegen des Marktes“ lese ich, womit Nietzsche die Menschen meint, die einen belästigen.
Alles schön und gut – sie belästigen einen eben! Nun kommt ein Dichter und vollführt ein Gedicht darüber mit federnden Satzkurven und einer fragenden Schlußspirale ...

In einer ähnlichen Tonlage sind W. M. Schneiders „Infanterist Perhobstler“ und Karl Benno von Mechows (1897–1960) Roman „Das ländliche Jahr“ (1929, geschrieben, während die Kriegsbücher von Edwin Erich Dwinger bloß stofflich spannend sind. Bruno Brehms Trilogie vom Weltkrieg und von seiner balkanischen Vorgeschichte „Apis und Este“ (1931), „Das war das Ende“ (1932) und „Weder Kaiser noch König“ (1933) ist ein farbiger Roman aus dem Gesichtspunkt eines historisch gebildeten Offiziers der k. k. Armee. Daß der Zusammenbruch des habsburgischen Reiches eine Folge von leidenschaftlichen Unbesonnenheiten der beteiligten Völker war, hat Brehm, als Verteidiger der alten Reichsidee, vorzüglich dargestellt. Die Trilogie erschien in der „Berliner Illustrirten“ und hatte auch als Buch großen Erfolg. Vom Nationalsozialismus wurde es für seine großdeutschen Gedanken in Anspruch genommen.

Bruno Brehm

Es gab in Deutschland früh zwei Auffassungen vom Kriege. Der einen erschien der Krieg als Rückfall in Barbarei und als Folge verfehlter Politik, vertreten durch Renn, Köppen, Unruhs „Vor der Entscheidung“ (1919, S. 246) und Erich Maria Remarques „Im Westen nichts Neues“. Remarque, eigentlich Erich Paul Remark, Volksschullehrer aus Osnabrück, Jahrgang 1898, hatte mit seinem naturalistischen Report aus den Hinterhöfen des Krieges 1929 überraschenden Erfolg. Der Krieg wird ausschließlich desillusionierend geschildert, die Enttäuschung hat die ganze Generation vergiftet. Aber auch bei Remarque sind Kameradschaft und Opfer Werte, die über den Krieg hinaus bestehen; seine Romane „Der Weg zurück“ (1931) und „Drei Kameraden“ (1938) bezeugen es.

Die beiden Tendenzen, Remarque

Die Kriegsbücher der desillusionierenden Richtung verdanken in Auffassung und Darstellung Henri Barbusses „Le Feu“ (1916), das schon 1918 in deutscher Übertragung erschienen war, entscheidende Anregungen. Barbusse, ursprünglich Symbolist, sah im Kriege ein Verbrechen gegen die Menschlichkeit und verband mit der Veröffentlichung seines Tagebuches einer Korporalschaft eine politische Absicht, den allgemeinen Frieden. Sein Buch schwemmte nicht nur die französische „Nieder-mit-Deutschland“-Dichtung der Rostand, Verhaeren und Claudel hinweg, sondern auch die chauvinistische Welle, die Bücher der Kriegsberichter.

Barbusse, „Le Feu“

Neben ihm bestand, als nicht naturalistisches und dichterisches Kriegsbuch, nur Georges Duhamels „Leben der Märtyrer". Die englischen Kriegsautoren, Robert Graves und Richard Aldington, hatten die gleichen Empfindungen wie Barbusse und Köppen. Nur T. E. Lawrence ist die Ausnahme unter den westlichen Autoren des Kriegs – es ist kein Wunder, daß sein Werk „Seven Pillars of Wisdom" in Deutschland fast mehr Bewunderung fand als in den angelsächsischen Ländern. Es ist das Gegenstück zu Ernst Jüngers Kriegsbüchern.

Das deutsche Kriegserlebnis

Gegenüber den westlichen Kriegsteilnehmern waren die deutschen von einem mystischen, nationalen und todeserotischen Drang erfüllt. Für viele wurde der kriegerische Kampf zum inneren Erlebnis. Die deutsche Jugend hat im August 1914 offenbar eine Verwandlung erfahren, die Phänomene wie Langemarck hervorbrachte, wo Tausende von Freiwilligen, meist Studenten, mit dem Deutschlandlied auf den Lippen in die feindlichen Maschinengewehre stürmten. Dieser mystische oder berserkerhafte Zug ist den andern immer merkwürdig und unheimlich erschienen; aber er war eine Tatsache, und sie hängt damit zusammen, daß die Deutschen diesen Krieg nicht wie einen andern ansahen, gleichsam als einen Unfall der Weltgeschichte, sondern als die erste Bewährungsprobe der politischen Nation. Die Verspätung der Bildung einer deutschen Nation, zusammen mit konservativen, teilweise adligen Ehrbegriffen, kann die Ausbrüche der Begeisterung erklären, die im August 1914 das Volk wie ein Taumel ergriffen. Zwar erlebte die Masse der Soldaten bald die Ernüchterung, und manche Autoren haben deshalb Barbusses Buch als literarische Offenbarung begrüßt, aber jenes andere Element erwies sich keineswegs als überlebt: beide bestanden nebeneinander, oft genug in den gleichen Personen.

Hans Carossas „Rumänisches Tagebuch"

Das Motto von Carossas Kriegserlebnissen lautet „Raube das Licht aus dem Rachen der Schlange". Es erschien zuerst 1924 unter dem Titel „Rumänisches Tagebuch", später als „Tagebuch im Kriege". Der Arzt Carossa schildert einen kleinen, militärisch unwichtigen Abschnitt des Krieges, den er als Arzt bei der Truppe in Rumänien mitmachte. Das Motto deutet an, was für die Kriegsautoren der Grund ihrer Emphase, das Geheimnis ihres Handelns war: Der Krieg führt den Menschen auf elementare Positionen der männlichen Existenz zurück, und hier erst – fern der „das Leben" verfälschenden Zivilisation – bewährt sich der Mensch. Auch von der Vrings „Soldat Suhren" begann mit einem Zitat:

> Von den Bergen fließt ein Wasser,
> Das ist lauter kühler Wein ...

Es ist ein Soldatenlied, das in der Jugendbewegung gesungen wurde und nun wieder Soldatenlied wurde. Jenes Wasser der Berge ist „Wein", das befreiende Element, jenem Licht verwandt, das Carossa aus dem Rachen der Schlange zu rauben auftrug. Der Stil Carossas ist vom Tagebuch bestimmt, er gibt Bezeichnungen des Ortes und der Zeit. Das Ganze trägt authentischen Charakter. Nur die Glavina-Stücke fallen aus dem Rahmen, Gedichte in Prosa, die bei dem Gefallenen Glavina, einer Art Versteck des expressionistischen Dichters Carossa, gefunden werden. Dieser junge Freiwillige lebt in einem edlen, aber leeren Raum idealistischer Hochstimmung. Die Gnade, der Geist der Höhe, die Adler werden herabgerufen, „herztrunken", „glühend". Hinter Glavina erkennt man den Stil und die Züge Momberts. Für Carossas Auffassung vom Kriege ist ein humanistisches Ethos bezeichnend, das über nationalen und pazifistischen Ideologien steht:

Ein ungarischer Beobachter ließ uns durch sein Scherenfernrohr schauen. Wie man das Blickfeld eines Mikroskops nach den schädlichen rot oder blau gefärbten Pilzen absucht, so wird hier nach den moosgrün gekleideten rumänischen Soldaten gefahndet. Der Offizier hatte die Höhe Lespédii eingestellt; er verriet uns, daß unser Bataillon sie werde erstürmen müssen, und zwar bald. Im übrigen war er ärgerlich, weil keiner der Grünen sich zeigen wollte; gar zu gern hätte er ihnen ein paar Granaten hinübergesandt. Ich sah im Glas einen kleinen steinigen Hügel mit etwas Blumenwuchs und viel Gestrüpp. An einem Schräubchen drehend, entdeckte ich auf einmal hinter Wacholderbüschen eine ganze Gruppe schanzender Rumänen, wollte schon den Beobachter aufmerksam machen, fühlte mich aber gehemmt und schwieg. Zum ersten Male stand ich gewissermaßen vor der Pflicht, den Tod auf Menschen zu lenken; denn der verschonte Gegner kann im nächsten Augenblick die eigenen Landsleute gefährden. Anderseits waren die arbeitenden Leute von drüben hier in dem kleinen Glase gleichsam in meine Hand gegeben; ich sah, wie der eine sich eben eine Pfeife stopfte, ein anderer aus der Feldflasche trank, sie hielten sich für völlig sicher, und solange ich sie nicht verriet, geschah ihnen auch nichts – ein seltsamer Fall für einen Menschen, der nicht Soldat ist und mit sich selber in leidlichem Frieden lebt. Während mir das Herz wunderlich zu klopfen begann, trat ein älterer bosnischer Hauptmann hinzu, der nachts aus dem Urlaub zurückgekehrt war, und wandte durch lebhaftes Erzählen alle Aufmerksamkeit auf sich, so daß der magische Spiegel ganz in Vergessenheit geriet . . .

Jenseits der Parolen

Nahezu alle deutschen Dichter der Zeit haben literarisch das Erlebnis des Krieges zu fassen gesucht. Selbst Rilke schrieb ein paar halb verwunderte Marsgedichte, und eins der ersten Kriegsbücher stammte von einer Frau, es war Lena Christs „Unsere Bayern anno 1914". Erst im Kriege hat F. v. Unruh den Anstoß zu seinen utopischen Forderungen gefunden; ähnlich erging es R. Goering, E. Toller, A. Bronnen, A. T. Wegner („Martyrium in Briefen"), A. Ehrenstein („Schreie") und G. Trakl. Alle „Arbeiterdichter", außer Engelke, begeisterten sich für das kämpfende Vaterland und suchten im Kriege die Gemeinschaft, von der sie sich sonst ausgeschlossen fühlten. Für die Masse der Autoren blieb der Krieg *das* Erlebnis ihres Lebens. Sie standen ihm ähnlich gegenüber wie die Jugendbewegten ihren Fahrten. Eine geistige und moralische Durchdringung des Kriegsphänomens war ihnen selten gegeben; sie blieben in den Klischees der patriotischen Begeisterung, des pazifistischen Abscheus oder des religiösen Aufrufs stecken.

Der Krieg als Auslöser

Bereits 1919 gab Ernst Jünger das Kriegsbuch „In Stahlgewittern" heraus. Es war ein Bericht aus Tagebüchern. Im Vorwort zur ersten Auflage hieß es: „Es ist die Aufgabe dieses Buches, dem Leser sachlich zu schildern, was ein Infanterist als Schütze und Führer während des Großen Krieges inmitten eines berühmten Regimentes erlebt, und was er dabei gedacht und empfunden hat." Hier wurden keine Gedanken ausgesprochen, sondern Schilderungen gegeben („nichts ist schwieriger als die Schilderung einer Tatsache"). Das Buch begann mit einer Beschreibung des Aufbruchs:

Anarchie und Befreiung bei Ernst Jünger

Wir hatten Hörsäle, Schulbänke und Werktische verlassen und waren in den kurzen Ausbildungswochen zu einem großen, begeisterten Körper zusammengeschmolzen. Aufgewachsen in einem Zeitalter der Sicherheit, fühlten wir alle die Sehnsucht nach dem Ungewöhnlichen, nach der großen Gefahr. Da hatte uns der Krieg gepackt wie ein Rausch. In einem Regen von Blumen waren wir hinausgezogen, in einer trunkenen Stimmung von Rosen und Blut. Der Krieg mußte es uns ja bringen, das Große, Starke, Feierliche. Er schien uns männliche Tat, ein fröhliches Schützengefecht auf blumigen,

Patrouillenritt am Abend, Radierung von Ernst Ludwig Kirchner

blutbetauten Wiesen. „Kein schönrer Tod ist auf der Welt . . .“ Ach, nur nicht zu Haus bleiben, nur mitmachen dürfen!

Die romantische Empfindung wich, am ersten Tage an der Front, unter dem Druck rätselhaft unpersönlicher Erlebnisse:

Mit einem merkwürdig beklommenen Gefühl der Unwirklichkeit starrte ich auf eine blutüberströmte Gestalt mit lose am Körper herabhängendem und seltsam abgeknicktem Bein, die unaufhörlich ein heiseres „Zu Hilfe!“ hervorstieß, als ob ihr der jähe Tod noch an der Kehle säße . . . Was war das nur? Der Krieg hatte seine Krallen gezeigt und die gemütliche Maske abgeworfen. Das war so rätselhaft, so unpersönlich. Kaum, daß man dabei an den Feind dachte, dieses geheimnisvolle, tückische Wesen irgendwo dahinten. Das völlig außerhalb der Erfahrung liegende Ereignis machte einen so starken Eindruck, daß es Mühe kostete, die Zusammenhänge zu begreifen. Es war wie eine gespenstige Erscheinung im hellen Mittagslicht.

Der heroische Mensch

Jüngers geistiger Ausgangspunkt war die Anarchie des Menschen von Rang im bürgerlichen Zeitalter. Er wünschte, wie die ganze expressionistische Generation, den Aufbruch, die Befreiung. Vorerst galt es, im Chaos einen Sinn zu finden oder ihm einen Sinn zu unterlegen. Für Jünger waren die konventionellen Ideen Hilfsbegriffe, von denen man ausgehen konnte. Dabei erschienen die nationalen ihm vorerst besser begründet zu sein als die humanitären. Der Sinn des Geschehens aber blieb undurchdringlich. Jünger empfand den bloß „sachlichen“ Charakter des Geschehens: „Das gewaltige Feuer der Schlacht arbeitete wie ein riesenhaftes Hammer- und Walzwerk fort.“ Dabei blieb die Schilderung immer anschaulich, erzählerisch. Eine Fülle von Personen wurde gezeigt. Man gewahrte in dem öden Mechanismus der Ablösungen und Einsätze mit der Zeit ein Gesetz, dessen Substrat „Vernichtung“ hieß. Der Jüngersche Typ reagierte auf diese Erkenntnis ganz anders als die Masse der Soldaten: in der Zone der Vernichtung aushalten, sich bewähren, bis zum äußersten das tun, was in der klischierten Sprache „Pflicht“ hieß, wurde Zweck des Daseins.

Die Landschaft des Nichts

Das absurde Panorama hatte jedoch einen Horizont, der allmählich erkannt und durch Begriffe wie „Landschaft“, „Werkstätte“, „Feuer“, „Posten“ abgesteckt wurde. Es war die Landschaft des als „total“ erkannten Krieges, in dem alle Gegensätze der alten Gesellschaft zerschmolzen wurden. Hier war jeder „Arbeiter“ mit bestimmten Funktionen; die überkommenen Gegensätze und Gruppierungen der Stände, Bildungsklassen und Landschaften verschwanden, auch die militärische Hierarchie verlor ihr starres Aussehen. Hier gingen ja das Individuum, das Ich, die Person unter. Der Mensch als bewußtes Wesen „verschwand“, und nur im Schmerz erwachte er zu einem Gefühl: des Ablaufs der Zeit. Die Frage nach dem Sinn erwies sich als fruchtlos, denn das Sein gab ihn nicht mehr preis. Das Nichts wurde, in der von Nietzsche vorgeprägten Form, mit einemmal als wirklich empfunden. Das war jedoch keine bloß negative Empfindung – dann wäre sie unerforschbar und unartikulierbar. Hinter der sinnlosen Existenz „drängt sich auch dem einfachen Gemüt die Ahnung auf, daß sein Leben tief eingebettet und daß sein Tod kein Ende ist“. Man gewahrt solche Ahnungen in den gelegentlichen Idyllen, die selbst eine zerstörte Kriegslandschaft hervorbringt, oder in den reinigenden Funktionen des Krieges, die in dem Wunsch gipfeln, es später besser zu machen, als verwandelter und neuer Mensch heimzukehren.

Die neue Lage

Diese Problematik hat Ernst Jünger bewußter und schärfer erlebt als die andern. Während etwa Unruh oder Toller zu Pazifisten wurden und sich zur Begründung auf eine Vision beriefen, während die Masse beim Gefühl der grausamen Ernüchterung stehenblieb und ein nicht unbedeutender Rest sich der vaterländischen Begeisterung in die Arme warf, hat E. Jünger vom Kriegserlebnis aus eine neue „Lage“ des Menschen festzustellen versucht und sein späteres Weltbild, als Autor, unter diesem Gesichtswinkel folgerichtig entwickelt.

DAS NEUE DRAMA

Verhältnis zum Expressionismus

Die erste expressionistische Generation hatte den Glauben an den „neuen“ Menschen artikuliert. Sternheim, Sorge, Unruh, Kaiser, Goering, Hasenclever und Kornfeld hatten nach einer neuen Sprache und neuen Bauformen des Dramas gesucht. Die zweite Generation war durch den Krieg gründlich ernüchtert; das Ideal nicht bloß des „neuen“ Menschen, sondern des Menschlichen überhaupt war gestört. Die Gruppe Bronnen, Bruckner, Wolf und Brecht stellte einen anderen Typus auf die Bühne, den Verbrecher oder den listig die schlechten Zeiten überdauernden Anarchisten. Goering und Toller repräsentieren den Übergang des einen Typus zum andern. Goerings Matrosen im Panzerturm entsprachen einer militärischen und seelischen „Lage“, wie sie E. Jünger etwas später entwickeln sollte. Sie glaubten nichts mehr. Bei Toller ist „Die Wandlung“ früh vollzogen; seine späteren Stücke waren grimmige Elegien.

Barlach und Jahnn

Barlach und Jahnn sind landsmännisch und emotional von den großen Gruppen abgesondert. Man hat sie früher als Einzelgänger dargestellt; mit der Zeit ist ihre ideelle Bindung an die Zeit deutlicher geworden. Bei ihnen gibt es Kobolde, Gespenster, Mahre, Wassergeister, Gnomen und andere Wesen des Zwischenreichs. Sie sind tief in den Elementen verwurzelt und haben die Literatur – was kein Zufall ist – neben andern Künsten und Berufen betrieben. Sie scheinen einer älteren Schicht des deutschen Geisteslebens anzugehören, die man gewöhnlich „mystisch" nennt; sie bildet einen Gegensatz zur Intellektualität des Berlins der zwanziger Jahre.

Die neue Bühne

Die Erfolge der jungen Nachkriegsdramatik wären nicht möglich geworden ohne den neuen Theaterstil seit Kaisers „Bürgern von Calais" und Sorges „Bettler". Diese Stücke waren 1917 aufgeführt worden und hatten unerwarteten Erfolg. Hasenclevers „Sohn", Goerings „Seeschlacht", Johsts „Einsamer" wurden im gleichen Jahr in Berlin gespielt: es war das Entscheidungsjahr für das expressionistische Theater. Die großen Regisseure, der Bühnenapparat und die Schauspieler stellten sich auf den neuen Stil ein. Plötzlich wurde die Kästchenbühne beliebt, wandelten die Gestalten auf Treppenbühnen auf und nieder. Schon wurden Filme eingeblendet und Lautsprecher verwandt. Die Kornfeldschen Theorien hatten Wirkung, und das Publikum schien sogar gewillt, das Kornfeldsche „Begriffsoratorium" (P. Fechter) anzunehmen. 1916 war Oscar Schlemmers „Triadisches Ballett" in Stuttgart aufgeführt worden, das 1922 vollständig erschien. Schlemmer entwarf, auf dem Modell der abstrakten Bühne, Tanzfigurinen nach stereometrischen Gesetzen, gebildet aus Form, Farbe und Bewegung. Tanzkunst und Puppentheater vermittelten rhythmische und automatische Bewegungsreize, die man auf die Regiekunst des Theaters übertragen wollte. Brecht hat die einzelnen Künste innerhalb seiner Stücke selbständig zu erhalten gesucht. Ihr Gegeneinander machte er seinem Verfremdungseffekt nutzbar.

Kritik der Zeit

Einen entscheidenden Anteil hatten die großen Regisseure und Schauspieler, die vor allem in Berlin zur Verfügung standen. Sie boten Ensembleleistungen, die selbst schwache Stücke Bruckners, Tollers und Wolfs zur Wirkung brachten. An diesem Widerspruch entzündete sich der Gegner des neuen Dramas, Alfred Kerr, der wichtigste Kritiker Berlins. Er mußte die Aufführungen loben und die Stücke in Grund und Boden kritisieren. In Toller sah er einen kommenden Dichter, Sternheim warf er vor, nicht das Abkürzen, sondern das richtige Fortlassen, „im schlagenden Herausgestalten des Wesentlichen", sei für den Stil eines dramatischen Schriftstellers wichtig. Über die Berliner Aufführung von Brechts „Mann ist Mann" schrieb Kerr 1927 in seinem beißenden Stil:

Kerr über Brecht

> Ich beschloß, dieses (laut Zettel) Lustspiel, so auf mich wirken zu lassen, als ob ich es nicht in Darmstadt schon gesehen hätte. Die Bearbeitung tilgt allzu sinnloses . . .
> Der treue Mimentreiber, Erich Engel, sucht Schlagsicherheit und crescendo gegen den Schluß (an Marschgang wie an Geräusch) hineinzufegen.
> Manches infantil Heitere der Anfangsbilder ist (für sehr Nachgiebige) kurze Frist aushaltbar. Jedoch die abstruse Langweiligkeit und lärmdumpfe Leere des größeren Teils geht löchernd, rädernd auf die Nerven . . . von Zuschauern, denen der Vorsatz zur Dürftigkeit mangelt.

Der Tenor dieser Kritik durchzieht alle Besprechungen, die Kerr über Brecht geschrieben hat. Er rügte die starke Anlehnung Brechts an fremde Stücke und

Welten, besonders in der Dreigroschenoper. Kerr erkannte ganz richtig, „Brecht und Bronnen stehen dem sogenannten Naturalismus nahe – und machen im Grunde gar nicht Expressionismus". Ähnlich war Kerrs Einstellung gegenüber Piscator, wenn er ihm vorhielt, daß er die Mätzchen (Klassiker in modernen Kostümen) nicht nötig habe: „Dabei ist Piscator ein ganzer Kerl – welcher die Mode nicht braucht."

ALFRED KERR

Alfred Kerr, Zeichnung von Oskar Kokoschka

In den Jahren 1602/03 erschien die deutsche Bibelübersetzung des protestantischen Theologen Johann Fischer, der sich nach humanistischer Weise „Piscator" nannte. Die Piscator-Bibel spielte im deutschen Protestantismus eine rühmliche Rolle, und der kommunistische Theatermann Wilhelm Heinrich Fischer legte sich wie sein Ahne den Namen (Erwin) Piscator zu. Er stammte, 1893 im Kreis Wetzlar geboren, aus bäuerlich-patriarchalischen Verhältnissen und rühmte sich eines christlichen Elternhauses. Vor Ausbruch des Weltkrieges studierte er in München Germanistik und war Volontär am Hoftheater; entscheidenden Eindruck machte ihm der Schauspieler Albert Steinrück. Während des Krieges an der Westfront kam der junge Schauspieler Fischer, der Gedichte für die Pfemfertsche „Aktion" schrieb, zum Fronttheater und gründete nach dem Kriege in Königsberg ein eigenes kleines Theater, „Die Tribüne", wo Strindberg, Wedekind und Sternheim gespielt und Tollers „Wandlung" vorbereitet wurde. Unter dem Einfluß des linksgerichteten Berliner Dada gab Piscator die Idee der Kunst zugunsten der Propaganda für die Idee des revolutionären Proletariats auf. Dabei spielte der expressionistische Kampf gegen die Verlogenheit der bürgerlichen Kultur eine Rolle, politisch sehr deutlich in den Anklagen gegen die Sozialdemokratie, welche den Gedanken der Weltrevolution zugunsten einer kleinbürgerlichen Ideologie verraten habe. Das Unterhaltungstheater der Front hatte Piscator mit Recht als Ausdruck einer großen Lüge empfunden, da es ja nicht, wie die Fronttheater der Roten Armee, zugleich der Propaganda der Idee diente, für die man kämpfte.

Erwin Piscator

Zusammen mit Hermann Schüller gründete Piscator 1919 in Berlin das „Proletarische Theater, Bühne der revolutionären Arbeiter Groß-Berlins". In einem politisch und grammatisch bezeichnenden Manifest hieß es:

Das proletarische Theater

Die Leitung des Proletarischen Theaters muß anstreben: Einfachheit im Ausdruck und Aufbau, klare eindeutige Wirkung auf das Empfinden des Arbeiterpublikums, Unterordnung jeder künstlerischen Absicht dem revolutionären Ziel: bewußte Betonung und Propagierung des Klassenkampfgedankens. Das Proletarische Theater will der revolutionären Bewegung dienstbar sein und ist daher den revolutionären Arbeitern verpflichtet. Ein aus ihrer Mitte gewählter Ausschuß soll die Verwirklichung der kulturellen und propagandistischen Aufgaben verbürgen. Es wird nicht immer nötig sein, die Tendenz des Autors an erste Stelle zu setzen. Im Gegenteil: sobald erst Publikum und Theater im Laufe der Zusammenarbeit den gemeinsamen Willen zur revolutionären Kultur gefaßt haben, wird fast jedes bürgerliche Stück, sei es, daß darin der Verfall der bürgerlichen Gesellschaft zum Ausdruck kommt, sei es, daß das kapitalistische Prinzip besonders deutlich und erkennbar wird, dazu dienen können, den Klassenkampfgedanken zu stärken, die revolutionäre Einsicht in die historischen Notwendigkeiten zu vertiefen. Solche Stücke würden zweckmäßig durch ein Referat eingeleitet, damit Mißverständnisse und falsche Wirkung unmöglich gemacht werden. Unter Umständen kann man an den Stücken auch Veränderungen vornehmen (der Personalkult des Künstlers, der damit verletzt wird, ist ja konservativ) durch Streichungen, Verstärkungen gewisser Stellen ... Auf diese Weise kann ein großer Teil der Weltliteratur der revolutionären proletarischen Sache dienstbar gemacht werden, ebenso wie die gesamte Weltgeschichte zur politischen Propagierung des Klassenkampfgedankens benutzt wurde.

Die Stücke

Man spielte in gemieteten Sälen oder Parteilokalen und baute, nach dem Vorbild der alten Volksbühnen, eine Besucherorganisation auf. Es gab: 1920 und 1921 Gorki „Die Feinde", Upton Sinclair „Prinz Hagen", Franz Jung „Die Kanaker" und „Wie lange noch, du Hure bürgerliche Gerechtigkeit?", das Kollektivstück „Rußlands Tag" und „Gegen die weißen Schrecken – für Sowjet-Rußland". Dann wurde das Theater polizeilich geschlossen – nicht ohne daß die kommunistische Parteizeitung „Die Rote Fahne" dazu die Handhabe geboten hätte; denn sie hatte mit durchaus bürgerlich-sentimentalen Begriffen gegen das Piscatorsche Unternehmen polemisiert: „... Kunst ist eine zu heilige Sache, als daß sie ihren Namen für *Propagandamachwerk* hergeben dürfte ... Was der Arbeiter heute (1920!) braucht, ist eine starke Kunst ... solche Kunst kann auch bürgerlichen Ursprungs sein, *nur sei es Kunst*."

Franz Jung

Auf der Suche nach einer neuen Möglichkeit kam Piscator mit José Rehfisch zusammen, der das Zentraltheater „an der Hand" hatte. Hier wurden Gorki, Tolstoi, Rolland („also in gewissem Sinne eine Annäherung an die O-Mensch-Dramatik") gespielt. Später sollte aus Franz Jungs „Annemarie" (1922) eine politische Revue entwickelt werden. Franz Jung, 1888 in Neiße geboren, war Mitarbeiter der „Aktion", in deren Bibliothek 1916 der Roman „Opferung", 1917 sein Drama „Saul" erschienen war; Piscator hat noch 1928 Jungs Drama „Heimweh" aufgeführt. Anfang der zwanziger Jahre schrieb Jung sozialkritische Prosa, die auf Erlebnisse und Erfahrungen in Sowjetrußland zurückging. 1937 floh er über Prag und Budapest nach Amerika.

Politische Revuen

Die Revue, entstanden aus bunten Abenden, gab die Möglichkeit zu einer „direkten Aktion" im Theater. Die Revuen spielte Piscator im Großen Schauspielhaus. Man arbeitete mit Musik, Girls, Schlagern, Scheinwerfern, Projektionen an die Saaldecke, politischen Dokumenten und Schlagworten. Hier zeigte man Alfons Paquets Anarchistenstück „Fahnen" als episches Theater und seine „Sturmflut" mit Kombinationen von Szene und Film. Mit „Trotz alledem, historische Revue aus den Jahren 1914–1919" wurde am 12. Juli 1925 der Parteitag der KPD eröffnet. Piscator war als Regisseur auf die Verwendung des Films in Revuen aufmerksam geworden. Klassiker wie Schillers „Räuber" ließ er in modernen Kostümen spielen, um sie dem Publikum näherzubringen. Allerdings gab es starken Widerstand der Kritik, da Piscator, im Sinne seiner Ideologie, die Stücke umschrieb; in den „Räubern" wird Karl Moor „entheldet", und seine Rolle übernimmt Spiegelberg als kommunistischer Chef, während die Räuber Kommunisten sind. Bernhard Diebold sprach, wie auch Herbert Ihering, vom Tod der Klassiker. Diebold schrieb: „Ein Spiegelbergdrama ist nicht aus Schiller abzuleiten, sondern muß von – sagen wir von Brecht – neu gedichtet werden. Oder wir wenden uns

Erwin Piscator, 1928

direkt an Piscators Dichtereigenschaft und fordern von ihm Hausgemachtes." Theatergeschichtlich ist Piscators Vergewaltigung Schillers durchaus folgerichtig. Lange vor ihm hatte Max Reinhardt den klassischen Begriff der Werktreue aufgegeben und alte und moderne Theaterstücke nach den Bedürfnissen der Regie, der Bühne, der Massenwirkung inszeniert.

Der allmächtige Regisseur

Es kam bald schon zu einer Krise zwischen dem Vorstand der Volksbühne und ihrem Regisseur Piscator. Der Streit hatte sich an Ehm Welks „Gewitter über Gothland" entzündet, einem Störtebeckerdrama, dem Piscator seine Propagandaidee unterlegt hatte.

Piscator dachte nun an die Gründung eines eigenen Theaters, in dem er die künstlerischen und dichterischen Pläne verwirklichen konnte. Mit Ernst Toller wurde der Plan besprochen, Tilla Durieux besorgte einige hunderttausend Mark. Von dem Architekten Walter Gropius wurde ein Neubau entworfen. Piscator mietete das im vornehmen Westen gelegene Theater am Nollendorfplatz. Man wollte mit einem Stück beginnen, das im Kreis seiner Freunde entstanden war, Wilhelm Herzogs „Rings um den Staatsanwalt"! Aber als Herzog das Stück vorlegte, war Piscator „maßlos enttäuscht". Deshalb wurde Tollers „Hoppla, wir leben" (mit einem gegen den Willen des Dichters veränderten Schluß) gewählt; es hatte Erfolg vor einem Publikum, das im Frack ins Theater ging und bis zu hundert Mark für einen Platz bezahlte. Kommunistische Jugendliche sorgten dafür, daß am Schluß die Internationale gesungen wurde, also jene politische Wirkung eintrat, die Piscator wünschte.

„Hoppla, wir leben"

In den nächsten Monaten wurde nach Alexei Tolstois „Rasputin"-Drama unter

ERWIN PISCATOR

Benützung der politischen Literatur und Einflechtung neuer Szenen, verfaßt von Gasparra und Leo Lania, „Rasputin“ gespielt, wobei zahlreiche, teils dokumentarische, teils besonders gedrehte Filmszenen eingeblendet wurden. Da steht Rasputin auf der Bühne, hinter ihm wurde der Riesenschatten des Zaren im Film an die Wand geworfen. Auf mehreren Leinwänden wurden oft gleichzeitig historische Szenen gezeigt. Ein Kalender sorgte für die Dokumentation der Zeit. Hatte sich Piscator bei Toller

Der technisierte Thespiskarren; auf dem Bock Erwin Piscator, vor ihm Tilla Durieux, Max Pallenberg und Paul Wegener (aus dem Simplicissimus)

Film im Theater

noch mit einem großen Etagengerüst begnügt, auf dessen Stockwerken Szenen und Film liefen, so benutzte er für den „Rasputin“ ein Globus-Erd-Segment. Spielgerüst des Dramas war der Erdball, das „Rasputin-Schicksal wurde zur Schicksalsrevue ganz Europas“ (Piscator). Dann spielte man eine epische Satire nach Haseks „Soldat Schwejk“. Hier wurde zum erstenmal kein Drama, sondern ein Roman mit Hilfe von Piscators technischer Filmphantasie auf die Bühne gebracht. Max Pallenberg verhalf der Rolle zum Erfolg. Trickfilme und Projektionskulissen, das (filmische) „laufende Band“ der modernen Dramaturgie feierten ihre bewunderten und geschmähten Triumphe. Außerdem erschienen Sinclairs „Singende Galgenvögel“, Pliviers „Des Kaisers Kuli“, die Satire auf die Weltwirtschaft „Konjunktur“ von Leo Lania und Jean Richard Blochs „Der letzte Kaiser“. Aber das Drama konnte sich auf dem Spielplan nicht halten, und so mußte Piscator 1929 sein Theater am Nollendorfplatz schließen.

Ernst Barlach

Das literarische Werk

Während die dichterischen Versuche des jungen Kokoschka vom Wiener Jugendstil an die Schwelle der neuen expressionistischen Kunst führten und nicht fortgesetzt wurden, sind die Dramen und autobiographischen Berichte des um ein halbes Menschenleben älteren norddeutschen Bildhauers, Zeichners und Malers Ernst Barlach so bedeutend, daß man von einem Dichter Barlach sprechen muß. Er begann erst als fertiger Mann, mit vierzig Jahren, zu publizieren. Sieben Dramen erschienen 1912–29; sie wurden mehrfach gespielt, hatten aber nie recht Erfolg auf der Bühne und beim Publikum. Ein achtes Stück, „Der Graf von Ratzeburg“, wurde erst nach dem Tode veröffentlicht. Auch die Romanfragmente „Seespeck“ und „Der gestohlene Mond“ erschienen erst zehn Jahre nach Barlachs Tod und wurden als epische Leistungen von Rang begrüßt; dokumentarisch und künstlerisch sind sie für Barlach wichtig. Ferner gibt es Briefsammlungen aus der Fülle von etwa 1200 bisher bekannt gewordenen Briefen.

Entwicklung des Künstlers

In der Autobiographie „Ein selbsterzähltes Leben“ (1928) beschreibt Ernst Barlach seine Jugend im großväterlichen Pfarrhaus Bargteheide und kleinen Städten bei Hamburg. Er ist 1870 geboren. Sein Vater war Arzt, der junge Barlach besuchte das Gymnasium in Ratzeburg. Früh entschloß er sich, vom kunstfreundlichen Milieu der Familie angeregt, Maler zu werden, also eine „utopische Existenz“ auf sich zu nehmen mit dem Vorsatz, „etwas Großes“ zu machen und zu werden. Er fühlte sich als Rebell und opponierte gegen seine akademischen Lehrer in Hamburg, Dresden und Paris. Auf der großen Rußlandreise (1906) entdeckte Barlach, der bisher experimentiert hatte, die „verblüffende Einheit von Innen und Außen“. Was sechs Jahre vor ihm der junge Rilke in Rußland erlebt hatte, eine Art von mystischer Allerfahrung, wurde für Barlach Gegenstand seiner künstlerischen Vision. Es ist der Irrtum aufgekommen, Barlach sei vom Osten, also von der Landschaft, den Menschen und der Kunst Rußlands, entscheidend geprägt worden.

Östlich und nordisch

Tatsächlich ist Barlachs erbliche und geistige Anlage rein niederdeutsch, plattdeutsch, germanisch und „nordisch“, allerdings nicht von der strahlend-sieghaften Art, sondern elbisch, trollhaft, spukhaft und spökenkiekerisch, dumpf und sinnlich, grüblerisch und versponnen – das norddeutsche Gegenstück zu den Opfern der böhmischen Nachtmahre von Kubin bis Kafka. Der böse Spuk, das grausame Märchen, der nebulose Mythos und der Glaube an unholde Geister durchziehen Barlachs literarisches Werk.

„Der tote Tag“

Das erste Stück, „Der tote Tag“ (geschrieben 1907, veröffentlicht mit eigenen Zeichnungen 1912, zum erstenmal gespielt 1919), beginnt mit einer Gnomenszene. Sie spielt auf einem großen Flur, der zugleich als Küche und Wohnraum dient, mit alkovenartig eingebauten Betten an den Wänden, im Balkengefüge und in Bodenräumen:

Mutter (steigt aus dem Keller auf, halb heraus steht sie still und schaut sich um): Gnom! (Stille.)

Mutter: Gnom Steißbart! (Stille.)

Mutter: Steißbart, sprich wenigstens, daß dus nicht willst, sag nur, daß du nichts sagen magst. (Stille.)

Mutter: Deine Blicke wachen, das spür ich in der Einsamkeit. Ich muß dir eine Schelle anhängen. Deine Zunge muß läuten. Einen unsichtbaren Knecht muß ich dulden, aber ein stummer ist mir zuwider. (Sie steigt vollends heraus und hascht nach ihm.) Hier nicht, da nicht! Aber da!

Steißbart (schreit): Ja, ich bins, Frau, du trittst drauflos, als wär ich ein Maulwurfshaufen oder ein Kieselstein!

Mutter (greift ihn): Und du bist stumm, wie alle beide. Hättest selbst Schuld, wenn ich dich zu Aas zertrat. So, das wäre gelungen. (Hält ihn scherzend im Arm.) Bist du ein Mann? (Befühlt ihn – – spottend:) Wahrhaftig – – – und ein ganzer. Steißbart, du Wichtel mit dem Bart am Steiße!

Steißbart: Laß meinen Bart fahren, Frau, meinen Bart fahren lassen!

Mutter: Daß du mir entschlüpfst? Bin ich eine Verschwenderin? Da ich einen Schatz habe, soll ich ihn nicht halten? . . .

Befreiung zum Geist

Diese Mutter hat einen Sohn, den sie im düsteren Keller gefangenhält. Sein Vater war Geist und Gott. Sie ist die Diesseitige und Irdische, deshalb versteht sie die Sprache der Geister, der Vor- und Untermenschlichen nicht – die dem Sohn sichtbar werden und mit dem sie reden. Der ferne Vatergott sendet dem Sohn

Ernst Barlach, Selbstbildnis 1928

als Instrument der Befreiung, zum Ritt in die Welt, das Roß Herzhorn, das der Sohn im Traum mit vier Hufen wie Augen geschaut hat. Da ersticht die Mutter das Götterroß. Der Sohn, nachts vom Alb auf seine Herkunft geprüft, zerreibt sich ohnmächtig im Kampf mit der Mutter. Er watet in Nebeln, die Nacht bricht herein: der Tag ist tot. Es treibt ihn zurück in den Keller. Zwar ersticht sich die Mutter selbst, als der Gnom sie zum Bekenntnis des Mordes an Herzhorn bringt. Der Sohn, zu schwach zum Tag und zum Geist, folgt ihr in den Tod. Der blinde Wanderer Kule, ein Bote der Götter, vielleicht Gott selbst, steht mit Steißbart vor den Leichen, und der bettelnde Wanderer fragt den Gnom Steißbart:

Kule: Du und ich! Welcher Weg wäre uns beiden der rechte?
Steißbart: Botengängerweg, daß die Welt weiß, was wir wissen.
Kule: Und was wissen wir?
Steißbart: Woher das Blut kommt, bedenken sollen sie. Alle haben ihr bestes Blut von einem unsichtbaren Vater.
Kule: Dein Geschrei klingt sonderbar.
Steißbart: Aber wie Blutgeschrei richtig. Sonderbar ist nur, daß der Mensch nicht lernen will, daß sein Vater Gott ist.

Der Mensch ist unterwegs

Mit dieser Stichomythie schließt das Stück. Sie ist ein Beispiel für den sonderbar wortkargen Dialog. Zusammen mit der Inhaltsangabe zeigen die Textstellen, daß es sich um ein Stück aus dem Bereich der Märchen und Mythen handelt. Während aber die Mythenstücke der Neuromantik die Psychologie, die Mystik, die Kunst oder das schöpferische Prinzip „meinen“, hat Barlach sich den Mythos für seine Botschaft zurechtgedichtet. Es ist „sein“ Mythos, und er soll zeigen, daß die irdische Existenz Zeichen, Symbol und „Schauloch“ einer geistigen ist. Für diese Vision suchte Barlach den künstlerischen Ausdruck. Was seine Graphik und Plastik in Figuren zeigen, sollten die Dramen, so gut es geht, aussprechen und auf der Bühne darstellen.

Man hat als Quelle der eigenwilligen Weltanschauung Barlachs auf Meister Eckhart und Dostojewski hingewiesen. Beide haben ihn beeinflußt, der Deutsche durch seine Lehre vom Seelenfünklein, dem inwendigen göttlichen Licht in jedem Menschen, der Russe durch die Kühnheit, mit welcher er religiöse Probleme in den großstädtischen Alltag stellte. Aber Barlach selbst war kein Mystiker, sondern Visionär und Prophet; er hat wohl gegrübelt, aber nicht wie ein Philosoph oder Theologe gedacht. Er hatte Spukgesichte, hörte Stimmen und legte sich einen Mythos vom Menschen zurecht, dessen Kern war, daß der Mensch noch nicht fertig, sondern „unterwegs“ sei. Gott selbst ist im „Toten Tag“ und der „Sündflut“ als Bettler, Wanderer und Reisender unterwegs, unzufrieden mit seiner Schöpfung und dem Menschen, sehr wohl wissend, daß die Schöpfung unvollkommen, unfertig und eigentlich mißlungen ist. (In der „Sündflut“ läßt er sein Werk untergehen, um neu zu beginnen.) In diesem Wanderergott steckt Odin, der Gott des germanischen Schöpfungsmythos, der unterwegs ist und an der Schöpfung leidet, die er erlösen will. Barlach hat die jüdisch-christliche und germanische Religion als Stadien auf dem Wege zu einer neuen Religion betrachtet. Es ist deshalb zu einfach, Barlach als einen christlichen Autor zu betrachten. Noch im „Grafen von Ratzeburg“ versuchte er einen Wegsucher darzustellen; weil Barlach einen mittelalterlichen Stoff verwandte, klingt das Drama christlich; aber das Christliche ist nicht das Ziel, sondern eine Strecke jenes „Weges“.

Das Christliche als Station des „Weges“

Ernst Barlach, Handschriftprobe aus Seespeck

„Der arme Vetter“

Barlachs zweites Stück ist „Der arme Vetter“ (1918); es spielt „an einem Ostertag auf einer buschbewachsenen Heide in der Nähe der Oberelbe“. Die Gestalten sind wie in „Seespeck“ saftig und niederdeutsch; es wird platt gesprochen, getrunken, getobt, und dort auf der Heide singt Fräulein Isenbarn, dem nach Auferstehung zumute ist. Sie ist mit einem nüchternen Geschäftsmann verlobt, der keine Ahnung von einer höheren Welt hat. Gleich zu Anfang stößt er sich daran, daß sie „ach Gott“ ruft: „Du rufst Gott heute zum dritten Male – er wird wohl wissen, warum – ich weiß es nicht.“ Zwischen den Osterspaziergängern läuft Hans Iver, der arme Vetter jedermanns, herum, welcher der Meinung ist, „daß wir alle zusammen mit sehr schäbigem Recht an der Krippe des Lebens stehen“. Auch sich selbst mag er nicht und hält der alkoholisierten ordinären Gesellschaft den Spiegel vor – und da entdeckt die Isenbarn ihre „höhere Natur“, wird „Magd eines hohen Herrn“, verläßt ihren Verlobten und verschwindet so spukhaft wie Hans Iver, der tot aus einem Gebüsch gezogen wird. Zum Schluß heißt es von ihr: „Der Hohe Herr war ihr eigener hoher Sinn – und dem dient sie als Nonne – ja, ihr Kloster ist die Welt, ihr Leben – als Gleichnis.“

Stellung zum Expressionismus

Ähnlich wie Sternheim wurde Barlach von den Chaotikern des Expressionismus zu den Ihren gezählt. Seine Personen waren Typen, die Milieus waren unrealistisch, Motive und Themen näherten sich denen der Hasenclever, Sorge, Unruh und Kaiser: Vater- und Mutterkomplexe, Sehnsucht nach einem neuen Menschen, Verzicht auf naturalistische Psychologie und eine gewisse Zeitlosigkeit der Handlung schienen Barlachs Welt mit der expressionistischen zu verbinden. Aber stärker war das Trennende, Barlachs Verachtung der Abstraktion, die Neigung zum grotesken und humoristischen Detail, die Echtheit des Milieus seit dem „Armen Vetter“, und vor allem – darin ähnelt seine Dramatik der Sternheimschen – durch das Symbolnetz, das im „Armen Vetter“ die Handlung fast erstickt. Alle Worte bekommen einen Hintersinn, alle scheinbar harmlosen Vorfälle werden Gleichnisse. So meditiert Hans Iver vor einer Stallaterne: „Es läßt sich nicht leugnen, vor meinen Augen ist die Latüchte [Laterne] heller als der Sirius, eine Tranlampe überscheint ihn. Es muß eben jeder selbst sehen, wie ers macht, daß diese selbstige Funzel nicht alle himmlischen Lichter [die Sterne] auslöscht.“ Barlach hat sich freilich bei den Aufführungen wehren müssen, daß alles tiefsinnig und doppeldeutig genommen würde: er wollte solchen Wendungen lieber einen humoristischen Sinn unterstellt haben.

Titelseite von Ernst Barlach

Die Menschen sollen etwas

Höheres durchscheinen lassen. Diese Idee hat Barlach in „Die echten Sedemunds“ (1920) glücklicher als im „Armen Vetter“ demonstriert. Auf einem niederdeutschen Schützenplatz bewegt sich unter dem naiv und dreist sich amüsierenden Volk Herr Grude, der aus dem Irrenhaus für ein Begräbnis beurlaubt war, und erregt mit der Haut eines toten Zirkuslöwen eine Panik. Nur die echten Sedemunds, die Helden des Stückes, widerstehen ihr, denn sie wissen, daß man den Löwen überwinden kann, daß der Löwe im Menschen, die große Leidenschaft, mit seinen Tatzen kratzt und „große Gruben gräbt“.

Titelseite von Ernst Barlach

„Die echten Sedemunds“

Hier beginnt Barlach seine Sprache zu jenem alliterierenden, lallenden, reimenden und stabenden Instrument zu machen, das sie nicht nur der banalen Sprache, sondern auch der Poesie gefährlich entfremdet (z. B. Christoffer im „Graf von Ratzeburg“: „Das war die Lust, die lüstern ist nach der letzten Lust, und die letzte Lust ist die Gemeinschaft des Gehorsams mit seinem Widerspruch, die Einigkeit der Selbsterbauung mit der Selbstverschwendung . . .“). Wenn der alte Sedemund schließlich in einer Strindbergschen Szene vor dem Kreuz steht und blasphemisch über sein Ich radotiert, weiß er, daß hinter dem „Selbst“ etwas anderes steckt; und gerade der Sünder, Gauner und Verbrecher ist *mehr* Mensch als das philiströse Fräulein, das die Zehn Gebote zitiert und sich von Sedemund sagen lassen muß: „Sie kamen nie in die Lage, eine Ehe zu gefährden. Bei Ihrer Figur nicht! Sie können sich auf den Kopf stellen, Ihretwegen spaltet sich keine Ehe. Was folgt daraus? Das sechste Gebot findet auf Sie keine Anwendung, es ist nicht da, wo Sie sind.“

„Der Findling“

Als „Kafferngewissen“ kommt der tote Löwe (ein Motiv aus „Seespeck“) über die Philister und Heuchler. Er zwingt sie zum Eingeständnis ihrer Niedertracht, zu einem komisch-feierlichen Aufzug aller „Teufelsbraten“. Am Schluß ruft Grude, der weise Narr: „Alles wird gründlich anders, es lebe die neue Zeit und die echten Grudes!“ Die tragische Wirkung wird, wie bei Sternheim, tragikomisch verstärkt. Im „Findling“ (1922) freilich scheint das Grauen allmächtig zu werden. Gemeinheit und Häßlichkeit, Roheit und Gewalt bestimmen die unklare Handlung. Das Stück ist ein Mysterienspiel der Bosheit mit Details aus der sexuellen und skatologischen Sphäre, es ist reimtrunken und sprachlich voller unsinnlicher

Bildungen auf -heit, -keit und -ung. Adjektive und Verben werden substantivisch gebraucht; oft wird mit Worten gespielt, deren Sinn nur aus der Handlung hervorgeht; so sagt der Steinklopfer, nachdem er den roten Kaiser mit dem Hammer erschlagen hat: „Mit Jammer gehammert hast du das Land – ho, der Hammer hat seinen Hammer gefunden." Barlach übernimmt sich in Vorstellungen perverser Qualen, wenn er ein erwartetes „Teufelskind" schildert, das auch ein Heilandskind sein kann. Die Sprache wird selbständig, die Personen sind nicht nur sie selber, sondern ihre eigenen Kommentatoren:

Die Auflösung der Sprache

Der Baß brummt brav: das Kind ist namenlos.
Sein Biederbaß ist viel zu vornehm, solchen Bengel zu bevattern.
Und wie der Baß, so beißen alle Bässe,
Und mit den Bässen stutzt die ganze Welt
Vor ihrer bösen Brut von einem Buben:
Ein verfluchtes Gebräu von Zufallszucht, – –
Wenns nur nicht hübsch hinten herum ein Bastard wohl,
Aber kein erbärmlicher von irgendwo,
Sondern der Allerweltssohn schlecht und recht und echt,
Euer aller Kind und Kindeskind,
Euer aller Schuld, euer aller Schande,
Euer aller aufgedeckter Schaden,
Wenn es nur nicht ihr selber wärt,
In einem Knäul und Geul von Offenbarung.

„Die Sündflut"

Barlachs verständlichstes Stück ist „Die Sündflut" (1924), weil er hier den eigenen Mythos mit der bekannten biblischen Erzählung von Noah und seinen Söhnen, dem Zorn Gottes über die verdorbene Menschheit und dem Bau der Arche verbunden hat. Noah ist der biblische Gläubige, an dessen wortreicher Frömmigkeit Barlach durch den Mund eines von ihm erfundenen mächtigen Gegenspielers, Calan, drastische Kritik üben läßt. Calan vertritt die These, Noahs Gott sei machtlos, er kümmere sich nicht um das Flehen der Menschen und lasse jede Übeltat zu. Um Gott und Noah herauszufordern, begeht er zu Noahs Entsetzen einen niederträchtigen Frevel: er läßt einem gefangenen Hirtenjungen die Hände abhacken. Noahs Söhne sind weitgehend vom bösen und faulen Denken angesteckt, sie begehren dämonisch-irdische Weiber zur Frau. Unter den Mägden ist die junge, sinnlich-schöne Awah. Sie wird von den Engeln, den Boten Gottes, befähigt, Gott zu sehen und zu hören. Gott selbst taucht in Gestalt des vornehmen Reisenden und des Bettlers auf, beklagt seine unvollkommene Schöpfung und beschließt die Sündflut, während Calan mit dem Anspruch auf das göttliche Ich („ich spreche mit mir selber; ist das beten, so bete ich") sich dem Gericht nicht fügen will. Der einzige, der ihm helfen könnte, ist der von ihm verstümmelte Hirt. Calan wird, nachdem die Ratten ihm die Augen ausgefressen haben, „sehend"; aber er sieht nicht Noahs Gott, sondern jenen andern, den Werdenden, Künftigen:

Barlachs neuer Gott

Noah: Ach, Calan, was siehst du – Gott ist mein Hirt, mir wird nichts mangeln. Er wird mich durch die Flut führen und mich retten vom Verderben.

Calan: Das ist der Gott der Fluten und des Fleisches, das ist der Gott, von dem es heißt, die Welt ist winziger als Nichts, und Gott ist Alles. Ich aber sehe den andern Gott, von dem es heißen soll, die Welt ist groß, und Gott ist winziger als Nichts – ein Pünktchen, ein Glimmen, und Alles fängt in ihm an, und Alles hört in ihm auf. Er ist ohne Gestalt und Stimme.

geschont. Vergessen in alten Kummer geschenkt. Mann, Mann, das Futter ist zerfetzt – der Mantel ist mehr Flick als Stück, aber heil, Mann, ist die Hintertasche, der gepolsterte Rücken. Halt die Hände hoch, daß meine Finger feiner fühlen – oh, Mann, das volle Polster – du weißt, was für ein Futter ich zum Fettmachen deines Mantels hatte – wir sind noch reich, Kummer, Kost hat wohl geschält aber nicht gekernt!

Kummer (legt seine Hand auf ihren Mund): Ich weiß, ich weiß, straf dich Gott, schweig still, schweig still. Kost hat gestümpert und – ungeprahlt – ich habe mit Faxen nicht fauler wie mit Fäusten für mein Fettpolster gefochten, den Rücken recht in den Morast gerutscht,

Eine Seite aus Der Findling, mit Holzschnitt von Ernst Barlach

Noah: Armer Calan!

Calan: Du armer Noah! Ach, Noah, wie schön ist es, daß Gott keine Gestalt hat und keine Worte machen kann — Worte, die vom Fleisch kommen — nur Glut ist Gott, ein glimmendes Fünkchen, und alles entstürzt ihm, und alles kehrt in den Abgrund seiner Glut zurück. Er schafft und wird vom Geschaffenen neu geschaffen.

Noah: O Calan — Gott, der unwandelbare von Ewigkeit zu Ewigkeit?

Calan: Auch ich, auch ich fahre dahin, woraus ich hervorgestürzt, auch an mir wächst Gott und wandelt sich weiter mit mir zu Neuem — wie schön ist es, Noah, daß auch ich keine Gestalt mehr bin und nur noch Glut und Abgrund in Gott — schon sinke ich ihm zu — Er ist ich geworden und ich Er — . . .

Das Ende der „Sündflut" zeigt, daß die gepredigte Religiosität ein Thema fortspann, das die kosmische Dichtung aufgenommen hatte: das Ich erschafft den Kosmos, das ewige Werden kommt zu sich selbst im Menschen, der Mensch ist Gott und setzt seinen eigenen Mythos. Däubler hat im „Nordlicht" darüber gehandelt, Werfel in „Spiegelmensch", aber auch Mombert, der späte Rilke, Wolfskehl und Schuler, Pannwitz, zur Linde, Schaeffer, George, Dehmel, die Friedrichshagener — alle Autoren, die sich als Philosophen, Denker, Stifter neuer Gemeinschaften fühlten, folgten dem Zwang des deutsch-idealistischen Systems. Naiv drückte sich die Strömung in Däublers Satz aus, das Ich sei der Mittelpunkt der Welt. Freilich scheitert Calan, der bei Barlach den Typus des kommenden Übermenschen darstellt, während Noah mit den Seinen die Arche bezieht. Aber das ist nicht als Triumph des alten Gottes zu verstehen. Calan geht triumphierend unter: er ist der wahrhaft Freie, während Noah ein Knecht seines Gottes genannt wird. Gegen den unwandelbaren Gott des Alten Testaments wird das Werden im gnostisch-theosophischen Sinne ausgespielt. Der sterbende Calan erhebt sich über die alte Frömmigkeit, welche in „Seespeck" gelegentlich als Fäulniszustand bezeichnet wurde. Auch in den Briefen sprach Barlach über Jehova als „Menschengott", der sich gegenüber dem wahren Gott verhalte wie ein Vizekönig zum wahren Herrn des Reiches.

Biblischer und neuer Glaube

Der Roman „Seespeck"

Der unvollendete Roman „Seespeck" entstand 1913/14 und umfaßt etwa 150 Seiten. Der autobiographische Charakter dieser dichterisch stilisierten Prosa wird nur leicht vertuscht. Gegenstand der Erzählung sind das Leben des Künstlers in norddeutschen Kleinstädten unter trinkenden und feixenden Kleinbürgern, die Erlebnisse Barlachs mit seinen Geschwistern und Nachbarn; mitten im Roman wird der Dichter Theodor Däubler mit vollem Namen und leibhaft eingeführt, ein fressendes und saufendes Kind der Urpoesie, das sich tiradisch über die Welt erhebt. Barlach gibt zu verstehen, daß er Däublers Art, das Ich in den Mittelpunkt der Schöpfung zu stellen, für grotesk hält. Es ist überhaupt schwer, meint Barlach, der verrotteten Welt des materialistischen Zeitalters die Vision des Künstlers gegenüberzustellen. Er hatte sich, als Autor, ein ironisch-humoristisches Idiom unter Anlehnung an das bauernschlaue Plattdeutsch geschaffen. Er schildert etwa seine Schwester Grete:

Grete, die Kröte

„Na, du Kröte?" sagte er schließlich, um wieder gemütlich zu werden, zu seiner Schwester. Er fand Kröte klangvoller als Grete, aber da war noch ein Umstand, über den er sich jetzt verbreitete; als Junge hatte er Märchen aus dem Handgelenk geschüttelt, wohlverstanden, wenn er einmal vermocht war, den Anfang zu machen. Und so hatte er auch einmal die Ur-Kröte irgendwo in einem Graben seiner Heimat, die tausendjährige, mit dem noch älteren mythischen Heuspringer im grünen Kupferkleide mit Namen Zigeunerbaron ihr Wesen haben lassen. Der Oevelgönner Teich, sein Schilfufer, das Feld und der Bach nebenan waren der Schauplatz von Begebenheiten, die sich über ein halbes Erzähljahr hinspannen. Mit der Urkröte war es aber so, daß sie auf der Zunge schmecken konnte, ob etwas wahr oder falsch war, was sie hörte. Im ersten Falle zerging es ihr wie ein Bonbon im Munde, im zweiten spuckte sie aus und sagte dazu: „Pfui Teufel, schmeckt das schlecht!" Warum er nun in seiner Schwester ein Urkrötentum erkennen mußte, ließe sich ohne Weitläufigkeit wohl kaum erklären . . .

Betrachtet man das Drama „Der blaue Boll" (1926) unter solchen Gesichtspunkten, so erscheint der Gutsbesitzer Boll in Mecklenburg, der mit seiner Frau zu Ein-

Ernst Barlach, Gemälde von Leo von König

„Der blaue Boll“

käufen in die Stadt fährt, wo ihm Grete Grüntal begegnet, als ein Mensch „auf dem Wege“ zum Urparadies. Anfangs wirkt er durchaus irdisch, ungeistig. Grete will „los vom Fleisch“; sie, die Wahnsinnige, sucht Gift für ihre drei Kinder. Sie behext Boll und weckt zugleich das Gute in ihm. Der „Herr“ sagt zu ihm: „Boll hat mit Boll gerungen, Boll hat Boll gerichtet, und er, der andere, der neue, hat sich behauptet... Es ist erwiesen – Sie müssen, Boll muß Boll gebären, und was für einer es sein wird – es ist bessere Aussicht auf Werden als mit dem Schwung vom Turm herab. Gute Aussicht – denn es ist Schwere und Streben in Ihnen, Leiden und Kämpfen, lieber Herr, sind die Organe des Werdens.“ Bolls dicken Vetter trifft der Schlag, aber Boll „will“.

Holzschnitt von Ernst Barlach, Die Dome, 1922

Es ist Barlachs reifstes Stück. Gott der Herr, der Teufel und seine Frau treten in Person auf – aber nie wird die Sphäre der Kleinstadt gesprengt – zugleich enthält das Stück Barlachs Lehre vom Wesen der Kunst; sie darf nicht abstrakt sein, aber auch nicht „fleischlich". Es herrscht eine sonderbare Korrespondenz in dem Stück, die gelegentlich in Sätzen durchbricht, welche sich wie Kommentare zur Handlung lesen und für Barlachs Stil bezeichnend sind. So sagt Boll „für sich": „Grete hat den Teufel als Schlafkameraden, ich geh mit dem Herrgott heim – man kann auf seltsame Geschichten kommen." „Die gute Zeit" (1929) ist dem „Findling" verwandt, ein Stück, dem jenes „Fleisch" bedenklich fehlt, halb Mysterienspiel, halb Allegorie, örtlich und zeitlich in einem erfundenen Raum, sprachlich papieren und blaß.

„Die gute Zeit"

„Der Graf von Ratzeburg"

„Der Graf von Ratzeburg" ist zwölf Jahre nach dem Tode Barlachs aus dem Nachlaß ans Licht gekommen, 1951. Der Graf ist mit Gott und der Welt zerfallen. Ihm begegnet Offerus, der Suchende, der Träger, und bietet ihm seine Dienste an. Den Grafen und Offerus nimmt der Herzog mit auf Kreuzfahrt, aber im Heiligen Land geraten alle in die Sklaverei der Ungläubigen. Ihr Führer Marut erklärt, er allein habe die wahre Gewalt auf Erden als „Statthalter Satans". Offerus, der nur dem Mächtigen dienen will, tritt in seinen Dienst. Am Sinai wird Offerus von einem Eremiten für den Dienst am Kreuz gewonnen, er soll wachen und fasten. Weil ihm das schwerfällt, wohnt er am Strom, um beim Übersetzen behilflich zu sein. Da hört er in der Nacht eine Stimme rufen: „Offerus, hol über!" Er erwidert: „Mein Rücken ist deine Brücke über die Furt." Die Mehr- und Doppelsinnigkeit der Sprache wird benützt, um Offerus' Rolle eine überpersönliche Geltung zu geben:

Heinrich [der Graf von Ratzeburg]: Du, deines Kettenweges Geher – Offerus, wes Weges gesellst du dich meines Weges?

Offerus: Meines schwersten und meines besten Weges, denn hör, ein Kindlein rief und begehrte, übergeholt zu werden, und als es meines Rückens Brücke betrat, fügte es zu seiner leichten Last das große Gewicht der Welt und die schwerste Schwere aller meiner Wege. Es tauchte mich unter das Wasser und bekannte sich als den herrlichsten Herrn der Welt und berief mich zu seinem Dienst und taufte mich und sprach: nicht Offerus, Christophorus heiß hinfort, und verhieß zum Zeichen, daß mein Stab inmitten Wintersweiße grünen werde, verschwand und befreite mich von der Kette meiner suchenden Qual in Weglosigkeit und Verlorenheit – sieh!

Heinrich: Er treibt Grün und quellt Knospen hervor.

Christophorus (kniet): Ich bin der Knecht des Kindes, das Gewalt hat über die Gewalt. Diene du mit mir dem Herrn, dessen Weg eins ist seinem Ziel, dem Herrn, der Ketten löst und dessen Wort den dürren Stab deines Weges grünen macht.

Heinrich: Er rief mich nicht und begehrte nicht meines Dienstes. Nicht die Knechte sind die Haber und Holer ihrer Herren ...

Der Graf folgt dem Ruf nicht und kehrt endlich als alter Mann in die Heimat zurück, wo sein Sohn inzwischen ein Mörder geworden ist. Als der zu Tode gemartert werden soll, verliert Christopherus die Geduld, schlägt drein und bricht zu den Heiden auf, während der Graf von dem zurückkehrenden wütenden Haufen gespießt wird. – Die Handlung des Dramas geht teilweise an Offerus über; eine Fülle von mythischen und legendarischen Nebengestalten, Gespenstern und Erscheinungen verdunkelt das Spiel, zumal Barlach immer wieder die sprachliche Konvention durchbricht und zu Wortspielen übergeht. Ähnlich wie Hofmannsthals „Turm" ist „Der Graf von Ratzeburg" zergrübelt und mit einer Überfülle von Problemen belastet, und ähnlich wie bei Konrad Weiß bewirkt die Eigenwilligkeit der Sprache, daß der Sinn dunkel wird. Darüber hinaus ist „Der Graf von Ratzeburg" eine verschlüsselte Selbstdeutung Barlachs, des großen Künstlers, der vom Nationalsozialismus in Bann getan wurde. Zweifel an den Menschen und Kummer über seine verbotenen und unter Verschluß genommenen Werke haben Barlach gebrochen, so daß er wie sein Graf Heinrich 1938 einsam und armselig starb. Aber das Bild, in dem er den Grafen zuletzt zeigt, gilt symbolisch auch für ihn: „Man sieht ihre Spieße von allen Seiten gegen Heinrich gerichtet, der von ihnen wie von einem Strahlenglanz umgeben steht. Er fällt."

Das symbolische Ende

Hans Henny Jahnn

Eine rebellische Anlage

Der Protest gegen das mechanische Denken, gegen die entseelende Zivilisation, die Bürokratie, die Verweichlichung durch den Sozialstaat, die Einpferchung in Schul- und Militärdienst, gegen die Politik der Bankiers, Industriellen und Berufsparlamentarier, gegen die Vernichtung der Reservate der freien Natur, der Naturvölker und Tiere – das sind einige Motive im dichterischen und schriftstellerischen Werk des Hamburgers Hans Henny Jahnn, der von 1894 bis 1959 lebte.

Jahnn ist in Hamburg-Stellingen geboren, der Vater war Schiffszimmermann. Bis zu seinem neunzehnten Jahr kam der junge Jahnn nicht vom Hamburger Hafen fort, ein schwieriges, ungebärdiges Kind, das nur widerstrebend zur Schule ging. Die pubertären Nöte gingen weit über das Übliche hinaus, so daß man den jungen Menschen für geisteskrank zu erklären versucht war. Mit fünfzehn Jahren begann er zu schreiben, mit siebzehn zu dichten; ein Christusroman und ein Christusdrama entstanden als Folge einer rasch an- und abgelaufenen Woge christlicher Bekehrung; zahlreiche andere, ungedruckt gebliebene Lustspiele, Tragödien und Erzählungen wurden geschrieben. Das erste an die Öffentlichkeit gelangte Drama des Sozialisten Jahnn, „Pastor Ephraim Magnus“ (1919), war die Abrechnung mit dem Christentum und brachte Jahnn den von Oskar Loerke zuerteilten Kleistpreis. Das Empörerdrama trug genialische Züge von barbarischer Wildheit. Es war schon Ende 1915 in Norwegen geschrieben. Jahnn war nämlich bei Ausbruch des Krieges Pazifist geworden, hatte mit Hilfe von Ärzten die Befreiung vom Kriegsdienst erwirkt und war nach Norwegen gegangen. Damals entstanden die ersten Kapitel des großen Romans „Perrudja“, unschwer erkennt man im Helden den jungen Jahnn:

„Pastor Ephraim Magnus“

Die nordische Natur

Das Gefühl seiner Einsamkeit kam über ihn, das Gefühl eines Durstes kam über ihn, die Sehnsucht nach Macht kam über ihn, die Pein seines Geschlechts kam über ihn. Und er warf sich in den feuchten kalten Schnee vor seiner Tür, und ein Schluchzen und Weinen faßte ihn, bis er fühlte, seine Brust ist naß, sein Bauch naß, seine Knie naß. Er erhob sich, lustlos, ziellos, ging von seiner Wohnstatt in den trüben Wald. Über die heidigen, graupigen, triefenden Steinflächen. In einer Saeterhütte machte er Feuer, wärmte sich, trocknete Kleider, suchte nach Speise, fand trockenes Brot, alten Käse, gedörrten Hammelschinken. Er aß viel, trank Schnee, den er im Munde zergehen ließ. Durch die Tür schaute er hinaus in Nebel und Regen. Die undeutliche Ebene vor ihm würde den Hengst und die Stutenherde tragen, wenn erst der Schnee geschmolzen, wenn übersät mit tausendfacher Buntheit die Sonne hoch darüberstände . . .

Die Gemeinde Ugrino

Seit sich Jahnn vom alten Europa in die norwegisch-heidnische Urlandschaft begeben hatte, entwickelte er frühe Traumphantasien zu einem großen Plan, den er nach dem Kriege in einer Gemeinde „Ugrino“ zu verwirklichen suchte. Als Jüngling hatte er in einem Romanfragment von Ugrino geschwärmt. Die Verwirklichung nach dem Kriege hing mit Jahnns Leidenschaft für alte Orgeln und den Orgelbau zusammen. Jahnn und sein Freund Harms machten sich an das handwerkliche Studium der barocken Orgeln, und im Laufe fehdenreicher Jahre mit Wissenschaft, Orgelindustrie, Städten und Kirchenverwaltungen entwickelte sich Jahnn zu einem der bedeutendsten Orgelbauer der Epoche. Daß er auf das christliche Musikinstrument verfiel, nötigte den „Heiden“ zu der Behauptung, die Orgel sei antik-heidnischen Ursprungs aus musikalisch-dämonischer Fülle, die im Christentum „gezähmt“ sei zum braven Dienst weltfremder Frommer. Er wollte der Orgel den alten Umfang zurückgeben. Sie solle nicht den simplen Kategorien von Gut oder Böse dienen — an die Jahnn nicht glaubte —, sondern dem „harmonikalen“ Zusammenschluß des Lebens: Rhythmus und Zusammenklang der Chöre spiegeln das heile, wahre, für Menschen nie erreichbare göttliche Sein. Jahnns antichristliche Affekte stammten aus Landschaften, die nur noch ein Sonntagschristentum in puritanischer Reduzierung kannten. Er hat sie sich auch später, auf Reisen in den katholischen Süden, nicht rauben lassen. So fremdartig das Gebäude seiner Ideen auch erscheinen mag, so wichtig wurde es, mit den Grundsätzen des „Harmonikalen“, für seine Gründung der heidnisch-religiösen und sozialen Ugrinowelt und Dichtung. Ugrino war ein imaginäres Reich im Meere, eine Art Orplid, „als Hochburg des Kampfes gegen die Zerstörungskräfte der Zeit. Verfassung und Satzungen bestimmten, daß die Leitung bei sieben

Die Bedeutung der Orgel

Hans Henny Jahnn, Ölbild von Karl Kluth, 1955

Die harmonikale Ordnung

Künstlern liegen müsse, die an die verlorenen großen Traditionen anknüpfen und einen Kanon vollkommener Werke aufstellten, die als heilige Vorbilder galten" (Muschg). Ämter, Schulen, Musik, Architektur, Dichtung und Orgelbau wurden erörtert – ein platonischer Staat, dessen Regeln im ersten Heft der „Kleinen Veröffentlichungen der Glaubensgemeinde Ugrino" (1921) enthalten waren. Mit Hilfe von Geldgebern ging Jahnn an die Verwirklichung; in der Lüneburger Heide wurde ein riesiges Grundstück gekauft – aber Inflation und andere verhaßte „Realitäten" machten der Gründung ein Ende. Wie Brecht sein „Chicago", Schaeffer sein „Trassenberg", Hofmannsthal sein „Venedig" dichtete, blieb ein utopisches Land die heimliche Mitte aller Dichtungen Jahnns.

Die ersten Dramen

Pastor Magnus war im Stil der verlorenen Generation ein „Gottsucher" und terrorisierte sich und die Seinen mit dem Widerspruch zwischen dem schönen Wort und christlicher Tat, Sexus und Liebe, den rationalen Verkrustungen des Menschen der Gegenwart und des „uneindämmbaren Schöpfungsstromes". In der Tragödie „Die Krönung Richards III." (1920) zeigte Jahnn den Shakespearischen Helden als einen Typus, der grausam an der Gesellschaft für seine eigene Minderwertigkeit Rache übt. Mord, Folter und Quälerei bereiten ihm „Lust". In dem Drama „Der Arzt, sein Weib, sein Sohn" (1922) ist der Chirurg Professor Menke zu der Erkenntnis gekommen, daß er als Diener der rationalen Medizin etwas Lebenswidriges, ja Verbrecherisches tut und der Aufstand gegen die konventionelle Moral der Frömmler, Arbeitstiere, Kanaillen und Biedermänner seine höhere Pflicht ist. Der kranke Mensch soll sterben, denn das ist sinnvoll; er selbst aber, Menke, soll und will die große barbarische Freiheit:

Ich nähre eine heimliche und wilde Liebe zu all den Dingen und Lebendigkeiten, die andere für belanglos halten, für toll, für verworfen. Das Verbrechen entsetzt mich nicht, den Gestorbenen verlange ich das Gesicht ihrer Seele ab. Tausendjährige, verfallene, aber unberührte Gruften begeistern mich. Als Gefährten meiner Gegenwart such ich jene, die leben oder sterben, ohne zu fragen, ob es recht oder unrecht ist, wenn sie nur den Segen eines Genusses oder einer Schönheit ernten. – Nur keine Tünche, kein Paaren wie die Fliegen vor uns an der Wand! – Grausige gewaltige Steinstätten, Gänge wie in

Der Prediger

einen Berg gehauen, Posaunen, donnernd, Orgeln, berstend vor Offenbarung, buntes Licht, sich niederwerfen, voll sein, reif sein, fühlen: ich bin, ich bin, mich umschließt ein Geist, der Geist des Steins, der ein Geist Gottes ist, ohne Gelehrsamkeit, ohne Weisheit, ohne Tröstung und doch voll Trost und Pein ... Ich erkenne das Leben und Gott zugleich nur im Kontur; seine Ewigkeit und Unendlichkeit geht über meine Sinne. Ich fühle nur ein Verkünden: Wegweisen in die Schöpfung hinein ... – Das Menschlein aber, wie es sich bildete, steht außerhalb. Es ist gottfeindlich, weil es vertraut mit ihm tut. Das Tier fürchtet sich mit tausend Gründen, die Plastik der Landschaft seiner Frivolität in Gestalten, das Leben erstarrt neben ihm.

Wie viele Dramatiker der Zeit verkündete Jahnn sein Programm in der pathetischen und doch schon erschlafften Sprache des neunzehnten Jahrhunderts, die er mit Rhythmus, grammatischem Parallelismus und Klängen straffte. Das Programm war wichtiger als die Dichtung; eine eigenbrötlerische Kritiklust äußerte sich im Schema zeitgenössischer Weltverbesserer. Wie Barlach, Kokoschka und Döblin kam Jahnn nicht von „der" Literatur her, und immer wird er sein genialisches Evangelium in einer längst geprägten Weise vortragen – mit Ausnahme des Romans „Perrudja". Die folgenden Dramen, „Der gestohlene Gott" (1923), „Meda" (1925), „Straßenecke" (1930), der „Neue Lübecker Totentanz" (1931) und das als dramatisches Hauptwerk zu verstehende Mysterienspiel „Armut, Reichtum, Mensch und Tier" (1933) waren Problemstücke in der Nachfolge Ibsens und Wedekinds; was deren „Volksfeind", „Rosmersholm" und „Erdgeist" ihrer Zeit sagten, hat Jahnn auf die Aufbruchsstimmung der Nachkriegsrevolte hin artikuliert – ein Chaotiker und Alpträumer, niederdeutscher Visionär und besessener Einzelgänger.

„Armut, Reichtum, Mensch und Tier"

Das Abstoßende, Verletzende, die scheinbar abseitigen oder krankhaften Tabubrüche in fast allen Jahnnschen Texten beruhen teilweise auf Mißverständnissen, die in „Armut, Reichtum, Mensch und Tier" zu einer tragischen Handlung führen. Der reiche norwegische Bauer Manao Vinje lebt einsam in seiner Mühle. Er sitzt und träumt, da steigen der Wasserkobold Brönnemann, der Troll und Viehhändler Yngve und der spukende Selbstmörder Turnrider aus der Tiefe und suchen ihm seine Einsamkeit bewußt zu machen: „Geh zu dir selbst und den Deinen ... Suche ein Weib ... Wenn deine Nachkommen ausfallen, bist du das verworfene Glied einer Kette ..." So macht sich Manao auf zur Bucht, um die Braut zu suchen, deren inneres Bild er längst in sich trägt. Er findet sie in der armen Schuhmachertochter Sofia. Sie glaubt ihm, und sie verleben einen Sommer auf der Alm, wo er sie mit dem Versprechen der Hochzeit verläßt. Aber die böse Welt verlacht Manao mit seiner armen Braut. Sein Glück wird ihm als Torheit ausgelegt, und jene Stute, um derentwillen Manao nicht hatte heiraten wollen, wird der unverständigen Welt zum Symbol des Bösen, der perversen Lust; ein Mädchen, sagt sie, sei in dem Tier verzaubert. So erreicht die reiche böse Anna ihr Ziel: *sie* wird Manaos Frau. Im Laufe einer epischen Szenenfolge gerät Sofia ins

Fortsetzung „Zum Geleit" (letzter Abschnitt)

Betrifft: Jahrbuch 1959 der „Freien Akademie der Künste in Hamburg".

Die Plakette 1958 der Freien Akademie der Künste in Hamburg wurde dem Architekten und Städtebauer Prof. Dr. e. h. Hans Scharoun verliehen. Für das Jahr 1959 wurde die Ehrung dem Dichter Peter Huchel zuerkannt. – Wilhelm Lehmann wurde mit dem Friedrich Schiller-Gedächtnispreis des Landes Württemberg-Baden ausgezeichnet.
Anläßlich des 65. Geburtstages Peter Martin Lampels veröffentlichte die Akademie sein Schauspiel „Drei Söhne". Alfred Mahlau beging seinen 65. Geburtstag damit, daß er eine ungemein eindrucksvolle Ausstellung von Arbeiten seiner Schüler zeigte. Es wurden hierbei eine Anzahl von photographischen Aufnahmen angefertigt, die in einer Auswahl bei einem späteren

Hans Henny Jahnn, Handschriftprobe (etwa zur Hälfte verkleinert)

Unglück, aber auch Manaos Ehe wird zur Hölle. Noch einmal freit er um Sofia, noch einmal ziehen sie in die Bergwildnis, aber Sofia stirbt und überläßt den Mann einem schönen dänischen Mädchen. Manaos Schuld ist seine Trägheit gewesen, sie wird ihm von den Geistern vorgehalten:

Der schuldige Mensch

Brönnemann (steigt in dem Gestänge des Wasserschotts herauf): Du hast den Wind nicht verstanden, der dir ums Gesicht strich, seitdem du auf den gefährlichen Pfaden der Liebe dich vorwärtstastetest. Du meintest, man könne sich vor ihm in einen Schatten legen, hinter ein Gebüsch. Oder querfeldein wandern, ihn in den Rücken bekommen und wie ein Schiff frisch über den Ozean, zwischen Genuß und Tod segeln. Deine geringe Wachsamkeit, deine Unerfahrenheit mit Gegenwinden haben dazu geführt, daß du abermals Jahre verspielt hast. Und sie kommen nicht zurück ...

Yngve (kommt durch den Vorraum herein): Die Plagen haben dich leichter entnerven können, als dein fester Körper vermuten ließ. Einer meiner Schützlinge, in deine Obhut gegeben [die Stute], ist geopfert worden, weil du die Leidenschaft deiner nächsten Nachbarn nicht abgeschätzt hast. Man hat ihm Därme und Lungen durchlöchert. Das klagende Blut hat dich erschreckt und zum Nachdenken gebracht. Du hast dich auf die Seite der stummen Kreatur gestellt und glaubhaft gemacht, daß deine Trägheit nur Borke ist. Doch bleibst du ohne Verdienst wie ein kleiner Mensch. Dein unbändiger Wille, die Oberfläche der Dinge zu zerschlagen, um das Gewebe bloßzulegen, den Gesang der Materie, der schemenhaft in den Wassern und starr in Metall und Felsen singt, schlägt.

So wie Manao in das Getriebe der Bosheit geraten ist und einsehen muß, daß es schuldhaft geschah, wird auch Perrudja sich als ein schwacher Held erweisen, der den Engel in sich und den andern nicht erwecken kann. Jahnn ist Metaphysiker, für ihn ist die Fesselung ans „Fleisch“ das eigentliche Skandalon des Menschen. Man kann darin sein puritanisches Erbteil sehen. Die Liebe, die den Menschen befreien, erlösen und beglücken soll, die seine Nachkommenschaft sichert, den Namen erhält, die als moralische Kraft das Gute entbindet, wird Jahnns Helden zum Anlaß des Untergangs, ja der Flüche.

Schon in den Jahren des ersten norwegischen Aufenthalts begann Jahnn an dem Roman „Perrudja“ zu schreiben, der autobiographisch genährt ist. Seine Kapitel folgen einander wie Blöcke, und die Überschriften aller vorhergehenden Kapitel sind jeweils in die des neuen mit hineingenommen.

Die neue Metaphysik

So wie sich Döblin gegen den Verdacht verwahren mußte, er habe James Joyces „Ulysses“ mit allzu großem Gewinn gelesen, hat auch Jahnn den lobend oder tadelnd gemeinten Vergleich mit Joyce abgelehnt. Er habe sich, schrieb Jahnn, auf ähnliche Weise wie Joyce und Bernanos mit der vorgefundenen Wirklichkeit – dichterisch formend – auseinandergesetzt. Die Begriffe der Schuld, der Unveränderlichkeit der Seele, des Schicksals hätten sich auf ein neues Bewußtsein und neue Erfahrungen des gefährdeten Menschen zu stützen; dabei könne und müsse unter Umständen die sittliche Norm verletzt werden. Wichtig sei der Blick auf das Ganze, das Arbeiten „in die Tiefe“. Jahnns Helden sind Werdende, und die Frage ist jeweils, ob es gelingt, mehr als eine Charge aus dem Menschen zu machen. In dem nachgelassenen Drama „Der staubige Regenbogen“, einem Stück um die Atombombe im Sinne der fünfziger Jahre, enden die Szenen bedrückend vor der „schwarzen Wand“ des durch Gift herbeigeführten Untergangs in einer sinnlos gewordenen Welt.

„Perrudja“, Roman

Der jüngere Jahnn hatte in „Ugrino und Ingrabanien“ eine Utopie entworfen. Die Gedanken des „Obersten Leiters“ kann man in „Perrudja“ wiederfinden, dem vielschichtigen Großwerk, das auf Fortsetzungen angelegt war. Hier hat Jahnn so sprechen können, wie es seinen Absichten entsprach – hier fand er das innere Wort der Dichtung, und es trägt den Roman. Nicht die Logik, der Plan, das Faustische, die Idee, sondern die Sprache gibt die Evidenz. Im Jahre 1928 veröffentlichte die Lichtwark-Stiftung in Hamburg dieses Werk in einer auf 1020 Exemplare beschränkten Auflage. Der Roman umfaßte etwa tausend Seiten; der Autor hatte die Absicht, einen zweiten Roman mit dem gleichen oder einem ähnlichen Titel folgen zu lassen. Das Hitlerreich verbot den Autor – und die Atombombe „erledigte seine Phantasie“, wie Jahnn im Vorwort zur Neuauflage schrieb. So hat Jahnn jenen „zweiten Roman“ nicht geschrieben. „Perrudja“ ist Jahnns Hauptwerk geblieben, wenn auch die Trilogie „Fluß ohne Ufer“ es an Umfang weit übertrifft. „Perrudja“ ist, vom inneren Motiv her gesehen, ein expressionistischer Roman, während seine Gestalten und Probleme, ähnlich wie die Romane Sacks, Musils, Brittings und W. Lehmanns, teils naturalistisch, teils symbolisch oder kosmogonisch sind. Das Buch spielt in Norwegen unter Gutsbesitzern und Züchtern; die Landschaft ist die gleiche wie bei Hamsun. (In der Neigung zum Tier gibt es ein Gegenstück in Max Mells „Barbara Naderers Viehstand“, der Pferdekult findet sich auch bei Barlach und Billinger.) Zum Titel hat Jahnn bemerkt, man könne norwegisch Perryddja schreiben – der zerrüttete Peter. Perrudja ist ein junger Mann unaufgeklärter Herkunft, der mit einer herrlichen Stute auf den Bergweiden wohnt. Später dehnt sich seine Wirtschaft aus, er bekommt Magd und Knecht. Er ist jedoch nicht Bauer, sondern ein Herr, der in einem Mahagonibett schläft und dreitausend Bücher besitzt. Seine Liebe gilt dem Tier, vor allem den Pferden, er hat zu ihnen ein Verhältnis, das durchaus erotischer Art ist:

Der Sommer kam und verging. Perrudja sah ihn überwiegend in einem bleiernen quälenden Licht. Er war oft auf den Hochebenen. Einmal war ihm eine Stute begegnet.Sie hatte gegrast, versprengt von den übrigen Tieren. Gesegnet oder verstoßen. Mit weit ausholendem Schwanz verjagte sie die Fliegen von ihrer schwarzen Geschlechtsöffnung und den trockenen Milchdrüsen. Perrudja trat hinzu, legte sein Ohr gegen ihren prallen Bauch. Hörte nur Verdauung, wie heißes Wasser, das strömt. Des Menschen Wissen ist Stückwerk. Prustet. Fürchtet sich nicht vor mir. Denkt sicherlich: kleines Männchen. Er schlich weiter. Den gekreuzten Spuren der Tiere nach. Stand hoch auf einer Kuppe. Der Himmel über ihm grün und leer, unsagbar unbarmherzig. Wie er ihn kannte. Das Heidekraut dörr und heiß . . . Er entzündete ein kleines Feuer. Würzig und beißend gingen Rauchschwaden daraus. Ein Wind nahm sie mit. Lachs schmeckt am besten mit Wacholderreisern geräuchert. Werde Edgar Hals bitten, daß er mir dreie für den Winter angelt. Oder den Engländer. Kann seine Beute nicht allein verzehren. Wenn Flammen aufschlagen, werden die Schwaden mager. In der Ferne sah er plötzlich die Herde. Sie mußte hinter einem Hügel hervorgetreten sein. Sprang auf aus der hockenden Stellung. Der Wind trägt die Schwaden den Tieren zu. Verdammt. Münze. Krone. Zahl. Zertritt das Feuer! Tanz mit groben Stiefeln in den Flammen. Graue Asche. Schwarze Asche. Die Flammen sind tot. Es schwelt weiter. Husten. Tölpel. Sobald sie den Rauch atmen, werden sie den Futterplatz wechseln. Hast du genug Abfallwasser in der Blase? – Seit heut morgen an keinem Baum mehr gestanden. Wenig getrunken. Geschwitzt. Versuche nur.

Gegen die Zivilisation

Perrudja möchte ein Kentaur sein, er haust fern von den Menschen und ihrer die Natur zerstörenden Zivilisation. Mythisch gesteigert wird – vom Pferd her – die Kulturgeschichte aufgerollt: die Sassaniden, Alexander der Große! Perrudja träumt sich eine Welt, reich und üppig, amoralisch, nackt, belebt von strotzenden Frauen und Männern aller Rassen; Liebe ist zugleich Grausamkeit und Brunst. Ein hart männliches Ideal verwirft jede bürgerliche Konvention. Auch die Bildung wird bezweifelt: „Schaler denn je fand er den Inhalt, den die schwarzen lesbaren Lettern mitteilten. Kein beschriebener Ablauf fügte sich ihm zu einer ertragbaren Vernunft zusammen. Jede Lösung fand er zum Bespeien. . . . Eines Tages entdeckte er, er vermochte die heftigsten Stellen obszöner Schriften ohne Langeweile zu lesen. Also las er. Vertraut werden mit einer Komponente der Existenz, die als Filtrat die Hölle wahrscheinlich machte." Moral ist „Pose" der Schwachen. Endlich begegnet ihm in Signe, der Frau eines wüsten Rohlings, ein ebenbürtiges Wesen aus dem Menschengeschlecht, auch sie märchenhaft überhöht. Aber Perrudja erweist sich eben an ihr als ein „mehr schwacher als starker Held". Denn jenes Glück, das er beim Anblick eines Pferdes oder eines stämmigen Kalbes empfand („unsere Hände haben selbst Bäume und Blumen und Steine betastet um eines sekundehaften Beischlafes willen . . ."), versagt vor der Geliebten. Er macht sich bittere Vorwürfe:

Der schwache Held

Lügner vor der Geliebten, der ich auch bin. Hurer, Mörder, Pferdsehnsüchtiger, Kindsverführer, Ehebrecher. Signe, Signe. Perrudja wollte etwas sagen. Es war belanglos. Bekräftigen. Da gingen schon wieder Bilder durch sein Hirn. Rote Juchtenstiefel an Signes geraden nackten Beinen. Sein ganzes Leben. Wie bei einem Ertrinkenden. Das Pferd. Sassanidischer König. Ein Knabe weint. Die andern Tiere. Die Edelmütigen oder

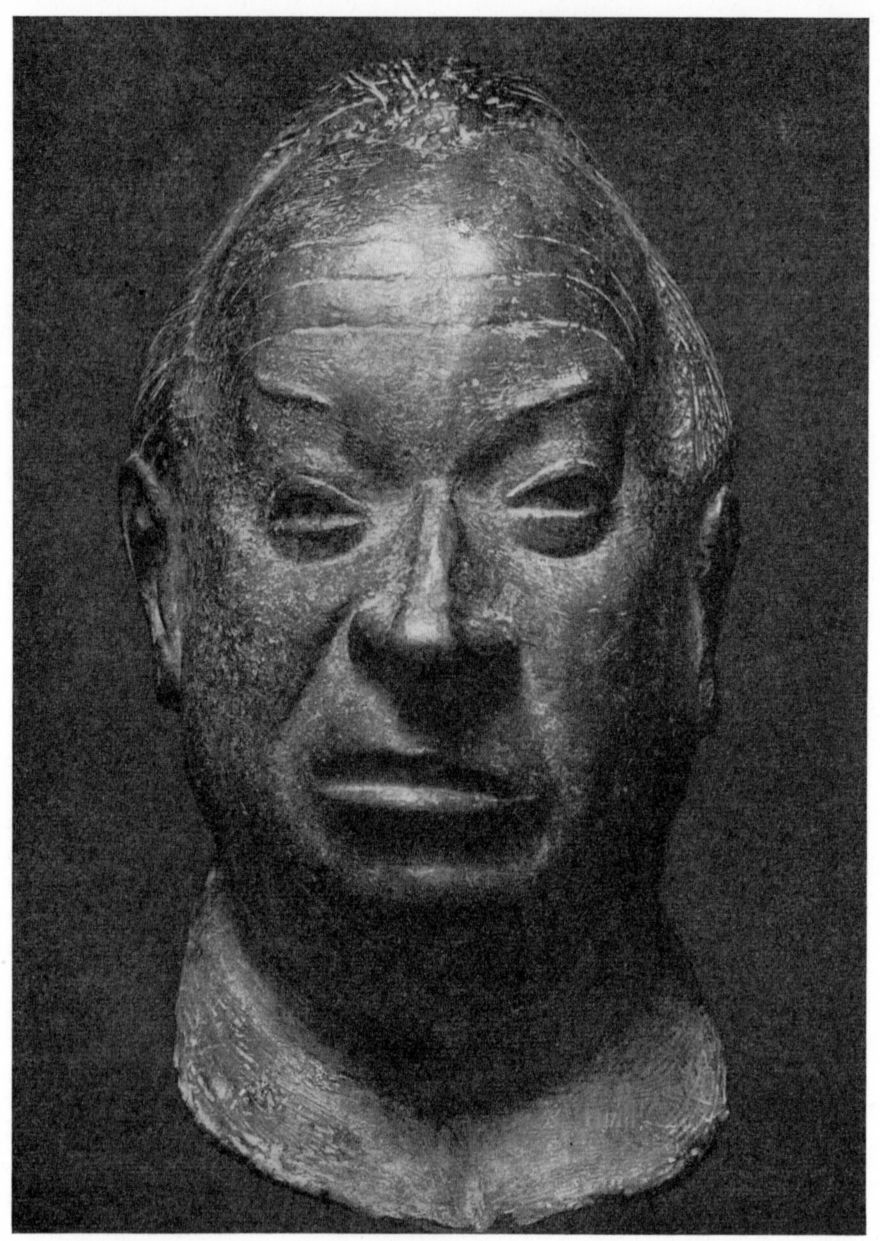

Hans Henny Jahnn, Bronzebüste von Gerhard Marcks, 1957

die Geschichte des Sklaven. Der Knecht und die Magd. Der Zirkel. Alexander. Werbung und Vorhölle. Die Nebenbuhler. Die Bergpolizei. Hochzeit. Abrechnung ...

Nach einer suggestiv geschilderten Zirkusvorstellung, wo Tiere und Menschen, herrlich dressiert und frei, eine Mischung von Angst und Glück in Signe erzeugen und nach der sie ihre Existenz „verdammt" fühlt, gibt sie sich, verzweifelnd an Perrudja, ihrem hünenhaft primitiven Knecht hin. Unschwer erkennt man, daß

Jahnn ähnlich wie James Joyce, Alfred Döblin, Gottfried Benn („Rönne") und Virginia Woolf den inneren Monolog, den Bewußtseinsstrom festzuhalten sucht, die Geschichte in Erinnerungsreflexe einer Gattungsseele auflöst und die Gegenwart als ein Märchen darstellen will. Dazu dienen kompositorische Mittel des Ineinanders von Gespräch, Darstellung, Gedanken und Bewußtsein. Der Mensch Signe fühlt sich „erkannt", wie Jahnn mit einem biblischen Ausdruck sagt, wenn „Trompen aus einer Ewigkeit in ihre Herzschläge hinein" ragen. Es handelt sich um den Widerstreit von Leib und Seele, Denken und Sinnen. Das eigentliche Band um alles Denken, Sinnen, Fühlen, Ahnen und Erinnern ist die sexuelle Potenz, leibhaftes Symbol der Urkraft, sie ist „Gott". Jahnns heidnischer Vitalismus hat freilich etwas Gezwungenes und auch Widerliches, wenn sich der Held mit Tieren körperlich einläßt oder die sexuelle Liebe als Produkt der Geilheit begriffen und gelegentlich mit nicht überbietbarer Drastik ausgedrückt wird. Jahnn möchte den Körper spiritualisieren und den Geist einkörpern. Dieser Glaube an die Erlösung durch die Sexualität ist bei Lautensack, Stehr, Rilke, Dauthendey, Musil und vielen andern Autoren der Zeit nachweisbar. Seine literarischen Ahnen waren Wedekind und Strindberg. Es war ein Thema des Naturalismus und seines Kults mit dem als Dirne verstandenen „Weib". Die Frau wird biologisch betrachtet, sie ist Weibchen und als solches Gegenstand der Brunst des Männchens. Jahnn hat aus diesem verödeten Menschenbild, indem er es auf Tiere, Pflanzen und das All ausdehnte, ein Evangelium machen wollen. Aber er versuchte Unmögliches. Hier liegt vermutlich auch der wahre Grund, weshalb Jahnn seinen Roman nicht fortsetzen konnte; denn eine Ehe – und nur damit konnte die Handlung enden – schien undenkbar zu sein. Bewußt stellte Jahnn das Dogma der Leidenschaft gegenüber und sagte: „Die Leidenschaft ist gerechter als das Gesetz. Sie kann befriedigt werden. Das Gesetz ist unerfüllbar und läßt sich nicht befriedigen. Es ruht niemals. Es ist eine maßlose und ewige Forderung, die kein Blutstrom sättigen kann." Vor diesem Motiv verblassen die andern Themen des Romans, besonders der Schluß mit der an Ugrino erinnernden Gründung eines Weltreichs des Friedens unter Perrudja. Später, als Emigrant auf Bornholm, hat Jahnn dies Reich mit Tieren und Menschen gegründet – nach dem Kriege zwangen die Realitäten und die Politik ihn zum Aufgeben.

Radikaler Vitalismus

Leidenschaft und Gesetz

Auf Bornholm entstand „Der Fluß ohne Ufer". Als Vorspiel erschien 1949 „Das Holzschiff". Der Roman, fast dreimal so umfangreich wie „Perrudja", erzählt von dem alternden Musiker Anias Horn, der in seiner Jugend ein geheimnisvolles Erlebnis mit einer schönen Frau gehabt hat. Das Ereignis bildet den Inhalt des „Holzschiffs". Die Frau wird von einem Matrosen ermordet, ein Aufruhr gegen den Superkargo und Horn bricht los, denn die tierisch wilde Mannschaft glaubt, sie seien schuld am Verschwinden der Frau. Erst in den Meditationen und Geschichten des „Fluß ohne Ufer" lösen sich die Rätsel und Motive. Der Mörder wird nun Horns Freund, gemeinsam bereisen sie die Welt der Tropen und erleben bei den schwarzen Völkern eine Liebe und eine Sexualität, wie sie nach Jahnns Meinung unter den korrupten Weißen nicht mehr möglich sind. Das ephebische Thema, die Erotomanie der Männer, wird nach dem Tode des Mörders der Geliebten grausig gesteigert durch einen Hochstapler, der Horns Vertrauen erwirbt. Der Stil hat den Glanz des „Perrudja" verloren; auf langen Strecken hin liest sich „Fluß ohne Ufer" wie eins der vielen für die Literatur belanglos

„Fluß ohne Ufer"

Hans Henny Jahnn, Ugrino, Hauptkirche, Schnitt durchs Hauptschiff, Nordansicht

gebliebenen Erzählwerke der Jahrhundertwende. Die Komposition ist verschachtelt, für einen Enthüllungsroman fehlt es an Spannung. Der Roman ist zu sehr mit epischen Details beladen. Sie werden in den Nebengeschichten jedesmal dann faszinierend, wenn Jahnn seine Schilderungen der Liebe sinnlich grell motiviert, aber die sprachliche Führung ist durchweg konventionell:

Eine Liebesszene

Sie sagte, ihr Gatte sei auf Reisen. Sie bewahrheitete das Wort, daß auch das tiefste Wasser dem Werben des Windes nicht widerstehe. Meine Erzählung entschleierte mein Herz. Und sie fand, es war nicht schlecht genug, ihm die Zuneigung zu versagen. Mitgefühl gebot ihr, den gefährlichen Bezirken meiner Leidenschaft nicht auszuweichen. Meine Lippen und meine Hände waren nicht müßig in der schönen Kunst, zu überzeugen. Mein Mund wölbte sich so vollkommen wie niemals vorher und rötete sich tief. Und die Augen bettelten, und die Sprache verstummte. Ich war begehrlich und ohne Scheu und wagte, was der Verstand als tollkühn verworfen hätte. Ich pries mich an. Ich zwang sie, meinen Atem zu schmecken, ihre Stirn gegen meine Brust zu senken.

Der Ephebe im Alter

Das Nachlassen der künstlerischen Kraft hängt mit Jahnns Vitalismus und dem ephebischen Charakter seiner Dichtung zusammen. Für ihn mußte Jugend ein absoluter Wert sein. Das biologische Altern zerstört die Substrate solchen Lebens und Genießens, und so blieb keine andere Möglichkeit als die Rückerinnerung, welche die Form dieses Romans bestimmt. Dabei tritt keine „Verklärung“ ein, sondern Schwermut und Trauer. Für jemand, der das Leben der Jugend paradiesisch vergöttert hatte, mußte das Alter dürr und trocken werden. Der „harmonikale“ Gesang der „blühenden“ Sphären wird nicht mehr vernommen.

Arnolt Bronnen

ARNOLT BRONNEN

„arnolt bronnen gibt zu protokoll“

Eine Reihe von Motiven wurde gleich bei den ersten Werken Arnolt Bronnens deutlich; sie erweckten den Eindruck, ein genialischer junger Dichter sei erstanden. Solche Motive sind der Ödipuskomplex, die Jugendbewegung, der Vaterhaß. Hinzu kamen die schriftstellerische Eitelkeit, ein bewegliches Bühnentalent und ein neuartiger Gebrauch der Sprache. In diesem Punkt hat sogar Brecht von Bronnen lernen können, er hat den Verzicht auf Zeichensetzung, das Kleinschreiben und orthographische Eigenheiten in den frühen zwanziger Jahren von Bronnen übernommen. Bronnen hat seine Autobiographie „arnolt bronnen gibt zu protokoll, beiträge zur geschichte des modernen schriftstellers“ (1954) in die Form einer Gerichtsverhandlung gegen sich selber gekleidet. In fünfzig Punkten wirft ein imaginärer Staatsanwalt dem Autor Bronnen sein chamäleonhaftes Verhalten vor, den Übergang von links nach rechts, Feigheit, Eitelkeit, Narzißmus, die nachträglichen Rechtfertigungen für ein Verhalten, das alles andere als einen Charakter bezeugt. Der Text antwortet weitschweifig und beredt, und so wird der Typus eines Intellektuellen deutlich, wie es ihn in den bewegten zwanziger und dreißiger Jahren oft gegeben hat. So, wie sich der junge Hermann Bahr als „Herrn Adabei“ [Auch-dabei] verspottet hat, fand Bronnen die juvenile Entschuldigung sein Leben lang hinreichend für eine bedenkliche Laufbahn.

Der Ödipuskomplex als Urmotiv

„Das Recht auf Jugend“

Bronnen ist 1895 in Wien in einem bürgerlichen Hause geboren und wurde von dem im damaligen Österreich nicht unbekannten Dramatiker und Gymnasialprofessor Ferdinand Bronner als Sohn legalisiert. Später hat er aus seiner illegalen Herkunft eine „Arisierung“ abgeleitet, durch die er für eine Dramaturgenstellung beim nationalsozialistischen Reichsrundfunk „tragbar“ wurde. Schon früh muß der Haß auf den Nährvater entscheidendes Thema des Heranwachsenden gewesen sein, über diesem Stoff ist er zum Dichter geworden. Der junge Bronnen nahm am ersten Weltkrieg teil und verbrachte Jahre in italienischer Gefangenschaft. Schon als Gymnasiast, im Jahre 1912, hatte Bronnen ein siebenaktiges Drama „Das Recht auf Jugend“ verfaßt. „Es war noch Vatermord und Geburt der Jugend in einem. Es war Traum, Wunsch-Traum, Angst-Traum, Ziel-Traum, geformt aus einer Süchtigkeit, die mich nie verließ: eines Tages die große, hinreißende Rede an die ganze Welt zu halten.“ Es ist die Geschichte eines Gymnasiasten, der den Freund verführt, erst den Lehrer anzugreifen und sich dann umzubringen, Arbeiter aufwiegelt, einen Schülerstreik ausruft und schließlich mit dem Revolver vor den Vater tritt, um für ein verpfuschtes Leben „abzurechnen“. Die Pubertätsnöte waren seit Wedekind, Musil und Emil Strauß literarisch hoffähig geworden. Bronnen fand sich in seinen Ansichten bestärkt durch Gustav Wynekens Zeitschrift „Der Anfang“, wo autonome Jugend gefordert wurde. Später hat Bronnen Wyneken auch persönlich kennengelernt. In seinem ersten Stück lagen die Themen und Motive der Anarchie, des Vaterhasses, der Schülerrebellion gegen die Lehrer und eine ziellose Aufbruchsstimmung eng beieinander. Es war Naturalismus mit Wiener Lokalfarbe und Dialekt. Franz Pfemfert, von der „Aktion“, interessierte sich für das Stück; doch dann erfolgte der Abdruck einer großen Szene in Wynekens Zeitschrift „Der Anfang“. Inzwischen war der Weltkrieg ausgebrochen, und das Heft wurde von der Zensur verboten.

Aus diesem Stück entwickelte Bronnen noch vor dem Kriege „Die Geburt der

Jugend". Hier war das Problem auf den Aufruhr der Jugend gegen das Alter verengt, und ein neuer Ton durchdrang das — nun hochdeutsch geschriebene — Drama: eine Mischung von Nietzsche und Zupfgeigenhansl-Wandervogel. Die Rebellion der Schüler hatte kein Ziel, darin war sie der „Aufbruch"-Stimmung des Expressionismus verwandt. Der späte Bronnen hat bezeugt, daß er unter Freiheit nichts als „Anarchie, Zerstörung, Brand" verstanden habe. Als er den Stoff zum drittenmal bearbeitete, fand er einen „realen Kern". Der Feind hieß nun einfach „Vater", Kampfplatz war das kleinbürgerliche Wohnzimmer. Der Sozialdemokrat, der schon vergessen hat, daß er Proletarier ist, möchte im Sohn die glänzende Zukunft verwirklichen und läßt ihn studieren. Aber der Sohn rebelliert aus dem Empfinden heraus, er werde unterdrückt, er will sich dem Aufstiegsschema des Alten nicht fügen.

„Geburt der Jugend"

Die Mutter neigt zum Sohn und wird reif gemacht für den Gedanken des Mordes am Vater:

„Vatermord"

Walter: Und mord ich ihn

Frau Fessel: Dann würde mich grausen vor dir

Walter: Mutter

Frau Fessel: Und sie sperren dich ein / Dann gehts dir noch schlimmer in Dunkel und Elend und bist erst recht in Ketten und eingesperrt

Walter: Das kommt nicht zu Gericht als vor den lieben Gott / Denn wenn entweder der Sohn den Vater oder der Vater den Sohn erschlägt wen geht das an / Hätten sie mich ihm früher genommen / Mich von ihm frei gemacht / Aber sie haben mich ihm überlassen / Und er glaubt ich bin sein Knecht / Es gibt ja neue Gesetze und es wird noch andere geben / Und die Leute denken anders und sie werden noch anders denken

Frau Fessel: Walter denk nicht an so was

Walter: Glaubst du vielleicht er unterschreibt das / Zwei Tage lang sperrt er mich in die Kammer / Dann fragt er mich ob ich folgen will Händeküssen Verzeihungsbitten will / Und niemals was werden will / Und niemals frei werden soll von ihm / Ohhh ich will mich ja noch wehren / Mutter drück deine Hand daher da klopft mein Herz (Beißt in die Türe:) Das Holz da das Holz das Holz das muß weg muß in Stücke . . .

In der Schlußszene bricht die sexuelle Gier in Mutter und Sohn durch, und während der Vater mit einem Revolver durchs Fenster will, stürzt sich der Sohn nackend mit einem Messer auf ihn und sticht ihn tot. Alle drei sind in einem Zustand ekstatischer Erregung, ihr Sprechen geht in Lallen und Keuchen über, dann erhebt sich der Sohn und triumphiert: „Was ist / Was willst du / Niemand vor mir niemand neben mir niemand über mir der Vater tot / Himmel ich spring dir auf ich flieg / Es drängt zittert stöhnt klagt muß auf schwillt quillt sprengt fliegt muß auf muß auf" (Vorhang fällt).

„Die Geburt der Jugend" als Epilog

An diese roh übersteigerte Szene ist ein Epilog, „Die Geburt der Jugend", gehängt. Die Szene ist eine Waldwiese. Hier tauchen, nach einem raschen Marsch, Jugendliche auf, die aus Wynekens freideutschen Scharen oder aus den Spielgruppen des Oberleutnants Gerhard Roßbach stammen könnten, die Bronnen später geschildert hat: „Romantik überm Haupt, — in Form einer Wagnermütze, — jugendliche kräftige Gestalten, ein weit ausgreifender, erobernder Schritt . . . eine stürmende und beseelte Schar." Die Jagd auf einen Hasen wird zum Hymnus auf Kraft, Schönheit, Leben und Lust der Knaben und Mädchen, im Verein mit den Tieren des Waldes und Pferden. Wie im Drama erwacht plötzlich und ohne Motiv geile Brunst: „Heila mein Auge, Heila mein Ohr, Heila meine Zunge,

Szene aus dem Schauspiel von Arnolt Bronnen, Katalaunische Schlacht
in der Frankfurter Uraufführung 1924

Meine Brüste junge, meine weichen Hände, meine schwellenden Lenden." Es kommt zu einer orgiastischen Vereinigung. Der Kult des Blutes, der „Besoffenheit", der trunkenen Lust, taumelnden Versinkens ist auf dem Höhepunkt; da fällt über diese Jugend die Polizei her, unterstützt von Bauern mit Mistgabeln, aber sie werden von der Jugend blitzschnell entwaffnet und „niedergeritten". Abermals bricht die Ekstase aus, wird zum Tanz:

Vergöttlichung in sexueller Ekstase

In uns tanzt die Erde!
In uns zittert alle Lust und Weh und Gier der Erde.
Haltlos! –
Haltlos –
Nur jagen und jagen und jagen

Die Szene steigert sich zu einem ebenso rohen wie grotesken Bild („Ich krieche in ein großes Loch, Der Wollust Loch . . ."), und sie endet, indem aus dem Haufen „durch den Druck aus ihrer Mitte einige emporwachsen". Sie stammeln, „Schaum auf den Lippen, ganz zerkrampft, den Leib zerreckt, dampfend von Schweiß, mit unirdischer Stimme":

Nun seh ich Gott –
Gott –
Nun sind wir Gott –
Gott –
Wir Gott –
Gieriger, wachsender, herrschender Gott –
W-i-i-ir Gott.

Die Pantomime endet mit einer Schlußvision, die nur diskursiv ausgesprochen werden kann und die Tendenz enthüllt:

> Wie die Jugend über allen Tod und alles Leben triumphiert.
> Wie sie Strahlen aussendet von oben, daß alle Jugend es
> sieht und erschauert.
> Wie sie ruft von oben und lockt und singt:
> Hinausjauchzt:
> Die Jugend muß zum Licht!

Die Pantomime zeigt den Zusammenhang mit der Neuromantik, mit der Jugendbewegung, dem Vitalismus, dem kosmischen und erotischen Empfinden, Bezüge, wie sie auch bei Max Dauthendey, Richard Beer-Hofmann („Der Tod Georgs"), Leonhard Frank, Gustav Sack, Hermann Broch und F. Bruckner deutlich werden; die mystisch-kosmisch gemeinte Vereinigung aller mit allen und dem All geschieht erotisch. Selten wurde sie so peinlich kraß wie hier entwickelt.

„Sturm gegen Gott"

In der Gefangenschaft 1918 war „Sturm gegen Gott", ein Einakter, entstanden, den der Autor später verbrannt hat. Es sollte eine Deutung des Krieges sein. Die verrohte Soldateska, auf dem Gipfel des anarchischen Chaos der Materialschlacht, hat eine Christuserscheinung, welche sie zur Ordnung bringt: Der „Sturm gegen Gott" ist zusammengebrochen, Christus hat gesiegt. Der Stoff wurde später aus dem Gedächtnis zu dem Drama „Sturmpatrull" umgearbeitet, wo die religiösen Bezüge allerdings verwischt sind. Auch „Exzesse" wurde schon in italienischer Gefangenschaft entworfen und 1921 beendet, ein Stück, das Bronnen in zahlreiche Skandale verwickelte. Es benützte wirkungsvoll das Nachkriegs- und Schiebermilieu, in dem sexuelle Gier und revolutionäre Anarchie zu Exzessen führen. Der Stil ist derb und volkstümlich, er schließt – wie bei F. Wolf und Zuckmayer – an die Überlieferung des Volksstücks und den städtischen Naturalismus an.

„Exzesse"

„Exzesse" gehört zum „entfesselten Theater" der frühen zwanziger Jahre, als die Stücke Jahnns, Brechts („Im Dickicht der Städte"), Barlachs und revolutionäre Inszenierungen der Klassiker (Schillers „Wallenstein", Shakespeares „Hamlet") dem Bildungstheater im alten Sinne den letzten Stoß zu geben schienen. Auch die Einstudierung von „Vatermord" im Jahre 1922, für die Brecht Regieanweisungen geschrieben hatte, gehört in diesen Zusammenhang. Bronnen hat über die Proben berichtet:

Brecht inszeniert „Vatermord"

> Ich saß neben Brecht im dunklen, leeren Zuschauerraum und erschauerte, wenn da oben der gerade den höchsten Ruhmesgipfeln zujagende Heinrich George stand und meine Worte sprach. Doch Brecht trieb den keuchenden, japsenden Koloß von der Rampe, zerhackte unerbittlich jedes nur expressiv herausgeschleuderte, aber nicht vorgedachte, vorartikulierte Wort. Bei der Agnes Straub deckte er hartnäckig jede falsche Nuance auf, er verekelte sie sich und mir. Das ging so Probe für Probe, und bei jeder Probe waren sich alle Beteiligten einig, daß es die letzte gewesen wäre. Und doch kam es soweit, daß Seeler die Premiere ankündigen konnte, einmal, dann wurde verschoben, dann noch einmal, aber dann war es endgültig aus. In einem letzten großen Tumult wirbelte George die Rolle von der Bühne bis in die fünfzehnte Reihe hinunter, und die Straub ging mit Weinkrämpfen ab. Brecht gratulierte mir mit jenem Sarkasmus, der immer einen Triumph bei ihm verschleierte: „Mit denen wäre es nie etwas geworden."

Der siebenundzwanzigjährige Autor Bronnen und Freund Brechts war damals Angestellter im Kaufhaus Wertheim. Mit den Skandalerfolgen seiner Stücke wurde er nun unabhängig. In die Motivkette der „Exzesse" gehört die „Septembernovelle" (1922), deren Thema die in der Gefangenschaft erlebte Homosexualität ist. Die Erzählung ist merkwürdig, weil Bronnen weder große Buchstaben noch Satzzeichen verwandte und weil die Jugend sich durch die Alten, die Schüler durch den Lehrer vergewaltigt fühlen. Diese Jugend wird so geschildert:

Arnolt Bronnen

Gemälde von Rudolf Schlichter

> all aber waren sie begeisterte herolde des verflossenen wie aller künftigen kriege und sprachen von der schmach der alten die ihr volk ins unglück gestürzt hätten in ihnen lebte der geist der schlachten vom durer und der pioverna und so groß war ihr haß gegen alles fremde daß selbst reisende des benachbarten landes verprügelt und der stadt verwiesen wurden kampf war die losung geist war ihnen verhaßt schüler traten aus dem gymnasium aus und wurden tischler und schlosser es war keiner der nicht einen revolver bei sich herumtrug und es war keiner der nicht begeisterter zuschauer der ring und boxkämpfe gewesen wäre die allerorten dem erhitzten publikum geboten wurden

Die Technik der Massenbeeinflussung

Hier ist der Zusammenhang des anarchischen Gedankens mit dem faschistischen zu greifen, ebenso die untergründige Verbindung des Massensports mit dem politischen Blutdurst. Bronnen arbeitete weiter mit Brecht zusammen, sie wollten ein Theater der jungen Dramatiker gründen und stutzten Jahnns „Pastor Ephraim Magnus" für die Bühne zurecht. Beide entwickelten sich damals, in bewußter Abkehr vom Expressionismus, zu glänzenden Theatertechnikern. Dabei vermittelten die Techniken des Films und Rundfunks neue Erkenntnisse. Bronnen hat später gestanden, daß Hitlers Rundfunkreden ihm einen „Schock" versetzt hätten. Das ist nicht politisch, sondern formal zu verstehen: Hitler zeigte den Dramatikern, wie es möglich ist, die Masse mit technischen Mitteln anzusprechen und zu packen. Es war das Problem, vor dem sie als Dramatiker der Großstadtbühne, des Gegenstücks der alten deutschen Bildungsbühne, standen.

Bronnen arbeitete ein älteres Stück, „Verrat", zu „Anarchie in Sillan" (1923) um, in dem ein Ingenieur gegen die anarchistischen Techniker und eine liebestolle Frau kämpft. Darauf schrieb er „Napoleons Fall“ (1924), eine Waterloonovelle, und nach dieser entstand – als Stück unbewältigter Kriegsvergangenheit – die „Katalaunische Schlacht“ (1924). Die Geister der gefallenen Krieger kämpfen

Die großen Zugstücke

in den Lüften weiter: Zwei Brüder treffen sich nach vier Jahren Kriegs- und Frontleben in einem Unterstand bei Château-Thierry und erkennen sich nicht. Der eine entdeckt, daß der Offiziersbursche des andern eine Frau, die Ehefrau des Bruders ist. Er schickt, da er die Frau für sich will, den Bruder in den Tod. Um diese Moritat bewegen sich zahlreiche Nebenfiguren mit ähnlich drastischen Erlebnissen. Die Kritik stellte fest, daß die eben angetretene junge Generation mit diesem Stück schon wieder am Ende sei.

Kurz darauf schrieb Bronnen „Die rheinischen Rebellen“ (1924) und „Ostpolzug“ (1925), ein „Monodrama“, in dessen neun Szenen sich nur eine Figur entfaltet, Alexander. Das ist erst der historische König, der die Welt erobert, dann ein unbekannter Forscher von heute. Beide unterhalten sich, Alexanders Kriegszüge und Taten werden ausgebreitet; am Ende verschmelzen die Personen und kämpfen gegen den Tod, der unaufhaltsam ist, aber Alexanders Wünsche und Träume erhalten durch ihn Unsterblichkeit. Wie in „Rheinische Rebellen“ wandte sich Bronnen in seinem Lustspiel „Reparationen“ (1926) der aktuellen Politik zu, dem nationalen Widerstand gegen Rheinlandbesetzung und Reparationszahlungen. Nationaler Widerstand blieb sein Thema. Nach dem aus einem Hörspiel nach Kleist entwickelten Schauspiel „Michael Kohlhaas“ (1928) schrieb

Der „Nationalbolschewist“, „OS“

er den Roman „OS“ (Oberschlesien, 1929). Er galt nun als Rechtsradikaler. In Zusammenhang mit seiner Person wurde der Begriff „Nationalbolschewist“ geprägt. Tucholsky sagte, Bronnen sei „durchgefallener Linker, als Faschist verkleidet“. Das wahre Motiv des Romans war weniger das politische Unrecht als die Neigung zum anarchischen Durcheinander, zum Zerstören und zur raffinierten Sensation. Literarisch ist der Roman im Stil der „neuen Sachlichkeit“ gemacht. Ernst Jünger schrieb in einer Kritik:

> Die Literatur spielt hier eine ähnliche Rolle wie die Maschine in der modernen Schlacht. Das heißt, das Werk stellt sich nicht mehr in den Dienst einer Argumentation über Gut und Böse, Recht und Unrecht, Fortschritt und Reaktion, sondern in den Dienst der lebendigen Kraft ... Hier erfahren wir Nationalisten Unterstützung von einer Seite, auf die wir schon lange gewartet haben.

Das Buch versuchte die Bewegung einer anonymen Masse künstlerisch darzustellen und ihre intellektuell nicht faßbaren Emotionen, wenn das ganze Land bis auf Beuthen verlorengeht, „national“ zu erklären; es stellte sie unter einen Gedanken, der die Wirklichkeit nur zum Teil und gefährlich propagandistisch deckte.

„Roßbach“

Auf diesem Weg ging Bronnen in „Roßbach“ (1930) noch einen Schritt weiter, einer Monographie des nationalistischen Freischarführers Gerhard Roßbach mit einer ästhetischen Tendenz. Bronnen ging bei seiner Deutung Roßbachs von dessen jugendbewegten „Spielscharen“ aus, die in kleinen Städten alte Spiele und Lieder aufführten. Dann wird Roßbach Befreier des westpreußischen Grenzlands und schließlich einer der Drahtzieher des Münchner Hitlerputsches von 1923. Eigene Mitteilungen des „Kampf Truppen Kommandeurs und Spielschar

Führers" Roßbach ergänzen das Buch. Es gehört stofflich zu den Romanen Ernst von Salomons und Hans Falladas und trifft sich in der Tendenz mit Hanns Johsts „Schlageter". Mit diesen Büchern hatte sich Bronnen auf die Seite der politischen Rechten geschlagen. Dichterisch war er wohl längst am Ende; er schrieb noch Gelegenheitsarbeiten wie den Reportageroman „Film und Leben Barbara la Marr" (1928), die Geschichte eines Hollywood-Filmstars, und arbeitete seine Dramen als Hörspiele für den Rundfunk um. In dessen Angestelltenhierarchie hatte er einen führenden Posten. In dem 1935 veröffentlichten Roman „Kampf im Äther oder die Unsichtbaren" stellte Bronnen am Schicksal zweier Berliner Proletarier den enttäuschenden Aufstieg des neuen Mittels dar: rasch wird der Rundfunk zum finanziell und politisch manipulierten Machtinstrument. „Die Masse, die im Rundfunk ihre Möglichkeiten sah, den Einbruch in die Kultur zu vollziehen", sagt Bronnen in schönstem Funktionärsdeutsch, „wird gerade durch den Rundfunk mehr Masse denn je, denn man läßt nun auch den Glauben an die Kultur verlieren." Das Buch mußte unter einem Pseudonym erscheinen (A. H. Schelle-Noetzel) und vorher, auf Wunsch der Reichssendeleitung, in entscheidenden Kapiteln umgearbeitet werden, wobei die antibürokratische und antipolitische Tendenz weitgehend geopfert wurde.

Ein Rundfunkroman

Bereits 1935 schlug, wie Bronnen meint, seine Liebe zur Nation in Haß um. Die Stellung wurde ihm gekündigt. Er suchte nach einer Möglichkeit versteckter Kritik und fand sie in einem Drama „N" (Napoleon, 1935), wo die Ermordung des Herzogs von Enghien den Terror des Regimes offenbart und die Katastrophe einleitet. Bald wurde er aus der Reichsschrifttumskammer ausgeschlossen, da er seinen Ariernachweis nicht erbringen konnte. Trotzdem arbeitete er noch gelegentlich beim Rundfunk und Fernsehen mit, überstand schwierige Krisen und Intrigen, rettete schließlich durch eine von oben empfohlene „Arisierung" seine Existenz und schrieb ein Lustspiel über die letzten launischen Tyrannenjahre der Königin Elisabeth von England, „Gloriana" (1941). Ebenso wie „N" wurde „Gloriana" nicht gespielt. Bronnen hielt seine letzten Dramen für Zeugnisse des Widerstands. Aus seinem „protokoll"-Buch erfährt man zahlreiche Details zur Geschichte der jungen Theatergeneration der Nachkriegszeit. – Nur kurze Zeit hatte Bronnen das Enfant terrible spielen dürfen, dann ging die Entwicklung über ihn hinaus zu einer neuen politischen und dramatischen Form. Sie wurde vom Gefährten seiner Jugend, Bert Brecht, gefunden und entwickelt. Er selbst überstand den Krieg und verschrieb sich dem politischen System der Ostzone. Weitere Bücher wie „Aisopos" erregten keine Aufmerksamkeit mehr. Er starb 1960.

Drittes Reich und Widerstand

Ferdinand Bruckner (Theodor Tagger)

In keiner der expressionistischen Anthologien ist Theodor Tagger zu finden, der als Lyriker begann und sich später, als er die Lyrik, den Expressionismus und „die Literatur" verlassen hatte, Ferdinand Bruckner nannte. Tagger (1891–1958) ist wie Bronnen Wiener und hat die Stadt Hofmannsthals und Schnitzlers nie verleugnet, wenn er auch entscheidende Jahre in Berlin verbracht hat.

Der junge Theodor Tagger

Sein erstes Buch hing mit dem philosophischen Studium und der Begeisterung für eine neue Menschheit zusammen, eine sozialwissenschaftliche Studie unter dem Titel „Morgenröte der Sozialität", die 1914 bei Georg Müller in München erschien. Bald tauchte Tagger in Schickeles „Weißen Blättern" auf. 1917–19 gab er eine Zweimonatsschrift „Marsyas" heraus, welche „neue Literatur und originale Graphik" brachte. 1917 veröffentlichte er ein Bändchen mit steilen Gedichten, „Der Herr in den Nebeln", und im Jahr darauf, im „Jüngsten Tag", ausgewählte Verse unter dem schönen Titel „Der zerstörte Tasso". 1917 war eine Erzählung „Die Vollendung eines Herzens" und 1918 „Psalmen Davids" erschienen – sämtliche Werke unter dem Namen Tagger. In den Psalmen vernimmt man eine – gegenüber dem alten geheiligten Text – neue Sprache. Tagger hat, weitab von der Bibelübertragung Rosenzweigs und Bubers, dem alten Gedicht eine wahrhaft moderne Form gegeben:

Die Psalmenübertragung

Herr, mein Hirte, ich sehe Dich
und weide auf Deinen grünen Matten
laufet der grüne Quell
sanft bin ich geborgen.
Du führest mich mit Deinem Stabe –
gerechte Straßen
weisen Deinen Namen,
unter den Schatten des Todes
wärmt Deine Hand,
Wanderer stützt mich Dein Stab,
breitete still sich Dein Tisch vor meinem Angesicht
und herrlich flutet mein Becher.
Barmherzigkeit folget mir schwesterlich
alle Tage des Lebens, daß ich wohne
im Haus des Herrn die Länge der Tage.

Die Wendung zum sachlichen Drama

Rasch hat Tagger, wie seine Generationsgenossen Bronnen, Brecht, Wolf und Zuckmayer, die als „literatenhaft" empfundene Sphäre des Expressionismus verlassen und sich in teils lokalen (Wiener), teils naturalistischen Arbeiten versucht. Entscheidend war für Tagger, der sich nun Bruckner nannte, seine Wendung zum Drama. 1923 gründete er das Renaissancetheater in Berlin und leitete es bis 1927. Die jungen Autoren empörten sich wie einst die Naturalisten gegen politische, soziale und moralische Ungerechtigkeit, sie verurteilten Krieg, Nationalismus und Rassenhaß. Bruckner führte außerdem einen heftigen „Kampf gegen die Metapher"; er verwarf sie als ausgesprochen expressionistische Unart. Die sprachliche Führung seiner Stücke war betont schlicht, „neue Sachlichkeit", und bei aller Kraßheit und Deutlichkeit der Stoffe spürte man das diskrete Vorbild Arthur Schnitzlers.

„Krankheit der Jugend"

Bruckners Dramen setzen den ersten Weltkrieg voraus. Die Jugend ist verwildert, demoralisiert und deshalb „krank". Das erste Drama, „Krankheit der Jugend", wurde 1924 geschrieben und 1926 in Hamburg und Wien uraufgeführt. Ein Jahr später folgte die Berliner Aufführung und danach die Buchausgabe. Dem Schauspiel liegt das Dreieckschema der Salonkomödie zugrunde, welche einen Mann zwischen zwei Frauen zeigte. Dieses Schema war hier durch Parallelpersonen erweitert: neben Freder steht sein Freund Alt, neben der Studentin Marie die gewesene Gräfin und jetzige Studentin Desiree. Diesen Damen steht Lucy, das von Freder zur Liebe und zum Verbrechen verführte Zimmermädchen,

Szene aus dem Schauspiel von Ferdinand Bruckner, Elisabeth von England mit Käthe Dorsch

gegenüber. Während die Medizinstudentinnen zynisch lieben, liebt sie mit dem Herzen, mit oft sprachloser Innigkeit einen Mann, der ihr Verderben wird. Desiree verführt Marion zur lesbischen Liebe. So sind alle Bindungen, vor allem die intimen, pervertiert, wobei der Dialog unter den Personen bis zur Schamlosigkeit offen ist. Nach einer zärtlichen Szene unterhalten sich Desiree und Marie über Freder:

Die „Sexualperspektive"

Marie: . . . Eigentlich hat Freder den großen Enthüller gespielt.
Desiree: Kannst ihm danken.
Marie: Ich will ihn nicht sehn.
Desiree: Es würde dir gut tun.
Marie: Nein.
Desiree: Er und Alt sind wie zwei Brüder, die sich nicht ähnlich sehn.
Marie (erstaunt): Freder?
Desiree: Beide gehn bis ans Ende, vorurteilslos.
Marie: Ich habe irgendwie Furcht vor Freder.
Desiree: Ich habe irgendwie Angst vor Alt. Er ist mir unheimlich, weil er in Männeranzügen herumläuft.
Marie: Du siehst alles in der Sexualperspektive.
Desiree: Die beiden tragen denselben Kopf auf verschiedenen Körpern. Sie haben verschiedene Hände und vielleicht auch verschiedene Herzen. Aber denselben Kopf. Der Mensch ist ein komisches Kompositum. — Du kennst Freder nicht, wenn er die Besinnung verliert.
Marie: Kann er die Besinnung verlieren?
Desiree: Ich hätte es sonst nicht so lang mit ihm ausgehalten. Er saugt dir das Blut unter der Haut wie ein Raubtier. Das ist nicht mehr Wollust, das ist Delirium, Schmerz,

viehischer Wahnsinn. Das sind die wenigen Augenblicke unseres Lebens, wo wir die armselige Kreatur völlig überwinden und unser Körper nur mehr als Kadaver übrigbleibt.

Marie (leise): Ich erkenne dein Gesicht nicht wieder.

Desiree (umarmt sie heftig): Sterben, Marion, sterben.

Marie: Sterben?

Desiree: Nur ein Schrittchen weiter aus dem Fieber der Wollust heraus, nur ein Schrittchen über den Schmerz hinaus – und man erwacht nie mehr wieder. (Küßt sie leidenschaftlich.) Wie wäre das herrlich, Marion.

Marie (reißt sie schluchzend an sich): Nicht sterben, nicht sterben.

Desiree: Sterben wir zusammen, Marion ...

Literarische Herkunft

Im nächsten Augenblick überlegt Desiree, ob es nicht besser sei, sich ermorden zu lassen; sie habe Freder, „die Bestie", darauf dressiert; dann essen sie Pralinen und nehmen das anatomische Lehrbuch zur Vorbereitung auf die Prüfung zur Hand. Die Krise treibt weiter. Desiree geht „auf die Straße", Freder will Marie heiraten und sagt zu ihr: „Du sehnst dich nach mir wie nach dem Messer ... Du riechst Blut. Es gibt nur einen Ausweg: wir heiraten ... Wir entscheiden uns im letzten Augenblick für die Verbürgerlichung. Es ist die einzige Rettung vor der Katastrophe." Während sich nun Desiree mit Veronal im Nebenzimmer umbringt, weckt Marie in einer suggestiven Szene das Raubtier in Freder und mit ihrer „aus tiefster Seele" kommenden Bitte „Ermorde mich! Ermorde mich" schließt das Drama.

Die literarischen Vorfahren des Stückes waren Strindberg und Wedekind. (Marie und Desiree entsprachen Wedekinds Lulu und Gräfin Geschwitz.) Die pathologischen und medizinischen Theorien, als deren Exempel die Figuren gelten können, stammten von S. Freud und Weininger. Ein Parallelstück zu „Krankheit der Jugend" war „Die Kreatur" (1930). Alfred Kerr zog das Resümee: „Großes Spiel und bestreitbares Stück."

Welterfolg als Zeitstück

Als Zeitstück der zwanziger Jahre wurden „Krankheit der Jugend" und „Die Verbrecher" auf allen größeren deutschen und ausländischen Bühnen (in siebzehn Ländern) gespielt. Allein in Frankreich wurden beide Dramen je über zweihundertmal aufgeführt. In den Kriegsjahren und nach dem zweiten Weltkrieg, vor allem in Amerika, wurden die Stücke als historische Dramen gegeben, die eine bestimmte Zeit spiegelten. Der amerikanischen Aufführung der „Verbrecher" gab Erwin Piscator 1941 in New York den Titel „Deutschland 1926" – der Zusammenhang der verbrecherischen Generation mit dem Nationalsozialismus sollte demonstriert werden.

„Die Verbrecher"

Das Schauspiel „Die Verbrecher" wurde 1926/27 geschrieben und in Berlin an den Reinhardtbühnen unter Heinz Hilperts Regie – und zugleich in Wien im Theater in der Josefstadt – uraufgeführt; es erschien im Druck in der „Neuen Rundschau" 1928. Der erste Akt spielt auf einer Kästchenbühne. Unten sieht man den Hinterraum einer Kneipe, darüber zwei Stockwerke mit je drei Räumen, die von den Figuren des Stückes bewohnt werden. Der stellungslose Kellner Tunichtgut ist der Haupttyp. Die Wirtin, die Köchin, das Dienstmädchen, ein Friseur, ein armer Student mit seiner Geliebten und eine herabgekommene bürgerliche Familie werden in eine komplizierte Verbrechenshandlung verwickelt, in der es zu einer Abtreibung kommt und die Wirtin ermordet wird. Der zweite Akt stellt, wiederum dreistöckig, das Kriminalgericht mit Verhandlungs- und Wartezimmern

Ferdinand Bruckner

und dem großen Schwurgerichtssaal dar. Die Verhandlungen gegen die verschiedenen Angeklagten finden gleichzeitig statt, doch so, daß jeweils dort das Licht aufgeblendet wird, wo zugehörige Teile des Gesamtkomplexes zur Sprache kommen. Hier fällt von einer der Hauptschuldigen das Wort „Wir sind alle Verbrecher". Im Lesezimmer unterhalten sich zwei Brucknersche Richter über das Wesen des Rechts: „Hier kastriert sich das Volk bei lebendigem Leibe immer wieder selbst ‚im Namen des Volkes'." Der dritte Akt kehrt zum Wohnhaus des ersten Akts zurück. Es ist nun ein „belastetes" Haus, und die jüngere Generation schmutziger Geschäftemacher stellt fest, daß ihr Ruf geschädigt sei. Die Hauptdiskussion dreht sich um die Todesstrafe und die alte Frage der Gleichheit ungleicher Menschen vor dem Gesetz. Bruckners „Verbrecher" war zwar kein Thesenstück wie F. Wolfs „Cyankali", aber ein Sittendrama mit negativen Vergleichen. Es fehlte jene menschliche Dimension, welche die thematisch und soziologisch vergleichbaren „Ratten" Hauptmanns zu einer großen Dichtung macht.

„Elisabeth von England"

Bruckner kam vom Zeitstück zum historischen Drama. Seine „Elisabeth von England" (1930) behandelte die Figur der gleichen Gloriana, über die auch Bronnen ein Lustspiel schrieb, die unbedenkliche, dreiste, genialische Frau. Ihr historischer Sieg über Spanien wird in dem theatergeschichtlich berühmt gewordenen dritten Akt simultan mit dem lateinisch betenden Escorial dargestellt. Die Bühnenanweisung schreibt vor: „In einigen der folgenden Szenen ist der gleichzeitige zweite Schauplatz in den jeweils ersten schräg und scharf hineingeschnitten gedacht, dahinter und darüber, ohne Übergang, auf anderer Ebene stehend, möglichst auf einer aufsteigenden Ebene, jedesmal in anderer Höhe und an anderer Stelle." Man sieht also den spanischen Hof mit betenden Kardinälen und Mönchen und Elisabeth mit ihrem Kronrat gleichzeitig auf der Bühne:

Walsingham (zornig): Ich habe jetzt von der Sicherheit des Landes und nicht von den Jesuiten gesprochen.

Die Granden (das Gebet ohne Unterbrechung weiter): ante diem rationis.

Kardinal: Ingemisco tanquam reus
Walsingham: Den Jesuiten bin ich immer noch gewachsen.
Philipp: Ingemisco tanquam reus
Elisabeth (brüllt): Zeig, wie du gewachsen bist. (Klatschen und Lachen.)
Die Granden: Ingemisco tanquam reus
Der Kardinal: culpa rubet vultus meus
Philipp: culpa rubet vultus meus
Die Granden: culpa rubet vultus meus
Der Kardinal: supplicanti parce, Deus.
Die Granden: supplicanti parce, Deus.
Suffolk: Weil nämlich die ersten Kriegsschiffe auf der Themse liegen.
Der Kardinal: Quaerens me sidisti lassus
Philipp: Quaerens me sidisti lassus
Suffolk: Haben die Jesuiten Reißaus genommen.
Die Granden: Quaerens me sidisti lassus
Elisabeth: Dann ist also die Flotte gewachsen? (Lachen)
Kardinal: redemisti crucem passus
Philipp: redemisti crucem passus
Elisabeth: Walsingham aber ist klein geblieben.
Die Granden: redemisti crucem passus
Lords: Die Flotte ... Englands neue Flotte.

In „Elisabeth von England" spürte man Shakespeares Vorbild; in „Timon, Tragödie vom überflüssigen Menschen" (1931) griff Bruckner direkt ein Shakespearesches Drama auf, in der „Marquise von O" (1932) dramatisierte er Kleists Erzählung. In diesen Stücken wurde das psychoanalytische Modell aufgegeben, alles war freier, die kämpferischen Tendenzen fielen ebenso fort wie die naturalistischen Details. Da zwang das Nahen des Dritten Reiches Bruckner zur Emigration; er ging 1933 über Paris nach Amerika, das seine Stücke spielte.

„Die Rassen"

1933 schrieb Bruckner das dreiaktige Schauspiel „Die Rassen", das in Zürich zur Uraufführung kam und später von einer amerikanischen Theatergilde als deutsches Zeitstück viel aufgeführt wurde. Ein Deutscher, der eine jüdische Frau liebt, gerät durch die antisemitische Hetze der Nationalsozialisten in eine schwierige Lage und sticht schließlich den Scharfmacher Rosloh nieder. In einer Fülle von grausamen und gespensterhaften Szenen wird die Diskriminierung der Juden vorgeführt, während dümmliche Rassentheoretiker das antisemitische Lehrgut des Dritten Reiches in der Kneipe und auf den Straßen verkünden. Das Stück ist F. Wolfs „Professor Mamlock" ähnlich, hat aber nicht die gleiche Wirkung, da Bruckner einen Deutschen zum Helden macht, den die Partei am Schluß sang- und klanglos verschwinden läßt. 1942 inszenierte Berthold Viertel das Stück in New York mit großem propagandistischem Erfolg.

Die Gestalt des Diktators

In den folgenden Jahren wandte sich Bruckner wieder der Geschichte zu und suchte exemplarische Gestalten, in denen sich Größe und Untergang der Diktatur zeigen ließen, so in „Napoleon" (1936) und dem zweiteiligen Simon-Bolivar-Drama aus der südamerikanischen Geschichte. Die Stücke wurden im Kriege geschrieben, ebenso die dreiaktige „Heroische Komödie" (erschienen 1948) um Germaine de Staël und Benjamin Constant. Das eigentliche Thema bildet wieder Glanz und Untergang Napoleons. Hier ist die Beziehung auf Hitler ganz deutlich: „Weil ein Kaiser Europa unter seine Herrschaft bringt – glaubt er wirklich, das sind die ‚Vereinigten Staaten von Europa'? Dieser Kaiser irrt." Zeitstücke aus der politischen Gegenwart mit propagandistischem Tenor sind „Denn seine Zeit ist kurz!" (1942), „Die Befreiten" (1946) und „Früchte des Nichts" (1952).

Letzte Stücke, stilisiertes Theater

Nach dem Kriege versuchte Ferdinand Bruckner, nach Österreich und Deutschland zurückgekehrt, als Dramatiker einen neuen Typus zu entwickeln; das geschah in den Tragödien „Pyrrhus und Andromache" (1952), „Die Buhlschwestern" (1954), „Der Tod einer Puppe" und „Der Kampf mit dem Engel" (1956 erschienen). Die Stücke berufen sich auf die drei klassischen Einheiten des Orts, der Zeit und der Handlung, spielen in der Gegenwart in einem modischen Milieu und sind in merkwürdig gebrochenen Versen geschrieben. Die reiche Witwe Adrienne, in „Der Tod einer Puppe", Inhaberin eines Modesalons, dessen Mannequins eine Art Chor zu Adriennes tragischem Untergang bilden, ist mit Paul verlobt. Sie erlebt, zum erstenmal in ihrem Leben, wie sie aus der „Puppe" – durch die Liebe – in einen wahren Menschen verwandelt wird.

> Paul: Ich sah in dir ein
> Bild. Mit einem Bild kann man nicht leben.
> Von dir verzaubert bin ich, von deiner
> nahen und doch so undurchdringlichen
> Erscheinung, von diesem kühlen Hauch von
> Anonymität, der um dich ist. Doch heiraten
> wir jetzt. Das Anonyme muß Substanz, das
> Wesen Frau muß eine ganz bestimmte werden:
> meine Frau, damit sich endlich diese süße
> Verzauberung verwirklicht.
> Adrienne: Und du sie dann
> verlierst? Je länger wir zusammenleben,
> um so rätselhafter will ich für dich sein.
> Paul: In manchen Augenblicken bist du es so sehr,
> daß ich dich wie vom Tragischen umwittert
> fühle –
> Adrienne: Vom Tragischen!
> Paul: Ich könnte selbst
> nicht sagen, inwiefern. Es steckt in allem
> Schönen, weil es zugleich die Ewigkeit
> ausstrahlt und so vergänglich ist.

In „Der Kampf mit dem Engel" wird die mondäne Heldin, die Witwe des Herrn Hengen, die an der Börse „schon manche große Transaktionen, ganz große, durchgeführt" hat, von Gier zum Verbrechen getrieben. Geld und Geschäft sind „die höchste Macht auf Erden", und ihnen fällt sie schließlich zum Opfer. Bruckner hat mit seinen letzten Stücken keinen Erfolg mehr gehabt, aber sie gehören zu den Anfängen eines stilisierten Theaters in der Jahrhundertmitte. Bezeichnend sind die lässige, ja banale Behandlung der Sprache und die radikale, „sachliche" Desillusionierung aller Gefühle.

Friedrich Wolf

FRIEDRICH WOLF

Friedrich Wolf ist 1888 als Sohn bürgerlicher Eltern in Neuwied am Rhein geboren. Nach Abitur und Militärzeit fuhr er als Schiffsjunge und Kohlentrimmer zur See, begann in München, bestärkt durch ein Italienerlebnis, das Studium der bildenden Kunst, sattelte über zur Medizin, fuhr als Schiffsarzt und wurde 1914 als Militärarzt eingezogen. Er hatte längst zu schreiben begonnen, beeinflußt vom „Sturm" und von der kosmischen Symbolik des 1914 endenden Jahrhunderts. Damals entstanden das Frühwerk „Die Unbedingten. Ein Weg in drei Windungen und einer Überwindung", erst 1919 veröffentlicht, etwas später „Fahrt", „Das bist du" und die drei Einakter „Elemente". Etwa seit 1917 entwickelte sich Wolf gefühlsmäßig zum Pazifisten und schloß sich der Unabhängigen Sozialdemokratischen Partei (USPD) an. Im Revolutionsnovember 1918 wurde er Mitglied des Zentralrats der sächsischen Arbeiter- und Soldatenräte in Dresden. Er verkündete: „Die Welt muß umgeboren werden, von oben nach unten, von unten nach oben, daß sie neu werden kann! Nichts ist unmöglich!" Abstrakter Pazifismus verband sich wie bei Toller, Werfel, Rubiner und Pfemfert mit anarchistischen Neigungen des Literaten. Die Literatur sollte Instrument der Revolte werden. Wolf prägte das Schlagwort „Kunst ist Waffe", das ihm noch 1928 als Titel eines Essaybandes diente. Mit der Kritik am Bürgertum der Väter verband sich die Neigung zum künstlerischen Radikalismus im Sinne der „Sturm"-Poetik. Der Mensch ist nicht Individuum, sondern Mensch schlechthin. Wolfs frühe Stücke teilen die Unarten August Stramms, Rubiners und Goerings. Das Oratorium „Der brüllende Löwe", später „Mohammed" genannt, entstand 1917 im Schützengraben. Mohammed ist Typus des Befreiers: „Willst du kein Sklave sein, steh auf!" heißt das Motto seines Handelns. Das Drama ist ein Mittelding zwischen naturalistischem Historienstück und expressionistischem Kraftakt. In dem 1918 in Dresden entstandenen Spiel in fünf Verwandlungen „Das bist du" verwandte Wolf den expressionistischen Jargon allein bei den als Personen erscheinenden „Stimme der Axt", „Stimme des Kreuzes", „Stimme der Bank" und sechs abstrakten „Wesen" – ähnlich wie Stramm und Franz Jung: Die „Wesen" erscheinen auf einer „Bergkuppe von eisigem Licht" („Nebel fetzt um die Flanken des Berges") und klären einander über die Existenz des Menschen als des „Ewig-Gleichen" auf.

„Kunst ist Waffe"

„Mohammed", „Das bist du"

Das biblische Muster, „Tamar"

Das Schauspiel „Tamar" (1921) gehört zum ekstatischen Typus und behandelt den Konflikt einer jungen Frau mit der Sippe, weil sie kein Kind bekommt – ihr Mann, „der [von prophetischem Eifer] Verzehrte", hat andere Dinge zu tun. Das biblische Gewand liegt lose über dem modernen Kult des Lebens, des Lichts, der Fruchtbarkeit und Nacktheit der frühen zwanziger Jahre. Tamar ist jene Person aus der Genesis, die sich als Hure dem Vater ihres versagenden Mannes in den Weg stellt.

Väter und Söhne

Patriarch: War ich kein Vater? Ich will nicht davon reden. Doch unsere Söhne werfen sich zu unsern Richtern auf, sie schwingen kein Schwert über uns, sie zerbrechen uns nicht mit der Kraft ihrer Jugend und ihrer Arme, es ist kein redlicher Kampf der Zeiten; sie kehren uns den Rücken, sie laufen von uns davon, als seien wir keines Kampfes wert, sie rufen in den Wind, wir fassen es nicht; wir verdammen sie, ihnen ist es ein Nichts. (heftig:) Ja, hört ihr nicht, wie sie aufstehen an allen Enden, aufstehen in allen Nächten, diese Wanderer, diese Traumbläser, diese Glühaugen? Und das Geflüster, das Hauchen, das Wehen! Hört ihrs nicht feilen und sägen

Friedrich Wolf, Holzschnitt von Conrad Felixmüller

FRIEDRICH WOLF

in den Nächten, hört ihr nicht das Gestapfe und Getaste der Nackten, die wir nicht sehen, und die anschwellen wie ein Strom? Wollen wir warten, bis es über uns flutet und uns ersäuft? ... Noch aber sind wir da, wir Alten, wir und das Gesetz! Wir, die stets gewandelt im Gesetz! (Gegen den Geketteten:) Und darum ...

Kläger (schnell): Gib ihn mir, da ich ihm vergab.

Geketteter: So klag ich selbst mich an. / Patriarch: Du schweigst!

Geketteter: Ich fluche diesem Vater, daß er mich Elenden erzeugt.

Patriarch (zu den Knechten): Reißt ihm die Zunge aus! (Der Gekettete wird weggeschleift.)

Vater (ihm nachstürzend): Sohn! (Stille. — Dann unterdrückter Schrei.)

Ältester: Die Zunge ... / Patriarch: Sie schweigt.

Hure (vorstürzend): So schreie es! / Patriarch: Es? Wer? Du Verworfene?

Hure (ihren Schleier herabnehmend): Ja — ich Verworfene.

Patriarch: Tamar? ! (Erschrockenes Schweigen.)

Erster Ältester: Tamar ... die Hure? / Zweiter Ältester: Seines Sohnes Weib?

„Die schwarze Sonne“

1920 war Wolf für kurze Zeit Stadtarzt in Remscheid und kämpfte auf seiten der Arbeiterschaft gegen das Freikorps Lützow. Im folgenden Jahr ging er als Torfarbeiter und Siedler mit einer Gruppe von Kriegsbeschädigten in die Nähe von Worpswede. In dem Schauspiel „Kolonne Hund“ (1927) hat er seine negativen

Erfahrungen im Moor zu einem antikapitalistischen Aufruf benützt. Seine damaligen inneren Erlebnisse bezeugt, außer „Tamar", eine phantastische „Komödie mit Tanz und Gesang" „Die schwarze Sonne". Die Personen heißen: Die schwarze Sonne, Wumm, Burru, Sit, Kirri, Lolol, Li und das Urmenschenrudel. „Das Stück spielt wenigstens 10 000 Jahre nach der Gegenwart." Die Form war stark von August Stramm angeregt; aber Wolfs biblische, psychoanalytische, vitale und naturalistische Symbolik wirkte mehr nachempfunden als erlebt; die Handlung war ins Groteske übersteigert.

Auf der Suche nach einem Inhalt

So mißlang Friedrich Wolf mit der „Schwarzen Sonne" der Übergang zur Komödie, den so viele expressionistische Dramatiker versuchten. Er tastete nach andern Möglichkeiten, ließ sich in Schwaben, das seine Wahlheimat werden sollte, als Arzt nieder und schrieb einen Roman „Kreatur" (1925), in dem die Suche nach einem neuen Inhalt des Lebens beschrieben wurde: ein Akademiker wird Arbeiter. Ein sehr bezeichnendes Buch ist „Das Heldenepos des Alten Bundes, aufgespürt und in deutschen Worten von Friedrich Wolf" (1925). Es war ein Versuch, die Bibel als Epos zu rekonstruieren, mit Geschichten von Riesen, Recken und Helden wie Simson, Josua, Debora, Jephta, Samuel, Saul, David und Jonathan. Ähnlich wie Ferdinand Bruckner (Tagger) die Psalmen in ein modernes Deutsch übertrug, hat Wolf das Alte Testament „lesbar" zu machen gesucht. Ausgehend von der Bibelkritik, mit philologisch geschulter Einbildungskraft, in der Tiefe aufgerührt vom mythischen Gehalt des heiligen Buches, schrieb Wolf im Vorwort:

Die „Urbibel"

> Ein Sohn unserer Tage hat das Heldenepos des alten Wandervolkes neu gehört, neu aufgespürt und reicht es in deutschen Worten Euch dar. Er hat die Heerstraße der Glaubenslehre und Geschichtsdeutung, die Pionierpfade der Literar- und Textkritik verlassen, ist quer durch das Dickicht des Priesterkodex hindurchgeschritten, er hat versucht, durch die schwere Schutt- und Lavadecke der Dogmen, Kultvorschriften, Staatsgesetze und Opferregeln mit der Wünschelrute dichterischer Fühlung die fortlaufende Goldader der Dichtung des Alten Testaments aufzuspüren, ihr nachzugehen, dieses Stück *Urbibel* wieder aufzudecken, das Heldenepos, die Saga, die Edda des Alten Bundes. Und diese Goldader *ist* vorhanden, sie wird zutage liegen.

Es mag sonderbar scheinen, daß der Friedensfreund Wolf sich für den heidnischen Edda-Charakter der Bibel, für die heroischen Sagen seiner Vorfahren begeisterte. Für den religiösen Gehalt der Bibel war er blind, alles wurde ihm Mythus und Sage. Aber er erkannte die Notwendigkeit eines neuen Stils für die Bibel. Ähnlich Tagger und Rosenzweig-Buber wollte er das uralte Buch dem modernen Menschen durch das Medium einer neuen Sprache zugänglich machen, frei von altertümelnden Wendungen:

> Es ist mir leid um dich, mein Bruder Jonathan:
> Süß warst du mir im Leben,
> Deine Liebe war mir lauterer
> Denn Weiberliebe ist.
> Wie sind die Helden gefallen,
> Und zerstampft die Wehren des Kampfes!

„Der arme Konrad"

Die Lösung sollte Wolf nicht in der Heilslehre der Bibel, sondern in der des Kommunismus finden. Die kommunistische Literaturbetrachtung zählt seine Werke vom „Armen Konrad" (1923) an, dem Bauernkriegsstück im Gefolge von Goethes „Götz von Berlichingen" und G. Hauptmanns „Florian Geyer". Von diesen übernahm er den archaisierenden Ton und das Milieu der kämpfenden und unterdrückten Bauern. Das Pathos der Revolution wurde freilich nicht von der marxistischen Theorie, sondern von der biblischen Erwartung eines Reiches Gottes auf Erden genährt; nicht Lenin, sondern Ezechiel ist Prophet der Zukunft. Der Expressionismus, der „steile“ Stil, wurde nun aufgegeben.

Das Drama ging auf ein Volksstück zurück, das Wolf 1923 auf der Rauhen Alb gesehen hatte, ein Narrengericht über zwei Ritter, welche die Frühlingstaube gestohlen hatten. Die Ritter wurden von der Dorfgemeinde zum Ertränken im Brunnen verurteilt. Im Jahre 1514 war solch ein Gericht der „Narren“ zum Signal des Aufstands der Bauern geworden: aus den Narrenpritschen zog man die Schwerter und begann den Kampf gegen die Ritter. Dies „Narrengericht“ wurde der Kern des Wolfschen Spiels; eine bäuerliche Theaterspieltruppe wird zur Kampfgruppe des Volkes gegen den Feudalismus. War das Wolfsche Stück in den ersten Fassungen (1923 und 1924) ein unpolitisches und vielgespieltes Volksstück, wie später der Zuckmayersche „Schinderhannes“, so glich Wolf es später den Bedürfnissen der Partei an und versah es mit einem entsprechenden Nachwort: Aus dem Frühlingsvogel wird ein Symbol der sozialen Freiheit, und während in den ersten Fassungen Herzog Ulrich das Stück mit einer noblen Geste vor dem gefallenen Feind beschließt, fällt diese Szene in der letzten Fassung fort.

„Cyankali“

Wolf brauchte noch einige Jahre, bis er sich offen für das Zeit- und Tendenzstück entschied. Außer „Kolonne Hund“ (1927) schrieb er die Erzählungen „Kampf im Kohlenpott“ (1928), in dem er seine Erfahrungen in Remscheid verwertete, und ein medizinisches Volksbuch „Die Natur als Arzt und Helfer“ (1928). Im gleichen Jahr entstand „Cyankali“, ein Schauspiel gegen den § 218, das sensationellen Bühnenerfolg hatte, den Autor aber auch in Kämpfe und Prozesse verwickelte. Formal handelt es sich um ein naturalistisches Thesenstück; das literarische Schnittmuster fand Wolf bei G. Hauptmann: dem „Biberpelz“, den „Ratten“ und der „Rose Bernd“.

Politische Zeitstücke

Als Revolutionsstücke, mit dem Motto „Kameraden, das nächste Mal besser“, entwarf Wolf 1930 „Die Matrosen von Cattaro“, anknüpfend an eine revolutionäre Episode Anfang 1918 auf einem österreichischen Panzerkreuzer, wobei das russische Beispiel vom „Panzerkreuzer Potemkin“ als Anregung gewirkt haben mag, und „Tai Yang erwacht“ (1930/31), das Piscator inszenierte. Hier hat Wolf, ähnlich wie B. Brecht zehn Jahre später im „Guten Menschen von Sezuan“, das Problem der Kinderarbeit und Prostitution unter dem Gesichtspunkt der Anklage gegen das kapitalistische System behandelt. (In der Neuausgabe des Stückes von 1951 schrieb Wolf: „Inzwischen hat die Geschichte einen gewaltigen Sprung nach vorn getan ... Die Geschichte der kleinen Schanghaier Weberin Tai Yang mit ihrem Leid, ihrem harten Weg und Sieg gehört heute bereits der Historie an.“ Eine ähnliche Verwahrung hatte Wolf auch der Neuauflage von „Cyankali“ beigefügt.) Die Satire „Die Jungen von Mons“ (1932) ging von einer englischen Zeitungsnachricht aus. Eine unternehmungslustige Kriegerwitwe, die keine Arbeit bekommen konnte, sei als Mann verkleidet unter dem Namen Captain Campell Führer der englischen Nationalfaschisten geworden. Sie gründet den Club der Jungen von Mons, organisiert den faschistischen Werkschutz und verlobt sich mit einer Dame der Gesellschaft — bis sie erkannt und verhaftet wird.

Szene aus dem Schauspiel von Friedrich Wolf, Cyankali

„Professor Mamlock"

Wolf emigrierte vor den Nationalsozialisten 1933 nach Frankreich, wo er im Sommer das Schauspiel „Professor Mamlock" schrieb, die Tragödie eines jüdischen Chefarztes, der sich unter dem Druck des Naziterrors das Leben nimmt. Mamlock ist der Typus des bürgerlichen, tüchtigen, aber unpolitischen Gelehrten, der nicht verstehen kann, daß ein barbarisches System ihm die Menschenwürde aberkennt. Der Sohn Rolf hat sich entschieden, wird aber vom Vater nicht verstanden:

Mamlock (vor ihm): Wohin? Ich will wissen, wohin? (Leiser, mit unterdrückter Erregung:) Junge, wo ist dein Verstand, dein Ohr, dein Gefühl? Bist du noch ein Deutscher? Ein Mensch in deinen Jahren hat zu arbeiten und nicht zu schwatzen!
Rolf: Ich will wissen, Vater, wozu ich arbeite.
Mamlock: Und ich will wissen, daß du jede politische Tätigkeit sofort einstellst oder dieses Haus nicht mehr betrittst! Ist das klar?
Rolf (auf Pupille): Es ist klar. (Geht.)
Mutter (hält ihn): Das ist doch Wahnsinn, Rolf, ist ja alles Wahnsinn, Rolf ... hörst du mich, Rolf, hörst du mich nicht!?
Rolf (leise, streichelt sie): Ich höre dich, Mutter, und ich höre das andere. (Geht schnell hinaus. Mamlock setzt sich, blättert gedankenlos in der Zeitung. – Stille.)
Mutter: Mußtest du nicht der Klügere sein, Hans?
Mamlock (schweigt).
Mutter: Er geht jetzt zu den Kommunisten.
Mamlock: Er soll sich die Hörner einrennen.
Mutter: Er rennt sich den Kopf ein ...

Mamlock fällt, weil er nicht imstande war, die politische Realität zu sehen. Die Diktion des Stückes ist matt. Die Figuren sind politische Rollensprecher, und wenn man von Wolfs emotionaler Nähe zur Welt des Professor Mamlock absieht, so besteht der Wert des Stückes (und russischen Films) in der Dokumentation eines furchtbaren Abschnitts unserer Geschichte. Ähnliches versuchte Wolf mit dem bereits in Moskau, 1934, geschriebenen Tendenz-Schauspiel über den Wiener Arbeiteraufstand „Floridsdorf", ferner in dem nach Lope de Vegas „Fuente Ovejunas" gearbeiteten Schauspiel „Laurencia", das 1935 an der Wolga entstand und – wie Wolfs „Armer Konrad" – eine Bauernnovelle behandelt, und mit „Beaumarchais oder die Geburt des ‚Figaro' " (1941). Wolf schrieb das Stück in der Art von Goethes „Egmont" im Lager Le Vernet in Frankreich, aus dem er durch russische Intervention wieder befreit worden war: seitdem trat er ganz in den Dienst der russischen Propaganda. Davon zeugen die in Rußland geschriebenen Stücke „Das trojanische Pferd", „Die Patrioten" (beide 1943), „Dr. Lilli Wanner" (1944), „Was der Mensch säet" (Anfang 1945) und das 1947 in Berlin entstandene Schauspiel „Von Hetzjagd, Liebe und Tod einer [deutschen] Jugend" mit dem Titel „Wie Tiere des Waldes". In seiner Prosa feierte Wolf die Größe und Humanität der russischen Menschen, so in der Geschichte „Der Russenpelz" (1942) und den Erzählungen des Bandes „Sieben Kämpfer vor Moskau". Als Friedrich Wolf nach dem Kriege nach Berlin kam, stellte er sich in den Dienst der SED und schrieb, neben Stücken, Filmszenarien, Tier- und Kindergeschichten, die Komödie „Bürgermeister Anna" über den Wiederaufbau im Sinne der SED und einen antiamerikanischen Roman „Menetekel". Einige Jahre verbrachte F. Wolf als Botschafter seiner Regierung in Warschau. 1953 ist er in Berlin gestorben.

Antifaschistische Stücke

Bertolt Brecht

Ein neuer Typus

Der deutsche Expressionismus hat eine Reihe von Dramatikern hervorgebracht, die zu ihrer Zeit sensationelle Wirkung hatten. Sie haben sich auf der Bühne nicht länger als ein Jahrzehnt gehalten. Nur ihr Nachfahr Bert Brecht gehört der dramatischen Gegenwart an; er begründete einen Stil und eine Schule und eroberte die Bühnen der Erde. Mehr als zehn Jahre lang wurde seine „Dreigroschenoper" in einem einzigen New Yorker Theater ohne Unterbrechung gespielt. Er war nicht nur Dichter, sondern auch Theatermann: er schrieb aus dem Geist des Theaters heraus für das Theater. Brechts einziges Radiolehrstück, das Hörspiel „Der Ozeanflug", ist mißlungen, weil seine dramatische Dichtung stets des Theaters bedarf.

Der Künstler als freier Mensch

Am glänzendsten entfaltete sich Brechts Talent in der Verbindung mit Gesang und Musik. Auch seine zahlreichen Studien über die Schauspielkunst zeigen, wie wichtig ihm die Ergänzung des Wortes durch Mimik, Gestik, Licht, Ton und andere Effekte war. Gemessen an ihm sind Georg Kaiser, Hanns Johst, Reinhard Sorge romantische Pathetiker. Den Kern des Brechtschen Wesens bildet die Kunst, *seine* Kunst, und zwar in der ursprünglichen – anarchistischen – Auffassung vom Künstler als dem letzten freien Menschen in einer alles nivellierenden Zivilisation. Die Kunst ist Widerspruch zur Gegenwart und zielt auf eine Veränderung der Welt. Daß die „Veränderung" (ein marxistisches Schlüsselwort für „Revolution") durch den Kommunismus bewirkt werden soll, war Axiom aller Lehren in Brechts Weltmodellen.

Brecht ist 1898 in Augsburg als Sohn des Direktors einer Papierfabrik geboren.

BERTOLT BRECHT

Die Familie kam ursprünglich aus dem Schwarzwald. Sie wohnte am Rand der Stadt Augsburg, wo sie in die neuen Viertel überging. Brechts Familie war evangelisch, das Vorstadtmilieu seiner Kindheit war stark katholisch durchsetzt. Prozessionen und Weihrauchduft ziehen durch Brechts Gedichte und Stücke. Über das Elternhaus selbst ist fast nichts bekannt geworden. Hier muß Brechts lebenslanger Haß auf das Bürgertum und seine Denkweise entstanden sein. (Die Rebellion gegen den „Vater" war eins der Grundmotive der Literatur von 1905 bis 1925.) Die Oppositionslust Brechts wird für die etwas schwierige Gymnasialzeit mehrfach bezeugt. Sie war aber nicht elementarer, sondern listiger, „dialektischer" Art. Das bezeugt die Anekdote, daß Brecht und ein Schulkamerad, in Furcht vor einem schlechten Zeugnis, eine entscheidende Arbeit fälschten: der Freund radierte einige Fehler aus und wurde entdeckt. Brecht aber strich Fehler an, die keine waren, und beschwerte sich; der Lehrer mußte den Irrtum zugeben und die Note verbessern. 1917 machte Brecht das Abitur und begann in München Medizin zu studieren, wurde 1918 als Sanitäter eingezogen und kam in seiner Heimatstadt an ein Lazarett mit Verkrüppelten. Seit diesem Erlebnis war Brecht radikaler Pazifist.

Der Kommunismus als Heilslehre

„Baal"

1918 entstand Brechts erstes Stück „Baal". Baal ist ein lyrisches Genie, das sich der großbürgerlichen Förderung der Kunst entzieht und seine Balladen in Kneipen und Freudenhäusern zum besten gibt. Er ist Säufer, Vagabund, Mörder, Amoralist („Ich schwelge in weißen Leibern") und Zyniker. Schließlich geht er zugrunde. Hinter der Figur standen ein Augsburger Original, aber auch literarische Muster: Villon, Rimbaud und Verlaine. Der Name Baal ist eine Anspielung auf den palästinensischen Fruchtbarkeitsgott, den religionsgeschichtlichen Rivalen des alttestamentarischen Jahwe. Entscheidend ist die Parallele Baals mit Brecht: der Dichter protestiert, durch seine ganz andere Art zu leben und zu denken, gegen die Welt der „Bürger, welche sich allein für normal hält". Das Stück war durch den Protest gegen Hanns Johst „Der Einsame" angeregt, dessen Held der Dichter Grabbe war. Brechts „Baal" will nicht anklagen, sondern die Welt Baals und die der Bürger herausfordernd nebeneinanderstellen. Es ist ein Bilderbogen mit lyrischen Einlagen, die Baal zur Gitarre singt. Sehr deutlich vernimmt man die symbolistische Deklamation:

Aus Baals Lied

O ihr, die ihr aus Himmel und Hölle vertrieben!
Ihr Mörder, denen viel Leides geschah!
Warum seid ihr nicht im Schoß eurer Mütter geblieben
Wo es stille war und man schlief und war da?

Er aber sucht noch in absynthenen Meeren
Wenn ihn schon seine Mutter vergißt
Grinsend und fluchend und zuweilen nicht ohne Zähren
Immer das Land, wo es besser zu leben ist.

Im Tanz durch Höllen und gepeitscht durch Paradiese
Trunken von Güssen unerhörten Lichts
Träumt er gelegentlich von einer kleinen Wiese
Mit blauem Himmel drüber und sonst nichts.

Über Brechts Schreibtisch hing damals ein Baal-Bild seines Freundes Caspar Neher. Brecht sah in der Baalsfigur sein Glückssymbol. Tatsächlich hat er – als Dichter – sein Glück mit Gestalten gemacht, die dem genialischen Säufer, Dichter,

Spötter, Liebhaber und Verächter aller Konvention als Typus nahe sind: Azdak, Mutter Courage, Mackie Messer, Läuffer, Schwejk und die Gaunergruppen der folgenden Stücke. Zu dem Typus gehört Lässigkeit; das Böse und Verwerfliche tritt zurück hinter einer grotesken Sympathie. Auch die Sprache gibt sich im „Baal“ genialisch locker, nicht so sehr vom Expressionismus als von dessen Vorbildern Büchner und Lenz bestimmt. Baal irrt mit seiner Klampfe, dem Instrument der deutschen Jugendbewegung, durch den Wald, hat die Hände in den Hosentaschen und monologisiert: „Der bleiche Wind in den schwarzen Bäumen! Die sind wie meine nassen Haare Lupus. Gegen 11 kommt der Mond. Dann ist es hell genug. Das ist ein kleiner Wald. Ich trolle mich in die großen hinunter. Ich laufe auf dicken Sohlen, seit ich wieder allein in meiner Haut bin. Ich muß mich nach Norden halten. Nach den Rippseiten der Blätter. Ich muß die kleine Affäre im Rücken lassen . . .“, und dann stimmt er eine Strophe „seines“ Liedes an:

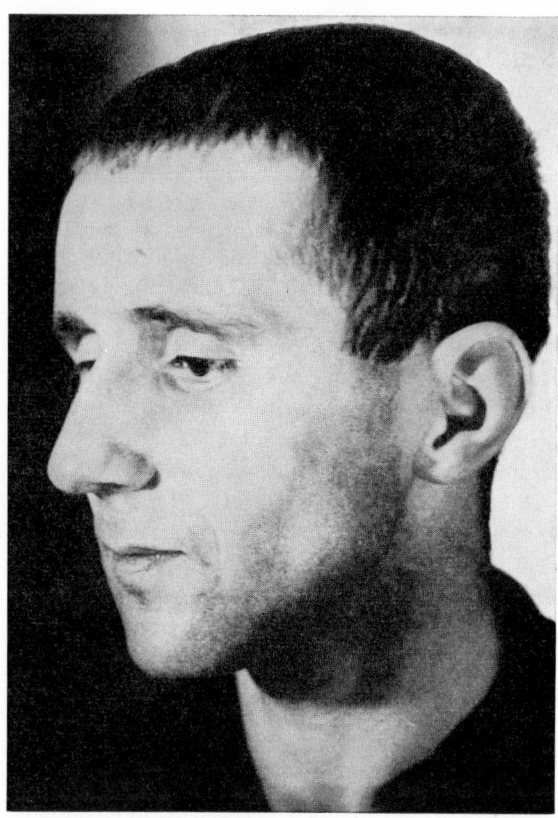

Bertolt Brecht

> Zu den feisten Geiern blinzelt Baal hinauf
> Die im Sternenlichte warten auf den Leichnam Baal.
> Manchmal stellt sich Baal tot. Stürzt ein Geier drauf
> Speist Baal einen Geier, stumm, zum Abendmahl.

„Trommeln in der Nacht“

War Baal eine „dramatische Biographie“, so schrieb Brecht, während er in Augsburg wohnte und in München studierte, mit dem Varieté, Karl Valentin und den revolutionär-pazifistischen Lion Feuchtwanger und Walter Mehring verkehrte, an einem Spartakus-Stück als Komödie. Andreas Kragler, aus dem Krieg heimkehrend, entdeckt, daß seine Braut ihn betrogen hat. Er erfährt es in einer wilden Saufszene mit den Balickes, die durch den Krieg „auf den grünen Zweig“ gekommen sind. In dieser Nacht bricht der Spartakus-Aufstand los; aber Kragler, der alles verloren hat, schließt sich nicht dem Aufstand an, sondern geht mit seiner beschädigten Braut ins Bett; der Soldat und Bürger Kragler zieht keine Konsequenzen:

Der Dudelsack pfeift, die armen Leute sterben im Zeitungsviertel, die Häuser fallen auf sie, der Morgen graut, sie liegen wie ersäufte Katzen auf dem Asphalt, ich bin ein Schwein und das Schwein geht heim. (Er zieht den Atem ein.) Ich ziehe ein frisches Hemd an, meinen Hut habe ich noch, meinen Rock ziehe ich aus, meine Stiefel fette ich ein. (Lacht bösartig.) Das Geschrei ist alles vorbei, morgen früh, aber ich liege im Bett morgen früh und vervielfältige mich, daß ich nicht aussterbe. (Trommel.) Glotzt nicht so romantisch! Ihr Wucherer! (Trommel.) Ihr Halsabschneider. (Aus vollem Halse lachend, fast erstickend.) Ihr blutdürstigen Feiglinge, ihr! (Sein Gelächter bleibt stecken im Hals, er kann nicht mehr, er torkelt [betrunken] herum, schmeißt die Trommel nach dem Mond, der ein Lampion war, und die Trommel und der Mond fallen in den Fluß, der kein Wasser hat.) Besoffenheit und Kinderei. Jetzt kommt das Bett, das große, weiße, breite Bett, komm!

Der absentierte Zeitgenosse

Verfremdungseffekte

Kraglers Pantomime mit Trommel und Mond bezieht sich auf die absichtlich primitiven Kulissen. Das Stück wurde 1920 von Brecht selbst als Regisseur an den Münchner Kammerspielen inszeniert unter dem Titel „Trommeln in der Nacht". Hinter den etwa zwei Meter hohen Pappschirmen, die Zimmerwände darstellten, war die Revolutionsstadt (Berlin) „in kindlicher Weise aufgemalt". Ein Lampion bedeutete den Mond. Den letzten Akt begleitete die Marseillaise auf dem Grammophon. Im Zuschauerraum hingen Plakate mit Sprüchen aus dem Stück, wie GLOTZT NICHT SO ROMANTISCH. Das waren die später so berühmten „Verfremdungen" des Brechtschen Stils. Mit den Plakaten wollte man das Bürgertum herausfordern, das damals wie heute Brechts Stücke besuchte und seine eigene Verhöhnung beklatschte. Der Held Kragler sollte moralisch „schäbig" wirken – obwohl Brecht damals dem Typus des Heimkehrers sympathisch gegenüberstand. Die Sprache ist kraß naturalistisch, die Absicht satirisch. Ähnlich wie „Baal" wird auch dieses Stück von einem lyrischen und widerdramatischen Empfinden beherrscht: der anarchische Held wird in einer Reihe von Bildern gezeigt und kommt nicht zu sich selbst. Er handelt nicht und entscheidet sich nicht so, wie es dramaturgisch nötig wäre.

Ein Einakter nach Valentin

1922 bekam Brecht für das Drama den Kleistpreis. Er arbeitete an einem (bisher nicht veröffentlichten) „Hannibal" und heiratete Marianne Zoff. Er war ein anerkannter Dramatiker der jungen Generation und lebte, als Dramaturg der Falckenbergschen Kammerspiele, in München. Hier entstanden, in enger Berührung und noch aus der Sphäre des großen Komikers Valentin heraus, drei (gleichfalls ungedruckte) Einakter: „Lux in tenebris", „Er treibt den Teufel aus" und „Die Hochzeit", die 1926 in Frankfurt gespielt wurde. Motiv dieser Stücke war die Entlarvung des Bürgers mit den Mitteln einer zum Absurden führenden Groteske. Gestisch und pantomimisch schwebte Brecht der Komiker Valentin vor Augen; dazu kamen die populären Bilderbogen und der krasse Stil des Panoramas auf dem Jahrmarkt, von dem schon der Knabe Brecht sich hatte verzaubern lassen. Auch entstanden in diesen Jahren zahlreiche Kurzgeschichten und die später gesammelten Gedichte der „Hauspostille", deren Gesänge den Keim aller Stücke von „Baal" bis zur „Dreigroschenoper" enthalten.

Übersiedlung nach Berlin

Im Jahre 1924 siedelte Brecht nach Berlin über und wurde, gemeinsam mit Carl Zuckmayer, Dramaturg an Reinhardts „Deutschem Theater". Hier entstand „Im Dickicht der Städte", in dessen Vorspruch gesagt wird:

Sie befinden sich im Jahr 1912 in der Stadt Chicago. Sie betrachten den unerklärlichen Ringkampf zweier Menschen und Sie wohnen dem Untergang einer Familie bei, die aus den Savannen in das Dickicht der großen Stadt gekommen ist. Zerbrechen Sie sich nicht den Kopf über die Motive dieses Kampfes, sondern beteiligen Sie sich an den menschlichen Einsätzen, beurteilen Sie unparteiisch die Kampfform der Gegner und lenken Sie Ihr Interesse auf das Finish.

Das Thema des Stückes ist die Einsamkeit des Menschen in der Großstadt. Die Beziehungen untereinander schlagen in Nichtverstehen und schließlich in sinnlose Feindschaft um, so daß selbst der Kampf sinnlos wird. Der Mensch ist des Menschen Feind, ob er liebt, ob er Geschäfte macht, ob er haßt. Das Drama schließt mit dem Satz Gargas, der sein Geld verwahrt: „Allein sein ist eine gute Sache. Das Chaos ist aufgebraucht. Es war die beste Zeit." Der eigentliche Sinn des Lebens ist absurd. (Brecht hat hier vorweggenommen, was später Beckett und Dürrenmatt zeigten. Er steht auf der Grenze zwischen dem Tragischen und Komischen.) Marie, die den Versuch macht, die Liebe zu verwirklichen, muß hören: „Liebe ihn! Das schwächt ihn!" Stilistisch schiebt Brecht das Pathos der Expressionisten mit ihren verblasenen O-Mensch-Ideen beiseite und entlarvt den „Helden" und die „Fabel" als romantische Erfindungen.

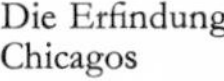

Die Erfindung Chicagos

Für die Darstellung seiner Anti-Welt benützte Brecht Chicago, ein erfundenes Amerika; seine Gauner, Matrosen, Einwanderer, Boxer, Barbesucher, Arbeiter und Anarchisten sprechen in der „Heiligen Johanna", im „Arturo Ui", in der „Dreigroschenoper" ein nicht minder erfundenes Idiom angelsächsischer Provenienz wie Karl May im Wilden Westen und Rudyard Kipling in Indien und China: Brechts angelsächsische Großstädte sind poetische Erfindungen von suggestiver Kraft, im deutschen Bereich zu vergleichen mit Hofmannsthals Venedig, Jahnns Norwegen und Benns „Mediterraneum". In diesem Chicago und London läßt Brecht den einsamen und isolierten Menschen in einer Sphäre des zynischen Nihilismus leben, in der es nicht einmal jenes Gemeinsame gibt, das die Voraussetzung eines echten Kampfes ist.

Umschlag von Caspar Neher

Auch die Liebe existiert nur in pervertierten For-

„Leben Eduards des Zweiten“

men, als käuflich und homosexuell. In dem bereits 1923 in München zusammen mit Lion Feuchtwanger nach Marlowes berühmtem Stück geschriebenen „Leben Eduards des Zweiten von England“ verspielt der König sein eben ererbtes Reich, weil er es mit seinem „Busenfreund“, dem bisher verbannten Günstling Gaveston, teilen will. Die Liebe zum Freund zerstört das Verhältnis des Königs zu seinen Großen und dem Volk – er ist ein moderner Einsamer. Die Leidenschaft des Königs zu einer „Hur mit Haaren auf der Brust“ wird die Ursache seines Falles. Die Königin wendet sich seinem ärgsten Feind, Mortimer, zu; er endet, nach einer Gefangenschaft in der großen Londoner Kloake, durch Mord, der die Wendung des Stückes bringt. Das Stück hatte in den Münchner Kammerspielen großen Erfolg; Brecht verdankte ihn eigentlich Christopher Marlowe.

Marlowe und Brecht

Die Handlung folgt dem „Edward the Second“ des englischen Dramatikers; das Stück ist nicht wörtlich, sondern sehr frei übersetzt; Szenen wurden gerafft, ausgelassen und umakzentuiert, zahlreiche Marlowesche Figuren wurden gestrichen. Charaktere und Haupthandlung wurden nicht verändert; vor allem die grausamen und grausigen Details der Handlung finden sich alle bei Marlowe – Brecht hat eher gemildert: Während bei Marlowe am Schluß Mortimers abgeschlagenes Haupt vorgewiesen wird, läßt Brecht den jungen Eduard, während alle knien, zu Gott beten. Auch hat er den mythologischen Apparat des heidnischen Renaissancedichters unterdrückt oder ins Groteske umgebogen. So entstand ein Bilderbogen mit der expressionistischen Vorliebe zum Volkstümlichen. Vergleicht man das homerische Helenamotiv etwa in Hofmannsthals – gleichfalls „verfremdeter“ – „Ägyptischer Helena“ und bei Brecht, so wird Brechts Betonung des Dokumentarischen und des „Gebrauchswerts“ der Dichtung deutlich:

Die Helena-Geschichte

Als Paris Menelaus Brot und Salz aß
In Menelaus Haus, schlief mit ihm – also
Vermelden die antiken Chroniken –
Des Menelaus Weib, und er hatte sie
Nach Troja segelnd, noch auf seinem Strickbett.
Troja lachte. Lachend schien es Troja
Und schien es Griechenland billig, dieses willige Fleisch
Mit Namen Helena zurückzugeben
Weil sie 'ne Hur war, ihrem griechischen Mann.
Allein Lord Paris, begreiflich, machte Umschweif, sagte
Sie sei unwohl. Inzwischen kamen Schiffe
Griechische. Die Schiffe mehrten sich
Wie Flöhe. Eines Morgens dringen Griechen
In Paris Haus, die griechische Hure aus-
Zuheben. Paris schreit
Aus seinem Fenster, dieses sei sein Haus
Das seine Burg sei, und die Troer, wähnend
Er habe nicht Unrecht, klatschen grinsend Beifall ...

Das Sexuelle

Brecht hat in den Noten zur etwas späteren „Dreigroschenoper“ betont, wie wichtig das Sexuelle sei, die begehrte Fleischlichkeit der Frauen. In der Theorie hatte er damals begonnen, Liebe und Sexualität durch die marxistische Brille zu sehen. Im „Eduard“ ist keine Spur dieser Doktrin zu finden; hier ist die männliche und weibliche Sexualität reiner Ausdruck der Besessenheit; so wie Edward

Bertolt Brecht, Gemälde von Rudolf Schlichter, 1928

von Gaveston besessen ist, so Anna von Mortimer. Bei Marlowe und bei Brecht, beide anarchistische Nihilisten, sind die Elementartriebe der Liebe, Macht und Grausamkeit letzte Werte. In der „Dreigroschenoper" wird zynisch mit ihnen gespielt, und der Zuschauer soll merken, daß die Liebe in den Plänen der Geschäftsleute und Verbrecher – die identisch sind – Gegenstand genau berechneter Kalkulation ist. Das Modell hatte Frank Wedekind, vor allem mit seiner Lulu, gegeben, dem

„schönen, wahren Tier". Der Mensch wird naturalistisch als zoologische Spezies gesehen, deren Trieb sich auf die später als „bürgerlich" denunzierte Lust an der Fortpflanzung richtet.

Im „Leben Eduards" hatte Brecht, wie in „Trommeln in der Nacht", den Zusammenhang der privaten mit der politischen Existenz zeigen wollen. Was ist eigentlich die Substanz des modernen Durchschnittsmenschen? Sie existiert nicht, er läßt sich schematisch verwandeln. Das ist der Inhalt des Lustspiels „Mann ist Mann, die Verwandlung des Packers Galy Gay in den Militärbaracken von Kilkoa im Jahre neunzehnhundertfünfundzwanzig". Die anglo-indische Militärbarackenwelt entstammt dem Kiplingschen Schema, während der Bau des Stückes – Aufstellung einer These, die dann durch den Gang des Dramas bewiesen wird – auf das Schuldrama der deutschen Renaissance zurückgeht:

„Mann ist Mann"

Herr Bertolt Brecht behauptet: Mann ist Mann.
Und das ist etwas, was jeder behaupten kann.
Aber Herr Bertolt Brecht beweist auch dann,
Daß man mit einem Mann beliebig viel machen kann.

Aus dem kleinbürgerlichen Packer wird ein Soldat gemacht, der automatisch handelt. Er tut jedes Unrecht und ist ärger als ein Verbrecher, der seine Untaten aus Habsucht begeht. Er wird zum Ungeheuer schlechthin, das kein Menschenantlitz mehr trägt. „Die Soldaten und der Sergeant erscheinen vermittels Stelzen und Drahtbügeln als besonders große und besonders breite Ungeheuer. Sie trugen Teilmasken und Riesenhände. Auch der Packer Galy Gay verwandelte sich ganz zuletzt in ein solches Ungeheuer." Neben der streitbaren antimilitaristischen Tendenz steht die Anklage dieses ersten Brechtschen „Lehrstücks" gegen die Praxis der Gehirnwäsche, die von den Chinesen erfunden und von den Sowjetrussen politisch benützt wurde. Brecht selbst scheint die Methode der Entpersönlichung des Menschen zu bejahen: „Ich freue mich, daß in den Varietés die Tanzmädchen immer mehr gleichförmig aufgemacht werden. Es ist angenehm, daß es viele sind und daß man sie auswechseln kann."

Der Lyriker

Im Jahre 1927 erschienen Brechts Gedichte unter dem Titel „Bertolt Brechts Hauspostille (mit Anleitungen, Gesangsnoten und einem Anhang)". Es sind die etwa seit 1918 entstandenen Lieder und Balladen des jungen Brecht. Das Büchlein hat fünf Lektionen. In der ersten, „Bittgänge", stehen die Schauerballaden von Apfelböck und Marie Farrar, Moritatenlieder auf Kriminalfälle in Augsburg und München. In den „Exerzitien" findet sich Orges Gesang, der das parodierte Muster mit enthält:

Orge sagte mir:
Der liebste Ort, den er auf Erden hab'
Sei nicht die Rasenbank am Elterngrab.

Orge sagte mir: Der liebste Ort
Auf Erden war ihm immer der Abort.

Dies sei ein Ort, wo man zufrieden ist
Daß drüber Sterne sind und unten Mist.

Ein Ort sei einfach wundervoll, wo man
Wenn man erwachsen ist, allein sein kann.

Ein Ort der Demut, dort erkennst du scharf
Daß du ein Mensch nur bist, der nichts behalten darf.

Dekorationsentwurf von Caspar Neher zu Bert Brecht, Im Dickicht der Städte

Parodien der Heilslehre

Hier steht die Ballade von der vorbildlichen Bekehrung eines Branntweinhändlers, die Historie vom verliebten Schwein Malchus, das geliebt sein wollte, aber nur Hiebe bekam. In dem Gedicht „Über die Anstrengung“ wird die Parodie auf die christlichen Lehren sehr deutlich:

Wie sollen wir uns, die Bräute, betören?
Mit Zobelfleischen? ah, besser mit Gin!
Ein Lilagemisch von scharfen Likören
Mit bittren ersoffenen Fliegen darin.

Das Bändchen ist nämlich Parodie auf den Lutherischen Katechismus: alle Heilswahrheiten werden auf Musterfiguren einer irdischen Genußbesessenheit zurückgeführt. In der Form sind es lutherische Lieder und Choräle; auch die Sprache geht unmittelbar auf Luther und seine Zeit zurück, sie will volkstümlich, unverbildet und unliterarisch sein. Die Helden sind Asoziale, Seeräuber, Soldaten, Verbrecher, Kindsmörderinnen. Der „Große Dankchoral“ wird verkehrt in ein zynisches Lob des Nichts:

Lobet von Herzen das schlechte Gedächtnis des Himmels!
Und daß er nicht
Weiß euren Nam' noch Gesicht
Niemand weiß, daß ihr noch da seid.

Lobet die Kälte, die Finsternis und das Verderben!
Schauet hinan:
Es kommet nicht auf euch an
Und ihr könnt unbesorgt sterben.

Für die großen Gruppenballaden lieh Kipling das Muster; der Dichter des englischen Imperialismus wird nicht parodiert, sondern als Stoffquelle einer farbigen Fremde ausgebeutet, so wie Rimbaud und Villon Motive für Gedichte hergaben.

BERTOLT BRECHT

Es sind die wilden, anarchischen Existenzen, welche die Welt erobern und sich dem Gesetz der Zivilisation entziehen. Auch die Soldaten gehören für Brecht zu dieser Kategorie. Für das Fabelreich der Brechtschen Einbildungskraft sind die „Mahagonnygedichte" Lokalisierungen eines Paradieses:

Auf nach Mahagonny
Die Luft ist kühl und frisch
Dort gibt es Pferd- und Weiberfleisch
Whisky- und Pokertisch . . .

Viktor von Scheffel

Hier wird das Scheffelsche „Wohlauf, die Luft geht frisch und rein, / wer lange sitzt, muß rosten, / den allersonnigsten Sonnenschein / läßt uns der Himmel kosten. / Jetzt reicht mir Stab und Ordenskleid / des fahrenden Scholaren, / ich will zu guter Sommerszeit / ins Land der Franken fahren" parodiert. Das spätromantische Scheffelsche Lebensgefühl ist nicht weit von dem anarchischen des jungen Brecht entfernt. Ähnlich werden Goethe (in der Liturgie vom Hauch) und Stefan George („Die Insel" in „Das Schiff") parodiert. Brechts eigener Ton klingt am freiesten und vitalsten in den Naturgedichten und den diesen nahen Balladen auf Frauen und Mädchen, die in der geliebten Natur den Untergang suchen und finden. Auf Brechts Knabenerlebnisse geht das großartige Gedicht „Vom Schwimmen in Seen und Flüssen" zurück:

Im bleichen Sommer, wenn die Winde oben
Nur in dem Laub der großen Bäume sausen
Muß man in Flüssen liegen oder Teichen
Wie die Gewächse, worin Hechte hausen.
Der Leib wird leicht im Wasser. Wenn der Arm
Leicht aus dem Wasser in den Himmel fällt
Wiegt ihn der kleine Wind vergessen
Weil er ihn wohl für braunes Astwerk hält.

Der Himmel bietet mittags große Stille.
Man macht die Augen zu, wenn Schwalben kommen.
Der Schlamm ist warm. Wenn kühle Blasen quellen
Weiß man: ein Fisch ist jetzt durch uns geschwommen.
Mein Leib, die Schenkel und der stille Arm
Wir liegen still im Wasser, ganz geeint
Nur wenn die kühlen Fische durch uns schwimmen
Fühl ich, daß Sonne überm Tümpel scheint.

Die Poesie der Wasserleiche

Brecht ist ein großer Lyriker; er gehört in den zeitgenössischen Strom der Moor-, Sumpf-, Wasser- und Fischdichter sowie der Wasserleichenpoesie von Rimbaud über Heym und Sack zu Britting und Eich, aber auch in den Zusammenhang der Naturdichtung der ersten Jahrhunderthälfte, deren Pole etwa Wilhelm Lehmann und Elisabeth Langgässer bilden. Er unterscheidet sich von all diesen Dichtern durch den Ton der zynischen Anklage, und der verbindet ihn mit einer anderen Linie unserer Lyrik, die vom Sturm und Drang über Büchner, den jungen G. Hauptmann zu Tucholsky und Erich Kästner reicht. Hier ist die grausige Legende vom toten Soldaten zu nennen, der von einer ärztlichen Kommission aus dem Grab gezogen und wieder kriegsverwendungsfähig geschrieben wird. Die „Hauspostille" hat einen Anhang „vom armen B. B.", und hier findet sich das autobiographisch und motivisch wichtigste Gedicht:

Ich, Bertolt Brecht, bin aus den schwarzen Wäldern.
Meine Mutter trug mich in die Städte hinein
Als ich in ihrem Leibe lag. Und die Kälte der Wälder
Wird in mir bis zu meinem Absterben sein.

BERTOLT BRECHT

In der Asphaltstadt bin ich daheim. Von allem Anfang
Versehen mit jedem Sterbsakrament:
Mit Zeitungen. Und Tabak. Und Branntwein.
Mißtrauisch und faul und zufrieden am End.

„Vom armen B. B."

. . . .

Wir sind gesessen ein leichtes Geschlechte
In Häusern, die für unzerstörbare galten
(So haben wir gebaut die langen Gehäuse des Eilands Manhattan
Und die dünnen Antennen, die das Atlantische Meer unterhalten.)
Von diesen Städten wird bleiben: der durch sie hindurchging,
der Wind!
Fröhlich machet das Haus den Esser: er leert es.
Wir wissen, daß wir Vorläufige sind
Und nach uns wird kommen: nichts Nennenswertes . . .

Neue Sachlichkeit

Das Lebensgefühl dieser und der meisten andern Verse der Sammlung ist von den Voraussetzungen des Luthertums bestimmt: der Mensch ist nichts, flüchtiger als Rauch; der Mensch lebt im Elend, und alles, was er aus eigenem tut, ist eitel. Solchem Gefühl tritt der Dichter vorläufig mit seiner Baals-Vitalität gegenüber:

Als im weißen Mutterschoße aufwuchs Baal
War der Himmel schon so groß und still und fahl
Jung und nackt und ungeheuer wundersam
Wie ihn Baal dann liebte, als Baal kam.

Er wird es erst langsam ordnen, klären und schließlich mit Hilfe des Marxismus theoretisch und teilweise praktisch organisieren. Lebt Brechts Sprache auch stark von den Substraten seiner Farce und Satire, so kommt in den reinen Natur-, den Wasserleichen -, B. B. - und Baalgedichten ein eigener Ton zum Klingen, der knapp und prägnant, wuchtig und „schlagend" ist: „wie ihn Baal dann liebte, als Baal kam". Stilistisch wird man den Ton mit der neuen Sachlichkeit in Verbindung bringen können; er hat sich von Emphase und Ekstase des Expressionismus befreit und spricht von dem, „was ist".

„Die Dreigroschenoper"

Ende August 1928 wurde im Berliner Theater am Schiffbauerdamm „Die Dreigroschenoper" uraufgeführt. Sie war und blieb das erfolgreichste und populärste Werk Brechts. Obwohl „Oper" und mit hochromantischen Effekten ausgestattet, gehört auch dies Stück durch seinen radikalen Zynismus zur Desillusionskunst der „Neuen Sachlichkeit". Handlung und Figuren sind John Gays Beggar's Opera (1728) entnommen, und das Verhältnis von Original und Erneuerung ist ähnlich wie beim „Leben Eduards des Zweiten", nur daß der Akzent geändert ist; Gay identifizierte Adel und Verbrechen, Brecht setzte Bürgertum und Verbrechen gleich. Diese Tendenz kommt bei Brecht vor allem in den Songs zum Ausdruck. Die Handlung berichtet von dem Räuber Macheath, der die Tochter des Bettlerkönigs Peachum entführt. Er wird dafür von diesem bei dem Sheriff Brown angezeigt. Brown ist ein Jugendfreund des Räubers und war sogar auf dessen grotesker Hochzeit mit Polly Peachum. Nun muß er zupacken, doch Macheath

Bertolt Brecht, Karikatur von B. F. Dolbin

flieht zu seinen Freundinnen, den Huren von Turnbridge. Er wird abermals gefaßt und soll hingerichtet werden, wird aber, weil es der Krönungstag der Königin ist, begnadigt. Brecht verband die Figur mit Zügen, die er seinem Baal, Villon, Rimbaud und dem immer populären edlen Räuber entnahm. Macheath, genannt Mackie Messer, besitzt eine weitere Qualität; sie ist von Wedekinds Jack dem Bauchschlitzer entlehnt: die sexuelle Potenz macht ihm alle Weiber hörig. Die „Dreigroschenoper" beginnt mit der Moritat von Mackie Messer und führt in das groteske Milieu des Bettlerkönigs Peachum, der den Bettel in London geschäftsmäßig organisiert hat: alle Bettler stehen in seinem Dienst, er betrachtet Elend als Ware. Damit ist nun nicht etwa das Lumpenproletariat im Sinne des orthodoxen Marxismus gemeint, sondern die Generation der eigenen Väter, das Bürgertum:

Der Räuber Macheath ist vom Schauspieler darzustellen als bürgerliche Erscheinung. Die Vorliebe des Bürgertums für Räuber erklärt sich aus dem Irrtum: ein Räuber sei kein Bürger. Dieser Irrtum hat als Vater einen andern Irrtum: ein Bürger sei kein Räuber. So ist also kein Unterschied? Doch: ein Räuber ist manchmal kein Feigling. Die Assoziation „friedfertig", die dem Bürger auf dem Theater anhaftet, wird wieder hergestellt durch die Abneigung des Geschäftsmannes Macheath gegen Blutvergießen, wo es nicht – zur Führung des Geschäftes – unbedingt nötig ist . . .

Nicht Macheath, sondern Peachum ist nach dieser provozierenden Formulierung der eigentliche Verbrecher, denn „sein Verbrechen besteht in seinem Weltbild"; er arbeitet nicht, sondern läuft mit dem Hut auf dem Kopf und die Hände in den Hosentaschen durch sein Geschäft; er kontrolliert, daß nichts wegkommt und sein terroristisches Monopol nicht durchbrochen wird. Brechts Noten und Anmerkungen zur „Dreigroschenoper" suchen also jene Tendenz deutlich zu machen, die dem Stück von Haus aus nicht eigen ist. Es gibt zahlreiche Berichte, daß die „Dreigroschenoper" von den Herren im Frack und den Damen in großer Robe „kulinarisch" und nicht „lehrhaft" verstanden wurde: einer der geistreichen Gegensätze, über den Brecht im Anhang zur Mahagonny-Oper gehandelt hat. Die Oper als solche, meinte Tucholsky, plakatiere keine Weltanschauung; nur in den teilweise künstlich eingeführten Songs kam sie kräftig zum Ausdruck, und manche ihrer Kernzeilen wurden geflügelte Worte („Erst kommt das Fressen, dann kommt die Moral"). Diese Tendenz konnte nur von einem Publikum verstanden werden, das in der schnöden Welt des Bürgertums ebenso zu Hause war wie der Autor. Die Hebung und Untermalung der Songs durch die kecke und frische

Brechts bürgerliches Publikum

zeitnahe Musik Kurt Weills trug wesentlich zum Erfolg bei, ebenso die kabarettistischen Einlagen und Effekte mit der Drehorgel und der neue Gestus und Sprechstil der Aufführung mit einem glänzenden Ensemble unter Leitung von Brecht und Erich Engel.

Brecht hat sich nach der „Dreigroschenoper" an zwei weiteren „Opern" versucht, es sind „Happy End" – zuerst unter dem Pseudonym Dorothy Lane, eine Magazingeschichte zwischen Gaunern und Heilsarmeeleuten – und „Aufstieg und Fall der Stadt Mahagonny" (1928/29). Hier ist die Sozialkritik zynisch herausgearbeitet. Mahagonny ist eine Paradiesstadt, wo alles für Geld zu haben ist:

Die Mahagonny-Oper

Darum laßt uns hier eine Stadt gründen
Und sie nennen Mahagonny
Das heißt: Netzstadt!
Sie soll sein wie ein Netz
Das für die eßbaren Vögel gestellt wird.
Überall gibt es Mühe und Arbeit
Aber hier gibt es Spaß.
Denn es ist die Wollust der Männer
Nicht zu leiden und alles zu dürfen.
Das ist der Kern des Goldes.

In Mahagonny gibt es nur *ein* Verbrechen, für das man auf den elektrischen Stuhl kommt: kein Geld zu haben, um eine Sache zu bezahlen. Das führt naturgemäß bald zur Katastrophe. Wie bei Beckett wird diese Welt ad absurdum geführt; ähnlich wie in „Mann ist Mann" hat der Vorgang etwas Rechenhaftes. Die Entlarvung geschieht auf immer krasser werdenden Stationen.

Im Anhang zur Mahagonny-Oper entwickelte Brecht seinen Begriff des epischen Theaters. Schon die „Dreigroschenoper" hatte vor den Songs Tafeln vorgeführt, auf denen die Lehrtitel der Songs standen. Gegenbegriff des epischen ist das – alte – dramatische Theater. Das dramatische Theater hatte „handelnde" Form, das epische hat „erzählende" Form. Brecht hat eine Reihe von Begriffspaaren gegenübergestellt:

Das „epische" Theater

Dramatische Form des Theaters	Epische Form des Theaters
handelnd	*erzählend*
verwickelt den Zuschauer in eine Bühnenaktion	macht den Zuschauer zum Betrachter, aber
verbraucht seine Aktivität	weckt seine Aktivität
ermöglicht ihm Gefühle	erzwingt von ihm Entscheidungen
Erlebnis	Weltbild
Suggestion	Argument
Der Mensch als bekannt vorausgesetzt	Der Mensch ist Gegenstand der Untersuchung
Wachstum	Montage
evolutionäre Zwangsläufigkeit	Sprünge
Der Mensch als Fixum	Der Mensch als Prozeß
Das Denken bestimmt das Sein	Das gesellschaftliche Sein bestimmt das Denken
Gefühl	Ratio

Bertolt Brecht (zweiter von links) im Orchester Karl Valentins in München

Aus diesem – nur wenig gekürzten – Schema kann man ablesen, daß es persönliche Stileigentümlichkeiten Brechts mit marxistischen Forderungen an die Kunst verbindet. Entscheidend ist der Versuch, loszukommen vom Begriff des (Wagnerschen) Gesamtkunstwerks, das eine emotionale Einheit von Text, Musik, Mimik und Gestik darstellen sollte. Die neue Technik gesteht jeder Einzelkunst so viel Freiheit zu, daß sie nicht eingeschmolzen wird. (Der Sammelprozeß der alten Kunst wollte den Zuschauer einbeziehen, ihn „verzaubern".)

Zweck des epischen Theaters

Gegen die uralte magische Funktion des Theaters wendet sich Brecht mit der Betonung seiner lehrhaften, sittlichen und propagandistischen Funktionen. Sie dienen nicht der Verzauberung des Zuschauers, sondern seiner „Veränderung", d. h. im marxistischen Wortgebrauch seiner Revolutionierung. Text, Musik, Pantomime, Geste, Sprechkunst, das auf Tafeln geschriebene Wort und die Effekte der Bühne, des Lichts, der Akustik, die Einbeziehung des Zuschauers in das Geschehen, seine Aktivierung (indem er etwa mitsingen soll) geben dem epischen Theater einen funktionalen Charakter. Es löst die magische Einheit auf und ersetzt sie, indem „die einzelnen Elemente alle gleichermaßen degradiert werden, indem jedes nur Stichwortbringer für das andere sein kann". Brecht hat, seit der „Dreigroschenoper", genaue Anweisungen gegeben, wie man die Schauspieler auf den neuen Stil umschulen könne. Sie lebten ja noch im Bann des naturalistischen Illusionstheaters. Um diesen Bann zu brechen, schaltete Brecht nach jeder Zeile ein „Sagte er" ein. Der Schauspieler soll sich bewußt werden – und dem Zuschauer bewußt machen –, daß er nicht Held „ist", sondern den Helden „spielt".

Diese Technik hatte Karl Valentin in München seit langer Zeit entwickelt, auch das Moskauer Theater unter Stanislawski hatte ähnliche Wirkungen angestrebt. Als Brecht nach Amerika kam, suchte und fand er die Freundschaft Charlie Chaplins, dessen Filme ihn durch das grotesk-absurde Übertreiben stark beeindruckt hatten. (Später wird Brecht den Begriff der „Verfremdung" dafür benützen.) Das Improvisieren der italienischen und österreichischen Volkskomödie – damals von Pallenberg und andern Komikern glänzend demonstriert – war gleichfalls ein Akt der Verfremdung gewesen: die künstlerische Illusion wird vom Schauspieler für Augenblicke unterbrochen und gibt dem Zuschauer einen „Schock". Diesen Schock möchte Brecht ausnützen.

Commedia dell'arte als Vorläufer

Es ist folgerichtig, daß sich der kommunistische Moralist Brecht zu einem Lehrautor entwickelte. „Das Badener Lehrstück vom Einverständnis" (1929), zu dem Hindemith eine Klaviermusik geschrieben hatte, die Brecht nicht akzeptierte, zeigt vier abgestürzte Flieger, die vom „gelernten Chor" belehrt werden. Der Chor lehrt nun, während ein Flieger unbelehrbar ist, die drei andern, für die „richtige" Seite das Flugzeug wieder aufzubauen und zu fliegen:

Die politischen Lehrstücke

Sondern übernehmt von uns den Auftrag
Wieder aufzubauen unser Flugzeug.
Beginnt!
Um für uns zu fliegen
An den Ort, wo wir euch brauchen
Und zu der Zeit, wo es nötig ist. Denn
Euch
Fordern wir auf, mit uns zu marschieren und mit uns
Zu verändern nicht nur
Ein Gesetz der Erde, sondern
Das Grundgesetz.
Einverstanden, daß alles verändert wird
Die Welt und die Menschheit
Vor allem die Unordnung
Der Menschenklassen, weil es zweierlei Menschen gibt
Ausbeutung und Unkenntnis.

Darauf haben die gestürzten Monteure zu antworten: „Wir sind einverstanden mit der Änderung." Jetzt, wo sie den rechten Sinn (die „Änderung") verstanden haben, sollen und müssen sie wieder fliegen: „Auch vergrößert Sicherheit und Geschwindigkeit / Und vergeßt auch nicht das Ziel über dem geschwinderen Aufbruch."

Hans Egon Holthusen sagt dazu in seinem „Versuch über Brecht":

Zum „Badener Lehrstück"

Würde dieser Gedanke isoliert vorgetragen und mit dem unbedingten Anspruch, das Rätsel der Welt gelöst zu haben, so würde man kaum zögern, ihn eine horrende Plattheit zu nennen. Er ist aber nicht mehr als ein Koeffizient innerhalb eines weitläufigen und widerspruchsvollen Erlebnisfeldes. Er ist der kritisch-voluntaristische Antrieb des Denkens im Widerstreit gegen das hintergründige Wissen vom Fliehen der Dinge in Rauch und Wind und von einem Geheimnis der menschlichen Natur jenseits seiner sozialen Bedingtheiten. „Gesellschaftliche Umfunktionierung des Theaters in eine pädagogische Disziplin": so wollte Brecht sein neues Verfahren verstanden wissen. Die Form der ersten Lehrstücke ist dem Schema einer Gerichtsverhandlung nachgebildet, bewahrt aber noch einzelne Elemente des früher entwickelten Opernstils.

BERTOLT BRECHT

Es gab eine Reihe von äußeren Gründen, die Brecht, der seit je mit der politischen Linken sympathisiert hatte, dem dogmatischen Marxismus nahebrachten. Er hatte sich scheiden lassen und geriet unter den Einfluß seiner späteren Frau, der Schauspielerin Helene Weigel. Sie war überzeugte Kommunistin. Brecht begann ein Studium der marxistischen Lehre und will zehn Jahre daran gewendet haben. Seit dem Erfolg des neugegründeten Theaters am Schiffbauerdamm mit seiner „Dreigroschenoper" stand ihm dieses Theater für seine Experimente zur Verfügung; dort konnte er ein künstlerisches Ensemble heranbilden, das seinen Intentionen folgte. Andererseits hatte er zu Piscator Verbindungen, der das proletarische (kommunistische) Propagandastück förderte; Brecht arbeitete vor allem an Piscators Inszenierung von Hašeks „Schweyk" mit — und empfing die Anregungen zu seinem eigenen Schweyk-Stück —; er übernahm gewisse Theoreme Piscators. „Das Theater hatte nun reine Gebrauchsfunktion, d. h. die der politischen Aufklärung und der Aktivierung der proletarischen Massen. Das Publikum bekam ein dramatisiertes Lehrbuch des Marxismus" (Marianne Kesting). Statt Kurt Weill wurde der Marxist und Schönberg-Schüler Hanns Eisler Brechts Komponist. In dem kommunistischen Agitationsstück „Die Maßnahme" (1930) wurde er als Mitarbeiter im Titel genannt.

Helene Weigel und Piscator

„Der Jasager" und „Der Neinsager"

In den öden „Schulopern" „Der Jasager" und „Der Neinsager" (1929/30) ist die Auslöschung einer Person das vorgeführte Ziel. In „Mann ist Mann" hatte Brecht die Gehirnwäsche als Möglichkeit dargestellt, die aus dem Kleinbürger das Glied einer Räuberarmee macht. Im „Jasager" stimmt das Opfer der eigenen Tötung zu — erst auf Protest schrieb Brecht dann die Umkehrung als „Der Neinsager". Beide Stücke verhalten sich dialektisch zueinander. Vorbild war das japanische Drama „Taniko" in der englischen Nachdichtung von Arthur Waley. Schon in „Mann ist Mann" hatte Brecht das fernöstliche Milieu geeignet gefunden. Die Armeen der rivalisierenden chinesischen Generale boten der Weltpresse der zwanziger Jahre die abenteuerlichsten Stoffe, die auch sonst dichterischen Niederschlag fanden (z. B. in den Balladen G. Brittings, den Romanen A. Döblins und W. Meckauers, den — späteren — Hörspielen G. Eichs). Der Jasager ist ein Knabe, der mit seinem Lehrer durch das Gebirge zieht, um Medizin für die kranke Mutter zu holen. Er ist den Strapazen nicht gewachsen und muß von seinen Begleitern, wollen nicht alle umkommen, in den Abgrund geworfen werden. Aber auch ein anderer Schluß kann „diskutiert" (und vorgeführt) werden: der Knabe sagt „nein", er hat „nicht dem Brauch gemäß" geantwortet; er argumentiert:

> Die Antwort, die ich gegeben habe, war falsch, aber eure Frage war falscher. Wer a sagt, der muß nicht b sagen. Er kann auch erkennen, daß a falsch war. Ich wollte meiner Mutter Medizin holen, aber jetzt bin ich selber krank geworden, es ist also nicht mehr möglich. Und ich will sofort umkehren, der neuen Lage entsprechend. Auch euch bitte ich umzukehren und mich heimzubringen. Euer Lernen kann durchaus warten. Wenn es drüben etwas zu lernen gibt, was ich hoffe, so könnte es nur das sein, daß man in unserer Lage umkehren muß. Und was den alten großen Brauch betrifft, so sehe ich keine Vernunft an ihm. Ich brauche vielmehr einen neuen großen Brauch, den wir sofort einführen müssen, nämlich den Brauch, in jeder neuen Lage neu nachzudenken.

Der große Chor — die Partei — bestätigt den neuen Brauch. Viel schärfer wird das gleiche Problem in der „Maßnahme" diskutiert, wo sich vier Agitatoren wegen Tötung eines Genossen vor dem Kontrollchor verantworten müssen. Der einzige und entscheidende Gesichtspunkt ist nicht, ob die Tat moralisch oder unmoralisch ist, sondern der Wert der Tat für den „Vormarsch der proletarischen Massen" im Interesse des Kommunismus. Auch hier ist das Milieu chinesisch. Der Text der „Maßnahme" wurde 1930 von der Zeitung der „Neuen Musik Berlin" (H. Burkhard, P. Hindemith und G. Schünemann) „wegen formaler Minderwertigkeit" abgelehnt, aber von einem kommunistischen Ensemble, dem Arbeiterchor Groß-Berlin, aufgeführt. Die bürgerliche und die kommunistische Kritik spaltete sich in der Diskussion über „Die Maßnahme". Auch die anderen Stücke dieser Periode, „Die Ausnahme und die Regel" (1930), „Die Mutter" (nach Maxim Gorkis Roman, 1932), „Die Rundköpfe und die Spitzköpfe" (1932/34), „Die Horatier und die Kuriatier" (1933/34) und „Die Gewehre der Frau Carrar" (1936/37) sind politische Schul- und Lehrstücke, in den meisten Fällen ohne dichterisches Fleisch und Blut.

Propaganda-stücke, „Die Maßnahme"

Manche äußeren Gründe wirkten mit, daß die dramatische Produktion Brechts zu propagandistischer Dialektik verdorrte. Es waren die Jahre des erbitterten Ringens der radikalen Links- und Rechtsparteien um die Macht in Deutschland. In diesem Kampf stand Brecht auf seiten der Linken, die der größten innenpolitischen Niederlage ihrer Geschichte entgegenging. Ein Beispiel für die verfehlte Einschätzung der „Lage" ist das Stück von den Rund- und Spitzköpfen, in dem Brecht versuchte, das Phänomen des Nationalsozialismus aus dem Klassenkampf zu motivieren: die Arbeiter werden durch das Bündnis Hitlers mit einem Juden (!) und Großgrundbesitzer um den Sieg gebracht. Die 24 Szenen „Furcht und Elend des Dritten Reiches" beruhten auf Dokumenten und Berichten der Emigranten. Das Stück hatte damals agitatorischen Wert. Die „Gewehre der Frau Carrar" sind ein Einakter; Brecht zeigt die Unausweichlichkeit der Entscheidung an einem Exempel aus dem spanischen Bürgerkrieg. Das relativ beste Stück aus dieser schwächsten Zeit des Dichters ist „Die heilige Johanna der Schlachthöfe" (1930). Johanna Dark, von Schiller und Shaw auf der Bühne berühmt gemacht, ist bei Brecht ein Heilsarmeemädchen in Chicago. Vor dem Hintergrund des großen Börsenkrachs von 1929 verfallen die Preise auf den Chicagoer Fleischmärkten und führen zu sozialen Krisen. Während die Geschäftemacher das Geld einstecken, werden die Arbeiter rücksichtslos ausgesperrt. Eine naive Johanna verliert den Glauben an ihre religiöse Sendung und bekehrt sich zum proletarischen Klassenkampf. Wie in der „Hauspostille" ist die Form eine Parodie biblischer Spruchweisheiten und des sakralliturgischen Stils:

Politischer Schematismus

„Die heilige Johanna"

Johanna: Darum, wer unten sagt, daß es einen Gott gibt
Und kann sein unsichtbar und hülfe ihnen doch
Den soll man mit dem Kopf auf das Pflaster schlagen
Bis er verreckt ist.

Slift: Hört ihr, ihr müßt etwas sagen, womit ihr diesem Mädchen das Wort abschneidet. Ihr müßt reden, irgend etwas, aber laut!

Snyder: Johanna Dark, fünfundzwanzig Jahre alt, erkrankt an Lungenentzündung auf den Schlachthöfen Chicagos, im Dienste Gottes, Streiterin und Opfer!

Johanna: Und auch die, welche ihnen sagen, sie könnten sich erheben im Geiste
Und stecken bleiben im Schlamm, die soll man auch mit den Köpfen auf das Pflaster schlagen. Sondern
Es hilft nur Gewalt, wo Gewalt herrscht, und
Es helfen nur Menschen, wo Menschen sind.

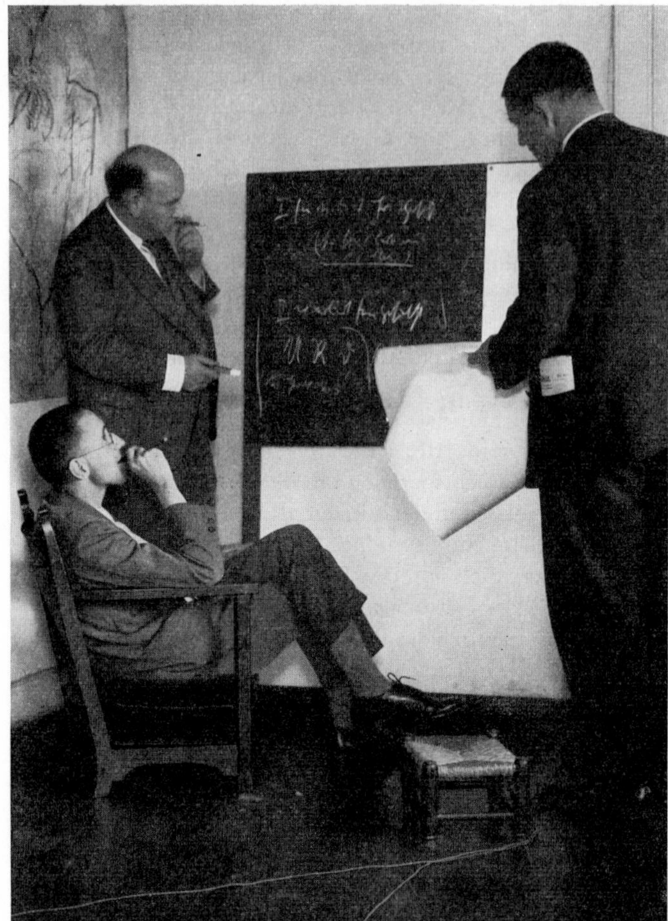

Bert Brecht mit dem Komponisten Hanns Eisler und dem Regisseur Slatan Dudow

Alle (singen die erste Strophe des Chorals, damit Johannas Reden nicht mehr gehört werden):

Reiche den Reichtum dem Reichen! Hosianna!
Die Tugend desgleichen! Hosianna!
Gib dem, der da hat! Hosianna!
Gib ihm den Staat und die Stadt! Hosianna!
Gib du dem Sieger ein Zeichen! Hosianna!

(Während dieser Deklamationen beginnen Lautsprecher Schreckensnachrichten zu verkünden: „Sturz des Pfundes!" „Die Bank von England seit dreihundert Jahren zum erstenmal geschlossen" und „Acht Millionen Arbeitslose in den Vereinigten Staaten!" und „Der Fünfjahresplan gelingt!" und „Brasilien schüttet eine Jahresernte Kaffee ins Meer!" . . .)

Das Drama lebt von Parodien. So wie Johanna hier die Bibel lästerlich umbildet, werden an anderen Stellen Schiller und Goethe parodiert. Die Fleischkönige wickeln ihre Geschäfte im jambischen Versmaß der klassischen Tragödie ab. Abgesehen vom marxistischen Kampfcharakter bezieht das Stück seine Wirkung aus der Entstellung („Verfremdung") der traditionellen Werte. Das Pathos deckt hier schnöde Geldinteressen.

Slift, treib den Preis auf achtzig, dann sind diese Grahams
So ungefähr wie ein Schlamm, in den wir unsern Fuß
Nur um die Form mal wieder zu sehen, eindrücken.

Hinter der politischen Radikalisierung der Brechtschen Stücke standen politische Leidenschaften. Er ging nach dem Reichstagsbrand 1933 über die Schweiz und Frankreich, wo er noch einmal mit Kurt Weill zusammentraf und „Die sieben Todsünden" inszenierte, nach Dänemark, weil es ein billiges Land war. In erzwungener Muße, ständig auf eine Möglichkeit zur Rückkehr nach Deutschland wartend, fern dem Tageskampf, schrieb Brecht wieder dichterische Stücke für das Theater: „Das Leben des Galilei", „Mutter Courage und ihre Kinder", „Der gute Mensch von Sezuan", „Das Verhör des Lukullus" sowie die „Svendborger Gedichte" (mit den „Deutschen Satiren und Marginalien"), einige der wichtigsten Essays und eins der schönsten Emigrationsgedichte, „Laotse auf dem Wege in die Emigration", das ähnlich wie „Vom armen B. B." eine Selbstdeutung Brechts enthält. Eins der ersten fertig gewordenen Werke war „Der Dreigroschenroman" (1934). Als die deutschen Truppen im April 1940 in Dänemark einmarschierten, wich Brecht nach Finnland aus; hier entstand „Herr Puntila und sein Knecht Matti". Als auch Finnland unter deutschen Einfluß geriet, reiste Brecht über Moskau, wo er sich vierzehn Tage aufhielt, nach Amerika und traf in Kalifornien den Jugendfreund Lion Feuchtwanger.

Die Emigration

Sieben Jahre blieb Brecht in Amerika. Er wohnte in der Nähe Hollywoods und suchte sich mit Filmentwürfen durchzubringen, hatte jedoch keinen Erfolg. Außer mit Thomas und Heinrich Mann und Werfel verkehrte Brecht freundschaftlich mit seinem alten Freund Charlie Chaplin. Mit Feuchtwanger zusammen schrieb er das Widerstandsstück „Die Gesichte der Simone Machard" und dann „Schweyk im zweiten Weltkrieg" und den „Kaukasischen Kreidekreis". Nach dem Kriege, 1947 – von den Amerikanern wegen seiner kommunistischen Neigungen verhört –, ging er in die Schweiz und kam mit einem tschechischen Paß nach Ost-Berlin, wo man ihm ein Theater zur Verfügung stellte. Mit seiner Frau Helene Weigel gründete er das Berliner Ensemble und brachte die mustergültigen Aufführungen seiner eigenen Stücke heraus. Von hier aus begann der Siegeszug über die Welt. Es wird behauptet, daß Brecht zumindest seit dem Sommeraufstand der Arbeiter gegen das Regime (1953) in seiner Sympathie für den Osten geschwankt habe. Tatsache ist, daß Brecht sein Weltbild seit Ende der zwanziger Jahre, als er sich für den Marxismus entschied, nicht geändert hat und der sowjetisierte Osten die Zukunft der Welt für ihn bedeutete. Bert Brecht starb 1956 und wurde auf dem Dorotheenfriedhof in Berlin in der Nähe von Hegels Ruhestätte begraben.

In Amerika

Den äußeren Anlaß zum Galilei bildete die Nachricht, daß dem Physiker Otto Hahn die Spaltung des Uran-Atoms gelungen sei – womit eine unabsehbare Entwicklung vor allem auf dem Gebiet der Kriegstechnik möglich wurde. Brechts „Leben des Galilei" (1938/39 geschrieben) behandelt den großen Forscher, der eine umstürzende Entdeckung macht und deshalb mit der herrschenden Macht in Konflikt gerät. Der Fall Galilei ist also ein Modell. Fünfzehn Bilder zeigen die Stationen dieses Lebens. Galilei ist bei Brecht ein vorsichtiger Mann, der eine

„Galileo Galilei"

revolutionäre Theorie „geliefert“ hat, in der Praxis aber vor den Instanzen der Macht, in diesem Fall der Kirche, ausweicht. Er liebt das Leben, gutes Essen und Trinken; er ist alles andere als ein „Charakter“; er ist innerlich durch einen – freilich sehr modernen – Vorbehalt seines Bewußtseins geschwächt:

Wiegen die Fortschritte der Wissenschaft die durch sie ausgelösten Erschütterungen auf? Der gealterte Galilei lebt als Gefangener der Inquisition in einem Landhaus bei Florenz mit seiner altjüngferlich gewordenen Tochter Virginia und erhält den Besuch seines ehemaligen Schülers Andrea:

MCMXXX / BEI GUSTAV KIEPENHEUER

Umschlag von G. Salter, Ausgabe mit Sonett von Brecht

Der resignierte Galilei

Galilei (horchend): Leider gibt es Länder, die sich der Obhut der Kirche entziehen. Ich fürchte, daß die verurteilten Lehren dort weitergefördert werden.

Andrea: Auch trat dort infolge Ihres Widerrufs ein für die Kirche erfreulicher Rückschlag ein.

Galilei: Wirklich? (Pause) Nichts von Descartes in Paris?

Andrea: Doch. Auf die Nachricht von Ihrem Widerruf stopfte er seinen Traktat über die Natur des Lichts in die Lade. (Lange Pause)

Galilei: Ich bin in Sorge einiger wissenschaftlicher Freunde wegen, die ich auf die Bahn des Irrtums geleitet habe. Sind sie durch meinen Widerruf belehrt worden?

Andrea: Um wissenschaftlich arbeiten zu können, habe ich vor, nach Holland zu gehen. Man gestattet nicht dem Ochsen, was Jupiter sich nicht gestattet.

Galilei: Ich verstehe.

Andrea: Federzoni schleift wieder Linsen, in irgendeinem Mailänder Laden.

Galilei (lacht): Er kann nicht Latein. (Pause)

Andrea: Fulgenzio, unser kleiner Mönch, hat die Forschung aufgegeben und ist in den Schoß der Kirche zurückgekehrt.

Galilei: Ja. (Pause) Meine Oberen sehen meiner eigenen seelischen Wiedergesundung entgegen. Ich mach bessere Fortschritte als zu erwarten war.

Andrea: Oh.

Virginia: Der Herr sei gelobt.

Galilei (barsch): Sieh nach den Gänsen, Virginia. (Virginia geht zornig hinaus. Im Vorbeigehen wird sie vom Mönch angesprochen.)

Der Mönch: Der Mensch mißfällt mir.

Virginia: Er ist harmlos. Er war sein Schüler, und so ist er jetzt sein Feind . . .

So resigniert, wie sich Galilei gibt, ist er in Wirklichkeit nicht. Seine „Oberen“ lassen ihn begrenzt weiterforschen, denn sie sind keine Dummköpfe und wissen, daß ein Galilei seine „Laster“ nicht aufgeben kann. Er benützt seine Unterwerfung zum Betrug. Aus diesem zynisch undogmatischen Charakter des großen Menschen leitet Brecht die – in der Berliner Ensemble-Aufführung noch verschärfte – Verdammung Galileis ab. Brechts Lehrmeinung lautet, daß der Mensch dem „Fortschritt“ zu dienen habe und eine Gesellschaft, die den Fortschritt nicht wünscht, „verändert“, d. h. revolutionär umgestürzt werden müsse.

„Der gute Mensch von Sezuan“

Gleichzeitig mit dem „Galilei“ entstand „Der gute Mensch von Sezuan“. Die Götter kommen nach Sezuan, um sich zu überzeugen, ob die Welt noch gut ist. Sie erweist sich als hoffnungslos schlecht; der einzige gute Mensch, den sie finden, ist die Hure Shen Te. Die Götter erkennen „Ganz Sezuan ist ein Dreckhaufen“ (diesen Satz mußte Brecht ähnlich wie F. Wolf nach dem Sieg Maos in China zurücknehmen: „Die Provinz Sezuan der Parabel, die für alle Orte stand, an denen Menschen von Menschen ausgebeutet wurden, gehört heute nicht mehr zu diesen Orten.“). Shen Te läßt sich in zwei Personen spalten: was sie als Shen Te Gutes tut, muß sie in Gestalt ihres bösen Vetters wieder zerstören. Hier liegt ihre Ähnlichkeit mit dem gespaltenen Typus Galileis. Doch als sie zum Schluß die Götter als solche erkennt und um Hilfe bittet, entschweben diese in einer rosa Wolke nach oben und singen das „Terzett der entschwindenden Götter“ im Versmaß und Tonfall der klassischen Balladen Schillers:

Leider können wir nicht bleiben
Mehr als eine flüchtge Stund:
Lang besehn, ihn zu beschreiben
Schwände hin der schöne Fund.
Eure Körper werfen Schatten
In der Flut des goldnen Lichts
Drum müßt ihr uns schon gestatten
Heimzugehn in unser Nichts.

Die Baalsche List, vom „Lebensrecht“ hergeleitet, nützt weder Galilei noch Shen Te. (Sie nützte auch Cäsar nicht in dem ironischen Roman „Die Geschäfte des Herrn Julius Cäsar“, 1938.)
Der Glaube an die Transzendenz ist für Brecht ideologischer Betrug. Denn nur die materiellen Güter zählen, und aus ihrer falschen Verteilung entsteht alles Unheil in der Welt. (Brecht glaubte damals noch ernsthaft, daß ein anderes und besseres Sozialsystem alles Elend der Erde beheben könne.)

„Mutter Courage“

Der Typus des in der Verwirrung der Welt seelenruhig seine Geschäfte besorgenden Menschen ist Mutter Courage aus dem Bilderbogen von „Mutter Courage und ihre Kinder“ (1939) nach Grimmelshausens Simplizissimusroman. Courage hält den Krieg für ein Geschäft und lernt aus allen Mißerfolgen nichts, obwohl sie Kind um Kind verliert. Dafür findet Brecht immer wieder überzeugende Bilder. Als Eilif nach dem Friedensschluß, von dem er nichts gehört hat, seine Streifzüge fortsetzt, wird er ergriffen und als Plünderer hingerichtet: was gestern Heldentat war, ist heute Verbrechen. „Der Courage kühner Sohn vollbringt eine Heldentat zuviel und findet ein schimpfliches Ende.“ „Mutter Courage“ bildet mit „Galilei“ und dem „Kaukasischen Kreidekreis“ den Höhepunkt unter den Brechtschen Stücken. Alle demonstrieren in bösen Zeiten Vor- und Nachteile des Lavierens; alle lassen sich vom „gesellschaftlichen Sein" das Denken vorschreiben und halten sich private, „listige" Hintertüren offen. Es fällt auf, daß Brecht in seinen Stücken nun durchweg historische Gegenstände vorzieht. In diesen Modellen suchte und fand er das „Konkrete" (im Gegensatz zu dem Abstrakten der zeit- und raumlosen Lehrstücke). Der historische Stoff zwingt den Autor, möglichst viel „Konkretes" zu bringen, also Detail, Stimmungskolorit, „Farbe" und Augenweide. Am besten ist das in der Mutter Courage gelungen.

Historiencharakter der Stücke

Dahinter verschwindet das „Dialektische" und Lehrhafte, die Dogmatik wird ausgespart — wo sollte sie auch anzubringen sein? —, und die dem Autor teure „Idee" muß in späteren Inszenierungen, neuen Fassungen und andern Schlußszenen nachgetragen werden. Brecht griff in seiner reifen Zeit immer mehr auf die ältesten Funktionen des Theaters zurück: Unterhaltung, Abwechslung, eine langsam anlaufende „interessante" Handlung, Spannung und vor allem Leichtigkeit. Alles Belehrende wird nicht ausdrücklich, aber implizit verworfen. Brecht hat seine Ideen über das Theater in einem ebenso tiefen wie schlichten Essay aus dem Jahre 1948 zusammengefaßt, den er „Kleines Organon für das Theater" genannt hat. Darin führt er aus:

Kleines Organon für das Theater

So seien all die Schwesterkünste der Schauspielkunst hier geladen, nicht um ein „Gesamtkunstwerk" herzustellen, in dem sie sich alle aufgeben und verlieren, sondern sie sollen, zusammen mit der Schauspielkunst, die gemeinsame Aufgabe in ihrer verschiednen Weise fördern, und ihr Verkehr besteht darin, daß sie sich gegenseitig verfremden. — Und hier, noch einmal, soll erinnert werden, daß es ihre Aufgabe ist, die Kinder des wissenschaftlichen Zeitalters [d. h. der Gegenwart] zu unterhalten, und zwar in sinnlicher Weise und heiter. Dies können besonders wir Deutschen uns nicht oft genug wiederholen, denn bei uns rutscht sehr leicht alles in das Unkörperliche und Unanschauliche, worauf wir anfangen, von einer Weltanschauung zu sprechen, nachdem die Welt selber sich aufgelöst hat. Selbst der Materialismus ist bei uns wenig mehr als eine Idee. Aus dem Geschlechtsgenuß werden bei uns eheliche Pflichten, der Kunstgenuß dient der Bildung, und unter dem Lernen verstehen wir nicht ein fröhliches Kennenlernen, sondern daß uns die Nase auf etwas gestoßen wird. Unser Tun hat nichts von einem fröhlichen Sichumtun, und um uns auszuweisen, verweisen wir nicht darauf, wieviel Spaß wir mit etwas gehabt haben, sondern wieviel Schweiß es uns gekostet hat.

Die Lukullus-Stücke

Das als Hörspiel 1939 geschriebene „Verhör des Lukullus" diente als Grundlage der später entstandenen Oper (Musik von Paul Dessau) „Die Verurteilung des Lukullus". Lukullus, der Feldherr, der den Osten erobert hat, ist gestorben; gegen seinen Ruhm führt der Totenrichter die Opfer der lukullischen Ruhmsucht an, die Sklaven, die Toten, die Mütter, die Geplünderten, und es endet mit der Verbannung durch das Totengericht: „Ins Nichts mit ihm!" Die pazifistische Verurteilung des Krieges an sich hat Brecht in Berlin später gemildert: eine Einschaltung billigte ausdrücklich den Verteidigungskrieg; das war eins der berühmtberüchtigten Zugeständnisse an die politische Dialektik.

„Schweyk im zweiten Weltkrieg"

Brecht setzte sich nicht nur in Historien mit dem Elend der Zeit auseinander. Zwar ist „Der aufhaltsame Aufstieg des Arturo Ui" ein ähnlich schwaches Stück wie die Szenen „Furcht und Elend des Dritten Reiches" und „Die Gesichte der Simone Machard" (1942/43). Aber Schweyk, dessen Figur seit Hašek literarisch feststand, als pfiffigen Schlaumeier gegen die Despotie der Nationalsozialisten auszuspielen, war eine Idee, die Brecht zu einem seiner amüsantesten und unterhaltendsten Stücke beflügelte (1941–44 geschrieben). So wie der Azdak des „Kreidekreises“ ist Schweyk, ein Prager Hundehändler aus dem Volk, nicht zu fassen. Hier wird Brechts Gedanke von der Lebenskraft und dem Lebensrecht des Volkes gegen alle Unterdrückung demonstriert. Die komisch-grotesken Szenen auf Straßen und in Kneipen gelingen ihm unvergleichlich besser als die Zwischenspiele „in höheren Regionen“, wo Hitler und Göring in bestürzend naiven Karikaturen auf der Bühne erscheinen.

Szene aus Brechts Mutter Courage, mit Helene Weigel

Als Brecht 1940 nach Finnland gekommen war und bei der Dichterin Hella Wuolijoki wohnte, vermittelte sie ihm den Stoff seines „Volksstücks“ „Herr Puntila und sein Knecht“. Puntila ist aus Baals Geschlecht, ein vitaler Fresser und Säufer, der durch seine Willkür zum Schädling wird. Brecht liebt diesen Typus, so daß er die Sympathie der Zuschauer findet, zumal wenn Herr Puntila betrunken ist und mit seinem Knecht Matti („ich bin nicht sicher, ob du die Phantasie hast“) der schönen Aussicht wegen den Berg Hatelma mit Stühlen besteigt –: Der wirkliche Berg ist nicht nötig, „mit ein paar Stühl könnten wir's machen“. (Bei der späteren Berliner Aufführung hat Brecht seinem Puntila unsympathische Züge gegeben; es ging nicht an, daß der „Schädling“ die Leute gewann.) Fabel und Charaktere waren vorgegeben wie in Courage, Schweyk und Galilei; wo er eine Fabel konstruierte, im „Guten Menschen“, war Brecht ratlos.

„Herr Puntila und sein Knecht“

Brechts „Kaukasischer Kreidekreis“ (1944/45) ist in Amerika entstanden. (Die alte chinesische Fabel hatte Klabund zwanzig Jahre früher schon auf das europäische Theater gebracht.) Brecht verlegte den Ort der Handlung in ein fabulöses Grusinien; der Held, Azdak, ein Schlaumeier, Schreiber und Richter, verschwindet am Schluß in die Ferne der Utopie, von der er geträumt zu haben scheint. Grusche, die Magd, hat das Kind des Gouverneurs „in blutiger Zeit“ vor dem sicheren Verderben gerettet; sie wird seine Mutter, während die leibliche Mutter versagt hat. Es kommt zum Streit der Frauen vor Gericht, und hier spricht Azdak als Richter *ihr* und nicht der hochgeborenen leiblichen Mutter das Kind zu. Ein farbiges und romantisch-abenteuerlich bewegtes Geschehen umgibt die Haupt-

„Der kaukasische Kreidekreis“

handlung. Sie ist einzigartig an innerer Wahrheit und „episch" durchsetzt mit Balladen und Liedern. Das Stück ist ein spiralischer Wirbel von Szenen, und jeder Teil ist durch viele Motive mit dem Ganzen verkettet:

Der Sänger: Hört nun die Geschichte des Prozesses um das Kind des Gouverneurs Abaschwili
Mit der Feststellung der wahren Mutter
Durch die berühmte Probe mit einem Kreidekreis.

Der epische Prozeß

(Im Hof des Gerichts in Nukha. Panzerreiter führen Michel herein und nach hinten hinaus. Ein Panzerreiter hält mit dem Spieß Grusche unterm Tor zurück, bis das Kind weggeführt ist. Dann wird sie eingelassen. Bei ihr ist die dicke Köchin aus dem Haushalt des ehemaligen Gouverneurs Abaschwili. Entfernter Lärm und Brandröte.)

Grusche: Er ist tapfer, er kann sich schon allein waschen.

Die Köchin: Du hast ein Glück, es ist überhaupt kein richtiger Richter, es ist der Azdak. Er ist ein Saufaus und versteht nichts, und die größten Diebe sind schon bei ihm freigekommen. Weil er alles verwechselt und die reichen Leute ihm nie genug Bestechung zahlen, kommt unsereiner manchmal gut bei ihm weg.

Grusche: Heut brauch ich Glück.

Die Köchin: Verruf's nicht. (Sie bekreuzigt sich.) Ich glaub, ich bet besser schnell noch einen Rosenkranz, daß der Richter besoffen ist. (Sie betet mit tonlosen Lippen, während Grusche vergebens nach dem Kind ausschaut.)

Die Köchin: Ich versteh nur nicht, warum du's mit aller Gewalt behalten willst, wenn's nicht dein ist, in diesen Zeiten.

Grusche: Es ist mein's, ich hab's aufgezogen.

Die Köchin: Hast du denn nie darauf gedacht, was geschieht, wenn sie zurückkommt?

Grusche: Zuerst hab ich gedacht, ich geb's ihr zurück, und dann hab ich gedacht, sie kommt nicht mehr.

Die Köchin: Und ein geborgter Rock hält auch warm, wie? (Grusche nickt.) Ich schwör dir, was du willst, weil du eine anständige Person bist. (Memoriert:) Ich hab ihn in Pflege gehabt, für fünf Piaster, und die Grusche hat ihn sich abgeholt am Ostersonntag, abends wie die Unruhen waren.

Grammatisches Zeremoniell

In dieser Lage findet sich auch Simon, der Soldat und Verlobte Grusches, zum „Schwören" bereit, wenn er auch annehmen muß, daß Grusche, die ihm verlorengegangen war, ihn inzwischen betrogen hat. Er redet mit ihr in der dritten Person – diese Redeweise gibt allen Simon-Grusche-Szenen ein besonderes Zeremoniell. Es bedeutet nichts Geringeres als die Anerkennung eines hohen und unantastbaren Verhältnisses zwischen den Verlobten, die sich am Ende, als alles gut gegangen ist, auch „kriegen":

Simon (finster): Ich möchte der Frau mitteilen, daß ich bereit zum Schwören bin. Der Vater vom Kind bin ich.

Grusche (leise): Es ist recht, Simon.

Simon: Zugleich möchte ich mitteilen, daß ich dadurch zu nichts verpflichtet bin und die Frau auch nicht.

Die Köchin: Das ist unnötig. Sie ist verheiratet, das weißt du.

Simon: Das ist ihre Sache und braucht nicht eingerieben zu werden.

Bedeutung des Schweigens

Nun treten zwei Panzerreiter ein; in dem einen erkennt Grusche einen Mann wieder, den sie damals in großer Not niedergeschlagen hatte. Er erkennt auch sie – aber unter den gewandelten Umständen darf er nicht sprechen; es ist eine Szene von beklemmender Stummheit, Grusche hat laut aufgeschrien, als sie den Gefreiten Schotta mit der großen Narbe erkannte:

Bert Brecht, Totenmaske

Der Panzerreiter im Tor: Was ist los, Schotta, kennst du die?
Der Gefreite (nach langem Starren): Nein.
Der Panzerreiter: Die soll das Abaschwilikind gestohlen haben. Wenn du davon etwas weißt, kannst du einen Batzen Geld machen, Schotta. (Der Gefreite geht fluchend ab.)
Die Köchin: War es der? (Grusche nickt.) Ich glaub, der hält's Maul, sonst müßt er zugeben, er war hinter dem Kind her ...

In der Schlußszene spricht der Azdak Grusche das Kind zu, da sie gehandelt habe wie die wahre Mutter, während diese – die bei Brecht natürlich stolz, reich und hochfahrend ist – ohnmächtig hinweggeführt wird.

Aufhören der Produktion

Der „Kaukasische Kreidekreis" ist Brechts letztes großes Stück. Das Lehrhafte ist nicht unterdrückt, aber doch weitgehend überdeckt von einem realistischen Lebensgefühl und fabulöser Breite des Stoffs und der Motive. Der „epische" Charakter des Dramas ist gewahrt durch sich ablösende Szenenfolgen, die aktartig abgeteilt sind, die verbindenden Gestalten des Sängers und seiner Musiker, das Vor- und Nachspiel. Sie lassen dem Zuschauer Zeit, seine dialektischen und

„kritischen" Betrachtungen anzustellen, können aber die Illusion einer kaukasischen Märchenwelt nicht mehr durchbrechen.

Der spätere Brecht schrieb noch eine Bearbeitung der „Antigone" (nach Sophokles, 1947), die Historie „Die Tage der Commune" (1949), „Pauken und Trompeten" (nach Farquhar) und die Komödie „Der Hofmeister" (nach Lenz, 1951). Außerdem besorgte Brecht die Herausgabe seiner als „Versuche" bezeichneten Werke, mehrere Sammlungen mit Gedichten („Hundert Gedichte", 1950, und „Bukkower Elegien", 1954) sowie Schriften zum Theater und Auswahlbände aus dem Werk. Die wichtigsten Werke liegen gedruckt vor; doch soll der Nachlaß mit Varianten, Rollenbüchern, Studien und zurückgehaltenen Dichtungen und Essays den doppelten Umfang haben.

Buckower Elegien

Die späten Gedichte Brechts sind knapp und resigniert, geschrieben in einem Parlandoton, zurückhaltend im Gefühl und doch von raffinierter Form:

Es ist Abend. Vorbei gleiten
Zwei Faltboote, darinnen
Zwei nackte junge Männer. Nebeneinander rudernd
Sprechen sie. Sprechend
Rudern sie nebeneinander.

Die Gestalt, Kritik

Aufsteigend aus dem Chaos des „expressionistischen" Theaters, gelang es allein Bert Brecht, unter zahlreichen Talenten und Genies der Epoche Weltruf zu gewinnen. Der beruht auf einer kleinen Anzahl von Werken, beginnend mit der „Dreigroschenoper" – über die antifaschistischen Kampfstücke – bis zu „Galilei", „Mutter Courage" und dem „Kaukasischen Kreidekreis". Es waren Stücke von großer Theaterwirkung, mit glänzenden Rollen, einem widersprüchlich bunten Bilderbogenstil, von gesellschaftskritischer Schärfe und dialektischer Spannung.

Große Dichtung?

Die Werke werden Geltung haben, solange das Lebensgefühl bestimmend bleibt, aus dem sie sich nähren und dem sie Ausdruck geben. Eine andere Frage ist die nach dem literarischen Rang. Werden die Stücke sich auch, abgelöst vom Boden unserer Jahrzehnte, ohne die Unterstützung durch die Künste eines großen Theaters und bedeutender Regisseure, werden sie sich als Dichtungen halten können aus der ihnen eigenen, *sprachlich* artikulierten Seinsfülle? Mit andern Worten, war Brecht außer einem Stückeschreiber und Theatermann ein „großer Dichter"? In seiner mittleren Periode der dogmatischen „Lehrstücke" war er es

Die „materialistische" Grenze

nicht. Erst wo das Baalische Element ins Spiel kommt, die vitale Fülle und Ursprünglichkeit tragischer und komischer Gestalten, spürt man das Dichterische – aber in den meisten Fällen fehlt ihm eine individuelle sprachliche Form, welche die Klassiker und die Vaganten des Mittelalters, die Chinesen und die englischen Elisabethaner erreicht haben. Die „Form" hängt nicht am bürgerlichen Charakter, wie Brecht glauben machen möchte, sie ist auch nicht von einem „Stoff" ablösbar. Die Brechtsche „Form" ist – literarisch und geistig – naturalistisch oder romantisch. Sie ist naturalistisch in den Szenen, romantisch in den eingeschalteten Liedern und Balladen. Brechts Gabe war die Gestaltung des Menschen in seiner sozialen und gesellschaftlichen Bindung, im Spielraum zwischen Zwang und Anarchie, seine Grenze lag in der Reduzierung des Menschlichen auf materialistische Tatbestände.

NEUE LYRIK UND PROSA

Von der Dekadenz zur „Neuen Sachlichkeit“

DIE NEUE SACHLICHKEIT

Eine Anzahl von Autoren hat den Expressionismus als Phase ihrer eigenen Entwicklung wahrgenommen. Sie kamen meist aus dem geistigen und sozialen Bereich des Fin de siècle, der Untergangsstimmung der Vorkriegsgesellschaft. Ihre Formen waren naturalistisch oder neuromantisch. Döblin hat sich später stolz einen Naturalisten genannt. An Th. Mann, Hofmannsthal und George ist der Expressionismus fast spurlos vorübergegangen. Auch Robert Musil, der mit seiner frühen Prosa den antinaturalistischen, psychologischen und psychoanalytischen Stil mitgeschaffen hat, ließ sich nicht gern einen Expressionisten nennen. Die Bewegung wurde durch allzu eifrige Mitläufer ziemlich rasch diskreditiert. Kritiker und Beobachter wie A. Kerr, F. Blei und K. Kraus haben den Expressionismus abgelehnt und sich über ihn lustig gemacht. Andere Autoren haben sich seinem Geist geöffnet und seine Formsprache benutzt wie Werfel und viele poetae minores.

Expressionismus als Stadium

Angelehnt an die Malerei versuchte man, die Ernüchterung nach dem expressionistischen Rausch als „Neue Sachlichkeit“ zu rubrizieren. Der Begriff hat sich literarisch nicht recht durchgesetzt. Carl Sternheim hat die Richtung in seiner „Schule von Uznach“ weidlich verhöhnt. Wollte man das Anliegen dieser Stilform literarisch fassen, so bietet sich zuerst der Widerstand gegen das expressionistische Pathos an. Brecht hat seinen „Baal“ gegen die von ihm als unwahrhaftig empfundene Dramatik Hanns Johsts konzipiert – aber darum ist „Baal“ alles andere als ein „sachliches“ Stück. In der Prosa kehrte man zu nüchterner Beschreibung und „normalen“ Gestalten zurück. Hier hatte der Expressionismus keinen großen Dichter hervorgebracht, so interessant auch die verschieden begründeten Versuche zu „absoluter“ Prosa bei Hardekopf, Benn, Blümner und Paul Adler sein mochten. Der erzählende Dichter braucht eine Wirklichkeit, die identisch ist mit den Korrelaten seiner Erfindung, und er muß sie in einer Sprache ausdrücken, die nicht allzu weit von der „normalen“ Sprache – nicht des Alltags, sondern der Literatur – entfernt ist. Dazu bot sich die „Neue Sachlichkeit“ an. Döblins „Berlin Alexanderplatz“, die späteren Romane von Joseph Roth, Kafkas Geschichten und Romane, die nachexpressionistischen Bücher von Flake, Lichnowsky, Brod, A. Zweig und L. Frank sind in „normaler“ Prosa geschrieben, und das gilt auch für Musil. Wenn man ihren reifen Stil „sachlich“ nennen will, so würde die Bezeichnung auch für den Realismus der großen Prosadichter des neunzehnten Jahrhunderts zutreffen – von Stifter über Keller und Fontane zu Raabe. Tatsächlich sind die bedeutenden Romane der Zeit, wenn man von Jahnn absieht, in realistischer Prosa geschrieben.

Metaphysischer Zustrom

Während der „Aufbruch“ der Ur-Expressionisten ziellos gewesen war oder sich utopisch verrannt hatte, erschlossen sich die jüngeren Autoren neue Bereiche, die in unerwartetes Neuland führten. Das gilt etwa für das Wiedererwachen eines religiösen Glaubens oder die Entwicklung präziser Kunstlehren, mit denen oft genug die Verwerfung der „expressionistischen“ Epoche – so bei Werfel, Döblin, L. Frank, Loerke und Becher – zusammenhing. Sie sind darum keineswegs Verräter an ihrer Jugend geworden, sondern sie bezeugen, was heute als historische

ADOLF VON HATZFELD

Tatsache erkennbar ist: im Gegensatz zu seinem Selbstverständnis als Epoche der Erfüllung, der Endzeit, war der Expressionismus eine Phase.

Zu den großen Hoffnungen der Lyrik jener Jahre gehörte Adolf von Hatzfeld (1892–1957). Er hatte sich als zwanzigjähriger Offizier eine Kugel durch den Kopf geschossen und war seitdem blind. Seine hymnischen Naturgedichte haben Gebetscharakter. Sie galten als Beispiele einer Ekstase, die sich aus dem irdischen Alltag zu Gott emporreckt. Das Rilkesche Thema erscheint noch einmal in visionärer Steigerung:

„An Gott“

O Gott, wenn ich dir heute leise nah'
und sage: Sieh mich, Gott. Sieh: ich bin da.
Sieh: ich bin schlecht. Oh, mache du mich gut
und laß mich einmal wissen, wie es tut,
wenn man in Liebe ausgeruht.
Ich will, du sollst an meiner Glut verbrennen.
Ich will mit allen Zärtlichkeiten dich benennen.
Ich will dich streicheln. Gott, wenn ich so spreche,
dann mach, daß ich erst tausendmal zerbreche.
Wirf mich wie Aussatz fort und spei' mir ins Gesicht,
Um dieses bitt' ich: Sei du mein Gericht.
Nimm mich wie Kot und schmeiß mich auf den Mist,
daß ich, o Gott, erkenne, wer du bist.
Oh, wer du bist, der in den Dingen glüht,
um den das Spiel des Regenbogens blüht,
daß du die Mutter warst, die um mich weint,
daß du der Bettler warst, den ich gesteint,
daß du die Frau warst, deren Leib mich trug,
daß du der Hund warst, den ich schlug,
daß du der Idiot warst, den ich ausgelacht, . . .

Hier sind fast alle expressionistischen Themen vereint, vor allem das Finden Gottes in der armen Kreatur. Nach ersten kleinen Sammlungen (1916 und 1918) erschienen die Gedichte „An Gott“ (1919). Hier war ein Ton angeschlagen, den Hatzfeld bis zu seinem Tode beibehalten sollte. Literarisch war er 1918 mit seinem autobiographischen Blindenroman „Franziskus“ bekannt geworden. Max Reinhardt überreichte ihm einen Preis. 1923 erschien der Roman „Die Lemminge“.

Tschitscherin und Timmermans

Hatzfeld, ein großer Reisender, lernte den sowjetischen Außenminister Tschitscherin kennen, der ihn später einlud („Der Flug nach Moskau“, 1942). Er bildet auch in seinem dritten Roman, „Das glückhafte Schiff“ (1931), den Gegenspieler des Helden. Es ist kein echter Roman, sondern ein Bekenntnisbuch Hatzfelds; merkwürdig sind die hier ausgesprochenen Thesen Tschitscherins über die Propaganda des „sozialistischen Realismus“, die später zum russischen Dogma wurden. Ende der zwanziger Jahre lernte Hatzfeld den flämischen Dichter Felix Timmermans kennen und bewunderte an ihm die enge Verbindung des Lebens mit dem Katholizismus, der dichterischen mit der religiösen Wahrheit. Ähnlich entdeckte er in „Positano“ (1925) eine heidnisch genährte katholische Volksfrömmigkeit der Italiener und suchte nach Parallelen in seiner westfälischen Heimat.

Das Gott-Thema tauchte bei zahlreichen Dichtern, ähnlich wie bei Hatzfeld, in fast naiver Vermenschlichung auf. Mechtild von Lichnowsky nannte ihren Band – im „Jüngsten Tag“ – „Gott betet“ (1916); Gott betet hier zu seinen „geliebten

FRANZISKUS
VON ADOLF VON HATZFELD

Lithographie von Ernst Barlach

Menschen" als seinem Ebenbild. Das ist nicht theologisch gemeint, sondern gehört zu den gewaltsamen Umstellungen, welche die Expressionisten mit Motiven der Literatur vornahmen: nicht das Mädchen, sondern die Hure, nicht der Erwachsene, sondern das Kind, nicht der Gerechte, sondern der Verbrecher, nicht der Vernünftige, sondern der Idiot sind die Lieblinge der Dichtung. Autoren wie Wolfenstein, Zech, Haringer, Goll, die Dadaisten und Surrealisten bieten zahlreiche Beispiele. Rudolf Leonhard, Autor einer „Katilinarischen Pilgerschaft" (1919), schrieb in seinem Sonett an einen Verurteilten:

Ich wurde du, denn ich verstehe dich,
und war mit dir und sah und sehe dich . . .

Jeder soll in Karl Ottens „Die Thronerhebung des Herzens" „Bruder" werden. Das Bändchen des Rheinländers Otten, 1889 geboren, erschien 1918 im Verlag der „Aktion" als Band 4 der Sammlung „Der rote Hahn":

Schlage dein Herz auf, Bruder:
Das Buch der Morgenröte, Bruder
der neuen Zeit, Bruder
den Mantel der Furcht, Bruder
das Auge der Erkenntnis, Bruder!

Bei der Masse der Autoren kommt es zu langatmigen Deklamationen, die das O-Mensch-Pathos und ihre Hurenschwärmerei bald unglaubwürdig machten. Bei größeren Dichtern, wie G. Engelke, wird die Identifikation des Ich mit Gott und Welt enthusiastisch vollzogen:

Meine Augen sind Sterne, Flut braust im Ohr;
Ich bin so glühend weltdurchströmt, meine Seele dröhnt,
Ich kann ihn nicht dämpfen, den rasenden Chor –
Ich berste – ersticke – blicke
Hoch . . .

GOTTFRIED KÖLWEL

Es mußte schwer sein, die Grenze nicht zu überschreiten, welche schon bei kosmischen Dichtern, wie Rilke, Mombert und Dehmel oft aus panisch-kosmischem „Drang" überschritten wurde. Diese Dichter sind geistesgeschichtlich Vollstrecker des deutschen Idealismus: das Ich ist Mittelpunkt der Welt, in ihm vollzieht sich der schöpferische Akt schlechthin; das Ich identifiziert sich mit der Potenz Gottes. Die Neigung zur Mystik, unter Berufung auf Tauler, Jakob Böhme und Angelus Silesius, verstärkte diese Identifikationen, wobei Nietzsches Zarathustra mit seiner Steigerung des Ich in Richtung auf den Übermenschen zusätzliche Verwirrung anrichtete. Es handelt sich um den Durchbruch eines hochgespannten Ich-Gefühls, wie es sich etwa in Gottfried Kölwels (1889–1958) frühen Gedichtsammlungen „Gesänge gegen den Tod" (1914), „Die frühe Landschaft" (1917) und „Erhebung" (1918) ausspricht:

Kosmische Verführung

Herr, ich kniete hin vor dich in tiefer Qual
mit meines Mundes blutgefärbtem Martermal.
Mit tausendherziger Inbrunst flehte ich dich an,
bis ich erkannte: Deine Wunder sind nur Wahn!...

Wie der Blitz die Nacht durchschlägt, gleich einem Schwert,
hat die Erkenntnis meine Wolken aufgeklärt.
Himmlisch leuchtend floß es meinem Dunkel zu,
ich sprachs, o Herr, in dieser Stunde: Ich bin du!
O Schöpferwonne, da ich mich zum Gott gebar...

Gottfried Kölwel

Der junge Kölwel war mit Kafka und Friedrich Schnack befreundet, Martin Buber hat ihn gefördert. Wie viele Lyriker jener Zeit verstummte Kölwel später und schrieb erzählende Literatur. Erst 1937 erschien noch ein Buch des Lyrikers, „Irdische Fülle", und 1947 die „Münchner Elegien". Der gewaltsame Aufschrei von 1914 war Literatur gewesen; die neuen Gedichte gehörten zum konservativen Strom der Naturlyrik. Aus Kölwels frühen Gedichten klingen – neben jenen pathetischen – die sachlich-elegischen Töne am längsten nach:

Was ist dann alles, was einst war,
harte Brüste und weiches Haar,
hingeneigter, schwellender Mund,
sommersüßes Schulternrund?
Furchtbar, wenn sich, vom Hügel gelenkt,
unser Blick zur Fäulnis senkt.

Max Herrmann-Neiße

Max Herrmann-Neiße gehörte generationsmäßig zu den Expressionisten und hat sich ihnen thematisch und persönlich genähert, aber bei ihm ist der Umschlag in die Verzweiflung deutlich. Sie wurde durch sein persönliches Schicksal unterstrichen. 1933 schrieb er:

Ich sah das Dunkel schon von ferne kommen,
als das Gebirg noch schimmernd sichtbar blieb,
und bangte mich und wartete beklommen,
daß Gott uns aus dem Paradies vertrieb.

Ich aber konnte aus den Vogelchören
und aus der Wellen flüchtigem Geraun
bedrohlich eine düstre Mahnung hören
und hatte zu dem Frühling kein Vertraun.

Max Herrmann-Neiße, Radierung von Ludwig Meidner, 1919

Max Herrmann, geboren 1886, stammte aus Neiße. Er hatte in Breslau und München Kunst und Literatur studiert und ging 1917 nach Berlin. Er traf mit der damaligen literarischen Jugend zusammen, mit Franz Pfemfert und Franz Jung, und schloß sich der radikalen Linken an. Er wurde Journalist und Theaterkritiker. Der kleine verwachsene Mann gehörte als Lyriker zu den genialischen Improvisatoren, als welchen Loerke ihn gerühmt hat. Er verband Neues mit Altem, die ihm so teure Überlieferung mit modernem Empfinden, stand unter Rilkes Einfluß, war aber auch vom Ton des „Neopathos" und dem Thema der Großstadt beeindruckt:

Der große Bär steht über unserm Hof.
Im Nachbarhaus rumort Soldatenschwof.

Die Schenkentüren fallen lärmend zu.
Ein Pferd will heim und findet keine Ruh.

Ein Mann und eine Frau sind handgemein.
Zwei Fleischer schlagen sich den Schädel ein ...

Die Verse standen in dem Bändchen „Sie und die Stadt“ (1914). Das Wörtchen „Sie“ bezog sich auf des Dichters Frau Leni, der später noch viele Gedichte gewidmet wurden. Diesem Bändchen waren die Verse und Skizzen „Ein kleines Leben“ (1906), die Gedichte „Das Buch Franziskus“ (1911) und „Porträte des Provinztheaters“ (1913) vorausgegangen. 1917 erschien in der Sammlung „Der jüngste Tag“ das Bändchen „Empörung Andacht Ewigkeit“, in dem Max Herrmann sein Thema von der Heimatlosigkeit des Menschen „steil“ ausspricht; er ist jedoch nie eigentlicher Expressionist gewesen, sondern ein romantisch-mystischer Typus, religiös mehr im biblischen als im „O-Mensch“-Sinn:

Mein Herz ist leergebrannt. – Den Herbstwind treibt
trostlose Sehnsucht durch die welken Wege. –
Jetzt weiß ich, daß mir auch kein Dunkel bleibt,
wohin zu ewigem Schlaf mein Haupt ich lege.

Ich höre meinen Gott nicht mehr: er hebt
aus seinem Wald kein Wort zu mir hernieder ...

Der nächste Gedichtband hieß bündig „Verbannung“ (1919) und stand unter einem Motto des Thomas von Kempen: „Und je höher einer im Geiste vorgeschritten, um so schwerere Kreuze findet er oft, weil die Pein seiner Verbannung durch die Liebe immer mehr wächst.“ Das Wort sollte für Herrmann im Jahre 1933 qualvolle Wirklichkeit werden, als zur seelischen Verbannung die erzwungene des Exils in Holland, Frankreich und England hinzukam. Herrmann-Neiße schrieb im Laufe der Jahre Komödien, Romane und Novellen, „Die bürgerliche Literaturgeschichte des Proletariats“ (1922) und mehrere Gedichtbände. Seit 1925 gab Herrmann eine Reihe „Dichter für das revolutionäre Proletariat“ heraus. Nebenher verfaßte er viel gelesene Theaterkritiken und Aufsätze. Erst im Exil, unter dem er furchtbar litt, fand Herrmann-Neiße, ähnlich wie Karl Wolfskehl, neue Töne. Es sind die der Frommen des schlesischen Barock, des Kirchenlieds und Pietismus, wo der vom Schicksal Geschlagene sich in das Seelenkämmerchen zurückzieht und einen Frieden sucht, den die Welt nicht gab:

Gedichte im Exil

Mein Gott, bewahre mir im Stillen
Des Seelenfriedens Heiligtum,
laß nicht dem Würger seinen Willen
und gib dem Krieger keinen Ruhm,
o wolle gnädiglich erhören
der Schwachen furchtsames Gebet,
und laß den Bösen nicht zerstören,
was unter deinem Schutze steht!

Der Gedanke der Heimkehr ins Paradies, des ewigen Friedens, den der mittlere Herrmann-Neiße von der proletarisch-revolutionären und Antikriegsbewegung erwartet hatte, wurde zurückgeführt auf den metaphysischen Anlaß, die Erdenverzweiflung, von der Max Herrmann ausgegangen war. Dafür zeugen die letzten Bände „Um uns die Fremde“ (1936) und die nach dem Tode des Dichters (1941) von Leni Herrmann herausgegebenen „Letzten Gedichte“ (London-New York 1942).

WILHELM SCHMIDTBONN

Fast fünf Jahrzehnte lang hat Wilhelm Schmidtbonn (1876–1952) Theaterstücke, Erzählungen, Romane, Märchen, Legenden, Novellen, Anekdoten und autobiographische Bücher erscheinen lassen. Er begann mit einem romantisierenden Schauspiel „Mutter Landstraße" (1901) und wurde durch publikumswirksame Stücke wie „Der Graf von Gleichen" (1908), „Hilfe! Ein Kind!" (Komödie, 1910) und das Legendenspiel „Der verlorene Sohn" (1912) so bekannt wie Herbert Eulenberg, mit dem man ihn in jüngeren Jahren um der rheinischen Nachbarschaft und der Dramaturgenjahre bei Louise Dumont in Düsseldorf willen gern zusammen nannte. Während des Krieges schrieb der reiselustige Journalist in Frankreich und Serbien Berichte für das „Berliner Tagblatt", aus denen die Bücher „Menschen und Städte im Kriege" (1915) und „Krieg in Serbien" (1916) entstanden sind. 1919 wurde seine „Flucht zu den Hilflosen" bewundert. Es ist die Geschichte dreier Hunde, die dem verkommenden Menschengeschlecht vorhalten: „Die Hunde sind Gott nahe geblieben. Darum hat Gott euch die Hunde gelassen, damit die Luft der Erde nicht ganz leer werde von Treue. – Damit ihr erkennt, wie er euch gewollt hat. – Gott, gib Kraft, die Menschen dennoch zu lieben . . ."

Wilhelm Schmidtbonn
Zeichnung von Adolf Uzarski

Der Krieg als Menetekel

In einem Spiel von den Münsterschen Wiedertäufern, „Die Stadt der Besessenen" (1915), hatte Schmidtbonn, der sich von neuromantischen Vorstellungen zu lösen begann, ein zeitkritisch gemeintes Gemälde geschaffen; auf dieser Linie lagen „Der Geschlagene" (1920), das Drama von einem erblindeten Flieger, und das Auswandererstück „Die Fahrt nach Orplid" (1922). Schmidtbonn war durch die Katastrophe Europas tief erregt und bewegt. In Märchensammlungen und Legendenbüchern, in seiner rhapsodischen Lyrik und dem selbstbiographischen Lebensbuch „An einem Strom geboren" (1935) suchte er den einfachen, magisch verzauberten Menschen, der den Schlüssel für die Wirrnis der Zeit besaß. Hier klingt auch Schmidtbonns eigentliches Thema noch einmal an, das ihn immer wieder gefangennahm: die rheinische Heimat, das Leben in Bonn, Kleinstädter, Schiffer und Fischer, von denen er 1903 schon in der Erzählung „Uferleute" berichtet hatte. Aber die Phantasie sprengt immer die Form; statt bei seinem „Freund Dei" (1927) zu bleiben, wird der Roman zur phantastischen Reise, ähnlich wie in dem Roman eines Pelzhändlers „Der Verzauberte" (1923), in dem ein Zauberring dem Helden zu moralisierenden Einsichten verhilft.

Ein rheinischer Autor

Holzschnitt von Felix Meseck zu Wilhelm Schmidtbonn, Die Flucht zu den Hilflosen (Holländische Ausgabe)

Zum fünfzigsten Geburtstag gab es eine Festschrift und ein Schmidtbonn-Buch, in dem Stefan Zweig, Wilhelm Schäfer, Herbert Eulenberg, Louise Dumont, Felix Braun und andere Freunde den Dichter gefeiert haben. Else Lasker-Schüler schrieb ein hintergründig freundliches Gedicht:

Wilhelm Schmidtbonn erzählt vom Paradies;
Reißt den verlogenen Nebel vom Baum:
Stolz blüht die Dolde der Erkenntnis.
Sein markiges Gedicht strömt immer zwei dämmerblaue Kräfte aus . . .

Nach dem Krieg nahm er thematisch und motivisch die Ideen Nie wieder Krieg!, Güte und Brüderlichkeit auf. Menschlich fühlte er sich zur Jugend hingezogen, er war ein eifriger Leser der „Aktion"; die Freunde bezeugen, er sei „nie erkaltet".

Mechtilde Lichnowskys erstes Werk war ein Reisebuch über „Götter, Könige und Tiere in Ägypten" (1912). Sie hatte die Reise mit ihrem Mann, dem Fürsten Lichnowsky, unternommen, bevor dieser eine Stellung als Botschafter des Deutschen Reiches in London antrat. Ihr erster Gedichtband, „Gott betet" (1918), erschien in der Reihe „Der jüngste Tag". Gehörte die geborene Gräfin von und zu Arco-Zinneberg aus Niederbayern, Urenkelin der Kaiserin Maria Theresia, Verwandte der vornehmsten europäischen Häuser, Angehörige des kaiserlichen diplomatischen Korps und große Dame von streng katholischer Erziehung, zu den Propheten des bevorstehenden Weltuntergangs und des Aufbruchs zu unbekannten Zielen? In dem Roman „Der Lauf der Asdur" (1936) wird die Welt in der für die Erzählungen der Lichnowsky bezeichnenden elegischen Rückblende geschildert. Die Asdur ist die Isar, die Stadt der großen Begegnungen ist das München der Jahrhundertwende. Das gesellschaftliche Klima des Romans ist verwandt dem der „Daphne Herbst" von Annette Kolb, die innere Ähnlichkeit geht bis in den klaren Stil, wo man *alles* sagen kann, ohne die Haltung zu verlieren. Die Geschichte des Zu-sich-selbst-Kommens enthält der vielgeschichtige Roman „Geburt" (1921). Er ist in den Jahren 1917–20 entstanden und schildert die Geschichte einer Familie, deren Mitglieder „in unserer traurigen Kulturwelt" ihre höchst individuellen Wege gehen. In Episoden aus Künstlerkreisen, in Briefen, Träumen, Tagebüchern, Essays und langen Gesprächen sucht sich die Autorin klarzuwerden, was Ehe, Moral, Kunst, Politik und Dichtung heute noch bedeuten. Die Problematik sprengt den Rahmen der matten Fabel, es fehlt nicht an mehr oder minder expressionistisch und kos-

„Der Lauf der Asdur"

misch getönten Unarten und Spekulationen, etwa über die Lautgestalt der Wörtchen Ich und Du. Empfindungen und Gefühle werden analysiert und synästhetische Forderungen erhoben: „Kannst du den Duft des Apfels hören? Den Geschmack einer Goldreinette sehen?“ Recht gespreizt klingen die Ausführungen über Emanzipation, wenn gefragt wird, was die Folgen „echten Weibtums“ seien – worunter „geliebt zu werden“ gemeint ist. Ähnlich wie bei F. Werfel (in „Barbara“) werden intellektuelle Zirkel utopisch gestimmter Künstler parodiert, so daß das Buch auch zu einem Schlüsselroman wurde. Die frühen dramatischen und dialogischen Werke „Ein Spiel vom Tod“ (entstanden 1910/12, veröffentlicht als „neun Bilder für Marionetten“, 1915), die Szenen „Der Stimmer“ (1917) und das Schauspiel „Der Kinderfreund“ (im Deutschen Theater in Berlin uraufgeführt, 1919) machen deutlich, wovon sich die Dichterin befreien mußte, was mit jener „Geburt“ gemeint war. Es ist die Neuromantik, der Ton des müden und snobistischen Hofmannsthal, das Liebäugeln mit dem ästhetisch aufgefaßten Tod und eine symbolisch mit sich spielende Dekadenz. Diese Befreiung vollzog sich durch die Freundschaft Mechtilde Lichnowskys mit Karl Kraus in Wien und Ludwig von Ficker in Innsbruck. Sie stehen hinter den in „Geburt“ gegebenen Schriftstellerporträts. Die Sprachglossen in „Worte über Wörter“ (1949) sind nicht nur Kraus gewidmet, sondern auch methodisch von ihm bestimmt. Ansätze zu diesen Betrachtungen fanden sich schon in „Geburt“, wo auch der Essayband „Der Kampf mit dem Fachmann“ (1924) mit Teilen vorweggenommen worden war. Es ist das geistvollste Buch der Autorin.

Karl Kraus und Ludwig von Ficker

Als Alfred Kerr 1919 „Ein Spiel vom Tod“ besprach, stellte er fest: „Vom Expressionismus ist kaum ein Abglanz in den Linien zwischendurch. Anmut hilft hier der wirklichen Welt vorwärts.“ Er hat richtig gesehen. Die Fürstin Lichnowsky war nicht als Autorin wichtig, sondern als Persönlichkeit. Sie hatte durch Urteilskraft und gesellschaftliche Stellung eine bedeutende Funktion als Mittlerin zwischen den verschiedenen Kreisen. Sie verkehrte im Wien Hofmannsthals und Kraus', im München Thomas Manns, im Zürich der „Weißen Blätter“, in den Kreisen der Diplomatie, der „ersten“, „zweiten“ und gelegentlich sogar der unteren Welt. Seit 1937 zog sie sich, angewidert von der Kulturpolitik des Dritten Reiches, nach London zurück, und dort ist sie 1958 gestorben, nachdem sie seit 1945 die alten Kontakte mit der europäischen Geisteswelt wiederhergestellt und neue aufgenommen hatte.

Paul Adler

Viele Dichter des Expressionismus sind früh verstummt oder literarisch verschollen. Zu ihnen gehört Paul Adler (1878–1946), den man um seiner metaphysischen Untertöne willen eher zu den Wegbereitern Kafkas zählen kann als Meyrink. Paul Adler gehörte zu jenen Prager Juden, die durch ihr Deutschtum isoliert und unsicher waren. Er wurde Jurist und begann nach kurzer Richtertätigkeit ein Wanderleben, das ihn über Paris und Florenz nach Hellerau trieb, das er als Garten- und Künstlerstadt mitbegründet hat. Hier schrieb er den symbolischen Geschichtenkreis „Elohim“ (1914), die erzählerischen Aufzeichnungen „Nämlich“ und den Roman „Die Zauberflöte“. Er veröffentlichte Gedichte – und eine „Tragische Szene“ – in den Jahrgängen 1915 und 1919 der „Aktion“ und in Taggers „Marsyas“. In der von F. Blei herausgegebenen „Summa“ des Hegner-Verlags stand Adlers Aufsatz „Vom Geist der Volkswirtschaft“ (1917). Durch den Weltkrieg von seiner dichterischen Arbeit abgelenkt, wandte Adler sich zeitweise der Presse und der Politik zu; später übersetzte er Unamuno und schrieb gelehrte Arbeiten zur japanischen Literatur. 1933 ging er wieder nach Prag und starb dort, nachdem er sieben Jahre lang bettlägerig gewesen und von Freunden versteckt gehalten worden war.

Ein hermetisches Werk

Paul Adlers Dichtungen gehören dem Thema nach zur spät- und neuromatischen Literatur. Sage, Mythos, Märchen, Bibel, Talmud, christliche Heilslehre, Antike und Poesie gehen eine nur mühsam zu entziffernde Verbindung ein. Ihr Sinn ist nicht mit dem historischen Wissen um all diese Bestandteile zu erschließen; Adler erstrebt vielmehr poetische Simultaneität. In den Elohimgeschichten meditiert er über den Sinn einer göttlichen Auslese, eines besonderen „Geschlechts", dem alle Weisheit und Stärke anvertraut ist. Die Elohim sind das biblisch-mythische Göttergeschlecht, Riesen, Engel, Titanen; sie werden mit einer offenbar das Gesicht des Propheten Hesekiel nachahmenden Bildlichkeit dargestellt:

Die Elohim

Nun aber nahte ihm Einer von Riesenmaße; aus dessen Haupt wuchsen mächtige Stierhörner und auf seinen Schultern reiche Schwingen. Ein anderer hinter diesem trug in scharfen Adlerkrallen ein Gefäß mit aufgehobenem Deckel und darin schlummernd die Frucht des Granatbaumes, die das Leben gibt. Den Baum selbst sahn sie ganz nahe in seinem Garten stehn, vor seinen roten Kugeln hielten die neun hochgewachsenen Pfleger die Hand hoch. Rings an den vier Mauern standen die vier schrecklichen Wächter, ein besonderes Geschlecht mit vier beweglichen Mühlflügelarmen und mit harten Stierhufen. Allein Einer in einem weißen Linnen glitt danach an Asrael [einen der Elohim] heran. Er trug in seiner Rechten ein Horn, das ein dunkles Kreisstück aus dem Himmel schnitt, und er rief laut: „Immanuel! Immanuel! Wagen voll Sämännern und Wagen voll Saaten." Darauf sah man zahllose Räder voll grüner Spitzen von allen Hängen rollen. Ein ihn noch Überglänzender blickte aus lodernden Augen unter einem Helme nach allen vier Seiten aus. Seine Stimme klang wie eine bronzene Posaune ...

Absolute Prosa

Trotz Albert Ehrensteins und Kasimir Edschmids enthusiastischen Hinweisen konnte Paul Adler das Publikum nicht gewinnen. Seine Dichtungen waren zu sehr verriegelt; es war ihm nicht – wie Musil, Döblin oder Jahnn – gegeben, mit umfangreicheren und leichteren Werken den Zugang zu den tiefsinnigen zu öffnen. So blieb sein Erfolg auf die literarischen Kreise beschränkt. Wahrscheinlich hat kein anderer Dichter solch „absolute" expressionistische Prosa – ohne Rücksicht auf die „Wirklichkeit" – geschrieben wie Paul Adler. Grammatisch schreibt er klar, manchmal geistreich. Die Sätze sind knapp. Die Verwirrung hängt mit den Zwangsvorstellungen zusammen.

In dem autobiographisch bestimmten Roman „Nämlich", der von einem an sich unwichtigen Zitat Hölderlins („Da nämlich ist Heinrich gegangen") den Titel bekam, wird der Held im Irrenhaus von seinen sexuellen, religiösen und kulturellen Komplexen befreit. Dieser Sauler ist in einer Welt, die von Geldjagd und Sexualität besessen ist, verrückt geworden. Der Roman ist in der Sprache des Verrückten mit seinen teils närrischen, teils tiefsinnigen Gedanken geschrieben, also alogisch, ohne rationales Zeit- und Raumgefühl:

Der Strom der Assoziationen

Mein Name ist Sauler ... Wünscht der Herr mich zu sprechen? Ich will es gestehn: ich liebe das Mädchen nur deshalb, weil sie genau die baumbraunen Brustwarzen meiner ersten Valentine hat. Außerdem aber kann ich, wegen des Ahorns, sie gewiß nicht bei ihrem Ehemann besuchen. Und zu Hause wieder schläft meine alte Mutter. Ach was,

Paul Adler:

Auf die Pflanze Daphne mezereum, die Märzblüterin

Bei Nacht, erweckt von Vogelschall
Hebt sich der Gott, des Ewigen büssender Sohn,
In Knechttums dunkelm Hause.
Vom Glutkamine
Leise fröstelnd dennoch,
Zieht er den Fuss an sich. Und schnell aus der Kammer nach Hürden schreitet der Hirt.
– Ihm nach blickt scheel der Gutsherr, Apollon.
Schon harren im Rot die Schafe
Der knappen Wintermahlzeit. Und der Hund hebt sich feindlich.

—

Der Mond verschleiert draussen im toten Laube
Der alten Eiche mit den vielen Knospen.
Ihr Astwerk seitet, ein Winter schwarzer Flügel.
Die Esche streckt den Rehfuss in den Schauer,
Des Schneeballs Doldenfötus dehnt sich bleich aus Mutterleib
Das harte Leder nur
Des ewigen Buchses hebt die Nacht in hellen Tag

—

Paul Adler, Handschriftprobe

laß meine groteske Amme zuhaus schlafen oder wachen. Ich verrate ihr nichts, sie darf sich aber sattsehn, wenn es sie jückt, an meiner – Schändung der Leiche Valentinens. Mond und emporene Gasflamme halten beide gute Laterne mit mir. Ich ersuche dich, Mond. Bei deiner Begabung, zu verdunkeln.

Sauler-Adler setzt sich mit der Antike in Gestalt des Sokrates und mit dem Christentum in der Gestalt des irr-blasphemisch angerufenen Jesus auseinander. Der Name Sauler deutet an, daß er ein Paulus war, der sich zum Saulus zurückverwandelt. Aber nicht der expressionistische Angriff auf die abendländische Überlieferung macht Adlers Bücher merkwürdig – der war ja längst von Nietzsche vorgetragen –, sondern ein formales Prinzip, der „Experimentalroman", das Aufgeben der logischen, naturalistischen Zusammenhänge und der Identität der Person. In dem kleinen Zauberflötenroman wird das Motiv der Mozartschen Oper ständig zwischen Alt-Ägypten, dem Pubertätserlebnis eines Berliner Kindes und einem imaginären Opernbrand in Venedig hin und her gespiegelt, es ist Groteske in surrealistischem Stil. Dahinter steht die Idee der Seelenwanderung; auf der ewigen Reise soll sich die Seele von einer geahnten, aber unfaßbaren Schuld reinigen. Da kreuzen sich uralte magische Riten mit modern sektiererischen, gnostischen und talmudischen Zügen. Der Text geht in gebundene Rede über:

Aus der „Zauberflöte"

Typhonisches Stöhnen des Ungeheuers,
des schwarzen Pan:
„Königin Nacht. Häßlich hart Heulen Musik.
Negerleib. Lügen Lilithscher Linien.
Brunst dir, Größe, kraß geschwollene Pauke,
Bauch! Jahrtausendesiegerin, Verlassenheit!"

Man ahnt, daß Adler mehr sagen wollte, als die Sprache ausdrücken kann. Seine Alliterationen („Lügen Lilitherscher Linien") zeugen von dem Versuch. Es ist eine Gedankendichtung, deren Substanz von vornherein zerstört war und die den gnostischen Zustand eines „Eingeweihten" ersehnte: bei Paul Adler hat die Dichtung mehr leisten sollen, als ihr möglich war.

Ernst Weiß

Auch Ernst Weiß (1884–1940) kam aus Böhmen und hat ähnlich wie Adler den Bedrängnissen und Ängsten der modernen Seele Ausdruck gegeben. Er war Mediziner und hatte als Schiffsarzt Reisen in den fernen Orient gemacht. Das Exotische und Fremde, das Narkotische und Grausame spielt in seinen Erzählungen und Romanen eine ähnliche Rolle wie bei Stucken – auch er kam aus der Dekadenz. Die Titel seiner Romane lassen ahnen, daß das Leben ihn wie ein Nachtmahr bedrückt hat: „Die Galeere" (1913), „Tiere in Ketten" (1918), „Mensch gegen Mensch" (1919), „Stern der Dämonen" (1921), „Georg Letham, Arzt und Mörder" (1931). Anders als Paul Adler hatte Weiß einen gewissen Rückhalt an der altjüdischen Welt, die er in der Erzählung „Daniel" (1924) mit erschreckenden Details des Leidens aus der babylonischen Gefangenschaft zeichnete. Während der jüngere Weiß expressionistisch krasse Themen liebte und stilistisch experimentierte, ist der spätere zu dem prunkvollen Stil der romantischen Sätze zurückgekehrt. Für beides ein Beispiel:

Expressionistische Phase

Unter den Händen des Studenten wanderte Gesicht, unter seinen Fingern fühlte er süß hinrollen beruhigt wellenschlagendes Leben, entgegenhauchte ihm aus gestilltem Mund Schlaf um Schlaf. Hier war menschliche Gegenwelt: infernalisches Dasein war gelindert durch Schmerzverminderung und ruhiges Atmen. Es stieg der Tag, Hitze schwelte aus Wasserdunst, Waschküchenatmosphäre schmierte sich schwer durch die Räume, zischend brannte das Zeisslicht, warf brennende Blendung in blutig geöffneten Mensch . . .

Dieser Szene aus dem Operationssaal steht eine dunkel-prächtige Prosa gegenüber:

Am nächsten Morgen ließ Rahel das Kind, nachdem sie es reichlich genährt, in der Obhut des Weibes aus chaldäischem Stamm, der das Haus gehörte, worin die Fürstin auf Geheiß

Ernst Weiß

des Kaisers Nebukadnezar gebracht war. Sie machte sich auf, um im geliehenen Kleide, in fremden Schuhen, unter den schweren Brüsten fest gegürtet, dem kaiserlichen Palaste zuzustreben. Denn sie hatte noch die Erinnerung an die begnadete Nacht im Herzen, sie wollte ihren Gatten wiedersehen, bei ihm zu wohnen oder ihn hierherzuführen, in die Hütten der Gerber, um da bis zum Ende zu leben: Versunken unter den Armen, arbeitend mit den Fleißigen, namenlos mit den Namenlosen, im strengen Geruch der gegerbten Felle und der stehenden Sümpfe, das saure Brot der Armut zu essen und den herben Bissen zu schlucken, der den Gaumen dörrte wie die Mittagssonne ein loses Blatt . . .

Die Sprache von Weiß hatte etwas Unersättliches; was sie ehedem in steilem Ansprung erstrebte, suchte sie nun mit ausschwingenden Perioden, einer Fülle von Adjektiven, in Partizipialkonstruktionen und üppigen Bildern zu erreichen. Franz Kafka kannte die „Galeere" von Weiß – es war die Zeit, da er an seiner „Verwandlung" schrieb und die „Konstruktion" von Ernst Weiß zu vermeiden sich vornahm.

Max Brod

Max Brod, 1884 in Prag geboren und dort bis 1939 anfangs als Jurist, nach den ersten literarischen Erfolgen als freier Schriftsteller lebend, begann mit neuromantischen Erzählungen („Tod dem Toten", 1906) und Gedichten („Der Weg des Verliebten", 1907). Der erste umfangreiche Roman, „Schloß Nornepygge" (1908), schildert den Relativisten und Ästheten der Vorkriegszeit, den „Differenzierten", der das Gewöhnliche verschmäht und sich eine utopische Welt zurechtlegt. Als Brod 1913 ein Jahrbuch für Dichtkunst „Arkadia" herausgab, schloß er alle „politischen und sozialökonomischen Erörterungen" aus und machte den „Versuch, ausschließlich und in Reinheit die dichterisch-gestaltenden Kräfte der Zeit . . . wirken zu lassen". Er publizierte Dichtungen von Parteilosen oder solchen, deren Richtung damals noch unbestimmt zu sein schien: Robert Walser, Franz Blei, seiner Freunde Franz Werfel und Franz Kafka, Otto Stoeßl, Moritz Heimann, Max Mell, Oskar Baum, Martin Beradt, Alfred Wolfenstein, Kurt Tucholsky, Heinrich Eduard Jacob, Heinrich Lautensack und Otto Pick. Brod meinte, in edler Voreingenommenheit für die Kunst, „daß die auf das Überirdische hindeutende hymnische Kraft der Dichtkunst keines Nebenwerks und keines Partei-

Das ästhetische Programm

interesses bedarf, um mit der ihr einwohnenden lauteren Hoheit für die Menschheit wirksam zu sein". Im gleichen Jahre 1913 erschienen, gemeinsam mit Felix Weltsch, die „Grundzüge eines Systems der Begriffsbildung" unter dem Titel „Anschauung und Begriff", ferner ein „Vademecum für Romantiker unserer Tage" unter dem Titel „Über die Schönheit häßlicher Bilder".

Der Philosoph Brod legte leider keinen Wert auf die sprachliche Gestaltung seiner Erkenntnisse. In einem dritten Bekenntnisbuch „Heidentum, Christentum, Judentum" kann man nachlesen, weshalb sich Brod vom neuromatischen Ästheten zum Zionisten gewandelt hatte; der Jude steht als prophetischer Typus zwischen dem reinen Diesseits des Heiden und dem Jenseits des Christen. Er ist der eigentlich tätige Mensch – eine verwandte Philosophie findet sich bei Martin Buber. In dem Roman „Tycho Brahes Weg zu Gott" (1916) ist das Zeugnis Brods historisch verhüllt. Der Roman spielt zwischen dem alten Kepler und dem jungen Tycho Brahe in Prag. Das Geheimnis des Seins wird Gott abgefordert und erst in der Todesstunde in der Harmonie als Ausgleich aller Gegensätze geahnt. Der Roman galt als Brods Hauptwerk; er dokumentierte bis in die Vagheit des sprachlichen Ausdrucks hinein die Unsicherheit. Das historische Detail wurde breit ausgemalt im Sinne des neunzehnten Jahrhunderts. Am Schluß heißt es:

Der Gottsucher Tycho Brahe

> Opfere dich hier, stirb, aber wisse, selbst am Kreuze wisse es – niemals ist es vollbracht. Nein, nein, nein, hilf und geh dabei zugrunde und wisse, daß du immer noch viel zu wenig geholfen hast. Sieh deinen Mißerfolg, sieh den Teufel, der triumphiert und dennoch, obwohl es sinnlos und vergeblich ist, hilf und hilf und hilf, ohne Dank, ohne Befriedigung, die Schamröte und das Schuldbewußtsein in der Seele, im Bewußtsein des Mißerfolgs hilf und hilf...

MAX BROD

DIE ERSTE STUNDE NACH DEM TODE

DER JÜNGSTE TAG • 32

KURT WOLFF VERLAG · LEIPZIG

1 9 1 7

Umschlag von Ottomar Starke

Viel sicherer schien sich Brod auf einem Gebiet zu fühlen, das die erotische Verstrickung behandelt. Eine Fülle von Titeln bezeugt es: „Ein tschechisches Dienstmädchen" (1909), „Die Erziehung zur Hetäre" (1909), „Weiberwirtschaft" (1913), „Erlöserin, ein Hetärengespräch" (1921), „Franzi, oder eine Liebe zweiten Ranges" (1922), „Klarissas halbes Herz" (Lustspiel, 1923), „Leben mit einer Göttin" (1923), „Die Frau, nach der man sich sehnt" (1927), „Das Zauberreich der Liebe" (1928). Auch die jüdischen Erzählungen gehören hierher: „Jüdinnen" (1911) und „Rëubeni, Fürst der Juden" (1925). Zur religiösen Problematik kehrte Brod im Alter mit dem Jesusroman „Der Meister" (1952) und „Armer Cicero" (1955)

ARNOLD ZWEIG

zurück. Brods literarische Bedeutung liegt nicht in seinen vielen Büchern, auch nicht — was die deutsche Literatur angeht — in seiner Tätigkeit als Dramaturg des Habimahtheaters in Palästina, sondern in seinen Verdiensten als Nachlaßverwalter, Herausgeber und Deuter des Jugendfreundes Franz Kafka. Er hat Kafka zum Leben erweckt.

Ähnlich wie Max Brod begann Arnold Zweig, 1887 in Groß-Glogau in Schlesien geboren, mit Erzählungen aus der Welt des Fin de siècle, der übersättigten Bürger- und Ästhetenwelt vor 1914. Die „Novellen um Claudia" (1912) folgten den Erzählungen „Aufzeichnungen über eine Familie Klopfer" (1911), in denen Zweig Erinnerungen an seine Herkunft aus einer Sattlermeisterfamilie verwertete. Er war ein gewandter Erzähler und erwies sich in den Braut- und Ehegeschichten um Claudia als Beobachter der nervösen Struktur des modernen Menschen, von Thomas Mann und seinem Landsmann Hermann Stehr beeinflußt. In den Tragödien „Abigail und Nabal" (1913) und „Ritualmord in Ungarn" (1914) nahm Zweig die jüdische und zionistische Problematik auf, die er vor allem als Essayist, teilweise mit Lion Feuchtwanger zusammen, verfolgte („Das ostjüdische Antlitz", 1920, „Das neue Kanaan" 1925 und viele andere).

Arnold Zweig
Karikatur von B. F. Dolbin

Zweig hatte 1914 den Kleistpreis erhalten und ließ sich nach dem Kriege bei München nieder, ging 1923 nach Berlin und erlebte 1933 ein Schicksal, das er fast zwanzig Jahre früher in den „Weißen Blättern" einem russischen Chemiker zugeschrieben hatte, der beschloß, nach Palästina zu gehen, „ob sich dort nicht Inhalt finde für das Leben eines unerträglich amtlosen Juden". Zweig, seit langem Vorkämpfer der zionistischen Sache, ging als Emigrant ins Ausland und kam auf Umwegen nach Haifa. 1948 kehrte er nach Ost-Berlin zurück, wo er seinen Humanismus verwirklicht glaubte, und wurde Präsident der dortigen Deutschen Akademie der Künste.

Der Sergeant Grischa

Das Hauptwerk des fruchtbaren Schriftstellers Zweig erschien 1927, der Roman „Der Streit um den Sergeanten Grischa"; innerhalb eines Jahres wurden mehr als fünfzigtausend Exemplare verkauft, und schlagartig trat Arnold Zweig in die Reihe der bekannten Erzähler, neben Jakob Wassermann, Emil Strauß, Thomas Mann, Hermann Stehr und Lion Feuchtwanger. Die Fabel ging von einem historischen Vorfall aus. Der aus der Gefangenschaft entlaufene und wieder eingebrachte russische Sergeant Grischa wurde nach einem langwierigen Kampf einiger Offiziere und Soldaten gegen die Mühlen der Militärbürokratie im Jahre 1917 widerrechtlich, als angeblicher Spion, erschossen. General von Lychow, sein

Adjutant Winfried, Kriegsgerichtsrat Posnanski und der Schreiber Bertin führen diesen Kampf. Sie tragen die Handlung der andern fünf Romane des Zyklus, die Zweig unter dem matten Titel „Der große Krieg der weißen Männer" zusammenfaßte. Die gnadenlose Gerichtsbarkeit vertrat der Generalquartiermeister Schieffenzahn, mit dem Ludendorff gemeint war.

Die Frage nach dem Recht

„Armer Grischa [sagt Posnanski], wenn du morgen in einen anderen Zustand übergehst, glaube ja nicht, du littest es allein." Der lichtblaue Dunst der Tabake lastet über dem Tische wie eine Wolke Unheils, das aus diesen Worten strömt. „Und worauf warten wir nach Ihrer Meinung dann wirklich?" fragt Bertin scharf, die Geige untern Arm geklemmt. „Der Gerichtsbereich einer Division geht Sie doch nur symbolisch an, die Einmischung Schieffenzahns regt Sie doch nur gleichnisweise auf." Sophie, neben ihm sitzend, drückt ihm leidenschaftlich die Hand, die keiner der andern beobachten kann. „Richtig geraten, junger Mann," nickt der Kriegsgerichtsrat, „symbolisch, gleichnisweise." „Um Deutschland geht es," spricht Winfried müde; „daß in dem Land, dessen Rock wir tragen, und für dessen Sache wir in Dreck und Elend zu verrecken bereit sind, Recht richtig und Gerechtigkeit der Ordnung nach gewogen werde. Daß dies geliebte Land nicht verkomme, während es zu steigen glaubt. Daß unsere Mutter Deutschland nicht auf die falsche Seite der Welt gerate. Denn wer das Recht verläßt, der ist erledigt."

Die Komposition des Zyklus

Der Erfolg des Romans hing mit seiner moralischen Position zusammen. Das Thema der Schuldfrage, des Rechts des Individuums gegen die Gemeinschaft und die antimilitaristische Haltung entsprachen der Zeitstimmung. Trotzdem ist „Der Streit um den Sergeanten Grischa" mehr als ein Thesenbuch, denn Arnold Zweig versteht sein Handwerk. Der Roman ist vorzüglich gebaut, das Ideologische wird als Überzeugung warm geschilderter Menschen von Fleisch und Blut lebendig, das Milieu des militärisch organisierten kaiserlichen Deutschlands ist glänzend getroffen, und die Fabel ist mehr als ein bedauerlicher Justizirrtum; Grischa ist eine russische Natur von naiver Menschlichkeit, und die seinen Kopf fordern, sind herzlose Feinde der Humanität.

Zweig hat den Roman zum Zyklus erweitert. In „Junge Frau von 1914" (1931) schilderte er, wie der arme und rebellische Schriftsteller Bertin ein reiches Mädchen gegen den Willen der Gesellschaft heiratet und wie sie zur Persönlichkeit reift. In der „Erziehung vor Verdun" (1935) wird der Soldat Bertin in die Geschichte der Brüder Kroysing vor Verdun verwickelt. Die edlen Brüder Kroysing werden von einem korrupten Hauptmann schikaniert; am Ende fallen alle drei. „Die Einsetzung eines Königs" (1937) beschreibt den Versuch der deutschen Heeresleitung, in Litauen ein Königreich gegen Rußland aufzurichten. Der Demokrat Winfried (aus dem „Sergeanten Grischa") sucht diesen Plan zu hintertreiben.

Füllung mit fremdem Gehalt

Zwei weitere Romane, „Die Feuerpause" (1954) und „Die Zeit ist reif" (1957), sollten einen Rahmen bilden; der letzte, abschließende „Das Eis bricht", steht noch aus. Die „Feuerpause" war 1930 als autobiographische Erzählung konzipiert. Bertin, ein Selbstbildnis des Autors, soll während der durch den Zusammenbruch Rußlands 1917 an der Ostfront eingetretenen Feuerpause nach Verdun verlegt werden und nach der Rückkehr zum Osten seinen Kameraden berichten, was er im Westen erlebt hat. Der Roman „Die Zeit ist reif" geht in die Vorkriegszeit zurück. Die Haupthandlung lebt von einer dürren ideologischen Fabel, während die zahlreichen Nebenhandlungen die gute alte Zeit vor dem ersten Weltkrieg darstellen und sie verherrlichen. Der Krieg erscheint nicht so sehr als Katastrophe,

„sondern als grausame Zerstörung eines goldüberglänzten Lebens in einer besseren Zeit. Der Vergleich mit dem Leben unter dem Kommunismus, der sich jedem Leser im Osten aufdrängt, ist vernichtend“ (J. Rühle).

Verhängnis des Stils

A. Zweigs Romanzyklus wollte darstellen, wie eine Welt des Friedens durch die Machenschaften imperialistisch-kapitalistischer Kreise – die nach Lenin identisch sind – zugrunde geht. Dies Modell hat bei der östlichen Kritik (Lukács und andern) großen Beifall gefunden. In den Romanen selbst aber erscheint die alte Zeit in einer merkwürdigen Verklärung, die der politischen These von der Verderblichkeit des Lebens unter dem Kapitalismus widerspricht. Dabei bedient sich Zweig der Stilmittel des bürgerlichen Naturalismus, die Gestalten sind anständige und brave Leute, die in einen tödlichen Mechanismus geraten. Das ist auch in dem Roman „Das Beil von Wandsbeck“ (1943) der Fall. Zweig erzählt von einem Metzgermeister, der sich, um einem Konkurs zu entgehen, bereit findet, vier Kommunisten als Feinden des Nationalsozialismus den Kopf abzuschlagen. Er geht am schweigenden Boykott der Bevölkerung zugrunde. Mit der naturalistischen Abhängigkeit von Stoff und Milieu hängt die lässige Behandlung der Sprache zusammen. Hierin liegt der Grund dafür, daß sich A. Zweigs Wirkung im wesentlichen auf die zwanziger Jahre beschränkte.

Holzschnitt von Frans Masereel zu L. Frank, Die Mutter

Leonhard Frank

Leonhard Frank war schon mehr als dreißig Jahre alt, als sein erstes Buch, der Roman „Die Räuberbande“ (1914), erschien. Frank (1882 bis 1961) war der Sohn eines Schreinergesellen aus Würzburg und wurde mit dreizehn Jahren in eine Mechanikerlehre gesteckt; später arbeitete er in Fabriken, auch als Anstreicher, Chauffeur und Klinikgehilfe. Aus dieser Welt kamen die Gestalten seines ersten Romans.

„Die Räuberbande“

Würzburger Lehrbuben haben sich, in knabenhafter Räuber- und Indianerromantik, um den „bleichen Kapitän“ zu einer Bande zusammengeschlossen und verüben gemeinsam Streiche und Torheiten. Eine

Gerichtsverhandlung wegen Raubes in den königlichen Weinbergen vermag sie nicht zu trennen; aber das Leben, die Entwicklung bringt sie auseinander. Der Autor verfolgt ihr Schicksal: Der bleiche Kapitän wird Kneipwirt, die „Rote Wolke“ ein Gärtner, der Schreiber Bürovorstand, und auch der „König der Luft“, „Falkenauge“ und die „Kriechende Schlange“ werden biedere Bürger; nur Winnetou, der Einsame, wird ein stiller Mensch. Old Shatterhand, der Begabteste, der Schöpferische, hungert sich zum Künstler empor und geht an der Gemeinheit des Durchschnitts durch Selbstmord zugrunde. Den Hintergrund bildet Würzburg mit seiner weiten Landschaft. Frank ging von der Karl-May-Romantik aus und errichtete ein ursprünglich anarchisches Ideal von Freiheit gegen die Unterdrückung durch Armut, Familie und Schule. Der glückliche Humor, die Kraft eines unverbildeten Naturtalents ließen die künstlerische Gestaltung über die Predigt des Eiferers siegen. Leonhard Frank erhielt für seinen Erstling den Fontanepreis.

„Die Ursache“

Auf den heimlichen Widerspruch gegen die Mächte der konservativen Ordnung folgte, mit dem Roman „Die Ursache“ (1915), der laute Protest. Ein Dreißigjähriger bringt den Lehrer Mager (den Schultyrannen der „Räuberbande“) in einem unabwendbaren Ausbruch von Haß ums Leben, einen der Menschen, die in der Jugend seine Seele zerstörten, sein Ich mordeten, ihn einsam und lebensuntüchtig machten. Das Verbrechen, eifert Frank, ist nicht Schuld eines einzelnen, sondern aller Menschen.

Der Dunst der Schulen, der falschen Erziehung, der Eltern, Frömmelei, der Lüge, des ganzen stinkenden europäischen Moralgeschwürs bildet furchtbar drohend das Wort „Ursache“ weithin sichtbar am Himmel. Der europäische Mensch ist zum kranken, tückischen, reißenden Tier geworden. Gott, die Menschenliebe, die Güte, die Wahrheit zogen sich entsetzt zurück vor dem vom Wahnsinn gezeichneten europäischen Gesicht.

„Der Mensch ist gut“

Die psychologische Studie endete als sozialpolitische Predigt; die letzten Tage und Stunden des unseligen Helden werden zu einer Anklage gegen die Todesstrafe. Von dem Schema der Anklage kam Frank nicht mehr los. Bis in die späten Werke der Emigration und auch in den nach der Rückkehr nach Deutschland geschriebenen Büchern finden wir den armen Schlosser, den Anstreicher, den Kellner, der aus einem Ressentiment gegen Schule, Elternhaus, Kirche und Staat zum Umstürzler wird. Völlig entbunden wurde der Prediger und Ankläger Frank in den 1916/17 in der Schweiz geschriebenen Erzählungen „Der Mensch ist gut“, die er der kommenden Generation widmete. Er eifert gegen alles, was in den letzten Jahrhunderten das „Bild der Seele“ zerstörte; der Krieg – die „Mörderei“ – sei der extremste Ausdruck des Verderbens, das von Besitz, Erfolg, Macht und Autorität ausging. Frank verhöhnte „das Feld der Ehre“, des Krieges, und stellte dagegen das „göttliche Wissen, daß jeder Mensch unser Bruder ist, daß alle Menschen dieser Erde Träger der ewigen Seele sind“. „In dem Augenblick, da du dir vornimmst, einem Menschen zu schaden, hast du schon dir selbst geschadet.“ Frank sieht ein neues Zeitalter kommen, wo jeder zu jedem sagen wird: „Wir sind Brüder. Der Mensch ist gut“, oder „Mein Haus ist dein Haus, mein Brot ist dein Brot“.

Es ist nicht bloß das Verlangen nach neuer politischer Gemeinschaft, die von L. Frank nun im Kommunismus gesehen wurde, sondern das expressionistische Pathos eines neuen Wir, eines Menschentums der Zukunft. Bei Frank verband es

Leonhard Frank, Gemälde von Gert Wollheim

sich, im Gegensatz zu dem privaten Aufstand bei Sorge, Hasenclever und Bronnen, mit dem Aufruhr zur Revolution. Ein Kellner ruft, im Kriege, zum agitatorischen Protest gegen die falschen Idole von der „heiligen Sache" und dem „Altar des Vaterlandes" auf:

Ein Zwanzigjähriger — Fanatismus und Geist auf der Stirn — sprang aus einer menschengefüllten Seitengasse heraus, auf den Kellner zu, küßte ihn. Und sein heißer Blick öffnete die Herzen. Die ganze Stadt war aufgestanden und schrie ein Wort. Friede! das so gesprochene Wort wurde zum vieltausendstimmigen, gewaltigen Gesange. Alle Kirchenglocken läuteten.

Die Lehre von der Liebe

In dem Roman „Der Bürger" (1924) empfahl Frank der bürgerlichen Jugend den Anschluß an die Kräfte des revolutionären Proletariats, denn nur Mensch zu sein sei unfruchtbare Träumerei, „furchtbarer Verrat an der Idee". Der Zusammenbruch der radikalen Bewegungen spiegelte sich in den folgenden Werken, die Franks eigentlich künstlerische Leistungen sind: in dem Roman „Das Ochsenfurter Männerquartett" (1927), in dem die Schicksale der „Räuberbande" weiterverfolgt wurden, der Erzählung „Karl und Anna" (1927, 1929 als Drama), in gewisser Weise noch in „Bruder und Schwester" (1929), dem Roman einer Geschwisterliebe. An die Stelle der politischen Gemeinschaft tritt die intimleidenschaftliche Liebe, das erotische Zueinandergehören von Mann und Frau. Die Liebe ist Franks eigentliche Faszination, und er hat ähnlich wie H. H. Jahnn und Robert Musil das sexuelle Detail nicht gescheut. Vor allem „Karl und Anna" ist

„Karl und Anna"

sein Meisterwerk. In der sibirischen Gefangenschaft hat Karl alle Einzelheiten der Liebe seines Kameraden Richard zu Anna erfahren und sich leidenschaftlich in ein Traumbild verliebt; durch einen glücklichen Zufall ein halbes Jahr vor Richard entlassen, wendet er sich Anna zu, um eine Rolle als ihr Mann zu spielen. Zwar erkennt Anna ihn nicht als ihren Mann Richard an; aber sie verliebt sich in ihn, und als Richard endlich zurückkommt, gehen sie gemeinsam fort. Frank ist der vielen heiklen Motive Herr geworden, da Karl und Anna wie ein Urmenschenpaar unberührt sind vom Gift der zivilisatorischen Erniedrigung. Ihre Liebe „äst", wie Frank früher einmal sagte, „im Urgrund", dem seine geheime Sehnsucht galt. Später schrieb er, der 1933 bis nach Amerika emigrierte, noch einige erzählende Werke, aber er verlor den Zusammenhang und erlag, da er keine Selbstkritik kannte, als Künstler dem Klischee und als Mensch dem Schematismus der Politik.

Schicksal des Emigranten

Leonhard Frank hat den Grund dafür selbst ausgesprochen in der lesenswerten Selbstschilderung „Links wo das Herz ist" (1952):

> Der Kernschuß hatte den emigrierten Schriftsteller getroffen – die Arbeit am Lebenswerk war unterbrochen. Er mußte erfahren, daß er ohne den lebensvollen, stetigen Zustrom aus dem Volk seiner Sprache und ohne die unwägbare stetige Resonanz der Leser als wirkender Schriftsteller nicht mehr existent war. Er spielte in der Emigration auf einer Geige aus Stein, auf einem Klavier ohne Saiten, und was er vor der Emigration geschrieben hatte, geriet im Lande seiner Sprache in Vergessenheit.

Otto Flake, der Elsässer

Otto Flake ist 1880 in Metz geboren; früh schloß er sich in Abwehr gegen das preußisch bestimmte deutsche Kaiserreich einer Gruppe junger Elsässer Autoren an, die schon um die Jahrhundertwende von der Münchner Zeitschrift „Die Gesellschaft" vorgestellt worden war und 1902 eine von Schickele redigierte Zeitschrift, „Der Stürmer", herausgab. Schickele selbst, Ernst Stadler, René Prevot und Otto Flake gehörten dazu. Nietzsche und Stefan George waren die geistigen und literarischen Muster des hier, von Flake, proklamierten „heroischen Menschen", den man gegen den bürgerlichen Typus und die modische Dekadenz auszuspielen gedachte. Auch von „Wiedervereinigung mit dem Weltall" war die Rede, also kosmischen Spekulationen des späten Naturalismus. Praktisch glaubte man an ein „geistiges Elsässertum", das zwischen Frankreich und Deutschland vermitteln sollte – ein Gedanke, der im Zeitalter des naiven Chauvinismus geradezu europäisch wirken mußte. Später geriet der Kreis in den Sog des Expressionismus; Flake wurde zu seinem Deuter und Propagandisten in der „Neuen Rundschau", war Mitarbeiter von Kurt Hillers Jahrbuch „Das Ziel" und Wolfensteins Jahrbuch „Die Erhebung". Mit Walter Serner und Tristan Tzara gab er 1919 die dadaistischen Blätter „Der Zeltweg" heraus. Im gleichen Jahre ließ er den Roman „Die Stadt des Hirns" erscheinen – es war schon sein zehnter Roman – und bekannte sich in einem Vorwort leidenschaftlich zu einer Sprengung der überlieferten, konventionellen Form des Romans, „um den Roman zu retten". Da hieß es:

Die expressionistische Phase

> Bildende Kunst läuft mit vollen Segeln von den behaglich bewohnten Künsten des Realismus Impressionismus durch die glückliche Ausfahrt des Expressionismus auf die unbefleckte Insel der ABSTRAKTEN die sich vielleicht zu einem neuen Kontinent weiten wird, Lyrik quillt aus geöffneter Tiefe des SIMULTANEN, Benn Ehrenstein Sternheim formten die Novelle des UNBÜRGERLICHEN – der Roman ist nicht über

den Expressionismus hinausgelangt. Der neue Roman wird möglich sein durch Vereinigung von Abstraktion Simultaneität Unbürgerlichkeit. Es fallen fort konkrete Erzählungen Ordnung des Nacheinander bürgerliche Probleme erobertes Mädchen Scheidungsgeschichte Schilderung des Milieus Landschaftsbeschreibung Sentiment . . .

Otto Flake

Bereits ein Jahr später verkündete Otto Flake in mehreren Aufsätzen „Das Ende der Revolution" (1920). Sein frühes Werk schien in philosophischen Büchern zu gipfeln: „Pandämonium, eine Philosophie des Identischen" (1921), „Das neuantike Weltbild" (1922) und „Die Unvollendbarkeit der Welt, eine Chemie Gottes" (1923). Im Jahre darauf erschienen die zwölf Chroniken Werrenwags „Zum guten Europäer". Seit 1913 hatte Flake eine Reihe von offenbar autobiographisch genährten Romanen erscheinen lassen, die in Lothringen und im Elsaß spielten, wo sich das Deutsche und das Französische sprachlich, kulturell und politisch begegneten. Gleich der erste dieser Romane, „Freitagskind" (1913, in der endgültigen Fassung „Eine Kindheit" genannt), ging von der Animosität der lothringischen Franzosen gegen die deutschen Steuereintreiber aus. „Sie nahm nur Lothringer, die kein Wort Deutsch konnten, als Knechte", heißt es da, in endloser Variation, von einer Madame Massard. 1922 erschien „Ruland", die Geschichte eines elsässischen Studenten im Europa von 1912. Manche der dort geschilderten Personen sind Porträts aus Straßburg und der elsässischen Provinz; Schickele und Stadler lassen sich identifizieren, so wie Flake 1920 in „Ja und Nein" („Roman aus dem Jahre 1917") den Bildhauer und Dichter Hans Arp als einen Laotse und Jakob Böhme lesenden Einspänner bezeichnet hatte. Diese Bücher und die Kette der „Romane um Ruland", bis hinauf zu „Fortunat", dem Alterswerk in vier Bänden (1946/48), schildern das Europa, das Flake erlebte, und seine Wurzeln im neunzehnten Jahrhundert. Sie sind durchaus nicht gemäß jenen Forderungen an den „neuen Roman", sondern im Stil eines gehobenen, durch die Franzosen verfeinerten Naturalismus des „Manns von Welt", Otto Flake, geschrieben, der Stendhal, Balzac, Dumas, Gobineau, La Bruyère, Suarez übersetzt und, zusammen mit W. Weigand, Montaigne in acht Bänden herausgegeben hatte.

Autobiographische Romane

Das Ideal dieser Romane war der erfolgreiche Gent, der gebildet und klug, mit hochstaplerischen Allüren und einer guten Portion Zynismus sich in seiner Welt bewegt, die geographisch aus Elsaß, Süddeutschland, Schweiz, Südtirol besteht und durch Ausflüge nach Paris, Berlin und Hamburg erweitert wird: vom „heroischen Menschen" der Jugendzeit ist eine flotte Hülse übriggblieben. Mit diesen Romanen hat Flake in den Jahren vor dem Dritten Reich Erfolg gehabt, nicht zuletzt wegen ihrer gesamteuropäischen Haltung. Typisch erscheint – auch stilistisch – der Anfang des „Freund aller Welt":

Aus „Freund aller Welt"

Nachdem von der Aue der Boden in Paris zu heiß geworden war – er hatte die junge Krüder, ein achtzehnjähriges Mädchen, aus Rache verführt und fürchtete die Vergeltung ihrer Verwandten, unter denen sich energische Männer befanden –, ging er vorläufig nach Straßburg und endgültig nach Zürich. Auf der Bahnhofstraße dieser Stadt hatte nicht nur am hellichten Tag, sondern gar im Zenit des Tages, um die Mittagsstunde, zur Zeit des größten Verkehrs, ein Mann fünf Schritte vom Polizisten das Schaufenster eines Juweliers ausgeräumt und sich, obwohl sofort die Grenzen geschlossen wurden und die Behörden die bekannte fieberhafte Tätigkeit entwickelten, allen Nachforschungen entzogen. Von der Aue las das in Straßburg und entschied sich alsbald, Wien, wohin er hatte gehen wollen, mit Zürich zu vertauschen. Nicht daß er seinerseits Einbrüche geplant hätte. Immerhin, seine Ideen vom Leben waren so, daß sie, in die Tat umgesetzt, sehr wohl als entschlossen gelten konnten. Und von den Zürchern vermutete er, bei einem Gabelfrühstück im berühmtesten Lokale Straßburgs, daß sie harmlose Leute seien.

Flake vertritt unter den Erzählern die elsässische Variante etwa so wie Lernet-Holenia die österreichische. Beide kamen von „der" Literatur, schulten ihren Stil an Kleist und den Franzosen, schrieben rasch und klug eine Fülle von Büchern und wurden die Opfer ihres Fleißes: sie schrieben zu viel und zu flüchtig, ließen sich auf Moden ein und mußten mit diesen an Wirkung verlieren. Auch neue Bücher bestätigten nur das alte Bild.

Alfons Paquet

Die Familie des rheinischen Publizisten und Dichters Alfons Paquet (1881–1943) gehörte einer christlichen Glaubensgemeinschaft von Geschäftsleuten an. Da der Vater die Neigung des Sohns zu den Büchern bedenklich fand, steckte er ihn in London in das Tuchgeschäft eines Onkels. Als Volontär und Kontorist kam Paquet nach Mainz und Berlin, wagte mit zwanzig Jahren den Absprung, wurde Journalist und ließ Gedichte erscheinen. Es waren „Lieder und Gesänge" (1902); Niederschlag seiner ersten Reisen war das Buch „Auf Erden, ein Zeit- und Reisebuch in fünf Passionen" (1905). Mit achtundzwanzig Jahren bereiste Paquet Kleinasien, Sibirien, die Mongolei und Japan, zu Pferd oder im Ochsenkarren, zu Kamel oder mit der Bahn. Im Stil Whitmans und Verhaerens schrieb er seine hymnischen Prosagedichte:

„Held Namenlos"

Auf ihren Ochsen sind mir die Männer entgegengeritten
in roten Mänteln, mit der komischen Gastlichkeit ihrer Welt.
Auf alten Grabhügeln saßen wir inmitten,
und ihre Weiber entkleideten zum Geschenk sich im Zelt.
Und fremd allem Unfug und allem Gezänk und der Klage
über den Tumult der Reiche, saß ich in meiner Mutter Schoß,
ohne Mond und ohne Sonne, ohne Nächte und ohne Tage,
trinkend in süßer Schonung, nachdenklich, heldenmütig und namenlos.

ALFONS PAQUET

Alfons Paquet

1911 erschien der autobiographisch gefärbte Roman „Kamerad Fleming" aus einem revolutionären Paris; Revolutionen, vor allem die russische, hat Paquet mit der Geburt des „neuen Menschen" identifiziert („Prophezeiungen", 1923). Er träumte von einer Vereinigung von Christentum und Sozialismus und wurde 1930, tief enttäuscht über Rußland, Quäker. Das politische Weltbild Paquets gipfelte in den sieben Aufsätzen „Rom oder Moskau" (1923). Neben dem russischen Thema interessierte Paquet die Politik der deutschen Gegenwart und als Ansatz zur Ordnung der kapitalistischen Welt George Fox und die Quäker. Seine soziologischen und volkswirtschaftlichen Studien, selbstfinanziert und von Reisen unterbrochen, führten Paquet nach dem verlorenen Weltkrieg zu Fragen des deutschen Schicksals, der Jugendbewegung und der republikanischen Erneuerung. Aus einer kleinen Schrift „Der Rhein als Schicksal" (1919) ging 1928 das Buch „Antwort des Rheins, eine Ideologie" hervor. Hier entwickelte Paquet seine Idee von Europa als einer Verbundwirtschaft aller Staaten, in dem der Rhein die historische und geographische Achse bilden soll. Er nahm damit Ideen auf, die er in jungen Jahren, beim W. Schäfer der „Rheinlande", kennengelernt hatte. Jetzt schlossen er, Hatzfeld, Schickele, Schmidtbonn und andere rheinische Autoren sich zu einem Bund zusammen. Seine übernationalen Gedanken standen in krassem Gegensatz zur Ideologie des Nationalsozialismus und führten zu Verfolgungen und Schreibverbot. In den Jahren der Zerstörung Deutschlands und seiner Städte, die er so oft besungen hatte, ist Paquet, krank und gebrochen, gestorben.

Der Rhein als Ader Europas

Der Lyriker und Erzähler Paquet ist auch in den Schilderungen Sibiriens, Amerikas und Palästinas und in den großen Reiseberichten spürbar. Sie sind bestimmt vom Pathos eines neuen Menschenbildes, von der brüderlichen Liebe zum Nächsten aller Völker und Rassen und der religiösen Vision einer Zukunft, die er johanneisch-christlich genannt hat. In seinem Werk herrscht eine Stimmung des Aufbruchs und der Erneuerung, besonders da, wo Paquet offen sympathisierte:

ALFONS PAQUET Der Name der Quäker weist auf den Ursprung einer Sekte von Enthusiasten, auf pfingstmäßige Verzückung und Zungenreden. Er ist ein Spottname, aber die „Bebenden" tragen ihn heute als einen Ehrennamen, so wie einst die Geusen. Der geistige Stammbaum der Quäkergemeinschaft reicht sicherlich tief in die Geschichte der altbritischen Kirche zurück. ... Auf dem Stamm dieser enthusiastischen, universalistischen Frömmigkeit ist später in England und Amerika auch eine ganze Menge fruchtloser und skurriler Blüten gewachsen, wie die Sekten der Ranter, der Roller, der Shaker und ähnlicher Amateurderwische, vermutlich auch die Christian Science. Aber die Quäker selbst

Die Quäker

sind schon in der Seele ihrer ersten Gründer nach einer kurzen turbulenten Zeit über das Unterirdische und Dämonische in eine große zuchtvolle Menschlichkeit hinausgewachsen, und sie festigen diese Menschlichkeit auf den Wegen der Meditation und einer verinnerlichten Erziehung. Gerade in Quäkerkreisen blieb immer ein tätiges und reges Interesse an der Naturforschung, an der literarischen und wissenschaftlichen Bildung und am praktischen Studium der gesellschaftlichen und staatlichen Probleme lebendig. In diesen Kreisen herrscht, soweit Beobachtung von außen einzudringen vermag, keineswegs jener freudlose Puritanismus, in dessen Hause der Cant und ein philiströser Abscheu gegen Kunst, Musik und Theater beieinander wohnen.

Der Einfluß Paquets, als eines Mittlers fremder Völker, in frühen Jahren auch als Dichter, war stark und nachhaltig. Im Verband der „Rheinlande", der Freunde von Haus Nyland, der Frankfurter Zeitung gehörte er zu den Verkündern eines neuen „innigen" und brüderlichen Lebens.

Josef Ponten

Auffallend oft hat Josef Ponten (1883—1940) sich mit dem Maler und Graphiker Alfred Rethel beschäftigt, 1910 bis 1928 viermal. Er hat Rethels Werk kunstverständig gedeutet und ihn zur Hauptgestalt der Erzählung „Seine Hochzeitsreise" gemacht. Der große Künstler fährt mit seiner jungen Frau nach Rom und kehrt als Geisteskranker nach Deutschland zurück. An Rethel demonstrierte Ponten seine Auffassung vom Künstler als einem rauschhaft schaffenden Wesen im Gegensatz zum bedacht Planenden. Über dies Thema hat er 1924 einen öffentlichen Disput mit Thomas Mann geführt. Damals erschien Ponten, ähnlich dem in gleicher Weise selbstbewußten Jakob Wassermann, als großer Dichter. Seine erste Arbeit war die Novelle „Jungfräulichkeit" (1906), im Jahre darauf folgten die Gedichte „Augenlust" und 1908 der Roman „Siebenquellen", 1911 der Roman „Peter Justus", 1914 die „Griechischen Landschaften" und 1918 der Roman „Der

Architektur und Erdbeschreibung

Babylonische Turm", der es in fünf Jahren auf siebzehn Auflagen brachte und als „Monument des Zeitgewissens" ausgelegt wurde. Es ist die Geschichte der „Sprachverwirrung" einer Baumeisterfamilie, wie „Buddenbrooks" die Geschichte des Verfalls einer Familie. In „Jungfräulichkeit" steht ein Satz, der Pontens Herkunft vom Baugewerbe und seine Neigung zur Architektur verrät: „Die Liebe ist wie das Wasser, das den groben Kalk auflöst, daß Mörtel aus ihm werde. Dann kann man ihn vermauern, wohin man will, und damit bauen, so hoch man will." An diesem Mörtel der Liebe fehlt es den Großjohanns: auf dem Papier entstehen herrliche Pläne, aber in der Wirklichkeit wird kein Haus für die Familie gebaut. 1924 erschien Pontens „Architektur, die nicht gebaut wurde", ein Text- und ein Bildband. Die Versuche einer künstlerischen Erdbeschreibung fanden nach den „Griechischen Landschaften" Niederschlag im „Europäischen Reisebuch" (1928) und in Essays über den Rhein, in denen Ponten thematisch Alfons Paquet begegnete. Während dieser Jahre erschien eine Reihe von Erzählungen mit bezeichnenden Titeln „Der Knabe Vielnam" (1921), „Der Jüngling in Masken" (1922),

„Die Uhr von Gold“, „Der Gletscher“ (beide 1923), „Der Urwald“ (1924) und andere Geschichten. Ponten stellte sie zu „Salz, Roman in Verkleidungen“ (1925) zusammen. Er wollte, angeregt durch die expressionistische Ideologie des neuen Menschen, die Entwicklung vieler Menschen zu dem Ziel einer neuen „Welt- und Gottverbundenheit“ darstellen. Ein ähnliches Thema hatte Ponten in seiner vielleicht bedeutendsten Schöpfung, der Novelle „Die Bockreiter“ (1919), gestaltet. Der dämonische Trieb schlägt in eine sektenhafte Besessenheit um: das Evangelium des Naturtriebs führt zum nihilistischen Untergang. In allen Erzählungen Pontens begegnet eine schweigende Gestalt einer schwätzenden, die dialektische Verwirrung stiftet. Aber dies Urmotiv wird in einer Alltagssprache formuliert. Der Baumeister im „Babylonischen Turm“ erklärt seiner Frau:

Josef Ponten, Gemälde von Julia Ponten, 1920

„Jetzt sind wir ganz oben – ich weiß nicht genau, *wie* hoch – es kommt noch ein Turm – laß etwas schneller ablaufen [Fran-]Ziska, zieh' am Papier, damit du eine Vorstellung von der Größe dieses Türmchens bekommst, es geht nicht ganz auf die Tischfläche drauf. Dieser Turm allein ist nämlich so hoch wie unser Kirchturm und ist doch nichts weiter als der Blitzfängerstab auf dem Ganzen. Er ist aus gediegenem Stahl. Glockenspiele sind in diesem Nebentürmchen, und auf allen sind goldene Hähne drauf. Und jetzt, was jetzt die Tischecke füllt, ist nichts weiter als der metallene Turmknauf, und darin kann noch ein Einsiedler wohnen, den es über die Menschen hinausverlangt. „Das ist ja verrückt!“ fuhr Franziska auf und schlug auf den Tisch, „das kann man nicht bauen!“ / Das Ende der Rolle lief über die Tischplatte her, und ihre Faust wurde von dem dicken Papier eingefangen. ...

Person und Kosmos

Ponten wollte die Unendlichkeit der kosmischen Zusammenhänge naiv, wie ein Naturalist vor der Jahrhundertwende, exemplifizieren. So wird in „Gletscher, eine Geschichte aus Obermenschland“, das Entstehen und Vergehen des Gletschers geschildert: „Zwischen dem Tage vom Niederfallen des Schnees oben an den Schroffen bis zum Abschmelzen des Eises unten an der Stirn vergehen vierhundert Jahre. Was jetzt unten das blaue Tor aufbaut, schneite zu Luthers Zeiten oben am Grat.“ Indem der Mensch „eingeht“ in die Harmonien kosmischen Weltgefühls, seine Persönlichkeit aufgibt, gewinnt er ein wahres Selbst. Das ist auch der Sinn des Romans „Die Studenten von Lyon“ (1928), die sich dem Reformator Calvin bis zum Märtyrium zur Verfügung stellen, und des sechsteiligen Wolgadeutschenromans „Volk auf dem Wege“ (1933–40). Hier gibt es keinen Individualhelden. Helden sind die Gruppen der kolonisierenden Deutschen an der Wolga. Über Generationen verflechten und lösen sich die Schicksale. Die Erzählung geht von den Rheinländern aus, die unter Mélac ihre Heimat verlassen haben. Als Besucher aus Rußland zurückkehrend, erlebt Christian Heinsberg den Rhein im gesegneten Friedensjahr 1911. Das Werk sollte ein politischer Roman der deutschen und europäischen Volksgeschichte sein; über seiner Ausführung ist Ponten gestorben. Er stammte aus dem Land seines Romans „Siebenquellen“, aus Eupen, wuchs in Aachen auf und lebte zuletzt in München. Er hat mannigfache, vor allem rheinische Strömungen in sich aufgenommen und glaubte, ein neues architektonisches Prinzip der Epik entdeckt zu haben. Stilistisch mühte er sich um kurze Sätze und einfache Aussagen, aber seine sprachliche Kraft blieb weit zurück hinter seiner Phantasie, und an dem Mißverhältnis von großem Anspruch und bloß mitteilendem Stil scheiterte sein Ruhm schon zu Lebzeiten.

Der Wolgadeutschenroman

Stefan Zweig

Aus dem fast unübersehbaren Werk Stefan Zweigs (1881–1942) muß man „Die Welt von gestern, Erinnerungen eines Europäers“ (1942) herausheben; es ist eins der reichsten Memoirenwerke der Epoche und wird als solches Geltung behalten. Stefan Zweig stammte aus großbürgerlichen Wiener Verhältnissen; er war nicht nur von Hause aus reich und konnte sich Weltreisen erlauben, er hatte auch als Autor große Bucherfolge, die ihm auch nach 1935, als er sein Salzburger Haus verließ und auf dem Umweg über England und die Vereinigten Staaten nach Brasilien kam, das Leben eines berühmten Mannes gestatteten. Sensibel und nervös, in tiefer Verzweiflung über den Verlust der Heimat und das Schicksal Zentraleuropas, bedrückt durch böse Ahnungen und erschreckt durch die Erfolge des Nationalsozialismus und seiner Verbündeten (eben hatten die Japaner Singapore genommen), beging er mit seiner Frau in Petropolis bei Rio de Janeiro Selbstmord. „Nach dem sechzigsten Jahre bedürfte es besonderer Kräfte, um noch einmal neu zu beginnen. Und die meinen sind durch die langen Jahre heimatlosen Wanderns erschöpft“, schrieb Zweig in einem Abschiedsbrief.

Erste Veröffentlichungen

Zweigs ungewöhnliche Erfolge beim großen Publikum beruhten darauf, daß er, als belesener und psychologisch geschulter Mann, in geziertem Stil Welt und Literatur *so* auslegte, wie dies Publikum es erwarten durfte: Zweigs zivilisatorisches, europäisches und menschheitliches Pathos ließ alles plausibel erscheinen. Schon in der „Gesellschaft“ wurden Gedichte des Schülers Zweig gedruckt; mit neunzehn Jahren erschien ein Gedichtband „Silberne Saiten“ (1901). Er übersetzte „kreuz und quer“, was ihm „in die Hände fiel und gut dünkte“, bis er „jenen einen fand, Verhaeren“. 1906 erschienen die Gedichte der „Frühen Kränze“, 1904 die Erzählungen „Die Liebe der Erika Ewald“, 1907 das Schauspiel „Tersites“, der Getretene, dem die Welt der Strahlenden und Schönen unerreichbar ist, 1912 die Schauspiele „Das Haus am Meer“ und „Der verwandelte Komödiant“, 1919 die „Legende eines Lebens“. Im Kriege entstand die dramatische Dichtung in neun Bildern „Jeremias“ (1917), die wortreiche Mahnung eines unverstandenen und verhöhnten Propheten. Als Dichter hatte Zweig den größten Erfolg mit „Amok, Novellen einer Leidenschaft“ (1922). Aber der Ausgang des Krieges hatte ihn zu einer Entscheidung gezwungen:

Stefan Zweig, Holzschnitt von Frans Masereel

Meine Welt war zerstört, eine neue wollte gebaut sein. Das forderte Selbstprüfung, entschlossene Lebensbilanz. Was war verloren? was war geblieben? Verloren: die Leichtigkeit des Vordem, das Brio, das Spielende des Schaffens, das flutende Dahin über die Erde und dann noch ein paar äußerliche Dinge, wie Geld und materielle Unbesorgtheit. Geblieben dagegen: ein paar kostbare Freundschaften, gute Kenntnisse der Welt, jene alte leidenschaftliche Liebe zur Erkenntnis hin und, plötzlich dazugewachsen, ein neuer harter Mut und volles Gefühl der Verantwortlichkeit nach so vielen verlorenen Jahren. Nun, damit konnte man beginnen. Entschlossen warf ich mein Leben herum, ließ die Großstadt, entwienerte mich, zog nach Salzburg, heiratete und nahm, festgeankert, die Arbeit auf an einer ganz planhaften und nun zum ersten Mal die Horizonte meiner Möglichkeit ausmessenden Art, denn nichts fordert ja meiner Meinung nach eine Zeit der Verwirrung wie die unsere unbedingter als eigene Klarheit über Absicht und Ziel.

Der Baumeister der Welt

So wuchsen die „Baumeister der Welt, Versuch einer Typologie des Geistes", große Essays über Balzac, Dickens und Dostojewski (1920) und Hölderlin, Kleist, Nietzsche (1925). Daneben entstanden mehrere Bücher über Verhaeren, eins über Marceline Desbordes-Valmore (1920), eins über den Freund Romain Rolland (1921), die freie Bearbeitung von Ben Jonsons „Volpone" (1926), die historisierenden „Sternstunden der Menschheit" (1927) und „Die Augen des ewigen Bruders, eine Legende" (1922). Als weitere Baumeister-der-Welt-Bände erschienen

„Drei Dichter ihres Lebens" (Casanova, Stendhal, Tolstoi, 1928) und „Die Heilung durch den Geist" (Mesmer, Mary Baker-Eddy, Sigmund Freud, 1931). Außerdem erschienen Novellen- und Reisebücher, Gedichtausgaben, Essays, eine Rilke-Gedächtnis-Rede in München (1927), Legenden und die vielgespielte Tragikomödie „Das Lamm der Armen" (1929).

Damals hat Zweig die historisierende Deutung fesselnder Gestalten begonnen: „Fouché" (1929), „Marie Antoinette, Bildnis eines mittleren Charakters" (1932), „Triumph und Tragik des Erasmus von Rotterdam" (1934), „Maria Stuart" (1935), „Castello gegen Calvin, das Recht auf Häresie" (1936), „Magellan, der Mann und seine Tat" (1938) und „Amerigo, die Geschichte eines historischen Irrtums" (1942). Aus dem Nachlaß wurde „Balzac, der Roman seines Lebens" von Richard Friedenthal (1946) herausgegeben.

Zweig besaß eine nervöse Witterung für das Interessante, das Aktuelle und die Sexualität. Sein humanitäres Pathos war gut gemeint und kam den Vorstellungen der Leser entgegen. Wie so viele Autoren hat Zweig das Renommee des Augenblicks mit dem Achselzucken der happy few bezahlen müssen. Sein Ruhm und sein Ruf sind ein soziologisches Phänomen. Sie wurden von Toleranz- und Friedensideen, von der Popularisierung S. Freuds und weiten literarischen Freundschaften getragen.

Jan Jacob Haringer

Leben und Werk

So wie Peter Hille gewöhnlich als dichtender Vagabund bezeichnet wird, erscheint Jan Jacob Haringer, soweit er nicht ganz vergessen ist, als vagabundierender Autor des Spätexpressionismus. Er selbst hat die Legende vom armen Landfahrer Jan Jacob Haringer genährt und in seinen Gedichten immer wieder geklagt, er habe keine Heimat, keine Geliebte, kein Geld und finde keine Hilfe bei Gott und den Menschen. Sein Geburtsjahr wird verschieden angegeben, meistens 1898, wahrscheinlich ist er viele Jahre früher (1883?) in Dresden geboren. Seine Jugend verlebte Haringer in bürgerlicher Umwelt in Salzburg; seine Sprache ist oberbayerisch, das Milieu oberösterreichisch, die religiöse Vorstellungswelt katholisch getönt. Haringer neigte zum Klagen und Lamentieren. Emphatisch überschrieb er die große Sammlung seiner „Dichtungen" (1925) „Du armer Mensch". In Wirklichkeit war Haringer Doktor der Philosophie, ein Kenner der deutschen und französischen Literatur, scharfzüngiger Essayist und Kritiker, er erhielt 1925 den Gerhart-Hauptmann-Preis, bald den angesehenen Kleistpreis und war Mitarbeiter verschiedener Zeitschriften und großer Zeitungen. Seit dem Jahre 1933 lebte er in Ai bei Salzburg und emigrierte 1938 in die Schweiz. Hier war er auf die Unterstützung von Freunden angewiesen und ist 1948 in Zürich gestorben.

Die Masse der Schriften

Er selbst gab bereits 1925 den Umfang des Gesamtwerkes mit neununddreißig zum großen Teil noch ungedruckten Bänden an – Alfred Döblin übernahm diese Angabe in seine Vorrede zu Haringers „Dichtungen". Dort steht auch Haringers eigener Lebensabriß:

Schließlich muß auch mich eine Mutter geboren haben. Ich weiß es nimmer. Ich bin heimatlos, habe nie auf Erden einen treuen Freund gefunden. Mein einsames Bett, verweint in ewiger Erinnerung an die paar kleinen Mädel, die mich, ach so bald, wieder verlassen ... Ich habe meine schönsten Verse, Märchen, Erzählungen als Kind geschrieben. Sie wurden alle von einem wütenden Vater vernichtet, denn ich sollte ja lernen, um was Tüchtiges zu werden ... Meine einzige Freude war ein Klavier. Ich wurde als Wunderkind bestaunt ... Ich habe all mein Leid, mein Unglück in meine Dichtung gepreßt. Wer mein armes Leben finden will, lese sie ... Die Lawinen der Trauer, des Verzweifelns zerdonnern mich. Ich wundere mich, daß ich noch leben darf. Gott hat mich vergessen ... Die Gendarmerie rät mir immer, eine nützliche Arbeit zu ergreifen. Aber ich bin krank und kann nicht wie früher Lastträger, Ausgeher, Fabrikarbeiter sein ...

der Bücherkasten

Jan Jacob Haringer, Handschriftprobe

Haringers erstes Buch war „Tobias" (1916), dann folgten die Gedichte „Hain des Vergessens", „Abendbergwerk" und „Die Kammer" (alle 1919). 1925 erschienen „Weihnacht im Armenhaus", „Das Marienbuch", „Räubermärchen" und 1926 „Kind im grauen Haar". Im gleichen Jahr begannen Haringers Übertragungen französischer Dichter in Einzelbänden zu erscheinen: du Bellay, Samain, Ronsard, Regnier und Rimbaud. Früher war schon Villons „Testament" herausgekommen. Es gibt auch zwei Bändchen mit chinesischen Übersetzungen (nach dem Französischen und Englischen). Ende der zwanziger Jahre erschienen wieder jährlich mehrere Bändchen mit Gedichten, 1929 die Essays und philosophischen Schriften. 1928 veröffentlichte er: „Leichenschauhaus der Literatur oder: Über Goethe!" Im Sterbejahr Haringers erschien seine Epikur-Ausgabe.

Eigenart der Lyrik

Haringer benützt die Sprache ganz selbstherrlich. Er prägt Verben zu Substantiven und Substantive zu Adjektiven um. Lieblingswörter, die er willkürlich konjugiert und dekliniert, sind Hain, Zither, Harfe, weinen, lohen, bang und Mond. Er erfindet neue Zusammensetzungen, eliminiert Endungen, konjugiert starke Verben schwach – und umgekehrt. Die Forderung einer neuen Grammatik und Syntax hat er auf poetisch absurde Weise erfüllt:

Will ein weißes Kleid zu mir,
Das mir damals schnie,
Rosenmund und Herbstklavier,
Mond und Amselfrüh.

Derartige Zeilen finden sich in Kontexten von oft banaler und konservativer Struktur. Nur selten gelingen ganze Gedichte in dieser Manier:

„Kirschensonett“

Ein Fliederzweig mein Bett anweint,
Vorbei, vorbei, was Wehmut haint,
Gott, bin ich denn so schlecht!!
Hab mich zu tot gerächt.

Die Stern vor ihrer Kammer stehn
Wie Mägde lieb und morgenschön,
Kein märzner Brief harft nach,
O letzte Abendschmach!

Ans Zimmer föhnt kein Wiedersehn,
Mein Herz, du wirst nie auferstehn,
Kein Strumpf harft durchs Gemach,
Und Knaben spieln am Bach . . .

Ein Fliederzweig mein Bett anweint –
O toter Gott, so menschversteint!
Die schwarze Zeit steht still,
Kein goldnes Kußgegrill.

Manchmal überschlägt sich der Stil bis zum Grotesken: „Der Küsse Hostien toben flatternd, mein totes Herzreh schlägt an deinem Amselbronnen wieder die Augen auf.“ Der Dichter spricht sich selbst zu: „Nach herbstaprilnem Hang zithert dein Knie.“ Ein Hirtengedicht assoziiert den „freundlicheren Jesus“ fast blasphemisch mit dem kurzlebigen Glück des Bohemiens:

In grüner Kneipe zaubert Hurenmond.
Ein schwarzes Winterschweigen lexikont.

Grotesker Metaphernwechsel

Die Vertauschung und Verschiebung der Metaphern wird zu einer Art von poetischem Spiel, in dem sich Verzweiflung und Hohn des Dichters aussprechen – eine Vorwegnahme des vierzig Jahre späteren Rezepts von Hans Magnus Enzensberger und Ingeborg Bachmann. Eine lange Jahrmarktselegie wird zum Bild der Vergänglichkeit, der vorgetäuschten Reichtümer und Sensationen:

O Hurklavier, aus lächelnder Taverne,
Zum Fenster schrein wie Schlittschuhweiher matt
Des Großen Bären grüne Ostersterne.
Ein Bauer schiebt sich heimwärts durch die Stadt,
Die Eltern reden noch aus Kinderbetten,
Den Dieb verrät ein altes Knabenlied,
Der Nonne keusche Todsündamoretten
Schnein Abschied . . .

In Haringers Versen lebt die barocke Überlieferung Süddeutschlands wieder auf, deren geistliche Gedichte er ebenso wie Georg Trakl gekannt haben muß. Ihre mystische Ekstase findet neuen Ausdruck. Thema seiner Gedichte sind Einsamkeit und Verlassenheit des Menschen auf Erden. Die Metapher wird zur Chiffre, aber nicht um etwas auszusagen, sondern als Experiment mit einer neuen orgiastischen Sprache; ihr wahres Wort, das romantische Urwort, war nicht einzuholen.

Klabund

Der chaotische Typus

Der Autor Klabund hieß eigentlich Alfred Henschke; er ist 1891 in Crossen an der Oder, der Grenze Schlesiens und der Mark, geboren und besuchte das Gymnasium seiner Heimatstadt, wo er lebenslange Freundschaft mit Gottfried Benn schloß. Klabund lebte in verschiedenen Städten, längere Zeit in Berlin und München, schließlich seiner Krankheit wegen in Davos, wo er 1928 gestorben ist, einer der fruchtbarsten und populärsten Schriftsteller der expressionistischen Generation, zugleich einer ihrer beweglichsten Geister. Er schrieb in allen Gattungen, übersetzte aus zahlreichen Sprachen, variierte chinesische Dramatik und barocke Schäferpoesie, huldigte der Bohème aller Zeiten und konnte sich, als reproduzierendes Talent, auf die verschiedenste Weise ausdrücken. Benn, der ihm die Leichenrede hielt, sprach von der körperlich schmächtigen, „nie zu einer völligen Reife erwachsenen Gestalt unseres toten Freundes". Körperlich und geistig habe er eine zu schwere Last tragen müssen. – An Klabund läßt sich der richtungslose Charakter der Zeit, ihre Chaotik beispielhaft ablesen. Er hat sein Wesen, in dem Gesang „Irene oder die Gesinnung", als wandelbar gedeutet:

Mein Name Klabund.
Das heißt: Wandlung.
Mein Vater hieß Schemen.
Meine Mutter: Schau.

Der Mensch war ein Vagant wie Villon, auf den er sich berief. Als Künstler, und nur als solcher, hatte Klabund Dauer und Identität. Er fühlte sich als Gehetzter, Zerrissener und versteckte hinter Zynismus, daß er vom Tode gezeichnet war, selbstgewiß und ohnmächtig zugleich:

Man soll in keiner Stadt länger leben als ein halbes Jahr.
Wenn man weiß, wie sie wurde und war,
Wenn man die Männer hat weinen sehen
Und die Frauen lachen,
Soll man von dannen gehen,
Neue Städte zu bewachen.

Läßt man Freunde und Geliebte zurück,
Wandert die Stadt mit einem als ein ewiges Glück.
Meine Lippen singen zuweilen
Lieder, die ich in ihr gelernt,
Meine Sohlen eilen
Unter einem Himmel, der auch sie besternt.

Der Titel des Bandes „Morgenrot! Klabund! Die Tage dämmern!" (1913) klang wie eine Siegesfanfare, aber „wolkig, zerfetzt, leuchtend, zerrissen" war das An-

Klabund, Holzschnitt von Erich Büttner

Heine, Nietzsche und Wedekind

gesicht, heute hell, morgen „einem dumpfen Geiste untertan". Das Muster der Strophen Heines und Wedekinds klang durch die spottenden Verse der „ironischen Landschaften". In einer „kleinen Selbstbiographie" nannte Klabund sich schwarz und weiß, Nacht und Tag, Hase und Geier, gut und schlecht, schön und häßlich, liebreizend und entsetzlich, feige und tapfer, herrisch und knechtisch und prägte für seine Wesensart die Formel „zweiufergemeinsam“. (Benn wird später von „Ambivalenz“ reden.) Da heißt ein Gedicht „O Glück! O Schmerz!“ Auf das blasphemische Bild „Gott hat mich ausgekotzt, / nun lieg ich da, ein Haufen Dreck, / und komm und komme nicht vom Fleck“ folgte ein kitschiger Zarathustra-Ton: „Doch hat er es noch gut gemeint, er warf mich auf ein Wiesenland, / mit Blumen selig bunt bespannt.“

Die Himmelsleiter

Der Sammelband „Die Himmelsleiter“ vereinigte die zwischen 1912 und 1916 entstandenen Gedichte. Klabund hatte Dänemark und Italien kennengelernt. Die an den Himmel gelehnte Leiter der Empfindungen führte auch in die Hölle, wo er viele verwandte Geister traf, vor allem den geliebten Villon, dem er 1919 sein lyrisches Porträt „Der himmlische Vagant“ widmete:

Ich bin gemartert von Gewissensbissen,
Daß ich noch nichts auf dieser Welt getan.
Mit ein paar Flüchen, ein Paar Mädchenküssen,
Da hört es auf, da fängt es an.
Ich aber fühle Strom mich unter Flüssen,
Doch flösse ich bergauf und himmelan –
Das Aug, das ich zum guten Werk erhoben,
Es darf nur einer Dirne Brüste loben.

Wie oft, wenn ich mit den Kumpanen zechte,
Klang eine Trommel dumpf, die Buße bot.
Ich warf mich hin, auf daß mich einer brächte
Und stelle einsam mich ins Abendrot.
Der aber klapperte mit Würfeln, und die schlechte
Gesellschaft fürcht ich, wenn Gelächter droht –
Ich bin so müde meiner Spielerein
Und möchte Mensch mal unter Menschen sein.

Die große Umkehr

Kurz vorher, im Sommer 1917, hatte Klabund seine größte Wandlung durchgemacht; von ihr zeugt die „Bußrede“ in den „Weißen Blättern“: er hatte sich vom Nationalisten zum Pazifisten bekehrt. In dem „Gedichtwerk“ „Dreiklang“ (1918), dessen Unterteile „Erfüllung“ und „Verheißung“ lauteten, rief Klabund zur Umkehr aus der furchtbaren Einsamkeit des Dichters: „Was ist einsamer denn der Mensch!“ Er rief nach Umkehr, Wandlung, Liebe, Gott, Güte, nach „Mensch“, Geist und Seele: „Wo find ich die Seele, den säumigen Findling?“ Er rief Eirene, den Frieden, unter dem Eindruck des Krieges: „Herr ich bekenne, ich bekenne meine grenzenlose Schuld!“

Klabund bezichtigte sich der Wollust, flehte um Reinheit, ging in die Einsamkeit des Waldes, um Silvius, ein Waldmensch, zu werden, der Zweigeschlechtliche und Geschlechtsfreie:

Ich wollte gut sein. Da dachte ich schlecht.
Ich liebte ein Reh. Da küßte ich eine Stallmagd.
Ich hoffte. Da war ich schon verzweifelt.
Ich lebte. Da starb ich schon.
Ich lächelte. Und Tränen rannen über meine Wangen.
Ich hob einen Rosenstab: Kameraden! – Und schlug
euch den Schädel ein und brach euch
das Rückgrat.

Ich sage Wald! Ihr seufzt: Stadt!
Ich sage Baum! Ihr lispelt: Brunst!
Ich sage Land! Ihr paukt: Fester Staat und festliche
 Staatlichkeit!
Ich schreie: Gerecht! Ihr zuckt die fahlen Achseln
 wie Wetterleuchten: Gerächt ... Gerächt ...

Wortspiele, Mahnungen und rhetorische Künste stören den Eindruck. Klabund variiert Eigensinn — Geigensinn, Abendrot — Abendbrot, Abend teuer — Abenteuer, „Ruhe! Ich bin Bürgermeister — und Meister aller Bürger, Meister vom Stuhl — und Stuhlgang aller Bürger!" Eigentümlichkeiten der Sturmlyrik sind bewußt und effektvoll übernommen.

Die Nachdichtungen

Aber Klabund, der die Wandlung hieß, blieb er selber. Die Balladen, Mythen und Gedichte, die 1922 als „Das heiße Herz" erschienen, hatten keinen andern Charakter als die Gedichte aus „Morgenrot" und „Himmelsleiter". Alle Sehnsuchtsmasken der Zeit gewannen ein Scheinleben in tönenden Versen: Hiob, Laotse, Montezuma, Franziskus, Hieronymus und Bellmann, der Landsknecht und der Bolschewik wurden Masken des Autors. Als Übersetzer feierte Klabunds Talent folgerichtig die größten Triumphe, er übertrug und assimilierte sich die chinesische und persische Lyrik. „Dumpfe Trommel und berauschtes Gong" (1915) enthält Nachdichtungen chinesischer Kriegslyrik der klassischen Epoche. Klabund hatte sich mit dem Prinzip chinesischer Lyrik vertraut gemacht und anhand deutscher und französischer Übersetzungen die Originale „aus dem Geist heraus" nachgedichtet. Dabei entstanden großartige Stücke wie Litaipes Elegie:

Chinesische Kriegslyrik

Ich dehne mich im edelsteinbestickten Sattel meines Feindes.
Mein braunes Pferd, jetzt sei der Heimat zugewandt!
Die Luft ruht aus in Stille vom Gekrächz der Lanzen.
Vereinzelt Pfeile noch wie Mücken summen.
Der Mond geht kalt und ruhig auf dem blassen Sand.
Von der erstürmten Festung brummen
Die dumpfe Trommel, das berauschte Gong.
In gelber Seide
Seh ich Mädchen tanzen.
Es gab ein großes Fischesterben heut im See.
Das goldne Schwert in meiner Scheide
Ist dunkelrot und klebrig wie Gelee.

1916 erschienen die Litaipe-Übertragungen, 1917 „Das Sinngedicht eines persischen Zeltmachers", 1919 „Der Feueranbeter", 1921 „Der Blumenanbeter" und andere, 1925 das Drama „Der chinesische Kreidekreis", durch den Bert Brecht später zu seinem „Kaukasischen Kreidekreis" angeregt wurde.

Expressionistischer Prosastil

Klabunds Prosa ist ähnlich wie seine Lyrik von Vorbildern abhängig. Sein erstes erzählendes Buch „Klabunds Karussell" (1913) zeigte den Zyniker, dem es wie Sternheim billigen Spaß macht, den Bürger mit grotesken Schwänken herauszufordern. Das Kriegserlebnis spiegelte sich in „Der Marketenderwagen" (1916). Mit der „Krankheit" und „Moreau" (1915) versuchte Klabund, wie Schickele, L. Frank und Brod, einen expressionistischen Prosastil zu entwickeln, im Gegensatz zu ihnen ist es ihm gelungen. Freilich klingt vieles noch impressionistisch; es gibt Bezüge zum bürgerlichen Lieblingsthema, dem grausamen Renaissance-

Klabund, Handschriftprobe

und Übermenschen, und Rilkes „Cornet" schimmert in Melodie und Rhythmus durch. Klabund neigt dazu, kurze Sätze zu bilden, viele Abschnitte zu machen, die Schilderung durch groteske Einschaltungen und Gefühlsausbrüche zu durchbrechen, Banales und Pathetisches aufeinander folgen zu lassen. So entsteht ein Gebilde von nervösem Reiz:

KLABUND Moreau schlug mit der Hand in die Luft.
Die Bretagne blendete.
Mütterliche Güte strich über seine Stirn.
Seine Wimpern zitterten. Er wollte weinen.
Aber er schlief ein.
Hallo! Welch ein Lärm! Zusammenklang der blechernen Trompeten und hölzernen Schwerter. Schreie der kleinen Puppen mit Muschelaugen und grasgrünen Kleidern.
Moreau tritt in die Reihe der Geschwister mit einem Papierhelm und einer Haselnußstaude als Degen.
Papa blinkt über seine Hornbrille von den grauen Akten auf.
Was willst du werden, Viktor?
Moreau salutiert: General.
Man lacht. Soweit man mit einem verstaubten Herzen noch lachen kann.
Sieh da, General! Natürlich General! Madame, hören Sie nur, er will General werden! Der Tausend.
Am Abend gab es Käse zum Diner.
Moreau aß keinen Käse . . .

Die Bekenntnisromane

Diesen Stil hat Klabund bis „Pjotr" weiterentwickelt, und weil ihm keiner der Gefährten darin folgen wollte oder konnte, wurde daraus sein ganz persönlicher Prosastil, der Stil Klabunds. Sowohl der Volkssoldat Moreau wie „Mohammed" (1917) der Prophet waren Sehnsuchtsfiguren jener Zeit; die Reihe wurde fortgesetzt durch „Franziskus, ein kleiner Roman" (1921) und den bei Kriegsende entstandenen Eulenspiegelroman „Bracke" (1918), Wunsch- und Spiegelbilder Klabunds selber. So schildert er den überlegenen Schalk des Volksbuchs, der seinem Kurfürsten und dem Kaiser feine und grobe Wahrheiten sagt, heimatlos und überall daheim ist, ein Sonntagskind, das Tiere und Engel reden hört, Erdenbürger und Himmelssohn, Zechgenosse und Mahner, Spötter und Richter, Helfer gegen Elend, Gewalt und selbst den Tod:

„Bracke"

Bracke kam mit einem Henker, einem Mörder, einem Abdecker, einem Narren, einem Türken, einem italienischen Conte, einem Holzhacker und einem Brandstifter zugleich an den Acheron, an die Stelle, wo Charon die Seelen der Abgeschiedenen überzusetzen pflegt.
Bracke schrie:
„Ahoi, hol über!"
Da stakte Charon, ein schöner Jüngling, mit seinem Boot herbei. Und sie stiegen alle in das Boot, das unter der Last der schweren Seelen beträchtlichen Tiefgang annahm.
Als sie in der Mitte des schwarzen Flusses waren, begann das Boot zu schwanken.
Charon schrie:
„Ich habe zu tief geladen. Wir werden alle elend untergehn!"
Da sprang Bracke auf das Bugbrett, breitete die Arme aus und jauchzte:
„Ich rette euch, ihr Brüder, vor der Unsterblichkeit!" Und sprang über Deck in den dunklen Fluß, und ward nicht mehr gesehen – in diesem und jenem Leben nicht.

Übertreibung als Formprinzip

Hier erscheint der expressionistische Stil bereits beruhigt, zurückgelehnt an eine volkstümliche Erzählweise, wie sie Schmidtbonn, Meyrink, Kafka und der junge Zuckmayer in ihren legendenhaften Geschichten ausprägten. In dem Roman „Spuk", 1921 geschrieben, gab Klabund in Form einer wilden Spukgeschichte eine Beichte vor Gottes Gericht; er zeiht sich vor allem der Gesinnungslosigkeit. Sein letzter Roman, „Borgia" (1928), schwelgt in der Größe der Verbrechen; es ist die Groteske der Amoralität auf das bürgerliche Gruseln vor den Übermenschen, das Jakob Burckhardt den Lesern mit seinem Renaissancebuch (1860) beigebracht hatte. Ohne es zu wollen, hatte Klabund schon mit „Pjotr" groteske Historiographie geschrieben: „Pjotr ist geboren. Don, Dnjepr, Wolga, Oka treten über ihre Ufer. Schlamm wälzt sich über die Weizenfelder und viele Menschen ertrinken. Winterblumen neigen gebrochen ihre Häupter ..." Da werden Dinge in Beziehung gebracht, die keine andere Wurzel als die Einbildungskraft des Dichters haben. In seiner „Deutschen Literaturgeschichte in einer Stunde" und der „Geschichte der Weltliteratur in einer Stunde" (1921), zwei Büchlein von sechzig Seiten, die ihrem umfangreichen Thema keck genug gerecht werden, hat Klabund die Subjektivität zur Grundlage einer amüsanten Lektüre gemacht.

Umschlagzeichnung von Max Slevogt

Klabund war ein „Kind seiner Zeit", er spiegelte die Lasten der Überlieferung und den Aufstand gegen die Väter, das Grotesk-Titanische der Jahrhundertwende und die grenzenlose Offenheit für alle Stile und Formen.

Paul Zech

Leben und literarische Beziehungen

Ähnlich wie Arnim T. Wegner hat Paul Zech „die halbe Welt als Proletarier vom Kuli, Bergarbeiter, Kesselheizer bis zum Betriebsleiter" gesehen. Er ist 1881 in Briesen in Westpreußen als Sohn eines Landschullehrers geboren, verbrachte seine Jugend in Westfalen, woher die Familie stammte, und studierte in Bonn, Heidelberg und Zürich Literatur und Kunst. Zwei Jahre war er Berg- und Metallarbeiter. Dann wurde er Bibliothekar, Dramaturg und Redakteur, gab zusammen mit Hans Ehrenbaum-Degele seit 1913 die Zeitschrift „Das neue Pathos" und deren Jahrbücher heraus, erschien mit Beiträgen in zahlreichen Zeitschriften und Almanachen, übertrug Balzac, Louise Labé, Mallarmé, Péguy, Rimbaud, seinen Freund Verhaeren und Villon. Zech hatte zahlreiche persönliche und literarische Freundschaften, so mit Richard Dehmel, Georg Heym, Else Lasker-Schüler und Stefan Zweig. Er schrieb ein Buch über Rilke (1912), bekannte sich bewundernd und nachahmend zu Stefan George, wandte sich nach dem Kriege einem ekstatischen Christentum und immer wieder einem religiös empfundenen Sozialismus zu. 1933 wurde er entlassen und interniert, verließ Deutschland und ging über Prag und Paris nach Argentinien, wo er nach neunjährigem Aufenthalt 1946 gestorben ist. In der Fremde war er nicht heimisch geworden. Der sonst so gewandte Autor verlor wie der Riese Antäus die Kraft, sobald er den Boden der Heimat verlassen hatte. Ähnlich wie Toller und Ehrenstein ist Paul Zech an der politisch verhängten Heimatlosigkeit zugrunde gegangen. Sehr bezeichnend ist Zechs Selbstporträt aus Pinthus' „Menschheitsdämmerung“:

Ein verräterisches Selbstbildnis

Lieber Leser, verlange von einem Selbstbildnis nicht immer abgeklärte Objektivität. Irgendwo bleibt stets der Reflex des Spiegels als Schminkfleck stehn. Aber was geht Dich im Grunde die Form meines Schädels an? Oder die Linie des Oberarms, wenn er sich athletisch hebt, wo er zu Gott will. Oder gar mein häuserumsaustes Erleben. Jedes Leben wird tausendmal von tausend Leben gelebt. Manchmal in Terzinen. Manchmal mit Fäusten. Manchmal auf Waldbäumen. Manchmal im Bordell. Was darüber ist, ist Legende. Ich zerstöre sie. Denn ich bin nicht „Jüngste Dichtung“, sondern beinah vierzig Jahre (alt). Und den „Wald“ beschrieb ich um 1904. Auch nicht Weichselianer bin ich (obwohl bei Thorn geboren), vielmehr Dickschädel aus bäurisch-westfälischem Blut. Einige meiner Väter schürften Kohle. Ich selber kam (nach Leichtathletik, Griechisch und schlechten Examina) nicht über den (von Ihnen geforderten) Versuch [Kohlenhauer zu sein] hinaus. Doch diese zwei (reichsten) Jahre —: Bottrop, Radbod, Mons, Lens bestimmten: von Machthabern, von Schwerhörigen und Blinden —: Hellhörigkeit und Güte für alle auf Erden zu fordern. Lange bevor die Affäre November 1918 war. Dennoch paßt es mir nicht, daß Du mich „Politischer Dichter“ (in Deinem Sinn) schimpfst. Jede Dichtung ist, sofern sie weniger denn Blut (also belanglos) ist, politisch. Wenn Du also in meinen acht Versbüchern Dich durch Acker, Wald, Abend und staubige Straßen blätterst, von Gott und Weib (dieses zuletzt) hörst, sollen die agrarische Gebundenheit, das Sehnige, Verrußte, die Unzucht und der Glaube Dich durcheinander schütteln zum besseren, zum lebendigen Menschen. Oder ich verdiene: zum alten Eisen geworfen zu werden. Nur bestrafe mich nicht: in Museen zu verstauben. Entscheide! Und nicht nur Dich!

Holzschnitt von Willi Geißler zu Zech
Der Mann am Kreuz

Zech kam von Scholle und Wald. „Nur diese Nacht noch Birke sein“, schluchzte er nach einem Ausflug in die Stadt. Aber Söhne und Enkel würden das „braune Herz der Erde“ wieder besitzen:

Es werden Tage aufgehn über
Halden,
rußendem Schorn, Schwungrad und Förderturm,
Die mit April und splitterndem
Wolkensturm
den Erzgrund ackern werden
und bewalden.
Der Väter Bauerntum wird
wiederkommen . . .

Paul Zech, Zeichnung von Ludwig Meidner

Zech dankte dem westfälischen Bauernblut seine Kraft; Else Lasker-Schüler bemerkte in einem kleinen Huldigungsgedicht, Zechs Verse seien mit der Axt geschrieben. Auch im langsamen Reifen bezeugt sich Zechs fälisches Wesen. Die sechs Gedichte „Waldpastelle“ erschienen 1910, als Zech schon dreißig Jahre war. Diesem Bändchen folgten „Schollenbruch“ (1911), „Schwarz sind die Wasser der Ruhr, gesammelte Gedichte aus den Jahren 1902—1910“ (1913), „Helden und Heilige, Balladen aus der Zeit“ (1917), „Vor Cressy an der Marne, Gedichte eines Frontsoldaten“ (1918), „Der feurige Busch“ (1919), eine „Passion wider den Krieg auf Erden“ mit dem Titel „Das Grab der Welt“ (1919), die Sonette „Das Terzett der Sterne“ (1920) sowie etliche kleinere Bändchen, unter denen „Omnia mea mecum porto, die Ballade von mir“ (1923) autobiographisch bezeichnend war. In den Sonetten „Terzett der Sterne“ sind Kriegserlebnisse, soziales Pathos und der Glaube an ein weihnachtliches Erwachen verbunden:

„Terzett der Sterne“

Das war die eine göttlich große Winternacht:
auf kahlen Zweigen ruhten Himmel unermessen,
Windheer war von den Rennern abgesessen
und die Gestirne zogen rauschend auf die Wacht.

Gefallener Engel Abglanz spiegelte der See,
Märtyrer hoben sich aus den verschollenen Nägelmalen
und stiegen abwärts, wo in ungeheuren Schalen
die Dörfer ruhten überbuscht vom ersten Schnee.

Das war die eine Nacht, wo ich dich endlich sah:
klein und durchfroren in der Krippe Stall gebettet.
Doch als die arme Orgel das Halleluja

hinaussang, sprang der aufgeglänzte Krippen-Raum,
und den verblichenen Mysterien entkettet,
stiegst du empor —: ein tausendarmiger Lichterbaum.

ALFRED WOLFENSTEIN

In dem Dramenzyklus „Sebastian oder die vier Weltkreise eines Geschlagenen" (1921–24) hat Zech den Gedanken *seines* Sozialismus gegen den der irdischen Revolutionäre gestellt: „Sozialrevolutionäre Schwingung zum Himmelreich auf Erden ist nur dann ein Heilsweg, wenn wir alle erst wieder wie die Kinder werden. Nicht nur Du. Auch Ich und Ich." Die Teile des Zyklus sind „Das Rad" (1918), „Der Turm" (1920), „Verbrüderung" (1919) und „Steine" (1924). Die Bände mit Novellen und Kurzgeschichten „Der schwarze Baal" (1917), „Das Ereignis" (1919), „Die Reise um den Kummerberg" (1924), „Das törichte Herz" (1924) und „Die Mutterstadt" (1925) und die Romane „Die Geschichte der armen Johanna" und „Peregrins Heimkehr" (beide 1925) gehören wie die Masse der Spiele – unter dem sich das sauerländische Stück „Kuckucksknecht" (1924) findet – zum literarischen Alltagsgut des Expressionismus. So wie Zechs Gedichte typisch „steile" Stilelemente forcieren, ist die Prosa mit nackten Aussagesätzen gewollt grobkörnig, grammatisch lässig und ohne Sinn für Syntax. Sie benützt jeden Anlaß, um aus der Realität in eine schaumige Metaphysik zu flüchten; der Sinn für die Bedeutung des Wortes ist geschwunden:

Drama und Erzählung

> Die Hunde, an Lederriemen oder Zierketten geseilt tragen noch immer Maulkörbe. Atem ihrer unterdrückten Lüste wird zu Schaum, der wie Kreide steht. Mitleidumwogte und Fröstler des Alleinseins banden seidenen Flitter oder Silberfiligran um die ruppigen, geschwollenen Hälse. Und diese Tiere sind Sklaven eines Wohllebens, das Horizonte ihres Jenseits schon übertrumpft.

Sprachliche und menschliche Widersprüche

Lyrik soll, nach Zechs Theorie, die Affekte der Seele ausdrücken, denn sie ist für die Gegenwart das, was für die Vergangenheit die Religion war. So wie die religiöse Aussage auf eine Substanz hinter den Worten weist, soll das Dichten nach Zech dem Erkennen, Schauen und Lieben dienen. Aber sein Pathos war selten glaubwürdig, und die Ekstase wirkte nicht echt. Die Sprache nahm alle Klänge und Töne auf, aber sie selbst klang nicht. Jedes Thema, jedes Motiv, jeder Gag des Ausdrucks ist bei Zech zu finden, aber sie bleiben geschickt verwandte Mittel und sind kein eigener Besitz. So, wie er mit dem Arbeitertum kokettierte, aber bürgerliche Sicherheit erstrebte, auf seine bäuerliche Herkunft pochte, aber großstädtischer Literat wurde, so wirkt auch seine Literatur zwiespältig; sie gewann keinen eigenen Ton.

Alfred Wolfenstein

Der Lyriker

Der Umfang von Wolfensteins Werk ist nicht groß. Er hat Dramen und Erzählungen geschrieben, doch im Chor der Expressionisten haben nur die Gedichte eine bescheidene Sonderart ausgeprägt. 1914 erschienen „Die gottlosen Jahre", von Rilke begrüßt, und 1917 „Die Freundschaft". Eine Auswahl beider Bändchen kam 1919 neu heraus, „in neuer Verschmelzung, in Vereinigung ihres Aufbaus", unter dem Titel „Menschlicher Kämpfer". Wolfenstein, wahrscheinlich einige Jahre vor dem gewöhnlich angegebenen Jahr 1888 in Halle geboren, früh nach Berlin gekommen, ist ein Dichter der Stadt geworden; in dem Titel „Die gottlosen Jahre" klingt auch das andere Thema, sein verzweifelter Nihilismus, an. Dieser leere Begriff füllt sich bei ihm. Er weiß sich aus einem Paradies vertrieben, fühlt sich einsam und sehnt sich nach der neuen Kameraderie der „Menschen". Eins der Gedichte heißt „Die Friedensstadt" und stellt einen utopischen Wunschtraum

Alfred Wolfenstein, Zeichnung von Ludwig Meidner

dar; ein anderes – Romain Rolland gewidmet – heißt „Der gute Kampf" und artikuliert Wolfensteins Idee der Gerechtigkeit, des Kampfes der Guten für eine gute Sache, während das im Kriege bewiesene Heldentum so vieler bisher lauer Männer ihm wie vergeudet erscheint.

Wolfenstein gehörte wie Werfel zu den Utopisten der Epoche, und wie bei diesem spürt man untergründig eine tiefe Trauer; er fühlt sich als Jude eingesperrt und ausgeschlossen von der Gemeinschaft. Und immer wieder begegnet nun der in der Dramatik der Zeit so häufige, religiös begründete Gedanke der Erlösung der vielen durch den Einen, der einsam untergeht. In diesem Motiv flossen Gedanken der klassischen Tragödie mit denen einer „kosmischen" Welterlösung und biblisch-messianischen Befreiung zusammen. Da das Ich einsam bleibt, ist sein Tun vergeblich – selbst das Gedicht fällt auseinander. Das Bild des Einsamen ist der Tiger:

> Ich gleite, rings umgittert von den dunklen Tieren,
> durchs brüllende Haus am Stoß der Stäbe hin und her,
> und blicke weit in ihren Blick wie weit hinaus aufs Meer
> in ihre Freiheit . . . die die schönen nie verlieren.
>
> Der harte Takt der engen Stadt und Menschheit zählt
> an meinen Zehn, doch lose schreiten Einsamkeiten
> im Tigerknie, und seine baumgestreiften Seiten
> sind keiner Straße, nur der Erde selbst vermählt.
>
> Ach ihre reinen heißen Seelen fühlt mein Wille
> und ich zerschmelze sehnsuchtsvoller als ein Weib.
> Des Jaguars Blitze gelb aus seinem Sturmnachtleib
> Umglühn mein Schneegesicht und winzige Pupille . . .

Solche Worte und Bilder in harten Rhythmen nannte Hasenclever „kubisch" und fühlte sich an Picasso erinnert; in einem frühen Bekenntnisgedicht hat Wolfenstein sich gegen die neuromantischen Parolen des Wohlklangs, des Traums und der Innerlichkeit gewandt:

ALFRED WOLFENSTEIN

Musik will ich nicht machen, sondern schreiten
und zeigen meine Schritte.
Musik gibt nicht das hartgeballte Reiten
der Heere von Seelen, die streiten
um meine Mitte.

Und ist kein Boden mehr, kein Traum zu schreiten,
so sollt ihr noch mein Stehn verspüren,
ich laß wie ein Gebirge mich nicht gleiten,
so gut befreundet immer noch mit Möglichkeiten,
kein Schicksal soll mir meine Stirn entführen.

Am scharfen Rande ausgesogner Weiten,
auf nichts als meinen zitternd spitzen Zehen,
erwachsen, sehend nur mein Sehen,
entstürzt dem ersten Garten und mit keiner zweiten
Musik als meinem Warten —: spürt mich stehen.

Die Mängel der Sprache

Diesem Autor ist nicht nur die „Welt" abhanden gekommen, sondern auch das Empfinden für die Sprache. Die Begriffe sind unklar, die Vergleiche werden nicht durchgeführt, die Metaphern stimmen nicht, und die Schachtelungen nicht zueinander passender Bilder („das hart geballte Reiten der Heere von Seelen") verstimmen. Wolfenstein hat viele Unarten des expressionistischen Stils, ungleich mehr als Zech und Ehrenstein, übernommen.

Die Dramen und Novellen

Auch die Dramen „Die Nackten" (1917), „Der Mann" (1922), „Mörder und Träumer" (1923), „Der Flügelmann" (1924), „Der Narr der Insel" (1925), „Bäume in den Himmel" (1926, geschrieben 1922), das Kampfstück gegen die Todesstrafe „Die Nacht vor dem Beil" (1929) und das Schauspiel „Celestina" (nach Shelley, 1929) kreisen um die Klischee gewordenen Vorwürfe Tod und Leben, Ich und All, Tänzertum und Arbeitertum, Dichter und Welt; wer heute das Glück will, ist ein „Narr der Insel", der isoliert genießen möchte, was als Ziel der Menschheit noch erkämpft werden muß. Wolfensteins erste Arbeiten waren Erzählungen aus den Jahren 1911 und 1913, die in dem Band „Der Lebendige" (1918) zusammengefaßt wurden.

Das Jahrbuch „Die Erhebung"

1916 bis 1922 lebte Wolfenstein in München. 1919 und 1920 gab er das „Jahrbuch für neue Dichtung und Wertung Die Erhebung" heraus: „Dies Jahrbuch", schrieb er einleitend, „das zwischen Krieg und Frieden tritt, verkündet den höheren Kampf und sei das Beispiel einer menschlich tönenden Welt." In den beiden Bänden vereinigte Wolfenstein mit den Älteren die Jugend, die zweite expressionistische Generation; so findet man F. Burschell, W. Hausenstein, A. Neumann, E. Bloch, H. Kasack, A. Kurella und den von Wolfenstein hochgeschätzten G. Landauer unter den Autoren der dokumentarisch fesselnden „Erhebung".

Der Übersetzer

Er gab später ein französisches Gegenstück zu Herbert Günthers „Hier schreibt Berlin" unter dem Titel „Hier schreibt Paris" (1931) heraus, wo Valéry, Gide, Jules Romains, Giraudoux, Cocteau, Duhamel, Supervielle und viele andere in einem deutschen, von Wolfenstein übertragenen Buch versammelt wurden. Als Frucht langjähriger Mühen veröffentlichte er 1930 einen Band „Arthur Rimbaud, Leben, Werke, Briefe", sein größtes Übersetzungswerk, das ihm einen Preis eintrug.

Wolfenstein verließ Deutschland nach 1933 und ging über Prag nach Frankreich.

Holzschnitt von Jakob Steinhart zu Alfred Wolfenstein, Der Flügelmann

Im Gefängnis

1936, als Wolfenstein in Prag lebte, erschienen die „Gefährlichen Engel". Wolfensteins „Engel" repräsentieren jenes Ich im Menschen, das seit je Gegenstand seiner Wünsche nach einem besseren Leben war. 1940 wurde er verhaftet und eingesperrt. Im Gefängnis entstand der Zyklus „Der Gefangene", aus dem bisher nur Einzelstücke bekannt geworden sind. Sie zeigen, daß der Literat Wolfenstein, der Verlaines Gefängnisgedichte übertragen hatte, in der Einsamkeit und Verlassenheit auch echte und tiefe Töne finden konnte. Durch einen deutschen Offizier, der seinen Namen kannte, wurde Wolfenstein befreit und lebte künftig mit falschen

 Papieren in Südfrankreich. Ständig in Angst vor der Entdeckung, schrieb er einen großen Roman, dem er den Namen seines Sohnes gab: „Frank, die Geschichte eines jungen Menschen unserer Zeit.“ (Nicht erschienen, nach den Mitteilungen H. Günthers in der „Drehbühne der Zeit“.) Außerdem übertrug er Flaubert und Emily Brontë. Nach Abzug der deutschen Truppen ging Alfred Wolfenstein nach Paris, mußte aber, krank und verfallen, das Krankenhaus aufsuchen und starb an einer Überdosis von Schlafmitteln im Januar 1945.

Yvan Goll

Später Expressionismus

Auf den ersten Blick wirkt das Werk des Dichters Yvan Goll verwirrend. Goll schrieb deutsch, französisch und englisch. Die Masse der Dichtungen ist in französischer Sprache geschrieben, zum Teil von ihm, zum größeren Teil von seiner Frau Claire ins Deutsche übertragen. In dem Spätwerk „Jean sans Terre“ sind die meisten Teile französisch, einige wenige deutsch geschrieben. Goll ist 1891 in Saint Dié als Sohn eines Elsässers und einer Lothringerin geboren. In dem Roman „Der Goldbazillus“ (1927 als „Le Microbe de l'Or“) hat er das Milieu der reichen Familie märchenhaft beschrieben. Der Bazillus des Goldes, der Habsucht, erbt sich durch die Familie weiter. Im Elternhaus wurde französisch gesprochen, im Metzer Gymnasium deutsch. Während des Studiums in Straßburg und Paris fühlte sich Goll bereits heimatlos. In der kurzen Biographie zu Pinthus' „Menschheitsdämmerung“ schrieb er im Stil der expressionistischen Schule:

> Iwan Goll hat keine Heimat: durch Schicksal Jude, durch Zufall in Frankreich geboren, durch ein Stempelpapier als Deutscher bezeichnet. Iwan Goll hat kein Alter: seine Kindheit wurde von entbluteten Greisen aufgesogen. Den Jüngling meuchelte der Kriegsgott. Aber um ein Mensch zu werden, wie vieler Leben bedarf es. Einsam und gut nach der Weise der schweigenden Bäume und des stummen Gesteins: da wäre er dem Irdischen am fernsten und der Kunst am nächsten.“

„Der Panamakanal“

Als erstes veröffentlichte Goll „Lothringische Volkslieder“ (1912). In „Menschheitsdämmerung“ standen Teile aus den ersten Fassungen des „Panamakanals“. Der Zyklus „Der Panamakanal“ erschien 1912 unter dem Pseudonym Iwan Lassang. Die erste Fassung klang noch neuromantisch, Fernweh mit tropischem Kolorit, ein Nachklang Victor Hugos mit dem Ethos der Verbrüderung der Menschheit. In mythischer Verkleidung gab es aber auch Strophen mit expressionistischen Bildern:

> Doch die Erde bäumte sich vor all dem Frevel,
> Ihr rindiger Leib, ihr dürstender, wand sich gequält
> Wie eine Natter, wenn sie neu sich schält!
> Aus den Schluchten schwärte gelber Schwefel.

Die zweite Fassung (1918) verzichtete auf Strophe, Vers und Reim. Sie bestand aus Gedichten in Prosa und ließ erkennen, daß Goll das „steile“ Vokabular beherrschte: „Die Bäume schwollen in den sinnlichen Mittag hinein. Sie hatten die roten Blumenflecken der Lust. Schierling schäumte und zischte auf hohem Stengel. Und die schlanken Lianen tanzten mit weitoffenem Haar.“ Der letzte Satz zeigt den Zusammenhang mit dem Jugendstil: eine graphische Arabeske wird in Worten nachgezogen. Es gibt vier Fassungen des „Panamakanals“, die sich über lange Zeiträume verteilen. Das ist typisch für das Schaffen Golls und trägt nicht wenig zu der Verwirrung bei, in die man beim Lesen seiner Werke geraten kann.

Im Grunde lassen sich Leben und Werk unter einige Begriffe fassen. 1914 befand sich Goll in Zürich und stand Stefan Zweig, Ludwig Rubiner, Hans Arp und den Dadaisten nahe; 1916 verlobte er sich mit Claire Studer, einer Nürnbergerin, seiner künftigen Frau. Nach dem Kriege zog das Ehepaar nach Paris und gab 1923 gesammelte Dichtungen unter dem bezeichnenden Titel „Le nouvel Orphée" heraus. Unter Orpheus, dem antiken Sänger, sollte Goll sich künftig immer wieder darstellen und begreifen; es ist die Aufnahme des antiken Mythos von dem Mann, der seine Frau für kurze Zeit der Unterwelt entreißt. Ein neuer Orpheus, der Dichter, will alle Menschen aus dem Schattendasein „unverstandenen Lebens" erlösen. Die Dichtung erhält eine religiöse Funktion, der Dichter ist der Heiland – das war die Idee der kosmischen und Weltanschauungsdichtung seit der frühen Romantik. Seit Klopstock und Lessing kannte die deutsche Dichtung das Orpheusthema, Kokoschka, Werfel, Arno Nadel und Rilke hatten es neu aufgegriffen; in der französischen Moderne finden sich die Belege der Orphik bei Apollinaire (1911), Cocteau und Max Jacob. Golls Orpheus weicht erheblich von den andern ab:

Yvan Goll, Zeichnung von Robert Delanay

Der neue Orpheus

„Der neue Orpheus"

Orpheus
Musikant des Herbstes
Trunken von Sternenmost
Hörst du die Drehung der Erde
Heute stärker knarren als sonst?
Die Achse der Welt ist rostig geworden
Abends und morgens steilen Lerchen zum Himmel
Suchen umsonst das Unendliche
Löwen langweilen sich
Bäche altern
Und die Vergißmeinnicht denken an Selbstmord

Orpheus: wer kennt ihn nicht:
1 m 78 groß
68 Kilo
Augen braun
Stirn schmal
Steifer Hut
Geburtsschein in der Rocktasche
Katholisch
Sentimental
Für die Demokratie
Und von Beruf ein Musikant
. . . .

Auf dem Eiffelturm
Am 11. September
Gibt er ein drahtloses Konzert
Orpheus wird zum Genie:
Er reist von Land zu Land
Immer im Schlafwagen
Seine Unterschrift faksimiliert
Für Poesiealbums
Kostet tausend Mark . . .

Die Verzweiflung des Orpheus

Golls Lyrik fand sich im Parlando Whitmans und Verhaerens. Die interpunktionslosen Zeilen lassen die Konstruktion der gereihten knappen Aussagesätze deutlich werden. Das Gedicht stellt den mythischen Helden dem modernen gegenüber, dessen Signalement den Polizeipapieren entnommen wird. Dieser Orpheus beherrscht die antiken (und biblischen) Überlieferungen des Denkens und Sprechens, aber eine ganze Reihe von Metaphern bezeugt den Tod der alten Welt: Löwen langweilen sich, Bäche altern, die Vergißmeinnicht denken an Selbstmord; hier werden moderne Bilder benützt: dünn ist der Sauerstoff ewiger Wälder. Immer gleich ist das Geschick der Menschen, es wird „ewig“ genannt. Eurydike, „das Weib“, ist „das unverstandene Leben“, und „jeder ist Orpheus“. (Hier ist ein Widerspruch, denn das Gedicht schilderte ja, daß Orpheus nicht „jeder“, sondern der Dichter ist.) Als er Eurydike die Hand reicht, bleibt er allein:

Umsonst! Die Menge hört ihn schon nicht mehr
Sie drängt zur Unterwelt zum Alltag und zum Leid zurück!
Orpheus allein im Wartesaal
Schießt sich das Herz entzwei.

War der Panamakanal, das Zeichen der brüderlichen Menschheit, zum Gegenstand des Mißbrauchs und Sinnbild der Verzweiflung geworden, so wurde nun der Dichter, der Erlöser sein will, aber von der Menge nicht gehört wird, Golls entscheidende Gestalt. Was mit den Künstlerromanen des Naturalismus und Jugendstils begonnen hatte, bei Hofmannsthal, Golls Zürcher Bekannten James Joyce, bei Derleth, Mombert und Däubler entwickelt war, wurde für Iwan-Yvan Goll Muster der Existenz: Der Dichter als scheiternder Heiland der Welt. Der „Neue Orpheus“ ist 1923 in seiner deutschen Fassung erschienen, wurde von Kurt Weill vertont und zusammen mit Golls Oper „Royal Palace“ 1928 in der Berliner Staatsoper uraufgeführt.

Im gleichen Sammelband fanden sich die Kinodichtung „Die Chaplinade“ (1920, illustriert von F. Léger), die Dichtung „Paris brennt“ und das satirische Drama „Methusalem“, das 1922 mit Illustrationen von Georges Grosz und einem Vorwort von Georg Kaiser deutsch erschienen war. Methusalem ist ein Schuhfabrikant, der den Lokalanzeiger liest, während seine Frau das Silber putzt. Ihr Dialog ist absichtlich banal, denn „der Mensch redet in seinem Alltag nur, um die Zunge, nicht den Geist in Bewegung zu setzen“. Der nicht standesgemäße Freund der Tochter tritt in dreifacher Gestalt als revolutionäres Ich, Du und Er auf, erschießt Methusalem und wird vom Bruder des Mädchens seinerseits erschossen. Da entflieht ihm die Seele als Hemd, und nun ist er Bürger und brav, heiratet das Mädchen und bekommt einen Sohn. Das ist spaßhaft und satirisch gemeint und gehört – literaturgeschichtlich – in die Reihe der absurden Dramen von Alfred Jarrys „Ubu Roi“ (1896), Sternheims „Hose“ und „Bürger Schippel“ (1912) und Apollinaires „Mamelles de Tirésias“ (1917). Im Vorwort berief sich Goll als moderner Satiriker auf „Überrealismus“ und „Alogik“ als neue Reizmittel: „Die Wirklichkeit des Scheins wird entlarvt zugunsten der Wahrheit des Seins.“

Das Stück ist in lyrischem Parlando geschrieben. Wenn der Student ruft, erkennt man in seinen deklamatorischen Worten das expressionistische Pathos der Zeit:

Ich bin die Tat!
Ich bin die Revolte, der Geist, das Salz,
Das eure stinkenden Wasser zersetzt,
All eure modernden Zivilisationen!
Eure Gesetze verbrennen wie altes
Zeitungspapier . . .

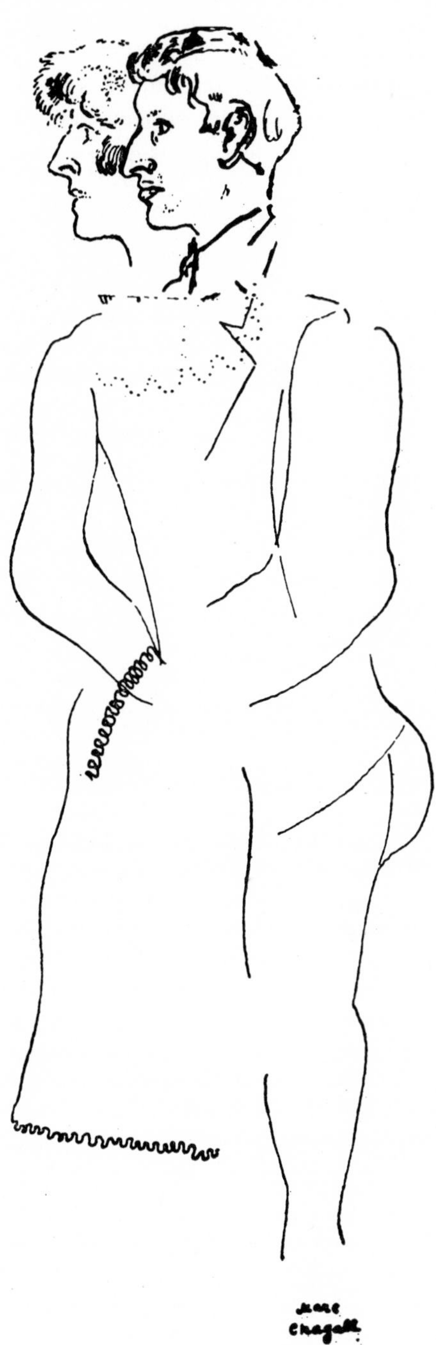

Claire und Yvan Goll
Zeichnung von Marc Chagall

„Der Eiffelturm“

In Verbindung mit Pariser Literaturströmungen hatte Goll rasch zu einer neuen Bewegung gefunden, deren überzeugter Vorkämpfer er wurde, dem Surrealismus. In der Sammlung „Der Eiffelturm“ (1924) findet sich die dritte Fassung des „Panamakanals“, dann eine Folge von Stadtgedichten, Widmungsstücken an Freunde und Künstler, an seine Frau Claire und eine Reihe von grotesken Elegien mit metaphysischen Themen, welche die Verzweiflung artikulieren, bis sich Goll später im Bild des biblischen Hiob (1947/48) findet. Die ersten Eiffelturm-Gedichte bezeichnen die neue Richtung:

O Place de la Concorde
Was deutet uns dein Obelisk?
Im schimmligen Marineministerium
Ist Madagaskar aufgemalt
Kornblumenblaue Admiräle
Lassen mit ihren Stylo-Magneten
Um Gibraltar Panzerschiffe kreuzen

Der deutsche Surrealismus

Die Gedichte haben experimentellen und kabarettistischen Charakter. Was fünfzehn Jahre vorher van Hoddis und Lichtenstein in Berlin frei nach Laforgue versucht hatten, wurde spielerisch aufgenommen, aber mit neuer Bedeutung versehen: alles kann mit allem vertauscht werden, die Ortlosigkeit des Menschenbildes wird auf das Universum ausgedehnt. Entscheidend sind Geschick und Geschmack:

Hier schluchzen Abende,
Hier lagen Engel in der Morgenmulde.
Wie floß der Hügel nymphenschwebend dir zu Füßen,
Du Gott der Flur! Und nun:
O Birnbaum der Verzweiflung!
Dein schlaffer Bettelarm
Zerkratzt die müde Sonne!
Hier hockt des Nachts der Mörder und höhnt den Herbst . . .

Französische Gedichte

Diesen Stil hat Goll vor allem in französischen Gedichten weiterentwickelt, die in Claire Golls Übertragung – früher oder später – auch den Weg nach Deutschland fanden: „Zehntausend Morgenröten“ (1952, erste Gedichte 1924/25), „Malaiische Liebeslieder“ (1934), „Die magischen Kreise“ (1942–44), „Neila“ (1947/48), das dreibändige Hauptwerk in französischer Sprache „Jean sans Terre“ (1934, 1936 und 1938), „Der durchbrochene Felsen“ (1952) und „Pariser Georgika“ (1956). Es sind Dichtungen, die zum großen Teil erst nach Golls Tod übertragen wurden. Im Jahre 1939 waren die Golls nach Amerika emigriert. Hier zeigten sich 1944 die Spuren der Leukämie, der Goll 1950, wieder in Paris, erlegen ist.

Der Rëismus

Kurz vor dem Tode, im Krankenhaus, hat Goll noch einmal, nachdem er inzwischen fast nur französisch und englisch publiziert hatte, Gedichte in deutscher Sprache geschrieben. Es ist die Sammlung „Traumkraut“. Die ersten Gedichte erschienen unter dem Pseudonym Tristan Thor in Döblins „Goldenem Tor“, die letzte Fassung kam erst 1951 heraus. Die ersten Gedichte gehen auf das Jahr 1941 zurück, in Ansätzen noch weiter, denn Golls Phasen erscheinen als Variationen des Urthemas vom einsamen Orpheus.

Eins der letzten Manifeste Golls proklamierte den „Rëismus“:

Um die Essenz des Lebens auszudrücken, müssen Kunst und Malerei dem Ding an sich, dem Res, entströmen: Blume sein, mit der Wurzel verbunden. Diese Wurzel ist Res und nicht Realitas. *Sie* ist das vegative Objekt in Bewegung und nicht die Realität, wie sie der Mensch sieht, denkt oder träumt. Realismus, Surrealismus, Neue Realität stammen von der Wirklichkeit ab. Der Rëismus, den wir als grundlegende Theorie vorschlagen, entspringt dem absoluten Ding.

Yvan Goll, Handschriftprobe

Begründung des Surrealismus

Das Manifest ist aus dem Jahre 1948, es deckt sich weitgehend mit dem, was Goll schon fast drei Jahrzehnte früher ausgesprochen hatte, als er, zeitlich zwischen Apollinaire und André Breton, den „Surrealismus" begründete. Da Goll im Gegensatz zu den französischen Dichtern durch den deutschen Expressionismus geformt war, erscheint sein Surrealismus nicht so überraschend. Berühmt wurde er durch die Anwendung der Genitivmetaphern; aber er hütete sich, sie bis zur „automatischen" Beliebigkeit zu benutzen: Immer bleiben assoziative, psychologische und psychoanalytische Zusammenhänge gewahrt, besonders in den Liebesgedichten. Verkörperung der Frau in Haut, Knochen, Gliedern, Haar, Auge, Blut und chemischen Verbindungen ist Claire; ein poetischer Materialismus bricht durch die Zeilen. Er entspricht, auf „surrealistischer" Ebene, dem Prinzip der Kosmiker, etwa Däublers, aber auch biblischen Vorbildern, etwa dem Hohen Lied. In „Traumkraut" heißt die erste „Ode an Claire":

Yvan Goll, Zeichnung von Marc Chagall

Tief hängt die Regenwolke in deinen
Traum
Die Früchte der Verheißung sind
überreif
Im Spinnweb deines Angesichts
Faulen die Sterne der Auferstehung

Daß auch der Venus heiliges Haupt im
Gras
Vermoosen soll, das ähnlichste dir, und
schon
Vom herbstlichen Gefühl bereift
Blinder Vergessenheit karge Wohnung

Ich halte deinen Kopf mit der Eierstirn
Durch die dein Hirn im Phosphor-
gespräch mir scheint
Wie eine fleischfressende Rose
Rollest, o rollest du mir von dannen

So fremd solch ein Gedicht klingt, so variiert es doch nur Gleichnisse, Bilder und Metaphern, die sich wie Motivketten durch Golls französische und deutsche Dichtung ziehen: Regen, Traum, „Früchte der Verheißung", „Stern der Auferstehung", Fäulnis und Verfaulen („vermoosen"), Blindheit, Hirn, Phosphor, Rose, enteilen. Im Grunde wird hier etwas Ähnliches wie von Wilhelm Lehmann versucht, die Materie soll transzendieren. Gelegentlich führt das zu einem gefährlichen Ineinanderübergehen aller Kategorien. Heidnisches, Jüdisches, Christliches, moderner Vitalismus sind dann nicht mehr zu trennen. So wie Orpheus unbedenklich als Symbol für den modernen Menschen verstanden wird, ist Claire die heidnische Venus, obwohl Goll weiß und sagt, daß die fleischfressende Rose ihm von dannen rollt. Die private Liebe scheint bei aller Mythisierung das letzte „Ding" im Sinne des Rëismus zu sein, in dem der Autor seiner selbst gewiß wird:

Belauscher deines Schlafs
Hör ich die blinde Pianistin
Auf deinen Rippen spielen
Hör ich die schwarzen Felsen der Nacht
An deiner zarten Brüstung branden
Das Tier der Angst durch deine Büsche stampfen
Und Brücken über deinem Blutstrom bersten
Belauscher deines Schlafs
Zähl ich die Pulse meiner Zeit

Hier ist der Surrealismus sanft und innig geworden, es fehlt nicht an rührseligen Tönen („Ich bin gealtert vor Sehnsucht nach / Feuchten Februaren und verspäteten Aprilen / Um dir ein Maiglöckchen zu schenken"), und selbst der Schmerz der Trennung wird noch irgendwie genossen. Claire Goll teilte im Vorwort zu „Traumkraut" mit, Goll habe geglaubt, erst in diesen Gedichten dem „Geheimnis des Wortes" nahegekommen zu sein. Sie berichtet, deutsche und österreichische, französische und norwegische, vor allem amerikanische junge Dichter seien „in Scharen" gekommen, um dem sterbenden Yvan Goll Blut zu spenden. „Gespeist mit dem Herzblut von sechzehn Dichtern", habe Goll „Traumkraut" schreiben können. Auch hier erscheint also das höhere Leben des Dichters an „das Blut" gebunden – was man als rührende Metapher, aber auch als Beispiel für jene Materialisation des Geistigen verstehen kann. Hinter Golls Bildern von Feuer, Wasser, Phosphor, Rubin, Kohle, Asche und Salz stehen teils kabbalistische, teils naturwissenschaftliche Spekulationen, die aber nicht erklärt werden; die Dichtung, die mit solchen Versatzstücken arbeitet, wirkt geheimnisvoll chiffriert. Ähnliche Vertauschungen und Identifikationen geschehen mit der Flora und dem Mythos. Goll fühlte sich nirgends zu Hause, ein Johann ohne Land, als Dichter des Exils schlechthin (und nicht nur des politischen Exils in den Jahren 1939–1944). Ein schönes Beispiel der Verschränkung kühlender und betäubender, kabbalistischer, religiöser und literarischer Motive ist das Gedicht „In den Äckern des Kampfers":

Der Mythos vom lyrischen Blut

Verschränkung der Symbole

In den Äckern des Kampfers bist du daheim
In den Sümpfen des Jods trinkst du dich endlich jung
Die braunen Schnäpse der Wurzeln
Nähren dich besser als die Krüge der Sonne

Eine Fackel loht und torkelt im Öl deiner Augen
Ein Feuer musiziert mit Flöte und Tamtam:
Gebein deiner Ahnen tanzt zum Fest der Verwesung

Die gelbe adelige Blume
Die alle tausend Jahre einmal blüht
Windet sich langsam aus deinem Brustkorb

Dem Totenkult des Jugendstils entsprach die Heimatlosigkeit des Menschen. Bei Goll verbanden sich die Motive im Orpheusmythos. Er ist – ähnlich wie Heym und Trakl – ein mythenbildender Dichter gewesen. Die Figuren des Hiob, Johann-Ohne-Land, Orpheus, Methusalem wurden Träger des Mythos vom exilierten Menschen. Golls Bilder und Metaphern halten sich mit Vorliebe an die Genesis seiner „Ahnen", des biblischen Gottesvolkes – aber er hat erfahren:

Mein Mund beherbergt noch
Jahrhunderte alte Magie
In meinen Ohren ist ein Lauschen und ein Rauschen
Und kein Gott

Johannes R. Becher

> Geben Sie acht, der Politiker wird den Poeten aufzehren. Mitglied der Stände sein und in täglichen Reibungen und Aufregungen leben, ist keine Sache für die zarte Natur eines Dichters. Mit seinem Gesange wird es aus sein, und das ist gewissermaßen zu bedauern.
>
> Goethe über Uhland, von Becher zitiert

Der politische Dichter

Sind Künstler ein Ausdruck ihrer Zeit, ihrer Stärke und Ohnmacht, ihrer Siege und Niederlagen, ihres geistigen und politischen Systemzwangs und ihrer Sehnsucht, so gibt es keinen reineren Niederschlag des Zeitgeists und der seelischen Wetterkarte als Johannes R. Becher (1891–1958). Er war zerrissen und chaotisch wie die Jahre vor dem ersten Weltkrieg. Seine Dichtung birst von Anklagen und schreit nach dem „neuen" Menschen. Becher verkündete den Brudertraum von der Gemeinschaft, den Völkertraum vom Übervolk, das in Liebe die Welt umfassen soll. Er wollte ein Volksredner *gegen* die Zeit sein („Päan gegen die Zeit", 1918), *für* Europa („An Europa, 1916); von Tribünen aus wirbt und agitiert er für eine Verbrüderung („Verbrüderung", 1916), ruft „Die heilige Schar" (1918), das himmlische Volk („Gedichte für ein Volk", 1919), wendet sich, mit den Worten des berühmten Leninschen Telegramms, „An Alle" (1919). Der Dichter soll Künder von Manifesten sein und um der Zukunft willen ein Diener am Tag und seiner Aufgabe:

> Der Dichter meidet strahlende Akkorde.
> Er stößt durch Tuben, peitscht die Trommel schrill.
> Er reißt das Volk auf mit gehackten Sätzen.

Dieser deutsche Majakowski wünscht, der Dichter sei „Krawall-bereit" und ruft ihm zu: „Pack an und zerhau!" Er weiß noch mehr: „. . . warte nur: die Massen, die du gerufen, sie werden wie ein Taifun über dich wachsen, und du Dichter wirst aller Berechnung nach jedenfalls der Erste sein, den sie sich abschaffen, den sie kreuzigen werden." Er hatte Vorstellungen von der Aufgabe des Dichters:

> Laß mich! Und wenn auch. Dichter sein soll von jetzt an heißen: nähren, Stoff zuführen, hochtreiben das Volk, lindern dessen Steinwege, seine Armeen organisiern . . . Aufrufer sein zum Anfang und zum Ende, die Throne dem Dürftigen reichen . . . Dichter rhythmisiert die Masse, versifiziert sie! ———

Whitman und Tolstoi

Früh verschmilzt der Dichter mit dem sozialistischen Weltheiland, nie zweifelt Becher am Dichtertum und an der Sprache. Er redet ununterbrochen den Dichter in sich selber an: „Gottes Soldat!" Wenn er die Sprache auch zerschlägt, so will er sie neu erwecken, denn er liebt sie. Er empfindet die sprachlichen Schöpfungen als „seraphische Wortgebilde" — während ein Werfel das Wort haßte. Das hängt bei Becher mit der politischen Aufgabe zusammen: „Der neuen Völker einzige Majestät Du Dichter sei . . ."
In den Gedichten für ein Volk hatte er gesungen:

> Wir sichten dich.
> Allerheiligste Insel du, erbrausend von den gigantischen Schatten der
> Blut-Taifune.

Küsten-Gefilde! Flöten der Delphine! Gottes Atem-Wind! Tönende Gestirne!
Volk du, endliches. Volk du ohn all Schwert.
Heerschar Gottes.
Staat du des neuen, des allvereinigenden, des reinen Bluts.
Brüder! Brüder alle.

Da ist das demokratische Ideal Walt Whitmans pathetisch gesteigert; im Sinne des östlichen Miteinanderapostels der Jahrhundertwende heißt es 1919 in einer Hymne „An Tolstoi":

O welch Miteinander-Zueinander!
Schöpfung. Die Verwirklichung. Empfänger des Geistes.
Da eurer Kerker Öde zerriß der Liebe Oleander,
Menschen-Fraß ausmerzte dein Bruderbund.
Der Eine, der Einzige ist da!
Sei gegrüßt:
Du! Mensch!

Herkunft und Anfang

Becher stammte aus München, sein Vater war Richter und brachte es zum Oberlandesgerichtspräsidenten. Die Familie kam aus Franken und Baden. Nach langwierigen Schulbesuchen ging Becher im ersten Semester nach Berlin, um Philosophie und Medizin zu studieren; das Studium wurde in München und Jena ohne Abschluß fortgesetzt, denn die zwei Bände „Triumph und Verfall" (1914) machten Becher, wie kurz vorher Werfel, schlagartig berühmt, so daß er als freier Schriftsteller leben wollte. Vorher veröffentlichte er eine Kleisthymne „Der Ringende" (1911, zum hundertsten Todestag von Heinrich von Kleist), die Dichtung „Die Gnade eines Frühlings" (1912), den Roman „Erde" (1912) und die rhapsodische Dichtung „De Profundis" (1913). Dann erschienen in schneller Folge jene Bände seines frühen Ruhms. Sie enthalten die ganze Gefühlsskala der aufrührerischen Jugend des Vorkriegsjahrzehnts. Hier sprach einer, dem das lustvolle Gefühl eines drohenden Verhängnisses die Sprache verlieh. Ein Krampf hatte ihn ergriffen, daher das Quirlende, Drehende, Zerhackte und Schreiende der Worte, Begriffe, Sätze und Bilder, die alle der Vorstellung des

Johannes R. Becher, Zeichnung von Ludwig Meidner

Chaos entstammten. Im Kriege nehmen die Bilder des Ekels und der Qual für die „Symphonien des Verfalls“ zu; Worte wie Aas, Schimmel, Eiter, Geschwür, Kot, Verwesung häufen sich. Die Welt wurde unter dem Bild der Krankheit begriffen, teils medizinisch-skatologisch, teils biologisch-pessimistisch; selbst von der Sonne wurde gesagt: „Draußen schäumt des Tages Sonnengeschwür.“ In dem 1913 geschriebenen langen Gedicht „Der Wald“ finden sich lauter negative Bestimmungen, die unter sich zu einem Antimythos zusammentreten:

„Der Wald“

Ich bin der Wald voll Dunkelheit und Nässe.
Ich bin der Wald, den sollst du nicht besuchen,
der Kerker, daraus braust die wilde Messe,
mit der ich Gott, das Scheusal alt, verfluche.

Ich bin der Wald, der muffige Kasten groß.
Zieht ein in mich mit Schmerzgeschrei, Verlorne!
Ich bette eure Schädel weich in faules Moos.
Versinkt in mir, in Schlamm und Teich, Verlorne!

Ich bin der Wald, schwarz rings umhangen,
mit Blätterbäumen lang und komisch ausgerenkt.
In meiner Finsternis war Gott zugrund gegangen ...
Ich nasser Docht, der niemals Feuer fängt.

Horcht, wie es aus schimmlichten Sümpfen raunt
und trommelt grinsend mit der Scherben-Klapper!
Versteckt in jauchichtem Moore frech posaunt
ein Käfer flach mit Gabelhorn auf schwarzer Kappe ...

Metaphern des Ekels

Nicht naturalistische Bilder haben diese Vorstellungen geweckt, sondern alles ist absichtlich kraß übersteigert. Becher wandert durch Kotflüsse, Furunkelstädte, Eitersümpfe, Kadaverkorridore, Morastseen, Kothöllen, Eiternebel und Spülichtkatarakte. Blut- und Kloakengeysire brechen auf. Der Ton ist hymnisch und ekstatisch; die Sonne wird zur Oblate, die Mathematik spendet mystische Bilder. Der Dichter spricht von „geschliffenen Ebenen“ und träumt von einem „präzisen Blau“, selbst seraphische Töne stellen sich ein, wo Becher von seiner Utopia schwärmt:

Utopia sei dein Traum, stets Dich begleitender Wunsch,
Deine Lichtgestalt.

Alles, was gegen dies Ziel ist, wird zur Fratze gemacht, vor allem die Welt der Väter. Die Klassik wird wie bei Brecht mit Schillerversen parodiert:

Die wir einst in grenzenlosem Lieben
Späße der Unendlichkeit getrieben
Zu der Seligen Lust –
Uranos erschloß des Busens Bläue
Und vereint in lustiger Kindertreue
Schaukelten wir da durch seine Brust.

Aber weh! der Äther ging verloren,
Welt erbraust und Körper ward geboren,
Nun sind wir entzweit.
Düster von erbosten Mittagsmählern
Treffen sich die Blicke stählern,
Feindlich und bereit ...

Becher kennt nur den Abgrund, die Kluft, das Chaos. Das frühere Geschlecht erscheint ihm wie die Ursünde selbst. Fluch über die alte Zeit und die Väter, sogar über ihre Grammatik und Syntax! Die nie enden wollenden Gedichte kennen keine Zucht. Der Leser irrt durch eine Wildnis von Stichworten, ein Zeichen, daß der Dichter überquillt, nie wählt, sichtet oder ordnet. „Bumerangs gleich" sollen die Gedichte „geschleudert" wirken. Becher, der in einem Gedicht einmal die neue Syntax formuliert hat (s. S. 140), weiß, daß er „tolle Satzgefüge meißelt". Er spricht von Satzpolypen und -phantomen, von Sturzwellen der Sätze, einer phantastischen Sätzelandschaft. „Fanfarensätze müssen hymnisch schwellen." Manche Zeilen wirken wie Umschreibungen expressionistischer Gemälde. Er malt den Satz: „Die Straßen fliegend heulen gleich Posaunen, / der Plätze Karusselle hymnisch raunen . . ."

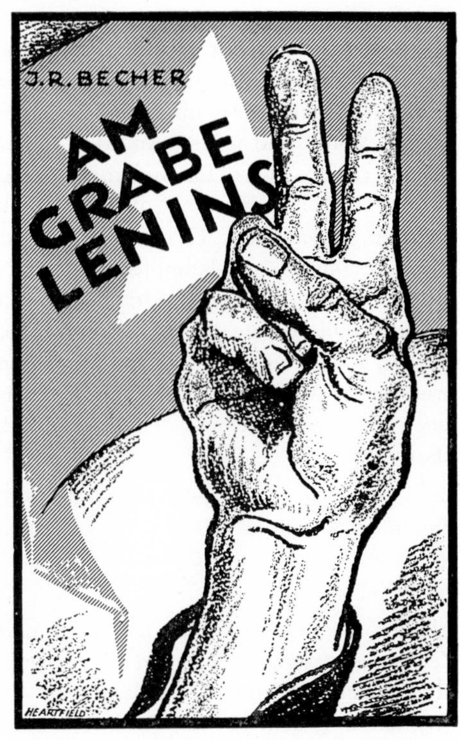

Umschlagentwurf von John Heartfield

Hinter dem Ausbruch des Chaos steckte jedoch der Wunsch nach dem Kosmos, der schönen, geordneten Welt: „Ordne chaotische Welt dich!" In einem autobiographischen Gedicht der Frühzeit wollte er Abschied nehmen von dem, der er war. Hier spielte er auf das dunkelste Ereignis seines Lebens an, das Anstoß zu seiner Bekehrung zum Kommunismus gab:

Der Mörder und sein Selbstmord

Little Lunch

Sie hatte rotes Haar
Und ein Gesicht so kreideweiß,
Little Lunch.
Ich ging nicht mehr nach Haus.
Meine Freunde sagten: Sie geht auf den Strich,
Little Lunch.

Ich schaute fremd: vielleicht, wer weiß . . .
Wir suchten den Ostersonntag uns aus.
Ich erschoß sie und schoß dreimal auf mich.

Sie ist wie ein Fisch aus dem Bett hochgeschnellt,
Little Lunch.
Durchbiß sich die Zunge.

Ich habe ihre Augen verglasen sehn.
Ich ließ sie bluten. Sie ließ mich schrein.
Wir ließen einander im Sterben allein.

Der Einfluß des richterlichen Vaters verschaffte dem Sohn den Paragraphen 51 und rettete ihn vor dem Henker. Er studierte nun russische Sprache und Literatur, trat dem Spartakusbund bei und entnahm seine Ideen dem bolschewistischen Zeughaus. Gleichzeitig mit den „Gedichten um Lotte" erschienen 1919 „Gedichte für ein Volk" und jenes „An Alle". In rascher Folge kamen die Gedichtbände „Zion" (1920), „Ewig im Aufruhr" (1920), „Der Gestorbene" (1921), „Um Gott" (1921), „Arbeiter, Bauern, Soldaten, der Aufbruch eines Volkes zu Gott" (1921), mehrere proletarische Hymnen und „Arbeiter, Bauern, Soldaten; Entwurf zu einem revolutionären Kampfdrama" (1924) und gleichzeitig die Dichtung „Am Grabe Lenins". Das Kampfdrama feiert die Orthodoxie des Leninismus als neue Religion. Die Heilige dieses Stückes ist eine Jüdin als Vertreterin eines heimatlosen Volkes, das der neuen volklosen Menschenbruderschaft am nächsten steht. „Aufbruch eines Volkes zu Gott" heißt der Untertitel; das Spiel ist erstes Zeugnis jenes inneren Prozesses, der bis 1933 dauern sollte, der Becherschen „Aufklärungszeit":

„Arbeiter, Bauern, Soldaten"

wobei ich unter meiner Aufklärungszeit die Zeit von 1917 bis etwa 1933 verstehe: den Prozeß der Wandlung meines Lebens, der Abwendung vom Bürgerlichen und der Hinwendung zu der Klasse, welcher die Zukunft der Menschheit anvertraut ist, der Arbeiterschaft . . .

Literarische Muster

Ähnlich wie bei Werfel ist der rasche und frühe Erfolg Bechers ein sekundäres Zeichen gewesen. Beide haben den neuen Ton, der von Heym, Trakl, van Hoddis, Musil, Sack und andern mühsam errungen und bald als Experiment wieder aufgegeben war, dem großen Publikum durch ihr starkes Pathos bekanntgemacht. Ähnlich wie Heym und Zech hat Becher Rimbaud studiert und dessen Erfahrungen „in der Hölle" und mit der Sprache auf die Großstadtlandschaft Berlin übertragen. Die Idee und dichterische Ausformung des Becherschen Gedichts „Verfall" ist eine sentimentale Variation Trakls:

Einmal werde ich am Wege stehen,
versonnen, im Anschaun einer großen Stadt.
Umronnen von goldener Winde Wehn.
Licht fällt durch der Wolken Flucht matt.
Verzückte Gestalten in Weiß gehüllt . . .
Meine Hände rühren
am Himmel, golderfüllt,
sich öffnend gleich Wundertüren.

„Der Idiot" nimmt das Heymsche Thema von den Dämonen der Städte auf:

Er schwirrte nächtens durch der großen Städte Flucht. Das traf ihn schwer.
Auf hohlen Plätzen tosten Glitzer-Feste.
Staubwirbel bliesen ihn durch grüner Abendhimmel flaches Meer.
Er hockte heulend nachts auf Kuppeln brennender Paläste . . .

So finden sich Themen und Töne Werfels, van Hoddis', Benns, Dehmels und Holz'. In Bechers „Maschinenrhythmen" (1924) erkannte E. H. Jacob die Politik als das Neue des Themas und der Form:

Sie sind lange Maschinenhallen, in denen die Worte mechanisch wie geölte Kolben auf und nieder steigen, in denen der Ruß flackert, die Säure grammatikalisch ätzt. Sie gleichen sowjetischen Tabellen. Sie atmen in einer so infernalischen Weise die Gestänke der Industrie, daß die sozialistischen Gedichte Dehmels um hundert Jahre zurückzuliegen scheinen.

Johannes R. Becher

EWIG IM AUFRUHR

ERNST ROWOHLT VERLAG · BERLIN

Umschlagzeichnung von Ludwig Meidner

Verbannung und Rückkehr

1933 gelang Becher im letzten Augenblick die Flucht vor den Nationalsozialisten. Über Prag und Wien kam er nach Frankreich, ging 1935 in die Sowjetunion und war bis zum Jahre 1945 Chefredakteur der „Internationalen Literatur, Deutsche Blätter". In Moskau erschienen Jahr um Jahr mehrere Bände, vor allem Gedichte, aber auch ein Roman und einige Dramen. Nach der Rückkehr nach Berlin nahm dieser Schwall noch zu: Jahr um Jahr kamen zwischen zwei und sechs größere oder kleinere Bücher heraus, mit Gedichten, Dramen, Romanen, Reden, Aufrufen, Essays, darunter das sechshundertseitige „Sonettwerk" eine Sammlung fast aller Sonette, die Becher 1913–1955 geschrieben hat – und selbstverständlich mehrere Sammlungen seiner Werke. Auf der Leiter der Parteihierarchie stieg er schnell empor und wurde 1954 Minister für Kultur.

Konservatismus

Die Gedichte aus den Jahren unmittelbar nach der Flucht zeigten einen gewandelten Autor. Er spürte echtes Heimweh, beklagte das nationale Schicksal, hielt dem geistigen Deutschland die Treue und gab eine große Anthologie deutscher Lyrik unter dem Titel „Tränen des Vaterlands" heraus. Er dichtete auf die bayerische Heimat und beklagte seine Landsleute, die deutschen Soldaten, die in den russischen Eiswintern fielen. Aber wenn auch Thomas und Heinrich Mann dem Dichter Becher im Exil allen Respekt bezeugten, so ist ein falscher Ton nicht zu überhören: Bechers wahres Vaterland war nicht die deutsche Heimat, sondern das Mutterland des Bolschewismus, und wenn er den Frieden ersehnt, ist es die Pax sovietica.

In den Jahren nach der Rückkehr hat Becher Tagebücher und Aphorismenbände

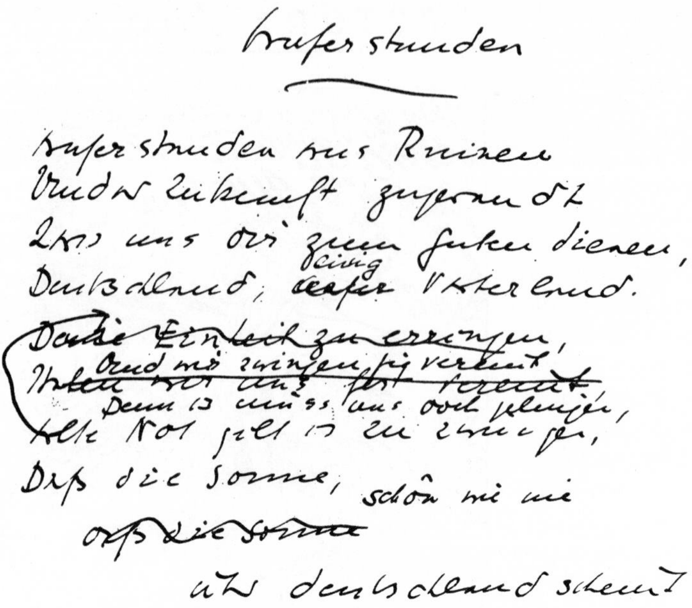
Auferstanden

Auferstanden aus Ruinen
Und der Zukunft zugewandt
Laß uns dir zum Guten dienen,
Deutschland, einig Vaterland.
Und wir zwingen sie vereint
Denn es muss uns doch gelingen,
Alte Not gilt es zu zwingen,
Daß die Sonne, schön wie nie
über Deutschland scheint

Johannes R. Becher, Entwurf zum Deutschlandlied, 1949

erscheinen lassen: „Auf andere Art so große Hoffnung“ (1951/52), „Verteidigung der Poesie“ (1952), „Poetische Konfession“ (1954), die „Macht der Poesie“ (1955) und „Das poetische Prinzip“ (1957). Es sind merkwürdig peinliche Bücher, in denen das schlechte Gewissen, der Selbstverrat, gelegentlich auch die Verlogenheit der eigenen Dichtung seit den zwanziger Jahren und vor allem der fünfziger Jahre Sprache gewinnen. Becher verwirft seine frühen Gedichte als „Blödsinn“ und literarische Mache. Von dem falschen Pathos der späten Dichtung sagt er, es sei immer dann vorhanden, „wenn die Realität höchst unpathetisch ist“. Ein anderes Mal sagt er mit der ihm eigenen Lust zur Selbstanalyse:

Urteile über sich selbst

Wie von einem Fremden geschrieben, liegen Gedichte vor mir, deren Verfasser ich selber bin. Es sind teils schlechte, teils gute. Mit keinem von beiden vermag ich mich ohne weiteres zu identifizieren. Wenn ich die schlechten durchsehe, so erscheint es mir unglaublich, daß ich je solche geschrieben habe. Was für ein unmöglicher Mensch, der derlei verfaßt hat. Wenn ich dagegen von den guten Kenntnis nehme, erscheint es mir ebenfalls nicht glaubwürdig, daß ich ihr Verfasser sei. Sie scheinen mir über alles Erwarten gut. Was also bedeutet das?

Dieses Zitat kann die Schizophrenie zeigen, jenen durchaus nicht ungewöhnlichen Krankheitsprozeß, als dessen Opfer sich Becher am Ende selbst gesehen hat.
In seiner Jugend war er, wie Werfel, in den Augen des Publikums der Anführer einer literarischen Revolte. Hinter den frühen Gedichten stand eine große, wenn auch rohe Kraft. Ihre Gefahr war die Kolportage; der Inhalt wurde wichtiger als ihr Ausdruck, und damit zerbrach die künstlerische Form; das Gedicht verlor seine Glaubwürdigkeit.

Franz Werfel

Wir leben aber, um zu reinigen.
Franz Werfel

Werfels Bedeutung

Werfels rascher Erfolg und sein Ansehen bei der jüngeren Generation sind leicht zu erklären. Er verkündete eine wirkliche Botschaft, und sie schien weitgehend identisch zu sein mit dem, was der Expressionismus sagen und ausdrücken wollte. Dieser Botschaft gab Werfel eine wirksame sentimentale und pathetische Form, die in ihrer Lässigkeit – gegenüber Grammatik, Syntax und „künstlerischen" Ansprüchen – populär werden konnte. Die Botschaft hat drei Glieder. Erstens ist es das Gefühl der Einsamkeit, das hektisch zum „Miteinander" strebt und in der Liebe des sich liebesuntüchtig wähnenden oder nicht geliebten Autors zur Forderung des Pansexualismus führt. Zweitens der Gedanke der Erlösung durch die Liebe in allen Formen, vom Orgasmus bis zur allgemeinen Menschenliebe; ihr natürliches Ergebnis ist die Verwerfung des Krieges und der auf eine abstrakte Menschheit zielende Pazifismus. Drittens der Vaterhaß, der als Motiv aus S. Freuds Zeughaus für Werfel zu einer weltgeschichtlichen Dominante wird.

Der Ödipuskomplex

Sorge, Toller, Becher, Bronnen haßten die Vätergeneration und ihre Schule. Bei Werfel ist es ein religiös fundierter Haß auf alles Väterliche schlechthin, ob es der biblische Vatergott ist oder die als despotisch verworfene patriarchalische Ordnung, die Familie, die Ehe, oder das auf „väterliche" Unterordnung gegründete Militär. Jesus wird vorgeworfen, er habe sich, statt zu rebellieren, dem Willen des Vaters unterworfen. Die Industrie basiere auf dem väterlichen Unternehmerprinzip gegenüber dem unterjochten Arbeiter, und auch der moderne Staat, mit dem König oder Präsidenten als Vater an der Spitze der Bürger, müsse bekämpft werden. Werfel wollte also Umwertung aller Werte. Er folgte darin sowohl Nietzsche wie den Traditionen der deutschen Romantik und des Sturm und Drang.

Die literarischen Vorbilder

Die unmittelbaren Vorbilder für seine Dichtung, Whitman, Dehmel, Rilke, Strindberg, Wedekind, Dostojewski und Tolstoi, hatten die anarchistische Forderung proklamiert; Werfel faßte sie als „Zeitgeist" zusammen und gab die Ideen in wirkungsvoll aktualisierter Form weiter. In dieser Hinsicht ist er mit F. Freiligrath zu vergleichen, dessen Gedichte zu ihrer Zeit ähnlich zündeten, weil sie spätromantische Zeittendenzen zusammenfaßten und ohne Rücksicht auf überlieferte Formen aussprachen.

Werfels Gedichte, Sprüche, Lehren, Predigten und Hymnen hatten einen geheimnisvoll raunenden musikalischen Ton und sprachen mit der Inbrunst mystischen und mitleidenden Fühlens:

Mehr als Gemeinschaft von Worten und Werk
bindet uns alle der brechende Blick,
bindet uns alle das letzte Bett,
und die Not und die Not, wenn das Herz ausgeht . . .

Dehmels Vorbild klingt deutlich nach, aber das Pathos war ungleich stärker. Man spürte eine neue Glut, einen tieferen Impetus, den „Glauben an irdische Heilande und Pfingsten über dem Werktag" (Lissauer). Werfel erschien als Wortführer der Jugend, weil er seine Botschaft, die Bruderliebe aller Menschen, auf eine allgemeine und eingängige Form brachte:

Erst wenn ein Mensch zerging
in jedem Tier und Ding,
zu lieben er anfing.

Noch der Ärmste, Zerschlagenste, Verworfenste findet hier hilfreich ihn emporziehende Arme, eine freisprechende Erlöserstimme. Die messianischen Verheißungen werden Attribute jedes Menschen:

Noch im schlammigsten Antlitz
harret das Gott-Licht seiner Entfaltung.
Die gierigen Herzen greifen nach Kot —
aber in jedem
geborenen Menschen
ist mir die Heimkunft des Heilands verheißen.

Ich – Du – Wir

Überall proklamierte Werfel eine Botschaft, welche die Jugend als den „Sterbeschrei des Individualismus" begeistert aufnahm. Aus einem von der Selbstsucht der Jahrtausende befreiten Ich drängte es zum Du, einem Wir, einem Einander:

Herz, frohlocke!
Eine gute Tat habe ich getan.
Nun bin ich nicht mehr einsam.
Ein Mensch lebt,
Es lebt ein Mensch,
Dem die Augen sich feuchten,
denkt er an mich.
Herz frohlocke:
Es lebt ein Mensch!

Hingerissen war man von Versen wie „O Herr, zerreiße mich, ich bin ja noch ein Kind". Der Dichter schreitet die ganze Welt, alles Lebende und Tote, alles Leid ab, um am Ende in einer für seinen Stil typischen Steigerung die Bitte des Anfangs zu wiederholen:

Und wenn ich erst zerstreut bin in den Wind,
In jedem Ding bestehend, ja im Rauche,
Dann lodre auf, Gott, aus dem Dornenstrauche.
(Ich bin Dein Kind.)
Du auch, Wort, praßle auf, das ich in Ahnung brauche!
Geuß unverzehrbar Dich durchs All: Wir sind!

Da Werfel weiß, daß seine Empfindungen das All artikulieren, nimmt er das dichterische Wort nicht ernst; es kann ja lediglich „Ahnung" jenes höheren Gehalts vermitteln, kann stammeln, andeuten und „zeigen", nicht aber die Kunstgestalt repräsentieren. Werfels und der meisten Expressionisten Gleichgültigkeit gegen die Form der Grammatik, des Verses, den Reim und das Bild haben also weltanschauliche Gründe. Zugleich ist sich der Dichter der Paradoxie bewußt, die darin liegt, daß nur das Schweigen angemessen wäre, wo er bloß reden kann. Das versagende Wort ist ein wirksames Mittel – und es gibt kaum einen worttrunkeneren Autor in diesem Jahrzehnt als Werfel.

Leben und Erfolge

Franz Werfel ist 1890 in Prag geboren. Er stammte aus reichem Hause und konnte sich, nach einer kaufmännischen Lehrzeit, der Literatur widmen. 1911 erschienen die Gedichte „Der Weltfreund". Ihr Erfolg hob Werfel gleich über die Prager

Bekannten Max Brod, Paul Adler und Ernst Weiß hinaus. Rasch kam er mit den Literaten, Verlegern, bildenden Künstlern der Zeit in Verbindung. Ein neuer Gedichtband hieß „Wir sind“ (1913) und erschien bei Kurt Wolff in Leipzig. 1915 erschienen „Einander. Oden, Lieder, Gestalten“, 1917 die „Gesänge aus drei Reichen, ausgewählte Gedichte“ und 1919 „Der Gerichtstag, in fünf Büchern“, eine große Sammlung der Gedichte, in denen Lehren und Predigen bereits die Poesie überwucherte.

Franz Werfel

Seit „Einander“ drängte Werfels Erlösungslehre die andern Motive zurück. Die berühmtesten Gedichte waren „Vater und Sohn“, „Ich bin ja noch ein Kind“, „Lächeln, Atmen, Schreiten“, „Warum mein Gott“, „Zwiegespräch an der Mauer des Paradieses“ und „Jesus und der Äserweg“. Sie klingen berauschend, von überschwenglicher Frömmigkeit zu den „Dingen“, den Mitmenschen, zu Gott – aber die Welt, in welcher der Dichter, der Geist und Gott miteinander allein zu sein scheinen, ist in Wirklichkeit eine Welt der kosmogonischen Imagination: das Bewußtsein, welches sie ersinnt, will ihr Erlöser werden, indem es das Chaos zum Kosmos macht. Der Dichter „ist“ Gott; er vermag den Gott im Menschen zu sich selbst zu bringen, zu erlösen. Dieser wartende Gott sagt:

Der Dichter als Erlöser der Welt

> Kind, wie ich dich mit meinem Blut erlöste,
> So wart ich weinend, daß du mich erlöst.

Das ist auch die Tendenz des bekannten Gedichts „Lächeln, Atmen, Schreiten“. Was die drei Verben bezeichnen, ist die Geburt des Gottes aus dem lächelnden, atmenden, schreitenden Ich. Werfel muß an diese Epiphanie geglaubt haben, daher hat das Gedicht die hinreißende Inspiration zumindest subjektiver Wahrhaftigkeit. Später hat er den intellektualistischen und hybriden Charakter seiner Jugenddichtungen streng verurteilt und von „naturalistischem Nihilismus“ gesprochen. Vorerst fand er im Drama eine neue Gattung für seine Botschaft.

Die Wendung des Lyrikers Werfel zum Drama kam nicht überraschend. Spiel und Gegenspiel, Rede und Gegenrede beherrschten manches Gedicht. Die Lyrik enthielt dramatische Keime. Das Zwiegespräch der Lyrik hatte sich zu dem dramatischen Gedicht „Das Opfer" ausgeweitet. Zu gleicher Zeit (1913) erschien „Die Versuchung, ein Gespräch des Dichters mit dem Erzengel und Luzifer", ein aufschlußreiches Bekenntnis des Dichters. Es kam als Band 1 der Sammlung „Der jüngste Tag" heraus, die Werfel als Lektor Kurt Wolffs mit Hasenclever, Pinthus und andern redigierte. Bereits 1910 war „Der Besuch aus dem Elysium" geschrieben, 1912 in den „Herderblättern" von Werfels Freund Willy Haas veröffentlicht und im ersten Jahrgang der „Weißen Blätter" (1913) wieder gedruckt. Max Reinhardt hat dies „romantische Drama in einem Aufzug" 1918 in Berlin im Deutschen Theater uraufgeführt. In der „Versuchung", einem wortreichen und etwas peinlichen Stück, entdeckt sich der Dichter als den Ausnahmemenschen, für den die Gesetze der andern, auch die Moral, nicht gelten, „weil ich in Beziehung zu ganz anderen, höheren Gewalten stehe".

Die Wendung zum Drama

Der Dichter: Nur ich schöpfe von eurem Antlitz eine Grimasse ab und habe ein Stück flatternde Seele in der Hand. Ihr seid Handelnde, Mitwirkende dieses großen Balletts, — ich bin der ferne, der schmerzliche Outsider.

Der Erzengel: Nun hast du dich erkannt. Nun weißt du ganz, daß dein Reich von dieser Welt nicht von dieser Welt ist. Das ist, o Dichter, dein Geburtstag. Und in dieser Welt der Gesandte, der Mittler, der Verschmähte zu sein, ist dein Schicksal. Kein Gesetz, keine Moral gilt für dich, denn du bist der unsrigen, der unendlichen Geister einer.

„Die Troerinnen"

Werfels erstes Drama, „Die Troerinnen", wurde im Sommer 1913 als freie Bearbeitung des Euripideischen Textes geschrieben und hatte vor und nach dem Kriege Wirkung, weil die Frage nach dem Sinn eindeutig negativ beantwortet wurde, so daß das Subjekt die letzte Instanz wurde:

Die Welt, in die der Mensch hineingeboren wird, ist Unsinn. Trieb und Zufall lenken jede Bahn, und die Vernunft, der Menschheit furchtbare Auszeichnung, steht unerschüttert vor dem brutalen Schauspiele der Elemente. Und doch, dieser Verwirrung, dieser besessenen Vegetation gibt der Mensch erst den Sinn. Und dieser Sinn heißt: *Tugend*.

Die Tragödie ist „der große Schwurgerichtsprozeß des Notwendigen gegen das Zufällige". Der Mensch dieses Dramas ist Hekuba, die alles verloren hat, was Sinn hatte, der nackte Mensch, der trotzdem lebt und ein Bekenntnis zum *Leben* ablegt, und zwar „aus Trotz gegen die unmenschliche Schöpfung". Diesen Sinn drängt Werfel in ein knappes Gespräch:

Alte Dienerin: Was muß ich leiden? Ohne Schuld und rein.
Hekuba: Vernimm: Nie wird die Unschuld glücklich sein!
Alte Dienerin: Doch welche Strafe trifft die Missetat?
Hekuba: Die wandelt stolz in goldenem Ornat.
Alte Dienerin: So kennt nur Frevel Glück, und Güte Pein?
Hekuba: Und doch ist gut sein mehr als glücklich sein!

„Die Mittagsgöttin", „Bocksgesang"

Werfels Dramen waren mit dem Ideenkreis des „Gerichtstags" verbunden. Es sind Erlösungsdramen, wie das Zauberspiel „Die Mittagsgöttin" (1919). Hier wird der nach Geistigkeit verlangende Landstreicher Laurentin in der Liebe zu Mara, der Erde und Urmutter, wiedergeboren und ist, nachdem sie ein Kind bekommen hat, reif, Einsiedler und Erlöser zu werden. Diesem Drama, wie auch dem „Bocksgesang" (wörtliche Übersetzung des griechischen Wortes tragodia), liegt Werfels später herb geschmähte Sexualpolarität zugrunde, denn die Welt ohne Sinn kann mit den Phänomenen Mann und Frau, Mutterschaft und Vaterschaft, Kind und Liebe der Gatten nicht fertig werden. Die Antwort der „Mittagsgöttin" besteht in der Berührung des Geistes mit der Erde, des Mannes mit der Frau; „Mann ist Zeit", ruft Mara dem Geliebten zu. Sie ist Gegenwart, er ist Dauer; sie bleiben einander durch das Kind, den Träger des Geistes, in die Zukunft verbunden.

FRANZ WERFEL

„Spiegelmensch"

Aus der Unruhe des jüngeren Werfel, der sich bespiegelt und narzissische Schlüsse zieht, entstand als nächstes Drama „Spiegelmensch" (1920), typisch für den expressionistischen „Schrei" und Werfels Sprechlust. Das Drama wagt sich thematisch und sprachlich in die Nähe von Goethes „Faust", obgleich es ursprünglich, höchst theatralisch, Posse, Oper, Ballett und Allegorie zugleich sein wollte, ein Zauberspiegel in Nachbarschaft und Nachfolge Raimunds und Offenbachs, zugleich in Front zu Richard Wagner: hier beginnt der Weg zu Werfels „Verdi". Der Faust heißt Thamal. Auf der Flucht aus der Welt der falschen Werte gelangt er in das Kloster der nur Geistigen.

Er wird in einem magischen Moment *bewußt*, das bedeutet: sein Dualismus gewinnt Leben. Sein Spiegelbild, Spiegelmensch, den Thamal in einem Ausbruch von Selbsthaß erschießen wollte, springt befreit aus dem Spiegel.

Das ist sein Verführer, Mephisto, er lockt mit goethischen Tönen und wird mit jeder Untat seines Herrn größer. Thamal geht durch drei Welten, erst jenes Kloster des „Logos", dann durch die Lebenswelt des Eros (Vater, Freund, Frau, Kind, Priester und Volk sind, wie in der „Mittagsgöttin", die Stichworte) und endlich durch die Welt der Spiegelwerte, die Scheinwerte der Macht, des Erfolges und Ruhms, des Genusses, vor allem „der niedrigen ungefügen Sexualität". Thamal tötet seinen Vater, verläßt die Geliebte und gerät nach Cholshamba, ins Land der bösen und ekligen Schlangen. Thamal befreit das Volk und erliegt seiner Eitelkeit; er läßt sich vergöttern. Die Lage schlägt um: die alten Schlangen und die neuen Tiermasken, „die in jeder Revolution neuentstehenden Racheinstinkte gegen die Lebenswerte", überwältigen das Volk. Thamal sinkt in den Abgrund, Spiegelmensch, „das leidensunfähige Schein-Ich", wird frei und hat gesiegt. In der dritten Welt überfährt Spiegelmensch als Marquis mit seinem Schlitten den armen Flüchtling Thamal, wird Prinz und Herr und wirbt, als dickster und reichster Mann der Welt, den Galeerensklaven Thamal für eine Reise über See an. Da erkennt Thamal seine Schuld, und mit der Erkenntnis naht seine Erhöhung. Er verurteilt sich selbst zum Tode und erwacht in der Welt des Klosters, nachdem Spiegelmensch in den Spiegel zurückgesunken ist. Der Abt spricht das letzte Wort über den Sinn der Wandlung:

Erst mußt du in Sorgen, Umsichten und Pflichten
Die Seele auf selbstlose Ziele richten,
Dann magst du versuchen die felsigen Stufen
Der Liebe zu steigen, die her dich berufen,
Um endlich die letzte Vollendung zu finden
Im süßen Erlöschen und Ausdirverschwinden.

Außer Goethes „Faust" erkennt man unschwer Strindbergs „Nach Damaskus" als Modelle von Werfels „Spiegelmensch", auch Ibsens „Peer Gynt" spukt darin.

Holzschnitt von Ludwig von Hofmann zu Franz Werfel, Die Troerinnen

Literarische Bezüge des Dramas

Zeitloses Spiel in östlichem Kostüm wird mit Satire der jüngsten Zeit, wie später in „Barbara“, verbunden. Das Stück ist weder eine Trilogie, wie der Titel sagt, noch magisch. Die jedem Zeitgenossen damals verständliche Karikierung Sigmund Freuds und Karl Kraus' ist peinlich und komisch (wie auch die Antwort von Karl Kraus in seiner „Magischen Operette, Literatur oder Man wird doch da sehen"). Vermutlich schwebte Werfel bei dem Wort „magisch" eine Erinnerung an Novalis' magischen Idealismus vor. Die Verbindung von Erlösungsdrama und Zauberspiel, auch die Berufung auf die Wiener Posse, das Komödiantische des Theaters, deuten die Tendenz zum Opernhaften an; allerdings durfte keine priesterlich zelebrierte Wagnersche Oper daraus werden, sondern Burleske und Groteske; die „moussierende Theatergeste" müsse beteiligt sein, damit der Bühnenautor sich „ein Publikum erschaffen und unterhalten (ja, unterhalten!)" kann. Werfel wollte Wirkung. Aber er konnte sein Talent nicht so zügeln, daß ein Kunstwerk entstand.

Dramatisierte Typen

Das Trauerspiel „Schweiger" (1922) behandelt die Doppelexistenz eines scheinbar geheilten irrsinnigen Mörders, während Werfel in der dramatischen Historie „Juarez und Maximilian" (1924), in der Auseinandersetzung zwischen Kaiser Maximilian von Mexiko und seinem indianischen Gegenspieler einen Instinktmenschen gegen den zivilisatorischen Schwächling ausspielte. Ein ähnliches Schema kann man aus der dramatischen Legende „Paulus unter den Juden" (1926) herauslesen: die „produktive" liberale Religiosität der Judenchristen siegt über die konservativen Pharisäer und Hohenpriester. Paulus deutete die Religion Jesu „allmenschlich" und bahnte ihr dadurch den Weg über die Erde. Werfel wollte das Paulusthema weiterverfolgen. Er notierte als Titel „Paulus unter den Heiden" und „Paulus und Cäsar". Sein nächstes Drama war die Tragödie eines religiöspolitischen Führers in den Hussitenkriegen, „Das Reich Gottes in Böhmen" (1930), ein Bilderbogen im Stil von Goethes „Egmont". Die Problematik der Revolution wird deutlich:

Julian: Ich will wachen und beten ... Ich will mich unterreden mit Dir wegen dieses Volkes ... Ich liebe dieses herbe Volk ... Wegen seiner Empörung lieb ich es ... Denn diese Empörung, auch sie ist Sehnsucht nach Dir ...

Prokop: Reich Gottes auf Erden? Machen wirs uns klar, sagt Rokycana ... Warum? Damit es allen wohlergehe ... Warum solls dem Pack wohlergehn? ... Damit jeder zu fressen hat? ... Damit das Vieh ins Heiligste hereinreden darf? ... Damit der Tvaroch [soldatischer Emporkömmling] emporkommt ... He, was? ... Tvaroch, überall Tvaroch ... Alles für Tvaroch ... Tvaroch das Hochziel! ... Und darum ... Vielleicht hat Tvaroch recht ... Vielleicht ist Fressen und Stinken der Sinn des Weltalls ...

„Der Weg der Verheißung"

1934 begann Werfel den „Weg der Verheißung", eine Dramatisierung des Weges des israelitischen Volkes von Anbeginn bis zur Zerstörung des Tempels von Jerusalem; es ist keine Dichtung, sondern dienendes Werk, „um Gott durch sein eigenes Werk zu loben und vor der Welt den ewigen Plan darzustellen, der Israel auferlegt ist". Die biblischen Personen sprechen, zum großen Teil wörtlich, die Worte, die der heilige Text ihnen in den Mund legt. 1936 erschien das Ehedrama „In einer Nacht", das letzte Werk Werfels, das in Österreich erscheinen konnte. Als Flüchtling hatte er in Lourdes im Hotel von seinem Zimmernachbarn, Stephan S. Jakobowicz, die groteske Geschichte von der Flucht eines polnischen Juden durch Frankreich vor den besetzenden deutschen Truppen gehört. Daraus entstand 1941/42 die Komödie „Jacobowsky und der Oberst".

Während die andern Dramatiker jener Zeit sich schon früh mit Komödien vom Expressionismus abgewandt hatten, fand Werfel erst nach einem langen Umweg über jüdisch-christliche und politische Probleme zu innerer Freiheit. Dichterisch mag „Jacobowsky" nicht viel bedeuten, als Dokument der Werfelschen Entwicklung nimmt das Stück eine entscheidende Stelle ein. Es zeigt – wie die gleichzeitigen Romane vom „Veruntreuten Himmel", „Das Lied von Bernadette" und „Stern der Ungeborenen" – einen vom Pathos befreiten Autor. Die Sprache ist knapp, der Dialog witzig-ironisch, die Motive sind geistvoll. Die Menschen, der polnische Flüchtling und großsprecherische Oberst, die wie Don Quichote und Sancho Pansa im Juni 1940 durch Frankreich zur rettenden Küste reisen, sind voll und rund.

Entwürfe, „Stockleinen"

Aus dem Nachlaß sind weitere Werfelsche Dramenentwürfe und Fragmente bekanntgeworden, ein Estherdrama von 1914, Vorübungen zu „Spiegelmensch", eine Festkantate „Der Berg des Beginns" (gekürzt erschienen in der Werfel-Sondernummer der „Aktion" 1916) und „Stockleinen" (1917), das Schauspiel eines gehemmten Menschen – „diesen großen Traum von mir" nannte Werfel das Fragment später –, der „zerstören, zerstören" muß. Als Werfel das Stück später las, empfand er es als prophetische Vorwegnahme des Bolschewismus. Es endet mit einer Szene, in der die Menschen als Roboter an den Maschinen stehen:

Die beiden Chöre stehen straff an ihren Maschinen. Stockleinen setzt das Metronom in Bewegung. Der ganze Raum gerät in ein rhythmisches Stampfen und Zittern. Dieses Stampfen, eisern, hölzern, wie von Pauken und tonlosem Blech-Fauchen unterstützt, gemahnt an das Schmiede-Motiv aus Rheingold. Die Leute arbeiten in einem heftigen Gleichmaß der Bewegung.

Der Erzähler

Der junge Werfel war als Lyriker berühmt geworden, Rilke hatte in ihm den Vertreter der „nächsten Generation" gesehen; aber er wandte sich schon früh der Erzählung zu. Die Phantasie „Spielhof" (1920) zeigte in traumhaften Erinnerungsbildern, an Novalis angelehnt, noch einmal die Welt des Eros als Lebensmacht. Sie verkündet jene Zukunft, die im „Stern der Ungeborenen" zum alleinigen Thema werden sollte. Dann folgte eine Novelle, deren Titel das Programm bezeichnete: „Nicht der Mörder, der Ermordete ist schuldig" (1920). Im Kampf der Generationen, zwischen Vater und Sohn hat, getreu dem expressionistischen Modell, der Vater mehr Unrecht als sein Sohn. Die romanhaft ausgeweitete Fabel spielt im alten Österreich; der Sohn wird gezwungen, Soldat zu werden, und ringt sich gegen den militärischen Vater zur Freiheit durch. So wird der halbe Knabe im Geist zum Mörder des Vaters; frei geworden hätte er ihn beinahe getötet, wäre nicht sein künftiges Kind visionär vor ihm aufgestanden und damit die Erkenntnis, daß hinter aller Spannung der Generationen eine enttäuschte Liebe zum Vater stehe. Das Kind suchte Liebe, Güte und Geist; es fand Gewalt, Herrschaft und Unterdrückung. Dem Erwachsenen bleibt die Flucht aus dem hoffnungslosen Europa in eine neue Welt. Die Balladen und Gedichte des „Gerichtstag" (1919) sind hier erzählend aufgenommen. In dem „Band" der „magischen" Gedichte, „Beschwörungen", sollte der Heimweg sichtbar werden.

Verdi, Roman der Oper

Wie ist es möglich, daß Geschichte Geschichte bleibt und doch Dichtung wird? Im Vorbericht zu dem Problemroman „Verdi" (1924), dessen Idee den Dichter seit 1912 beschäftigt hatte, sagte Werfel: „Künstlerische Bedenken wirkten lähmend. Bedenken, die der historischen Erzählung im allgemeinen gelten. Sie spielt ja auf zwei Ebenen, auf der dichterischen und auf der geschichtlichen, in der erfabelten Welt und in der Welt erforschbarer Wirklichkeit. Dadurch schon kann

Ist die Seele denn nicht Eines,
Die sich dumpf in Körpern bricht,
Und aus Auge und Gesicht
Zuckt als Abschein ihres Scheines?
Nur die Leiber
Sind wie Scheiben
Mehr und minder dicht

Oh schweigendes Jauchzen!

(Aus „Beschwörungen")
Franz Werfel

Franz Werfel, Handschriftprobe

ein Mißklang entstehen." (Diese Mißklänge haben Werfels Romane als Kunstwerke zerstört, von „Barbara" bis zur „Bernadette" setzt sich der Autor mit seiner eigenen, der profanen und Heilsgeschichte auseinander; immer wird „die Geschichte" von der Historie, vom Dokument überwältigt. Am Ende stehen dann die „Theologumena", Betrachtungen unter eschatologischen Zeichen.) Das geschichtliche Thema wird im „Verdi" auf die Musik, die Kunst der Oper angewandt; Richard Wagner und Guiseppe Verdi sind die Helden. Der italienische Maestro leidet unter dem Ruhm des Deutschen, zugleich besitzt er die innere Gewißheit von der Ebenbürtigkeit des eigenen Werkes. Als er sich schließlich zu einem Besuch bei Wagner in Venedig durchringt, erfährt er, soeben sei der Meister gestorben. Norden und Süden, Jugend und Alter stehen gegeneinander. Matthias Fischböck, ein theoretisierender Deutscher, aber unfähig zur künstlerischen Produktion, verdammt Wagners psychologisierende Kunst:

Die luziferische Musik

Es kam der Humanismus und mit ihm das freche Ich, die eingebildete Person, die nichts anderes ist als nie zu befriedigende Genußsucht. Die entgötterten Stimmen stoben auseinander. Statt in der unendlichen übermenschlichen Ordnung zu kreisen, verkamen sie in zwei mageren Systemen: Melodie und Baß. Das heißt Melodie war ja gar keine Melodie, sondern ein leerer Reiz, ein Jodeln mit bequemen Intervallen in den für die Plebs angenehm festgehaltenen Tonarten und Geschlechtern. Der Satan fuhr in den Baß! Er hörte auf, wahre Stimme zu sein, und wurde Sitz des Tiers, des Geschlechtstriebs, des nackten Rhythmus, also des wahrhaft bösen Prinzips ... Gab es ein unreines vordringliches „Ich" bei Bach? Jetzt aber wird dem Pöbel in allen Konzertsälen der Welt billig Seele verkauft, die Seele des Herrn Liszt zum Beispiel.

Was Fischböck mit deutscher Abstraktion aussprach, ist auch die Meinung des Maestro Verdi, wie ihn Werfel deutet; die Dämonisierung der Musik als einer Kunst, in die der deutsche Satan gefahren ist, nimmt zu großen Teilen das Motiv Zeitbloems aus Thomas Manns „Doktor Faustus" vorweg. Der Vater dieser Ideen ist Friedrich Nietzsche, den Wagner berauscht hatte, bis er zu seinem Gegner wurde. Der gleiche Wagner hatte Thomas Mann fasziniert – aber auch Adolf Hitler, was Th. Mann später zu seiner nachdenklichen Studie über „Bruder Hitler" angeregt hat.

„Der Abituriententag"

Franz Werfel fühlte, daß Verdi und Wagner zwei verschiedene Möglichkeiten der europäischen Kunst darstellten. Er selbst war schon auf einem Wege, der von der „Kunst" wegführte. Sein nächster Roman „Abituriententag" (1928) deutete das Thema schon im Untertitel an: „Geschichte einer Jugendschuld." Eine Abiturientenklasse trifft sich nach fünfundzwanzig Jahren, und die bürgerlich-behäbigen Verhältnisse der meisten Herren stehen in Gegensatz zum Schicksal eines Unglücklichen. Auch hier klingt das Thema von „Nicht der Mörder, der Ermordete ist schuldig" nach – und das vom sterbenden armseligen Fischböck, der immer ein Kind geblieben ist. Der reine, uneitle Mensch, der seine Kindlichkeit als himmlische Anlage bewahrt, wird Werfels neues Thema.

„Barbara oder die Frömmigkeit"

In den Jahren 1928/29 schrieb Werfel den Roman „Barbara oder die Frömmigkeit", ein Werk von achthundert Seiten, das sich in vier „Lebensfragmente" teilt. Es ist die Geschichte eines Mannes, dessen Leben im Schema des Entwicklungsromans abläuft. Ferdinand ist Sohn einer Offiziers- und Beamtenfamilie des alten Österreich. Nachdem die Eltern im Stil des endenden neunzehnten Jahrhunderts auseinandergegangen sind, hat er niemand auf der Welt als Barbara, seine Kinderfrau, die ihm bis in die Mannesjahre die Treue hält. In Schule, Kadettenanstalt und Priesterseminar erleidet er Schiffbruch. Ein Freund aus reichem Hause läßt ihn studieren, aber dann bricht der Weltkrieg aus, und der Sohn des Obersten und ehemalige Kadett bewährt sich vor dem russischen Feinde. Aber er geht nicht in dieser Welt auf. Der Ekel ergreift ihn, und als er unter verdächtigen Umständen verurteilte Deserteure exekutieren soll, läßt er sie laufen. Durch glückliche Umstände entgeht er der Kriegsjustiz und findet in der Bohème Wiens Unterschlupf, wo man für Lebensreform schwärmt, Zeitschriften gründet, die Revolution erwartet und teils bei Maisbrot und Kaffee-Ersatz, teils bei Forellen und Champagner an der Realität vorbeilebt. Der „hussitische Haß" der politischen Bohème wird ebenso grotesk geschildert wie das Milieu der jüdischen Kriegsgewinnler und Intellektuellen. Einer der Literaten vertritt „den weltbewegenden Gedanken, die katholische Kirche müsse die Barrikaden der [Welt-]Revolution besteigen". Werfel schildert in diesen Kapiteln offenbar das Treiben der politischen und literarischen Abenteurer des revolutionären Wien. Großangelegte Naturen machen sich zum Werkzeug des Untergangs der Monarchie und spielen in der roten Revolution eine Rolle, aber nur für kurze Zeit; es zeigt sich, daß sie rasch von einem russischen Praktiker überspielt werden. In den Schlußkapiteln ist Ferdinand junger Arzt und besucht noch einmal die inzwischen fünfundsiebzig Jahre alte Barbara. Sie gibt ihm einen Beutel mit Gold, das sie ihr Leben lang für ihn gespart hat, Gold als Sinnbild der reinen Substanz, Inkarnation der Idee Alt-Österreichs, in dem sich Werfel-Ferdinand nie heimisch gefühlt hatte; auf der andern Seite ist Barbara „auserwählt worden, ihre Erdenmühe in ewige, zeitüberdauernde Valuta verwandeln zu dürfen". Barbara und ihr Lebenslohn sind Gold, unberührt „von der großen höhnischen Entwertung der Gegenwart".

Spiegelbild der Bohème

Der Roman enthält das Schema der Werfelschen Entwicklung vom enttäuschten Revolutionär zum heimatlosen Konservativen, vom Nihilismus der Intellektuellen zum Katholizismus; es ist der Rückweg des verlorenen Sohnes in das jetzt als herrlich begriffene Vaterhaus. Der Roman ist im Konversationsstil geschrieben. Werfel dichtete nicht aus der Sprache, sondern mit der Sprache, wie Karl Kraus unterschied.

Von der Anarchie zur Tradition

Im Verdi-Roman war Werfels Wende zur Tradition noch eingehüllt in seine Anschauung, die eigentliche und „reinere" Sage vom Menschen müsse aus dem vielfältigen „Material" des Lebens gewonnen werden. Im „Abituriententag" war die dichterische hinter der moralischen Lehre versteckt. In „Barbara" war Werfel am Thema der eigenen Biographie klargeworden, daß der Weg seiner Jugend und damit auch seiner Generation ein Irrweg gewesen war. Mochten seine Freunde vom literarischen Verrat sprechen, mochten sie in seiner Wendung zum Problemroman ein Versagen der dichterischen Anlage sehen, Werfel hatte erkannt, daß der „naturalistische Nihilismus" seiner Jugend einer Korrektur bedürfe.

„Die Geschwister von Neapel"

In den „Geschwistern von Neapel" (1931) scheint diese Wendung vollzogen zu sein. Es ist die Geschichte eines Mannes mit sechs Kindern, eines liebenswürdigen patriarchalischen Tyrannen, der zugrunde geht, als er sieht, daß die Kinder in einer verwandelten Zeit ihren eigenen Weg gehen müssen. Ihm wird sittlich und politisch, geschäftlich und familiär bös mitgespielt. Der italienische Faschismus ist nur *ein* Zeichen dafür, daß sich die Welt durch Einengung der privaten Sphäre verschlechtert hat. Einer der Söhne liebäugelt mit dem Klosterleben: auch das paßt dem liberalen Alten nicht. Und nochmals findet Werfel das Bild einer Welt, der er bereits entwachsen ist: „Gott läßt den Menschen im Schmerz und in der Not nicht zu sich kommen. Alle Tätigkeit ist von der Schöpfung als Narkotikum gedacht, womit sie das welteingeborene Leiden der Kreatur betäuben will. Im zertretenen Termitenhaufen wimmelt es am emsigsten." Solche Maximen ließen sich auch bei Stehr, Strauß, Frenssen und dem jungen Döblin finden. Der Gehalt des kolportagehaft zugeschnittenen Romans liegt woanders, das Ziel kann von Werfel, wie in „Barbara", nur negativ gezeigt werden: die überlieferte religiöse Welt ist zerbrochen, die früher proklamierte Welt des Neuen erweist sich als

Franz Werfel, Zeichnung von L. Meidner

Irrtum; dahinter wird eine Wendung zum Christlichen sichtbar, die Werfels erster Roman „Die vierzig Tage des Musa Dagh“ (1933) bezeugt. Das ist die romanhaft erzählte Geschichte der Ausrottung und Vernichtung der christlichen Armenier in der Türkei während des ersten Weltkrieges. Eine Gruppe der Verfolgten kann sich auf dem Musa Dagh in einer befestigten Stellung so lange halten, bis ein französisches Geschwader sie errettet. Der Machtanspruch des atheistischen modernen Staates wird von dem jungtürkischen General Enver repräsentiert. Während die Muselmanen den Verfolgten beistehen, ist die anonyme, militärisch gerüstete Bürokratie des Staates darauf bedacht, den wirklichen und potentiellen Gegner unbarmherzig zu vernichten. Dazu werden alle Mittel der Lüge und des Hinterhalts benützt. Werfel hat ein Ereignis unserer Zeit dargestellt, als ob er geahnt habe, daß wenige Jahre darauf sein eigenes Volk ein noch grausameres Schicksal erleiden sollte. Dieses Erlebnis steht hinter seinem Jeremias-Roman „Höret die Stimme“ (1937). So wie dem Barbara-Roman das Drama „Paulus unter den Juden“ entspricht, gehört zum Jeremias-Roman die Dramatisierung des israelitischen Leidensweges in dem jüdischen Passionsspiel „Der Weg der Verheißung“, und die Komödie um Jacobowsky ist eine amüsante Spiegelung gewisser Partien des Romans „Der veruntreute Himmel“ (1940).

„Der veruntreute Himmel“

In mancher Hinsicht ist die Erzählung von der Dienstmagd Teta Linek, die sich den Himmel verdienen will, indem sie einen Neffen Theologie studieren läßt, Werfels reifstes Spätwerk geworden. In der Magd erkennt man den Typus der durch alle Gefahren der Zeit gläubig gebliebenen Barbara wieder. Teta entdeckt freilich, als sie sich im Alter in der Pfarre des Neffen zur Ruhe setzen will, daß der ein Schwindler war und das immer wieder ergaunerte Geld verjuxt hat. Sie unternimmt eine Wallfahrt nach Rom, und da die alte Frau in der Papstaudienz vom Schlag gerührt wird, erregt sie die Aufmerksamkeit des Heiligen Vaters. Während in ihren Fieberphantasien der Betrüger und ein Kaplan um sie ringen, stirbt sie; dieses Bild gehört zu den großen Eingebungen der Werfelschen Kunst, wobei der theoretische Schluß die dichterische Illusion wieder aufhebt. Teta hat das Sakrament der Wegzehrung empfangen, und dann schildert der Dichter ihren Tod in einem unepischen Präsens:

Er aber, der nicht nur ein Leiden ist, sondern ein Tun, beginnt erst gegen zehn Uhr nachts. Teta, die Magd, muß erst in gewohnter Bescheidenheit die letzte Schwäche ihres Herzens herandulden. Wie die Geburt ein schmerzhaftes Geheimnis zwischen Mutter und Kind, so ist das Sterben ein schmerzhaftes Geheimnis zwischen Schöpfer und Geschöpf. Es ist dafür gesorgt, daß wir jenes vergessen müssen und dieses nicht mehr verraten dürfen. Ehe aber die unverratbare Mühsal des Todes anhob, geschah mit Teta etwas, das sich noch zur Not berichten läßt. Es war eine sehr freundliche Verwandlung des eigenen Körpergefühls. Sie meinte, nicht mehr rundlich zu sein und untersetzt und alt. Vor allem, dies Altsein, diese Runzeln, diese Hängebacken, diese Augensäcke entpuppten sich als eine Art Verzeichnung, die sich auf einmal rasch und wie von selbst berichtigte. Teta hatte das klare Bewußtsein, daß ihr ein dichter Schwall kastanienbraunen Jugendhaares, lose aufgesteckt, in den schmalen Nacken hing. Und da war es Donnerstag, und sie fuhr nach Hause. Sie fuhr nicht allein. Ihr Begleiter war bei ihr. Obs der Herr Kaplan war, das wußte sie nicht. Kann sein, er wars. Kann sein, er wars nicht. Der Einzig-Richtige war er auf jeden Fall. Wie glatt und kühl fühlte sich ihr Gesicht an. Nur das schöne Haar wurde immer schwerer. „Also, mit Erlaubnis, das bin ich?“ fragte sich Teta verwundert.

„Das Lied von Bernadette“

Aufgrund eines Gelübdes schrieb Werfel den Roman „Das Lied von Bernadette“ (1942), die Geschichte jener Bernadette Soubirous, der die Muttergottes in der Grotte von Lourdes erschienen war. Auch dieser Roman war eine Auseinandersetzung des Glaubens mit dem Unglauben, der „nihilistischen“ Zeit und ihres wissenschaftlichen Aberglaubens mit einer älteren, tieferen und wahreren Substanz des Seins. Paul Stöcklein hat in einer Untersuchung gezeigt, daß in Werfel zwei Personen miteinander im Kampf lagen, das aus barocken Traditionen Alt-Österreichs genährte und dichtende „Genie“ und der ehrgeizige, gewandte, alles könnende Literat. Aus diesen Quellen kam das schriftstellerische Werk Werfels mit seinen Widersprüchen, die sich bis in die Sprache und den Stil feststellen lassen: „Ein aus dem ‚übervollen Herzen‘ Begonnenes, mitunter genial Begonnenes wird, bei bald erkaltender Intuition, geschickt zu Ende gedichtet, eigentlich: zu Ende gefälscht. Und dies geschieht, ohne daß der Dichter es merkt . . . er glaubt sich noch aus der schöpferischen Quelle gespeist, so, wie wenn ein berauschter Bacchant eine Musik noch zu hören glaubt, die schon verstummt ist.“ Das galt für den Schluß des „veruntreuten Himmels“ und gilt für die Heiligsprechungsszene am Schluß der „Bernadette“. So war schon das letzte Drittel der „Geschwister von Neapel“ zu einer Posse geworden, und der letzte Roman, „Stern der Ungeborenen“, 1943–45 geschrieben, zwei Tage vor dem Tode abgeschlossen, ist ungleich komponiert, im Stil unerträglich lässig und bequem. Alma Mahler-Werfel, die Witwe, welche 1960 durch eine teils verschweigende, teils peinlich enthüllende Autobiographie Aufsehen erregte, hat dem Roman die letzte Form zu geben versucht.

Widersprüche im Wesen und Stil

„Stern der Ungeborenen“

Werfel schildert im „Stern der Ungeborenen“ Menschen, die er im Jahre hunderttausend in Kalifornien ansiedelt. Die Erde hat große Katastrophen hinter sich, Fauna und Flora sind verarmt. Die Menschen des „astromentalen“ Zeitalters sind technisch perfekt und können sich kosmischer Kräfte bedienen: Wie in den alten Märchen genügt der Wunsch, um ein Ziel zu erreichen. Die Überentwicklung der Verstandeskräfte wird freilich mit dem Verlust der Instinkte bezahlt. Rassisch, sprachlich und kulturell ist die Menschheit von grauer Einförmigkeit. Aus der „Urzeit“ haben sich nur Judentum und Katholizismus erhalten. Aber auch diese Welt hat ihre Sorgen; sie ist bedroht aus einem „Dschungel“ genannten Reservat, in dem ähnlich wie in der Campagna der „Marmorklippen“ von Ernst Jünger Menschen leben, die der Superzivilisation den Rücken gekehrt haben. Hier wird gesungen, getrunken, derb gegessen und geliebt. Hier gibt sich der Mensch den

Franz Werfel, Büste von Anna Mahler

Trieben und der Natur hin, während man sich drüben im Schema strenger Konvention einer zwar bequemen, aber leeren Lebensweise anpaßt. Werfel hat seinen kosmischen Reiseroman mit wahrhaft barocken wissenschaftlichen und theologischen Spekulationen und Erfindungen gefüllt. Jüdische, christliche, biblische und wissenschaftliche Symbole kehren immer wieder, so das naturalistische und expressionistische Licht- und Sonnenmotiv oder das biblisch-sakramentale von Brot und Wein. Die tiefste Schicht des Werkes bilden theologische Sätze aus dem Umkreis der „Theologumena“: Handlung und Figuren dienen der Illustration von Werfels Metaphysik. Die Rettung aus den lügenhaften Todeskammern, in denen Menschen des Jahres hunderttausend die Realität des Todes erspart werden soll, bringen die „Brüder vom kindhaften Leben“. Der Roman entwirft einen Idealkatholizismus, der in Werfels Gedanken vom wahren Paradies – dem Gegensatz des zivilisatorischen – gipfelt. Anfangs spürt man noch das fabulierende Temperament des Dichters, doch die Verschwörung aus dem „Dschungel“ und der Untergang dieser Welt werden überwuchert von Ideen, denen nur selten dichterisches Gewand geliehen wird.

Gedichtete Theologie

Aufsätze und Theologumena

Im Jahre 1946 erschien eine Aufsatzsammlung Werfels mit dem Titel „Zwischen oben und unten“. Sie enthielt im ersten Teil „vier Dokumente eines langen Kampfes“, Aufsätze über religiöse Fragen, die langsam hinführen zu dem entscheidenden zweiten Teil, den „Theologumena“ des Autors. Das sind, nach dem Muster von Pascals „Gedanken“, Überlegungen, Betrachtungen und Notizen zu theologischen Fragen, besonders zur Beziehung von Judentum und Christentum und zur metaphysischen Beziehungslosigkeit des gegenwärtigen Menschen. Die einleitenden Sätze sagen, um was es Werfel ging, daß diese Niederschriften das letzte Stadium eines immer deutlicher gewordenen Weges bezeichneten:

> Der Kampf galt und gilt einer bestimmten allmächtigen und allbeherrschenden Geistesverfassung, die auf diesen Seiten verschiedene Namen führt, unter welchen „naturalistischer Nihilismus“ der klarste und zutreffendste sein dürfte. Ich, der Verfasser dieser Kampfschriften, bin nicht etwa fern von der Geistesverfassung des naturalistischen

Nihilismus geboren worden, sondern gleichsam in ihrem Schoß. Als Sohn des europäischen liberalen Bürgertums wuchs ich auf und wurde erzogen im Geiste der humanitären Autonomie und Fortschrittsgewißheit, im naiven Ammenglauben an Weltverbesserung durch Wissenschaft, in tief skeptischer Abgekehrtheit von metaphysischem, religiösem oder gar mystischem Denken und Fühlen und in der verhängnisvollsten Verwechslung von Freiheit mit moralischer Anarchie. Wenn ich mich bereits in jugendlichem Alter losreißen durfte von diesem mentalen Dunstkreis, der mich umgab und nährte, so verdanke ich es, nach Gott, vor allem meiner Liebe und meinem Hange zur Dichtkunst, der sich von Anbeginn an gegen die leere Seichtigkeit der materialistisch-realistischen Weltdeutung empörte.

Werfels Weg als Symbol

Inhalt und Gehalt der Theologumena sind mehr als eine Konfession des Autors gegen die Irrtümer seiner Jugend. Sie stehen stellvertretend für einen großen Teil der Generation; allein von den jüdischen Autoren der Epoche sind Alfred Döblin, Joseph Roth, Alfred Mombert, Karl Wolfskehl, Max Brod, Franz Kafka (in „Amerika") und Georg Kaiser (in den „Griechischen Dramen") den langen Weg von einem „naturalistischen Nihilismus" zu einer metaphysischen, jüdischen oder christlichen, Bindung gegangen.

Franz Kafka

Wirkungsgeschichte

Kafkas Ruhm ging von den unermüdlichen Bemühungen seines Freundes Max Brod aus. Dieser hat die Romane aus dem Nachlaß herausgegeben, eine Fülle von Geschichten, Betrachtungen, Maximen, Tagebüchern und Briefen ediert, mehrere Bücher über Kafka geschrieben und das Urteil über den Dichter maßgeblich mitbestimmt. Bei der Vieldeutigkeit des Kafkaschen Werkes waren viele Auffassungen und Lösungen möglich; die von Max Brod hat jeweils die größte Autorität in allen Fragen der Biographie und in vielen Fragen der Auslegung. Zu Lebzeiten veröffentlichte Kafka die Erzählungen des Bändchens „Betrachtung" (1913), die Erzählung „Das Urteil", 1913 in der „Arkadia", und den ersten Teil des Romans „Amerika" als „Der Heizer", 1913 bei Kurt Wolff. 1915 erschienen „Die Verwandlung" in Schickeles „Weißen Blättern", 1919 die kleinen Erzählungen des Bändchens „Der Landarzt" und die Geschichte „In der Strafkolonie". Im Todesjahr 1924 kamen die Erzählungen des Bändchens „Der Hungerkünstler" heraus; hier stand z. B. „Josefine die Sängerin". Die Wirkung dieser Erzählungen war groß, sie verschafften Kafka hohes literarisches Ansehen. Schon 1915 erhielt er den Fontanepreis.

Die Kafkamoden

Gleich nach Kafkas Tod setzte sich Brod mit triftigen Gründen über das Testament des Freundes, das die Vernichtung des Nachlasses verfügt hatte, hinweg; er veröffentlichte die Romane „Der Prozeß", „Das Schloß" und „Amerika". Nun erkannte man das Ausmaß von Kafkas Bedeutung. 1931 erschienen unter dem Titel „Beim Bau der chinesischen Mauer" eine Anzahl der schönsten Parabeln aus dem Umkreis der Titelgeschichte, „Der Jäger Gracchus", „Der Riesenmaulwurf", die „Forschungen eines Hundes" (von Cervantes angeregt, Kafkas letzte große Arbeit) sowie die Aufzeichnungen „Er" von 1920 und „Betrachtungen über Sünde, Leid, Hoffnung und den wahren Weg" (1917–19). 1935 begannen die gesammelten Schriften im damals noch Berliner, später New Yorker Schocken-Verlag zu erscheinen, die im Lauf der Jahre auf acht Bände kamen. Gleich nach dem zweiten

Weltkrieg begann Kafkas literarischer Siegeszug durch die angelsächsische und französische Welt. Eine unübersehbare Flut von Aufsätzen und Büchern über Kafka erschien und verursachte eine manchmal ungesunde Überschätzung des dichterischen und religiösen Phänomens. Kafka wurde zum Kronzeugen von Dingen gemacht, die ihn kaum berührt hatten, vom Nihilismus bis zum Präfaschismus, vom Zionismus bis zur Psychoanalyse, vom Expressionismus bis zur östlichen Mythologie und zum Vegetarismus.

Das deutsche Prag

Kafka ist 1883 in Prag als Sohn einer Kaufmannsfamilie geboren, es war ein Prag der „böhmischen Gespenster" und Kobolde. Davon haben Meyrink, Brod, Adler, Rilke, Werfel und Ernst Weiß auf ihre Weise gezeugt. Ähnlich wie Musil und Trakl empfand Kafka die geistige, politische und geschäftliche Stimmung des Niedergangs, einer bevorstehenden Änderung der Verhältnisse. Das Deutsch der Prager Oberschicht lebte nicht aus einem volkstümlichen Reservoir, es hatte einen inselhaften und literarischen Charakter, man fühlte sich in einer Provinz, die eigentlich schon verloren war. Die deutschen Prager Autoren hatten ein parasitäres Gefühl von Minderwertigkeit, das für Kafka noch dadurch verstärkt wurde, daß seine religiöse Veranlagung in der Sphäre des jüdischen Elternhauses ohne Nahrung blieb. Als 1910 eine Schauspieltruppe aus Polen mit jiddischen Stücken in Prag gastierte, suchte er dort Anschluß, aber die Schauspieler, die in einer religiös und künstlerisch gebundenen Welt lebten, betrachteten den jungen Kafka als Außenseiter. Auch die barocke Volksfrömmigkeit Prags zog Kafka an, aber das Tschechische wie das Christliche bildeten natürliche Schranken.

Leben und Krankheit

Kafka studierte seit 1901 in Prag, vorübergehend auch in München, schloß das Studium 1906 mit dem Doctor juris ab, trat als Angestellter in eine Versicherungsgesellschaft ein und begann zu schreiben („Beschreibung eines Kampfes" und „Hochzeitsvorbereitungen auf dem Lande"). 1908 trat er in die Arbeiterunfallversicherungsanstalt über. Die drei Romane, zuerst „Amerika", wurden vor Beginn des Krieges entworfen. Während des Krieges stellte sich eine schwere Tuberkulose heraus, und in den nächsten Jahren unterzog sich Kafka, um gesund zu werden, mehreren Behandlungsmethoden; er war in den Karpathen, der Schweiz, Südtirol, lebte aber meistens in Prag, bis es ihm 1923 gelang, als freier Schriftsteller nach Berlin zu gehen. Doch schon im folgenden Jahre mußte er nach Wien in ein Sanatorium übersiedeln und ist im Juni 1924 gestorben.

„Die Verwandlung" als Groteske

Auf den ersten Blick erscheinen Kafkas Erzählungen als Grotesken. Wenn Gregor Samsa, ein Geschäftsreisender, eines Morgens im Bett liegend bemerkt, daß er ein großer Käfer ist, so wird die Wirklichkeit dieser „Verwandlung" von Kafka gar nicht diskutiert. Samsa nimmt das Faktum hin und lebt wie ein Käfer bis an sein Ende. Die Umwelt wundert sich, entsetzt sich und läßt das Tier schließlich zugrunde gehen: aber das eigentlich Grauenerregende, die Verwandlung, wird als Tatsache hingenommen. Kafkas Groteske will nicht den Effekt des Lustigen oder Tragischen, sondern etwas Verschlüsseltes darstellen. Ob man unter Gregor Samsa den Künstler sehen will, dem die Umwelt fremd und feindlich gegenübersteht, oder den Juden, der von der Gesellschaft abgelehnt wird, ist nicht entscheidend. Kafka dachte nicht an eine „Bedeutung", sondern stand unter dem Zwang von Träumen und Gesichten. Die Tagebücher berichten ständig davon.

Das groteske – oder surrealistische – Motiv verband Kafka mit Künstlern wie Mynona, Morgenstern und dem befreundeten Zeichner Kubin; auch zählte man den jungen Kafka zu den Expressionisten. Es ist jedoch bezeichnend, daß Kafka seine absurden Geschichten in einer schlichten, an den Klassikern geschulten Prosa schrieb; der Kleist der Anekdoten und Grillparzer als Erzähler des „Armen Spielmann" waren seine Vorbilder. Friedlaender-Mynona benützte als Gefäß die literarische Groteske, in die er seine Gedanken kleidete. Er blieb Denker und wurde nie ein Dichter. Kafka jedoch erzählt, schildert, stellt Gegenständliches dar und löst das Denken des Lesers erst aus. Er redet immer vom Irdischen, aber ein Himmlisches wird aufgetan. Er fordert nichts, aber man muß sich wandeln; er redet ruhig, aber im Leser entfesselt er elementare Bewegung. Er überwältigt uns mit einer mystischen Trauer, der elegischen Stimmung der großen Poesie. Seine Welt hat einen doppelten Boden, und die Dinge haben mehrfache Aspekte. Im „Landarzt" findet sich ein Medaillon, das Kafkas Bildersprache sehr schön zeigt: FRANZ KAFKA

„Auf der Galerie"

Wenn irgendeine hinfällige, lungensüchtige Kunstreiterin in der Manege auf schwankendem Pferd vor einem unermüdlichen Publikum vom peitschenschwingenden erbarmungslosen Chef monatelang ohne Unterbrechung im Kreise rundum getrieben würde, auf dem Pferde schwirrend, Küsse werfend, in der Taille sich wiegend, und wenn dieses Spiel unter dem nichtaussetzenden Brausen des Orchesters und der Ventilatoren in die immerfort weiter sich öffnende graue Zukunft sich fortsetzte, begleitet vom vergehenden und neu anschwellenden Beifallsklatschen der Hände, die eigentlich Dampfhämmer sind — vielleicht eilte dann ein junger Galeriebesucher die lange Treppe durch alle Ränge hinab, stürzte in die Manege, rief das: Halt! durch die Fanfaren des immer sich anpassenden Orchesters. Da es aber nicht so ist; eine schöne Dame, weiß und rot, hereinfliegt, zwischen den Vorhängen, welche die stolzen Livrierten vor ihr öffnen; der Direktor, hingebungsvoll ihre Augen suchend, in Tierhaltung ihr entgegenatmet; vorsorglich sie auf den Apfelschimmel hebt, als wäre sie seine über alles geliebte Enkelin, die sich auf gefährliche Fahrt begibt; sich nicht entschließen kann, das Peitschenzeichen zu geben; schließlich in Selbstüberwindung es knallend gibt; neben dem Pferde mit offenem Munde einherläuft; die Sprünge der Reiterin scharfen Blickes verfolgt; ihre Kunstfertigkeit kaum begreifen kann; mit englischen Ausrufen zu warnen versucht; die reifenhal-

Franz Kafka, Kinderbildnis

FRANZ KAFKA

tenden Reitknechte wütend zu peinlichster Achtsamkeit ermahnt; vor dem großen Saltomortale das Orchester mit aufgehobenen Händen beschwört, es möge schweigen; schließlich die Kleine vom zitternden Pferde hebt, auf beide Backen küßt und keine Huldigung des Publikums für genügend erachtet; während sie selbst, von ihm gestützt, hoch auf den Fußspitzen, vom Staub umweht, mit ausgebreiteten Armen, zurückgelehntem Köpfchen ihr Glück mit dem ganzen Zirkus teilen will — da dies so ist, legt der Galeriebesucher das Gesicht auf die Brüstung und, im Schlußmarsch wie in einem schweren Traum versinkend, weint er, ohne es zu wissen.

Syntax des Unwirklichen

Unersättlich scheint der Wennsatz zu sein, unendlich durchgehalten der Konjunktiv, und im zweiten Teil läßt beschreibende Genauigkeit den Erzähler überhaupt nicht mehr zur Ruhe kommen; er gibt sich wie getrieben von einer Logik, die nur noch im Gegenstand der Szene begründet scheint. Noch verwirrender ist die konjunktivische kleine Geschichte „Die Sorge des Hausvaters“ aus der gleichen Novellensammlung:

„Die Sorge des Hausvaters“

Die einen sagen, das Wort Odradek stamme aus dem Slawischen und sie suchen auf Grund dessen die Bildung des Wortes nachzuweisen. Andere wieder meinen, es stamme aus dem Deutschen, vom Slawischen sei es nur beeinflußt. Die Unsicherheit beider Deutungen aber läßt wohl mit Recht darauf schließen, daß keine zutrifft, zumal man auch mit keiner von ihnen einen Sinn des Wortes finden kann.

Natürlich würde sich niemand mit solchen Studien beschäftigen, wenn es nicht wirklich ein Wesen gäbe, das Odradek heißt. Es sieht zunächst aus wie eine flache sternartige Zwirnspule, und tatsächlich scheint es auch mit Zwirn bezogen; allerdings dürften es nur abgerissene, alte, aneinandergeknotete, aber auch ineinanderverfitzte Zwirnstücke von verschiedener Art und Farbe sein. Es ist aber nicht nur eine Spule, sondern aus der Mitte des Sternes kommt ein kleines Querstäbchen hervor und an dieses Stäbchen fügt sich dann im rechten Winkel noch eines. Mit Hilfe dieses letzteren Stäbchens auf der einen Seite kann das Ganze wie auf zwei Beinen aufrecht stehen.

Man wäre versucht zu glauben, dieses Gebilde hätte früher irgendeine zweckmäßige Form gehabt und jetzt sei es nur zerbrochen. Dies scheint aber nicht der Fall zu sein; wenigstens findet sich kein Anzeichen dafür; nirgends sind Ansätze oder Bruchstellen zu sehen, die auf etwas Derartiges hinweisen würden; das Ganze erscheint zwar sinnlos, aber in seiner Art abgeschlossen. Näheres läßt sich übrigens nicht darüber sagen, da Odradek außerordentlich beweglich und nicht zu fangen ist. Er hält sich abwechselnd auf dem Dachboden, im Treppenhaus, auf den Gängen, im Flur auf. Manchmal ist er monatelang nicht zu sehen; da ist er wohl in andere Häuser übersiedelt; doch kehrt er dann unweigerlich wieder in unser Haus zurück. Manchmal, wenn man aus der Tür tritt und er lehnt gerade unten am Treppengeländer, hat man Lust, ihn anzusprechen. Natürlich stellt man an ihn keine schwierigen Fragen, sondern behandelt ihn — schon seine Winzigkeit verführt dazu — wie ein Kind. „Wie heißt du denn?“ fragte man ihn. „Odradek“, sagt er. „Und wo wohnst du?“ „Unbestimmter Wohnsitz,“ sagt er und lacht; es ist aber nur ein Lachen, wie man es ohne Lungen hervorbringen kann. Es klingt etwa so, wie das Rascheln in gefallenen Blättern. Damit ist die Unterhaltung meist zu Ende. Übrigens sind selbst diese Antworten nicht immer zu erhalten; oft ist er lange stumm, wie das Holz, das er zu sein scheint.

Vergeblich frage ich mich, was mit ihm geschehen wird. Kann er denn sterben? Alles, was stirbt, hat vorher eine Art Ziel, eine Art Tätigkeit gehabt und daran hat es sich zerrieben; das trifft bei Odradek nicht zu. Sollte er also einstmals etwa noch vor den Füßen meiner Kinder und Kindeskinder mit nachschleifendem Zwirnsfaden die Treppe hinunterkollern? Er schadet ja offenbar niemandem; aber die Vorstellung, daß er mich auch noch überleben sollte, ist mir eine fast schmerzliche.

Hier ist die Verschlüsselung so weit getrieben, daß eine Deutung immer vag bleiben muß. Etwas anderes ist die Genauigkeit der Beschreibung. Ein „unsinniges" Ding wird so exakt beschrieben, als handele es sich um ein allgemein bekanntes Wesen. Das ist einer von Kafkas stilistischen Kunstgriffen. Natürlich ist es eine Scheingenauigkeit, denn auch die grammatisch präzise Beschreibung verbirgt Odradek mehr, als sie ihn kenntlich macht. Das kenntlich gemachte Unfaßbare bezieht sich bei Kafka auf die religiöse Wirklichkeit, die „es gibt", ohne daß sie dem modernen Ungläubigen realisierbar erscheint. Jenes Credo quia absurdum ist von Kafka nicht mehr zu vollziehen; früh stieß Kafka auf Pascal, später auf Kierkegaard, die sich bemühten, den Glauben aus der Verzweiflung zu retten. Odradek ist ein erfundenes Sinnbild der Sinnlosigkeit.

FRANZ KAFKA

DIE VERWANDLUNG

DER JÜNGSTE TAG • 22/23

KURT WOLFF VERLAG • LEIPZIG

1 9 1 6

Umschlag von Ottomar Starke

Selbstbespiegelung in den Tagebüchern

Kafkas Tagebücher und Briefe zeigen einen sehr vielseitig interessierten, aber im Grunde einsamen und oft an sich und am Leben verzweifelten Menschen. Man kann einige Hauptmotive erkennen: die Suche nach einer neuen Lebensform, Mangelgefühle gegenüber den Frauen, überhaupt eine gewisse Infantilität, das Staunen darüber, wie die eigenen Dichtungen aufgenommen werden, denn Kafka war sich seiner dichterischen Potenz nur zu einem geringen Teil bewußt. In der Erzählung „Das Urteil" (1916) verurteilt ein Vater seinen Sohn, der sich unschuldig fühlt, zum Tode des Ertrinkens, und der Sohn stürzt sich in einen Fluß. Hier kreuzen sich Kafkasche Motive wie Lebensangst, sexuelle Minderwertigkeit, die Angst vor dem überlegenen Vater, die Mißachtung des Künstlers durch die Gesellschaft, die Außenseiterstellung des Juden, die Grausamkeit des Weltapparates und andere. Kafka selbst sagte, die Erzählung sei 1913 „wie eine regelrechte Geburt mit Schmutz und Schleim bedeckt aus mir herausgekommen". Franz Kafka hat sich selten interpretiert, hier fährt er deutend fort:

Der Autor über „Das Urteil"

Der Freund ist die Verbindung zwischen Vater und Sohn, er ist ihre größte Gemeinsamkeit. Allein bei seinem Fenster sitzend wühlt Georg in diesem Gemeinsamen mit Wollust, glaubt den Vater in sich zu haben und hält alles, bis auf eine flüchtige traurige Nachdenklichkeit für friedlich. Die Entwicklung der Geschichte zeigt nun, wie aus dem Gemeinsamen, dem Freund, der Vater hervorsteigt und sich als Gegensatz Georg gegenüber aufstellt, verstärkt durch andere kleine Gemeinsamkeiten . . . Georg hat nichts; die Braut, die in der Geschichte nur durch die Beziehung zum Freund, also zum Gemeinsamen, lebt, und die, da eben noch nicht Hochzeit war, in den Blutkreis, der sich um Vater und Sohn zieht, nicht eintreten kann, wird vom Vater leicht vertrieben. Das

Gemeinsame ist alles um den Vater aufgetürmt, Georg fühlt es nur als Fremdes, selbständig Gewordenes, von ihm niemals genug Beschütztes, russischen Revolutionen Ausgesetztes, und nur weil er selbst nichts mehr hat als den Blick auf den Vater, wirkt das Urteil, das ihm den Vater gänzlich verschließt, so stark auf ihn.

An diese Überlegungen schließen sich dann Buchstabenspielereien, etwa „Georg hat soviel Buchstaben wie Franz", auch die Hauptsilbe des Namen Bendemann, des Helden, also „Bende", habe soviel Buchstaben wie „Kafka", und der Vokal e wiederhole sich an den gleichen Stellen wie das a in „Kafka". Als er die Geschichte am nächsten Tag Freunden vorlas, war Kafka erstaunt, daß sie in jenem Vater sogleich den Vater Kafkas und in der Wohnung die Kafkasche Wohnung wiedererkannten. Kafka hielt diese Identifikationen jedoch schon wieder für Mißverständnisse seiner Erzählung.

Die „Strafkolonie"

Ein Forschungsreisender erlebt „In der Strafkolonie" (1919) einen Fall von grausamer Rechtsverbissenheit. Er wird Zeuge der Exekution eines Soldaten mittels eines bis in alle technischen Einzelheiten beschriebenen Apparats, der den Delinquenten dadurch zum Tode bringt, daß er ihm mit Nadeln sein Urteil auf den Leib schreibt. Der alte Kommandant, der die Maschine erfunden hatte, ist gestorben; sein Nachfolger bemüht sich, humanere Methoden einzuführen. Der Exekutionsoffizier, welcher der begeisterte Gehilfe des alten Kommandanten war, legt sich schließlich selbst unter die Maschine. Was ist der Sinn dieser grausamen Erzählung? Man hat aus ihr, wie aus der Geschichte „Beim Bau der chinesischen Mauer", die politische Prophezeiung und verzweifelte Empfehlung eines straff geführten Staates sehen wollen, so wie man aus der Bürokratie des „Schlosses" und den Behörden des „Prozesses" Kafkas Ahnung eines totalitär werdenden Weltapparates herauslesen wollte. Im Grunde sind der Mordapparat hier und der bürokratische Apparat dort Bilder für das Leben des Menschen in einer Welt, deren Sinn er nicht erkennt. Der Delinquent in der „Strafkolonie" erfährt sein Urteil erst, indem es ihm auf den Leib geschrieben wird; sein kindlicher, spielerischer Charakter, das Fehlen von Angst und der koboldische Eifer des zweiten

Das auserwählte Volk

Gehilfen hängen mit seiner Unwissenheit über sich und sein Schicksal zusammen: Erst durch das Leben erfährt der Mensch, daß Leben ein qualvoller Weg zum Tode ist. Außerordentlich verschärft gibt es dies Gefühl bei den Juden. Diese Erzählungen bieten also keine Prophezeiung oder Empfehlung, sondern eine menschliche, speziell jüdische Erfahrung innerhalb ihrer uralten Geschichte. In „Josefine die Sängerin" wird das sehr deutlich, Josefine ist eine Metapher für den alttestamentarischen Gott, und „unser Volk" (der Mäuse) ist das jüdische Volk in seinem Verhältnis zu jener Musik, welche Josefine singt. Mit diesem Schlüssel gibt sich die Geschichte ohne weiteres preis, sie ist dann keine „Tiergeschichte" mehr, sondern eine Legende von der Dialektik zwischen Jahwe und seinem Volk:

„Josefine die Sängerin"

Bei ihren Konzerten haben nur noch die ganz Jungen Interesse an der Sängerin als solcher, sie sehen nur mit Staunen zu, wie sie ihre Lippen kräuselt, zwischen den niedlichen Vorderzähnen die Luft ausstößt, in Bewunderung der Töne, die sie selbst hervorbringt, erstirbt und dieses Hinsinken benützt, um sich zu neuer, ihr immer unverständlicher werdender Leistung anzufeuern, aber die eigentliche Menge hat sich – das ist deutlich zu erkennen – auf sich selbst zurückgezogen. Hier in den dürftigen Pausen zwischen den Kämpfen träumt das Volk, es ist, als lösten sich dem einzelnen die Glieder, als dürfe sich der Ruhelose einmal nach seiner Lust im großen warmen Bett des Volkes

Franz Kafka, 1914

FRANZ KAFKA

dehnen und strecken. Und in diese Träume klingt hie und da Josefines Pfeifen; sie nennt es perlend, wir nennen es stoßend; aber jedenfalls ist es hier an seinem Platz, wie nirgends sonst, wie Musik kaum jemals den auf sie wartenden Augenblick findet . . . Aber von da bis zu Josefinens Behauptung, sie gebe uns in solchen Zeiten neue Kräfte und so weiter, und so weiter, ist noch ein sehr weiter Weg.

Kafkas Geschichten spielen in bürgerlichen Kreisen, unter gewöhnlichen Menschen und Tieren. Kafka hat sich seine Manuskripte anfangs regelrecht entreißen lassen, als fürchte er, der Leser könne durch das groteske und doch so harmlos berichtete Geschehen auf den Urgrund blicken. Es ist das Leiden am Leben, ein Thema des Prager Jugendstils und des österreichischen Fin de siècle. Dieses Gefühl war jedoch bei Kafka ungleich tiefer als bei den Dichtern der Zeit, die zum Teil mit ihrem Pessimismus kokettierten. (Kafka träumte 1917 von dem gehaßten F. Werfel das Schimpfwort „proletarischer Turch" [Türke] und „Barbare".) Er empfand Leben als Verurteilung. Statt unter Menschen glaubte er unter Gespenstern, Kobolden und Teufeln zu leben. Das größte Manko dieser Menschheit schien Kafka zu sein, daß sie ihr Unglück nicht als solches zu empfinden schien und keine Sehnsucht mehr nach dem Vollkommenen spürte. Wo und wann gäbe es eine neue – sakramentale – Gemeinschaft, die wahre Communio der Menschen? Die Welt erschien ihm wie eine Schöpfung, die ein sonst gütiger Vatergott an einem schlechten Tage gemacht hatte, und es wäre zum Verzweifeln, wenn jenseits dieser Welt „unendlich viel Hoffnung" wäre – „nur nicht für uns". Was im Alten Testament „Gott" war, eine zwar kümmerliche, aber doch tröstende „Musik", gibt es auch in der Weltapparatur der telefonierenden Schloßbeamten; es ist das aus unzählig vielen Stimmen resultierende Geräusch in der Telefonanlage. Dessen „Musik" müßte man verstehen! Hier aber, in dieser Welt, kommen wir immer nur an die Grenze der Wahrheit, einer vollkommenen Existenz, wie jener Mann vom Lande, der sein Leben lang „Vor dem Gesetz" wartete:

Das Leben ohne Musik

„Vor dem Gesetz"

Vor dem Gesetz steht ein Türhüter. Zu diesem Türhüter kommt ein Mann vom Lande und bittet um Eintritt in das Gesetz. Aber der Türhüter sagt, daß er ihm jetzt den Eintritt nicht gewähren könne. Der Mann überlegt und fragt dann, ob er also später werde eintreten dürfen. „Es ist möglich", sagt der Türhüter, „jetzt aber nicht". Da das Tor zum Gesetz offensteht wie immer und der Türhüter beiseite tritt, bückt sich der Mann, um durch das Tor in das Innere zu sehn. Als der Türhüter das sieht, lacht er und sagt: „Wenn es dich so lockt, versuche es doch, trotz meines Verbotes hineinzugehen. Merke aber: Ich bin mächtig. Und ich bin nur der unterste Türhüter. Von Saal zu Saal stehn aber Türhüter, einer mächtiger als der andere. Schon den Anblick des dritten kann nicht einmal ich mehr ertragen." Solche Schwierigkeiten hat der Mann vom Lande nicht erwartet; das Gesetz soll doch jedem und immer zugänglich sein, denkt er, als er aber jetzt den Türhüter in seinem Pelzmantel genauer ansieht, seine große Spitznase, den langen, dünnen, schwarzen tatarischen Bart, entschließt er sich, doch lieber zu warten, bis er die Erlaubnis zum Eintritt bekommt. Der Türhüter gibt ihm einen Schemel und läßt ihn seitwärts von der Tür sich niedersetzen. Dort sitzt er Tage und Jahre. Er macht viele Versuche eingelassen zu werden und ermüdet den Türhüter durch seine Bitten. Der Türhüter stellt öfters kleine Verhöre mit ihm an, fragt ihn über seine Heimat aus und nach vielem anderen, es sind aber teilnahmslose Fragen, wie sie große Herren stellen, und zum Schlusse sagt er ihm immer wieder, daß er ihn noch nicht einlassen könne. Der Mann, der sich für seine Reise mit vielem ausgerüstet hat, verwendet alles, und sei es noch so wertvoll, um den Türhüter zu bestechen. Dieser nimmt zwar alles an, aber sagt

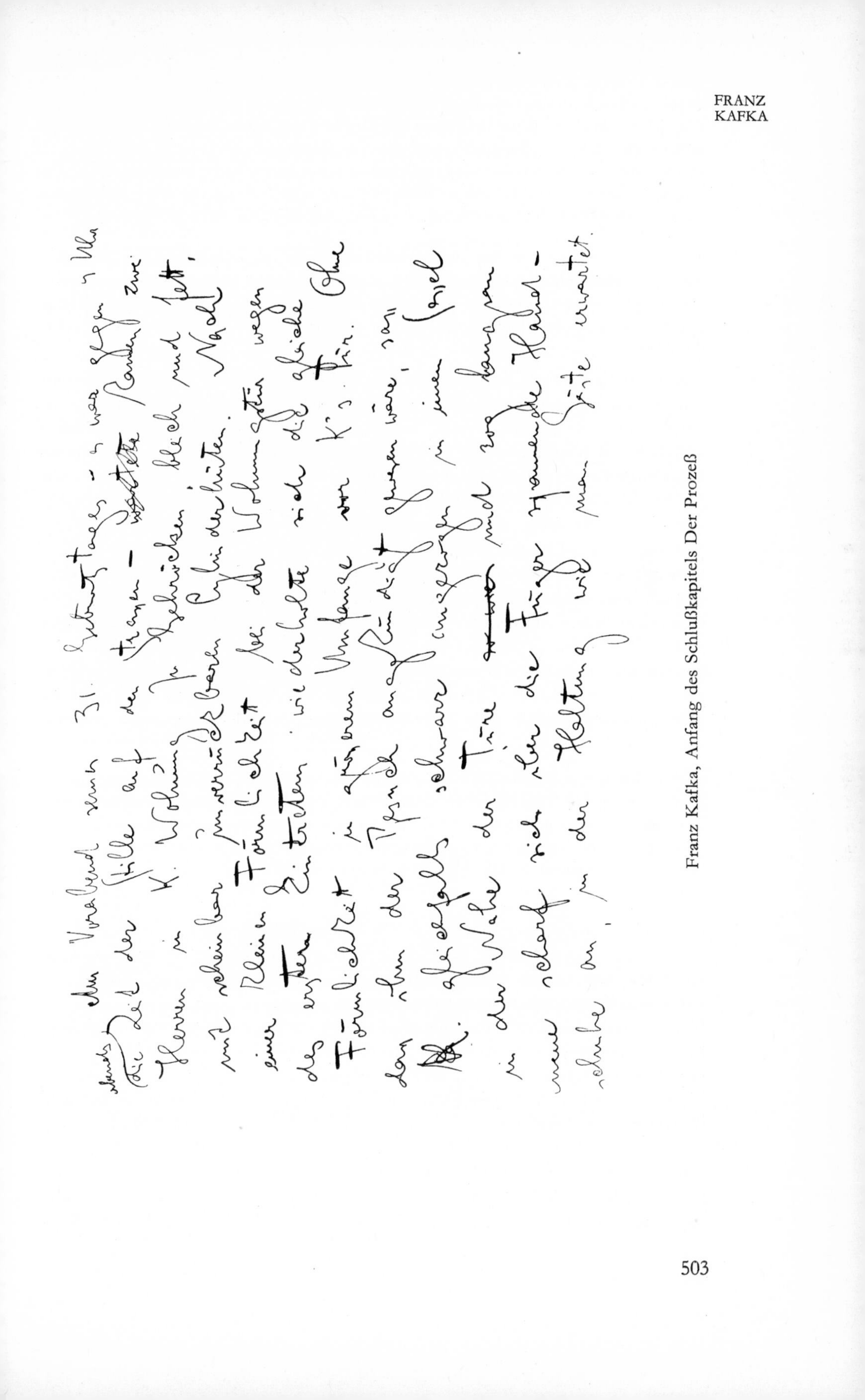

Franz Kafka, Anfang des Schlußkapitels Der Prozeß

dabei: „Ich nehme es nur an, damit du nicht glaubst, etwas versäumt zu haben." Während der vielen Jahre beobachtet der Mann den Türhüter fast ununterbrochen. Er vergißt die andern Türhüter ... schließlich wird sein Augenlicht schwach, und er weiß nicht, ob es um ihn wirklich dunkler wird, oder ob ihn nur seine Augen täuschen. Wohl aber erkennt er jetzt im Dunkel einen Glanz, der unverlöschlich aus der Türe des Gesetzes bricht. Nun lebt er nicht mehr lange ... „Was willst du denn jetzt noch wissen?" fragt der Türhüter, „du bist unersättlich". „Alle streben doch nach dem Gesetz", sagt der Mann, „wieso kommt es, daß in den vielen Jahren niemand außer mir Einlaß verlangt hat?" Der Türhüter erkennt, daß der Mann schon an seinem Ende ist, und, um sein vergehendes Gehör noch zu erreichen, brüllt er ihn an: „Hier konnte niemand sonst Einlaß erhalten, denn dieser Eingang war nur für dich bestimmt. Ich gehe jetzt und schließe ihn."

Man kann die Parabel vom „Gesetz" auf das Leben und jeder Mensch kann sie auf seine eigene Existenz beziehen. Sie gibt den Blick frei auf den Zwiespalt zwischen einem allgemein verpflichtenden und heilsnotwendigen Gesetz und der ebenso verpflichtenden und unumgänglichen individuellen Entscheidung. Man müßte sich für das Gesetz entscheiden und damit zugleich den subjektiven Eingang („nur für dich bestimmt") wählen. Diese Entscheidung leisten die Menschen nicht mehr, und auch Kafka selbst „hat sich nicht entschieden" (G. Anders).

Die Botschaft des Kaisers

Verwandt ist das Problem in der Betrachtung „Beim Bau der chinesischen Mauer". Generationen erschöpfen sich in einer Arbeit, die kein einzelner würde leisten können. Das ganze Volk wird gedrillt, das Mauern zu lernen. Man versteht die Geschichte erst, wenn man für „unser Volk" (das chinesische) das jüdische setzt, und für den in Peking residierenden Kaiser, der eine Botschaft für jeden einzelnen hat, den biblischen Gott. Dieser Kaiser „hat Dir, dem einzelnen, dem jämmerlichen Untertanen" von seinem Sterbebett aus eine Botschaft geschickt. Der Bote hat Mühe, aus dem inneren Palast herauszukommen, er findet Widerstand und muß sich durch die Menge Bahn verschaffen, die Treppen hinab, durch die Höfe:

... und wieder ein Palast und so weiter durch Jahrtausende; und stürzt er endlich aus dem äußersten Tor – aber niemals, niemals kann es geschehen –, liegt erst die erste Residenzstadt vor ihm, die Mitte der Welt, hochgeschüttet voll ihres Bodensatzes. Niemand dringt hier durch und gar mit der Botschaft eines Toten. – Du aber sitzt an Deinem Fenster und erträumst sie Dir, wenn der Abend kommt.

„Der Prozeß" und „Das Schloß"

Die beiden Romane „Der Prozeß" und „Das Schloß" gehören zusammen. Der Held heißt jeweils Josef K. oder bloß K. – eine Abkürzung für den Namen des Autors. Die ersten Kapitel des Schloßromans waren in der ersten Person geschrieben, also als Ich-Roman angelegt, und wurden später vom Dichter umkorrigiert. In beiden Romanen handelt es sich um einen Prozeß, den eine anonyme Behörde gegen K. führt – aber der den Prozeß betreibt, ist jeweils der Angeklagte. Er sucht seine Schuld zu begreifen und gerät dabei in ein verwirrendes Netz von Beamten, Vorschriften, Sitten und Situationen. Merkwürdig ist die Rolle der Liebe und der Frauen. Durch Dienstmädchen gewinnt K. die einzige menschliche Beziehung zur Gerichtswelt. Im „Prozeß" drängt sich Leni, das Mädchen des Advokaten, K. auf, und er erfährt beiläufig, daß es allen Klienten des Advokaten ähnlich gehe. Auf den ersten Blick schockieren diese Begegnungen den Leser, weil sie eindeutig sexuell sind. Die Gerichtsbehörde bleibt anonym; jedesmal, wenn K. glaubt, er habe eine wichtige Persönlichkeit kennengelernt, stellt sich heraus, daß es sich um einen Vertreter von subalternem Rang handelt. Nur „aus Zufall" gelingt K. manchmal ein Eindringen in die höheren Instanzen, so wenn er, im „Schloß", in das Schlafzimmer eines Beamten gerät, wo er tatsächlich Wichtiges erfährt, aber selbst einschläft: eine Kafkaeske Paradoxie. Die Bürokratie selbst ist nicht so sehr Kafkas Symbol der zivilisatorischen Überorganisierung und der dadurch hervorgerufenen Lähmung (darum das „Schlaf"-zimmer), sondern eine Metapher der Fremdheit des Menschen in der Welt überhaupt. Max Brod war wohl der erste, der die Instanz des „hohen Gerichts" mit seinen Akten, seiner unerforschlichen Beamtenhierarchie, seinen Launen und Tücken, seinem Anspruch auf unbedingte Autorität und Gehorsam, seiner Undurchdringlichkeit, mit dem identifizierte, „was die Theologen ‚Gnade' nennen". Im Sinne der Kabbala habe Kafka im „Prozeß" und im „Schloß" die beiden Erscheinungsformen der Gottheit, Gericht und Gnade, dargestellt. – Diese Deutung hat viel für sich, obwohl Walter Benjamin ihr scharf widersprochen hat und Günter Anders zu bedenken gab, daß Kafkas Helden Opfer der Erbsünde seien, sofern sie außerhalb des Paradieses stünden; es sei aber nicht der christliche Erbsündebegriff, und jenes Paradies sei für Kafka die „Welt" gewesen, von der er aus manchen Gründen sich ausgeschlossen fühlte: als Jude von den Christen, als Deutscher von den ihn umgebenden Tschechen, als Böhme von den Österreichern, als Künstler vom Bürgertum, als Sohn von der vom Vater beherrschten Familie und schließlich als Ungläubiger von den gläubigen Juden.

FRANZ KAFKA

Die Gnadentheorie

Wie alle Kafkaschen Fabeln ist die des „Prozeß", 1925 aus dem Nachlaß veröffentlicht, ganz einfach. Der dreißigjährige Junggeselle Bankprokurist Josef K. wird eines Morgens aus dem Bett heraus verhaftet. Gegen ihn ist eine Anklage erhoben, deren Gegenstand er nie erfährt. Das Gericht, vor das er geladen wird, tagt in Hinterhäusern, auf Dachkammern, zwischen Gerümpel. K. kommt nur mit den untersten Chargen in Berührung, wird freigelassen und kann seinem der Natur und Übernatur entfremdeten bürgerlichen Beruf nachgehen, muß sich aber stets zur Verfügung des ihm absurd und unmenschlich erscheinenden Gerichts halten. Anfangs betreibt er seine Sache mit blindem Eifer, um erfahren zu müssen, daß das gar nichts nützt. Sein Eifer spricht sogar gegen ihn, denn er gesteht dadurch ja Schuld ein. Mit der Zeit wird er von Mitangeklagten belehrt, es gebe überhaupt keinen Freispruch. Die Frage nach seiner Schuld wirft K., ein typisch moderner Individualist, nicht auf. Sie besteht formal darin, daß er sie für nicht möglich, ja für absurd hält.

„Der Prozeß"

Von einem Maler erhält K. paradoxe Aufschlüsse:

Das Wesen des Gerichts

Bei einer wirklichen Freisprechung sollen die Prozeßakten vollständig abgelegt werden, sie verschwinden gänzlich aus dem Verfahren, nicht nur die Anklage, auch der Prozeß und sogar der Freispruch sind vernichtet, alles ist vernichtet. Anders beim scheinbaren Freispruch. Mit dem Akt ist keine weitere Veränderung vor sich gegangen, als daß er um die Bestätigung der Unschuld, um den Freispruch und um die Begründung des Freispruchs bereichert worden ist. Im übrigen aber bleibt er im Verfahren, er wird, wie es der ununterbrochene Verkehr der Gerichtskanzleien erfordert, zu den höheren Gerichten weitergeleitet, kommt zu den niedrigeren zurück und pendelt so mit größeren und kleineren Schwingungen, mit größeren und kleineren Stockungen auf und ab. Diese Wege sind unberechenbar. Von außen gesehen, kann es manchmal den Anschein bekommen, daß alles längst vergessen, der Akt verloren und der Freispruch ein vollkommener ist. Ein Eingeweihter wird das nicht glauben. Es geht kein Akt verloren, es gibt

FRANZ KAFKA bei Gericht kein Vergessen. Eines Tages — niemand erwartet es — nimmt irgendein Richter den Akt aufmerksamer in die Hand, erkennt, daß in diesem Fall die Anklage noch lebendig ist, und ordnet die sofortige Verhaftung an. Ich habe hier angenommen, daß zwischen dem scheinbaren Freispruch und der neuen Verhaftung eine lange Zeit vergeht, das ist möglich und ich weiß von solchen Fällen, es ist aber ebensogut möglich, daß der Freigesprochene vom Gericht nach Hause kommt und dort schon Beauftragte warten, um ihn wieder zu verhaften. „Und der Prozeß beginnt von neuem?" fragte K. fast ungläubig. „Allerdings", sagte der Maler, „der Prozeß beginnt von neuem, es besteht aber wieder die Möglichkeit, ebenso wie früher, einen scheinbaren Freispruch zu erwirken . . ."

Das Ende des Prozesses

Hier wird deutlich, daß mit dem Gericht eine schicksalhaft hohe Instanz gemeint ist. Sie mit der theologischen Gnade zu identifizieren, ist ebenso verlockend wie problematisch; denn der (christliche) Begriff der Gnade hängt mit der erbarmenden Liebe zusammen. Sie ist eine zwar völlig freie, aber nicht grausame oder willkürliche Entscheidung. Das Ende des Romans ist grauenhaft, K. wird in einen Steinbruch geführt, ohne je einen Richter gesehen zu haben. Er ist so zermürbt, daß er als ahnungsvolles Opfer die Handhabe zu seiner eigenen Hinrichtung bietet, er „wußte jetzt genau, daß es seine Pflicht gewesen wäre, das Messer . . . selbst zu fassen und sich einzubohren". Seine nie recht erkannte Schuld war Lieblosigkeit. Er begreift, daß es sein „Fehler" ist, den Behörden die letzte Arbeit nicht abgenommen zu haben. Er wird erstochen „wie ein Hund". Der Roman ist, wie „Das Schloß", nicht vollendet, d. h. vor dem Schluß fehlen längere Kapitel, deren Sinn aus den erhaltenen Fragmenten erschlossen werden kann. Trotzdem ist das Ganze von einer dichterisch bezwingenden Evidenz. —

Zeichnungen von Franz Kafka

„Das Schloß"

Eines Abends kommt der Landvermesser K. in das Schloßdorf und wünscht Aufnahme, denn er ist abgeordnetworden. Man weiß dort zwar nichts von einer Berufung, aber er darf auf Widerruf bleiben. Er bemüht sich nun immer wieder — das ist der Inhalt des Romans „Das Schloß" — ins Schloß zu kommen und die Aufenthaltserlaubnis zu erhalten. Wie im „Prozeß" dringt er nie durch und vertut sein Leben bei untergeordneten Angestellten und in entwürdigenden Diensten. Seine Bemühungen, mit höheren Instanzen Kontakt zu nehmen, scheitern; nur durch Frieda, die Geliebte eines mittleren Beamten, hat er Verbindung nach oben.

Die Frauen haben die zweideutige Beziehung der *Liebe* zum Schloß; so sucht K. das Geheimnis „in den Umarmungen an sich zu reißen". Wie die Mädchen, indem sie Geliebte der Bürokratie sind, „schön werden", gewinnen auch die Angeklagten an „Schönheit". K. will allen Ansprüchen nachkommen, will ein Eingeborener des Dorfes werden, aber er wird nicht in die Gemeinschaft aufgenommen. Er tut auch das Böse oder was er dafür hält, um den Herrschenden zu gefallen, weiß aber nie, wie und ob es wahrgenommen wird. Auch hier lebt K. auf kalten, zugigen Dachböden. Sein Leben ist ein Provisorium der Heimatlosigkeit. Die Fremdheit des Menschen in der „Welt", seine Unbehaustheit, erregten Kafkas Einbildungskraft zu immer neuen grotesken, alogischen Bildern. Dabei schieben sich wie im Traum Vorstellungen aus verschiedenen Bereichen übereinander: das Schulzimmer ist zugleich Schlafzimmer, die übergroße Kälte wird durch übergroße Hitze vertrieben, und selbst im Bett erlebt K. Überraschungen:

FRANZ KAFKA

Es wurde eingeheizt, alle lagerten sich um den Ofen, eine Decke bekamen die Gehilfen, um sich in sie einzuwickeln, sie genügte ihnen vollauf, denn es wurde verabredet, daß immer einer wachen und das Feuer erhalten solle, bald war der Ofen so warm, daß man gar nicht mehr die Decke brauchte, die Lampe wurde ausgelöscht und glücklich über die Wärme und Stille streckten sich K. und Frieda zum Schlaf. Als K. in der Nacht durch irgendein Geräusch erwachte und in der ersten unsicheren Schlafbewegung nach Frieda tastete, merkte er, daß statt Frieda ein Gehilfe neben ihm lag. Es war das, wahrscheinlich infolge der Reizbarkeit, die schon das plötzliche Gewecktwerden mit sich brachte, der größte Schrecken, den er bisher im Dorf erlebt hatte. Mit einem Schrei erhob er sich halb und gab besinnungslos dem Gehilfen einen solchen Faustschlag, daß der zu weinen anfing. Das Ganze klärte sich übrigens gleich auf. Frieda war dadurch geweckt worden, daß – wenigstens war es ihr so erschienen – irgendein großes Tier, eine Katze wahrscheinlich, ihr auf die Brust gesprungen und dann gleich weggelaufen sei. Sie war aufgestanden und suchte mit einer Kerze das ganze Zimmer nach dem Tiere ab. Das hatte der eine Gehilfe benützt, um sich für ein Weilchen den Genuß des Strohsackes zu verschaffen, was er jetzt bitter büßte.

Das Prager Milieu

Ziellosigkeit, Trauer und Verlorenheit bilden die Grundstimmung der meisten Kafkaschen Versuche, einen festen Platz zu finden. Das mag mit dem biographischen Ausgangspunkt Prag zusammenhängen. Der acht Jahre ältere Rilke hatte über Prag geklagt: „Die Stadt, in der ich aufwuchs, bot keinen Boden dafür, ein rechtes Heimatbewußtsein entwickeln zu können." In der Erzählung „Ewald Tragy" und im „Malte Laurids Brigge" hat Rilke ähnliche Lagen des jungen Menschen beschrieben. Für Kafka, der zudem unter der patriarchalischen Hand des Vaters litt, war diese Stimmung noch verschärft; die gesteigerte Reizbarkeit ließ ihn schließlich aus den kleinsten Anlässen groteske Schlüsse ziehen. (So entstand die Geschichte „Die Verwandlung" aus dem Schimpfwort „Du Mistkäfer!".) Meyrink, Werfel, P. Adler und Max Brod gingen von der Fremdheit des Menschen in dieser Stadt Prag aus. Alle versuchten, in das „Schloß" zu kommen, und vielleicht sollte man die Deutung nicht auf „Gnade" festlegen, sondern auf bürgerliche Existenz oder „das Leben" selbst.

Die Trilogie der Einsamkeit

„Das Schloß" ist unvollendet. Während „Der Prozeß" ein Schlußkapitel hat, bricht „Das Schloß" einfach ab, nachdem K.s Niederlagen immer hoffnungsloser geworden sind und der Held immer „schläfriger" zu werden schien.

Zeitlich vor diesen beiden Romanen lag ein dritter, von dem 1913 ein Kapitel,

„Der Heizer“, veröffentlicht worden war. Kafka hat von seinem „amerikanischen Roman“ gesprochen; denn er schilderte die Erlebnisse eines jungen Deutschen in Amerika. Während die späteren Werke das Thema schwermütig und verzweifelt fassen, hat Kafka es in seinem ersten Roman überraschend heiter, locker, gelegentlich humoristisch und am Schluß tröstlich gestaltet. Kafka hat die Arbeit an dem Roman „ganz unerwarteterweise“ und „plötzlich“ (Brod) unterbrochen. Das Schlußkapitel vom „großen Naturtheater in Oklahoma“ wurde nicht fertig, und vor ihm fehlen mehrere Abschnitte. Der Roman ist 1927 aus dem Nachlaß unter

„Amerika“

dem Titel „Amerika“ erschienen, er ist in mancher Hinsicht Kafkas Meisterstück. Das Thema der Einsamkeit des Menschen ist hier unvergleichlich großartig gestaltet und in einer überzeugenden Fabel ausgedrückt: Der sechzehnjährige Karl Roßmann wird wegen eines Fehltritts nach Amerika geschickt und schlägt sich in dem riesigen, vor Vitalität berstenden, halb barbarischen Lande – dessen Welt sich Kafka aus Reisebüchern erschlossen hatte – heiter und gefaßt, begünstigt von Zufällen, durchs Leben. Es ist klar, daß die Berührung mit der Fremde und der Zwang zur Anpassung an einem halben Kind viel unbeschwerter demonstriert werden konnten als bei K., dem trüben Selbstbildnis seines Autors. Man spürt noch die „unendliche Lust“, mit der Kafka an diesem Buch gearbeitet hat.

Walser und Musil

Der Unterschied dieses Romans zum „Schloß“ und „Prozeß“ wurde schon 1913, als Robert Musil den „Heizer“ las und ihn gegen die Trübseligkeit der „Betrachtung“ ausspielte, empfunden. Musil stellte auch gleich eine geistige Verwandtschaft zu Robert Walser fest, dessen „Geschichten“ (1914) Kafka entzückten, als sie, kurz nach seinen eigenen Erzählungen, herauskamen. Was bei Walser lustig klang, klang bei Kafka traurig, sagte Musil, doch den „Heizer“ fand er „entzückend“: „Diese Erzählung ist Zerflattern und ganz Gehaltenheit.“

Inhalt des Romans

Karl Roßmann, damit beginnt der Roman, hat sich auf dem Schiff mit einem Heizer befreundet, der als Querulant entlassen werden soll. Während das Schiff schon in den Hafen von New York manövriert wird und Offiziere und Zahlmeister mit dem Heizer streiten, betritt ein vornehmer Herr die Kajüte; er entpuppt sich als amerikanischer Senator und Karls Onkel. Scheinbar läßt sich Karls amerikanisches Leben glänzend an. Er führt das Leben eines Prinzen, lernt und studiert. Durch seinen Onkel macht er die Bekanntschaft der Herren Green und Pollunder, zweier Geschäftsleute, die ihn in eine zweideutige Welt einführen: hier kommt Karl in eins der Kafkaschen Schlösser, die teilweise glänzend und fertig sind, teilweise unfertige, labyrinthartige Zimmerfluchten haben, aus denen die Rückkehr in die lichte und warme Welt unmöglich zu sein scheint. Hier verwickelt sich Karl, da er Klara, die sich ihm anträgt, nicht lieben will, naiv in eine Schuld, die ihn das Wohlwollen des Onkels kostet. Noch spielt er „anfängerhaft“ auf dem Pianino, da schlägt es zwölf. Brieflich wird ihm mitgeteilt:

Die Entlassung

Geliebter Neffe! Wie Du während unseres leider viel zu kurzen Zusammenlebens schon erkannt haben wirst, bin ich durchaus ein Mann von Prinzipien. Das ist nicht nur für meine Umgebung, sondern auch für mich sehr unangenehm und traurig, aber ich verdanke meinen Prinzipien alles, was ich bin, und niemand darf verlangen, daß ich mich vom Erdboden wegleugne, niemand, auch du nicht, geliebter Neffe, wenn auch Du gerade der Erste in der Reihe wärest, wenn es mir einmal einfallen sollte, jenen allgemeinen Angriff gegen mich zuzulassen. Dann würde ich am liebsten gerade Dich mit diesen beiden Händen, mit denen ich das Papier halte und beschreibe, auffangen und hochheben. Da aber vorläufig gar nichts darauf hindeutet, daß dies einmal geschehen könnte, muß ich Dich nach dem heutigen Vorfall unbedingt von mir fortschicken, und ich bitte Dich dringend, mich weder selbst aufzusuchen noch brieflich oder durch Zwischenträger Verkehr mit mir zu suchen. Du hast Dich gegen meinen Willen dafür entschieden, heute abend von mir fortzugehen, dann bleibe aber auch bei diesem Entschluß Dein Leben lang; nur dann war es ein männlicher Entschluß ...

Szene aus dem Schauspiel Der Prozeß mit Horst Caspar und Walter Bluhm nach dem Roman von Franz Kafka

Der reiche amerikanische Onkel symbolisiert in einer für Kafka bezeichnenden Vieldeutigkeit eine schicksalhafte Instanz: den Vater, dessen Wohlwollen verspielt wird, den geheimnisvoll im Hintergrund bleibenden Regisseur, den überlegenen und allwissenden Planer und schließlich den lieben Gott. Karl hat sich unfreiwillig dieses Schutzes begeben; es verblüfft ihn, daß der Brief schon geschrieben sein muß, bevor er den Anlaß dazu gegeben hatte. So stellt er nachträglich fest. Bei Kafka ist die Strafe nämlich *vor* der Tat da. In der „Strafkolonie" wie im „Schloß" und „Prozeß" weiß der Angeklagte oder Bestrafte immer erst hinterher oder gar nicht den Grund seiner Bestrafung, so wie, theologisch gesprochen, die Erbsünde als Schuld jedes Menschen „da" ist, bevor er geboren wurde.

Brunelda, die Sängerin

Karl Roßmann begibt sich auf Wanderschaft und hat zwei für ihn höchst wichtige Begegnungen. Erstens lernt er Robinson und Delamarche, zwei Strolche, kennen, als deren Diener er auftreten muß, zweitens macht er im Hotel „Occidental" die Bekanntschaft einer Köchin, die sich seiner erbarmt und ihn immer wieder gegen die Nachstellungen der „Welt" in Schutz nimmt. Die beiden Gauner entführen ihn schließlich in die Wohnung Bruneldas, einer ehemaligen Sängerin, welche die beiden wie Sklaven behandelt. So verkommen das Milieu dieser Wohnung ist – ein Vorklang des Dachbodenmilieus im „Prozeß" –, so überraschend ist die Macht der Brunelda über Delamarche und Robinson; zwar wird meist geschlafen, aber Brunelda repräsentiert in Kafkas Hierarchie – wie die elende Sängerin Josefine für die Mäuse – den transzendenten Wert, die Musik, die Kunst als Sphäre der sonst nirgends erreichbaren und erreichten Freiheit. (Kafkas Kritik an der ästhetischen Dekadenz Richard Wagners wird bis in den Jugendstil der Dekoration von Bruneldas Wohnung und der Sprache deutlich.) Roßmann gelingt die Flucht, und er meldet sich für das Naturtheater von Oklahoma:

Karl sah an einer Straßenecke ein Plakat mit folgender Aufschrift: „Auf dem Rennplatz in Clayton wird heute von sechs Uhr früh bis Mitternacht Personal für das Theater in Oklahoma aufgenommen! Das große Theater von Oklahoma ruft euch! Es ruft nur heute, nur einmal! Wer jetzt die Gelegenheit versäumt, versäumt sie für immer! Wer an seine Zukunft denkt, gehört zu uns! Jeder ist willkommen! Wer Künstler werden will, melde sich! Wir sind das Theater, das jeden brauchen kann, jeden an seinem Ort! Wer sich für uns entschieden hat, den beglückwünschen wir gleich hier! Aber beeilt euch, damit ihr bis Mitternacht vorgelassen werdet! Um zwölf Uhr wird alles geschlossen und nicht mehr geöffnet! Verflucht sei, wer uns nicht glaubt! Auf nach Clayton!" Es standen zwar viele Leute vor dem Plakat, aber es schien nicht viel Beifall zu finden. Es gab soviele Plakate, Plakaten glaubte niemand mehr. Und dieses Plakat war noch unwahrscheinlicher, als Plakate sonst zu sein pflegen. Vor allem aber hatte es einen großen Fehler, es stand kein Wörtchen von der Bezahlung darin. Wäre sie auch nur ein wenig erwähnungswert gewesen, das Plakat hätte sie gewiß genannt; es hätte das Verlockendste nicht vergessen. Künstler werden wollte niemand, wohl aber wollte jeder für seine Arbeit bezahlt werden.

Die Wirklichkeit

Zweifellos führt das Plakat und seine Deutung in die Herzkammer des jüngeren Kafka. Hinter der marktschreierischen Form des Plakats vernimmt man einen drängenden, autoritären Ton; es wird eine existentielle Entscheidung gefordert, die jeden angeht, die aber nur wenig Beifall bei den Leuten findet. Die Umstände der Aufnahme sind dann auch nicht so einfach, wie das Plakat glauben macht. Roßmann wird als einer der letzten gerade noch angenommen. Der Empfang in Clayton ist sonderbar pompös, mit Festessen und Engeln, aber sichtlich erst Vorstufe eines unendlich größeren Schauspiels in Oklahoma, wo Roßmann alte Bekannte, wie ihm gesagt wird, „wiedersehen" wird. Alle werden in einen Zug verladen, der zwei Tage und Nächte zu fahren hat. „Jetzt erst begriff Karl die Größe Amerikas." Die Fahrt geht in eine Urlandschaft, und ihr Eindruck läßt alles „vergehen", was sich unter den Menschen in den Coupés ereignet:

Die Fahrt aus dem Chaos

Am ersten Tag fuhren sie durch ein hohes Gebirge. Bläulich-schwarze Steinmassen gingen in spitzen Keilen bis an den Zug heran, man beugte sich aus dem Fenster und suchte vergebens ihre Gipfel, dunkle, schmale, zerrissene Täler öffneten sich, man beschrieb mit dem Finger die Richtung, in der sie sich verloren, breite Bergströme kamen, als große Wellen auf dem hügeligen Untergrund eilend und in sich tausend kleine Schaumwellen treibend, sie stürzten sich unter die Brücken, über die der Zug fuhr, und sie waren so nah, daß der Hauch ihrer Kühle das Gesicht erschauern machte.

Dieser Zug fährt also in eine überirdische Landschaft, er trägt seine Reisenden aus dem Chaos der unüberschaubaren Weltapparatur auf die Höhen eines Theaters, das doch mehr ist als ein Theater, der Ort einer sinnvollen Existenz: der Erlösung. Die dringlichen Beschwörungen des Plakats verraten, über das Gesagte – und Sagbare – hinaus, daß das große Theater von Oklahoma ein einmaliger, unwiederbringlicher, für die Ewigkeit bestimmender und bestimmter, alle befriedigender Ort ist, wo jeder frei sein soll und die ihm seit je zuerkannte „Rolle spielen" kann. „Verflucht sei, wer uns nicht glaubt!" Der, der den Ruf aufnimmt und ihm freiwillig-gehorsam folgt, wird beglückwünscht.

Umschlag nach einer Zeichnung von Franz Kafka

Zweifellos bedient sich Kafka hier der biblisch-religiösen Ausdruckswelt und meint mit jenem halb wirklichen, halb utopischen Theater, zu dem man von Engeln geleitet wird, die Transzendenz, den Himmel, die Ewigkeit. Nie wieder hat er sich mit einem Versuch zur Lösung der Lebensfrage so weit auf spezifisch christliches Gebiet begeben. Nie wieder hat er in der Figur eines biblischen „Kindes" den Weg des Menschen vom Sündenfall zum Paradies so eindeutig dargestellt. Man kann dem Roman biblische Szenen und Bilder hinterlegen, mit denen Kafka teils humoristisch, teils allegorisch „spielte". Dann sind Green und Pollunder negative Engel, also Teufel im Auftrag des Onkels Jakob, der den Sohn zwar entläßt, aber unter Schmerzen davon spricht: „Niemand darf verlangen, daß ich mich vom Erdboden wegleugne, niemand, auch Du nicht, geliebter Neffe, wenn auch Du gerade der erste in der Reihe wärest, wenn es mir einmal einfallen sollte, jenen allgemeinen Angriff gegen mich zuzulassen ..." Karl Roßmann aber geht hinaus in die Welt und ist für das Vaterhaus verschollen. (Kafka wollte den Roman zeitweise „Der Verschollene" nennen.) Im Hotel Occidental, dem Kafkaschen Gebäude, das von der „Liebe" bestimmt wird, und bei der gescheiterten Wagnersängerin Brunelda, welche die Gottlosen in Bann hält, erlebt er das Elend des verlorenen Sohnes, bis sich dann, im großen Theater von Oklahoma, die paradiesische Heimat auftut. Green und Pollunder, Robinson und Delamarche sind halb Teufel halb Kobold; sie reden denn auch hintergründig von der „Firma Jakob", die in den Vereinigten Staaten berüchtigt sei. Sie meinen den Abfall der modernen Zivilisation von Gott und „seinem Volk", dem jüdischen. Kafka läßt Roßmann schließlich mit Giacomo, dem symbolischen „Liftboy" aus Rom, auf die Reise nach Oklahoma gehen.

Judentum und Christentum

ROBERT MUSIL

Der deutsche Schriftsteller Robert Musil war wie Hofmannsthal, Rilke, Kafka und Trakl Österreicher. Sein Hauptwerk enthält eine Darstellung des Untergangs „Kakaniens", der österreichisch-ungarischen Monarchie, des letzten politischen und geistigen „Reiches" im alten Sinne. Die Gründung des Deutschen Reiches in Versailles bot keinen Ersatz für das alte Reich; nach Musils Überzeugung war es schon um 1890, aus Mangel an weitertragenden Gedanken, am Ende seiner Kraft. Österreich war viel älter; deshalb war auch der Todeskampf des Habsburgischen Reiches länger und schmerzlicher. Kafka und Rilke haben auf ihre wenig männliche, oft kindliche Art daran gelitten, zumal sie schon als Kinder an ihrem Elternhaus nichts als „leiden" konnten. Musil hat gegen das Elternhaus, vor allem die Mutter, kräftig und männlich rebelliert; er hat sich schnell von Komplexen frei gemacht, und so entstanden seine ebenso tiefen wie wahren Frauenbildnisse. Gemessen an Kafka und Rilke war Musil ein „Mann", und zwar Wissenschaftler, Sportler, Denker und Künstler. Bei ihm gab es nicht die Gebrochenheit Hofmannsthals und Trakls, auch nicht den pathetischen Überschwang Werfels und die Ichbezogenheit von Karl Kraus.

Die geschichtliche Lage

Ein bekannter Autor

Obwohl Musil seit dem „Törleß" (1906) ein bekannter Autor war, eine Anzahl von Preisen, darunter 1924 — zusammen mit W. Lehmann, zuerteilt von Döblin — den Kleistpreis erhalten hatte und kurze Zeit Redakteur der „Neuen Rundschau" war, blieb er im Schatten. Erst als Adolf Frisé 1952 den „Mann ohne Eigenschaften" neu und vollständig herausgab, wurde Musil über Nacht berühmt. Man sprach damals ein Urteil des deutschen Kritikers des Literary Supplement der „Times" nach, Musil sei der größte deutsche Romanautor der ersten Hälfte des zwanzigsten Jahrhunderts; man nannte ihn einen deutschen Joyce oder Proust, den ersten Expressionisten und was dergleichen Etiketten waren. Musil hat Joyce, am Ende der zwanziger Jahre, gelesen und empfand dessen Werk als „einen Schritt, der schon 1900 fällig war", als „spiritualisierten Naturalismus" und fährt fort: „Dazu gehört auch die ‚Unanständigkeit'. Anziehungs[punkt]: Wie lebt der Mensch im Durchschnitt? Verglichen damit praktiziere ich eine heroische Kunstauffassung... Seine Abkürzungen sind: Kurzformeln der sprachlich orthodoxen Formeln." Damit hat Musil in unnachahmbarer Kürze den Unterschied zwischen Joyce und sich definiert. Ähnlich hat er sich von Thomas Mann, Karl Kraus und Marcel Proust abgesetzt; fast immer sieht er im „Kämpferischen" das, was ihn von den andern Darstellern eines Niedergangs unterschied. Musil hat sein Leben in einem Curriculum vitae zusammengefaßt:

Lebenslauf

Ing. Dr. phil. Robert (Edler von) Musil. Geboren 6. November 1880, Klagenfurt in Österreich. Vater, Alfred von Musil, altösterreichische Beamten-, Gelehrten, Ingenieurs- und Offiziersfamilie; war lange Zeit Ordinarius an der Brünner Technischen Hochschule gewesen und stammte aus Graz. Hofrat, Rat am Patentgerichtshof. In den Adelsstand erhoben. Der Großvater väterlicherseits wurde als Bauernsohn in Rychtarow bei Wischau geboren; gestorben ist er als Arzt und Gutsbesitzer in Graz. Der Großvater mütterlicherseits: Deutschböhme, einer der vier Erbauer der ersten kontinentalen Eisenbahn (Linz-Budweis) und später ihr Direktor. Großmutter mütterlicherseits: Deutschböhmin aus Horowice. Großmutter väterlicherseits: stammte aus Salzburg. Vetter: der bekannte Orientalist Alois Musil (Mitglied der Royal Society). Verschiedene Verwandte in höheren und hohen Stellungen im Staats- und Militärdienst. Keine Geschwister.

Bestimmt zum Offiziersberuf, entdeckt er beim Studium des Artilleriewesens seine technischen Fähigkeiten. Verläßt mit plötzlichem Entschluß die Militärschule vor der Ausmusterung zum Offizier und studiert Maschinenbau. 1901 Ingenieurstaatsprüfung an der Technischen Hochschule Brünn. 1902/03 Assistent an der Technischen Hochschule Stuttgart. Bleibt unbefriedigt und ergreift das Studium der Philosophie, vornehmlich Logik und experimentelle Psychologie (1903/08), die damals in der Helmholtz-Tradition unter Professor Stumpf in Berlin ein neues Zentrum der Forschung gebildet hat. Konstruiert den Musilschen Farbkreisel, schreibt eine erkenntnistheoretische Dissertation über E. Mach, verzichtet aber auf die angebotene Möglichkeit, sich zu habilitieren, und da er mit seinem inzwischen (1906) erschienenen ersten Buch bereits internationale Resonanz gefunden hat, beschließt er, den durch nichts gebundenen und von akademischen Rücksichten freien Beruf des Schriftstellers zu ergreifen. 1911/14 Praktikant und Bibliothekar an der Technischen Hochschule Wien. 1914 Redakteur der Zeitschrift „Die Neue Rundschau", Berlin. 1914/18 als Offizier an der italienischen Front. Zuletzt Landsturmhauptmann. Ritterkreuz des Franz-Joseph-Ordens, Militärverdienstmedaille mit Schwertern, Kaiser-Karl-Truppenkreuz. Ende 1918 bis 1920 in besonderer schriftstellerischer Tätigkeit im Staatsamt des Äußeren. 1920/22 Fachbeirat im Bundesministerium für Heereswesen.

ROBERT MUSIL

Der freie Schriftsteller

Der Lebenslauf hat eine gewisse Ähnlichkeit mit dem Ernst Jüngers, der auch Naturwissenschaften studierte, hochdekorierter Offizier des ersten Weltkrieges und Mitarbeiter im Reichswehrministerium war, bevor er, wie Musil, endgültig freier Schriftsteller wurde. Musil verlor in der Inflation das väterliche Vermögen und wurde, anfangs neben seiner Ministeriumstätigkeit, ein Journalist, der Theaterkritiken und Essays schrieb. Schließlich ging er nach Berlin, „weil dort die Spannungen und Konflikte des deutschen Geisteslebens fühlbarer sind als in Wien". 1933 kehrte er, obwohl kein äußerer Zwang auf ihn wirkte, Deutschland den Rücken. Er lebte wieder in Wien, „alles für die Vollendung seines Hauptwerkes opfernd". Als Österreich besetzt wurde, ging Musil in die Schweiz, dort ist er 1942, in Genf, in voller Schaffenskraft, aber verarmt und vergessen, unerwartet gestorben. Er war einer der wenigen deutschen Dichter, welche auch politische Kontakte mit ihrer Zeit hatten – ihr nicht entflohen sind.

„Törleß"

Jenes erste Buch von 1906 war der Roman „Die Verwirrungen des Zöglings Törleß". Er schildert die geistigen, seelischen und körperlichen Nöte von Zöglingen einer Militärschule, die, kaum dem Pubertätsalter entwachsen, nicht bloß auf sexuelle Abenteuer, sondern merkwürdige „Erfahrungen" geistiger Art ausgehen, die mit grausamen psychologischen und körperlichen Experimenten an einem unglücklichen Mitschüler verbunden waren. Man hat damals, als Alfred Kerr den Roman begeistert pries, sich vor allem über die Offenheit entsetzt, mit der Musil den Sadismus der Jugendlichen beschrieb. Der Roman verwendet diese Dinge jedoch mehr zur Illustration geistiger Entwicklungszustände als um ihrer selbst willen. Törleß, unschwer als Ebenbild des Autors zu erkennen, liest nicht nur Kant und ist seinen ordinären Kameraden um eine ganze Stufe an Genauigkeit der Empfindungen überlegen, er will auch den „Sinn" der Mathematik erklärt haben und die Regungen der sexuellen Sinnlichkeit, wo sich „seine Kopfhaut unter den feinen Krallen anspannte", mit spirituellen Erlebnissen zur Deckung bringen. Törleß kennt die gewöhnlichen gelehrten Erklärungen; er ahnt hinter ihnen einen Zusammenhang, den auszusprechen er sich unfähig fühlt, und daran leidet er noch mehr als an jenen Experimenten, die ihn bald anekeln.

ROBERT MUSIL

Eine große Erkenntnis [meditiert er], vollzieht sich nur zur Hälfte im Lichtkreise des Gehirns, zur andern Hälfte in dem dunklen Boden des Innersten, und sie ist vor allem ein Seelenzustand, auf dessen äußerster Spitze der Gedanke nur wie eine Blüte sitzt.

Was mit dem armen Basini auf Dachstuben, die an Kafka erinnern, getrieben wird, soll die Einheit des Körperlichen mit dem Seelischen demonstrieren; hier wird Gericht gehalten; seine Grausamkeit ist nicht geringer als die der Kafkaschen Gerichte, die von den Opfern nicht verstanden werden können. Während aber Kafka das erlittene Chaos in Bildern und Szenen gestaltete, hat Musil dem Chaos schon damals, mit zwei- und vierundzwanzig Jahren, als Psychologe nachgegrübelt. Er kam ja aus der Schule

Machs Erkenntnistheorie

Ernst Machs, der – in Berkeleys Nachfolge – die Empfindungen als primäre Quelle unseres Wissens ausgab, während Theorie und Vernunft die jeweils wechselnden methodischen Hilfsmittel sind. Vor allem die Erinnerung bewahrt und reproduziert – nach Mach – jede Erfahrung und ist dieser überlegen. In gewisser Hinsicht ist Musil nie von diesem erkenntnistheoretischen Schema abgewichen, das eins der großen Anliegen seiner Zeit war und in seinen poetologischen Konsequenzen bei Loerke und Lehmann deutlich blieb.

Der Einsame im Chaos der Zeit

Ganz ähnlich wie um die gleiche Zeit Benn und Döblin fragte Musil 1911, in seiner ersten Erzählung des Bandes „Die Vereinigungen“: „Ist nicht jedes Gehirn etwas Einsames?“ Die Erzählung heißt „Die Vollendung der Liebe“ und schildert den rasch vollzogenen Ehebruch einer gut und, wie sie meint, ideal verheirateten Frau. Nicht die Fabel ist merkwürdig, sondern ihre bohrende Darstellung. Wie kommt der „Einsame“ zur „Vereinigung“; dabei scheint vorausgesetzt zu werden, daß „Vereinigung“ in der Liebe geschehen muß, und zwar körperlich – ähnlich wie beim jungen Kafka, Werfel und L. Frank. Der Mensch steht dem Erlebnis der Zeit, des Raums, der Masse, aber auch den ordnenden Mächten im früheren Sinn, der Geschichte, dem Staat, dem Volk, der Gesellschaft, Religion, Kunst und Politik einsam gegenüber; jeder positive Sinn scheint sich in das Gegenteil verkehrt zu haben, so daß die Welt zum Chaos wird. Auch die Empfindungen des Ich, die Sinne und das Fühlen, haben an der allgemeinen Unsicherheit teil. Musils verschachtelte Sätze der frühen Zeit sind das Gegenteil expressionistischer Stilmuster:

Aus „Die Vollendung der Liebe“

Vielleicht hatte sie da nichts als den Wunsch, diesen Leib ihrem Geliebten hinzugeben, aber durchzittert von der tiefen Unsicherheit der seelischen Werte faßte er sie wie das Verlangen nach jenem Fremden, und während sie in die Möglichkeit starrte, daß sie sich, noch wenn sie in ihrem Körper das Zerstörende erlitte, durch ihn als sie selbst empfinden würde, und vor seinem geheimnisvoll jeder seelischen Entscheidung ausweichenden Gefühl von sich wie vor etwas finster und leer sie in sich selbst Einschließendem schauderte, lockte sie bitterselig ihr Leib, ihn von sich zu stoßen, in der Wehrlosigkeit der sinnlichen Verlorenheit von einem Fremden ihn niedergestreckt und wie mit Messern aufgebrochen zu fühlen, ihn mit Grauen und Ekel und Gewalt und ungewollten Zukkungen füllen zu lassen, — um ihn in einer seltsam bis zur letzten Wahrhaftigkeit geöffneten Treue um dieses Nichts, dieses Schwankende, dieses gestaltlose Überall, diese Krankengewißheit von Seele dennoch wie den Rand einer traumhaften Wunde zu fühlen, der in den Schmerzen des endlos erneuten Zusammenwachsenwollens vergeblich den anderen sucht.

Ein gnostisch-mystisches Schema

Es kam Musil auf den der Naturwissenschaft entlehnten Begriff der „Genauigkeit“ an, er wollte erschöpfende Auskunft über „das Gewirr“ des Ganzen geben und es nicht bei konventionellen Geheimnissen belassen, also bei Begriffen wie Schicksal, Fügung, Umstände, „Zeit“ und Zufall. Das Ich wird zum Mittelpunkt der Welt, nicht anders wie in den erfundenen Mythologien der Kosmiker um die Jahrhundertwende, deren Zeitgenosse er war. Die weitere Entwicklung Musils, gespiegelt in Ulrich, dem Helden des „Mann ohne Eigenschaften“, verlief ähnlich wie das Denken und Dichten der Mombert, Dehmel, Rilke, Däubler und Spitteler: Dichtung wird Daseinsaufriß und mündet in der Verkündigung des einen „rechten Weges“, der sich schließlich mit uralten mystisch-gnostischen Erfahrungen decken wird. Während sich jene in ihrer geträumten Welt verloren, kam es Musil darauf an, das Gleichgewicht zwischen Utopie und Wirklichkeit, zwischen höchster Erkenntnis und der konkreten Person zu halten. Wohl sind die Entwürfe zum Schluß des Romans, als Ulrich und Agathe auf eine paradiesische Insel kommen, symbolisch gemeint, aber sie verlassen nicht Raum und Zeit der Wirklichkeit.

„Drei Frauen“

Von dieser Entwicklung her sind Musils frühe Erzählungen und Aufsätze zu deuten. Außer den „Vereinigungen“ erschienen 1924 die Erzählungen „Drei Frauen“, auch diese immer wieder um das Problem der Vereinigung kreisend, der liebenden Hingabe, am schönsten wohl in „Tonka“, der Erzählung von einem jungen Mädchen aus schlichten Verhältnissen, das die Geliebte eines reichen Jungen wird. Erst 1936 erschienen, unter dem ironischen Titel „Nachlaß zu Lebzeiten“, Aufsätze Musils aus der Zeit, da er für Zeitungen und Zeitschriften arbeitete; es sind Geschichten, versteckte Porträts, Skizzen und nicht zuletzt „Unfreundliche Betrachtungen“ zum Kunst- und Literaturbetrieb des modisch gewordenen Expressionismus.

Der Dramatiker

Im Jahre 1920 erschien ein Schauspiel Musils unter dem Titel „Die Schwärmer“. Die Frage der „Vereinigungen“ wird auch hier gestellt: Wie verhält sich die Frau in der erotischen Situation? Sie brennt durch, und zwar mit einem Abenteurer. Sieht man in ihrem Mann das Solid-Bürgerliche, so mag man in dem Gegenspieler die Anarchie und Revolution verkörpert finden; das glänzend gemachte Stück verurteilt die – expressionistische – Vergangenheit der Schwärmer, der „neuen Menschen“, der abstrakten Weltordner und Projektemacher:

Thomas: ... Wir glaubten einmal neue Menschen zu sein! Und was ist daraus geworden?! (Er packt sie an den Schultern und schüttelt sie.) Regine! Wie lächerlich, was ist daraus geworden?!

Regine: Ich habe keine Weltordnungspläne gemacht. Das wart ihr!

Thomas: Ja, gut. Anselm und Johannes und ich. (Von der Erinnerung noch immer bewegt.) Es gab nichts, das wir ohne Vorbehalt hätten gelten lassen; kein Gefühl, kein Gesetz, keine Größe. Alles war wieder allem verwandt und darein verwandelbar; Abgründe zwischen Gegensätzen warfen wir zu und zwischen Verwachsenem rissen wir sie auf. Das Menschliche lag in seiner ganzen, unausgenützten, ewigen Erschaffungsmöglichkeit in uns!

Regine: Ich habe immer gewußt, es wird schon irgendwie falsch sein, was man denkt.

Thomas: Ja, gut. Die Gedanken, welche schlaflos vor Glück machen, die dich treiben, daß du tagelang vor dem Wind läufst wie ein Boot, müssen immer etwas falsch sein.

Das Stück wurde erst neun Jahre später gespielt, hatte aber nur vorübergehenden Erfolg. Die Posse „Vinzenz und die Freundin bedeutender Männer“ (1923) erreicht nicht die gleiche Höhe.

„Der Mann ohne Eigenschaften“

Im Spätherbst 1930 erschien der erste Band des Romans „Der Mann ohne Eigenschaften“, es waren etwa sechshundert Seiten. Sie enthielten die beiden Teile des „ersten Buches“: nämlich „Eine Art Einleitung“ und „Seinesgleichen geschieht“. Die hundertdreiundzwanzig Kapitel waren nach altmodischer Weise mit Kapitelüberschriften versehen, die eine ironische Distanz des Verfassers zu seiner Geschichte andeuteten, etwa „Auch ein Mann ohne Eigenschaften hat einen Vater mit Eigenschaften“ (hier sehen wir den Hofrat Edler von Musil, des Dichters Vater) oder „Die Parallelaktion steht in Gestalt einer einflußreichen Dame von unbeschreiblicher geistiger Anmut bereit, Ulrich zu verschlingen“; andere Kapitel geben sich nichtssagend flott, „Graf Leinsdorf zeigt sich zurückhaltend“ oder „Aus den Lebensregeln reicher Leute“.

Der Held des Romans ist Ulrich, dessen Nachnamen wir nicht erfahren. Er ist dreißig Jahre alt, talentiert, hochgebildet und hat durch seinen Vater Beziehungen zum Hofadel und zur Diplomatie. Seine bisherigen Versuche, etwas zu „tun“, sind gescheitert; er hat Züge eines Dekadents und Müßiggängers; er steht mit der Uhr in der Hand am Fenster, zählt die Autos, Wagen und Trambahnen und stellt mathematisch-technische Überlegungen an. „Er steckte, nachdem er eine Weile im Kopf gerechnet hatte, lachend die Uhr in die Tasche und stellte fest, daß er Unsinn getrieben habe.“ Der Roman spielt in Wien, kurz vor Ausbruch des ersten Weltkrieges. Da Seine Majestät in einigen Jahren achtzig wird, machen sich höfische Kreise Gedanken, ob und wie man diese Feier zu einer wirksamen Demonstration der Staatsidee gestalten könne, um das jüngere Kaiserreich im Norden, mit dem man verbündet ist, durch die Kraft einer älteren Idee in den Hintergrund zu rücken. Ulrich wird zum Sekretär ernannt und kommt mit einer Fülle von Personen und Ideen in Verbindung. Da die „Parallelaktion“ keinen Hintergrund hat, sondern aus eitlem Eifer entstanden ist, soll „der Sinn“ gesucht werden, und das gibt Musil Gelegenheit, die Masse der wahren und falschen Ideen der Zeit ironisch darzustellen. Die Akteure der Handlung sind die hohen Beamten, die einflußreichen Damen, Finanzleute, Militärs und Vertreter von Kunst

Die Parallelaktion

Robert Musil, Manuskriptausschnitt aus Der Mann ohne Eigenschaften

und Wissenschaft. Der Roman liest sich auf weite Strecken wie ein amüsanter Gesellschaftsroman aus dem Fin de siècle:

Kakanische Atmosphäre

Die wahrhaft treibende Kraft der großen patriotischen Aktion, der Abkürzung wegen und weil sie „das volle Gewicht eines 70jährigen segens- und sorgenreichen Jubiläums gegenüber einem bloß 30jährigen zur Geltung zu bringen“ hatte, auch die Parallelaktion genannt werden soll – war aber nicht Graf Stallburg, sondern dessen Freund, Se. Erlaucht Graf Leinsdorf. In dem schönen, hochfenstrigen Arbeitszimmer dieses großen

Herrn – inmitten vielfacher Schichten von Stille, Devotion, Goldtressen und Feierlichkeit des Ruhms – stand zu der Zeit, wo Ulrich seinen Besuch in der Hofburg machte, der Sekretär mit einem Buch in der Hand und las Sr. Erlaucht eine Stelle daraus vor, die zu finden er beauftragt gewesen war. Es war diesmal etwas aus Joh. Gottl. Fichte, das er in den „Reden an die deutsche Nation" aufgetrieben hatte und für sehr geeignet hielt. „Zur Befreiung von der Erbsünde der Trägheit," las er vor, „und ihrem Gefolge, der Feigheit und Falschheit, bedürfen die Menschen der Vorbilder, die ihnen das Rätsel der Freiheit vorkonstruieren, wie ihnen solche in den Religionsstiftern erstanden sind. Die notwendige Verständigung über sittliche Überzeugung geschieht in der Kirche, deren Symbole nicht als Lehrstücke, sondern nur als Lehrmittel für die Verkündigung der ewigen Wahrheiten anzusehen sind." Er hatte die Worte *Trägheit*, *vorkonstruieren* und *Kirche* betont, Se. Erlaucht hatte wohlwollend zugehört, ließ sich das Buch zeigen, aber schüttelte dann den Kopf. „Nein", sagte der reichsunmittelbare Graf, „das Buch wäre schon gut, aber diese protestantische Stelle mit der Kirche geht nicht." – Der Sekretär sah bitter drein wie ein kleiner Beamter, der sich das Konzept eines Akts zum fünftenmal vom Vorstand zurückweisen lassen muß, und wandte vorsichtig ein: „Der Eindruck Fichtes auf nationale Kreise würde aber vorzüglich sein?" – „Ich glaube", entgegnete Se. Erlaucht, „daß wir vorläufig darauf verzichten müssen." Mit dem zuklappenden Buch klappte auch sein Gesicht zu, mit dem wortlos befehlenden Gesicht klappte auch der Sekretär zu einer ergebenen Verbeugung zusammen und nahm Fichte in Empfang... „Es bleibt also", sagte Graf Leinsdorf „vorderhand bei den vier Punkten: Friedenskaiser, europäischer Markstein, wahres Österreich und Besitz und Bildung. Danach müssen Sie das Rundschreiben abfassen."

Die Gestalten als Porträts

Die Figuren boten Musil Gelegenheit, Persönlichkeiten des damaligen öffentlichen Lebens ironisch zu porträtieren; am berühmtesten ist das Rathenau-Bild, das hinter Arnheim zu erkennen ist. Die Biographie hat für die meisten Personen des Romans Vorbilder nachweisen können, teils Verwandte, teils Freunde Musils. Auch die Damen, deren erotische Beziehungen zu Ulrich so offen geschildert werden, gehörten der Wiener Gesellschaft an. Das hysterische Paar gescheiterter Künstler, Walter und Clarisse, entnahm Musil seinem Bekanntenkreis, und Moosbrugger, der Zuchthäusler, der „das Verbrechen" vertritt, entstammt den Kriminalakten der Zeit. Die Diplomaten, Beamten und Offiziere, in ihrem blinden Eifer, die Professoren und Pädagogen, die eitlen Projektemacher, die Schwätzer und Ideologen repräsentieren die Hohlheit dieser Welt, den Ausverkauf der Ideen und Ideale. Die Handlung ist verhältnismäßig schwach, sie wird durch Nebenhandlungen wie die mit Walter und Clarisse, Rachel und Soliman unterbrochen, doch steht die Komposition unter einem bestimmten Gesetz. Es ist das Scheitern des Helden an und in dieser Welt und die Erkenntnis, die er gegen Ende des Hin und Her um die Parallelaktion mehr beiläufig und ohne daß ihm jemand antwortete, ausspricht:

Die Suche nach einem „Sinn"

Das kommt nur davon, daß die Bemühungen aller, die sich berufen fühlen, den Sinn des Lebens wiederherzustellen, heute das eine gemeinsam haben, daß sie dort, wo man nicht bloß persönliche Ansichten, sondern Wahrheiten gewinnen könnte, das Denken verachten, dafür legen sie sich dort, wo es auf die Unerschöpflichkeit der Ansichten ankommt, auf Schnellbegriffe und Halbwahrheiten fest.

Die Idee des „richtigen Lebens", seines „Sinnes" (den Stefan George „den geraden Wandel vor dem Herrn" nannte) möchte Ulrich erkunden, und dazu wird halb scherzhaft ein „Generalsekretariat der Genauigkeit und Seele" verlangt.

Im Jahre 1932 erschien der zweite Band des Romans; er enthält die achtunddreißig Kapitel des dritten Teils, unter dem Titel „Ins Tausendjährige Reich (Die Verbrecher)“, etwa vierhundert Seiten lang. Er brach ziemlich willkürlich mitten in der Handlung ab. Erst aus dem Nachlaß wurde 1943 ein dritter Band veröffentlicht. Etwa fünfzig weitere Kapitel wurden hinzugefügt, die den Schluß so deutlich machen wie in den gleichfalls Fragment gebliebenen Romanen Kafkas. Wie der erste Teil die „Parallelaktion“ schilderte, so behandelt der zweite und dritte die Liebe Ulrichs zu seiner Schwester Agathe. Die Erzählung beginnt mit dem Tode des Vaters. Im Trauerhause trifft Ulrich seine Schwester Agathe, die er bisher kaum gekannt hatte. Sie weigert sich, zu ihrem Mann, einem eitlen Pädagogen, zurückzukehren. Dieser Mann Hegauer, der Ideen G. Kerschensteiners vertritt, ist einer der von Musil verurteilten Manager der Bildung. Musil hatte ein höchst ironisches Verhältnis zu den pädagogischen Schönrednern der Zeit, zu denen er auch H. Keyserling und O. Spengler rechnete. Agathe sagt von Hegauer:

Einband von Werner Rebhuhn zu der Neuausgabe 1952

Kritik am Bildungschaos

Ich erinnere mich, einmal ein Buch von ihm gelesen zu haben, worin einerseits von dem unersetzlichen Wert des historisch-humanistischen Unterrichts für die sittliche Bildung die Rede war und ebenso andererseits von dem unersetzlichen Wert naturwissenschaftlich-mathematischen Unterrichts für die geistige Bildung und drittens von dem unersetzlichen Wert, den das geballte Lebensgefühl des Sports und der militärischen Erziehung für die Bildung zur Tat hat.

Die Geschwister sind sich einig in dem Bestreben, den Sinn eines „richtigen Lebens“ zu finden. Sie erörtern das Wesen des Verbrechens, des Krieges, der soldatischen Existenz, der Mystik. Man will „dem unwesentlichen Leben entschlüpfen“, in gewissem Sinne „die Wirklichkeit abschaffen“, man will hinaus über die unselige moralische Ambivalenz, die an jeder Sache immer zwei Seiten erblickt und bewirkt, daß die Beziehung zur Welt schattenhaft wird. Die Schule der Liebe (von „Diotima“) wird ebenso verhöhnt wie die modische Sexualpsychologie; die alte Kunst wird betrachtet und kritisiert („es ist soviel Seele darin“) wie das Christentum und in der Gestalt Lindners die Ideen F. W. Försters.

Die Liebe der Geschwister wird dem Leser allmählich als ein dichterisches Bild klar: Agathe wird Ulrich, und Ulrich „ist“ Agathe; da wird gesagt, der wahre Mensch sei Hermaphrodit; Mann und Frau, Bruder und Schwester seien Spiegel ihres Ich; es handelt sich um mystische Erlebnisse, wo die Personen in Traum und Wirklichkeit transparent werden:

Die Unio mystica

Sie verließ abermals ihr Fleisch; diesmal begegnete sie aber gleich ihrem Bruder. Und wieder lag ihr Leib nackt auf dem Bett, und sie sahen ihn beide an, ja die Haare über dem Schamteil dieses ohnmächtig zurückgelassenen Körpers brannten wie ein kleines goldenes Feuer auf einem Grabmal aus Marmor. Weil es das Du und das Ich zwischen ihnen nicht gab, war dieses Dreisein nicht verwunderlich. Ulrich sah sie so mild und ernst an, wie sie ihn nicht kannte. Sie blickten sich auch gemeinsam in ihrer Umgebung um, und es war ihr Haus, worin sie sich befanden, aber obgleich Agathe alle Gegenstände gut erkannte, hätte sie nicht sagen können, in welchem Zimmer das geschah, und das war wieder eine seltsame Annehmlichkeit, denn es gab nicht Rechts noch Links oder Früher und Später, sondern wenn sie etwas gemeinsam anblickten, entstand ein Vereintsein wie von Wasser und Wein, das mehr golden oder silbern war, je nachdem darein geschüttet wurde. Agathe wußte sofort: „Das ist es jetzt, wovon wir so oft gesprochen haben, die Ganze Liebe“, und sie paßte genau auf, damit ihr nichts entgehe. Es entging ihr aber doch immer, wie das geschah. Sie sah darauf ihren Bruder an, aber auch er blickte mit einem steifen und verlegenen Lächeln vor sich hin. In diesem Augenblick hörte sie irgendwo eine Stimme sagen, und diese Stimme war so übermäßig schön, daß sie gar nicht irdischen Dingen gleichen mochte: „Wirf alles, was du hast, ins Feuer, bis zu den Schuhen; und wenn du nichts mehr hast, denk nicht einmal ans Leichentuch und wirf dich nackt ins Feuer!“ Und während sie dieser Stimme zuhörte und sich erinnerte, daß sie diesen Satz kenne, stieg ein Glanz in ihre Augen und drang aus ihnen hinaus, der die genaue irdische Bestimmtheit auch von Ulrich fortnahm, und sie hatte dabei nicht den Eindruck, daß ihm nun etwas fehle, sondern jedes Glied an ihr empfing davon in der Weise seiner besonderen Lust große Gnade und Seligkeit . . .

Die „Erlösung“

Musils Roman endet also bei mystischen Erlebnissen und Einsichten. Damit ist in mancher Hinsicht die Forderung nach der „Genauigkeit“, der „Wahrheit“, dem rechten Sinn, das Anschauen eines „Kosmos des Hirns“ (O. Flake), auf überraschende Weise erfüllt, ja überboten. Aber es ist nicht einzusehen, was dies Doppel-Ich der im anderen sich selbst Liebenden in der Wirklichkeit des Lebens tun und wirken sollte. Das Problem der Vita activa des modernen Menschen offenbart seinen metaphysischen Charakter, und man kann verstehen, daß manche Interpreten Musils von einem religiösen Denker gesprochen haben. In der Tat zieht sich ein Erlösermythos durch das Buch; aber der Erlöser ist ein „gemischtes“ Wesen, halb Heiland, halb Sünder, halb Wohltäter, halb Verbrecher. Schließlich ist der Titel vom „tausendjährigen Reich“ eine Andeutung, daß sich Musil mit dem Phänomen des sich als gut ausgebenden Bösen auseinanderzusetzen hatte, und zwar in einer Tiefe, die jede agitatorische Polemik ausschloß. Die Tagebücher lassen die Beschäftigung mit Hitler als einem politischen Phänomen von außerordentlichem Rang erkennen; Musil suchte Begriffe wie Mut, Gewalt, Geist und Politik, Nihilismus und Heldenverehrung zu durchdringen. Er notierte einmal, daß Hitler nach dem Maßstab der „weltgeschichtlichen Betrachtungen“ [von

Auseinandersetzung mit Hitler

Robert Musil, Büste von Fritz Wotruba

Jakob Burckhardt] eine weltgeschichtliche Figur wäre, und überlegte, ob der Nationalsozialismus ein „Neubildungsversuch der Welt" sei. Daß ihm der Typus Hitlers und das nationalsozialistische System zuwider waren, sah er, der die überkommene Moral ablehnte, als eine Frage mehr instinktiver Abneigung an. Das Problem des „Manns ohne Eigenschaften" war nicht politisch gestellt im engeren Sinn, sondern es enthielt die generelle Frage nach einer neuen Gemeinschaft. Sie wurde negativ beantwortet: Ulrich–Agathe bilden ein mystisches Ich, das in religiöser Einheit mit dem Kosmos auf einer paradiesischen Insel, im Reich der Utopie, existiert.

Komposition und Edition

Die Anordnung und Einordnung der Kapitel, die erst Martha Musil und später Adolf Frisé vorgenommen haben, wirken nicht so, wie man es von einem architektonisch planenden Autor wie Musil erwartet. Musil selbst hat ganze Erzählkomplexe der früheren Teile im Laufe der Jahre fallengelassen. Nicht nur Nebenhandlungen sind versickert, auch das Hauptproblem kommt dem Leser zugunsten – oder ungunsten – der mystischen Union der Geschwister aus den Augen.

Vielleicht schwebte Musil vor, klarzumachen, daß die Geschwister die aufgeworfenen Fragen nicht lösen konnten, weil das große Chaos, von dem der Erzähler ausgegangen war, durchaus nicht überwunden war; und kein Einzelner könnte sich unterfangen, in einem Zeitalter der Massen individuelle Lösungen zu finden, wie es die großen Dichter und Kritiker des neunzehnten Jahrhunderts und ihre bewußten und unbewußten Nachfolger versucht hatten. Sie sind, nach Musil, alle gescheitert. Das ist bei Hegauer und Lindner zu erkennen, die für Musil Sprachrohr spätklassizistischer und -christlicher Ideen, Pseudonyme für G. Kerschensteiner und F. W. Förster, waren.

Änderung der Auffassung

Die Tagebücher erweisen, daß Musil den Helden anfangs als Typus eines Degenerierten mit anarchistischen Zügen sah („gegen die herrscht die größte Wut"). Der Roman heißt anfangs der zwanziger Jahre „Katakombe", der Held Achilles – etwas später wird er Anders benannt. Eine Notiz macht den satirischen Zusammenhang zwischen dem Autor, dem erzählenden Ich und dem Helden deutlich:

Ich erzähle. Dieses Ich ist aber keine fingierte Person, sondern der Romancier. Ein unterrichteter, bitterer, enttäuschter Mensch, Ich. Ich erzähle die Geschichte meines Achilles. Aber auch, was mir mit andren Personen des Romans begegnet ist. Dieses Ich kann nichts erleben und erleidet alles, woraus sich Achilles befreit und woran er dann doch zugrunde geht. Aber tatlos, unvermögend zu einer klaren Erkenntnis und zu einer Aktivität zu kommen, wie es der diffusen, unübersehbaren Situation von heute entspricht. Mit Reflexion von meinem Standpunkt aus. Wie von einem letzten, weise, bitter und resigniert gewordenen Überlebenden der Katakombe aus erzählt. – Erzählungstechnik im allgemeinen objektiv, aber wo erwünscht, rücksichtslos subjektiv. Man kann in Schutz nehmen als Mensch, der so etwas zwar selbst nicht täte, aber es ist zweifelhaft, ob mit Recht. – Aber nicht Zeitroman, synthetischer Zeitaufbau, sondern Konflikt Achilles' mit der Zeit. Nicht synthetisch, sondern durch ihn aufspalten!

Schema der Pädagogen

Musil war Dichter genug, um zu wissen, daß er als Erzähler die Probleme nur durch Umsetzung darstellen könne. Da wird etwa die Lage der professoralen Pädagogik in der Ehegeschichte Agathe–Hegauer gespiegelt: Der Schulmeister tyrannisiert die genialische Frau so, daß sie sich scheiden läßt. Sie geht dann zu Lindner, um bei ihm, dem berühmten Psychologen und Philosophen, einen – angebotenen – Rat zu holen. Es ist reine Satire, wie Lindner geschildert wird. Er hat richtige Ideen etwa über Sport und Körperkultur, über Goethe, den er kritisiert, und über das Verhängnis einer Kultur, die auf das große Individuum, die gebildete Persönlichkeit des romantisch-klassischen Zeitalters zugeschnitten ist, aber im Massenzeitalter zur Lüge werden muß. Aber alles, was Lindner theoretisch „weiß", versagt sofort in der Praxis gegenüber seinem siebzehnjährigen Sohn und einer komplizierten Frau vom Rang Agathes. Lindner ist wohl fromm, aber er ist zugleich unfähig oder zu eitel, „auf seine Persönlichkeit zu verzichten". „Es schwebte ihm als Ideal der Welt eine Gesellschaft vollverantwortlicher sittlicher Persönlichkeiten vor, die als zivile Gottesstreitmacht zwar wider die Unbeständigkeit der niederen Natur kämpfe und den Alltag zum Heiligtum mache, dieses aber auch mit den großen Werken der Kunst und Wissenschaft schmücke."

Die Sinnlichkeit der Frau

Hinter dem „anstößigen" Motiv der Geschwisterliebe Ulrichs und Agathes steckt ein Knäuel Musilscher Vorstellungen, die sich im Lauf der Jahrzehnte entwirrt haben. An den Anfang kann man den Widerspruch des anarchisch-freien Typus gegen die konventionelle Moral setzen. Daraus werden kulturgeschichtliche und sozialkritische Folgerungen gezogen und in Kritik an der laxen Ehemoral Kakaniens und der Vorkriegszeit umgesetzt. Dieser Komplex wird später wesentlich vertieft durch einen fast mythischen Glauben an gleiches Blut, Herkunft aus dem gleichen Schoß und buchstäblich „verwandte“ Bestimmung des „superioren“ Menschen. Dazu treten der Gedanke von der neuen Gemeinschaft und der gegenseitigen „Erlösung“ in der Hingabe des einen an den andern sowie der Glaube der Epoche an die Möglichkeit eines Transzendierens der „Natur“ zum „Geist“. Während der Ulrich des späten Musil ein passiver Typus ist, hat Agathe in ihrer Liebe den „Anderen Zustand“ (ein Musilscher Kernbegriff) erreicht. Es ist bezeichnend, wie Musil die „sinnliche“ Liebe zu beschreiben weiß. Agathe sagt:

Der andere Zustand

„Es ist etwas völlig Unerträgliches, daß man an einem Menschen, den man liebt, nicht wirklich teilnehmen kann, und es ist etwas völlig Einfaches. So ist die Welt eingerichtet. Wir tragen unser Tierfell mit den Haaren nach innen und können es nicht ausstreifen. Und diesen Schreck in der Zärtlichkeit, diesen Alptraum der steckenbleibenden Annäherung, den erleben die regelrecht guten, die ‚kurz und guten‘ Menschen nie.“ ... Der Traum, zwei Menschen zu sein und einer —: in Wahrheit war die Wirkung dieser Erdichtung in manchen Augenblicken der eines über die Grenzen der Nacht getretenen Traumes nicht unähnlich, und auch jetzt schwebte sie zwischen Glaube und Leugnung in einem solchen Gefühlszustand, daran die Vernunft nichts mehr zu bestellen hatte.

Ein wenig später, während Agathe mit ihrem Bruder im Zimmer sitzt, heißt es:

Blaue süßliche Schärpen vom Rauch achtlos verbrennender Zigaretten umschlangen sie und Ulrich. Sie wußte nicht mehr, ob sie bis ins Innerste empfindlich und zärtlich sei oder ungeduldig und schlecht auf ihren Bruder zu sprechen, dessen Ausdauer sie bewunderte. Sie suchte sein Auge und fand es erstarrt wie zwei Monde in dieser unsicheren Atmosphäre schweben. Und in demselben Augenblick geschah ihr nun, was nicht aus ihrem Willen zu kommen schien, sondern von außen, daß das quellende Wasser vor den Fenstern plötzlich fleischig wurde wie eine aufgeschnittene Frucht und seine schwellende Weichheit zwischen sie und Ulrich drängte. Vielleicht schämte sie sich oder haßte sich deswegen sogar ein wenig, aber eine völlig sinnliche Ausgelassenheit — und gar nicht nur, was man Entfesseln der Sinne nennt, sondern auch, ja weit eher, ein freiwilliges und freies Ablassen der Sinne von der Welt! — begann sich ihrer zu bemächtigen; und sie konnte dem gerade noch zuvorkommen und es vor Ulrich sogar verbergen, indem sie mit der schnellsten aller Ausreden, daß sie etwas zu besorgen vergessen hätte, aufsprang und das Zimmer verließ.

Etwas später wird Agathe das Erlebnis völlig klar, es drängte auf „Vereinigung“ hin; das eigentliche Erlebnis aber geht in die Ahnung über, alles, was ihr begegne, stehe in märchenhafter Verbindung mit etwas Verborgenem. Diesen Fragen wendet sich später Musils Hauptinteresse zu. Sie bestimmen die weitere Linie des Romans. Lindners Seelenrettungsversuche wurden immer lächerlicher angesichts der Tiefe der Musilschen Analysen, die nie reine Theorie werden. Allerdings bemerkt man ein Mißverhältnis; es besteht darin, daß nur Ulrich-Agathe existentiell ernst, als „wahr“ verstanden werden, während die andern Figuren Karikaturen werden und dadurch an epischem Gewicht verlieren.

Ein intelligenter Schriftsteller

Musil war nicht bloß ein bedeutender Dichter, sondern ein vorzüglicher Theoretiker, Essayist und Denker. Unter den Autoren des deutschen Sprachgebiets vertritt er den überaus seltenen Typus des *klugen* Autors. Die Intelligenz bezog sich nicht nur auf Zeit und Literatur, nicht bloß auf das kritische Vermögen und die

Kunst der Komposition eines Großwerks wie „Der Mann ohne Eigenschaften“, sondern auf sein Verhältnis zu Zeit und Welt überhaupt. Musil hatte die Zeit durchschaut und zog Folgerungen von erstaunlicher Kaltblütigkeit. Vor allem erkannte er Wissenschaft und Politik als Tummelplätze sekundärer Figuren. Für ihn war Rathenau der Fall des gewandten Wortemachers, des Salonmenschen, eines über sich selbst ahnungslosen Selbstbetrugs: eine Erscheinung, die andern Menschen um so größeren Eindruck macht, je mehr sie wirtschaftlichen, politischen und gesellschaftlichen Erfolg hatte. Dieser Erfolg beruhte auf den „Werten“, von denen Rathenau selbst in einem entlarvend „seelenvollen“ Stil sprach und schrieb. Auch bei Eucken, Bergson und Emerson bemerkte Musil die falschen und lehrhaft geschickt ausgewerteten Töne. Er wirft Oswald Spengler vor, Gedanken als neu auszugeben, die seit fünfzig Jahren jedermann, der Erkenntnistheorie getrieben habe, geläufig seien:

Oswald Spengler
Zeichnung von Rudolf Grossmann, 1924

Oswald Spengler

Wenn er [Spengler] aber daraus folgert, es handle sich bei physikalischen Entscheidungen „um *Stilfragen* . . . Es gibt physikalische Systeme, wie es Tragödien und Sinfonien gibt. Es gibt hier Schulen, Traditionen, Manieren, Konventionen wie in der Malerei“: so macht er aus einem gallus Mattiae einen Gallimathias. Spengler sagt: Es gebe keine Wirlichkeit. Natur sei eine Funktion der Kultur. Kulturen seien die letzte uns erreichbare Wirklichkeit. Der Skeptizismus unserer letzten Phase müsse historisch sein. Warum aber haben die Hebel zur Zeit des Archimedes oder die Keile im Paläolithikum genau so gewirkt wie heute? Warum vermag sogar ein Affe einen Hebel oder einen Stein so zu gebrauchen, als wüßte er von Statik und Festigkeitslehre, und ein Panther aus der Spur auf die Beute zu schließen, als wüßte er von der Kausalität? . . .

Kategoriale Überlegenheit

In einem Interview über den damals, 1926, noch „Die Zwillingsschwester“ (!) genannten Roman sagte Musil, der intelligente Held sehe zu seinem Erstaunen, daß die politisch-ökonomische Wirklichkeit „um mindestens hundert Jahre zurück ist hinter dem, was gedacht wird. Aus diesem Phasenunterschied, der notwendig ist und den ich auch zu begreifen suche, ergibt sich ein Hauptthema: Wie soll sich ein geistiger Mensch zur Realität verhalten?“ Die Gegenfigur, „größten Formats“

ist Rathenau, der wirtschaftliches Talent und ästhetische Brillanz zu einer merkwürdigen Einheit verbunden habe. In diesem Interview war das Thema eines männlichen und weiblichen Zwillings bereits als Sinnbild für die Spannung von Ich und Nicht-Ich gefaßt. Musil notiert aus dem kalt betrachteten Abstand des Mannes der Wissenschaft und des „Geistes": „Die Geschichte der Kunst wird bewirkt von Affekt, geregelt durch Mode." Und dazu paßt: „Auch schlechte Künstler haben gute Gründe und Absichten." Vor allem aber gilt seine Ironie jenen Leuten, die gewisse Dinge des Lebens – z. B. Volk und Nation – nicht sehen *wollen* und sich „im Namen des Geistes für exterritorial und übernational erklären. Sie treiben Vogelstraußpolitik." Und Musil, der den Nationalismus haßte, stellte zur Frage der Begeisterung von 1914 fest: „Was man anfangs stammelte und später zur Phrase entarten ließ, daß der Krieg ein seltsames, dem religiösen verwandtes Erlebnis gewesen sei, kennzeichnet unzweifelhaft eine Tatsache." Mit dieser Überlegenheit hängt auch das ironische Verhältnis zu Thomas Mann, einem der von ihm karikierten „Großschriftsteller", zusammen; R. Musil macht über ihn die Anmerkung:

Thomas Mann

Daß er so viele Schriftsteller loben kann, nicht bloß mag, hängt mit seinem Erfolg in der Zeit zusammen; denn die Zeit liebt, nebeneinander, ja auch die meisten von ihnen. Auch Kritiker, Literarhistoriker, Verleger müssen viel lieben können . . . Ich bin das extreme Gegenteil mit meiner Kritik gegen beinahe alles . . .

Literarische Urteile

Tatsächlich findet man wenige freundliche oder gar positive Urteile bei Musil, obwohl sein Gesichtskreis sehr groß, nahezu umfassend war. Karl Kraus hat ihn nicht zur Kenntnis genommen, aber Musil hat das Phänomen Kraus mit einem gewissen Respekt verfolgt und zugleich seine „Sterilität" gesehen. In Franz Blei sah Musil mit Recht seinen frühen Entdecker, und vielleicht war er ihm deshalb so wohlgesonnen. Bezeichnend ist auch der Satz: „Wie oft habe ich mein Urteil über Rilke, über Hofmannsthal geändert. Beliebter [!] Schluß daraus: daß es kein objektives Urteil gibt, sondern nur ein ‚lebendiges'." Musil fürchtete ein Leben mit dem heute allgemein üblichen „Bewußtseinsverlust". Der auch im Roman erstrebte „andere Zustand" ist ein „Versuch ohne Bewußtseinsverlust", also ohne den hysterischen und autosuggestiven Schwund an Geist und Sentiment zu leben; er ist ein geistiger Zustand, dessen archetypisches Vorbild die visionäre Erhebung der Mystiker zu Gott war. In diesem Zusammenhang warf Musil auch der Religion – womit er immer den Katholizismus meinte – vor, sie sei durch geistliche Bürokratie von ihrem wahren Auftrag abgekommen, wie die Literatur und Politik durch die Kategorie des Erfolgs. Über Max Scheler konnte Musil sagen: „Feuriger Kathederhengst, die sonderbarsten Gefühle sprühen ihm aus den Nüstern. Aber doch ein großer Reichtum des (mit verschiedener Intensität) Durchdachten."

Max Scheler

Nietzsche und d'Annunzio werden oft meditiert – sie waren die Götter des jungen Musil, und er durchschaute das Zeitgebundene, jene unechte Substanz, die an der Oberfläche sichtbar wird und von der fast immer die erste und oft entscheidende Wirkung ausgeht. Die Menschen kommen heute weniger als früher zur Realisierung des „andern Zustands". Einmal wird geradezu gesagt, politische Führer, z. B. Hitler, nähmen dem Volk diese Notwendigkeit ab, und in Zeiten, in denen solche Führer fehlten, nähmen Schauspieler von Bühne und Film diesen Platz ein: Kehrseiten ein und desselben Faktums.

Ähnlich, wie Hofmannsthal in den Notizen und Skizzen zu „Andreas" bedeutender ist als in den ausgeführten Teilen der Erzählung, ist man versucht, Musils Tagebücher noch über den Roman zu stellen. Hier ist eine Intelligenz entbunden – wie beim E. Jünger des „Abenteuerlichen Herzens" und der zugehörigen Essays –, die zwar ganz aus ihrer Zeit kommt, aber den „anderen Zustand" erreicht hat, wo die Zeit zum Staunen der Zeitgenossen überwunden wird.

Alfred Döblin

Eigenes Urteil über die Jugend

Döblins Weg vom wilden Aufruhr der Vorkriegsjahre zur katholischen Kirche ist nicht identisch mit seiner literarischen Entwicklung, die in „Berlin Alexanderplatz" ihren Höhepunkt hat. Er hat später über seine Anfänge ironisch geurteilt und schrieb im Epilog zur „Auswahl aus dem erzählenden Werk" (1948):

Um 1900, zu Ende meiner Schulzeit, im Beginn meiner Studentenzeit, kam ich mit Herwarth Walden in Berührung (er wohnte auch im Osten von Berlin, in der Holzmarktstraße, sein Vater war Sanitätsrat). Wir moquierten uns über die damaligen Götzen der Bourgeoisie, Gerhart Hauptmann und seinen unechten Märchenspuk, über die klassizistische Verkrampfung Stefan Georges. Es gab schon damals den Autor der „Buddenbrooks", er kam nicht in Frage. Man traf sich mit der Lasker-Schüler, Peter Hille im Café des Westens, gelegentlich bei Dalbelli an der Potsdamer Brücke. Man hatte Tuchfühlung mit Richard Dehmel, mit Wedekind, Scheerbart. Damals (1905) schrieb ich ein Stück „Lydia und Mäxchen"! Tiefe Verbeugung in einem Akt; das 1906 im Residenztheater in Berlin, bei einer Matinee mit einem Scheerbart-Stück aufgeführt wurde ... Damals saß ich übrigens in Regensburg als Assistenzarzt in der Kreisirrenanstalt und schrieb eine lange abstrakte Betrachtung (ich weiß nicht mehr wie ich darauf kam) betitelt: „Gespräche mit Kalypso über die Musik und die Liebe." Das Opus wurde teilweise im „Sturm" abgedruckt. In den „Sturm" gab ich auch meine früheren Novellen, phantastische, burleske und groteske Stücke, die ich später zusammen in dem Band „Ermordung einer Butterblume" herausbrachte. Die Herrschaften im „Sturm", (zu denen Rudolf Blümner, Lothar Schreyer, Stramm und Maler wie Franz Marc, Kokoschka stießen) goutierten diese Sachen. Sie schienen ihnen „expressionistisch" zu sein. Als ich aber das Visier hob und vom Leder zog im „Wanglun" (1912), da war es aus, – dabei fing ich erst an. Kein Wort äußerte Walden oder ein anderer aus dem Kreis der Orthodoxen über den Roman. Wir blieben aber freundschaftlich verbunden. Immerhin, daß ich nicht zur Gilde gehörte, war abgemacht. Sie entwickelten sich (geführt von Schramm und Nebel) ganz zu Wortkünstlern, überhaupt zu Künstlern. Ich ging andere Wege. Ich verstand sie gut, sie mich nicht.

Das Kernthema

Wäre Döblin (1878–1957) wie so viele seiner Generation etwa im ersten Weltkrieg gefallen, so hätte auch ein Kenner der Literatur 1914 nicht mehr von ihm gewußt, als daß Döblin ein reger Mitarbeiter des „Sturm" war, in dessen zweitem Jahrgang jene Reihe von kleineren Erzählungen erschien, die er mit andern 1913 zu einem Buch „Die Ermordung einer Butterblume und andere Erzählungen" vereinigte. Es sind Phantasien eines Mannes, der offenbar Irrenarzt war. Die ersten dieser Geschichten waren schon 1905 entstanden; ihnen war ein „Roman von den Worten und Zufällen" 1901 vorausgegangen, der erst 1919 unter dem Titel „Der schwarze Vorhang" veröffentlicht wurde. Es ist ein Pubertätsroman; Hölderlin und Kleist waren die Götter des Autors. Das Buch endet mit einem Lustmord des Helden Johannes an dem zufälligen Gegenstand seiner Liebe: Zum erstenmal versuchte Döblin sein Urthema zu fassen, das Ausgeliefertsein des Menschen an fremde Mächte. Der „Schwarze Vorhang“ und die Erzählungen sind in einem Stil geschrieben, den es damals noch „nicht gab“: expressionistisch im Sinne von nichtnaturalistisch, aber Grammatik und Syntax blieben weithin konventionell:

Es läutet. Ich nehme meine Bücher und gehe. Draußen regnet es. Schmutz liegt auf der Straße und die braunen Pferde dampfen. Einige gehen mit mir im Regen. Wir sprechen von dem Wetter und anderem. Wir gehen über die Brücke. Plötzlich fällt mir jenes ein, und ich muß lächeln. — Aber wieder fühle ich es summen; es erfüllt mich. — Mein Zimmer. Still. — Ich habe mich auf mein Bett geworfen. Eine seltsame Unruhe ist in mir, eine eigene, tieftiefe Spannung meiner Seele, ja, heimlich, nach innen gezogen. Ich versinke in mich, es löst sich alles in mir. Wispert wie ein liebes Atmen, Schmauchen, Näherschlürfen. Ich finde es wieder; ach, wenn ich es wiederfände. L'Arlésienne, — die Zarte.

Titelblatt von Ernst Ludwig Kirchner

Hinter dem Erlebnis stehen als literarische Muster d'Annunzio und J. P. Jacobsen, später wird es Dostojewski sein. Der das schrieb, war ein Medizinstudent aus Stettin, dessen Vater davongelaufen war, als Alfred zehn Jahre zählte, und die Sorge für die Familie der Mutter überlassen hatte: es war Döblins entscheidendes Jugenderlebnis. Es erklärt die strenge Erziehung durch die Mutter, die mit den Kindern nach Berlin zog und ihnen Berlin-Ost als Heimat gab, wo der Arzt Döblin später praktizieren sollte. Nach dem Kriege wandte sich Döblin wieder beruflichen Studien zu, ab 1919 auch der Psychoanalyse. Aber die zoologische und psychologische Betrachtung des Menschen entschleierte nicht die von der Medizin erhoffte „Wahrheit“. Die politische Mitarbeit bei der Sozialdemokratie, deren Niederschlag man im „Deutschen Maskenball“ (1921) findet, unter dem Pseudonym „Linke Poot“ (linke Hand) geschrieben, konnte ihn nicht befriedigen. Döblin erkannte in der Sozialdemokratie, wie später im Nationalsozialismus, eine kleinbürgerliche Partei. Die künstlerische Forderung wurde so ausgedrückt: „Dicht an die Realität dringen und sie durchstoßen, um zu den einfachen großen elementaren Grundsituationen und -figuren des menschlichen Daseins zu gelangen.“

Der Wunsch nach dem Elementaren

Die Romane der Gruppenseele

Die ersten Erzählungen und Romane griffen zu hoch und zu weit; Döblin schien sich historische, geographische und kosmische Dimensionen zuzutrauen; aber sie spiegeln mehr die Richtungslosigkeit der Zeit; der Autor hatte seinen Gegenstand noch nicht gefunden. „Die drei Sprünge des Wanglun, chinesischer Roman“ entstand 1912 und erschien 1915. Er sollte den Aufstand chinesicher Goldwäscher am Lena und seine Unterdrückung durch russisches Militär darstellen; es wurde

ALFRED DÖBLIN

Alfred Döblin, Kohlezeichnung von Otto Pankok

aber ein Vagabunden-, Schelmen- und Räuberroman im chinesischen Milieu, in dem des Autors erzählerisches Temperament sich breit entfaltete. Dahinter steht eine Lebenslehre, die den großen Einzelnen und das Persönliche als „Schwindel und Lyrik" verwirft. „Zum Epischen taugen Einzelpersonen und ihre sogenannten Schicksale nicht", die Masse ist der Held; das Individuum hat nur so weit Sinn, als es Typus der Masse ist. Im „Wanglun" ist es die Gruppenseele des chinesischen Volkes, im „Wallenstein" (1920) die Zeitseele der chaotischen Welt im Dreißigjährigen Krieg, wobei die nicht minder wirre Zeit des endenden Weltkrieges und der ersten Nachkriegsjahre eingeblendet wird.

„Wadzeks Kampf mit der Dampfturbine"

In dem Roman „Wadzeks Kampf mit der Dampfturbine" (1919) widersetzt sich der Industrielle Wadzek, ein Dampfkesselfabrikant, dem neuen Prinzip der Dampfturbine und unterliegt:

Wadzek schäumte. In der Wohnung warf er einen Handschuh weiter, der auf der Ofenkonsole lag, krachend auf die Diele.
„Sie zwingen mich, vergewaltigen mich."
„Was ist los?" flehte die dicke Frau Wadzek am Fenster.
„Was los? Ich bin auf Abbruch verkauft. Ich geh' als Monteur in die Häuser, schraube Glühbirnen an. Werde Schornsteinfeger."
Er machte blitzartig rasche Bewegungen, strich sich mit einer Hand über die andere, als ob er die Haut abstreifte, sägte mit dem linken Arm, knixte zusammen. „Meine Zeit ist um, Rommel [der Konkurrent] kommt."
Er streckte den Hals vor.
„Du brauchst nicht die Gurgel hinzuhalten, . . ."

Technik, Natur und Mystik

Der karikierende Stil, Heinrich Mann verwandt, hatte Einfluß auf Piscators Bühnentechnik; von einem „Durchstoßen" der Realität konnte freilich keine Rede sein. In „Berge, Meere und Giganten" (1924) ist die Massenseele einer Menschheit des 23.–27. Jahrhunderts grotesk dargestellt. Eine der Ursachen lag im Erlebnis des Großstädters, dem die Natur fremd war. In Bemerkungen zu diesem Roman schrieb Döblin:

Mit fünfzehn Jahren sah ich auf einer Landpartie den ersten Kirschbaum. Mich um Tiere, um das Land zu bekümmern, schien mir lächerlich, romantische Fexerei, alberne Zeitvergeudung. Preußische Strenge, Sachlichkeit, Nüchternheit, Fleiß sind mir auf dem Berliner Gymnasium anerzogen worden. Ich kann mich noch erinnern meiner fast atemlosen Freude, als die ersten Drähte für die Elektrische in Berlin ausgespannt wurden und daß ich zum Spott einiger Kameraden mit wirklichem Entzücken ein halbes Dutzend Mal nach Kroll zog, nicht aber zum Theater, sondern um neben dem Eingang in den Kellerraum zu sehen, wo eine Maschine stand, die ich gar nicht verstand, aber die mich auch gar nicht losließ.

Der Glaube an Apparate, die Liebe zum Technischen und zu den Disziplinen der Chemie, Biologie, Physik, die ein neues Weltgefühl schufen, kennzeichnen den mittleren Döblin. Aber dahinter wird allmählich etwas anderes wahrgenommen, Natur, Urwesen, Giganten, Dämonen und das Geheimnis einer Welt, dem die moderne Naturwissenschaft nur scheinbar nahegekommen ist. (Bald wird Döblin diese Wissenschaften für „bankrott" erklären.) Das Sittliche und die Mystik fallen in den Gesichtskreis des Autors. Er sagt: „Das Mystische wird Grenzbegriff zur Naturwissenschaft." Darum muß die Kunst auch Naturwissenschaft und sinnliche Gegenwart geben und die „knechtende Raserei" der Gefühle eines Wallenstein. In dem Roman „Berge, Meere und Giganten" werden die Erdmächte von Maschinen bezwungen; um Grönland zu enteisen, wird Islands Feuer benötigt . . .

Die Lobensteiner

Max Krell stellte 1920 in einer Betrachtung zur modernen Novellistik fest: „Bei Alfred Döblin wird der mystische Bezirk geöffnet. Das Phantastische eist sich los von allen realen Bindungen. Man wird interessierter Zuschauer dieses Prozesses." In den zwölf Novellen und Geschichten des Bandes „Die Lobensteiner reisen nach Böhmen" (1917) ist die Erzählung „Der Kaplan" merkwürdig, weil sich Döblin zum erstenmal mit einer christlichen Gestalt auseinandersetzt. Ein junger Berliner Kaplan lernt auf der Straße eine junge Dame kennen. Er gerät unter einen ihm unbegreiflichen und auch vom Autor nicht erklärten, aber psychoanalytisch deutbaren neurotischen Zwang und verliebt sich in sie. Als er die junge Person besucht, entdeckt er, daß sie die Geliebte eines Reiteroffiziers ist, der ihn ausnützt und zum besten hält. Es gibt eine groteske Szene, als der Kaplan zu einem Kostümfest kommt, das im Milieu der Lebewelt arrangiert ist. Am Schluß, als er mit Alice im Tandem fährt und von dem Offizier verfolgt wird, wirft sie sich unter die Räder; er endet in einem Kloster – einer seinem geistlichen Stand angemessenen Form der Irrenheilanstalt. Die Geschichte ist in einem bezeichnenden Mischstil geschrieben; glänzende Partien stehen neben kolportagehaften. Der Kaplan kommt nach Hause:

„Der Kaplan"

In der Nacht heimkehrend steckte er die Gasflamme in seinem Zimmer an. Aus seinem Schrank hob er mit schwankenden Armen den schwarzen Regenschirm, tastete nach der Büchse Schuhcreme im Fach. Er fingerte unsicher über Schirm und Mütze, packte sich auf einen Stuhl unter dem Bilde des heiligen Sebastian, warf sich in einer unbezwinglichen Bewegung auf den Boden, aufgewirbelt und fast ohne Besinnung, schrie: „Herr, mach ein Ende! Noch Sekunden laß mich irren, noch Minuten, wenn du es willst, nicht länger, Herr ein Ende!"

„Reise in Polen"

Die Dramenszenen „Lusitania" (1921) und das Schauspiel „Die Nonnen von Kemnade" (1923) rührten in ähnlicher Weise an das innere Geheimnis des Menschen. Da unternahm Döblin 1924, auf den Spuren des verlorenen Vaters, die „Reise in Polen" (1924). Er fand bei den Rabbinern und Frommen des Judentums das „Elementare" in einer konkreten Form: als Religion. Hier liegt der Keim seiner späteren Wendung.

ALFRED DÖBLIN

Döblins epische Dichtung „Manas" (1927) steht in den Zusammenhängen der „kosmischen" Großgedichte, wie sie der monistische Naturalismus von Julius Hart über Mombert und Däubler bis Gerhart Hauptmann hervorbrachte. In der Legende vom indischen Fürsten Manas, der – in Umkehrung des Orpheus-Eurydike-Motivs – von seiner Frau den Dämonen entrissen wird, fand er einen seiner Fabulierlust angemessenen Stoff. Das Gedicht ist in rhythmischer Prosa geschrieben. „Manas" ist Döblins erster Durchbruch zu einer objektiveren Form:

„Manas", epische Dichtung

Und vor ihr das ungeheure eisstarrende Gebiet, Schiwas Reich,
Das Totenfeld,
Schauer Schmerz Gier,
Jachende Dämonen, Nacht über dem Feld.
In der Frühe ist gesessen
Auf dem kleinen Stein Sawitri,
Und ein Nebel ist geschwommen
Und ist nicht davon geronnen.
Sie hat beklommen gesessen
Und hat gedacht: woran denk ich jetzt,
Was ist mir und wo bin ich.
Zwischen hohen Bergen?
Wie sie ist aufgestanden, ist der Nebel der Schatten
nicht von ihr gegangen.
Sie hat sich gedreht, ist beiseite gegangen, hat
gewinkt mit den Händen ...

„Berlin Alexanderplatz"

Nicht die ästhetischen Versuche von der Art der ermordeten Butterblume, aber auch nicht das Epos „Manas", das Loerke so wichtig erschien, und schon gar nicht die weiträumigen historischen und kulturgeschichtlichen Epopöen sind Döblins bleibendes Werk, sondern „Berlin Alexanderplatz, die Geschichte vom Franz Biberkopf" (1929). Mit diesem Roman hat Döblin auch buchhändlerisch Erfolg gehabt, in wenigen Jahren erschienen 40 000 Exemplare. Es ist die Geschichte eines straffällig gewordenen, eben aus der Haft entlassenen Transportarbeiters, der als anständiger Mann ins Leben zurückfinden möchte. Dreimal wird ihm vom Schicksal Gelegenheit geboten, sich zu bewähren, aber jedesmal fällt er zurück in seine Laster; er will nicht begreifen, daß er kein besonderer Mensch ist, daß er keine (kriminellen) Vorrechte besitzt, daß er sich fügen muß, daß jedes Ausbrechen in Verwicklungen führt, bis die letzte Dummheit ihn in so schwere Wirren stürzt, daß seine alte Person in der Gefängnisirrenanstalt zerbricht und endlich die neue frei wird: Franz Biberkopf wird Portier bei einer Fabrik, ein gewöhnlicher Mensch.

Hatten in den früheren Romanen Kaiser und Feldherren den bösen, machtbesessenen Typus Mensch vertreten, so ist es jetzt Franz Biberkopf, großstädtischer Verbrecher und Zuhälter, hörig den Bösen und zu schwach, auf dem falschen Weg umzukehren. Diese Drehung ist nicht nur ein künstlerischer Griff, sie bot Döblin auch einen Menschenschlag, den er als Berliner Vorstadtarzt sehr gut kannte, den Proletarier, dessen Gott der Trieb und der Bauch ist.

Die moralische Tendenz

In der Echtheit des Hurenmilieus, der Verbrecherringe und ihrer Feinde, der „Bullen" der Polizei, lag ein dankbares Kolportageelement, und es wurde verstärkt durch die Lokalfarbe der Straßen um den Berliner Alexanderplatz der zwanziger Jahre, den Dialekt und den Jargon der Unterwelt. Freilich wurde dem aufmerksamen Leser die moralische Absicht des Autors nicht vorenthalten, fett gedruckt wies Döblin mehrfach daraufhin, etwa in dieser Art:

Jetzt seht ihr Franz Biberkopf nicht saufen und sich verstecken. Jetzt seht ihr ihn lachen: man muß sich nach der Decke strecken. Er ist in einem Zorn, daß man ihn gezwungen hat, es soll ihn keiner mehr zwingen, der Stärkste nicht. Er hebt gegen die dunkle Macht die Faust, er fühlt etwas gegen sich stehen, aber er kann es nicht sehen, es muß noch geschehen, daß der Hammer gegen ihn saust.

Umschlag von Georg Salter, 1929

Andere Hinweise hat Döblin an den Höhepunkten der Handlung in Form von biblischen Parallelen eingebaut: die Gestalt Abrahams, der seinen Gott findet, und die Figur des Dulders Hiob, der mehrfach alles verliert und endlich belehrt wird, daß Gottes Wille unerkennbar ist. Das dritte Bild stammt aus der biblischen Zoologie, es ist die (Kobra-) Schlange, die sich ringelt und wartet, daß sie Adam und Eva verführen kann.

Der Roman der Stadt Berlin

„Berlin Alexanderplatz“ ist der erste und einzige deutsche Großstadtroman von literarischem Format. Fontanes Berliner Romane waren in die Großstadt verlegte Junkerepopöen, die Heimat des Menschen blieb das Land, das Schloß. Heinrich Mann zeigte die Stadt nur als Schauplatz seiner bösen Satire. Fallada ist unmittelbarer Nachahmer Döblins; Salomon und Edschmid retteten sich in eine für Snobs erfundene Stadt, und Musils und Doderers Stadt ist das paradoxe Substrat der Einsamkeit. Nur Döblin ist hier und in „Pardon wird nicht gegeben“ zur Wirklichkeit der Stadt und des Städters gelangt; sein Berlin ist ebenso „da“ wie sein trister Held Biberkopf. Döblin meinte, er habe für jedes seiner größeren Werke einen besonderen Stil gefunden: für „Berlin Alexanderplatz“ stimmt diese Ansicht. In dieser Mischung von Berlinismen, Jargon, eingeblendeten Informationen aus Zeitung, Statistik, Schlagertexten, Wetterdienst und Fahrplan, medizinischen Fachbegriffen, Slangwörtern (murksen, pladdern, rauf und runter, Kneipe, schwabbeln, Selter, „die hatn Vogel“ usw.) spürt der Leser mehr als dokumen-

Alfred Döblin

tarische Treue, die der Naturalismus als Ziel angestrebt hatte. Da entsteht aus der Banalität der Sprache ein neuer Stil:

Franz Biberkopf hetzen sie nicht. Sprechen wir es aus, gesegnete Mahlzeit, er trinkt bei Henschke oder woanders, die Binde in der Tasche, eine Molle nach der andern und einen Doornkaat dazwischen, daß ihm das Herz aufgeht. So unterscheidet sich der Möbeltransportör und so weiter, Zeitungshändler Franz Biberkopf aus Berlin NO Ende 1927 von dem berühmten alten Orestes. Wer möchte nicht lieber in wessen Haut stecken. Franz hat seine Braut erschlagen, Ida, der Nachname tut nichts zur Sache, in der Blüte ihrer Jahre. Dies ist passiert in einer Auseinandersetzung zwischen Franz und Ida, in der Wohnung ihrer Schwester Minna, wobei zunächst folgende Organe des Weibes leicht beschädigt wurden . . .

Wiederkehr als Stilprinzip

Das Ganze ist episch angelegt, die Wiederkehr der Motive ist Prinzip; an bestimmten Stellen tauchen Anspielungen auf, die zu Leitmotiven werden. Der Joycesche Bewußtseinsstrom und Dos Passos' Montagetechnik wurden zur Deutung dieses Stils bemüht; doch erklärt sich sein Ursprung zwangloser aus Döblins Glauben an die Wiederkehr des Gleichen, der ein Erbteil des naturwissenschaftlichen, darwinistisch und monistisch bestimmten Studiums war. Der Weg aus der zoologischen Verstrickung zur Erkenntnis des „unsterblichen Menschen" bezeichnet Döblins eigentliche Entwicklung; und der Roman von Franz Biberkopf steht hier an entscheidender Stelle: er erfüllt die Kleistsche Forderung des „unendlichen Durchgangs" vom einen Leben zum andern, indem Biberkopf aus der materiell-naturalistischen Welt des Hier und Heute, des Genusses, triebhafter Existenz, übertritt in eine wesenhafte Welt, deren Erlebnis niemand anders als Gott selbst vermittelt, als Franz unzurechnungsfähig und bewußtlos in der Anstalt liegt:

Irdische und metaphysische Existenz

„Wie ist es nur möglich, daß ein Mensch solange leben kann."
„Ich leide, ich leide."
„Es ist gut, daß du leidest. Nichts ist besser, als daß du leidest."
„Ach laß mich nicht leiden. Mach doch ein Ende."
„Es nützt nicht zu enden. Es geht jetzt zu Ende."

„Mach doch ein Ende. Du hast es in der Hand."
„Ich habe nur ein Beil in der Hand. Alles andere hast du in der Hand."
Jetzt brüllt die Stimme und hat sich ganz und gar verändert.
Der maßlose Grimm, unbändige Grimm, der tolle unbändige, der ganz maßlose rollende Grimm.
„Dahin ist es gekommen, daß ich hier stehe und so mit dir spreche. Daß ich wie ein Schinder und Henker stehe und an dir würgen muß wie an einem giftigen schnappenden Tier. Hab dich gerufen immer wieder, hältst mich für einen Schallplattenapparat, fürn Grammophon, das man andreht, wenns einem Spaß macht, dann hab ich zu rufen, und wenn du genug hast, stellst du mich ab. Dafür hältst du mich, oder davor hältst du mir. Halt mir nur davor, aber jetzt siehste, det Ding is anders."
„Wat hab ick denn gemacht. Hab ick mir nicht genug gequält. Ick kenne keenen Menschen, dems gegangen ist wie mir, so jämmerlich, so erbärmlich."
„Du warst nie da, Dreckkerl du. Ick habe mein Lebtag keenen Franz Biberkopf gesehn . . ."

Das Bild von der nächtlichen Allee

So kommt es zum „Umschlagpunkt" des Romans, der Katharsis, und hier findet Döblin das Bild eines Weges, den man durch eine lange dunkle Allee zu gehen hat. Franz ist diese Straße nicht gegangen wie normale Leute, sondern er rannte blindlings drauflos, stieß mit dem Kopf an die Bäume, und je mehr er rannte, an desto mehr Bäumen stieß er sich wund, preßte obendrein entsetzt die Augen zu, und so kam er schließlich mit durchlöchertem Kopf, „kaum noch bei Sinnen", am Ziel an. Jetzt erst macht er die Augen auf; die Laterne brennt hell über ihm, und das Schild ist zu lesen.

„Babylonische Wanderung"

Das nächste Werk Döblins erschien bereits im Ausland, in Amsterdam, es ist die „Babylonische Wanderung" (1934), der grotesk-tragische Weg eines assyrisch-chaldäischen Gottes über die Erde. Das Buch entstand in den ungewissen Monaten nach der Emigration in Zürich und Paris. Der „Gott" Konrad erfährt die Unsicherheit des Irdischen, die Fatalitäten der Liebe, der Gesellschaft, des Geldwesens, der Geschichte und Politik, und darüber wandelt er sich zu einem freundlichen Wesen, das seine Hoffart aufgibt und sich einzufügen lernt. Das Motiv stammt aus der kosmischen Dichtung Momberts und Däublers, nur daß der „Gott" hier nicht über den Sphären schwebt, sondern — dem Dichter ähnlich — mit der hohen und niederen Wirklichkeit der Welt in Berührung kommt. Stilistisch hat Döblin seinem Übermut des Fabulierens wohl allzusehr die Zügel schießen lassen. Auf dies Werk folgte der Roman „Pardon wird nicht gegeben" (1935), in dem Familienerinnerungen an den aus der Familie desertierten Vater und ältesten Bruder, der als Auswanderer zu äußerem Erfolg kam, aber das Leben nicht bewältigte, die Fabel nährten. Das Thema der Flucht und Umsiedlung steht auch im Mittelpunkt der Schriften „Jüdische Erneuerung" (1933) und „Flucht und Sammlung des Judenvolkes" (1935). Die politische Lösung dieser Probleme fesselte Döblin jedoch nicht so sehr wie die innere Bewältigung einer Neugründung; so kam er auf das Thema der Eroberung Südamerikas, die Bekehrung der Indianer und die Gründung eines christlichen Staates durch die Jesuiten in Paraguay. Es war ein ungeheures Thema und lockte Döblin aus mehreren Gründen. Er schrieb darüber die Trilogie „Land ohne Tod", „Der blaue Tiger" und „Der neue Urwald". Der erste Band erschien 1936. (Das Werk konnte in Deutschland erst nach dem Kriege verlegt werden.) Döblin bediente sich eines referierenden Allerweltsstils:

„Pardon wird nicht gegeben"

Die Südamerika-Trilogie

Langsam und traurig, fast fünfzig Schritt von den Dunklen getrennt, kauerte Las Casas im Gras an der Stelle nieder, die sie mit einem abgebrochenen Aste bezeichnet hatten. Als er saß, betete er und bat Gott um Hilfe. Dann begann er mutig zu reden. Er fragte sie, ob sie ihm feind seien, ob er ihren Stamm oder irgendeinen von ihnen beleidigt habe. — Das verneinten sie. — Dann fragte er, warum sie ihre alten Wohnsitze verlassen hätten. — Das sei der Tiere wegen, die sie jagen. Diese hätten sich von den alten Plätzen entfernt. — Und warum sie nicht in die schöne kleine Kirche kämen und sich und ihre Kinder unterrichten ließen. Sie hätten doch die heilige Taufe erhalten. — Sie antworteten: das sei auch der Tiere wegen. Wenn sie und ihre Kinder in die Kirche gingen, fiele die Jagd schlecht aus. Las Casas hörte das mit Schmerz, er kannte ihren schrecklichen Aberglauben . . .

„November 1918“

Auch die Tetralogie „November 1918“ — deren erster Band unter dem Titel „Bürger und Soldaten“ 1938 (später unter dem Titel „Der Zusammenbruch“) erschien und die Teile „Verratenes Volk“, „Die Heimkehr der Fronttruppe“ und „Karl [Liebknecht] und Rosa [Luxemburg]“ umfaßt, 1937–1941 geschrieben,

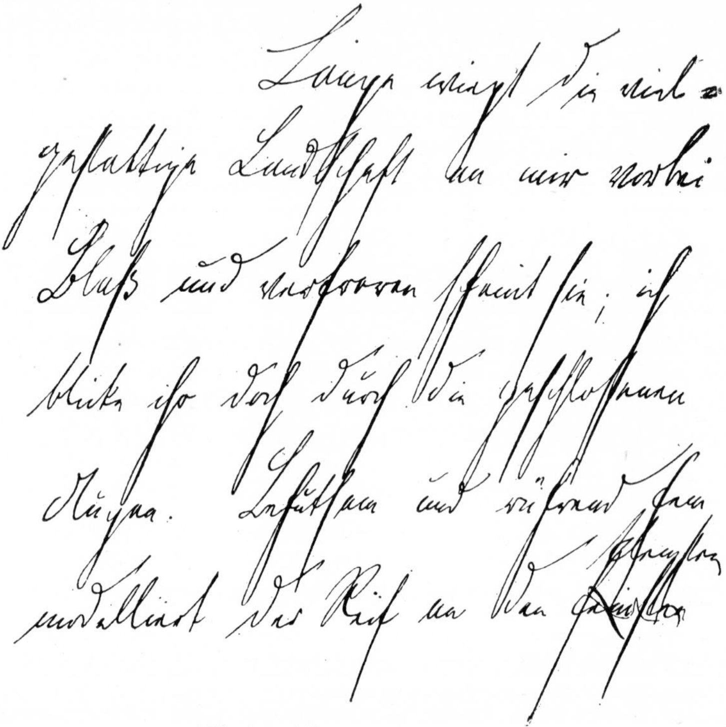

Alfred Döblin, Handschriftprobe

aber erst 1949/50 in Deutschland erschienen — verbindet deutsches und christliches Schicksal. Rosa Luxemburg wird bei Döblin zu einer Seherin; der männliche Held Friedrich Becker ist ein Bürgerlicher, der in den Auseinandersetzungen mit der dämonischen Revolution zum Christen wird. Das Doppelthema ist künstlerisch nirgends bewältigt, selbst die Berliner Szenen haben nichts mehr von der Unmittelbarkeit des „Alexanderplatz“. Historisch-dokumentarisch werden sowohl Liebknecht wie Rosa Luxemburg verfehlt. Becker, durch den Mystiker Tauler zum Christentum geführt, kämpft am Schluß auf seiten der Roten gegen das Militär.

Über die Erlebnisse der Flucht in Frankreich gibt es ein Bekenntnisbuch, „Schicksalsreise". Damals war Döblin wie Werfel „das zuteil geworden, was meinem Konrad nicht, aber Friedrich Becker wurde [das Christentum]. Die Klärung war vollständig." Sie bildet den inneren Gehalt der heiteren „Koboldstücke", zu denen die surrealistische Gesprächsprosa der Erzählung „Der Oberst und der Dichter oder Das menschliche Herz" (1946) und die burlesken Clownerien „Märchen vom Materialismus" und „Reiseverkehr mit dem Jenseits" (beide 1947 unter dem Titel „Heitere Magie") gehören.

Der frühe und der späte Essayist

Im „Oberst und der Dichter" wird noch einmal das politische Problem behandelt. Das Recht des Stärkeren wurde auf einer ironischen Ebene zum Substrat einer durchsichtigen Erzählung. Außer den Büchern über die Erlebnisse in Polen und Frankreich gibt es noch die Prosabände „Das Ich über der Natur" (1927), „Wissen und Verändern, offene Briefe an einen jungen Menschen" (1931), „Unser Dasein" (1933) und „Confucius" (1939). Nach dem Kriege erschien, neben vielen Aufsätzen und Vorträgen zu Literatur, Politik und Religion, teilweise veröffentlicht in Döblins Zeitschrift „Das Goldene Tor", als essayistisches Hauptwerk „Der unsterbliche Mensch, ein Religionsgespräch" (1946). Hier wird dem naturalistischen Nihilismus der Jugendzeit der Gedanke der ewigen religiösen Person entgegengestellt. Der „zoologische Mensch" des Darwinismus, von der europäischen Dekadenz der Jahrhundertwende blindlings anerkannt, wurde als Degenerationsprodukt bezeichnet, was Max Scheler und Leopold Ziegler schon viel früher ausgesprochen hatten. Die christliche Botschaft hatte Döblin „aus der schändlichen Erniedrigung durch den Bösen" befreit.

Das nachgelassene Werk, Hamletroman

Kurz vor Döblins Tod konnte sein letztes großes Buch erscheinen: „Hamlet oder Die lange Nacht nimmt ein Ende", ein Heimkehrerroman. Der englische Soldat Edward Allison wird bei einem Angriff japanischer Selbstmordflieger auf ein Schiff schwer verletzt. Er ist nicht nur körperlich ein Krüppel, der nach England in ein Sanatorium und das Elternhaus gebracht wird, sondern auch geistig; er hat die Erinnerung verloren. Der Heimkehrer, der nicht nur eine verwandelte Welt vorfindet, sondern sich selbst – wie einst Odysseus – von Grund auf gewandelt hat, wird bei Döblin durch Psychoanalyse geheilt. Aber was dem Autor früher so rasch von der Hand ging, einfach „gemacht" wurde oder spielerisch-utopische Form annahm, wird nun zu einem weitschichtig-vielgliedrigen Alterswerk. Wir erfahren nicht nur die Vor- und Familiengeschichte, Kriegs- und Friedenserlebnisse, auch Mythe und Sage werden eingeblendet; der Kampf der Engel im Himmel, biblisches Pathos, Psychoanalyse, Erfahrungen des Nervenarztes, banal erzählte Liebesgeschichten und der expressionistische Asientraum (Allison hatte nach Asien gewollt, als ihn die Bombe traf) werden mit den großen Motiven der europäischen Literatur verbunden, mit Odysseus, Hamlet, Lear, Orest und der Apokalypse. Die Einschmelzung so verschiedener Elemente in einen Erziehungs- und Krankheitsroman ist kaum gelungen. Neben dichterischen Visionen stehen reine Unterhaltungsszenen. Die literarische Anspielung und das variierte Zitat wecken Assoziationen, die dem Sinn nicht dienen. Die medizinische und psychologische Vorstellungswelt ist die des jungen Döblin geblieben. Der Hamlet-Spuk vergeht, die gespaltene Person wird wieder eins; und Edward Allison fährt, wie Becker und Biberkopf, „in die wimmelnde und geräuschvolle Stadt hinein. Ein neues Leben begann."

Gottfried Benn

Fratze der Glaube,
Fratze das Glück,
Leer kommt die Taube
Noahs zurück.
Gottfried Benn

Die Phasen des Autors

Etliche Dichter des expressionistischen Aufbruchs sind früh gestorben oder im Kriege gefallen. Bei einigen, wie Georg Heym und Gustav Sack, lag die Bedeutung nicht nur in der Leistung, sondern auch in der Gewähr, daß den Werken der jungen Dichter solche der reifen Männer gefolgt wären. Etliche der Chaotiker hatten nur in ihren rauschhaften Jahren etwas zu sagen, dann verstummten sie oder wurden zahm. Auch Gottfried Benn schwieg über eine lange Zeit. Von ihm stammt das Wort, man könne nicht ein Leben lang Expressionist sein. Er hat seine Jugend ein halbes Menschenalter später kritisch und ironisch betrachtet. Im „Lebensweg eines Intellektualisten" hat er 1934 eine Selbstdarstellung gegeben und diese 1958 in „Doppelleben" wiederholt – und abermals von sich weggeschoben. Es gibt also dreimal den Autor Benn; jedes Stadium ist eine Wiederholung auf höherer und engerer Spirale.

Das Problem Gottfried Benns ist durch außerliterarische Gesichtspunkte kompliziert geworden. Für ihn wurde die Politik „das Schicksal", ob er wollte oder nicht. Die in seinem Werk liegenden politischen Elemente kamen von Nietzsche, O. Spengler und H. Mann, von Dekadenzgefühlen und biologischen Theoremen. Wie viele Expressionisten (Döblin, E. Weiß, Goering, Klemm) war Benn Mediziner und hat sein Leben lang – im Gegensatz zu jenen – als Arzt gearbeitet. Seine Philosophie, wenn man sie so nennen will, bedient sich der medizinischen Vokabulatur und hat in ihren Anfängen viel vom zynischen Jargon der Ärzte: der Mensch ist nicht Krone der Schöpfung, sondern „Schwein", von tierisch ekelhafter Herkunft, „ein armer Hirnhund, schwer mit Gott behangen". „Ich bin der Stirn so satt." Ein Irrweg ist das Gehirn, „das Worte plärrt". Benn ist ein intellektueller Autor, und nur ein solcher kann jene Lanzen und Pfeile finden, die den Intellekt treffen.

Frühe Lyrik und Prosa

Benns Veröffentlichungen standen im „Sturm", in der „Aktion", besonders in den „Weißen Blättern", den Flugblättern „Morgue und andere Gedichte" (März 1912), „Söhne" (1913), einem Bändchen der Sammlung „Der jüngste Tag" mit dem Titel „Gehirne" (Prosa 1916). 1917 erschienen die Gedichte „Fleisch" als dritter Band der Aktionslyrik. „Diesterweg, eine Novelle" kam beim „Roten Hahn" 1918 heraus. Andere Veröffentlichungen fanden sich in Przygodes „Dichtung" (1920) und im „Querschnitt". Benn sprach meistens unter durchsichtigen Masken: Rönne, Diesterweg, Olf, der Operateur sind Ärzte. In den 1922 „Gesammelten Schriften" lag das Corpus der frühen Werke vor.

„Ikarus I"

O Mittag, der mit heißem Heu mein Hirn
zu Wiese, flachem Land und Hirten schwächt,
daß ich hinrinne und, den Arm im Bach
den Mohn an meine Schläfe ziehe –
o du Weithingewölbter, enthirne doch
stillflügelnd über Fluch und Gram

S Ö H N E

Neue Gedichte von GOTTFRIED BENN, dem Verfasser der Morgue

A. R. MEYER VERLAG BERLIN-WILMERSDORF

Umschlagzeichnung von Ludwig Meidner

des Werdens und Geschehns
mein Auge.
Noch durch Geröll der Halde, noch durch Land-aas,
verstaubendes, durch bettelhaft Gezack
der Felsen — überall
das tiefe Mutterblut, die strömende
entstirnte
matte
Getragenheit.

Das Tier lebt Tag um Tag
und hat an seinem Euter kein Erinnern,
der Hang schweigt seine Blume in das Licht
und wird zerstört.

Nur ich, mit Wächter zwischen Blut und Pranke,
ein hirnzerfressenes Aas, mit Flüchen
im Nichts zergellend, bespien mit Worten,
veräfft vom Licht –
o du Weithingewölbter,
träuf meinen Augen eine Stunde
des guten frühen Voraugenlichts –
schmilz hin den Trug der Farben, schwinge
die kotbedrängten Höhlen in das Rauschen
gebäumter Sonnen, Sturz der Sonnen-sonnen,
o aller Sonnen ewiges Gefälle –

Zeitgeschichtliche Zusammenhänge

Benn hat sich mit der medizinischen Fachliteratur seiner Zeit auseinandergesetzt. Man darf jedoch nicht übersehen, daß auch Nichtmediziner wie Th. Mann von den Ergebnissen der seriösen wie der Modemedizin beeinflußt wurden. Benn beruft sich auf Lange-Eichbaum, Bleuler und Kretschmer, wenn er etwa meint: „Genie ist eine bestimmte Form reiner Entartung unter Auslösung von Produktivität." Th. Mann stellte Genie als Krankheit dar. Solche Behauptungen gehörten in das Arsenal der Medizin um die Jahrhundertwende, zu den Ermüdungserscheinungen, die man seit Schopenhauer und Nietzsche dem europäischen Katzenjammer unterlegte. (Das Gegenbild war der unbekümmert vitale Mensch der Renaissance, seit Jakob Burckhardts Renaissancebuch, 1860, Typus des genußfrohen, amoralischen, angeblich „freien" Individuums.) Benn hat statistisch nachgewiesen, daß im Erbgang der Familien ein Genie auftritt, wenn der Phänotyp psychopathisch bis zur Schizophrenie degeneriert. Kretschmer hatte die Doppelmöglichkeit von Genie und Schizophrenie behauptet und leitete daher die Erklärung von Temperamenten ab, die kühl und überempfindlich zugleich sind. Benn hat hier seine eigene Mischung erkennen wollen. Die Bennsche Formel für den heute, vierhundert Jahre nach der Renaissance, abgeschlossenen Vorgang lautet: Zerfall. In dem „erkenntnistheoretischen Drama" „Der Vermessungsdirigent" (1919, geschrieben 1916 in Brüssel, wo Benn als Feldarzt stand) will der Arzt eines Hurenkrankenhauses die Zersetzung studieren und erfassen als Frage nach „der" Wirklichkeit. „Hier ist tatsächlich Zersetzung der Epoche. In diesem Hirn zerfällt etwas . . .", schrieb Benn später in „Doppelleben" über sein Stück.

Wirkliche und metaphysische Welt

Benn wandte sich mit den Mitteln der zeitgenössischen Medizin und Kulturkritik gegen das neunzehnte Jahrhundert, das sich in Einzeluntersuchungen, Statistiken, Beschreibungen des Formalen und teilweise lächerlichen Versuchen mit Mensch und Tier erschöpft hatte. Die sogenannte wirkliche Welt ist nicht die eigentliche: eigentlich ist der dunkle Gefühlsstrom, auf dem alles treibt. Das Gefühl ist keine physiologische Empfindung, es hängt nicht von Reizen ab; es ist unberechenbar. Es kommt Benn nicht auf das Bild, sondern den Sinn der Welt an, auf das Ganze, nicht auf das Einzelne, auf das metaphysische Ich, nicht auf das empirische. Als Arzt und Psychiater erlebte er dauernd das, was „als Depersonalisation oder Entfremdung der Wahrnehmungswelt" bezeichnet wird.

Das Ich ist ein Gebilde, das mit einer Gewalt, gegen die die Schwerkraft der Hauch einer Schneeflocke war, zu einem Zustande strebte, in dem nichts mehr von dem, was die moderne Kultur als Geistesgabe bezeichnete, eine Rolle spielte, sondern in dem alles, was die Zivilisation unter Führung der Schulmedizin anrüchig gemacht hat als Nervenschwäche, Ermüdbarkeit, Psychasthenie, die tiefe, schrankenlose, mythenalte Fremdheit zugab zwischen dem Menschen und der Welt. Unmöglich, noch in einer Gemeinschaft zu existieren, unmöglich sich auf sie zu beziehen in Leben oder Beruf; zu durchsichtig die Wrackigkeit ihrer antithetischen Struktur ...

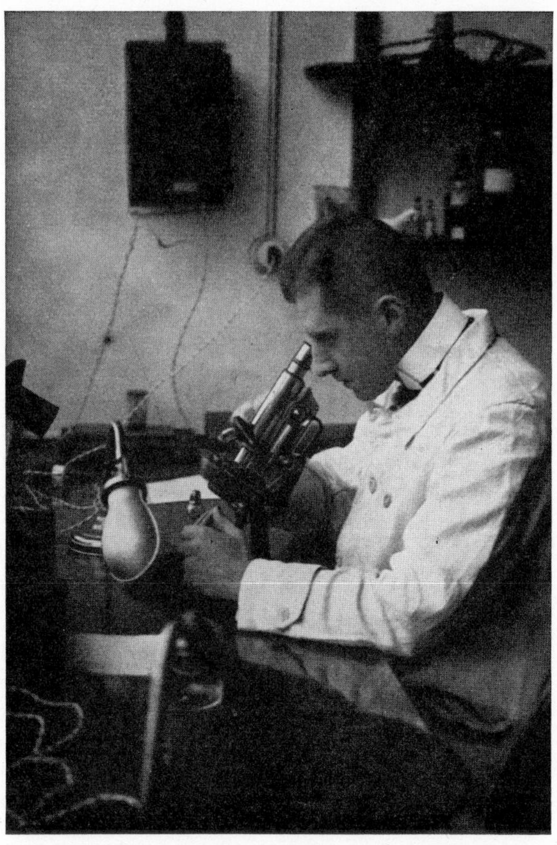

Gottfried Benn, 1916 in Brüssel

Unter antithetischer Struktur verstand Benn eine Haltung, die jedes Einerseits mit einem Andererseits beantwortet. Benns „Urerlebnis", mit einem Ausdruck Gundolfs, ist die Erfahrung eines metaphysischen Ich. Für diese Erfahrung gelten Verstand, Logik, Kausalität nicht mehr, und deshalb wird die rationale Welt von ihm „zertrümmert". Davon zeugen Gedichte, Novellen und Dramen der frühen Zeit: „Gehirne", „Eroberung", „Die Reise", „Die Insel", „Der Geburtstag", „Diesterweg", „Querschnitt", „Der Garten von Arles", „Das letzte Ich", die Szenen „Ithaka", „Der Vermessungsdirigent", „Karandasch" und „Etappe". Sein Vermessungsdirigent geht bankrott, Pameelen möchte das Nur-Hirn-Tier züchten, das Gedächtnis entgeschlechtlichen und das Geschlecht verhirnen. Von der Jugend erschlagen wird der Pathologieprofessor Albrecht, diese Jugend ruft nach Himmel und Erde und nicht nach Zellen und Würmern. Das Gedicht vom ikarischen Flug endet mit der Verklärung:

Untergang der Rationalität

„Ikarus III"

So sehr am Strand, so sehr schon in der Barke,
im krokusfarbnen Kleide der Geweihten
und um die Glieder schon den leichten Flaum —
ausrauschst du aus den Falten, Sonne,
allnächtlich Welten in den Raum —
o eine der vergeßlich hingesprühten
mit junger Glut die Schläfe mir zerschmelzend,
auftrinkend das entstirnte Blut —

Die Frage, wie der Geist vom Fleisch und Hirn zu lösen sei, wurde nicht von Benn allein gestellt; auch im Georgekreis kannte man sie, und auf wieder andere Weise hat G. Hauptmann sich mit dem elementaren „Urwesen" beschäftigt, das nicht redet, sondern lallt und stammelt. Das Neue bei Benn, die eigentliche Wirkung auf eine bestimmte Schicht von Lesern war „jenes köstliche Befremden durch Neues" und „eine gewollt eckige Prosa, welche die leichtgewundenen Kurven des ausschwingenden Jugendstils bewußt brach und die Bruchstellen vorwies" (Max Rychner). Benn hatte die Vokabel Entfremdung vorgeschlagen, um die Asozialität des Dr. Rönne zu bezeichnen: „Wenn er sich gesprächsweise zu dem Verwalter oder der Oberin äußern sollte, . . . brach er förmlich zusammen."

Die neue Sprache

Benn hat die von ihm und seinen Masken geäußerten Gedanken nicht als erster ausgesprochen und erst recht nicht als erster gedacht; aber er hat als erster eine bestimmte Ausdrucksform dafür geschaffen und so das expressionistische Anliegen des „neuen Menschen" sprachlich verwirklicht. Lockerung, Lösung, Auflösung der Grammatik und Syntax, Reihung; nicht „Streuung der Worte", sondern „Wandlung der Worte", die „Schaffung der neuen Syntax" ist das Ziel. Das war ein Anliegen, an dem die meisten, die es forderten, gescheitert waren. Benn erfüllte es, wobei er vorerst auch Stileigentümlichkeiten Sternheims übernahm, dessen „fabelhaften" Sätze-„Zement" er zu Blöcken zerschlägt:

Der neue Kontinent

Ich finde nämlich in mir selber keine Kunst, sondern nur in der gleichen biologisch gebundenen Gegenständlichkeit wie Schlaf oder Ekel die Auseinandersetzung mit dem einzigen Problem, vor dem ich stehe, es ist das Problem des *südlichen Worts* . . . Mich sensationiert . . . das Wort ohne jede Rücksicht auf seinen beschreibenden Charakter rein als assoziatives Motiv und dann empfinde ich ganz gegenständlich seine Eigenschaft des logischen Begriffs als den Querschnitt durch kondensierte Katastrophen. Und da ich nie Personen sehe, sondern immer nur das Ich, und nie Geschehnisse, sondern immer nur das Dasein, da ich keine Kunst kenne und keinen Glauben, keine Wissenschaft und keine Mythe, sondern immer nur die *Bewußtheit*, ewig sinnlos, ewig qualbestürmt —, so ist es im Grunde diese, gegen die ich mich wehre, mit der südlichen Zermalmung, und sie, die ich abzuleiten trachte in ligurische Komplexe bis zur Überhöhung oder bis zum Verlöschen im Außersich des Rausches oder des Vergehens.

Es bleibt nicht bei der Forderung, sondern Rönne erlebt das Meer neu, in einer gegenseitigen Durchdringung von lyrischen und essayistischen Motiven in einem experimentellen Stil:

Lyrischer Essay

Wie hatte zum Beispiel Meer auf ihm gelegen, ein sprachlicher Bestand, abgeschnürt von allen hellen Wässern, beweglich oder doch höchstens als Systemwiesel, das Ergebnis eines Denkprozesses, ein allgemeinster Ausdruck. Jetzt aber, schien es ihm, wanderte er dahin zurück, wo es unabsehbare Wässer gab im Süden und im Norden brackige Flut, und Wellen eine Lippe unerwartet salzten. Leise schwand der Drang, es schärfer aufzurichten, es unantastbar zu umreißen gegenüber Dünen und einem See. Leise fühlte er ihn vergessen, ihn zurückerstatten an seine Wesenheit, an die Möwe und den Tag, den Sturmgeruch und alles Ruhelose. ———

Man mag in diesem verknappten Stil Sternheim wiederfinden. Üppiger, schwellender wird die Sprache in der botanischen Reflexion, die oft wie ein Echo des jungen Goethe, des „Ganymed", klingt:

„Mohn, pralle Form des Sommers", rief er, „Nabelhafter: Gruppierend Bauchiges, Dynamit des Dualismus: Hier steht der Farbenblinde, die Röte-Nacht. Ha, wie Du hinklirrst! Ins Feld gestürzt, Du Ausgezackter, Reiz-Felsen, ins Kraut geschwemmt, — und alle süßen Mittage, da mein Auge auf Dir schlief letzte stille Schlafe, treue Stunden — — An Deiner Narbe Blauschatten, an Deine Flatterglut gelehnt, gewärmt, getröstet, hingesunken an Deine Feuer: angeblüht!: nun dieser Mann —: auch Du! Auch Du! — — An meinen Randen spielend, in Sommersweite, all mein Gegenglück — und nun: wo bin ich nicht?“

Doktor Benn

Von Else Lasker-Schüler

Er steigt hinunter ins Gewölbe seines Krankenhauses und schneidet die Toten auf. Ein Nimmersatt, sich zu bereichern an Geheimnis. Er sagt: „tot ist tot“.

Zeichnung von Else Lasker-Schüler

Die großen Lästerungen

In den frühen Gedichten findet sich ein rüder und oft roher Ton: „Wir sind und wollen nichts sein als Dreck. / Man hat uns belogen und betrogen / mit Gotteskindschaft, Sinn und Zweck / und dich [den Tod] der Sünde Sold genannt.“ Neben Blasphemien finden sich naturalistische Details aus Leichenhalle und Anatomie, scharfe Momentaufnahmen aus Cafés, verwegene Wünsche: „Europa, dieser Nasenpopel / aus einer Konfirmandennase, / wir wollen nach Alaska gehn.“ Berühmt-berüchtigt sind Stücke wie „Mann und Frau gehn durch die Krebsbaracke“ aus „Morgue“ und die „Gesänge“ aus der Aktion vom Jahre 1913:

O daß wir unsere Ururahnen wären.
Ein Klümpchen Schleim in einem warmen Moor.
Leben und Tod, Befruchten und Gebären
glitte aus unseren stummen Säften vor.

Ein Algenblatt oder ein Dünenhügel,
vom Wind Geformtes und nach unten schwer.
Schon ein Libellenkopf, ein Möwenflügel
wäre zu weit und litte schon zu sehr.

Rilkes Sprachgebärde aus Maltes Spitälern wirkt da als Muster; die liedhaft einfache Form trägt zum Parodistischen bei, und entscheidend ist nicht das Bild aus der Darwinschen Entwicklungslehre, sondern seine Kunstgestalt, der „Ausdruck“, wie Benn später sagen und worin er den Sinn der Kunst und der Welt begreifen wird.

Herkunft und Leben

Da Benn zu Anfang des „Dritten Reiches“ von B. v. Münchhausen vorgeworfen wurde, jüdischer Herkunft zu sein, nahm er Anlaß, sich mit seiner Genealogie und Familie zu beschäftigen und sie darzulegen. Er stellte fest, daß er im Jahre 1886 in dem Dorf Mansfeld (Westpriegnitz) als Sohn des Pfarrers geboren wurde. Auch der Großvater war dort Pfarrer gewesen, und vor diesem kamen Bauern und Hofbesitzer, die „in der alten Wendengegend zwischen Putlitz, Perleberg und Lenzen“ seßhaft gewesen waren. Die Mutter stammte aus einem kleinen Ort der französischen Schweiz aus einer welschen Familie. Erst mit zwanzig Jahren war sie nach Deutschland gekommen; sie sprach das Deutsche zeitlebens mit einem gewissen Akzent. In der Ehe der Eltern vereinigten sich also das germanische und romanische Element. Benn ging auf das Gymnasium in Frankfurt an der Oder, studierte dann auf Wunsch des Vaters zwei Jahre lang, gegen die eigene Neigung, Theologie und Philologie. Benns Wunsch war ein medizinisches Studium, und der wurde erfüllt, als es ihm gelang, in die Kaiser-Wilhelm-Akademie für das militärärztliche Bildungswesen in Berlin aufgenommen zu werden, an der vor allem Söhne von Beamten und Offizieren zu Militärärzten herangebildet wurden. Nach der Approbation und Promotion kam Benn als Militärarzt nach Prenzlau und Spandau. Schon im ersten Jahr seiner Dienstzeit wurde ein angeborener Schaden festgestellt, der ihn feld- und garnisondienstunfähig machte. Im Jahre des ersten Gedichtbands, „Morgue" (1912), nahm er seinen Abschied. Im gleichen Jahr brachte sein Verleger Alfred Richard Meyer Flugblätter mit Texten von Marinetti, Carossa und Lautensack heraus. Bereits am 1. August 1914 wurde Benn wieder eingezogen und kam als Militärarzt nach Brüssel. 1934 schrieb er über diese Zeit:

Das Studium

Die Konzeption Rönnes

In Krieg und Frieden, in der Front und in der Etappe, als Offizier wie als Arzt, zwischen Schiebern und Exzellenzen, vor Gummi- und Gefängniszellen, an Betten und an Särgen, im Triumph und im Verfall verließ mich die Trance nie, daß es diese Wirklichkeit nicht gäbe. Eine Art innerer Konzentration setzte ich in Gang, ein Anregen geheimer Sphären, und das Individuelle versank, und eine Urschicht stieg herauf, berauscht, an Bildern reich und panisch. Periodisch verstärkt, das Jahr 1915/16 in Brüssel war enorm, da entstand *Rönne*, der Arzt, der Flagellant der Einzeldinge, das nackte Vakuum der Sachverhalte, der keine Wirklichkeit ertragen konnte, aber auch keine mehr erfassen, der nur noch das rhythmische Sichöffnen und Sichverschließen des Ich und der Persönlichkeit kannte, das fortwährend Gebrochene des inneren Seins, und der, vor das Erlebnis von der tiefen, schrankenlosen Fremdheit zwischen dem Menschen und der Welt gestellt, unbedingt der Mythe und ihren Bildern glaubte.

Das stille Jahrzehnt

In den Jahren nach dem ersten Kriege schien Benn als Dichter verstummt zu sein; er gab gesammelte Schriften und gesammelte Gedichte (1927) heraus und schrieb für Hindemith den Text eines Oratoriums „Das Unaufhörliche" (1931). Erst 1932 erschien der Essayband „Nach dem Nihilismus", in dem Benn eine Reihe von Aufsätzen aus Zeitungen und Zeitschriften, Radiovorträge sowie Gelegenheitsreden (auf Klabunds Tod, H. Mann zum 60. Geburtstag) sammelte. Er hatte sich in Berlin eine Praxis für Haut- und Geschlechtskrankheiten eingerichtet, von der er lebte, da die Erträge seiner Bücher – wie er einmal ausrechnete – monatlich keine fünf Mark einbrachten. Sein literarischer Ruf war bedeutend, er wurde in die Preußische Dichterakademie gewählt und unterhielt eine Anzahl literarischer Bekanntschaften.

Der Nationalsozialismus

Wie kam es, daß Benn, der Expressionist, sich nach dem nationalsozialistischen „Umbruch" für einige Monate, zum Entsetzen seiner Freunde und zur Genugtuung seiner Gegner, mit dem neuen Staat identifizierte? Die wichtigsten Zeugnisse dafür sind die Rundfunkrede vom 24. April 1933: „Der neue Staat und die Intellektuellen", die Totenrede auf Max von Schillings (im Juli 1933) und die Begrüßungsansprache für Marinetti (März 1934). Die Rede auf George wurde nicht gesprochen, sondern in der Zeitschrift „Die Literatur" im April 1934 ge-

Dr. Benns Café aus George Grosz, Ecce homo

druckt; sie vermied die damals vom Regime versuchte Umdeutung Georges als Dichter eines nationalsozialistischen „Dritten Reiches". Der Aufsatz „Dorische Welt" erschien 1934 in der „Europäischen Revue" und verherrlichte das antiintellektuelle heroische Sparta, wobei die Parallele zu dem „neuen Deutschland" unausgesprochen, aber deutlich war. Ein Teil dieser Aufsätze erschien, mit weniger wichtigen, in dem Essayband „Der neue Staat und die Intellektuellen". In der Rede, die dem Buch den Titel gab, hat Benn unmißverständlich ausgesprochen, wie er die Lage sah:

Der neue Staat und die Intellektuellen

. . . Alles, was sich im letzten Jahrzehnt zu den Intellektuellen rechnete, bekämpfte das Entstehen dieses neuen Staates. Sie, die jeden revolutionären Stoß von seiten des Marxismus begeistert begrüßten, ihm neue Offenbarungswerte zusprachen, ihm jeden inneren Kredit einzuräumen bereit waren, betrachteten es als ihre intellektuelle Ehre, die Revolution vom Nationalen her als unmoralisch, wüst, gegen den Sinn der Geschichte gerichtet anzusehen. Welch sonderbarer Sinn und welche sonderbare Geschichte, Lohnfragen als den Inhalt aller menschlichen Kämpfe anzusehen. Welch intellektueller Defekt, welch moralisches Manko, kann man schon an dieser Stelle hinzufügen, nicht in dem Blick der Gegenseite über die kulturelle Leistung hinaus, nicht in ihrem großen Gefühl für Opferbereitschaft und Verlust des Ich an das Totale, den Staat, die Rasse, das Immanente, nicht in ihrer Wendung vom ökonomischen zum mythischen Kollektiv, in diesem allen *nicht* das anthropologisch Tiefere zu sehen!

Expressionistische Parellelen

Der Ausgangspunkt der Zeitkritik Gottfried Benns deckte sich noch weitgehend mit dem der expressionistischen Kritik. Der Mensch des Massenzeitalters, der geistlose, plumpe Typ, körperlich in den Zeichnungen von George Grosz und Otto Dix bis zur Idiotie des Gesichtsausdrucks reduziert, kam aus den Hinterhöfen der Mietskasernen, in denen die sich als Weltstädter aufspielenden Kleinbürger wohnten. Es war ein aus geistigem Unvermögen amoralischer Typus, wie ihn Döblin in seinem Berlinroman geschildert und Heinrich Mann in bösen Satiren beschrieben hatte. Er war die Zielscheibe der Bennschen Groteskgedichte, in denen sein besonderer Hohn den Typ des halbgebildeten Schwätzers traf:

O wir müssen den Mund auftun und laut reden für
alle Leute bis zum Morgen.
Der letzte Reporter ist unser lieber Bruder,
Der Reklamechef der großen Kaufhäuser ist unser Bruder!
Jeder, der nicht schweigt, ist unser Bruder!

Von der „niederen Rasse" hatte schon Rimbaud gesprochen und meinte damit das Aufkommen der „leeren" Typen in den Städten. Benn hatte vom „Dernier cri / alles Letzten und Leeren" gesprochen, von den „Apotheosen des Nichts", von den „schütteren Fratzen", dem modernen „Raubtier" Mensch:

Die Masse Namenlos

Von acherontischen Zonen
orphisch apotheos
rauscht die Hymne der Drohnen:
Glücke des Namenlos.

Diesen Menschen verhöhnte Benn als „Masse muskelstark, Cowboy und Zentauren". 1925 findet sich in „Spaltung" das bittere Gedicht „Banane":

Dreck, Hündinnen, Schakale
Geschlechtstrieb im Gesicht
und aasblau das Finale –
der Bagno läßt uns nicht.

Die großen Götter Panne,
defekt der Mythenflor . . .

. . . .

Sinnlose Existenzen:
dreißig Millionen die Pest,
und die andern Pestilenzen
lecken am Rest,
Hochdruck! unter die Brause!
in Pferdemist und Spelt
beerdige zu Hause –
das ist das Antlitz der Welt!

Von Nietzsche zu Theodor Lessing, Edgar Dacqué und Oswald Spengler ging der Zug dieser Kritik – nur daß G. Benn seinen Ingrimm in lyrische Reportagen umsetzte. Benn stellte das Überhandnehmen des rein literatenhaften Typus fest – und reizte dadurch die vom Bolschewismus angesteckten Teile der Intelligenz bis aufs Blut. Er spottete bitter über die so gern proklamierte Geistesfreiheit des liberalen Intellektuellen:

GOTTFRIED BENN

Der negative „Zeitgenosse"

Er, der berauscht zu Füßen jedes russischen Agenten saß, der über die Ausrottung der bürgerlichen Psychologie methodisch vortrug, verlangt jetzt für sich vom nationalen Staat Gedankenfreiheit ... –: Weil 1841 die Massenherstellung von Druckerschwärze begann und im Laufe des Jahrhunderts die Rotations- und Setzmaschinen hinzukamen, das wäre bei 3812 Tageszeitungen in Deutschland und 4309 Wochenschriften zuviel historischer Sinn.

Es sei „erkenntnislos", anzunehmen, daß Geistesfreiheit eine Voraussetzung höherer Kultur sei, denn alles, was das Abendland berühmt gemacht habe, sei, „um es einmal ganz klar auszudrücken, in Sklavenstaaten" entstanden. Doch nur für wenige Monate hielt Benn an der Fiktion fest, der Nationalsozialismus sei die Überwindung der kulturpolitischen und rassischen Misere, für die er sich ausgab, er habe das neue Erlebnis, den „neuen Menschen", den Traum der Kritiker unserer modernen Kultur erfüllt. Sehr bald erkannte Gottfried Benn seinen verhängnisvollen Irrtum:

Die Ernüchterung

Ich lebe mit vollkommen zusammengekniffenen Lippen, innerlich und äußerlich. Ich kann nicht mehr mit. Gewisse Dinge haben mir den letzten Stoß gegeben. Schauerliche Tragödie! Das Ganze kommt mir allmählich vor wie eine Schmiere, die fortwährend „Faust" ankündigt, aber die Besetzung langt nur für „Husarenfieber". Wie groß fing das an, wie dreckig sieht es heute aus. Aber es ist noch lange nicht zu Ende.

So schrieb er im August 1934 an Ina Seidel. Noch vor Erscheinen des neuen Essaybandes „Kunst und Macht" (1934) schrieb Benn:

Die Macht ist gegen die Kunst

Das Buch wird mir viele neue Feinde machen, ich sehe es voraus ... Der Geist und die Kunst kommt nicht aus sieghaften, sondern aus zerstörten Naturen, dieser Satz steht für mich fest und auch, daß es eine *Verwirklichung* nicht gibt. Es gibt nur die Form und den Gedanken. Das ist eine Erkenntnis, die Sie bei Nietzsche noch nicht finden, oder er verbarg es. Seine blonde Bestie, seine Züchtungskapitel sind immer noch Träume von der Vereinigung von Geist und Macht. Das ist vorbei. Es sind *zwei* Reiche ...

Bald darauf setzte er sich, während er nach außen schweigen mußte, in glänzenden Exkursen mit dem Phänomen jener Zeit auseinander. Wo er hatte verehren und zustimmen wollen, sah er den von ihm gehaßten Typus am Werk. In dem Aufsatz „Die Kunst im Dritten Reich" (1941) schrieb er über die Zeit der Dekadenz und des verschwenderischen Luxus einer großbürgerlichen Oberschicht und zog den Schluß auf den soziologischen Hintergrund des „Umbruchs" von 1933:

Der Widerruf

Ein Volk in der Masse ohne bestimmte Form des Geschmacks, im ganzen unberührt von der moralischen und ästhetischen Verfeinerung benachbarter Kulturländer, philosophisch von konfuser idealistischer Begrifflichkeit, prosaistisch dumpf und unpointiert, ein Volk der Praxis mit dem – wie seine Entwicklung lehrt – alleinigen biologischen Ausweg zur Vergeistigung durch das Mittel der Romanisierung oder der Universalisierung, läßt eine antisemitische Bewegung hoch, die ihm seine niedrigsten Ideale phraseologisch vorzaubert, nämlich Kleinbausiedlungen, darin subventionierten, durch

Gottfried Benn

Steuergesetze vergünstigten Geschlechtsverkehr; in der Küche selbstgezogenes Rapsöl, selbstbebrüteten Eierkuchen, Eigengraupen ... Der Künstler wird wieder in die Ordnung der Zünfte zurückverwiesen, aus der er sich um 1600 befreit hatte.

Benn hatte, im Zusammenhang mit seinen dionysischen, bewußtseinslösenden Gedanken, geglaubt, die „Bewegung" sei zu identifizieren mit seinem „Äonenvergessen", mit dem tief antiintellektuellen Drang, mit der „Trance" als Gegenteil der „Massenglücke". Odysseus fand die Heimat im *Schlaf*! Die Opfernden und Opfer der alten Religionen, der griechischen, israelischen, lydischen, illyrischen und noch älteren Kulturen ahnten, empfanden und wußten das gleiche wie die Mänaden der alten, die Drogenesser der neuen Zeit: „das Selbst ist Trick", das wahre Sein ist Aufgehen und Versinken in einen größeren Zusammenhang. Alles, was Benn seit der Mitte der dreißiger Jahre schrieb, sollte dieses Wissen und Ahnen verdeutlichen; am Ende steht die Erkenntnis einer einzigen Konstante in der Flut der wahnhaften Erscheinungen; es ist die Kunst. Das Gedicht, als literarischer Ausdruck der Kunst, wird nun streng verschlüsselt. Was in den frühen Gedichten naiv, als Erlebnis des Ekels und der Müdigkeit ausgesprochen war und nach Anatomie roch, all das ist jetzt zur Kunstgestalt verfremdet, wird in raffinierter Mischung zum Motiv des lyrischen Appells:

Betäubung, Aconite,
wo Lust und Leiche winkt,
lernäische Gebiete,
die meine Seele trinkt,
aus Element-Bedrängnis
ihr Flötenlied, ihr Schrei:
o gib in Giftempfängnis
das Ich, dem Ich vorbei.

„Betäubung“

Kosmogonien – Wesen
im Rauch des Hyoscyd,
Zerstäubungen, Synthesen
des Wechsels – Heraklit:
es sind dieselben Flüsse,
doch nicht die Potamoi –
Betäubung, Regengüsse
dem Fluß, dem Ich vorbei.

Es stehen Krüge, Tische
vor Schatten, traumgewillt,
Schlafdorn und Mohnkelch, frische,
daraus das Weiße quillt
der Lippe zu – die Grenze,
an der die Flöte klingt,
eröffnet ihre Kränze
und Wein und Asche sinkt.

Das Gedicht ist vor 1925 entstanden, hat aber alle Elemente des späten Stils. Der expressionistische Aufruhr gegen die Gesellschaft, die unmittelbare Befehdung des kläglich armseligen Kretins als „Zeitgenossen“ hat aufgehört. An ihre Stelle ist der abstrakte Typus, der Wunschzustand „Betäubung“ getreten. Das Medizinische klingt nur von fern an. Die mythologischen Anspielungen sind reine Metaphern des neuen oder alten Zustands („lernäische Gebiete“) und nicht mehr aus sich verständlich, sondern im Zusammenhang mit Benns eigenem Mythos, der den „Stoff“ der frühen Gedichte verschlingt. Aus der Satire ist die Elegie des verzweifelt einsamen Ich geworden; und dies Ich sehnt sich nach Auslöschung, um aufzugehen jenseits der „Grenze“ im Tod.

Die Nachkriegsphase

Als Benn nach dem Kriege langsam wieder an die Öffentlichkeit kam, war der „Höllenkreis der frühen Gedichte“ (Rychner) verlassen; die „elementaren Mächte“ bestimmen seine Haltung, Liebe, Tod, Vergessen, Nacht, Vernichtung und was bleibt: die Kunst als „Ausdruck“. Das zeigen die beiden größeren Gedichtbände „Statische Gedichte“ (1948), die Auswahl von Gedichten bis 1935 „Trunkene Flut“ (1949) und die Bändchen „Fragmente“ (1951), „Destillationen“ (1953), „Aprèslude“ (1955) und „Primäre Tage, Gedichte und Fragmente aus dem Nachlaß“ (1958). (Benn war 1956 in Berlin, nach längerer Krankheit, gestorben.) Der Ausdruck der letzten Gedichte wird schlicht, die Anlässe erscheinen als Banalitäten, die syntaktischen oder Redefiguren bedienen sich allgemeinverständlicher Bilder, der ehedem so keß benützte Jargon der Mediziner, Barbesucher und Flaneure geht in ein Parlando über, wo nur noch die liedhafte Strophen- und Reimform daran erinnert, daß es sich um ein Gedicht (aus „Destillationen“) handelt:

Eine Wirklichkeit ist nicht vonnöten,
ja es gibt sie gar nicht, wenn ein Mann
aus dem Urmotiv der Flairs und Flöten
seine Existenz beweisen kann.

Nicht Olympia oder Fleisch und Flieder
malte jener, welcher einst gemalt,
seine Trance, Kettenlieder
hatten ihn von innen angestrahlt.

„Wirklichkeit“

Angekettet fuhr er die Galeere
tief im Schiffsbauch, Wasser sah er kaum,
Möwen, Sterne – nichts: aus eigener Schwere
unter Augenzwang entstand der Traum.

Als ihm graute, schuf er einen Fetisch,
als er litt, entstand die Pietà,
als er spielte, malte er den Teetisch,
doch es war kein Tee zum Trinken da.

Kunst als Ausdruckswelt

In Benns Werk gab es eine *einzige* Entwicklung, die nun auch die Veränderung des Stils, der Sprache erklärt. Der frühe Benn war verzweifelt; er hatte das Leben vertauschen wollen mit „Trance“, dem Untergang des Ich durch Zerstörung des Bewußtseins – und sei es mit Hilfe des Kokains. Alles andere, was bloß primitiv „leben“ wollte (die „Zeitgenossen“), hatte er verhöhnt. Im Alter war die Einstellung zum Leben die gleiche, aber es war ein Mehr, ein Ertrag da: die Gedichte über diese Dinge! Beim Übergang des Ich zum Nicht-Ich, vom Leben zum Aufhören des Lebens, entstanden Gedichte: sie sind dem Strom enthoben, sie gelten, sie sind die wahre, die „Ausdruckswelt“. Der Geist, welcher den Untergang formulieren kann, das Nichts und das Nirwana als Glück erkennt, ist schöpferisches Prinzip, denn „im Anfang war das Wort“.

Späte Prosa

Benn hat sich „das lyrische Ich“ genannt. Damit meinte er seine Art zu denken. Er war kein systematischer Denker, und die Masse der Ideen teilte er mit der Elite der Jahrzehnte seit der Jahrhundertwende. Auch die Voreingenommenheit für diesen oder jenen Gedankenkomplex erklärt das lyrische Verfahren nicht. Wie Benn dachte und kombinierte, dafür zeugen die Prosabände, in dem er seine nun fester und tiefer werdenden Vorstellungskreise ausbreitete. Es sind „Weinhaus Wolf“ (entstanden 1937), der „Roman des Phänotyp“ (entstanden 1944) und „Der Ptolemäer“ (entstanden 1947); die drei Essays sind gesammelt unter dem Titel „Der Ptolemäer“, 1949. Im gleichen Jahr erschien „Ausdruckswelt“, einleitend bezeichnet als „Gedankengänge aus den Jahren 1940 bis 1945“. Hier wurden der Aufsatz „Kunst und Drittes Reich“ und der großartige Essay „Pallas“ veröffentlicht. 1950 erschienen die Selbstdarstellungen „Doppelleben“. Der erste Teil enthielt mit geringen Änderungen den „Lebensweg eines Intellektualisten“ von 1934, der zweite stellte Benns Leben erzählend bis zur Gegenwart dar und setzte sich mit seinem Verhalten und Erleben unter der Diktatur auseinander. Am Schluß ging er auf einige seiner Lieblingsbegriffe ein, wie „absolute Prosa“, und erklärte:

Der „Roman des Phänotyp“ (in meinem Buch „Der Ptolemäer“, 1949) ist reichlich unverständlich, ganz besonders dadurch, daß ich ihn als Roman bezeichne. Eine Folge von sachlich und psychologisch nicht verbundenen Suiten – jeder mit einer Überschrift ver-

Nur zwei Dinge

Durch so viel Formen geschritten,
durch Ich und Wir und Du,
doch alles blieb erlitten
durch die ewige Frage: wozu?

Das ist eine Kinderfrage.
Dir wurde erst spät bewußt,
es gibt nur eines: ertrage
– ob Sinn, ob Sucht, ob Sage –
dein fernbestimmtes: Du mußt.

Ob Rosen, ob Schnee, ob Meere,
was alles erblühte, verblich,
es gibt nur zwei Dinge: die Leere
und das gezeichnete Ich.

1953. Gottfried Benn.

Gottfried Benn, Handschriftprobe

sehene Abschnitt steht für sich. Wenn diese Arbeit ein Problem bietet, ist es das Problem der absoluten Prosa. Einer Prosa außerhalb von Raum und Zeit, ins Imaginäre gebaut, ins Momentane, Flächige gelegt, ihr Gegenspiel ist Psychologie und Evolution.

Benn beruft sich für die absolute Prosa auf die Franzosen, vor allem Pascal; es ist eine Prosa, deren Schönheit aus Abstand, Rhythmus, Tonfall, Musikalität und

„Vollkommenheit durch Anordnung von Worten“ besteht. Als moderne Muster nannte Benn Carl Einsteins „Bebuquin“ und Gides „Paludes“. Ihnen habe offenbar etwas Ähnliches vorgeschwebt: „die Möglichkeit nämlich von geordneten Worten und Sätzen als Kunst, als Kunst an sich“. Benns eigener Roman (des Phänotyp) sei orangenförmig gebaut:

Eine Orange besteht aus zahlreichen Sektoren, den einzelnen Fruchtteilen, den Schnitten, alle gleich, alle nebeneinander, gleichwertig, die eine Schnitte enthält vielleicht einige Kerne mehr, die andere weniger, aber sie alle tendieren nicht in die Weite, in den Raum, sie tendieren in die Mitte, nach der zähen weißen Wurzel, die wir beim Auseinandernehmen aus der Frucht entfernen. Diese zähe Wurzel ist der Phänotyp, der Existentielle, nichts wie er, nur er, einen weiteren Zusammenhang der Teile gibt es nicht.

Substrate des Ausdrucks

Wie die Gedichte soll die Prosa Ausdruckskunst sein, und es ist beinah rührend, wie sich Benn bemüht, die „Kunst“ von allen Substraten zu lösen, obwohl seine Kunst sich geradezu enthusiastisch nährt von Anklängen, Anspielungen, Literatur, Wissenschaft, Geschichte, Kulturgeschichte und -kritik, Zitaten, historischen Details, Vokabeln und Sätzen aus dem Englischen und Französischen, dem Jargon der Kneipen, der Straße, der Anatomie, der Morgue, dem Report, der Anekdote. Deren zauberhafte Anordnung und Verbindung zu bestimmten Wirkungen war Benns einzigartige Kunst in Lyrik und Prosa. Will man diesen Zauber, der als unverkennbarer „Ton“ fast allen Dichtungen Benns eigen ist, „absolut“ nennen, dann war Benn, das lyrische Ich, ein absoluter Dichter.

„Stimme hinter dem Vorhang“

Der bewußteste unter den modernen Dichtern, einer unserer poetae docti, hat auch diese Frage durchdacht und formuliert. Die Antwort steht in dem Essay „Probleme der Lyrik“ (1951), in dem er sich noch einmal mit Wert und Wirkung der Poesie auseinandersetzt und anderen Ansichten – etwa der von T. S. Eliot – widerspricht. Mehr „weltanschaulich“ gab er sich in „Die Stimme hinter dem Vorhang“ (1952), einem Gespräch mit Chor und referierendem Chorführer. Hier werden Grenzen des alternden Benn sichtbar, eine Verhärtung des metaphysischen Ohrs und ein Beharren auf der mühsam errungenen Position – das alles mit brüchig werdender Stimme und in widerspenstiger Opposition gegen eine Zeit, die dem Evangelium Benns respektvoll, aber doch schon wieder ungläubig zuhörte.

Kritische Einstellung

Man kann dem Bennschen Begriffssystem die Kategorien zur Wertung seines Werkes entnehmen; sie boten sich so zahlreich und in bestechender Form an, daß man ähnlich wie bei Th. Mann, Weinheber, Loerke, Lehmann von einer Selbstdarstellung des Autors sprechen kann, dem auch die Deutung sich freiwillig unterwirft. Dabei fährt sie nicht schlecht. Man kann aber auch versuchen, objektive Maßstäbe anzulegen. Sie sind nicht im Bewußtsein des Autors vorhanden, ergeben sich aber aus der Struktur seiner Werke. Da fällt vor allem der spielerische und graziöse Charakter vieler Gedichte auf, so als habe sich der Autor seiner Erkenntnisse aus Geschichte und Kultur zu keinem andern Zweck bedient, als daraus ein rhythmisches Gebilde zu machen. Die Verse scheinen nur hingesprochen zu sein:

„Ach, das ferne Land“

Ach, das ferne Land,
wo das Herzzerreißende
auf runden Kiesel
oder Schilffläche libellenflüchtig

anmurmelt,
auch der Mond
verschlagenen Lichts
– halb Reif, halb Ährenweiß –
den Doppelgrund der Nacht
so tröstlich anhebt –

ach, das ferne Land
wo vom Schimmer der Seen
die Hügel warm sind,
zum Beispiel Asolo, wo die Duse ruht,
von Pittsburg trug sie der „Duilio“ heim,
alle Kriegsschiffe, auch die englischen, flaggten halbmast,
als er Gibraltar passierte –

dort Selbstgespräche
ohne Beziehungen auf Nahes,
Selbstgefühle,
frühe Mechanismen,
Totemfragmente
in die weiche Luft –
etwas Rosinenbrot im Rock –,
so fallen die Tage,
bis der Ast am Himmel steht,
auf dem die Vögel einruhn
nach langem Flug.

Gefühltes Bewußtsein

Das Gedicht verschmilzt lyrische und intellektuelle Bestandteile, es eröffnete die „Statischen Gedichte“ und ist 1945 entstanden. Das Grundgefühl ist rein lyrisch, elegisch und wird vor allem durch den Ton der Trauer bestimmt, am deutlichsten im mittleren Teil, wo die Duse, Prototyp der reproduzierenden Künstlerin der Jahrhundertwende, kultisch gefeiert wird: alle Kriegsschiffe, auch die englischen, flaggten halbmast. Gerade diese Zeilen enthalten außer dem lyrischen Empfinden, dessen Ausdruck sie sind, eine Konstatierung nüchterner Art, wie aus der Tagespresse. Es sind Gefühlsspekulationen: Das Bewußtsein erinnert sich jenes fernen Landes, der naturgeborgenen mediterranen Welt und meditiert über eine Zeitungsnotiz. Dadurch erhält der Ton etwas Sentimentales, wirkt jedoch nicht peinlich und schlemmerhaft, sondern hat etwas dem Bennschen Geist Angemessenes: aus der Fülle der Erscheinungen wird genau das hervorgehoben, was in die Stimmung elegischen Verzichts und der Erinnerung hineinpaßt. Auch die lokalen Bestimmungen (Gibraltar) und der Name des Schiffes erhalten innerhalb des Gedichts eine legitime Funktion. In ähnlicher Weise ruft Benn oft Schockwirkungen hervor. Er hat mit diesen Mitteln eine unvergleichliche Bereicherung des lyrischen Arsenals erreicht. Der eigentliche Träger dieser Kunst waren nicht Wort und Gefühl, sondern die Nerven – über sie gehen wie durch ein elektrisches Relaissystem die blitzschnellen Assoziationen.

Assoziationsrelais

Die „Witterung“

Die Modernität der Kunst Gottfried Benns wird gewöhnlich auf ihren Intellektualismus zurückgeführt. Freilich war Benn ein poeta doctus, aber nicht im Sinne der Alexandriner, deren Gelehrsamkeit, wie bei unsern Spätklassizisten, in der Verfügbarkeit aller überkommenen Motive und der Literatursprache bestand. Benns Themen sind immer modern; das Alte, Klassische, Romantische wird

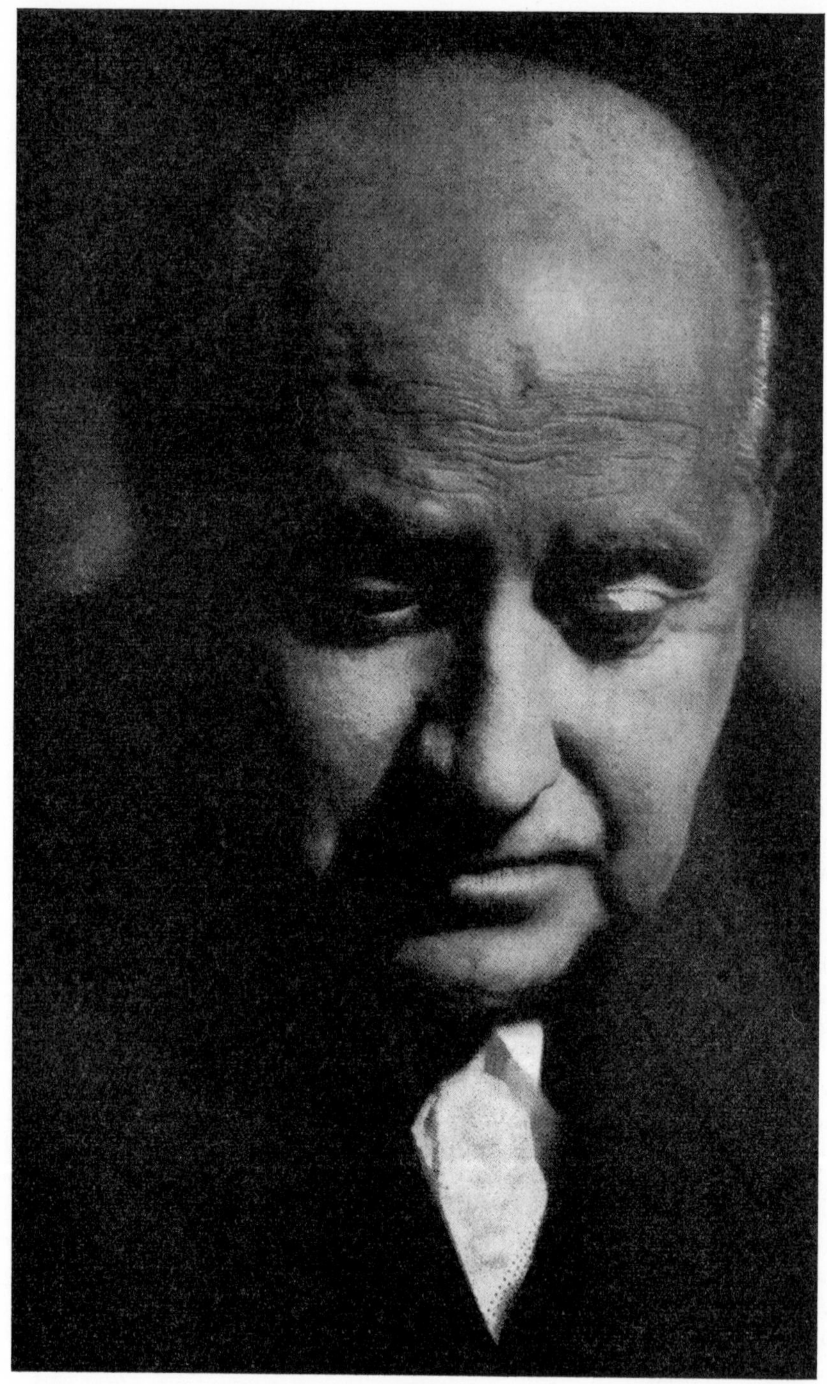

Gottfried Benn

höchstens ironisch und in Anspielungen mitverwandt. Die Masse der Anspielungen aus Medizin, Kulturgeschichte, Dichtung entspricht der jüngsten Nomenklatur: Drogen, Chemie, Bohème („vergeßt auch nicht die vielbesungene Fose / mit leichter Venerologie bedeckt . . .“) und Sport. Die Gelehrtheit des Dichters besteht darin, daß er, scheinbar elastisch, zerebral und dialektisch in Beziehung setzt, was früher in einem Gedicht unvereinbar war oder schien. Was zu verbinden ist, kennt er aus einer „Witterung“ (Nietzsche) und kann dann, ohne zu begründen, die Kontakte als richtig hinstellen.

Pietistische Strophen

Benns Rationalität entsprang also nicht dem Intellekt, sondern einer verbreiterten Sinnlichkeit, von der T. S. Eliot einmal sagte, der moderne Dichter müsse den Duft einer Rose denken. Das Verfahren wurde bereits von den religiösen Liederdichtern des Barock entwickelt, welche für übersinnliche Dinge sinnliche Fakta benützten. In der Tat ist das Thema der Vergänglichkeit, der Verdorbenheit der (menschlichen) Natur und die Sehnsucht nach Erlösung pietistisch. Benns Strophe hat das liedhafte Schema eines Tersteegen oder P. Gerhardt:

ach, nur im Werk der Vernichter
siehst du die Zeichen entfacht:
kühle blasse Gesichter
und das tiefe : Vollbracht.

Anspielungen auf die christliche Lehre, das Geheimnis Christi, finden sich häufig bei Benn. Meistens benützt er sie für sein Evangelium von der Heilslehre der Kunst. Vergehen des Künstlers und seine Auferstehung im Gedicht werden einer Form des Kirchenlieds anvertraut:

Niemandes — : beuge, beuge
dein Haupt in Dorn und Schlehn,
in Blut und Wunden zeuge
die Form, das Auferstehn,
gehüllt in Tücher, als Labe
den Schwamm mit Essig und Rohr,
so tritt aus den Steinen, dem Grabe
Auferstehung hervor.

Der Rhythmus

Man kann diese Stimmung nicht nihilistisch nennen, sie bezeugt nur eine Bennsche Wahrheit. Das Geheimnis des Gedichts ist nicht zu lüften, es ist evident nur in seiner Form, als Erscheinung. Es gibt aber auch sehr freie Formen, ohne Vers und Reim, wo der Rhythmus allein regiert. Man hat sich bemüht, dem Bennschen Rhythmus ein Schema zu unterlegen. Trotz der Erklärung mit Synkopen und Allitterationen und wechselnden Füllungen der Takte ergab sich als Gesetz des eingängigen, sehr lebendigen und dialektischen Rhythmus wieder etwas Spielerisches, Freies. Die „Form“ spielt mit der Fülle der Möglichkeiten und sucht den Effekt der Überraschung. Benns „Artistik“ zielt geradezu, wie sie im Inhaltlichen die mondäne Verfremdung wünscht, auf das seit Holz, Dauthendey und Stadler verwirklichte Parlando. Der Widerspruch von Kunst und Parlando, zwischen denen nur noch der Rhythmus vermittelt, ist häufig nicht gelöst. Etliche Gedichte wirken wie rhythmisch abgesetzte Passagen eines lyrischen Essays, so wie Benns Essayistik ein anderer Ausdruck seines Lyrismus war.

GOTTFRIED BENN

Die Hereinnahme einer Fülle von Wissenschaften, Literaturen, Meinungen, Erfahrungen, Meditationen, Einfällen und Zufällen in das Gedicht stellt keine Montage, keinen Bewußtseinsreport dar. Sie ist Ergebnis eines Filterungsprozesses im „lyrischen Ich". Die Summe aller Daten kann das fertige Gebilde nicht erklären. Nur die Reinigung des Gemüts von allem, was an jenen Daten Materie und Gefühl war, ein ekstatischer Zustand, zeugt jenes geheimnisvoll klar gegliederte Gebilde, das im Rhythmus lebt, das Gedicht.

Verlagszeichen des Ernst Rowohlt Verlages
gezeichnet von Walter Tiemann

TRADITION UND ERNEUERUNG

DER PLURALISTISCHE GRUNDZUG DER ZEIT

Überwindung des Expressionismus

Die expressionistische Phase hatte für einige Jahre so sehr den literarischen Ausdruck geprägt, daß sie den Betrachter verlockt, von einem eigenen expressionistischen Stil zu sprechen. Es war das letzte Mal, daß deutsche Dichtung und Literatur so einheitlich erschien. Vielen expressionistischen Autoren war die Einheit nicht bewußt, kannten sie doch oft nicht einmal den Begriff des Expressionismus. Als die Bewegung mit ihrem Programm eines „neuen Menschen" und dem Willen zum „Aufbruch" weit über Literatur und Kunst hinausgriff, scheiterte sie. Sie löste sich wieder in die zahllosen Ströme und Rinnsale auf, aus der sie Jahre vor dem ersten Weltkriege zusammengeflossen war. Eine wirkliche Erneuerung hätte anderer Kräfte bedurft.

Einige „große" Dichter der Epoche sind früh gestorben, zahlreiche andere haben eine tiefgreifende menschliche und künstlerische Wandlung erlebt, so Werfel, Döblin, Musil und Benn. Sie gleichen darin den Dichtern der deutschen Romantik, etwa F. Schlegel und Brentano, wie überhaupt der Expressionismus im Grunde eine romantische Epoche des deutschen Geistes war.

Anziehung und Gegnerschaft

Einige bedeutende Gestalten der Literatur hat der Expressionismus kaum berührt. G. Hauptmann, Th. Mann, Schröder, Blei, Kraus, Borchardt zeigten sich nur in einzelnen Werken vom expressionistischen Zeitgeist beeinflußt; Hauptmanns „Pippa", Hofmannsthals „Elektra" und Borchardts Erzählungen tragen seine Spuren. Karl Kraus hat sich mit ihm kritisch auseinandergesetzt, ähnlich Alfred Kerr. Die damals junge Generation wuchs trotzdem bereits in expressionistischem Klima auf, man merkt es dem Stil des frühen Ernst Jünger, Martin Heideggers, Romano Guardinis, Josef Weinhebers und Georg Brittings deutlich an. Loerke und Lehmann konnten – dieser mit Romanen, jener mit Gedichten – eine Zeitlang als expressionistische Autoren gelten. Für die jungen Konrad Weiß, Friedrich Schnack, Hermann Broch und Carl Zuckmayer wurde der Expressionismus zum Ausgangspunkt. In den meisten Fällen haben sie ihn schnell überwunden oder sich wie Zuckmayer bewußt davon abgewandt. Autoren wie Rudolf Alexander Schröder, Ina Seidel, Georg von der Vring, Richard Billinger, Hans Carossa, Albin Zollinger, Werner Bergengruen und Joseph Roth entfalteten sich als Einzelgänger.

Der Neo-Expressionismus

Demgegenüber ist es merkwürdig, daß nach der Jahrhundertmitte eine Renaissance des Expressionismus einsetzte. Die jungen Autoren begannen 1947 an dem Punkt, wo man 1923 stehengeblieben war. Nach 1950 setzten die Neuauflagen vieler expressionistischer Autoren ein. Es gab dafür äußere Gründe, den Wunsch, einiges an den während des Dritten Reiches schmählich behandelten Expressionisten wiedergutzumachen, und den wirtschaftlichen Aufschwung des Verlagswesens; aber entscheidend war die innere Verwandtschaft beider Generationen. Der Erneuerungswille hatte sich in verschiedenen Richtungen ausgedrückt. Im Gegensatz zum Ruf nach einer gewaltsamen politischen Revolution stand der von Hofmannsthal, Borchardt und Schröder vertretene Typus einer bewahrenden, tradierenden Dichtung. Es ist kein Zufall, daß diese Autoren Übersetzer, Herausgeber von Anthologien und Erneuerer alter Formen und Motive waren. Neben den Schülern Stefan Georges haben sie und ihre geistigen Nachfahren die Umwälzung des Denkens *über* Literatur am meisten gefördert. Rudolf Kassner, Ernst Robert Curtius, Max Kommerell und Max Rychner repräsentieren diesen Typus. Die von Franz Blei inspirierte Neuwiener Schule mit Gütersloh und Doderer zeigt noch die Spuren ihrer anarchistischen Herkunft. Max Kommerell und Walter Benjamin kamen von George oder Baudelaire, waren von Hofmannsthal und Curtius beeinflußt und schrieben Essays über Literatur, die selbst zur Literatur gehören.

Die Naturdichtung

Die neue Entwicklung verlief in drei Richtungen, eine christliche, eine klassisch-humanistische und eine nationale. Ziemlich selbständig stand daneben eine neue Naturdichtung, eng verbunden mit dem alten Naturalismus, aus dem sie sich stofflich und weltanschaulich ableiten läßt, versetzt mit starken, im Lebenslauf der Dichter nachweisbaren expressionistischen Einflüssen. Es ist jene Dichtung, die, mit Loerke und Lehmann früh einsetzend, in den dreißiger Jahren eine Wiedergeburt der großen Naturdichtung brachte; ihr publikumswirksamer Zweig war der Bauernroman, der als Blut-und-Boden-Roman (Blubo) später diskreditiert wurde. Seine bedeutendsten Autoren – vor dem „Dritten Reich“ – waren Hermann Stehr, Hans Henny Jahnn, Ernst Barlach, Richard Billinger und Hans Grimm. Das Naturgedicht erreichte durch Georg Britting, Friedrich Schnack, Hans Carossa, Elisabeth Langgässer, Günter Eich, Peter Huchel und Horst Lange eine neue Blüte.

Gegenseitige Durchdringung

Bezeichnend sind die Übergänge und thematischen Überkreuzungen. So ist Elisabeth Langgässer eine christliche Naturlyrikerin, so hat Friedrich Georg Jünger, neben den „heroischen“, reine Naturgedichte geschrieben, so durchdringen sich bei Josef Weinheber naturalistische, expressionistische, christliche und existentielle Themen, zeigt Rudolf Alexander Schröder in der klassischen Form des Sonetts eine vielfältige moderne Thematik, vom Liebesgedicht zum Chanson, vom Trink- zum Kirchenlied. Bei Richard Billinger spielte Folklore eine Rolle; sein Roman „Die Asche des Fegefeuers“ mischte auf beinah groteske Weise die Motive des Bauernromans mit ekstatischem Heidentum, ähnlich Hans Henny Jahnns „Perrudja“, ein Buch, in dem außerdem utopische Wunschträume der zwanziger Jahre wirksam blieben. Bei Gertrud von le Fort, die den katholischen Roman überraschend erneuerte, mischten sich in der Lyrik liturgische, nationale und kosmisch-naturalistische Themen; ihre psalmodierende Langzeile hatten schon Dauthendey, Whitman und Verhaeren ausgebildet: es ist die gleiche Ahnenkette wie bei Ernst Stadler, Iwan Goll und dem frühen Johannes R. Becher. Ina Seidel fand von der Naturreligion zum Christentum. Hermann Brochs Romane lassen sich als Standesromane mit einer politischen Tendenz *gegen* den Zeitgeist lesen.

Das Ergebnis war ein außerordentlicher Reichtum von Formen und Richtungen.

Das Bild wurde noch farbiger durch die Fruchtbarkeit von Autoren, welche aus dem Naturalismus kamen und künstlerisch immer wieder durch neue Leistungen überzeugten: Gerhart Hauptmann, Thomas Mann und Emil Strauß. Dichter wie Oskar Loerke, Wilhelm Lehmann, Georg Britting hatten nie äußeren Erfolg, besaßen aber für die Kenner hohen Rang. Lehmann hat mehr durch die von ihm inspirierte „Schule", die allerdings nie als Gruppe auftrat, als durch seine Dichtungen gewirkt. Ohne ihn sind Huchel, Eich, Langgässer und Krolow nicht denkbar. Er selbst fühlte sich Heimann und Loerke verbunden und verkehrte freundschaftlich mit Stehr und Strauß.

INDIREKTE WIRKUNGEN

Die politische Literatur der Linken und der Rechten entwickelte sich aus der Publizistik. Die Linke brachte eine Reihe von Satirikern hervor, vor allem Kurt Tucholsky und Erich Kästner. Die Brüder Jünger lebten in den zwanziger Jahren in Berlin und standen anfangs dem „Stahlhelm", später dem Widerstandskreis um Ernst Niekisch, den „Nationalbolschewisten", nahe. Die Agitation spiegelte die deutsche Zerrissenheit und war Ausdruck der Schwäche und des Zwiespalts. Die Auseinandersetzung entglitt den politischen Parteien, und die Entscheidung ging an die radikalen Horden und ihre „Führer" über. Durch den Sieg des Nationalsozialismus war der Kommunismus geschlagen; das Volk bezahlte den Sieg mit der Katastrophe des zweiten Weltkrieges. Seit 1933 stand die Literatur unter der Diktatur der Staatspropaganda. Es war ihr Glück, daß das Thema „Natur" weitgehend unpolitisch war. Den im Lande gebliebenen Autoren aller Richtungen ging es darum, ihre Freiheit zu wahren. Etliche gingen zugrunde, andere gaben sie preis, und wieder andere prägten einen „chinesischen Stil" (E. Jünger), mit dessen Hilfe sie die Jahre überstanden, ohne das Gesicht zu verlieren.

Politische Radikalisierung

In der verdeckten Lage in der Diktatur lassen sich die Verhältnisse nicht schematisch betrachten. Jede Position war verschieden von der anderen. Auch die Literatur der Emigration läßt sich nicht über einen Kamm scheren. Das Schicksal, im Ausland leben zu müssen, unter bedrückenden Umständen, lähmte sie. Es kommt hinzu, daß jedem Dichter, der längere Zeit außerhalb seines Sprachraums lebt, der Atem ausgeht. Diese seelische Not ist das Hauptthema der Emigrationsliteratur. Oft nahm sie politischen, oft agitatorischen Charakter an. Stellt man das Verhalten Schickeles dem Th. Manns gegenüber, so wird ein Unterschied deutlich, den kein Widerruf zu löschen vermag. Es läßt sich nicht sagen, daß entscheidende Werke in der Emigration geschrieben wurden. Das stimmt für Anna Seghers oder für Bert Brecht, der erst in Dänemark und in den USA zu sich selber kam, *weil* er dem politischen Getriebe entrissen war. Für die anderen trifft es nicht zu. Heinrich Mann ist nach dem „Henri Quatre" künstlerisch nichts mehr gelungen. Die meisten Autoren hatten in der Emigration keine Zeit zur literarischen Arbeit; sie waren genötigt, um ihren Unterhalt zu verdienen, literaturfremde Berufe auszuüben. Die Dokumentation dieser Schicksale bildet den Inhalt ihrer späteren Bücher.

Lage der Emigranten

Die Zeit der zwanziger und dreißiger Jahre unterliegt einem wohl gesetzhaften Absinken aus dem Bewußtsein: jede Generation möchte die Generation der Väter überwinden. Sie möchte dieses Problem durch Vergessen der Väter erledigen. Das ist eine Scheinlösung, in unserem Fall oft genug unredlich, weil man literarische und politische Gründe verwechselt. Die Abwertung von Autoren wie Thomas Mann oder Hans Carossa argumentierte nicht literarisch, sondern poli-

Der literarische Ödipuskomplex

tisch. Die Dinge sind schwer zu trennen, weil unkontrollierte Emotionen im Spiel sind. Die Texte werden nicht mehr gelesen, sondern verurteilt. Das Verfahren ist damals bis in die Wissenschaft gedrungen und vergiftete sie.

Viel mehr als in normalen Zeiten unterliegt der Autor in der Diktatur, im Kriege, in der Emigration einer schicksalhaften, von außen aufgezwungenen und meistens erdrückenden Situation. So wird ein Pazifist dazu neigen, die Kriegsliteratur grundsätzlich als militaristisch zu verwerfen. Tatsächlich aber war für Autoren, welche Soldat wurden, fast immer ein Zwangszustand gegeben. Ihre Bücher beschreiben, was sie in dieser außerordentlichen Lage gedacht, getan und *nicht* getan und gedacht haben. Nicht eine theoretische Annahme, sondern die wirkliche Lage bestimmt dann die Dichtung. Daraus entstanden Verhaltensweisen, die der Existentialismus eines Scheler, Heidegger, Jaspers, Sartre zu deuten suchte. Was Kierkegaard als Situation des Gläubigen, als einmaliges, von Fall zu Fall verschiedenes „Verhältnis" des einzelnen zu Gott beschrieben hatte, wurde Modell für das Verhalten des Menschen in den Zwangslagen und unausweichlichen Systemen unserer Welt. Der Existentialismus ist eine politische Philosophie; die Engagements der führenden Philosophen bezeugen es. In den politischen Zwangssystemen suchten auch die Schriftsteller ihren Ort; sie wurden engagiert und engagierten sich selbst: die frühen Brüder Jünger sind beispielhafte Fälle. Es ist sehr schwer, aus dem Schema auszubrechen, vor allem der Gegner erlaubt nicht mehr, daß ein Autor seine Schablone verläßt oder die Meinung ändert. Bei E. G. Winkler gibt es klassische Beschreibungen der „Lagen". Später wird Felix Hartlaub sie versuchen.

Satire und Groteske

Die gegenseitige Durchdringung politischer, religiöser und literarischer Themen bestimmte die nachexpressionistische Epoche. Die Spannungen führten zur Wiederbelebung der satirischen und grotesken Dichtung. Hier ließen sich mit kleinen Mitteln große Wirkungen erzielen, so wie harmlos erscheinende Äußerungen komplizierte Folgen für den Autor haben konnten. Die Leserschaft entwickelte Antennen für Neben- und Untertöne, die der grobschlächtigeren Agitation und Propaganda nicht gegeben waren.

Fortgang der Literatur

Ohne Politik lassen sich die Jahre 1914 bis 1945 nicht denken, und doch hat sie das Wesen unserer Literatur weder „zerstören" können, wie Walter Muschg meint, noch etwa ihr Ende herbeigeführt. Glücklicherweise gibt es überpolitische Reservate des Menschentums und der Völker. Dazu gehören Religion, Geschichte, Kunst und Literatur. Ein von der Politik bestimmtes Denken kann darin eine Flucht aus der Zeit sehen. Die wahren Ereignisse spielen jedoch in Tiefen, die unangreifbar sind. Die wirkliche Sphäre des Menschen bilden nicht die Politik und ihre Zwangssysteme, sondern ein Bewußtsein für Freiheit auch da, wo die politische Freiheit genommen wurde. Die Literatur stellt die humane Unterströmung, auch in dieser bewegten Zeit, wahrer dar als schaumige Ideologien und falsch erdachte Schemata.

Stilistische Folgen

Die Veränderung des Geschmacks und der Zwang zur knappen, später zur versteckten Schreibweise brachten einen neuen Stil hervor. Das expressionistische Pathos verschwand, grammatische und syntaktische Manieren wurden unterdrückt. Man kehrte zur Knappheit der Sprache zurück, bildete kurze Sätze, vermied lange Konstruktionen. Man schrieb den Stil der „neuen Sachlichkeit". Seine Meister waren Ernst und Friedrich Georg Jünger, Bert Brecht, Erich Kästner,

Kurt Tucholsky (mit kaustischen Untertönen), Alfred Döblin (in den naturalistischen Partien von „Berlin Alexanderplatz“), Joseph Roth und Hermann Broch. Während die Frauen beim weiträumig gebauten Satz blieben, schrieben die Männer den Aussagesatz als Ausdruck logischen Kalküls, reiner Mitteilung, ausgesparter Bedeutung. Nur Außenseiter wie Heimito von Doderer erlaubten sich noch üppige Satzkonstruktionen und schoben Klammern ein.

Der Essayismus

Das Feuilleton und die in ihm entwickelte Kurzgeschichte nötigten zu sparsamer Charakterisierung der Personen und enger Komposition des Stoffes. Die Essayisten bemühten sich um exakte Aussagen, wo ihre aus dem neunzehnten Jahrhundert stammenden Vorgänger weitläufig und weitschweifig gewesen waren. Der Stil Walter Benjamins und Max Kommerells wurde vorbildlich. Die Muster knapper Diktion fanden sich beim mittleren Heinrich Mann und bei Gottfried Benn. Die Brüder Jünger entwickelten ihren Stil auf der Mittellinie von Essay und Aphorismus. Rudolf Kassner war um sachliche Deskription bemüht, wenn er Physiognomien der Dichter beschrieb.

Antike Rhetorik

Diesem neuen, knappen Stil entsprach die Wiederbelebung des an Goethe geschulten klassischen Deutsch bei Hofmannsthal und Carossa. Sie waren die erklärten Gegner sowohl naturalistischer Verwilderung wie expressionistischer Berufung auf eine neue Grammatik. Die Polemik von Karl Kraus richtete sich gegen das heruntergekommene Zeitungsdeutsch und trug zur Ausbildung eines neuen Sprachethos bei. Daß in seinem Namen die romantische Satzperiode mit geradezu lateinischen Konstruktionen zu rechtfertigen war, beweist der Stil von Theodor Haecker. Auch Rudolf Borchardt konstruierte Perioden, doch berief er sich auf die Originale, das Pathos der antiken Rhetoren. Der Stilwille ging in beiden Richtungen also auf eine *Kunst*form aus: hier die sachliche und knappe, dort die mächtige Zeile des antiken Vorbilds. Gegen die expressionistische Verwilderung stellte der Schwabe Herman Hefele (1885–1936) sein lateinisch bestimmtes „Gesetz der Form“. Er wies auf das Sonett hin und schrieb eine tiefe Untersuchung über „Das Wesen der Dichtung“ (1923). Beim Ernst Jünger der „Marmor-Klippen“ verbanden sich für einen Augenblick sachlich mitteilender und feierlich anrufender Stil:

Ihr alle kennt die wilde Schwermut, die uns bei der Erinnerung an Zeiten des Glückes ergreift. Wie unwiderruflich sind sie doch dahin, und unbarmherziger sind wir von ihnen getrennt als durch alle Entfernungen. Auch treten im Nachglanz die Bilder lockender hervor; wir denken an sie wie an den Körper einer toten Geliebten zurück, der tief in der Erde ruht . . .

Neuklassik

Alle europäischen Neugeburten pflegen sich auf das klassische Altertum zu berufen, erst dadurch werden sie zu Renaissancen. Es war kein Zufall, das Hölderlin und Stifter Muster für Lyriker und Prosaisten wurden, wie früher Kleist und Büchner. Der Stil von Paul Alverdes bewegt sich auf einer „innigen“ Linie zwischen Kleist und Stifter; Hans Carossa und seine Nachahmer folgten, bis in den Duktus der Handschrift hinein, Goethes Beispiel. Aber nur Carossa selbst gelang im Medium dieses Stils ein unüberhörbar eigener Ton. Das tragische Beispiel eines Versuchs neuer Klassizität stellt Josef Weinheber dar; er war keineswegs ein sogenanntes Naturtalent, sondern hat sich dreißig Jahr lang um die „Form“ bemüht, um sie, wie R. A. Schröder, F. G. Jünger und später G. Britting, in der antiken Ode zu entdecken.

DAS DRAMA Nur das Drama hatte seit dem Expressionismus wenig Glück. Ihm als der am meisten politischen Gattung waren die Verhältnisse feindlich. Bert Brecht hatte eine neue sachliche („epische“) Form entwickelt und umständlich begründet, an die noch Max Frisch anknüpfen konnte. Aber ein episches Drama ist ein Widerspruch in sich selbst. Zum Drama gehört eine „hohe“ Form, deren technische Wiedergabe durch den Naturalismus zerstört war: die Schauspieler hatten verlernt, Verse zu sprechen. Das Drama Carl Zuckmayers ist vom späten Naturalismus zu begreifen, das Richard Billingers und Max Mells aus dem Volksstück, das Hans Rehbergs aus dem Historiendrama und das von Curt Langenbeck aus dem Mühen um neue Klassizität. Ihre Stücke hatten wohl Erfolg auf der Bühne, aber die sprachlichen Mängel Zuckmayers und Rehbergs und die stofflichen Billingers und Langenbecks brachten die Stücke um eine dauernde Wirkung.

Das Hörspiel Das dichterische Drama suchte neue Möglichkeiten und fand sie beim Rundfunk, im Hörspiel. Die frühen Spiele von Konrad Weiß, Arnolt Bronnen, Paul Alverdes waren als Hörspiele angelegt. War die Bühne durch den Naturalismus für die phantastische und surreale Dichtung verdorben, so bot das rein akustische Medium des Radios ungeahnte Möglichkeiten und machte die Autoren von den Realitäten der Spielbühne frei. Das Drama war die einzige Gattung, welche vom Rundfunk, als Hörspiel, künstlerisch Nutzen hat, obwohl der Verschleiß als literarisches Konsumgut seinem Ansehen wieder schaden mußte.

Das Urthema Die zwanziger Jahre haben allen Autoren ein spezifisches Erlebnis eingeprägt, das die Expressionisten nicht hatten. Es zeigt sich äußerlich in der verwirrenden Fülle von Personen und Handlungsträgern bei Robert Musil, Herzmanovsky-Orlando, Joseph Roth, Joachim Maaß, Ludwig Tügel, Elisabeth Langgässer, Werner Bergengruen, Wilhelm Lehmann, Ina Seidel, Hans Henny Jahnn, Döblin, Paul Gurk, Kurt Kluge. Der Titel eines Romans von Doderer, „Die Strudlhofstiege“, weist darauf hin: die Ereignisse spielen sich mit- und nebeneinander ab, sie geschehen oben und unten, rechts und links, und alle Personen und Geschehnisse sind gleichmäßig „wahr“. Die schriftstellerische Ökonomie sieht sich vor diesem Problem in einer schweren Lage. Sie muß auswählen und akzentuieren. Wenn alles vorhanden und gleich wichtig ist, wenn es in Wirklichkeit kein Oben und Unten, kein Viel und Wenig gibt, so gerät die Welt ins Strudeln. Musils „Mann ohne Eigenschaften“ ist das größte Kunstwerk über dies Thema. Jahnns „Perrudja“ und Brittings „Hamlet“ sind seine dichterischen Erfüllungen. Der Mensch will im Strudel des Lebens seiner selbst gewiß werden; er endet in Resignation.

Der Sinn des Seins Diese Werke haben durchweg bedeutende literarische Kraft. Wenn sie auch nicht zu einem Ziel führen und keinen Lebenssinn aussprechen, so sind die Autoren doch überzeugt, daß der Sinn der menschlichen Versuche und Unternehmungen nicht vergebens gewesen sei: Nichts Geschehenes verliert seine Spur im Sein, und diese Spuren halten die Dichter fest. Jahnns Perrudja, Musils Ulrich und Brittings Hamlet tun viele Dinge, die sinnlos zu sein scheinen, lächerlich oder böse sind und auch dem Helden lächerlich, böse oder leer vorkommen — aber sie glauben, daß sie unaufhebbar und nicht ohne „Sinn“ waren. Die Sinnfrage als solche erscheint nicht mehr beantwortbar, aber die Person muß — trotzdem — leisten, was verlangt oder aufgetragen wird.

DIE KONSERVATIVE RENAISSANCE

DEUTSCHE SONDERART

Es war beinahe selbstverständlich, daß auch in der Umwälzung des europäischen Geisteslebens seit dem Jahre 1890 eine konservative Grundströmung erhalten blieb und ein natürliches Gegengewicht gegen den Modernismus bildete, gegen die antihistorische Wendung am Ende des neunzehnten, des sogenannten historischen Jahrhunderts. Hugo von Hofmannsthal und seine Freunde, Rudolf Borchardt und Rudolf Alexander Schröder, suchten sich auf der einen Seite, Stefan George und sein Kreis auf der andern gegen das Bloß-Neue, den sozialrevolutionären Ansturm innerhalb der Literatur zu behaupten. Auch Franz Blei und seine Freunde Robert Musil, Paris von Gütersloh und Heimito von Doderer hatten sich gegen die Entwicklung des Tages gestemmt. Der Weg, den Hermann Bahr, als Proteus der Literatur, zur katholischen Kirche gegangen war, hatte etwas von geschichtlicher Zwangsläufigkeit angedeutet. Schröder wurde gläubiger Lutheraner: eine Entwicklung, die unter dem Nationalsozialismus einen symbolischen Akzent erhielt.

Deutsche Form

Diese Autoren hielten der naturalistischen und expressionistischen Verwilderung das Gesetz der Form entgegen – und die *Form* fand man bei Römern und Griechen, bei den großen Franzosen und Spaniern, vor allem bei den eigenen Klassikern, Schiller und Goethe. Für Carossa wurde Goethe das menschliche und stilistische Muster. Josef Weinheber entdeckte auf den Spuren Herman Hefeles das italienische Sonett Michelangelos. (Gleichzeitig bemühte sich Paul Ernst, die Novelle aus dem Geist Boccaccios zu erneuern.) Naturlyriker wie F. G. Jünger und Britting setzten sich mit den antiken Formen der Ode auseinander. Klopstock und Hölderlin wurden als deutsche Griechen wiederentdeckt. Essayisten und Kritiker wie Walter Benjamin beriefen sich auf Goethe, Hölderlin, Baudelaire und George, Max Kommerell auf Goethe, Kleist und Hölderlin. Benjamin maß die moderne Zivilisation kritisch an ihren Neigungen zum Epigonalen, und Kommerell suchte Jean Paul ebenso wie den Roman des Fernen Ostens von der neoklassischen Moderne her zu verstehen. Ernst Robert Curtius und sein Schüler Max Rychner interpretierten die Gegenwart unter dem Blickwinkel einer klassischen Bildung, in der Antike und Christentum sich verbanden.

Die Übersetzer

Alle diese Autoren verfochten – teilweise polemisch gegen das Menschheitspathos der zwanziger Jahre – die nationalen Voraussetzungen der Literatur. Da es, seit der Turm von Babel eingestürzt ist, keine Menschheitssprache gibt, sind alle Literaturen der Erde in einem ganz anderen Sinne als Musik und bildende Kunst national gebunden. Wie ist es aber möglich, die Urideen der Menschheit, die in den Dichtungen niedergelegt sind, zu bewahren? Dies Problem hat die Autoren zu Übersetzern gemacht. So ergibt sich die Merkwürdigkeit, daß alle Klassizisten fremde Autoren einzudeutschen suchten. Ja, hier liegen zum Teil die wichtigsten Leistungen Schröders, Voßlers, Borchardts, Kassners, Th. Haeckers und der Zeitschrift „Corona“.

Ausgangspunkt

Die meisten Autoren dieser Gruppe spiegeln den Pluralismus. So könnte man Friedrich Georg Jünger und Konrad Weiß den Naturlyrikern, Heimito von Doderer und Richard Billinger den christlichen Autoren zurechnen. Ina Seidel, heute als größte Autorin der evangelischen Leserschaft angesehen, gehört der Herkunft nach zu den naturmagischen und kosmologischen Dichtern, genauso wie die Katholikin Elisabeth Langgässer. Ein Opfer des Pluralismus ist Franz Blei geworden, der sich keiner Richtung verschreiben konnte und keiner ganz zuzurechnen ist. Er hat alle Torheiten der Zeit mitgemacht, und so kam er, ein formales Talent, nie zu einem Werk, von dem man sagen kann, es enthalte ihn ganz.

Am engsten sind die Überschneidungen von Klassizismus und Christentum bei R. A. Schröder; bei seinen jüngeren Geistesverwandten, Wolf von Niebelschütz, Albrecht Goes, Manfred Hausmann und Bernt von Heiseler, tritt eine magische Ängstigung durch die Natur hinzu, der die christliche Substanz kaum noch gewachsen scheint, zumal wenn „Natur" als politische oder erotische Besessenheit den Menschen pervertiert. Nationale Autoren wie die Brüder Jünger, Rudolf Borchardt, Rudolf Alexander Schröder, Rudolf G. Binding gehören als Schriftsteller zur neuklassischen Gruppe. Sie alle sind stark von der mediterranen, also lateinischen und griechischen Welt berührt und bilden in ihrer gefühlsmäßigen Nähe zum Luthertum die seit Klopstock ausgeprägte Sonderart eines deutschen Europäertums aus. Ihrer Vorliebe für die klassische hohe Form entspricht der Glaube an eine besondere Aufgabe des deutschen Geistes nicht im Sinne eines Vorranges unter den europäischen Nationen, sondern im Sinne einer historischen Entsprechung, die in unserer Klassik und Romantik Gestalt gewann: die Deutschen seien die neuen Griechen, so wie die Franzosen sich gern als die neuen Römer und die Angloamerikaner als neues Volk Gottes fühlen. Hölderlin hat das deutsche Ideal und sein Scheitern an der Realität am reinsten dargestellt; sein „Hyperion" wurde Lieblingsbuch der Zeit wie Nietzsches „Zarathustra" für die ältere Generation. Auch Josef Weinheber stand dieser Idee nahe, und es ist nicht bloß der Zufall seiner Ehe, daß er anderthalb Jahrzehnte lang der lutherischen Kirche angehörte. Die Grenzen zwischen den Konfessionen waren und blieben fließend. Ernst Jünger hatte eine katholisierende Zeit; es gab Konversionen und Reversionen; Heidegger verließ die Kirche, Carossa gab den Zusammenhang mit ihr nie ganz auf, und Kassner kehrte ein Jahr vor dem Tode zurück. Auch hatte sich eine akonfessionale Gebildetenreligion entwickelt, die vom klassisch-humanistischen Erbe lebte. Karl Jaspers machte sie bewußt. Sie war ein Gegenstück zur Wissenschaftsgläubigkeit des neunzehnten Jahrhunderts.

Nationales Luthertum

Religiöse Mischformen

Die „Corona"

Die Zeitschrift der neuklassischen Richtung war die „Corona", die zuerst im Verlag der Bremer Presse, in München und Zürich, zweimonatlich erschien. Der Herausgeber, Martin Bodmer, und sein Redakteur, Herbert Steiner, wurden nicht genannt. Das erste Heft erschien Juli 1930. Es wurde mit dem „Fragment eines Romans" von Hugo von Hofmannsthal eröffnet, dem aus dem Nachlaß publizierten „Andreas". Darauf folgten ein Rilke-Gedicht und Schröders Gedenkrede auf Rilke, die er im November 1928 in Frankfurt am Main gehalten hatte. Mit der Huldigung an die gestorbenen Großen der Epoche war ein Programm gegeben, das kaum verändert zu werden brauchte (bis zum Jahrgang 1941 wurden immer wieder Teile des Hofmannsthal-Nachlasses in der „Corona" veröffentlicht). Ferner enthielt das Heft Aufzeichnungen von Valéry in Herbert Steiners Übertragung, einen Abschnitt von Thomas Manns Jaakobsgeschichten, ein Kapitel über David Hume von Lytton Strachey, Rudolf Borchardts „Lichterblickungslied", das nicht nur den Freund Hofmannsthals sinngemäß einbezog, sondern auch als programmatisch gelten konnte:

Rudolf Borchardt

Hebt die Blume an das Licht
Ohne sie vom Stamm zu lösen,
Tiefer Zeugnis gibt es nicht
Für Begütigung des Bösen, –
    Es ist aufgegangen,
    Es ist angefangen,
Leben liegt im argen, weil es ruht;
Weil es fortfährt, wird es gut.

Rundet rechts und links die Hand
Über Eures Bluts Juwele, –
Dem was von Natur entstand
Schafft mit Willen ihm die Seele;
    Ihm gebührt von Euren
    Einverleibten Feuren
Zu dem Funken, der ihm Leben gab,
Inbrunst, Meistrin über alles Grab.

Hebt Euch, Arme zu verschränken
Über der Geburt der Zeit,
Fühlt sie kommen, Euch zu lenken
In den Sturm der Ewigkeit:
    Dankt daß sie gediehen,
    Denkt sie zu erziehen,
Williget in Zug, der Euch selbmit
Zeucht, – denn alles Wunder wird zudritt.

Den Schluß des Heftes bildeten Karl Voßlers Aufsatz über Jacinto Benevente und Josef Hofmillers „Ottobeuren".

Die ersten Mitarbeiter

„Corona" war eine hervorragend gedruckte Zeitschrift, in einer besonderen Schrift gesetzt, mit eigens von Anna Simon geschnittenen Initialen geschmückt. In den nächsten Heften las man, außer Arbeiten der Autoren des ersten Heftes, Max Mells Anfang der „Sieben gegen Theben", Beiträge von Benedetto Croce, Hans Grimm, Geerten Gossaert und Adalbert Frey. Im dritten Heft erschien der zweite Gesang aus Vergils „Äneis", übertragen von Schröder, Borchardts „Vergil" und Beiträge von Hans Carossa, Emil Strauß und Lafcadio Hearn. Im vierten Heft traten Thomas Hardey und Richard Beer-Hofmann in die Reihen der Mitarbeiter, im fünften Thornton Wilder und Selma Lagerlöf, im sechsten Josef Nadler mit dem Aufsatz „Goethe und der deutsche Osten", Stephen Crane, Horaz-Oden von Schröder und eine Vergilhuldigung – zum zweitausendsten Geburtstag – mit Beiträgen von J. W. Mackail, Schröder, Iwanow und Hofmiller.

Weitere Entwicklung

Im zweiten Jahrgang ging der Verlag an Oldenbourg in München über, im dritten wurde das üppige Format etwas verkleinert. Zu den alten Mitarbeitern kamen jetzt W. B. Yeats, R. G. Binding (über „Goethe und die Gegenwart"), R. Kassner, P. Alverdes, Valéry Larbaud, Henry James, Fritz Ernst, Charles du Bos, Carducci (Legnanolied in Borchardts Übersetzung). In diesem zweiten Jahrgang wurden, außer einer Reproduktion von Peter von Cornelius' Widmungsblatt zum „Faust", die Handschriften der Ricarda Huch und Selma Lagerlöf, von Emil Strauß, Richard Beer-Hofmann und Josef Nadler wiedergegeben. Im dritten Jahr tauchten als neue Mitarbeiter der Germanist Walther Brecht, der antidarwinistische Paläontologe Edgar Dacqué, der Historiker und Essayist Karl Alexander von

Müller, Otto Stoeßl und Robert Faesi auf. Zugleich wurde eine Erweiterung deutlich; hatte man sich bisher auf die Nachlässe der „Klassiker" Hofmannsthal und Rilke beschränkt, so tauchten nun Erinnerungen Annenkows an Gogol auf, wurde Nikolai Leskow neu gewürdigt und Adalbert Stifters „Aus der Mappe meines Urgroßvaters" gedruckt. Im Jahrgang IV (1933) traten Regina Ullmann, Ernst Jünger („Lob der Vokale"), Gerhart Hauptmann und Ortega y Gasset neu hinzu. In den weiteren Jahrgängen finden sich die Namen Johan Huizinga, Ernst Bertram, Friedrich Georg Jünger, Leopold Andrian, Hans Heinrich Schaeder, Julius Overhoff, Werner Zemp, Werner Kaegi, Bernt von Heiseler (der Vater, Henry von Heiseler, war schon früher vertreten), Ulrich von Hassel, Marcel Brion, Max Huber, Emil Staiger, Werner Jaeger, Friedrich Beißner, Willa Cather, Rudolf Pannwitz, Saint-John Perse in Kassners Übertragung, Carl J. Burckhardt, Joseph Conrad, Richard Alewyn, Max Kommerell und Robert Browning. 1938 erschien Hans Carossas „Tag in Terracina". Die wichtigsten Mitarbeiter waren und blieben in nahezu allen Jahrgängen: Hofmannsthal, Voßler, Schröder, Nadler, Valéry, F. Ernst, Mell, H. Zimmer, E. Strauß, Hofmiller, Kassner, Iwanow, Rilke und Carossa. Man trifft immer wieder die alten Freunde Hofmannsthals, Schröders und Borchardts und erkennt den Einfluß des Literaturkenners Hofmiller, des romanischen Philologen Voßler und des Schweizer Herausgebers. Man findet keinen Naturalisten und Expressionisten – wenn man von G. Hauptmann absieht, der hier streng klassizistische Gedichte beitrug. Man diente dem Begriff und der Sache „Weltliteratur", und man hielt sich frei von politischen Konzessionen.

Die Neue Folge

Im Jahre 1943 erschien die „Corona" in zweiter Folge mit einem neuen Band. Im Titel hieß es: „Corona, begründet von Martin Bodmer, herausgegeben von K. A. von Müller und Bernt von Heiseler, Schriftleitung B. von Heiseler, Brannenburg." Das erste Heft der „zweiten Folge" erschien im Frühjahr 1943 und brachte: Homer, Hektor und Andromache, übertragen von Schröder, Max Mells „Siegfried und Brunhild" (Vorabdruck aus „Der Nibelungen Not"), Gedichte von Paul Appel, den finnischen Erzähler Eino Railo, Gotthard de Beauclairs „Motette" für den Leipziger Thomanerchor, Konrad Weiß' Legende „Das eine Notwendige" (aus dem Nachlaß), Julius Zerzers Gedicht „Kädmon", Vincenzo Cardarellis „Urbino" und Karl Alexander von Müllers Erinnerungen „Aus einer Münchner Kindheit". In den nächsten Heften erschienen: Johannes Moy, Albrecht Goes, Ernst Buschor, Georg Britting, Kurt Reidemeister, Thu-Fu in Rudolf Bachs Übersetzung, Emil Barth, Heinrich von Srbik, Hans Rupés Sapphoübertragung, Verlaines Briefe und Fritz Dehn. Das letzte Heft der neuen Folge erschien im Kriegswinter 1943/44.

Das Ende der „Corona"

Die Hefte können natürlich nicht mit den ersten verglichen werden. Die großen Nachlässe hatten sich erschöpft, vom Ausland war man fast ganz abgeschnitten, jede Ausgabe unterlag einer strengen, geheimen Vorzensur. Als Ganzes bleibt „Corona" das bedeutendste Denkmal einer Erneuerung aus konservativem Qualitätsgefühl.

Rudolf Alexander Schröder

Rudolf Alexander Schröder steht im Geruch eines Klassizisten, und das ist in Deutschland fast ein Schimpfwort. Diesen Ruf verdankt er seinen zahlreichen Sonetten und Oden sowie den großen Übersetzungen der antiken Dichter, vor allem Homers, Vergils und Horazens. Aber Leben, Gesinnung und künstlerische Absicht Schröders machen einen anderen Aspekt deutlich. Er hat das evangelische Kirchenlied von dessen antiklassizistischen Traditionen her aufgenommen und fortgesetzt; er übertrug Dramatiker der Renaissance und des Barock und moderne niederländische Dichter, vor allem Geerten Gossaert und Guido Gezelle. Die Anfänge Schröders waren lyrisch-grotesk und verrieten ein erstaunliches formales Talent für Reim und Vers. Es fiel ihm leicht, 343 Seiten Gedichte „An Belinde" (1902) zu schreiben und 404 Seiten „Sonette zum Andenken an eine Verstorbene" (1904), wie denn Schröder überhaupt einer der fruchtbarsten und bis in sein hohes Alter tätigen Autoren unserer Literatur war. Als Peter Suhrkamp, zum 75. Geburtstag des Dichters, im Jahre 1953 „Gesammelte Werke" in fünf Bänden herausbrachte, umfaßte diese Ausgabe schon 6000 Seiten. Später erschien ein sechster Band mit 800 Seiten – und doch ist die Masse der Jugendgedichte nur mit wenigen Stücken in dieser Ausgabe enthalten, und es fehlen kleinere Prosaarbeiten und Reden.

Falsche Etiketten

Schröder ist 1878 in Bremen geboren, er stammt aus einer Kaufmannsfamilie. Er kam nach der Schule zu seinem Vetter Alfred Heymel nach München, dem Mekka der modernen Kunst. Schröder wollte Architekt werden und hat in diesem Beruf als Innenarchitekt, in enger Fühlung mit dem vom Jugendstil her entwickelten Kunstgewerbe, bedeutende Aufträge, z. B. die Ausstattung von Ozeandampfern, ausgeführt. Auch als Graphiker und Maler war Schröder zeitweise tätig. Der Eingang in die Literatur war beinah spielerisch erfolgt, mit „Unmut, ein Buch Gesänge" (1899), „Lieder an eine Geliebte" (1900, später hat Schröder sie ironisiert, „sie sind auch danach") und dem Hofmannsthal gewidmeten Gedicht „Empedocles" (1900). „Sprüche in Reimen" erschienen im gleichen Jahr, Alfred Heymel zugeeignet. Darauf erst folgten jene umfangreichen Bände „An Belinde" und die „Sonette an eine Gestorbene". Die ersten Bändchen erschienen „im Verlage der Insel bei Schuster und Loeffler" oder „im Auftrag des Herrn A. W. Heymel auf Rechnung der Insel" als kostbare Luxusdrucke. Sie zeigten, daß die Vettern ausgesprochen bibliophile Neigungen und Absichten hatten. Der Entschluß, einen eigenen Verlag und eine Zeitschrift zu gründen, konnte erst verwirklicht werden, als Schröder und Heymel sich mit Otto Julius Bierbaum verbanden, der die nötigen Erfahrungen als Herausgeber und Schriftsteller besaß. Wenn Heymel und Schröder – außer dem allgemeinen Grundsatz, gute Bücher zu machen – eine Absicht hatten, so war es die Opposition gegen cliquenhafte Richtungen des Naturalismus, Symbolismus und der Neuromantik. Wollte man schon damals, wie Schröder ein Vierteljahrhundert später meinte, „eine Regeneration des deutschen literarischen Gewissens und seiner Kriterien"? Um wen sie sich damals bemühten, hat Schröder 1925 erzählt:

Gründung der „Insel"

Die Antrittsbesuche, die wir mit der dem Neuling eigenen Mischung von Schüchternheit und Überheblichkeit bei Meistern wie Klinger, Bode, Liebermann, Thoma und andern machten, die freundliche Teilnahme Gerhart Hauptmanns, die zarte und leise Förderung,

Der Insel-Kreis

Gemälde von Leo von König, 1941

die der an Jahren wenig ältere, an Erfahrung und Gaben unendlich reichere Hofmannsthal uns selber fast noch mehr als dem Unternehmen angedeihen ließ, die aus Zartheit und Zähigkeit so seltsam gemischte Erscheinung des jungen Rilke, das Ehepaar Dehmel, in dem damals ein ganzer, Heymeln wenig, mir ganz und gar nicht konformer Weltaspekt uns entgegentrat, der ewig geldbedürftige und nervenleidende Dauthendey, um doch auch einen aus dieser Kategorie zu nennen, Wedekind, in dem die Älteren eine dämonische Kraft, wir Jüngeren wenigstens damals nur eine bedeutende, wenn auch verworrene Begabung erblicken wollten, und was sonst noch alles um die Personen der Herausgeber oder um die unermüdlich groteske Hilfsbereitschaft Franz Bleis herum mit Plänemachen, Zwischenträgerei, ehrlichem Enthusiasmus oder barem Almosenbejag in Liebe und Haß geisterte und leibte; ferner die heute schon legendären Feste in der Leopoldstraße, die Bemühungen Meier-Graefes, von Paris her die widerstrebenden Landsleute völlig in den Bann nicht nur des künstlerischen, sondern auch des literarischen Frankreichs zu ziehen, und schließlich der ganze Charivari von Zufall, Unverstand, Gehenlassen, Laune und Mißlaune, der zu etwas so Hirnverbranntem wie dem wolzogenschen „Überbrettl" führte, – wer will alles das jetzt noch beschreiben?

Lyrik als Gesellschaftsspiel

Schröder begann als Literat, als Gelegenheitsdichter, als Förderer des schönen und kostbaren Buches. Seine weitgeschwungenen Girlanden geselliger Poesie erhoben sich nicht über Bierbaums, Heymels und Hartlebens Kunst; nur war Schröder sicherer im Geschmack und gewandter im Versemachen. In Bierbaums Brettl-Liedern „Deutsche Chansons" (1900) waren Schröders flotte und verspielte Stücke von Frau Zibidill, „Die Snobsdame", „Die Frau von Malogne" und „Die Träume" sogar die Glanzstücke.
Erst die in „Elysium, ein Buch Gedichte" (1905) vereinten Stücke fielen aus der Konvention des geselligen Gedichts heraus:

Aus „Elysium"

Unter den Zypressen
Liegt mein Leib begraben,
Liegt mein Leib begraben,
Liegt er schon vergessen.

Liegt er schon vergessen,
Hebe ich mich schnelle,
An der dunklen Quelle
Meinen Mund zu nässen.

Auf der Insel der Seligen leben jene, die mit Charon über den Fluß Lethe gefahren sind. Sie haben das Leben, den Schmerz, den Gram und die Befleckung der irdischen Existenz vergessen, aber sie geraten auch den Lebenden mit der Zeit aus dem Gedächtnis, und so wird ihre Kälte kälter, ihre Leere leerer, „ach, kein Hauch der Liebe wird sie erfüllen". Sie wissen schließlich nicht mehr, warum sie gelebt haben. Die gespenstische Beschwörung der Schatten spiegelt, ähnlich wie beim Hofmannsthal der ersten Epoche, eine Bezauberung der Jugend durch den Tod, das Erlebnis der Dekadenz, das zentrale Motiv des Jugendstils:

Die Décadence

Der Wind erhebt sich in den Reichen
Und möchte wie die Schatten tun.
Er will vor jeder Welle weichen
Und will auf jedem Blatte ruhn.

Nun geht ein Lispeln, ein Geflimmer;
Und wie die Seelen sich ergehn,
So hören sie und staunen immer
Und lächeln, ohne zu verstehn.

Hier taucht die Frage nach „Erlösung" der schemenhaften Seelen auf: sie wird Schröder zum Christentum führen. „Hama, Gedichte und Erzählungen" (1908) und „Deutsche Oden" (1910) gaben dem jungen Schröder eine gewisse Kontur.

Schon hatte er begonnen, aus fremden Sprachen zu übertragen. Aubrey Beardsleys romantische Novelle „Unter dem Hügel“ (1909) und Alexander Popes komisches Heldengedicht „Der Lockenraub“ (1908) wurden mit Zeichnungen Beardsleys veröffentlicht. Im folgenden Jahr brachte Schröder das Hohelied unter dem Titel „Dies ist das Lied der Lieder von Salomo“, nach der Übersetzung aus dem Urtext von Emil Kautzsch. Dann erschien die Übertragung von Homers „Odyssee“, erste Hälfte, mit folgendem die Kostbarkeit des Buches noch unterstreichenden Druckvermerk:

Erste Übertragungen

P. VERGILI MARONIS ECLOGÆ & GEORGICA LATINE ET GERMANICE VOLUMEN PRIUS ECLOGÆ

Titelseite und Seite 15 aus Die Eclogen Vergils

Die Odyssee

Unter der Leitung von Harry Graf Kessler gedruckt in den Jahren MDCCCCVII bis MDCCCCX auf den Pressen von R. Wagner & Sohn in Weimar. Mit Titeln und Initialen von Eric Gill und Holzschnitten von Aristide Maillol. Verlegt durch den Insel-Verlag zu Leipzig. Gedruckt in CCCCXXV Exemplaren, von denen CCCL verkäuflich sind.

Der Band war kostbar in Leder oder Pergament gebunden, ebenso der folgende mit dem dreizehnten bis vierundzwanzigsten Gesang im Herbst 1910. Die erste normale Ausgabe, die schnell hohe Auflagen erreichte, trägt die Widmung: „Dem Grafen Harry Kessler als ihrem Anreger und Förderer sei diese Übertragung freundschaftlich zugeeignet.“ 1916 kam die Gezelle-Übertragung heraus, eins der Meisterwerke Schröders, und 1924, in der vornehmen Bremer Presse, „Vergils Georgika“. Eine deutsch-lateinische Ausgabe der Eklogen und der Georgika Vergils auf der Cranachpresse, mit dreiundzwanzig Holzschnitten von Maillol, zu diesem Zweck eigenhändig vom Künstler geschnitten, erschien 1926. Sie war der Höhepunkt der kostbaren und fast übersteigerten bibliophilen Ausgaben Schröders. Die Typen der Stempel, Titel und Versalien wurden geschnitten. Sogar das

Bibliophiler Snobismus

RUDOLF ALEXANDER SCHRÖDER

DES VERGILIUS MARO ZWEITE ECLOGE
ALEXIS

CORYDON brannte, der hirt, für den reizenden knaben Alexis; / den aber liebte sein herr: so war ihm keinerlei hoffnung. / Nur unterm schattigen dach der dicht verschlungenen buchen / fand er sich täglich ein und sang vergebenen trachtens / wäldern und bergen umher die kunstlos rührende klage:
Grausamer, sag, Alexis, so gilt mein singen dir gar nichts? / Rührt mein leiden dich nicht? Du zwingst mich, wahrlich, zu sterben. / Selber das vieh sucht jetzt

15

Übersetzt von Rudolf Alexander Schröder

Papier wurde besonders hergestellt und in einer zu diesem Zweck errichteten Fabrik (!) von Gaspard Maillol handgeschöpft. Der Druck hatte 1914 auf den Handpressen der Cranachpresse begonnen, wurde durch den Weltkrieg unterbrochen, 1925 fortgesetzt und 1926 beendet. Die Auflage – im Insel-Verlag – betrug: acht Exemplare auf Pergament, von denen zwei nicht in den Handel kamen, sechsunddreißig Exemplare numeriert auf Kessler-Maillolschem Seidenpapier, zweihundertfünfzig Exemplare auf Büttenpapier „aus reinem Hanf und Hadern“. Außerdem sollten eine englische und französische Ausgabe erscheinen.

Die intensive Beschäftigung mit der antiken Literatur mag Schröder dazu geführt haben, „deutsche Oden“ zu schreiben, die nicht bloß die metrische Form, sondern auch das Ethos eines Horaz auf die moderne Welt übertrugen. Die „Deutschen Oden“ (1908–13) suchten Schröders Zeitkritik auszusprechen:

„Deutsche Oden“

In blinde Spiegel blickest du, Deutschland, jetzt;
Und von Kleinodien, welche den Deinen du
Verpfändet, sind dir allzuwenig
Wieder mit Wucher ins Haus gekommen.

Doch ob du trauerst, ob du der Witwe gleich
Die falschen Pfleger deiner Verwaiseten
Vergeblich anklagst, ob die Herrin
Gleich der Verbannten sich rechtlos findet,

Ertrag es mutig. Also begegnest du
Der bösen Frist. Es warten die Himmlischen
Voll Freundlichkeit an tausend Pforten . . .

RUDOLF ALEXANDER SCHRÖDER

Da spürt man nicht nur das Metrum allzu deutlich, auch das Ethos tönt wie eine Mischung von Horaz und Hölderlin. Es zeigte sich, daß die patriotischen Sprachgesten des Horaz nicht auf den beschränkten Geist unserer Zeit anzuwenden waren. Es bedurfte einer geistigen Erweckung, die durch das Dritte Reich ausgelöst wurde: die wahre antike Überlieferung fand Schröder nicht in den antiken Schriftstellern, sondern im Christentum. Aber das war nicht mehr „Literatur", sondern existentielle Haltung. Der christliche Humanismus erlaubte, die antiken Vers- und Strophenformen unter ganz anderen Vorzeichen aufzunehmen. Nach den Gedichten „Ein Weihnachtslied" (1935) und einer Reihe von Kirchenliedern, die als „Lobgesang" erschienen, kam 1937 im Verlag S. Fischer „Die Ballade vom Wandersmann" heraus. Sie war 1935 geschrieben und bezeichnete die Abkehr von den weltfrohen Idolen; es war eine Besinnung auf sich selbst und die Fremdheit in dieser Welt:

„Ballade vom Wandersmann"

Rührt mich nicht an; – ich bin's nicht mehr.
– Blickt lieber wie von ungefähr
Ins bunte Vielerlei,
Ich brach das Brot, ich saß zum Herd,
Ich hielt euch alle hold und wert:
Das, dünkt mich, ist vorbei.

Der Wandersmann ist der flüchtige Gast. Er geht durch die Welt und findet, wo es ehedem Treu und Glauben gab, Verrat und Grausamkeit. Es bedurfte im Dritten Reich nur einer Andeutung, damit aus dem Gedicht mehr als ein mythisches Muster herausgelesen wurde. Ähnlich wie F. G. Jünger seine Opposition in „Der Mohn" und G. Hauptmann im „Großen Traum" tarnte, benützte R. A. Schröder die Form einer englischen Gespensterballade, um das eklige Gewürm der Gegenwart zu schildern:

Der Widerstand

Und all der Unflat und Gestank
Mit Gold behängt und Steinen blank;

Die Mörderklaue dichtberingt
Krümmt zierlich sich und lockt und winkt,

Indessen sie den Schoß verrenkt,
Den Sterz nach Buhlersitten schwenkt.

Nicht Babels Hure spreizte sich
Auf ihrem Tier so lästerlich;

Und auf der Stirne prangt dem Wahn
Das Höllensiegel: Betet an.

Und nun – und ah! – Und seht ihr's nicht,
Und west doch euch vor Augen dicht,

Gespielen mein! – Und, kaum gedacht,
Hat schon den Schwarm, der scherzt und lacht,

Indes ich starr, zum Stein gefrorn,
Erspäht der eifersüchtige Zorn.

September-Ode

In der September-Ode von 1938, in viermal sechs Strophen, hat Schröder sein Weltbild lyrisch ausgesprochen. Das entscheidende Erlebnis sind Wandel und Vergänglichkeit, in die Natur hineingesehen, wo das Thema vom Vergehen zyklisch an den Jahreszeiten ablesbar wird. Die September-Ode ist ein Gedicht mit metaphysischem Einschlag im Sinne der englischen barocken Tradition. Die Vergänglichkeit der noch so schönen Natur wird Bild des menschlichen Lebens, das flüchtig ist wie der Schatten vom Gezweig, vom Mond gemalt, und es hat doch ein Mehr, „ein unabdingbar Eigenes: Ewigkeit". Schröders Lyrik geht nun

Von Berg zu Berge geht der Gruss,
Die Ferne wird in ihm zur Nähe:
Wir weilten beid' an seinem Fuss,
Dann trug's uns langsam in die Höhe.

Hier oben wohnt nun Einsamkeit,
Und doch, ich weiss, du wirst sie segnen.
Die Welt ward gross, der Blick ward weit,
Denn soviel tausend heut begegnen.

Was in viel tausend Herzen brennt,
Brennt dankbar auch in meiner Klause:
Grüss Gott! – Getrennt ist nicht getrennt,
Wir sind im selben Vaterhause.

Rudolf Alexander Schröder, Handschriftprobe

auf die großen Themen der geistlichen Lyrik ein. Er sucht sie in den traditionellen Formen, der Ballade und Ode, zu fassen, so wie er in den geistlichen Gedichten bewußt den Anschluß an das evangelische Kirchenlied erstrebte.

Geistliche Lyrik

Seine Formen und seine Aufgabe sind im Lauf der Jahrhunderte dieselben geblieben. Damit hat es als die einzige unter den Aussagemöglichkeiten heutiger Lyrik ein antikes Erbe angetreten und gewahrt. Nicht das Neue oder Überraschende, sondern das Gewohnte und Bewahrte bildet sein Gesetz und mit ihm die Materie seiner Mitteilung. Darin ist und bleibt es der Predigt verwandt, es hat, wie sie, den alten Schatz der Verkündigung, der Lehre, der Ermahnung und des Trostes zu verwalten für den Einzelnen wesentlich, insoweit er als Glied der Gemeinde für solche Gabe zugänglich ist.

Konservativer Geist

Der geistliche Ton war schon seit dem ersten Weltkrieg hörbar geworden. Die Sammlung „Audax omnia perpeti" (Harlem 1919) vereinigte einige Dutzend geistlicher Lieder unter lateinischen Überschriften, entstanden in Holland, in der Nachbarschaft Geerten Gossaerts, dem sie mit einem Horazzitat gewidmet wurden. In diesen Versen kündigt sich Schröders Rückkehr zum Christentum bereits an. Unter herkömmlichen finden sich naturlyrisch inspirierte Strophen:

Ihr Mandelruten, vor der List
Des wilden Winterwinds gerettet,
Und – wurzellos – für karge Frist
Ins Glas auf meinen Tisch gebettet,

Im Dämmer blütenloser Zeit
Steht ihr von einem Glanz umfunkelt,
Der Salomonis Herrlichkeit
Und Cäsars Goldenes Haus verdunkelt.

....

Ihr aber, friedlichstes Geschlecht,
Sacht aufgenährt in dunkler Hülle,
Ruht, wenn ihr aus der Knospe brecht,
Beseligt stumm in eigener Fülle.

Mir halber Trost und halbe Klag,
Der ich, umstellt vom Mißgeschicke,
Ein Wächter, eurem kurzen Tag
Ins rätselvolle Antlitz blicke.

„Alten Mannes Sommer“

Dem starken Band der Sammlung „Die weltlichen Gedichte“ (1940) folgten „Die geistlichen Gedichte“ (1949). Zwischen diesen großen Sammlungen der von Schröder später noch anerkannten Lyrik steht das ganz persönliche Bändchen „Alten Mannes Sommer“ (entstanden 1944).

Franz Blei hat einmal etwas spöttisch gesagt, Schröder sei mit den Jahren immer jünger geworden. Diese Eigenschaft teilt er in der Lyrik mit seinen Landsleuten Wilhelm Lehmann und Georg von der Vring: das jugendliche Schema – für Schröder das einer geselligen Poesie – wird aufgegeben.

Hofmannsthal und Borchardt

Schröder hatte das Glück gehabt, in Hofmannsthal einem reinen Dichter und in Rudolf Borchardt einem Poeta doctus zu begegnen. Ihr Triumvirat hatte in Borchardts Augen einen streng kulturpolitischen Auftrag, wie dem Briefwechsel mit Hofmannsthal zu entnehmen ist. Schröder stand als Temperament und Dichter vermittelnd und ausgleichend zwischen den gegensätzlichen Typen Hofmannsthal und Borchardt. Einig waren die Freunde in der Ablehnung der naturalistischen, symbolistischen und expressionistischen Richtungen, in denen sie Moden eines törichten Zeitgeschmacks, Zugeständnisse an außerdichterische Wirkungen der Poesie sahen. Für sie gab es als zeitloses Muster nur den klassischen Kanon. Der Weg der Entwicklung führte nicht – gemäß der Meinung des Fortschrittsgläubigen – nach oben, sondern eher nach unten: am Anfang stand Homer, am Ende eine in jeder Hinsicht bedenkliche Gegenwart. Die drei waren allerdings nicht stark genug, eine dichterische Schule, und sei es nur im Georgeschen Sinne, zu bilden, wollten es, mit Ausnahme Borchardts, wohl auch nicht. Aber das Hofmannsthal von Borchardt in den Mund gelegte Wort von einer „konservativen Revolution“ deutet die Richtung an.

Der Übersetzer

Hofmannsthal ist früh gestorben, Borchardt lebte im anfangs freiwilligen, später erzwungenen italienischen Exil. Was für Hofmannsthal – auf den Spuren Goethes und Eichendorffs – der Einfluß der spanischen Weltdichtung und für Borchardt

RUDOLF ALEXANDER SCHRÖDER

Dante und die provenzalischen Troubadours bedeuteten, hat der Übersetzer Rudolf Alexander Schröder in seinen Übertragungen Homers, Vergils und Horaz vermittelt.
Der Ruf des Übersetzers wurde durch seine Odyssee begründet. Schröder wollte eine Homerübersetzung schaffen, welche die Nachteile der klassischen Übertragung von Voß ausmerzen sollte, also das Holprige, Pedantische, Überexakte und deshalb Widerdichterische. Geradezu ängstlich wich er allen Eigenheiten aus. (Hölderlin und Goethe hatten Vossens Mängel schon erkannt.) Schröder war an sich nicht besonders für diese Aufgabe geeignet. Der Dichter des „Elysium" war „exklusiv, gedämpft, scheu, zart, körperlos" (Hofmiller), und das ist Homer durchaus nicht. Schröder hat „die ganze Odyssee in eine silberne Stimmung getaucht", wie Hofmiller – menschlich, dichterisch, philologisch und pädagogisch ungemein berührt – in seinen „Wegen zu Homer" kritisch bewundernd feststellte:

Rudolf Alexander Schröder

„Odyssee", siebter Gesang

Aber Odysseus stand vorm Tor; und viele Gedanken
Wog er im Sinn und zögerte lang vor der ehernen Schwelle.
Wahrlich, ein Licht ging aus, wie Sonnen- oder wie Mondlicht
Durch des erhabenen Herrn, des Alkinoos, hohe Behausung.
Sämtliche Mauern waren von Erz: das glänzte vom Eingang
Bis in die innersten Winkel mit blau-lasurenem Friese.
Goldene Flügel verschlossen die innere Burg. Die hingen
Fest in silbernen Pfosten und über der ehernen Schwelle.
Silbern war oben der Sims, der Ring von lauterem Golde.
Dort aber waren auch gülden und silberne Hunde zu schauen,
Neben der Tür, ein Werk des gefeierten Schmiedes Hephaistos,
Wächter zu sein in Alkinoos' Haus, des mächtigen Königs,
Unvergänglich, alterslos, für ewige Zeiten.
Sessel stunden verteilt an den Wänden umher, vom Eingang
Bis in den innersten Winkel gereiht: drauf lagerten viele
Köstliche Decken, ein feines Gewirk von den Händen der Weiber.

Schröder liebte den heiteren Ton, die märchenhaft-idyllische Stimmung, den feinen Glanz der homerischen Welt. So wie es ihm in den frühen Gedichten auf einen unreinen Reim oder ungeraden Vers nicht ankam, so benutzt er gern alte Wörter und nautische Ausdrücke, die nicht jedermann gleich versteht. In der Ilias bemerkt man die Wandlung zum Ernst und den inzwischen erwachten Sinn für den heroischen Mythos; aber die Neigung zur archaischen Sprechweise ist noch gewachsen:

„Ilias", elfter Gesang

Gleich entsandte Kronion zum Holm achaischer Nauen
Eris, die Göttin, die grimme, der Feldschlacht Zeichen in Händen.
Siehe, sie stund auf dem dunklen, dem riesigen Schiff des Odysseus,
Das in der Mitte gelegen, vernehmbar hüben und drüben,
Bis zum Gezelt des Aias hinauf, des Telamonsohnes,
Bis zum Achilles hinab. Die hatten die Flanken des Lagers
Inne, die zween, vertrauend auf Mut und weidliche Fäuste.
Stand daselbst und ließ mit gellendem Schall den Heerruf
Weithin dröhnen, die Göttin, und warf einem jeden Achaier
Mut ins Herz und Begierde des unablässigen Streitens.
Da schien allen der Kampf viel süßere Lust denn Heimkehr
In den gerundeten Schiffen, nach Haus, zum Lande der Väter.

Der grammatisch-syntaktische Umriß der Sprache ist fester geworden, jener silbrige Schimmer ist fort, und dadurch wird Homer – der ja keine „Stimmungen" kennt – echter. Ähnlich bewährte sich Schröders Kunst an Vergils Äneis und feierte schließlich Triumphe in der Übertragung Horazischer Oden, an der die meisten Übersetzer scheitern, weil die grammatische Enge der mythologisch befrachteten Bildvorstellungen in deutscher Sprache allzu gedrängt wirkt oder mit Verlust am Sinn bezahlt werden muß. Zwar erreicht Schröder nicht die eherne Wucht des Originals (die wird man eher bei Weinheber finden, der sich auch an Horaz versucht hat), wohl aber seine anmutige Bewegtheit:

Horaz, I, 25

Nicht wie vormals prasselt dir heut der Buhlen
Dreister Steinwurf gegen den Fensterladen:
Deinen Schlaf stört keiner; und auf der Schwelle
Feiert die Türe,

Die doch sonst in lockeren Angeln früher
Nie gerastet, seltener hörst du's, seltner:
Weil ich hier, dein Trauter, vergeh, allnächtlich,
Lydia, schläfst du?

Die Gesamtausgabe „Die Gedichte des Horaz" erschien 1935. Mehr als dreißig Jahre nach der Odyssee veröffentlichte Schröder „Homers Ilias deutsch" (1943). 1937 kamen Jean Racines „Berenice" und Molières „Die Schule der Frauen" in einem Theaterverlag heraus, die Buchausgaben gab es erst später. 1958 konnten endlich Corneilles „Rodogyne", Racines „Britannicus", „Berenice", „Phädra", „Athalia" und Molières „Die Schule der Frauen", „Tartüff", „Der Misantrop", „Die gelehrten Frauen", vereint im sechsten Band der Gesamtausgabe, erscheinen. 1938 legte er die Bühnenausgabe von Shakespeares Lustspiel „Wie es euch gefällt", 1941 „Der Sommernachtstraum" und 1949 „Troilus und Cressida" vor. Außerdem übertrug Schröder T. S. Eliots „Mord im Dom" (1946) und, zusammen mit Peter Suhrkamp, Eliots „Der Familientag". Dazu kam eine Anzahl von lyrischen Gedichten aus dem Englischen, Niederländischen und Französischen.

An den Widmungen der späten Gedichte kann man einen neuen Kreis von Bekannten ablesen. Hier tauchen, neben dem Freund Otto von Taube, Rudolf G. Binding, Hans Carossa, Anton Kippenberg, Georg von der Vring und der Bildhauer Hans Wimmer auf. Schröder war zu einer Art Patriarchen der deutschen Literatur geworden; mehr als ein halbes Jahrhundert hatte er als Dichter, Festredner, Bibliophile miterlebt. Seine vielen Aufsätze und Einleitungen waren oft Einführungen zu Übertragungen. Er hat seine antiken Autoren, vor allem Horaz, ebenso knapp wie treffend kommentiert und konnte nach dem zweiten Weltkriege, in Bayern lebend, in seiner Person die Überlieferung des Guten und Alten persönlich an die Jugend weitergeben, als die von ihm mit Ausnahme G. Hauptmanns nie sonderlich ernst genommenen Naturalisten und Expressionisten längst zu einer historischen Gruppe geworden waren. Große Wirkung übte er als Lektor der Evangelischen Kirche Bayerns aus; einige seiner geistlichen Gedichte wurden Gemeindegut. Wie in den Anfängen griff die Wirkung weit hinaus über die Literatur im engeren Sinne. Schröder präsidierte gelehrten und bibliophilen Gesellschaften, ein Preis erhielt seinen Namen. Für die Bekennende Kirche, der Schröder seit 1933 angehörte, schrieb er Liederkreise und eine Teilübertragung der Psalmen. In grundsätzlichen Reden sprach er über die „Naturgeschichte des Glaubens“, „Kunst und Religion“ (beide 1936) und immer wieder, in verschiedenen Zusammenhängen, über Humanität und Humanismus, jenes beständige Element des von Antike und Christentum geformten Europa. Er hatte das Kunstgesetz in der Form erkannt, die sich über die Leidenschaft erhebt. Erst in der strengen Form werden der Rohstoff des Lebens und die Probleme so bewältigt, daß Literatur zur Kunst wird. Im Sommer 1962 ist Rudolf Alexander Schröder gestorben.

HANS CAROSSA

Der späte Schröder

Aufgabe der Kunst

Hans Carossa

Ja, wir sind Widerhall ewigen Halls,
Was man das Nichts nennt, ist Wurzel des Alls,
Aber das wollen wir mutig vergessen,
Wollen die Kreise des Da-Seins durchmessen!
Hans Carossa

„Doktor Bürgers Ende“

Die erste, noch verhüllt autobiographische Aufzeichnung Hans Carossas war „Doktor Bürgers Ende“ (1913). Man hat sie Carossas „Werther“ genannt. Der Sohn eines Lungenarztes, selbst Lungenarzt, erliegt dem wissenschaftlichen Vermächtnis des Vaters, der Untergangssehnsucht einer schwermütigen Anlage. Der Tod beendet und erneuert das Leben, er ist Gottes Bote. Die unheilbare Geliebte zieht Bürger mit in den Tod. Das Wunderheilmittel des vitalen Vaters versagt in dieser Lage. Bürger bekennt: „Ja, meinem Herzen am nächsten sind jetzt die Verlorenen, die, von denen ich weiß, daß ich sie nicht mehr retten werde.“ Für den Autor selbst war das Büchlein eine Befreiung; ähnlich wie Goethe hatte er die Versuchung in einem geschaffnen Ebenbild überwunden. Er wurde frei für Bücher, die Erlebnisse *vor* der Bürger-Zeit darstellten, das Werden eines jungen Menschen zu sich selbst. Carossa hat eine deutsche Sondergattung – den Entwicklungs- und Erziehungsroman auf autobiographischer Grundlage – zur Reife gebracht. Das Weltbild ist deutsch-bürgerlich und wird ironisch beschrieben:

Hans Carossa

Unsere Entwicklungen fielen in eine scheinbar beruhigte Epoche; wenige Jahre vor unserem Erwachen war das Reich gegründet worden, das größte Heer der Erde schützte es, deutsche Schiffe fuhren auf allen Ozeanen, und wer leidlich klug, fleißig und nicht ganz arm geboren war, brauchte sich wegen seiner Zukunft nicht zu ängstigen. Über die Zeit hinauszublicken, war keinem von uns gegeben, obgleich wir alle wichtigen Daten der Geschichte auswendig wußten; einer wunderlichen Täuschung erlagen die Kleinen wie die Großen. Wir glaubten nämlich, daß alles bisher auf Erden Geschehene, Eis- und Flutzeiten, Erdbeben, Heilandsopferungen und Erfindungen, auch alle großen Aufbrüche, Kriege und Empörungen der Völker durchaus nichts anderes bezweckt habe, als den gemütlichen Zustand herbeizuführen, in welchem wir gerade dahinlebten und den wir für unabänderlich hielten. In fertigem Staat und fertiger Kirche lebten wir wohlgeborgen, und doch war uns nicht immer wohl dabei; denn war es denn dies, was wir wollten: geborgen sein? Was edlere Jugend, ob reich oder arm, sich im stillen wünscht, ist entweder dämonisches Eigengeschick oder die Mitwirkung an etwas Gewaltigem, das außerhalb ihrer liegt. Aufbauen möchte sie oder ein Gefährdetes retten; in jedem Falle will sie Opfer bringen. Von uns wurde nichts dergleichen verlangt; wir lebten mitten in Erfüllungen, unsere Lehrer sagten es, und andere Stimmen der Gegenwart erreichten uns nicht. So war es unsere Gefahr, aus Mangel an wahrer gemeinsamer Not genießerisch hinzukümmern oder ins Phantastische zu flüchten.

Die ahnungslose Jugend

Dichtende Ärzte

Carossa (1875—1956) stammte von einer oberitalienischen Familie, die nach Bayern eingewandert war. Sein Vater war Landarzt in Tölz. Wie die Generationsgenossen Benn, Döblin, Weiß, Goering, Klemm, Wolf, Huelsenbeck wurde Carossa Arzt. Dehmel, Rilke und Mombert begeisterten ihn. Er schrieb früh Gedichte („Stella Mystica“ 1907, „Gedichte“ 1910, „Die Flucht“ 1916, „Ostern“ 1920; alle vereinigt als „Gedichte“ 1923, später wiederholt vermehrt). Carossas Lyrik führte Dehmelsche Töne weiter:

Finsternisse fallen dichter
Auf Gebirge, Stadt und Tal.
Doch schon flimmern kleine Lichter
Tief aus Fenstern ohne Zahl . . .

Aber auch die Klänge Mörikes, C. F. Meyers, das kosmologische Thema Momberts, die „magische“ Traumlandschaft Hugo von Hofmannsthals kehren wieder. Es gibt spruchhaft knappe und bekenntnishaft elegische Stücke. Goethes „Diwan“ scheint als Muster für die neue Formung des „Stirb-und-werde“-Gedankens durch. Goethes „Selige Sehnsucht“ wird variiert:

HANS CAROSSA

„Von Lust zu Lust“

Liebe fordert letzte Beugung,
Und ich trau dem dunklen Rufe.
Noch im blinden Krampf der Zeugung
Fühl ich Sehnsucht, ahn ich Stufe . . .

Einmal muß ich Welle werden,
Muß im Rausch des Tiers zerfließen.
Erst aus ganz gelösten Erden
Kann der Stern zusammenschießen.

Seele rast hinab zum Schoße,
Dort wird sie von Lust verschlungen.
Auf den Geistern liegen große
Glühende Verfinsterungen.

Die Verhaltenheit Goethes ist freilich preisgegeben. Man erkennt die Ideen des „Lebens“, des „Drangs“, panische und kosmische Empfindungen, wie sie um 1900 in spätidealistischer Weise mit revolutionärem Anspruch verbreitet waren. Carossas Stimme löst sich, wenn die Landschaft der süddeutschen Heimat zum Bild und Sinnbild einer Gipfelschau wird:

Unzugänglich schien der Gipfel.
Nun begehn wir ihn so leicht.
Fern verdämmern erste Wege.
Neue Himmel sind erreicht.

Urgebirg und offne Länder
Schweben weit, in Eins verspielt.
Städte, die wir nachts durchzogen,
Sind ein einfach-lichtes Bild.

Helle Wolke streift vorüber.
Uns umweht ihr Schattenlauf.
Große blaue Falter schlagen
Sich wie Bücher vor uns auf.

Die Lebensgedenkbücher

Im Jahre 1922 erschien das erste der Erinnerungsbücher, „Eine Kindheit“, das Rilke begeistert aufnahm. Das Thema wurde mit den „Verwandlungen einer Jugend“ (1928) fortgeführt. Es sind lichte und helle Bücher, wie sie jemand schreiben konnte, der „Doktor Bürgers Ende“ hinter sich hatte. „Das Jahr der schönen Täuschungen“ (1941) zeigt den Studenten der Medizin, wie er dem Leben, der Großstadt, den geistigen Strömungen, auch der Liebe, begegnet. Vorher war „Führung und Geleit“ (1933) erschienen, das den Übergang vom Leben eines jungen Arztes zur Literatur beschrieb und schöne Bilder der Freunde und Vorbilder zeichnete; es waren Mombert, Lautensack, Mell, Kubin, Wolfskehl, Dehmel, Hofmannsthal, in gewissem Abstand Thomas Mann und Stefan George, Rilke und schließlich P. Rupert Mayer. Da werden nicht nur biographische und literarische Zusammenhänge deutlich, auch das eigentümliche Wachstumsklima Carossas erhellt sich:

> Wer sich ähnlich gefährdet weiß wie ich in meinen Jugendjahren, daß er sich allzu leicht ins Leben hineinziehen läßt, in der Welt verweltlicht, in der Natur aber fast selbst zur Pflanze wird und große Mühe hat, einen geistigen Weg zu Ende zu gehen, weil er, aus Mangel an Überblick, fremden Gesetzen oft mehr vertraut als seinen eigenen, der sollte tun wie ich, sollte von Zeit zu Zeit ein Werk Momberts aufschlagen, etwa den „Glühenden" oder „Die Schöpfung", den „Denker" oder den „Atair". Zuerst wird er vielleicht glauben, es handle sich um rhythmische Formeln einer Geheimlehre; ist aber empfänglicher Ernst in ihm, so läßt er sich nicht abschrecken, und es kann sein, daß ihm plötzlich zumute wird, als habe sich ein Fenster in die Ewigkeit hinaus aufgetan; dann wird er staunend spüren, wie frei wir im Grunde sind. Es gibt da Strophen, einzelne Zeilen, die so klingen, als raune sie ein Wahnsinniger über die Erde hin; horcht man aber genauer, so sind sie der endgültige Ausdruck uralter östlicher Weisheit.

Späte Aufzeichnungen

Der abschließende Band der Jugendgeschichte ist erst 1955 erschienen, „Der Tag des jungen Arztes". Wie „Führung und Geleit" mehr ein Nebenwerk blieb, so ist auch ein geplantes Italienbuch als Ganzes nicht fertig geworden. Die „Aufzeichnungen aus Italien" (1947) stammen zum Teil aus Carossas bester Zeit, es sind die Stunden in Padua von 1939, die Erinnerungen an Ravenna (1937), „Winterliches Rom" (1935) und „Tag in Terracina" (1937). Der Band „Ungleiche Welten" (1951) schildert sein Verhalten während des Dritten Reiches. Carossa hatte lange allen Versuchen widerstanden, hatte wie E. Jünger 1933 den Eintritt in die Akademie der Dichtung abgelehnt und sich 1938 in seiner Rede über die „Wirkungen Goethes in der Gegenwart" geschickt und vornehm distanziert. Aber 1941 nahm er die Wahl zum Präsidenten des eben gegründeten „Europäischen Schriftstellerverbandes" an. Carossa galt damals in Frankreich und Italien als der angesehenste deutsche Dichter, und dieser Ruhm wurde von den Nationalsozialisten für ihre Zwecke mißbraucht. „Der Arzt Gion" (1931) und die Aufzeichnungen „Geheimnisse des reifen Lebens" (1936) gehören zu Carossas schwächeren Werken. In reifen Lebensjahren gerät Angermann zwischen drei Frauen und führt zwischen der kranken Ehefrau und der robusten Geliebten und ihrer Freundin eine schwankende Existenz:

„Geheimnisse des reifen Lebens"

> Die abgelegene Landschaft, wo die Jungfrauen ihre Tiere hegen, pflegen und begraben, die gelben Gebäude mit qualmenden Essen, wo die schönen feuerfesten Dinge wachsen [gemeint ist eine Porzellanfabrik], dies alles wäre schon ohne Barbaras klare Liebesbereitschaft verlockend genug. Möchte es doch eine noch verwandelbare Welt sein und könnte ich sie aus meinem reifen Traum heraus erneuern, ehe das Alter mich einholt . . .

Der Blick ins Sein

Hier geht Hans Carossa jenen Schritt über die Grenze seiner selbsterlebten Welt, und alles beginnt merkwürdig zu schwimmen: Gefühle, Sätze, Ausdrücke und Begriffe.

Der Dichter Carossa ist im „Rumänischen" Tagebuch lebendig, vor allem in den Kindheitsberichten und italienischen Stücken. Man merkt es an den blitzhaften Wendungen, die sich später kaum noch finden. Carossa kann von den „gerinnenden Zeiten des Einerleis" sprechen, „wo wir gar keinen Zusammenhang mit flutenden Kreisen des Lebens mehr fühlen". Von dem Gesicht eines Studienpräfekten wird gesagt: „Die Augen blieben hinter bläulichen Gläsern unerkennbar, so daß einem ein ewiges Ungesicht entgegenstand." Die Symbole des

Und alle Wunder
Geschehen an Ufern.
Wir drängen alle
Zum freien Strand.

Wir sind beladen
Mit Stoff der Sonne.
Wir müssen verschwinden,
So stark sind wir.

Es gibt kein Ende,
Nur glühendes Sinnen.
Zerfallend senden
Wir Strahlen aus.

Hans Carossa

Hans Carossa, Handschriftprobe

Wassers, des Fisches treten bei Carossa auffallend hervor, obwohl er das feste und südliche Land liebt. Wie oben die Zeit als „gerinnend" und „flutender Kreis" bezeichnet wurde, so wird ein Fischfang dem Knaben zum Erlebnis der Begegnung mit den Mächten des Grundes. Hier steht der Dichter ganz im Zusammenhang der naturmagischen Literatur jener Jahre:

HANS CAROSSA

Am „Großen fließenden Magneten“

Plötzlich wurde mir die Gerte fast entrissen, aufplätscherte die Flut, ein mächtiger, silberglänzender Fisch warf sich verzweifelt hin und her und bedrängte mich mit nie gekanntem Entsetzen. Gern hätte ich ihn auf der Stelle freigelassen, wenn ich nur gewußt hätte, wie man es macht; endlich begriff ich mein Glück und beschloß, Herr der Lage zu werden, indem ich die Schnur heranzog und den Fisch zu packen suchte. Jedoch mit Urkraft wehrte sich die metallische Kreatur, der ganze Strom zürnte mich an aus ihr ...

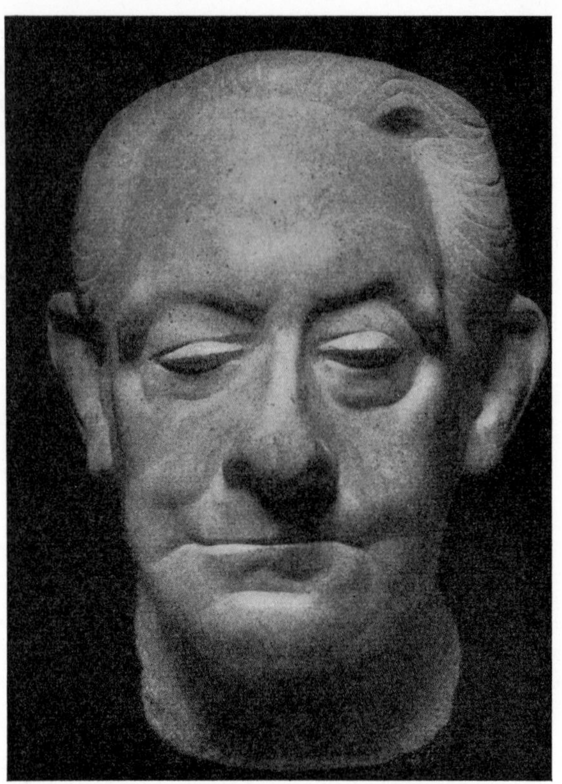

Hans Carossa, Büste von Hans Wimmer

In Terracina gibt es eine Fülle ähnlicher Augenblicke, in denen sich das Dasein zu erhellen scheint, etwa wenn aus den Häusern Tücher und Fahnen zum Vorschein kommen, wenn die Stadt für das Fest drapiert wird: „Das Dasein bringt Sekunden, wo in der Täuschung das Wahre keimt.“ Oben über der Stadt begegnen dem Dichter drei Frauen mit Kopflasten, und die eine zeigt ihm den Inhalt: ein totes Kind mit Spielzeug und Mütze, das rasch beerdigt wird. Von römischen Bauten heißt es, die berühmten seien am schönsten, wenn sie uns ungesucht begegneten. Wie zauberhaft ist die Szene in Terracina, wenn die Kinder in das Zimmer dringen und der untersten Schublade leise zwei Kleidchen entnehmen: „So war mir der Feiertag zum Bewußtsein gekommen.“ Ähnlich festliche, erhöhte und erhöhende Augenblicke vermittelt dem Knaben die Turmbesteigung in Landshut. Anders als in den Glavina-Stellen des Kriegstagebuchs bricht hier der Stil die Konvention; die Grammatik wird von der Vision fortgespült:

Auf dem Turm

Hatte nicht auch früher einmal Schwindel gedroht? Nur wenige Sekunden, aber schrecklich? Dies lebt nun auf, und während jenes unzureichende Not-Organ hinlischt, klären sich die Bilder: Mühsamer Emporstieg am Felsenhang über dem Strom, – im schweren Eimer, Befreiung sinnend, blinkt die Forelle, schon weht es fichtenkühl von oben, – aber zu Füßen schiebt sich die Schlucht auseinander, kein Halt ist mehr in der Welt, jäh zur Tiefe zieht der Eimer, – doch still, es wird nichts geschehen, herab über Steine biegt sich das blau gegürtete Kind, mit starker Hand faßt es den Taumelnden, und fest ist wieder die Erde. Die ganze frohe Stunde glänzt heran; die Seele aber schaut durch sie hindurch wie durch ein Heilungsglas in die bedrohte Gegenwart, und siehe, das Rings-um-den-Turm schwankt nicht mehr, tiefruhig liegen Stadt und Fluß mit umgebenden Licht- und Schattengeländen, darin die Telegraphenstangen mit ihren weißen Porzellanknöpfen wie Maiglöckchen stehen, ja hinter silbernen Wolkenpropyläen des Horizonts dämmert die Zukunft, auch sie nicht mehr ängstigend, und leicht und sicher, um die kupfergrüne Spitze, wandelt der Fluß.

Die Grenze des Autors

Carossas „Geheimnis" bestand darin, daß er im Alltag eine höhere Welt sehen konnte. Er brauchte dazu nur wenige Mittel. Um die Verstörung der Gegenwart zu spiegeln, genügt ihm ein junges Mädchen, jenes tote Kind, eine spielende Katze. Vom Krieg erfahren wir im Tagebuch nur wenige Details, diese aber stehen für die grausame Tatsache. In Ölbäumen „sieht" Carossa den ganzen Süden. Ein gebackener Zopf bringt die Erinnerung an das ferne Elternhaus. Später hat sich die Fähigkeit aufgelöst ins Breite, in die Schilderung, ja Entschuldigung. Obwohl Carossa als Mann von verschwiegener Klugheit, ja Verschmitztheit war und persönlich sehr wohl mit Krisen fertig wurde, hat er als Dichter die erotische und politische Verstörung der Zeit nicht bewältigen können. Den Kern und zugleich die Grenze dieser Kunst bildete die Biographie.

Rudolf Kassner

Die Herkunft

Unter den Anregern und Entdeckern des zwanzigsten Jahrhunderts, soweit sie literarisch Einfluß besaßen, griff Rudolf Kassner am weitesten aus. Die meisten Gedanken, die vor und nach dem Weltkrieg von Autoren wie Otto Weininger, Houston Stewart Chamberlain, Ludwig Klages, Hermann Graf Keyserling und Albert Schweitzer verbreitet wurden, hatte Kassner lange vor ihnen ausgesprochen. Kassner ist 1873 in Groß-Pawlowitz in Mähren als Sohn eines Gutsbesitzers schlesischer Herkunft geboren. Mit neun Monaten erkrankte er an Kinderlähmung und konnte sich zeit seines Lebens nur an Krücken bewegen. Inmitten einer Schar von zwölf Geschwistern verlebte er trotz seiner Behinderung eine glückliche Kindheit auf dem Lande, besuchte das Brünner Gymnasium und die Universitäten von Wien und Berlin. Mommsen, Treitschke, Erich Schmidt und Harnack gehörten noch zu Kassners Lehrern. Er promovierte 1896 mit einer Arbeit über den Ewigen Juden in der Literatur. Ausgedehnte Reisen nach England und Frankreich, nach Nordafrika, Indien und sogar Turkestan weiteten räumlich und geistig sein Weltbild. Er machte die Bekanntschaft Gides, Valérys, Rilkes, Hofmannsthals, O. Wildes und W. B. Yeats'. Jahrzehnte lebte er in Wien, in den letzten Jahren in Sierre im Wallis, wo er 1959 gestorben ist. Er hat etwa vierzig Bücher geschrieben, einige davon mehrmals und unter verschiedenen Titeln.

Literarischer Synkretismus

Kassner war kein systematischer Autor. Er schrieb seine Einfälle nieder, wo und wie sie kamen. In Aufsätzen über literarische Themen begann er zu philosophieren, in Erzählungen flocht er literarische Porträts ein. In seinem ersten Buch, „Die Mystik, die Künstler und das Leben" (1900), schrieb er über die englischen Dichter Shelley, Keats, Rossetti und Browning. Kassners Ausgangspunkte waren Nietzsche, vor allem der „Zarathustra", und Kierkegaard und Maeterlinck. Die ästhetisch-prophetische Kunstlehre der englischen Präraffaeliten hat ihn ebenso geprägt wie Plato, dessen Dialogform er gelegentlich benutzte, oder H. St. Chamberlain, der englische Wagnerianer, mit dem er Briefe wechselte: Kassner hat als erster Deutscher André Gide (1903) übersetzt, Kierkegaard schon 1904 gepriesen und den ekstatischen Visionär William Blake bei uns bekannt gemacht. Kassner förderte Rilkes „Malte“ durch seinen Rat. Manche Ideen berührten sich mit denen Hofmannsthals; er erlebte die gleiche Hemmung, die Hofmannsthal unter der Maske des Lord Chandos beschrieben hatte: ein „mystisches“ Empfinden für die Akausalität der Welt. – „Der Tod und die Maske“ (1902) waren philosophische Novellen, in denen „um der Vollkommenheit willen der Todes- und der Glücksgedanke einander herausfordern“.

Hofmannsthal und Rilke

Mit dem „Indischen Idealismus“ (1903) führte Kassner ein neues Motiv in das Denken der Zeit ein. Er unterlegte seiner modernen Mystik die Dialektik der Veden („Der indische Gedanke“ 1913). In „Die Moral der Musik“ (1903) wurde der Künstler als Ordner und Sinngeber des Seins dargestellt, eine These, die er in den Essays der „Motive“ (1906) an Rodin, Daumier, Baudelaire, Hebbel und Emerson ausführte. (1923 erschienen diese „Motive“ mit anderen vereint als „Essays“.) Die literarischen Aufsätze stellen für den, der das mystisch-philosophische Rankenwerk nicht schätzt, die wesentliche Leistung Kassners dar, wenn auch sie nicht frei sind von Subjektivität:

Über die „Wahlverwandtschaften“

Die ganze Typik des Romanes ist nur dazu da, damit die Kurve, die zwischen Ottilie und Eduard läuft, sich so kühn wölbe, wie sie es tut. Hierin scheint mir das Außerordentliche des einzigen Buches zu liegen: in dieser Verbindung von Strenge, Geometrie, Kühle mit der Strahlung und Kühnheit, dem Ergebnis des reinsten Genies und dem ersten Zeichen einer neuen Sicht vom Menschen. Eben jener, die dem 18. Jahrhundert noch fehlt. Man nehme zum Vergleich die „Liaisons dangereuses“, die, ein außerordentliches Zeitdokument, im Letzten, eben dort, wo die „Wahlverwandschaften“ kühn und voll des Lichtes einer neuen Sicht sind, stumpf bleiben, lichtlos, allgemein, mit dem Lichtlosen und Stumpfen, dem harten Boden und der Unelastizität der puren Rationalität.

Der Absatz findet sich in Kassners Aufsatz über Thomas Hardy [!], in der „Corona“ des zweiten Jahrgangs (1931). Dort äußert er sich außerdem über Rilke und flicht das Private ein: daß er, Kassner, Rilkes „Gedichte der Nacht“ in der Handschrift gebunden besitze. Das ist die Form des Kassnerschen Snobismus.

Der zentrale Gedanke

Kassner war ein großer Leser. Durch die Krankheit seit früher Jugend auf den Umgang mit Büchern verwiesen, entwickelte er sich, der acht Sprachen verstand, zu einem kombinatorischen Geist von erstaunlicher Weite. Er wandte sich gegen den Zeitgeist, haßte seine rechenhafte, analytische und rationale Beschränkung ebenso wie die Scheintiefe der Psychoanalyse und den Kult der Masse. Er nannte Pascal, Lawrence Sterne – dessen „Tristam Shandy“ er 1925 übertrug – und Kierkegaard seine „hohen Ahnen“, wie er überhaupt das Wörtchen „ich und ...“ oft verwandte. Max Rychner deutet die Herkunft dieses Selbstbewußtseins an:

Es ist heute nach den Spannungsgraden kaum mehr zu ermessen, was es hieß, zur Zeit Darwins Platoniker, zur Zeit Nietzsches Christ, zur Zeit Marx' Einzelner zu bleiben, im Widersatz zu den Abräumern der Geschichte. Kassner hat seinen physiognomischen Blick auf die Größenordnungen historischer Geschehnisse und Gestalten eingeübt, die ja nicht einer und derselben Vergänglichkeit unterliegen, sondern verschiedenen Graden derselben; es gibt bei ihm das Ewige und das im Tage selbst Zerstiebende und alles dazwischen; er sagt dafür auch: die Form und das Formlose.

Man kann Kassner, der gegen seine Zeit stand, am besten aus dem Grundgedanken der zwanziger Jahre begreifen. Kassners nie klar ausgedrückte, vielleicht ab-

RUDOLF KASSNER

sichtlich nicht definierte Idee war das Zugleich aller Dinge, Zeiten, Figuren, Gestalten und Gedanken im Ich des Künstlers. Seine indisch, mittelalterlich, platonisch, christlich oder ästhetisch-visionär eingekleidete „Mystik" meinte etwas Ähnliches wie Musils „anderes Bewußtsein". Die in eine Masse von Dingen auseinandergefallenen Substrate der Welt werden wieder geschlossen zum „Paradies". Gelegentlich benutzte Kassner für diesen Prozeß christliche Begriffe wie „Umkehr", „Opfer", „Heiligkeit" und „Gottmensch".

In „Melancholia" (1908, verändert 1915 und 1953) werden die platonischen Dialoge dem Narren, dem Frommen und dem Träumer in den Mund gelegt. Das sind in der Neuromantik wiederkehrende Typen an der Grenze von Ästhetik und Ethik. Von hier führte Kassners Weg zur Religion. In der Abhandlung „Von den Elementen der menschlichen Größe" (1911) und „Die Chimäre" (1914) setzte er sich mit der Welt des Vaters, des Sohnes, der Vision, mit dem Kreuz und Christus auseinander. Den Höhepunkt dieser Gedanken stellen „Der Gottmensch" (1938) und „Die Geburt Christi" (1951) dar. Kassner fühlte sich halb als antiken Heiden, halb als Christen — und litt unter diesem Zwiespalt. Obwohl er katholisch war und ein Jahr vor seinem Tode zur Kirche zurückkehrte, hat der Schriftsteller Kassner in Christus wohl eine säkulare Sohngestalt, einen Gottmenschen, nicht aber den personalen Erlöser der Welt gesehen.

Religiöse Entwicklung

Gott allein hält den Grund aus, seinen Grund, desgleichen seine Macht. Der Ausdruck davon lautet: *Ich bin, der ich bin.* Was beides zugleich bedeutet: bloße Aussage und magische Formel. Der Mensch hält den Grund, seinen Grund, nicht aus, es sei denn als Trunkener, als Tänzer. Auch bildlich gesprochen, als Atom, als kleinster Teil. Als Atom in einer Welt des Wahrscheinlichen, als bloße Zahl. Unter Physikern kam die Frage auf, habe ich gelesen, ob das Atom ein Individuum sei oder nicht. Es scheint mir, daß derselbe Unterschied zwischen Atom und Individuum bestehe wie zwischen Wahrscheinlichkeit und Wirklichkeit . . .

„Das inwendige Reich"

Die Anakoluthe und die Einschiebungen privater Einfälle zerstören den Aussagewert. In der ersten Zeile meint man ein Genie zu hören, in der dritten schüttelt man den Kopf. Mit den Begriffen Magie und Inkarnation geht Kassner um, als wisse jeder, was sie bedeuten:

> Es ist entscheidend für die Erkenntnis der Beziehung vom Vater zum Sohn, soweit hier von Erkenntnis gesprochen werden kann, Magie und Inkarnation nicht zu verwechseln, nicht von Inkarnation zu reden, als handelte es sich hier um einen magischen Vorgang. Ich wiederhole, daß das *Ich bin, der ich bin* zum Vater, nicht zum Sohne gehört. So gehört weiter zum Vater alles, was aus dem *Ich bin, der ich bin* entspringt: das Gesetz, die Logik, die Ruhmes-, aber auch die Rätselrede, eben diese, was mir [!] von besonderer Wichtigkeit erscheint ...

Physiognomik

Der bekannteste Begriff Kassners ist Physiognomik. „Der Umriß einer universalen Physiognomik" (1918) ist die Einleitung zu dem Hauptwerk „Zahl und Gesicht" (1919, 1925 und 1956, jeweils verändert oder erweitert). Rilke sah hier einen „Traum von großer Magie" verwirklicht. Später erschienen die „Grundlagen der Physiognomik" (1922), „Das physiognomische Weltbild" (1930) und das Hauptwerk „Physiognomik" (1932, neu 1951 mit dem Titel „Von der Signatur der Dinge"). In diesen Werken wird das Geistesleben von den Zeiten der Ägypter bis heute dem gewalttätig ordnenden Blick eines souveränen Mannes unterworfen. Zeugen berichten, daß Kassner als Mensch großartig gewesen sei, ein herrlicher Gesprächspartner, bis in das Alter geistig gesellig, ein Lehrer und Präzeptor von Rang, in seinem Einfühlungsvermögen jeweils hinreißend; er konnte sich und seinen Partnern alles anverwandeln. Diese persönliche Wirkung war ungleich größer als die literarische. Denn im Kern sind seine Schriften Monologe eines Einzelnen und Einsamen, und eigentlich nicht für Leser geschrieben.

Josef Hofmiller

„Süddeutsche Monatshefte"

Wie kaum ein zweiter Autor seiner Zeit hat Josef Hofmiller (1872–1933) für die Literatur und aus ihr gelebt. Das äußere Leben verlief gleichmäßig. Hofmiller, schwäbisch-bayerischer Herkunft, studierte in München Neuphilologie und wirkte als Lehrer an Gymnasien in Freising, München und Rosenheim. Seine ersten größeren Aufsätze standen im 18. Jahrgang der Münchner „Gesellschaft". Er schrieb dort über den Münchner Komponisten und Kapellmeister Alexander Ritter (1892). Neben seinen Studien und seinem Lehrberuf kritisierte der junge Hofmiller Musik und Theater für die Presse. Schnell schob er sich in die erste Reihe vor und gehörte 1904 mit Paul Nikolaus Coßmann, Hans Pfitzner, Friedrich Naumann (und andern) zu den Herausgebern der „Süddeutschen Monatshefte".

Erste „Versuche"

Sein erster Band mit Essays, aus den Jahren 1902–07, hieß „Versuche" (1909) und umfaßte Arbeiten über Nietzsche, Foggazzaros Roman „Der Heilige", Catarina von Siena, Emerson, Thoreau, Maeterlinck und Galiani: eine höchst bezeichnende Mischung von Namen und Themen, wie man sie, ein wenig anders akzentuiert, auch bei Annette Kolb findet.

Der aus dem Nachlaß publizierte autobiographische Roman (1948, in „Deutsche Beiträge") zeigt, daß Hofmiller durchaus in der oberdeutschen, geistlich-musikalischen Überlieferung des Katholizismus stand. Die Krise des Modernismus hat ihn, wie auch Joseph Bernhart und Konrad Weiß, zu kritischem Selbstbewußtsein geführt und auf die Literatur verwiesen. Auf die „Versuche" folgten 1910 die „Zeitgenossen", eine Porträtsammlung, und eine Fülle von Ausgaben, Anthologien und Übersetzungen: Hofmiller gab „Chansons d'amour" und „Ballads and Songs of Love" heraus, edierte R. Wagners Prosaschriften, Ludwig Thomas Briefe, Ludwig Steubs Erzählungen, gab Ur-Goethe, Stifter, Luise von François, Fontane, Macaulay und Taine in Auswahl heraus, übertrug Tilliers „Onkel Benjamin" und Prévosts „Manon Lescaut" und bot Musterbeispiele deutscher Essaykunst, indem er Karl Hillebrands Aufsätze und Victor Hehns italienische Reise der Vergessenheit entriß. Seine eigenen Briefe mit Hans Carossa, Dr. Owlglaß, Max Rychner und andern sind Muster kritischer Einfühlung.

Die großen Essays

Hofmillers Aufsätze wurden gesammelt in den Bänden „Über den Umgang mit Büchern" (1927), „Franzosen" (1928), „Letzte Versuche" (1935, von Herbert Steiner und Hulda Hofmiller herausgegeben) und „Die Bücher und wir" (1950 von Hulda Hofmiller herausgegeben).
Die Essays stehen an Rang neben denen von Kassner, E. R. Curtius, Paul Ernst und Max Rychner. Erstaunlich ist der Umfang des geistig-literarischen Interesses. Ausgangspunkt waren Goethe und die Franzosen. Von hier stieß Hofmiller bis zu Homer und der Edda, zu Borchardts deutschem Dante, Landors „Erdichteten Gesprächen", zu Dostojewski, Raabe und Fontane vor. G. Keller hat ihn ebenso gefesselt wie Jean Paul und Defoes Robinson.

Robinsons Wirkung

Was ist der Grund, daß die Nachwelt Robinson bestätigt hat, bestätigt durch die Einstimmigkeit eines Publikums von Lesern, die zugleich naiver und kritischer sind als alle Literarhistoriker, nämlich der Knaben der ganzen Welt seit zwei Jahrhunderten? Man hat alle möglichen Ursachen angeführt: die Natürlichkeit seines Ich-Tons; die Genauigkeit des Berichts; die so kunstvoll wirkende scheinbare Kunstlosigkeit seines Vortrags; seine stete Spannung. Dies alles ist richtig, aber es fehlt noch das letzte Wort: Robinson ist der Mann, der sich zu helfen weiß, immer und überall, in der verzweifeltsten Lage und auf der einsamsten Insel der Welt. Der Mann, der sich selbst zu helfen weiß, hat etwas zauberhaft Anziehendes für alle Menschen.

Hofmillers große und wahrscheinlich entscheidende Gabe war das Reduzieren auf Wesentliches. Er übte sie bei einfachen Autoren, aber auch bei literarischen Phänomenen; eigene Erfahrung und Abneigung gegen die Dekadenz seiner Zeit machten ihn klarsichtig. Hofmiller hatte charakterlich und literarisch etwas Festes und Beständiges. Er liebte das Körnige, Kräftige und nahm es auch da wahr, wo ihm ein künstlerisches oder ästhetisches Gewand übergeworfen war:

Borchardts Dante

Borchardts Entwicklung zum Nachdichter Dantes ist nur aus dem Autobiographischen zu verstehen. Der Lauf seines Lebens führt ihn nach Mittelitalien, nach Florenz, Siena, Volterra, San Gimignano, Certaldo, Lucca, Pisa, lauter Orten, wo er auf Schritt und Tritt in den Spuren Dantes wandelte. Dante treibt ihn ins germanische Mittelalter, in die mittelhochdeutsche Dichtung. Doch auch dies ist für uns Heutige noch Literatur, Dante aber war für Borchardt etwas ganz anderes als Literatur geworden . . .

Es folgen Zitate von Borchardt, die Hofmillers These stützen, so wenn Borchardt erzählt, daß er in einem Schweizer Dorf ein sprachliches „Wildbad" genommen habe. Es ist gar nicht so wichtig, daß und ob Hofmillers Deutung der Entwicklung Borchardts zutrifft; fruchtbar wirkte die Folgerichtigkeit und Klarheit, mit der er

JOSEF HOFMILLER

Josef Hofmiller

seine Gedanken vorzutragen vermochte. Hofmiller besaß ein eigenes Bild von der Welt und ordnete, was ihm begegnete, klug und umsichtig an. Seine Essays lagen auf der mittleren Linie von Feuilleton und kritischer Untersuchung. Er war genügend gelehrt, um gründlich zu sein, aber auch zu klug, um sich als reiner Wissenschaftler zu geben. Dinge, mit denen er sich nach eigenem Zeugnis sehr plagen mußte, wie der Nacherzählung des Meier Helmbrecht (1933), sind eigentlich mißlungen. Er sagt: „Die wievielte Fassung ich 1922 nach Rosenheim mitbrachte, weiß ich nicht mehr. Ich schätze die fünfte. Jedenfalls wiederholte sich der ... Vorgang von 1922–25 etwa dreimal jedes Jahr ..." Hofmiller war der Autor des ersten Zugriffs, einer unter dem Eindruck der Lektüre formulierenden Intelligenz. Darum sind auch seine Briefe so lebendig und unterhaltend, ist der Roman aber nie über Notizen hinausgekommen.

Wanderbilder

Hier liegt auch der Grund für den Rang seiner Wanderbücher, die 1928 als „Wanderungen in Bayern und Tirol" und 1932 als „Pilgerfahrten" erschienen. Hofmiller sah Bayern, Württemberg, Süd- und Nordtirol mit Österreich als eine Kulturlandschaft eigener Art an. Zwar ermahnt er seine Landsleute, statt nach Italien zu fahren, Mittel- und Norddeutschland zu besuchen, aber er selbst gehörte zu den Liebhabern der schwäbisch-bayrisch-tirolischen Stadtkultur, wo es Wirtshäuser und Barockkirchen, vergessene Kapellen und Kunstwerke, bürgerliche und handwerkliche Traditionen, ein von der Moderne nur überdecktes Geschichtsbewußtsein, deutsche Kultur auf ehemals lateinischem Boden gab. Mit welchem Behagen zitiert er Montaigne auf der Reise durch Süddeutschland! Wie jämmerlich findet er die italienische Nationalpolitik in Südtirol! Wie geht ihm in Bozen, Wasserburg und Burghausen das Herz auf! Wie stolz war er auf die Entdeckung der damals, 1928, so gut wie unbekannten Wieskirche bei Steingaden:

Die Wieskirche

Da liegt sie, die Wies, auf den ersten Blick eine weiße Wallfahrtskirche wie hundert andere, bloß ungewöhnlich groß, von außen nichts Besonderes, der Hauptteil macht einen wunderlichen Kamelbuckel, aber wie sie so dasteht auf dem grünen Anger, dahinter das Gebirg, hat sie etwas Seltsames, es zieht einen unwillkürlich hinein. Der erste

Blick ins Innere: — unbeschreiblich! Hell, wie ein fürstlicher Saal, vor allem aber Raum! Raum! Wie wenn der gewaltige Druck des Innern die Wände auseinander triebe! Wie wenn sich nach oben zu alles rundum schwänge! Immer und immer wieder zwingt es den Blick in die Höh. Der Hauptraum blendend weiß, oben mit Gold, eirund, der blaue Deckenhimmel getragen durch acht Säulen- und Pfeilerpaare — es sind weder Pfeiler noch Säulen, sondern beides, immer zwei schneeweiß und schlank nebeneinander, ganz oben ansetzend, so daß dies Barock schier etwas Gotisches erhält, strebend leicht, anmutig, hoch, wundervoll hoch.

Hofmiller hat viele dieser heute berühmten Orte zu Fuß erwandert oder mühsam mit Fuhrwerken erreicht. Er wußte, was es hieß, sich einer Landschaft zu nähern, so wie er wußte, was lesen bedeutete und sich geistige Landschaften zu öffnen. So ist kaum zu verstehen, daß ein Schriftsteller, homme de lettres wie kein anderer Deutscher seiner Epoche, außerhalb „seiner" Landschaften nie recht zur Geltung kam. Freilich fehlt bei ihm jene wehleidige Poetisierung des Lebens und der Literatur, die so oft den Erfolg nach sich zieht.

Max Mell

Der Anteil Österreichs

Mit Hermann Bahr und Arthur Schnitzler hatte die Literatur Österreichs Anschluß an die moderne deutsche Dichtung gefunden und ihr in Hofmannsthal und Rilke, später in Musil und Kafka, überragende Gestalten geschenkt. Gesprächsweise hat Hofmannsthal einmal den acht Jahre jüngeren Max Mell den Führer der österreichischen Dichtung genannt — mit einer keineswegs einschränkenden, sondern lobenden Betonung. Mell blieb in einem ganz anderen Sinne als die eben Genannten der österreichischen Heimat verbunden, auf der Linie der Ebner-Eschenbach und Peter Rosegger, die in der Gegenwart durch Franz Tumler vertreten wird. Da mischen sich humanistische Überlieferungen mit denen der bodenständigen und volkstümlichen Theaterkunst, modern-freiheitliche Politik und christlich-katholische Religion. Dem Österreicher sind die Traditionsbrüche der Reformation und des deutschen Idealismus nicht wie dem Norden und Westen zum Schicksal geworden. Seine politische und geistige Entwicklung verlief linearer, konservativer, und so hat die österreichische Literatur kaum Einzelgänger hervorgebracht. Gestalten wie Friedrich Nietzsche, Arno Holz, Stefan George und Otto zur Linde wären im weicheren und liebenswürdigeren Klima Österreichs kaum möglich gewesen. Erst die jüngste Zeit, als das alte Österreich sich geistig und politisch auflöste, trug der deutschen Dichtung intellektuell emanzipierte Autoren aus den deutschsprachigen Gebieten der habsburgischen Monarchie zu.

Herkunft und Entwicklung

Max Mell ist 1882 in Marburg an der Drau (Steiermark) geboren. Er entstammt einer Familie von Offizieren und Erziehern; der Vater war Direktor des staatlichen Blindeninstituts in Wien. Dort ist Mell aufgewachsen, dort ging er zur Schule und Universität und begann ein Leben als freier Schriftsteller. 1904 erschienen die drei „Lateinischen Erzählungen". Da wird in der Geschichte eines Naturforschers ein Thema aus dem glaubenslosen Rom gestaltet. „Die Geschichte des Künstlers" (oder „Die Stimme") berichtet von einem Bildhauer, der dem kalten Marmor eine Menschenstimme entlocken möchte. Das Bändchen behandelt also klassizistische Stoffe. Der Autor will nicht Erlebnisse und Erkenntnisse be-

Holzschnitt von Switbert Lobisser zu Max Mell, Gedichte

richten, sondern er sucht die überhöhende, kunstvolle Gestalt, bis in die Form der Sätze und ihre Wortwahl. Die Syntax ist durchsichtig, der Rhythmus gleichmäßig; die Phantasie verrät, daß hier kein Nachahmer eines Schemas zu sprechen begonnen hat. In den nächsten Novellenbänden „Die drei Grazien des Traumes" (1906) und „Jägerhaussage und andere Novellen" (1910) spürt man die seelische Anteilnahme, vor allem in der Geschichte „Der Tänzer von St. Stephan". Das Motiv vom biedermeierlichen Tanzmeister, der sich auf der Spitze des Stephansturms vom Fortgang der Bauarbeiten überzeugen will, ist verwoben mit einer Jugenderinnerung des Knaben, der im ersten alkoholischen Rausch seines Lebens jenen Sturz in eine Schlucht tut, der eher vom Vater zu erwarten gewesen war, als der in schwindelnder Höhe auf dem Sims des Turms zu tanzen begonnen hatte. Die schönste Sammlung von Erzählungen, „Das Donauweibchen" (1938), heißt im Untertitel: „Aus einem Jugendleben, den Erinnerungen eines alten Wieners nacherzählt."

„Der Tänzer von St. Stefan"

Erinnerung an die Jugend ist wie für Carossa der Nährboden Mellscher Dichtung. In der Verserzählung „Die Osterfeier" (1921) handelt es sich um ein Erlebnis an einen stürmischen Kartag. Ein schönes Mädchen und ihre jugendlichen Freunde spielen auf einem der in Österreich häufigen Kalvarienberge eine betrübte Heilige und Jesu Leiden. Die Erzählung ist kunstvoll verschlungen, hat retardierende und überraschende Momente, bis sich am Ende alles auflöst, vor allem in dem Motiv, das die Zukunft jenes Mädchens anklingen läßt; sie wird eine große Künstlerin:

„Die Osterfeier“

Kommt! Und Ungezählte drängen
Sich auf Galerien und Rängen
All nach ihr. Daß ihre kühne
Große Stimme von der Bühne
Käme und eröffne ihnen
Höhern Daseins Melodie,
Und sie finden unter Tränen
Sich erlöst und rein durch sie:
Mittlerin zum reinern Wesen,
Das in jedem Busen schlummert . . .

„Das bekränzte Jahr“

In den Gedichten „Das bekränzte Jahr“ (1911) besang Mell die österreichischen Jahreszeiten in „Balladen“. Der Band wurde später erweitert wieder aufgelegt. Irdische und himmlische Heimat korrespondieren einander in des Dichters Einbildungskraft; das Paradies nimmt die Züge des Landes Steir an, und der Dichter spürt „eine große Welt, überall durchgöttert, überall durchhellt“. Über den Gestalten aus Antike und Germanenzeit strahlt die christliche Sonne. Am schönsten ist das Gedicht „Der milde Herbst von Anno 45“:

Ich Uralter kanns erzählen,
Wie der Herbst durch jenes Jahr
Wie der Strom rann und ein Spiegel
Hundert Abendröten war.

An Obstbäumen lehnten Leitern,
Knackten unter Eil und Fleiß,
Und die Kinder schmausten immer,
Und die Kranken lachten leis.

Auf dem Boden rochs nach Äpfeln,
In den Kellern feucht nach Wein,
Und wer eine Sense ansah,
Dem fiel doch der Tod nicht ein.

War ein Herbst so lang wie jeder;
Sonne sinkt und Stunde schlägt;
Doch an jedes Leben, schien uns,
War ein Kleines zugelegt.

Erinnerungen aus dem biedermeierlichen Wien

Ähnlich rückerinnernd stilisiert sind die Erzählungen „Ferdinand Raimunds Gedicht“ (auch unter dem Titel „Lump“), „Die doppelte Beicht“, „Mein Bruder und ich“ (1934) und „Die Wallfahrer“, die tiefsinnig-amüsante Geschichte vom Sohn des Tanzmeisters, welcher in der Gestalt der kleinen Wetti der noch unschuldigen Gier, dem geistlosen Trieb begegnet. Wetti, ihre Mutter und Verwandtschaft repräsentieren die diesseitige materialistische, von Geist und Kunst unberührte Welt, während die beiden Brüder auf ihrer Wallfahrt sich bewegen

Max Mell, Gemälde von Lilli Mell, 1957

lassen vom Geheimnis der Transzendenz. In diesen Geschichten hat sich Mell vom Idol der „Kunst" abgewandt und sich mit der seit Grillparzer dem Österreicher eigenen unwiderstehlichen Gebärde zur Erziehung als Aufgabe der Kunst bekannt, zu jenem moralischen und politischen Sinn der Dichtung, der in Adalbert Stifter und in Hofmannsthal von seinen mittleren Jahren an lebendig war. Nachdem die Kinder beim ersten Besuch mit Wetti den Rummel genossen und allerhand abergläubischen und ordinären Vergnügen gehuldigt haben, heißt es:

Nazarenischer Humanismus

Gar nicht lang danach aber ging ich diesen Weg noch einmal, und zwar mit meinem Brüderchen. In rechter Andacht zogen wir die Alserstraße dahin, und maßen längs Kaserne, Krankenhaus und Findelanstalt Jesu Leidensweg, mein aufmerksamer Begleiter erspähte die wenigen übrig gebliebenen Kapellen an den alten Häusern, und dann zwischen den Buden prüfte sein glänzender Blick immer wieder meine Miene. Auf Golgatha beteten wir, und als wir das Kreuz gemacht hatten, sah mich mein Brüderchen an und sagte ernst: „Es ist ein recht weiter Weg gewesen." Darauf stiegen wir herab und ich zeigte ihm den Köberljuden, der ihm recht spaßig vorkam; aber er wollte vor dem Bilde nicht verweilen, und wir spuckten nicht hin. Unten wanderten wir längere Zeit unter den Buden umher; ich war zwar von meinem kürzlichen Geldverlust noch gar nicht recht erholt, dennoch kaufte ich zwei blassen armen Kindern, die gar so ausgeschlossen auf all die schönen Dinge starrten, jedem einen Baumkraxler. In ihrem Gesicht malte sich zuerst der Unglauben, daß sie ihnen gehören sollten, dann wurden sie mit eins blutrot, und mein Brüderchen hüpfte vor Freude . . .

Mag das auch ein wenig romantisch und nazarenisch blaß klingen, so zeigen andere Geschichten Mells, daß es ihm darauf ankam, den für moderne Menschen typischen Übergang von der Traumwelt zur Wirklichkeit dichterisch zu fassen. Die Kinder, vor allem die Mädchen, leben in einem von ihnen selbst aufgebauten Traumparadies, die alten Leute kehren dorthin zurück. Der Übergang vom einen zum andern aber ist schrecklich und fügt Verletzungen zu, von denen sich viele nicht erholen. Die Geschichte „Erste Begegnungen" aus „Morgenwege" (1924) erzählt von einem kleinen Mädchen, das eine verbotene Welt entdeckt: wie der Onkel ein Rind schlachtet, wie ein Betrunkener und ein harmloser Landstreicher eingesperrt werden, wie jener Onkel mit einer zweifelhaften Person, der Frau von Kober, tanzt:

Vom Traum zur Wirklichkeit

Es war etwas in ihr vorgegangen, was sie nicht kannte und nicht begriff. Wenn sie etwas verloren hatte und wußte, daß sie es nicht wiederbekäme, war es ähnlich gewesen. Merkwürdig, daß man an Frau von Kober so denken konnte, wie sie es jetzt tat. Es war nichts mehr da, was einem süß und warm machte.

Zum Schluß der Erzählung heißt es dann lakonisch und verschwiegen: „So sehen erste Begegnungen mit der Wirklichkeit aus."

Mell hat zahlreiche Märchen und Legenden nacherzählt und neu gefaßt. Sie erschienen zuerst in „Morgenwege", später noch einmal im „Donauweibchen" (1938), wo fast alle Erzählungen, außer den frühen, gesammelt wurden. Die kräftigste Geschichte Mells ist „Barbara Naderers Viehstand" (zuerst 1914, später „Barbara Naderer"). Hier hat er sich von der Wiener Neuromantik gelöst und eine romanartige Erzählung im bäuerlichen Milieu geschrieben. Ihre Heldin ist die Kleinbäuerin Barbara, eine alternde Jungfer, die ihre ganze Liebe der einzigen Kuh zuwendet. Durch die bauernschlaue Übertölpelung eines diebischen Angestellten kommt sie in den Besitz eines holländischen schwarzen Kalbs, das sie aufzieht. Mit Glück und Geschick weiß sie sich dem Neid und bösen Gerede zu entziehen, schafft sich jedoch, eben durch ihr Glück und Geschick, nachbarliche Todfeinde. Ihr Hof ist zu klein, als daß sie zwei Stück Vieh aufziehen könnte; so muß sie die Tiere im Winter in fremde Pflege geben. Daraus erwachsen ihr groteske Abenteuer, wenn sie es nicht lassen kann, ihre Lieblinge bei Nacht heimlich zu besuchen. Schließlich will niemand ihre Tiere mehr aufnehmen, und während Barbara selbst, halb irrsinnig, eine Strafe für Beleidigung im Arrest verbüßt, gehen ihre Tiere zugrunde. Es ist eine Bauerngeschichte, würdig eines Peter Rosegger oder Ludwig Thoma, der Regina Ullmann und des Jeremias Gotthelf. So eng das Thema gefaßt ist, so provinziell diese Welt ist, so großartig hat Mell die Geschichte behandelt; und wahrscheinlich hatte Marie Herzfeld recht, als sie 1924 schrieb: „Wäre das Buch von Flaubert oder von einem Norweger, wie Aane Garborg, so besäße es Weltruhm . . ."

„Barbara Naderers Viehstand"

Auch Barbara lebt ja in einem Traum. Seine Zeichen sind nicht nur die Jungfräulichkeit – die sie dann verlieren wird –, nicht nur das glückliche Einssein mit Tier und Natur, sondern auch die Möglichkeit kultischer und juristischer Restitution: in der Beichte versöhnt sie Gott, und vor dem Bezirksgericht wird ihr das

Das Paradies des Volkes

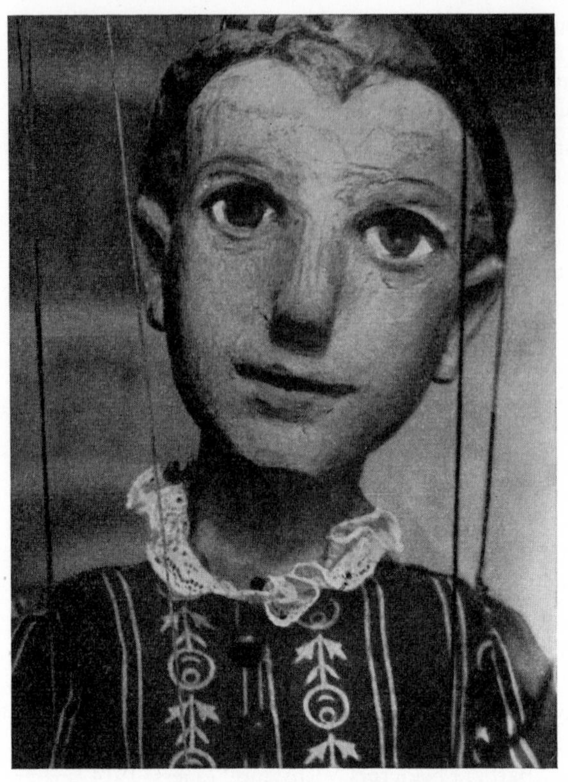
Marionette der Magdalen aus Mells Apostelspiel

entwendete Gut als Eigentum bestätigt. Das eigentliche Paradies aber ist die volkstümlich-bäuerliche Welt, wo Untat, Vergewaltigung, Irresein und Tod Vorgänge von eigener Würde und Größe sind, fern jeder puritanischen oder – wie im Naturalismus – sozialpolitischen Anklage. Die Größe dieser Erzählung liegt wahrscheinlich darin, daß sie nichts erklärt, daß alles bis in den Dialekt wie durch den Mund des Volkes unbeschönigt selber tönt. Am deutlichsten ist das in den Naturbildern, wenn etwa Barbara, um dem Brüllen ihres hungrigen Viehstands zu entkommen, in die Einsamkeit geht. Das große Naturbild rahmt die Enge:

Der Vorfrühling galoppierte mit ungeheuer aufgetürmten farbenspielenden Wolkengespannen einher; ließ sich durch berstende Wolkenschlüfte leichteren Schwunges als ein Eichhörnchen, in Sonnenlichtstürzen von unfaßlicher, herzsprengender Strahlenkraft herab und schwang sich wieder empor, versteckte sich hinter verfinsternden Wolkenknäueln, daß es eisig weht ... Die Naderer schritt auf dem schillernden Weg, den allenthalben spiegelnde Nässe aus Gestein und Erdlöchern beträufelte, hörte das Ziehen des Windes und sein unterstes langes Wehen; horchte, horchte und stieg, bis ihr, erst abgerissen, dann deutlich, das Brüllen ihres Viehs ans Ohr drang. Sie bekam ihr Anwesen zu Gesicht, wo die armen Dinger in einem kleinen Raum voll Not zusammengepfercht waren. Sie hörten jetzt wohl ihre Schritte. Aber sie ging vorbei wie eine Fremde. Sie betrat wieder den Wald, es wurde schwächer; es verstummte zeitweise; sie ließ es hinter sich, sie war wieder allein, wieder erlöst und wagte wieder zu hoffen.

„Steirischer Lobgesang"

Eine ähnliche Welt beschreibt Max Mell in den Erinnerungen und Berichten seines „Steirischen Lobgesangs" (1939). Es sind Tagebuchblätter, die Mell, selbst ein Kind des Landes, in der Steiermark aufgezeichnet hat, beginnend in Urlaubszeiten des Weltkrieges, genährt von Erinnerungen an die Kindheit und Betrachtungen zu den Festspielen in den Landgemeinden, dem Hirten- und Christi-Geburt-Spiel in Kärnten, dem Passionsspiel in der Steiermark und dem Paradiesspiel der Bauern von der Koralpe. „Es ist hier, in den Grenzgebieten von Steiermark und Kärnten, der einzige Fleck in Europa, wo dieser Brauch der alten heiligen Schauspiele im Volk, ohne Unterstützung durch gebildete Liebhaberei, noch wirklich lebendig heißen darf." Hier liegt die Quelle von Mells eigenen Versuchen, das religiöse Volksschauspiel zu erneuern – nicht wie Hofmannsthal mit „Jedermann" und den Bearbeitungen Calderons für die Gebildeten, sondern für die Laien und ihre Spielbühnen.

Volksstücke

Mell hat die Spiele dem volkstümlich-zeitlosen und bäurischen Rahmen entrissen. In dem Spiel „Das Wiener Kripperl von 1919" (1921) packte er die Ärmsten der Armen in einen himmlischen Straßenbahnwagen und ließ sie in die Ewigkeit reisen. Im „Apostelspiel" (1923) wollen zwei bolschewistische Verbrecher im Winter eine armselige Hütte berauben. Die Einfalt eines Mädchens sieht in ihnen zwei Apostel und bringt den einen durch ihre Fragen nach dem Sinn dunkler Stellen in den Evangelien so in Verwirrung, daß er, einen ersten Schimmer von Liebe im Herzen, in die dunkle Nacht zurückweicht. Das „Schutzengelspiel" (1923) stellt die hochmütige Überhebung eines frommen Mädchens dar. Der Schutzengel zwingt sie, zur Strafe an der Kirchentür jeden vorübergehenden Mann, gegen die Gebote der Zucht und Scham, mit der Bitte „Heirate mich!" anzurufen. So überwindet sie ihre Überheblichkeit, gewinnt aus der Hand des unsichtbaren Schutzengels den Geliebten und versöhnt sich mit der ehedem geschmähten unglücklichen Schwester. An äußerer Handlung ist das „Nachfolge-Christi-Spiel" (1927) am reichsten. Während der Türkenkriege wird ein Graf, der dem Erlöser zu Dank und Ehren einen Kalvarienberg erbauen will, von zuchtlosen Horden an das für die Golgathastätte schon fertige Kreuz geschlagen. Der Graf erkennt den Sinn der Nachfolge Christi, bittet am Kreuz für seine Verfolger und verwandelt so die Herzen der Sünder. Das letzte der religiösen Weihespiele war eine Bearbeitung „Ein altes deutsches Weihnachtsspiel" (1940). Vorher hatte Mell „Die Sieben gegen Theben", ein Antigonedrama in klassischen Blankversen, geschrieben, 1935 „Das Spiel von den deutschen Ahnen", in dem die Vorfahren einen Bauern vom Verkauf seines Hofes abhalten. 1942 wurde „Der Nibelunge Not" im Burgtheater uraufgeführt.

„Der Nibelunge Not"

Der Zusammenhang früher Stücke Mells mit seinen Studien zum Volksdrama und den Versuchen der zwanziger Jahre, das kultische Theater zu erneuern, ist ganz deutlich, während der Antigone- und Ödipusstoff und „Der Nibelunge Not" in Mells Welt fremd erscheinen, wenn sie auch ein Mellsches Thema behandeln, die Überwindung eines Fluchs durch die sittigende Kraft der christlich getönten Liebe. Aber es hat wohl auch der Gedanke mitgespielt, der psychoanalytischen Umdeutung der antiken Mythe ebenso wie der nationalistischen Entstellung des germanischen Stoffs ein humanes Menschenbild entgegenzusetzen.

Antike und Renaissance

Mells Ausgangspunkt waren „Lateinische Erzählungen" gewesen. Er strebte klassizistischen Idealen der Sprache und der Form nach und suchte die antike Überlieferung immer wieder zu beleben. So übersetzte er die Briefe des Aeneas Sylvius Piccolomini (1911) und dessen Meistererzählung „Euryalus und Lucretia" (erst 1960 erschienen). Außer Aeneas Sylvius hat Mell die „Stanzen" des Polician sowie eine Erzählung von Keats ins Deutsche übertragen.

Mitteld und bewahrend sind auch Max Mells Arbeiten als Herausgeber, seine Essays und Einleitungen. Er gab österreichische Autoren heraus, darunter „Loris, die Prosa des jungen Hugo von Hofmannsthal" (1930), eine Auswahl Roseggers, schrieb einen großen Essay über Stifter und familiäre Erinnerungen an Raimund und die Ebner-Eschenbach.

Herbstgang

Nun ist der Flachs gebreitet.
Drei Wochen tun ihm not.
Leicht daß es die betaut
Im frühen Abendrot.

Was sie aus ihm dann weben,
Wird mir das noch zum Kleid?
Geh ich noch diese Wege?
Oder bin ich schon weit?

Lichtwolke fällt der Dämmerung
Still hin ihre Mädchengestalt.
Vorm Fuß mir die Bärenraupe
Schwarzglühend vorüberwallt.

Max Mell.

Max Mell, Handschriftprobe

So hat Max Mell auf seine Weise noch einmal den Begriff des österreichischen Dichters, der immer auch ein deutscher ist, über allen Provinzialismus hinaus verwirklicht – mit den dichterisch so schwierigen Mitteln der inneren Wahrhaftigkeit und Herzenswärme. Auch soziologisch vertritt Mell diesen Typus: das mit dem Land, dem Bauerntum, dem mythischen und religiösen Denken noch verbundene Bürgertum.

Josef Weinheber

JOSEF WEINHEBER

Als Josef Weinheber im Jahre 1934 mit dem Gedichtband „Adel und Untergang" in Österreich und Deutschland bekannt wurde, hatte er bereits eine lange Entwicklung hinter sich, die von seiner gedrückten Jugend stark bestimmt war. Josef Weinheber gehörte in die Reihe der priesterlichen Sänger; er berief sich auf die klassische Antike, dichtete in strengen Maßen und erschien in der Nachfolge Rilkes und Hölderlins. Seine Verehrer außerhalb seiner engeren Heimat waren verblüfft, als kurz darauf das Buch „Wien wörtlich" erschien, in dem der gleiche Weinheber sich volkstümlich, heiter, witzig und trinkfroh gab. Das Doppelwesen des Dialektdichters und eines hochdeutschen „Epigonen" der Klassik war ungewöhnlich. Freunde und Feinde des Dichters schieden sich, als Weinheber, dessen erste Versuche in der sozialdemokratischen „Arbeiterzeitung" erschienen waren, sich als Autor des Dritten Reiches zu entwickeln schien. Der freiwillige Tod, im April 1945, konnte eine Art Sühne sein.

Wirkung und Widerspruch

An Nadlers Biographie und seiner Gesamtausgabe Weinhebers, die 1953 bis 1956 erschien, entzündete sich die Diskussion von neuem. Bald gab es eine „unübersehbare" Weinheber-Literatur, aus der Harry Bergholz und Friedrich Jenaczek durch kritische Einsicht hervorragen. Aus vielen bekannten und bislang unbekannten Details fügt sich allmählich ein Bild, das die Widersprüche in sich zusammenfaßt und Weinheber aus den Klischeevorstellungen des Epigonen, des Volkssängers, des eitlen Literaten und Opfers der NS-Propaganda löst und in die Überlieferung einreiht. Josef Weinheber erscheint dann als eine Gestalt, die mühsam einen Weg aus dem Chaos suchte, dabei in die Irre ging und ihr Ziel in der „Form" fand. Darum die strengste Gattung der Lyrik, die Ode in antikem Metrum, eine kultische Verehrung für Wort und Sprache – aber wie sich der Kult der Sprache („Du unverbraucht wie dein Volk . . .") mit romantischen Ideen verband, so verlor Weinhebers Vorstellung vom „Wort" nicht den Zusammenhang mit der Religion des Wortes, dem Christentum. In einer technisch glänzenden Ode an die Buchstaben – seit Rimbaud, George, Joh. R. Becher und andern ein literarisches Motiv ersten Ranges – suchte er nach der Verbindung der lautlichen mit der geistigen Materie:

Das neue Bild

Ode an die Buchstaben

Dunkles gruftdunkles U, samten wie Juninacht!
Glockentöniges O, schwingend wie rote Bronze:
Groß- und Wuchtendes malt ihr:
Ruh und Ruhende, Not und Tod.

Zielverstiegenes I, Himmel im Mittaglicht,
zitterndes Tirili, das aus der Lerche quillt:
Lieb, ach Liebe gewittert
flammenzüngig aus deinem Laut...

Bebend wagt sich das B aus einer Birke Bild.
Federfein und ganz Mund, flaumig wie Frühlingsluft,
flötenfriedlich – ach fühl im
F die sanften Empfindungen!

Doch das girrende G leiht schon den runden Gaum
ihr, der Gier. Und das Glück, treulos und immer glatt,
es entgleitet den Gatten,
eh sich wandelt der Rausch in Scham.

Josef Weinheber, Büste von Irmgard Willfort

Weinheber hat in „Hier ist das Wort“ (1944), dem letzten seiner Bände, ganz erstaunliche Gedichte in schwierigen und in der Gegenwart selten gewordenen Versmaßen gegeben und mit ihnen zugleich Kunststücke (das Sonett „Ohne e““) vollbracht, die ihn in den Kredit oder Mißkredit eines Artisten setzten. Hier schien eine Überlieferung der barokken und Renaissance-Dichtung fortgeführt. Weinheber ahmte die großen Muster nicht bloß nach, sondern variierte Themen Dantes, Alkaios', Melis, Michelangelos, der Sappho. In diese Kunststücke legte er seine Philosophie: Weinheber war, ähnlich wie George, ein Gedankendichter. Das Substrat seiner Ideen war die Existenznot des modernen Menschen, der glauben will und nicht kann, dessen Meditationen sich ständig im Gestrüpp von Ideologien der Kunst, Philosophie und Politik verfangen. Seine Gedichte trugen mehr Gedankenfracht, als ihm selbst lieb war. Sie sind jedoch nicht bloß Inhalt jener „Form“, sondern die Form ist ihr Wesen, ihr Ausdruck — die Form erst gibt dem nicht abstrahierten Gedanken die Evidenz. Diese Probleme zeigen Weinhebers Zusammenhang mit der bürgerlich-ästhetischen „Dekadenz“ —, den er später aufzusprengen vermochte.

„Zwischen Göttern und Dämonen“

Über diese Fragen hat Weinheber wiederum „gedichtet“, und seine bezeichnenden Gedichte sind nicht die, die das Problem programmatisch behandeln, sondern eher der 1937/38 geschriebene Zyklus von vierzig Oden, den er „Zwischen Göttern und Dämonen“ nannte. Der Zyklus war als Gegenstück und Überwindung von Rilkes „Sonetten an Orpheus“ gedacht. Zwischen Göttern und Dämonen steht, als Wesen der Mitte, der Mensch, dem Oben und Unten verhaftet und verpflichtet, schuldig und traurig seiner („existentiellen“) Lage nach. Der sprachliche Ausdruck ist knapp, ohne Füllwörter, diesem Laster der deutschen Dichtung in klassischen Formen, er ist „gemeißelt“, die odische Form nicht musikalisch, sondern rhythmisch präsentierend. Der Ton ist spröd, kein Pathos kann ihm beikommen. R. A. Schröders Oden sind weicher, die G. Brittings lyrischer, die F. G. Jüngers klarer. Weinhebers Ode scheut weder das Rauhe noch das „starr Wuchtende“, den gorgonischen Anblick:

Dies bei Tag. Doch erst die Nacht
erfüllt es ganz: Oh, die schwarzen Träume!
Lauter Tote, unterwegs
Gefallene. Einzig du, vernichtet,

aber noch am Leben, hebst
die schwere Hand: Ja, du bist noch, wirfst dich
aus dem stummen Kreis des Grauns
zum Rande hin. Aber der heißt Ohnmacht.

Flieh doch, flieh! – Du kannst nicht mehr?
Wer folgt dir da? Einer von den Toten?
Ach, er trägt das nämliche
erdgraue Kleid, alle tragen wir das

gleiche graue Kleid. Die Nacht
hat keinen Schein. Die da leben, schlafen
unter Toten. Diese sind
hell wach. Wo ist Ende und Erbarmen?

Weinheber hat über dies Gedicht vom April 1938 fünf Wochen vor seinem Tode an einen Bekannten geschrieben:

Der Dichter als Prophet

Die kommenden Zeiten werden alle Gedichte erklären. Sie sind, bei aller Denkschärfe, nicht mit rationalen Mitteln geschrieben, verlangen also auch vom Nachgestaltenden, und das ist mein Leser, eine bestimmte Ausschaltung der tagläufigen ratio. Was ich mit dem Buch [„Hier ist das Wort"] wollte, ist mir im großen und ganzen doch gelungen: Nämlich die Substanz des abendländischen Gedichts noch einmal darzustellen, bevor sie von dem allgemeinen Untergang des Geistes absorbiert wird. Ich erinnere Sie . . . an die unheimliche Ode 15 (hipponaktisch) in „Götter und Dämonen": „Dies bei Tag, doch erst die Nacht . . . ff." Es war doch damals kein Krieg. Was wußte ich von dem, was heute geschieht? Wer hatte es not, zu sagen „Flieh doch, flieh", wer dachte an das „nämliche erdgraue Kleid"?

„Späte Krone"

Der Mensch ist ein Zwischenwesen. Der Titel „Adel und Untergang" deutet die Spannungen an. „Späte Krone" (1936) setzte mit einer Huldigung an Michelangelo ein. Rausch, Wahn und Nacht werden dem „Wort eines Ordnenden", des späten königlichen Dichters, gegenübergestellt. Schon wird gesagt, „im Ruhm ruft die härtere Pflicht" und „mit dem Wort Volk streng und sparsam sein". Dem Berühmten entgegen steht der Namenlose; wer namenlos ist, klagt seine Schmach „den Göttern". Das ist nicht nur ein Rückblick auf Weinhebers eigene Vergangenheit, sondern der Namenlose war expressionistischer Topos von Sack bis Benn. Der Band enthält Elegien und Hymnen, auch freie Rhythmen. Hier war Weinheber Hölderlin am nächsten, bei dem er nicht nur den Ton der umflorten Trauer gefunden hatte. Hier begegnen uns Weinhebers Grundgedanken ohne die „Maske" der Form und Symbolik:

Mensch der Mitte, dich sing ich!
Zwischen Elend und Prunk, Empörung und Dulden
wirst du zurückgehn in dich, ein Ebenbild Gottes.
Ruhend in dir,
werden die Dinge beruhn und werden dich lieben,
und beglückt wirst du sein in der
Kraft des Befreiten, und dienen.
Komm uns, Kommender . . .

Grablegung
9. März 1940

Jedem wird Recht,
so jetzt oder dann:
Dies dein Geschlecht
fing gar nicht an.

Viel zu viel Wort
war über der Zeit.
Drunter verdorrt
Leben und Leid.

Und nur die Nacht
bleibt fürchterlich licht:
Zittern die Sterne?
Sie zittern nicht.

Josef Weinheber, Handschriftprobe

Das Gedicht heißt „Dem kommenden Menschen“ und artikuliert, mit expressionistischem Pathos, aber in herkömmlichen Wendungen das Mißverständnis und die Vermessenheit der selbstherrlichen modernen Menschen: „Gräßlicher, Herr der Erde, wer bist du? / Seht er redet von Gott und zertritt seinen Nächsten.“ Der heutige Mensch, der „frei“ sein will, den Gott verlassen hat, der keine Gemeinschaft mit den andern besitzt und allein, gegen seine Zeit, auf eine bessere Zukunft wartet, ist der Typus des sich als „Punkt“ im All begreifenden gefolterten Einsamen. In diesem Band steht ein Gedicht „Das Wort“, das alle Sprach- und Wortvergöttlichung zurückzunehmen scheint:

JOSEF WEINHEBER

Nichts wert ist das Wort,
nur für die Klage gut,
menschlich gemäß.
Denn ganz hilflos sind wir
und die Götter sind blind.

„Wien wörtlich"

Es mußte befremden, daß der Dichter von „Adel und Untergang" 1935 heitere Gedichte aus der Wiener Vorstadt Ottakring mit dem Titel „Wien wörtlich" erscheinen ließ. Die Gedichte, seit 1915 bei verschiedenen Gelegenheiten entstanden, sind ein Porträt des Wiener „Volkes", keineswegs naiv, mit einem ironischen und doch sympathisierenden Abstand. Nadler meint, wie Horaz auf die ernsten Oden die boshaft-witzigen Sermone habe folgen lassen, so habe Weinheber „Wien wörtlich" dem ersten Band nachgeschickt. Der Leitspruch sagt:

Ein armer Dichter, wenig nur bekannt,
der sagt sich, meine Weis is überspannt,
bei dem Sonetten- und Terzinendreck
bleibt mir am End die ganze Kundschaft weg,
i setz mi hin und schreib auf wienerisch,
was i so reden hör am Wirtshaustisch,
damit das Publikum der entern Gründ
halt auch einmal sein Dichter findt, ja, ja:
Des hat kan Goethe gschriebn, des hat kan Schiller dicht',
is von kan Klassiker, von kan Genie,
des is a Weaner, der mit *unsern* Göscherl spricht,
und segn S', erst *des* is für uns Poesie.

„O Mensch, gib acht"

Hatte der Ottakringer Weinheber sich mit diesem Buch als Städter bestätigt, so gab er mit „O Mensch, gib acht" (1937) ein „erbauliches Kalenderbuch für Stadt- und Landleute". Es sind Blätter in Monatszyklen. Weinheber hat mit Eifer die alten Motive der Gattung studiert: Sternbilder, Heilige, Stände, Festtage und Motive der christlichen Heilsgeschichte werden in einem treuherzig spruchhaften Stil besungen.

Biographische Zusammenhänge

Die heiteren Versbücher Weinhebers weisen viel deutlicher als die ernsten auf die Umwelt hin, aus der er kam und aus der er sich sozial und geistig empor„ringen" mußte. Man wird sie nicht als Ausdruck eines Naturburschentums deuten können. Weinheber war durch Herkunft und Entwicklung früh aller Naivität der Kindheit entrissen. Der Dichter ist 1892 in Wien geboren und kam nach dem Tode des Vaters, der Metzger und Viehhändler gewesen war, ins Waisenhaus von Mödling. Auf dem Gymnasium konnte er sich nicht halten, und so wurde er in die armselige Roßmetzgerei einer Tante gesteckt. Langsam erwarb er seine Bildung, die den autodidaktischen Charakter nie verlieren sollte. Weinheber kam 1911 im Postdienst unter und ist darin nur mühsam aufgestiegen. Als sich herausstellte, daß er literarische Neigungen hatte, wurde er „so etwas wie ein Ratgeber für Amtsdeutsch" (Nadler); eine Zeitlang wurde er mit der Anlage des Telefonbuches beschäftigt, zuletzt war er im technischen Dienst.

Die Romane sind chiffrierte Quellen

Weinhebers Romane sind verschlüsselte Erzählungen seiner Entwicklung. „Das Waisenhaus" erschien 1924 als Fortsetzungsroman in der Wiener „Arbeiter-zeitung". In dem Ottakringer Roman „Der Nachwuchs" stellte Weinheber sich als „Künstler aus Minderwertigkeitsgefühl" dar. Der Roman spielt im Milieu der

JOSEF WEINHEBER

Hochstapler, Verbrecher, Huren, Säufer und literarischen Windbeutel und wurde 1928 in der Wiener Urania-Zeitschrift „Der Pflug“ in Fortsetzungen abgedruckt. „Gold außer Kurs“, 1932/33 geschrieben, wurde erst in der Gesamtausgabeveröffentlicht. 1925 hatte Weinheber den Dichterpreis der Stadt Wien erhalten – mit diesem Ereignis beginnt der Roman. Keiner dieser Romane war bedeutend, aber alle sind teils treue, teils trübe Spiegel seines Lebens. Der Held der Romane ist der werdende Dichter Weinheber. Dieser hatte um 1912 in der Nachfolge Richard Dehmels, Rainer Maria Rilkes und von Anton Wildgans begonnen. Naturalistische

Josef Weinheber

Die frühe Lyrik

und expressionistische Themen und Töne vermischten sich, „das Weib“ spielt eine zeitgemäße Rolle, die soziale Frage wurde unter dem Aspekt „Kinder armer Leute“ und der Landstreicher gesehen. Der Dichter erscheint ausschließlich mit sich selbst beschäftigt, bemüht um Probleme und Bekenntnisse, ein Autodidakt ohne Selbstvertrauen, oft ohne Urteil: ein verstörter, unsicherer, durchaus kein unkomplizierter Autor. Während des Krieges lernte er Emma Fröhlich kennen, die einige Jahre später für kurze Zeit seine Frau wurde. Sie scheint ihn mit Literatur im eigentlichen Sinne bekannt gemacht zu haben, lenkte ihn auf Georg Trakl und wohl auch Ludwig von Fickers „Brenner“ hin.

Hefele und K. Kraus

Im Jahre 1923 erschien Herman Hefeles „Das Wesen der Dichtung“, ein Buch, das auf das Sonett und die großen Muster Dantes, Petrarcas und Michelangelos nachdrücklich hinwies. Dieses Werk befreite Weinheber von der Befangenheit in spätnaturalistischen Formen und Meinungen. In den Jahren 1918–34 hielt und las er „Die Fackel“ von Karl Kraus. Sie hat ihn nicht nur in seinen literarischen Wertungen beeinflußt; hier lernte er vielmehr „aus“ der Sprache (statt „mit“ der Sprache) zu dichten. Von Kraus stammt Weinhebers Spracherotik, der die Sprache nicht bloß ein Verständigungsmittel, sondern das Medium der Ich-Du-Beziehung war. Erst jetzt wurde er und nannte er sich „Sprachkünstler“. Nur langsam wurde die ichhafte Form der Aussage überwunden. In den ersten Gedichtbänden, „Der einsame Mensch“ (1920), „Von beiden Ufern“ (1923) und „Boot in der Bucht“ (1926) sind die neuen Zusammenhänge kaum zu spüren. Die reifsten

Stücke dieser Sammlungen nahm Weinheber in „Adel und Untergang" auf. Eins der ersten gelungenen Gedichte ist „Die Trommel" von 1924:

„Die Trommel"

Im Traum ein dröhnender Trommelton
erreichte rufend das Ohr.
Die da ruhig gehn, die da fromm verwehn,
blieben taub, mich riß es empor.

Und die Trommel dröhnt in der anderen Ruhn,
und sie treibt und sie trifft mir das Herz.
Was ich tat, ist vertan, und ich mußte es tun,
daß der Turm sich vollende dem Schmerz.

Und die Trommel dröhnt, und sie tönt von Gott,
und Gott ist noch namenlos weit.
Durch die Nacht, durch die Not, in den Heldentod,
dröhnt es, schreit, durch die Zeit, durch die Zeit.

Deutlich ist der metaphysische Ton von der Zerstörung des Ich und der namenlos fernen Gottheit, der sich einen eigenen Rhythmus schafft. Das Gedicht weist auf den reifen Weinheber vor: das Heil des zerrissenen Menschen liegt im Hören auf das sanfte Trommeln Gottes. Dieser religiöse Existentialismus, Kafka verwandt und etwas später bei dem Dramatiker Curt Langenbeck deutlich, setzt sich deutlich ab vom unverbindlichen Gerede der Literaten jener Zeit, wie Karl Kraus es an den Beispielen Franz Werfel und Walter Hasenclever angeprangert hat. Der Mensch ist zurückzubinden an objektive Gesetze und Verpflichtungen. In diesen Zusammenhang gehört Weinhebers Wort, sein eigener Ruhm im Hitlerreich sei ein Mißverständnis. Wenn er sich als Person auch politisch geirrt hat und der äußere Ruhm ihm schlecht bekommen ist, so hat er doch in der Tiefe gewußt, daß die Nationalsozialisten zu den „gräßlichen Menschen" gehörten; in ihrem Aufkommen sah er den Fluch der Zeit.

Friedrich Georg Jünger

Willst du wissen, was die Vögel
In den Zweigen singen,
Mußt du in das dampfend heiße
Blut der Drachen springen.

An einen jungen Gelehrten

Die Brüder Jünger

Friedrich Georg Jünger ist 1898 in Hannover geboren, drei Jahre nach seinem Bruder Ernst. Beide wuchsen in Niedersachsen auf, wurden Soldaten und Berufsoffiziere in der Reichswehr. Während Ernst noch einige Jahre bei der Dienstvorschriftenkommission der Reichswehr blieb, begann Friedrich Georg 1920 ein juristisches Studium, das er mit dem Doktor- und Assessorexamen abschloß. Er ging nach Berlin und stand dem Bruder, der seit 1925 freier Schriftsteller war, in seinem publizistischen Kampf zur Seite. Er gab das Buch „Aufmarsch des Nationalismus" (1926) heraus, in dem Übelstände der Weimarer Republik mit agitatorischer Schärfe angegriffen wurden. Rascher als der Bruder löste sich

Die Brüder Jünger beim Schach, Gemälde von A. Paul Weber

Friedrich Georg aus der Verstrickung des politischen Kampfes und trat 1934 mit „Gedichten" an die literarische Öffentlichkeit. Seither war er Lyriker, Dichter schlechthin, während Ernst seine Erlebnisse und Erfahrungen lieber essayistisch, aphoristisch und erzählend festhielt. Friedrich Georg begann erst 1950 Erzählungen zu veröffentlichen; sieht man von einer kleinen Schrift „Über das Komische" (1936) ab, so sind auch die Essays nur wenige Jahre früher erschienen. Der Übergang zu Essay und Erzählung weist auf eine Krise in der lyrischen Produktion Friedrich Georg Jüngers hin. Die wichtigsten Lyrikbände sind „Der Taurus" (1937), „Der Missouri" (1940) und „Der Westwind" (1947). Die kleinen Bändchen „Die Silberdistelklause", „Das Weinberghaus" und „Die Perlenschnur" (alle 1947) künden formal und inhaltlich von jener Krise. Die „Gedichte" von 1934 erschienen in Ernst Niekischs Widerstandsverlag, feurige Verse, liedhaft gebaut, in bewegtem Rhythmus; aber das Buch enthielt auch ein „Zwiegespräch" zwischen Wanderer und Hirtin, elegische und odische Formen, hexametrische Gebilde. Dem Bruder Ernst wurde gehuldigt, der Eros gefeiert. Die antikische Prägung war nicht klassisch oder klassizistisch, sondern panisch getönt: immer wieder werden die Wildnis und der Mittagsglanz besungen.

Das lyrische Werk

„Abbitte an die Wildnis"

Du bist Mutter, du herrschst, und ohne dich wäre kein Garten,
Wäre kein Korn und kein Feld, gäb' es nicht Herde und Frucht.
Unbenannt geht von dir aus, und Namenlos kehrt einst zurück dir,
Und so ehrt denn der Gott selbst den gebärenden Schoß.

Die klassischen Muster sind deutlich; das Weltbild aber bezieht sich nicht auf den Mythos, sondern die Natur. Typischer erscheinen Gedichte in strophisch liedhaften und gereimten Formen:

FRIEDRICH GEORG JÜNGER

„Die neue Wildnis"

Es geht der Baum, ein rötlich Feuer
Dort in der Ebne auf.
Die Flamme schlägt, ein Ungeheuer,
Den kahlen Berg hinauf.

Der Park verwildert. Ranken
Durchziehn ihn kreuz und quer.
Die wilden Früchte schwanken
Und fallen schwer.

Des Marmors Achsel grünt, ein Zeichen
Der Zeiten wunderbar.
In Höhlen wächst, in süßen, reichen,
Der Honig sonnenklar.

Diana, die in Blumen sinket,
Der Schwan vor Ledas Schoß,
Die lieblich ihm aus Unkraut winket,
Sie grünen auch von Moos.

Das war der Ton einer Idylle, der unserer Dichtung seit der Aufklärung verlorengegangen war, einer heiteren und heidnischen Unbefangenheit, der die Götter der Griechen als Verkörperungen geistiger Naturmächte erscheinen. Aber der Sinn der Gedichte war nicht spielerisch wie beim frühen R. A. Schröder, und auch die Form hatte alle epigonalen Züge abgestreift. Ein sinnliches Feuer knisterte in den Zeilen. Es entsprang einem Lustgefühl des Augenblicks, und dieser Augenblick wurde als etwas Kreisendes begriffen, in dessen Mitte der Dichter stand. Noch scheint das Erlebnis privat zu sein:

„Una Harum Ultima"

Wenn wir Leib an Leib uns schmiegten,
Wenn wir in der Büsche Laub
Uns im roten Lichte wiegten,
Eins war da des andern Raub.

Ja, dir war der Waldung stiller
Laubgang wie die Lust vertraut,
Fand ich doch den Tau der Wildnis
Oft auf deiner kühlen Haut.

Den Geruch von Moos und Myrten,
Die du wie der Wind durchschlüpft,
Und den Duft der wilden Lilien,
Über die du hingehüpft.

Das Vergänglichste der Dinge,
Ein Im-Nu, der Husch der Zeit
War mir teurer als die Schwinge
Feierlicher Ewigkeit.

Die Wildnis und die Schlange kehren als Motive immer wieder. Sie sind für F. G. Jünger Sinnbilder des Seins: die Wildnis als Hort der Neues gebärenden Frische, die Schlange als Symbol des lebenden Ringes, der ewigen Wiederkehr. Elegisch gebaute Gedichte preisen die Natur, den Rhythmus ihres Wandels. Immer geschieht es in einer festlich gehobenen Stimmung: im Gedicht feiert sich der Mensch, und so wie Ernst Jünger den heroischen Menschen forderte, schien der Bruder das

FRIEDRICH GEORG JÜNGER

Ideal des Schönen und Freien zu feiern und den heiteren und erfüllten Menschen zu erheben über den „Niederen". In diesen Zusammenhang gehört das berühmte Gedicht „Der Mohn". 1934 verstand jedermann die politische Anspielung:

Aus „Der Mohn"

Mohnsaft, du stillst uns den Schmerz. Wer lehrt uns das Niedre vergessen?
Schärfer als Feuer und Stahl kränkt uns das Niedere doch.
Wirft es zur Herrschaft sich auf, befiehlt es, so fliehen die Musen.
Ach, die Lieblichen sind schnell in die Ferne entflohn.
Klio, als sie die Grenzen erreichte, wandte zurück sich,
Abschied nahm sie, sie sprach scheidend ein treffendes Wort:
„Toren heilt man mit Schlägen und Spott, bald kehr' ich mit Geißeln,
Die ein Richter euch flocht, kehre mit Peitschen zurück.
Oft schon herrschten Tribunen, es floh in die lieblose Fremde
Finster Coriolan, fort ging der edlere Mann.
Prahlend blieb der Schwätzer zurück, umjauchzt von der Menge.
Histrionengeschmeiß spreizt sich auf hohem Kothurn . . . .

Jüngers Essays kreisen um die Begriffe der Form, des Schönen und der Kunst. Schönheit ist der oberste Wert, der alle andern transzendiert. Sie ist das Wahre in der Gestalt der Anmut und des sinnlichen Reizes. Der Rang des Essayisten F. G. Jünger liegt darin, daß er diese Zusammenhänge überall aufzuspüren und darzustellen vermag. Während Ernst Jünger da am besten ist, wo er sein Weltbild in Bildern polarisiert, schließt F. G. Jünger, als gelernter Jurist, Argument an Argument zur Kette.

„Über das Komische"

Wer das Verhältnis, aus dem das Komische hervorgeht, außer acht läßt, der läuft nicht nur Gefahr, daß sein Bemühen, einen anderen lächerlich zu machen, ohne Erfolg bleibt, er muß, wenn er mit einem überlegenen Gegner anbindet, darauf gefaßt sein, daß er selbst auf ein Feld gedrängt wird, auf dem er ins Komische fällt. Wer gar darauf ausgeht, das Schöne so anzugreifen, wer sich an das Erhabene, Anmutige, Liebliche wagt, der kann sicher sein, daß er nicht nur komisch, sondern verächtlich wird. Der dumpfe Haß gegen das Schöne ist das Kennzeichen einer Widersetzlichkeit, die sich gegen die höchste, bändigende und formende Kraft erhebt, ist ein Zug der Niedrigkeit. Der Haß gegen das Schöne steckt tief und unausrottbar in allem Pöbel, und überall, wo er hervorbricht, arbeitet er mit, um das, woran er keinen Anteil hat, wenigstens besudeln und beschmutzen zu können.

Mönchsleben

Das folgernde Denken charakterisiert auch den Erzähler F. G. Jünger. Eins seiner Lieblingsthemen ist die Enthaltsamkeit. Zweimal hat der Protestant Kloster- oder Mönchsgeschichten geschrieben; eine überlegene Heiterkeit als Ausdruck geistiger Freiheit scheint ihm die Form dieses Lebens zu bestimmen. Nicht das Christliche fesselte ihn daran, sondern das „Göttliche" und sein Ausdruck im Menschen, etwas Zeitloses, das den Tod überwindet. Jünger ließ den achtzigjährigen Pater V. einen Brief schreiben, in dem dieser ein Todeserlebnis, das ihn zum Mönch machte, schildert. Man erkennt die zyklische Idee sogleich wieder. Der junge V. hat nach dem Ballspiel kalten Fruchtsaft getrunken, und ihm wird tödlich übel:

Unsterblichkeit

Obwohl die Todesangst in mir groß war, rührte ich mich nicht vom Platze und rief nicht um Hilfe. Ich fühlte, daß niemand mir helfen könne, daß ich allein sterben müsse. . . . Aber ich starb nicht, es starb etwas in mir, ging zugrunde und kam nicht wieder. Es war, als ob eine harte, sichere, schonungslose Hand mich berührte. Wenn in mir kein

Wissen war über das, was in mir vorging, so kam doch aus der Verdunkelung ein Licht, kam mir unvermutet die Überzeugung: es gibt keinen Tod. Es mag viele Tode geben, sagte ich mir, unzählige, aber nicht einen. Das, was wir Tod nennen, ist die Umkehr, ist ein neues Leben. Du bist unversetzlich, bist unzerstörbar . . .

Friedrich Georg Jünger

Im Jahre 1943 schrieb Jünger über „Griechische Götter", im Jahre darauf „Die Titanen". Beide Bücher handelten das Thema der Unvergänglichkeit des großen Individuums im Zyklus der Jahre und Geschichtskreise, der Äonen, ab; Götter und Titanen seien Bilder verkörperter Ideen. Dies Bild von Unvergänglichkeit ist in der Neuzeit gefährdet durch eine Ikonographie falscher Art, der durch die moderne Technik geweckten Illusionen einer „Perfektion" trügerischen Charakters. „Die Perfektion der Technik" (1946) ist F. G. Jüngers schärfster Beitrag zur Zeitkritik – er entlarvt den falschen Anspruch und die Idolisierung der Technik. Hier hat sich Jünger am weitesten seinem Bruder genähert, in der für ihn bezeichnenden kursorischen und zyklischen Abhandlung des Themas. Das Buch wurde später wesentlich erweitert (1953). Die Masse der kleineren Aufsätze enthält der Band „Orient und Okzident" (1948). Hier finden sich Studien über Martial, Osmar Khajjam, Sadi, Hafis, Galiani, Klopstock, das Lieblingsbuch der Brüder Jünger „Tausendundeine Nacht", über den Stil italienischer, französischer und englischer Parks und die bereits 1943 einzeln veröffentlichten Reisebücher „Wanderungen auf Rhodos" und „Briefe aus Mondello". (Gegenstücke dazu finden sich bei Ernst Jünger.) Aus dem Gartenaufsatz entstand 1960 der Bildband „Gärten im Abend- und Morgenland". Der Klopstockaufsatz tauchte später, erweitert, in Klopstockausgaben wieder auf; zu diesem Dichter hatte Jünger aus landsmannschaftlichen und bildungsmäßigen Gründen besondere Beziehung. Klopstock war ja der moderne Grieche gewesen. Ein Nietzsche-Essay (1949) nahm Nietzsche gegen die damals beliebten Angriffe in Schutz. Im gleichen Jahre erschienen „Gedanken und Merkzeichen", Aphorismen, und die ersten „Sprüche in Versen".

„Die Perfektion der Technik"

Klopstock und Nietzsche

Was früher über Essays und Geschichten verstreut war, wurde nun Gegenstand konzentrierter Untersuchungen. 1952 erschien „Rhythmus und Sprache im deutschen Gedicht". Die Überlegung ging von poetologischen Beobachtungen und eigenen Erfahrungen des Lyrikers aus. Woran liegt es, daß der Reim im modernen Gedicht so wenig Bedeutung hat? Warum ist die Metrik als selbständige Disziplin – wie auch die Grammatik – verschwunden? Offenbar hat Martin Heideggers Sprachdenken dem Autor und Denker F. G. Jünger Anstöße gegeben; er durchsetzte die eigene Topographie mit Heideggerschen Begriffen. So ist Wildnis nun identisch mit Weglosigkeit, der Gang der dichterischen Sprache ist ein „Sichbahnen im Ungebahnten". Die stete Wiederkehr des Gleichen charakterisiert den Rhythmus und den Reim:

Sprache und Rhythmus

> Die Innigkeit der Wiederkehr ist Erinnerung. Das Gedicht er-innert die Wiederkehr. Das Gesetz seiner Bewegung ist, daß es fortgehend zurückkehrt. Sein Entstehen ist zugleich die wieder-holende, rück-holende Bewegung; der Rhythmus ist die erinnerte Wiederkehr. Daher die Genauigkeit, die Treue mit der der Satz sich an ihn bindet und binden muß, da jede Störung, jede Verletzung des Rhythmus zugleich Störung und Verletzung der Wiederkehr und ihrer erinnerten Innigkeit ist.

Da jeder richtige Ansatz richtige Ergebnisse haben muß, gelingt es Jünger, die schwierige poetologische Masse nachdenkend in Bewegung zu setzen. Hierhin gehört auch der Essay „Gedächtnis und Erinnerung" (1957), der die angedeutete Linie erkenntnistheoretisch verfolgt. Die Kernbegriffe, die dieses Buch an Jüngers eigene Vorstellungen binden, sind Wiederkehr und Erinnerung, deren dichterische Modelle in Jüngers Gedichten – die Schlange, das Wasser – die Mittel des Reims und des Rhythmus bildeten. Plato, Aristoteles, Augustinus, Kant, Hamann und Hegel heißen die Steine, an denen Jünger seinen deduktiven Spürsinn wetzt.

Sprache im technischen Zeitalter

Von hier war es nicht weit zum Vortrag „Sprache und Kalkül", der bei der Vortragsreihe der Bayerischen Akademie der Schönen Künste über die Sprache im technischen Zeitalter, zusammen mit R. Guardini, W. Heisenberg. M. Heidegger, E. Preetorius, W. Riezler und M. Schröter 1953 gehalten und 1959 auf der Tagung der Akademie durch den Essay „Wort und Zeichen" ergänzt wurde. Diese Tagungen waren Signale für ein neues Sprachdenken; sie suchten, zum Teil im Widerspruch gegen die klassische deutsche Sprachphilosophie, neue Wegmarken zu setzen, vor allem in der Abgrenzung zur Sprache der Logistik und Information. F. G. Jüngers Sprachdenken suchte auch nach Gründen für die eigene Entwicklung, die liedhaft und antikisch zugleich gewesen war. Erstaunlicherweise wandte sich Jünger zeitweise gegen den Reim und das feste Metrum und suchte nach einer neuen Achse der auf- und niedersteigenden Spirale der lyrischen Sprachgebilde. Hier muß man den gedanklichen Unterbau für die neuen Lyrikbände „Iris im Wind" (1952) und „Schwarzer Fluß und windweißer Wald" (1955) suchen. Ein neues, spielerisches Element bricht ein, es artikuliert tautologisch, und man kann sich fragen, ob das Verfahren lyrisch heißen darf:

Tautologische Lyrik

Der Passagier
Passiert.
Wer fährt, verfährt,
Paßt und verliert.

Leer, leer
Ist aller Verkehr.
Leerer Transport
Rollt Menschen und Güter fort.

Mit diesen Mitteln gelingen auch echte, eindringliche Gedichte wie „Fliegenpilze", „Goslar", „Jahrmarkt in Wunstorf", „Wallhecken in Niedersachsen" und „Die Pferde", später „Besuch" und „Das Kleid" oder „Der Pfau", in dem es heißt:

Hört! Die schwarze Trompete des Abgrunds
Spielt mit den weißen Flöten der Höhe.
Der Anfang der neuen Lieder
Hat schon begonnen.

Eigentümlich ist all diesen Gedichten, im Gegensatz zu den frühen, die Verkürzung des Umfangs, der Strophe, der Zeile. Motive aus der Jugend bilden die Folie einer kritischen Besinnung. Der Reim dient nicht so sehr der Wiederkehr als magischer Spiegelung. Jede rhetorische Floskel ist geschwunden, das Gedicht ist abgezehrt wie ein von Insekten benagtes Blatt, von dem nur rhythmische Adern stehengeblieben sind:

„Wespen"

Mordwespen schlüpfen,
Schwarzer Gagat.
Wenn die Flügel schwirren,
Fliegt der Achat.

In der Sonne sprüht
Und glüht das Gift.
Wie ein gläserner Dolch
Zuckt der Stachel und trifft.

Schleift der Windhalm sein Blatt,
Dann schrillt er fein
Das Lied von Quarz
Und Kieselstein.

Der Erzähler

Jüngers erste Erzählungen waren autobiographische Reiseessays. Damals wie heute reisten die Brüder Jünger häufig zusammen. Ihre ersten Arbeiten unterscheiden sich kaum, etwa Ernst Jüngers „Dalmatinischer Aufenthalt" von Friedrich Wilhelm Jüngers „Wanderungen auf Rhodos" im Jahre 1929 und die „Briefe aus Mondello" von 1930. Es waren essayistische Berichte, während eigentliche Erzählungen F. G. Jüngers erst 1950 unter dem Titel „Dalmatinische Nacht" veröffentlicht wurden. Ihnen folgten die Bände „Die Pfauen und andere Erzählungen" (1952) und „Kreuzwege, Erzählungen" (1961). Die Meisterstücke erzählerischer Kombination sind „Die Robinien", „Im Kloster", „Spargelzeit" und „Der weiße Hase", eine in niedersächsischem Milieu spielende Heimkehrergeschichte von novellistischer Vollendung. Jünger liebt behagliche Einsätze:

„Der weiße Hase"

Mein Urgroßvater, der ein hohes Alter erreichte, war ein Jäger eigener Art. Er jagte weder im Frühling noch im Sommer oder Herbst, im Winter aber nur bei Frost, Schnee und hellem Mondschein. Zu seinen Jagden zog er weder einen Jagdrock an, noch pfiff er seinem Hunde oder streifte hinaus in die verschneiten Felder und Wälder. Er saß im pelzgefütterten Hausrock in der Stube am Fenster, an das er seinen hohen Arm- und Backenstuhl geschoben hatte, und sah in die stille Mondnacht hinaus. Neben ihm stand, ans Fensterbrett gelehnt, sein Gewehr . . .

In solch einer Nacht, während der Urgroßvater auf den weißen Hasen wartet, kommt Konrad aus dem Kriege heim, begrüßt ihn und geht zu seinem Hof. Dort wird er von seiner Frau – einer neuen Klytämnestra – und ihrem Knecht erschlagen und vergraben. Zwischenfälle komplizieren den Gang der Erzählung; schließlich wird die Tat entdeckt, während der weiße Hase, zuletzt Symbol und Zeichen, wirklich erscheint.

Die Erinnerungsbücher

„Grüne Zweige" (1951) und „Spiegel der Jahre" (1958) enthalten Erinnerungen Friedrich Georgs an die Kindheit, das Studium, das Zusammenleben mit dem

Blandula vagula –
Sag, welche Töne sinds?
Seelchen, was singst du da?
Das, was mir mühsam war,
Ließ ich im Zeitenjahr.

Animula vagula –
Sag, wohin treibt es dich?
Lieber, ich weiß es nicht.
Wie ich gekommen bin,
Geh ungefragt ich hin!

Friedrich Georg Jünger

Friedrich Georg Jünger, Handschriftprobe

Bruder Ernst, die Kriegs- und Revolutionszeit und die turbulenten Jahre in Berlin, die Reisen bis Mitte der dreißiger Jahre. Am schönsten sind in diesen Bänden die Liebesgeschichten – wie F. G. Jünger überhaupt einer der wenigen Autoren unserer Zeit ist, die weibliche Gestalten in ihrem eigenen Reiz, mit Sinnlichkeit und Anmut, schildern können, während das stofflich so interessante kulturhistorische Detail der Universitätsstädte und vor allem Berlins ausgepart wird – wohl aus Scheu; es ist bezeichnend, daß z. B. eine Gestalt wie Ernst Niekisch zurücktritt und Nebenfiguren deutlicher werden. Vielleicht spielt auch Resignation eine Rolle, wenn Jünger über Berlin sagt:

Vertauschbare Ideologien

Berlin veränderte sich damals; die Unruhe nahm zu, und die Frage war, worauf sie hinauslief. An solchen, die die Zukunft immer vorwegnehmen, ist kein Mangel, und daran ist, wenn sie nur die bessere Zukunft bedenken, nichts Schweres ... Noch war die Sprache ideologisch, und wenn ich sie sprechen hörte, spürte ich, daß keine Erde, kein

Humus an ihr war. Etwas Fertiges lag in dieser Sprache, etwas, das immer fertiger wurde, sich immer mehr abschliff und etwas Kurrentes erhielt ... Die mächtigen Ideologien des neunzehnten Jahrhunderts wurden nicht nur dünner und fadenscheiniger, sie waren auch vertauschbar geworden. Es lag keine Anstrengung mehr darin, sie zu wechseln ...

Die Romane

Solche Sätze zeigen, daß Jünger mehr von Gedanken über seine Erinnerungen als durch diese selbst genährt wurde. Das ist auch für seine Romane bezeichnend. „Der erste Gang" (1954) ist ein Roman aus dem ersten Weltkrieg, der in Polen spielt, ein kunstvolles Buch, das erfundene Figuren und Gespräche in referierte Vorgänge stellt. Noch kühner ist das Verfahren in dem Roman „Zwei Schwestern" (1956). Er spielt in Rom, wo ein Deutscher Einblick in die Registratur des Vatikans erhält und rasch, im Klima des italienischen Faschismus, in politische Intrigen verwickelt wird. Am merkwürdigsten ist die Geschichte seiner Liebe zu den zwei Schwestern. Das Ganze ist ein überaus klug konstruiertes Modell unserer Welt mit Konservativismus und Revolution, Sein und Schein, Zufall und Schicksal, tiefer Liebe und scheinbarer Koketterie, nordischer Schwerlötigkeit und südlicher Amoralität. Mächte und Erscheinungen polarisieren einander. Einmal heißt es:

Diese Welt des Bewußtseins, sagte ich mir, ist schwer zu ertragen. Aber sie muß bestanden werden. Es liegt eine wache Anspannung, ein stetes Mißtrauen, eine rastlose Vorsorge in ihr, die auf unversöhnliche Feindschaften hindeutet. In ihr geschehen erstaunliche Dinge, denn der Mensch tritt vor den Spiegel und beobachtet sich selbst. Die Beobachtung schafft etwas Neues. Wirft sie etwas ab, gleicht sie dem Schütteln des Baumes, von dem Früchte abgeschüttelt werden? Mehrt sie etwas? Oder zehrt sie nur vom Vorhandenen?

In diesem Satz, dem andere angereiht werden könnten, hat der Erzähler und Lyriker F. G. Jünger sein eigenes Problem begriffen.

DIE NEUE NATURDICHTUNG

Der grüne Gott

Die naturalistische „Moderne" hatte eine andere Natur gemeint als die Romantik oder die metaphysisch gesehene Natur Goethes; sie verstand sie als wissenschaftlich erforschte Physis, so wie sie im Menschen nicht ein Naturwesen, sondern ein Sozialwesen sah. Es mußte sich darum ein neues Verhältnis zur Natur herausbilden. Das Volk wurde ein Stadtvolk, die Dichter lebten in den Städten, ihr Verhältnis zur Natur sentimentalisierte sich. Der erste Naturdichter von neuem Rang war Oskar Loerke; er lebte in Berlin, das damals Weltstadt wurde. Seine Dichtung bestimmte eine ganze Richtung, während er zu seinen Lebzeiten nur einem kleinen Freundes- und Kennerkreis bekannt war. Zu den Autoren der Naturdichtung rechnet man gewöhnlich Oskar Loerke, Wilhelm Lehmann, Friedrich Schnack, Georg von der Vring, Georg Britting, Elisabeth Langgässer, Peter Huchel, Horst Lange und Karl Krolow. Es ist kein Zufall, daß sie hauptsächlich Lyriker sind. Nun war die Natur gewiß nicht ihr einziges Thema. So gehört Elisabeth Langgässer auch in den Zusammenhang der christlichen Literatur. Von den Dramatikern unter den Naturdichtern, Richard Billinger und Carl Zuckmayer, könnte man den jungen Billinger zu den christlichen und Zuckmayer zu den zeitkritischen Autoren zählen. Ihr entscheidendes Thema ist jedoch der

Ordnungsprinzip

Mensch als ein in die wachstümliche Natur eingebettetes, von ihr bestimmtes Wesen.

Metaphysischer Ausdruck

Wie das frühere deutsche Naturgedicht – und die angelsächsische Naturlyrik seit der Romantik –, wollen die neuen Naturdichter nicht Blumen, Tiere, Gärten, den Mond und die Schönheit der Jahreszeiten besingen. Diese Themen und Motive werden vielmehr zu Zeichen und Kennworten für die dem Lebensprozeß eigenen Formen der Verwandlung, Entwicklung, Zerstörung, Erneuerung und Übergänglichkeit. Mit Natur sind also nicht mehr die Gegenstände der wissenschaftlichen Zoologie, Botanik, Biologie, der modernen Physik und Chemie gemeint; die Data der sinnlichen Erfahrung werden Gegenstände der Dichtung. Mit ihnen artikuliert der Dichter ein „Weltbild“: die Naturdichter sind Naturphilosophen. Das Naturgedicht wird in seinen höchsten Formen ein metaphysisches Gedicht. Bei manchen Dichtern – vor allem bei Loerke und Lehmann – läßt sich nachweisen, wie das Naturgedicht transzendieren möchte; es geht ihnen darum, das geistige Formprinzip der Natur zu erkennen. Der Glaube an den „grünen Gott“ ist ein metaphysisches Axiom.

Oskar Loerke

Die gesellschaftliche Sphäre

Oskar Loerke ist 1884 in Jungen (Westpreußen) geboren. Der Vater war Hofbesitzer und betrieb eine Ziegelei. „In der Größe und Stille der Natur Westpreußens habe ich meine für das Leben entscheidenden Eindrücke empfangen.“ Früh erhielt Loerke Privatunterricht in Musik, die er auf dem Gymnasium in Graudenz eifrig weiterbetrieb. 1903 begann er in Berlin ein Studium der Philosophie, Geschichte, Germanistik und Musik. Im Februar 1907 erschien als erstes Buch Loerkes, der seither im Hauptberuf Schriftsteller wurde, die romantische Erzählung „Vineta“. Zusammen mit der Erzählung „Franz Pfinz“ (1909) und dem Roman „Der Turmbau“ (1910) waren es „drei totgeborene Kinder“. In gewissem Sinne sollte das auch für die späteren Versbände gelten: sehr langsam wurden sie verbreitet. Loerke beklagte sich immer wieder, daß er, der um die eigene Bedeutung wußte, an Ruf so weit hinter den Berühmtheiten des Tages und der Erfolgsliteratur zurückstehen mußte. Das Unglück wollte es, daß er, als Lektor des S. Fischer Verlages, fast täglich mit Autoren wie Wassermann, Werfel, Thomas und Heinrich Mann, Hauptmann, Molo und Döblin Umgang hatte. An ihnen sah er die schönen und zweifelhaften Seiten des Ruhmes; aber er mußte Waschzettel für ihre Bücher schreiben, Geburtstagsaufsätze und Kritiken, hatte oft genug an ihren Manuskripten zu feilen und war Angestellter des Verlags, während jene die Helden von Verlag und Publikum waren.

Freunde und Akademie

Moritz Heimann, Vorgesetzter, Kollege und Freund Loerkes, soll gesagt haben, „daß man in Loerke, ohne es zu wissen, einen Hölderlin um sich habe“. Seine Freunde waren der Maler und Schriftkünstler Emil Rudolf Weiß, der Maler und Graphiker Emil Orlik, der Geigenbauer Julius Levin und später die Dichter Wilhelm Lehmann und Hermann Kasack.

Nach dem ersten Weltkriege, Mitte der zwanziger Jahre, hob sich die gesellschaftliche Stellung Loerkes erheblich; er wurde 1926 ordentliches Mitglied der Preußischen Akademie der Künste und 1928 Sekretär der Sektion für Dichtkunst. Hier kam Loerke mit den großen Malern, Musikern und Schriftstellern, mit hohen

Beamten und dem geistigen Berlin in vielfältige Berührung. Seine Tagebücher aus den Jahren 1903 bis 1939 (1955 von H. Kasack herausgegeben) belegen, wie Loerke diesen Umgang und diese Tätigkeit, so anstrengend sie neben dem Beruf und der eigenen schriftstellerischen Arbeit auch waren, genossen hat. Für die Auseinandersetzungen der zwanziger und Anfang der dreißiger Jahre bis zur Übernahme der Macht durch den Nationalsozialismus sind die Tagebücher eine wertvolle Quelle. 1933 mußte Loerke seinen Posten, nicht die Mitgliedschaft, bei der Akademie niederlegen. Loerke litt tief unter der „Gleichschaltung", zumal auch die Tätigkeit des S. Fischer Verlages immer mehr beschränkt wurde, bis er unter der Leitung Peter Suhrkamps den Namen und einen großen Teil seiner Autoren opfern mußte. Auch das eigene Werk schien Loerke unter dem Regiment der „Totengräber Deutschlands", wie er die Nationalsozialisten schon früh bezeichnete, echolos verloren; aber am fünfzigsten Geburtstag, 1934, sah er sich zu seiner eigenen Überraschung als Lyriker weithin anerkannt. Noch 1931 hatte Oskar Loerke bei einem Jubiläum des Verlags verbittert in seinem Tagebuch geschrieben:

Tagebücher

> Bermann führte Filme vor, einen Frühlingsfilm . . . und den Autorenfilm [über die Autoren des Fischer-Verlags]. Alle sind darin und gelten etwas. Ich stehe völlig abseits, niemand gedenkt dessen, daß ich ja auch ein Autor — war . . . Ich habe zu viel resignieren müssen. Aber es ist kein bloßes Verarmen, es ist auch ein Zuwachs an anderer Wahrheit . . . Gefühl des völligen Ausrangiertseins.

Der Glaube an das Werk

Aber zum fünfzigsten Geburtstag, also drei Jahre später, notierte er:

> Es ist eine mir unfaßbare Wendung eingetreten . . . Ich muß die Überzeugung behalten, daß meine Verse nicht untergehen werden, bevor sie ihre Wirkung getan haben. So viel Widerhall hätte ich in meinen kühnsten und frechsten Träumen nicht erwarten können. Ziehe ich alles ab, was übertrieben ist, so bleibt doch noch so viel, daß ich beschämt und fassungslos bin. Die Presse ist erfüllt mit großen Aufsätzen. Die bisher Fremden und Abweisenden wollen mich haben — vielleicht, weil sie Passenderes nicht finden, aber wohl auch, weil sie sehen, daß die gerühmten Platten in Wirklichkeit Zerstörer sind. . . . Deutschland, Österreich, Schweden, Frankreich, Schweiz. Lange, zum Teil eindringende Aufsätze. Hunderte von Briefen und Telegrammen. Niemand fehlte, auf den es mir ankommt. Auch mit Geschenken überschüttet.

1941 ist Loerke in einem Vorort Berlins gestorben; er ist zugrunde gegangen aus Gram über den Untergang seiner Welt, des liberalen Deutschland, und er hat ausdrücklich darum gebeten, jedem entgegenzutreten, der behaupten würde, er sei an einer Krankheit gestorben, „oder was es sein mag, weil eine jegliche Krankheit, selbst jede Disposition zu einem Unglücksfall, durch die feindlichen Handlungen und Anschauungen veranlaßt worden ist in langen Jahren".

Geistige Herkunft

Oskar Loerke stammte aus einer engen und ungeselligen Heimat. Während Robert Musil und Franz Werfel traditionsgesättigte Österreicher waren, Gottfried Benn und Stefan George romanische, westlerische Ahnen, den Katholizismus oder die mittelmeerische Welt als Heimat und Bindung hatten, war Loerke ein Sohn des kolonialen Bodens, wo man das Leben nicht als Fest, sondern als Aufgabe ansah. Alte mystische und bis zum ersten Weltkrieg als lebendig empfundene deutsch-idealistische Strömungen bildeten das geistige Klima der west- und ostpreußischen Landschaft. Sie förderten ein verinnerlichtes Naturerlebnis und fast sektiererische Abgeschlossenheit des Ich, zu erklären aus der Winzigkeit des

Oskar Loerke, Lithographie von Emil Orlik

Ich gegenüber einer als allmächtig empfundenen, kaum gebändigten Natur. Bei allen modernen Dichtern des Nordostens hat dieses Grundgefühl das Schaffen bestimmt: Alfred Brust, Agnes Miegel, der junge Max Halbe und zuletzt Ernst Wiechert haben die Überwältigung des Menschen durch die Natur als ihr Thema dargestellt. Auch bei Loerke, der seine Heimat früh verlassen mußte, gibt es kein Wir, sondern nur ein monologisches Ich:

Und ich frage, was mir fehle,
Bin ein Herz und eine Seele:
Mit den Schlangen und den Spinnen
Silberrinnen, die da rinnen,
Mit Kuckucken, die kuckucken,
Nebellichtern, die fahl spuken,
Flüglern, die verworren singen,
Flügeln, die im Tannicht schwingen,
Bin ein Reim zu allen Dingen.

Der Dichter ist Befreier und Erlöser des Daseins, in seinem „Reim" geht die Welt auf, kommen die Dinge zu sich selber, artikuliert sich das Sein. Das Wort des Dichters gibt dem Leben nicht bloß Sinn und Ordnung, wie Klassik und Romantik gelegentlich gemeint hatten, sondern es „setzt" nach J. G. Fichte die Welt. Die mystischen und deutsch-idealistischen Ströme der Landschaft werden zu einem blitzenden Rinnsal poetischer Weltlehre; der Dichter ist Magier der Welt, ihr Erlöser und Heiland. Vom Wort sagt der Dichter:

OSKAR LOERKE

Ballst du jedes immer dichter,
So wird jedes immer lichter.
Lenke alle immer schlichter:
Sie sind göttliche Verrichter.

Das Leben des Dichters ist eine Fahrt, die Geschichte liegt hinter ihm, die Gegenwart führt in ein Land, wo das Paradies erscheinen soll. Loerke weiß, daß „die Brücke brennt", doch hat man sie überschritten, öffnet sich das neue Land, und es ist kein Zufall, wenn die Verse ein biblisches Bild aufnehmen:

Befahre zu deinem Glücke
Die Flut, die keiner kennt!
Hinüber führt eine Brücke?
Aber die Brücke brennt.

Die Nacht ruft nach dem Fergen,
Er soll den Ruf begreifen!
Wein pflanzen wird man wieder an den Bergen,
Pflanzen wird man und dazu pfeifen.

Das Zerbrechen des Wortes

Diese Dichtungslehre hängt eng mit der neuromantischen Lehre vom Dichter als dem „Fürsten" und Erlöser zusammen, mit der kosmologischen vom Dichter als Magier, der die „Sprache" der Pflanzen, Tiere, Minerale und Sterne versteht. Sie bereitet nicht nur entwicklungsmäßig den expressionistischen Verzicht auf das schöne Wort, auf Wohlklang und Reim vor, sondern praktiziert geradezu das Zerbrechen des Satzes, das Umschlagen des syntaktischen Gefüges in ein sprödes Gestammel. In dem Roman „Der Oger", dessen frühe Fassung vor dem ersten Weltkrieg entstanden ist, kommen solche Sätze vor: „Einen Himmel magischer Gewalt rundete sein Hirn um ihn." „Das Wüste, das nicht war, trieb das Wüste, das war." „Der Nachtwind betastete ab und zu wie eine unheimliche Messerklinge seine Haare." „Das Spiel des Schicksals mit seinen Menschen war von den breiten Ackerfeldern in die raumlosen Gefilde der Seele verlegt." Es gibt Stellen, die erst verständlich werden, wenn man die Verschlüsselung aufgelöst hat. Der Held liegt in dem engen Schlafraum eines Fischdampfers, das elektrische Licht brennt. Er spürt sich im Schwanken und Schwimmen des Schiffes auf hoher See eins mit dem All und steht vor der offenbarungsartigen Einsicht seines Lebens: „Oh des Glückes in dem Wissen, daß es [Taue, Masten, Poller, Wasserpforten – also die Realitäten der Dinge] keine Phantome waren!" Er empfindet das Heben und Senken der Wellenberge, ihr Donnern und Vergehen als ein Grundgesetz des Seins und begreift sich im Einklang mit dem Rhythmus der Welt und der Geschichte:

Transzendenz des Endlichen

Das kehrte wieder aus der Zeit des Kolumbus, des Noah. Das blieb die schwankend unverrückbare Mitte, und alles andere fügte sich wie vergängliches Gewölk darum. Das Bleibende seufzte und knirrte im Steigen und Sinken wie im Wahnsinn der Einsamkeit und Verlassenheit. Aus den toten Dingen scholl es wie Zähneklappern. Und die reglosen Schläfer im Raume waren lebendig nur in einem kleinen Sinne, vom Tode besessen aber

OSKAR LOERKE

in einem großen. Die Dunkelheit regierte auch sie, das gewaltige Dunkel war auch in den weißglühenden elektrischen Fäden; sie waren voll vom Geiste der Finsternis, berauscht, gelähmt vom Geiste der Weltalleinsamkeit, die keinen Genossen hat, in dem sie sich auf sich selber besinnen kann.

„Der Oger“

„Der Oger“ ist 1921 erschienen, der vierte Versuch zur Erzählprosa nach den drei „totgeborenen Büchern“. Die entscheidende Umarbeitung erfolgte 1919/20. Ein weiterer Roman, „Der Lügner“, hat Loerke etwa zehn Jahre beschäftigt, er ist jedoch nie erschienen, sogar die Fragmente wurden vernichtet. Im „Oger“ ging Loerke von einer Reise aus, die er 1913 unternommen hatte. Auf einem Fischdampfer treffen sich zwei Brüder, die Typen eines expressionistischen Schemas verkörpern; der eine sieht im Vater einen Tyrannen, der andere hat ihn zu einem Idealbild verklärt. Der eine Bruder führt Hölderlin, der andere Kants „Kritik der reinen Vernunft“ in seinem Gepäck mit. Um sich vom Alpdruck des Vaterhasses zu befreien, schreibt der jüngere Bruder während der Reise seine Familiengeschichte nieder, die das eigentliche Thema des „Oger“ bildet, eine Hofgeschichte nach dem literarischen Muster Hermann Stehrs. Zentrales Motiv ist das Hirngespinst eines kranken Kindes, der Oger an der Kirchenwand. Als der Vater die Risse im Gemäuer beseitigen will, um den Anlaß der Schreckträume zu zerstören, fällt er selbst vom Gerüst: das eingebildete Gespenst ist mächtiger als die Wirklichkeit.

Oskar Loerke

Gedichte

Berlin, Weihnachten 1915

Sonderdruck einiger Gedichte

„Weltalleinsamkeit“

Ein genaueres Substrat seiner Weltansicht hätte Loerke nicht finden können. Aber Loerke war kein Epiker, und so ist „Der Oger“, wenn man von der illustrativen Bedeutung für Loerkes Weltanschauung und autobiographischen Zügen wie der Seefahrt mit dem Fischdampfer, dem Vaterbild und der Bezeugung der „Weltalleinsamkeit“ absieht, für das Werk des Dichters nicht bezeichnend — das sind die Gedichtbände. In sie ist eingegangen, was in den Erzählungen und Tagebüchern Rohstoff blieb, vor allem die Reisen, darunter solche nach Afrika, Seefahrten und das Erlebnis der Stadt Berlin, der er einen eigenen Gedichtband, „Die heimliche Stadt“, gewidmet hat.

Wüstengewitter

Der rote Stein ist greisenhaft gefaltet.
Und wenn ein Blitz ihn weckt, so wird er röter,
Wie eingeschlafnes Feuer, steingestaltet.
Und meine Glut war klein davor.

In Blitzeshelle donnern die Zypressen
Empor wie schwarze bittre Geisirfluten:
Der Erde Galle, schmerzverschlammt, vergessen.
Und meine Bitternisse waren klein davor.

Des Donners Widerhall schlägt durchs Gebirge Lücken
Und reißt die Schluchten in Unendlichkeiten
Und schleppt die Berge weit auf seinem Rücken.
All meine Seherschaft war klein davor.

Sie sah nur sprühn die Gall'- und Feuerwellen
Und auf den Geisirspitzen schliefen Vögel,
Und auf den Feuern standen hoch Gazellen.
Du, Einsamkeit, warst tausendfalt gezählt.

Donnerstag-Gesellschaft, Berlin

OSKAR LOERKE

Das Stadterlebnis spielte in der Moderne eine besondere Rolle, von französischen und englischen Vorbildern hervorgerufen und beeinflußt. Bis ins neunzehnte Jahrhundert gab es außer Rom nur drei Weltstädte in Europa, die auch von den Dichtern als modern empfunden wurden: Paris, London und St. Petersburg. Baudelaire, Zola, Dickens und Dostojewski sind die Dichter dieser Städte geworden – es sind zugleich die Ahnen der deutschen „Moderne".

Berlin als Traumstadt

Arno Holz, Ludwig Scharf und Otto zur Linde haben sich als Stadtdichter empfunden, haben die Poesie der Fabriken, Kohlengruben und Dachstuben entdeckt und theoretisch begründet. Kurz vor 1900 hatte sich, mit dem Ruf „Los von Berlin!", die sogenannte Heimatkunst gegen die mit dem Stadtthema verbundene Intellektualisierung der Literatur erhoben, die man nicht mit Provinzialismus oder dem späteren Blut-und-Boden-Ideal verwechseln darf. (G. Hauptmann hatte ein Manifest der Heimatkunst nur aus Rücksicht auf seine Berliner Verbindungen nicht unterzeichnet.) Aber erst bei Loerke wird die Stadt zu einer metaphysischen Figur.

Das moderne Berlin fällt zusammen mit der poetischen Traumstadt; ihre Vergänglichkeit hängt mit dem diffusen Charakter der modernen Masse zusammen: „Wie wohnt die Zeit / so sicher in viel Namen ohne Dauer, / als wärens Berge für die Ewigkeit." Die Stadt der Massen ist Bild der Unterwelt, der Totenreiche, wie sie der Ort der sozialen Unterwelt des Verbrechens und der schlechten Politik ist, wo sich die Pest der Ideologien, des Nationalsozialismus nicht minder rasch verbreitet, wie die Pest des Mittelalters die Städte entvölkerte. So ist die Stadt für Loerke, den Landmenschen, bei aller Faszination mit dem biblischen Stadtbegriff von der Hure Babel verbunden geblieben:

Das verderbliche Labyrinth

Es funkelt die Hore,
Es klirrt das Gedengel
Der Sicheln in Gottes Land,
Es wirft an die Tore
Babels der Engel,

Noch eh es gebaut ist, den Brand.
Doch vor dem Erliegen
Furchtlos und gerne
Leben die Menschen, ihre Traumstadt wird wahr,
Auf klopfenden Stiegen
Und unterm Sterne
Geduldiger Lampen bleicht ihnen das Haar.

Die Stadt ist Wohnung des modernen Menschen, Ort seiner religiösen und seinsmäßigen Bestimmung, die er aber meist verfehlt. Er verkümmert und verkrüppelt in ihren Mauern. Als Symbol dafür erscheint Loerke das gelbe Pferd:

O Stadt! Ich sehe sie dem gelben Pferde
Im Schwermutsdampf aus offner Nüster schlagen –
Sie sinkt, schläft unter ihm schon in der Erde.
Ein Schattenfelsblock, fesselt es der Wagen.

Sein Traumschrei tönt durch das Labyrinth der nächtlichen Straßen, und während der Dichter, mit seinem „Bild" beschäftigt, müde zu seiner Dachwohnung steigt:

Da fühl ich mittenwegs ein Tierhaupt sich an mich schmiegen,
Von seinen Augen glimmt das Treppenhaus, ein Zuckerturm, kristallen.
Mich fröstelt, in die schwarzen Augen zu sehen,
So große, die ein früheres Licht noch bekennen,
Und Götter, deren Opfersteine nicht mehr stehen,
Aus tränenlosen Wassern zu gebären brennen.

Hinter solchen Versen steht mehr als eine sentimental artikulierte Tierliebe des modernen Menschen. Wenn Schmidtbonn oder Kafka nach Cervantes' Vorbild Hunde über die Menschen jammern läßt, wenn Loerkes Freund Dauthendey, F. Schnack oder der Jäger Hermann Löns das Aussterben des Wildes, der freien Vogelwelt beklagen, wenn Max Mell die Kühe, Richard Billinger die Rosse als Wesen Gottes verherrlicht, so wird das Mitgefühl mit der Kreatur dichterisch erhöht – aber bei Loerke wird der Zusammenhang kosmisch gesehen. Schon in „Oger" klingt das Thema an, wenn den Matrosen der grausam sinnlose Tod der Fische entsetzt; aber da wirkte es als Anklage gegen die Gesellschaft und Weltordnung, also naiv, während die Falter, Fische, Käfer, Pferde, Vögel, Bäume, Quellen, Flüsse, Blumen und Sterne in Loerkes Gedichten über die Welt seiner Erzählung hinauslangen, das Ding wird im Gedicht zum „magischen Weg"; Flora und Fauna werden zu schönen Punkten des Alls. Hinter, über und in der Landschaft des modernen Menschen kann man – im Gedicht – die Spuren des dinghaft schönen Kosmos wahrnehmen.

Meine sieben Gedichtbücher

Loerkes erster Gedichtband war „Wanderschaft" (1911), dann folgten „Pansmusik" (1916, Moritz Heimann gewidmet), „Die heimliche Stadt" (1921, für Emil Orlik), „Der längste Tag" (1926, für E. R. Weiß), „Atem der Erde" (1930), „Der Silberdistelwald" (1934, Wilhelm Lehmann mit einem Nachwort gewidmet) und „Der Wald der Welt" (1936). Aus dem Nachlaß gab Hermann Kasack „Die Abschiedshand" heraus. (Sämtliche Gedichte, mit den hinzugehörenden Essays, findet man heute im ersten Band der von Peter Suhrkamp 1958 besorgten Ausgabe.) Was die Widmungen und die Regelmäßigkeit des Erscheinens angeht, so hat Loerke gesagt: „Es hat sich viermal gefügt, daß während der Reifezeit eines meiner Gedichtbände (fast regelmäßig gingen fast fünf Jahre darüber hin) ein

Oskar Loerke

Freund sein fünfzigstes Lebensjahr vollendete und daß ich ihm durch Zueignung des frisch Entstandenen danken durfte."

Das Ich und der Kosmos

In dem Versuch einer Selbstdarstellung sagt Loerke vom Planen und Bauen seiner sieben Gedichtbücher: „Mein Glaube ist: die Welt weiß ihren Grundgedanken, sonst wäre sie nicht, und eben darum weiß ihn keiner der ihr Eingebürgerten. Aber jeder weiß irrational seinen eigenen Grundgedanken und . . . kreist um ihn." Da taucht also die deutsche Sonderidee der Entsprechung von Ich und All, von Individuum und Kosmos auf, die bei Däubler, Mombert, dem späten Holz, Rilke und einer Schar von kleineren Autoren (Bölsche, J. Hart, R. Steiner, Dehmel, Pannwitz) so stark eingewirkt hatte. Loerke sagt:

Das kleine Ich der Person kann in das große Du des Kosmos fast hinüberverlöschen, und es kann aus dem kosmischen Du zu einem überpersönlichen Ungewitter anschwellen. So tauschen Gesamt- und Einzelleben von ihrer Aura manchmal ein weniges aus, ohne mit dem Erfahren des Geheimnisses der Welt jemals einen Schritt weiter, geschweige denn zu Ende zu gelangen. Meine Verse sagen davon etwas aus.

Oskar Loerkes Verse müssen als Träger dieser Botschaft verstanden werden; aber man sollte nicht übersehen, daß die Verse darüber hinausgreifen. Der Dichter

Loerke war mehr als der Denker, so wie jede Dichtung mehr ist als eine Äußerung der Person, welche sie hervorgebracht hat. Ähnliches finden wir bei Loerkes nächstem Freund, Wilhelm Lehmann; ständig möchte das Naturgedicht transzendieren; aber das scheitert, weil der Dichter auch da noch „Natur“ sagt, wo er sie längst hinter sich gelassen hat.

Die Sehnsucht nach dem Fremden

Loerkes Gedichte transzendieren überall da, wo Begriffe und Zeichen des Traums, der Magie, des Panischen, des Schiffes, des Orients, der Ferne und Fremdheit auftauchen. Denn Loerke war ein Romantiker der Moderne, ähnlich Baudelaire. „An einem Wintermorgen“ heißt ein Gedicht, in dem die Elemente des modernen Lebens neben den Topoi der alten Landschaftspoesie stehen:

Die Seele grünt noch im Sehnsuchtskummer,
Der mit dem Schlafe nicht entschlief.
Am Ohre lungert ihm Fernsprechnummer,
Maschinenhacken, Schemabrief.

Er sieht: In rubinener Tagesneige
Nimmt raschen Abschied, was ewig hieß,
Schattet mit breiten Blättern die Feige
Über den Weg aus dem Paradies.

Ganz in Lehmanns „Ton“ klingt das Gedicht „Das Paradies“ aus dem Anfang des „Silberdistelwalds“, wo Loerke bewußt Lehmannsche Themen variiert:

Er schritt im Schlendergang und stieß
Auf Knochen eines Kolibris,
Der sich vom Baum den Bissen nahm
Zur Zeit, bevor die Sintflut kam.

Es scholl so fern wie schlafgedacht:
Du mußt nun durch die Wassernacht!
Und er schritt hinter dem Befehl
Wie durch das Schilfmeer Israel.

Und jenseits klomm er lange fort –
Verdorrte Zeit stand unverdorrt,
Des Lebens Ton schien alt betont
Und längst auf Erden eingewohnt.

Nur, nirgends waren Menschen da,
Bis er sich selber leiblich sah,
Zum Grund gebückt im Paradies
Auf alte Knöchlein eines Kolibris.

Das genetische Denken

In solch einem Gedicht klingen Motive an, die auch G. Benn, K. Weiß und auf groteske Weise Chr. Morgenstern benützt haben: die Entwicklungsgeschichte des Lebens auf Erden, die Auffassung der biblischen Berichte als religiöser Metaphern dieser Entwicklung, der Abstand des heutigen Ich zu jenem Urvogel im Paradies und die Nähe des Bewußtseins des Ich zu jenem Kolibri vor aller Zeit. Dahinter steht der Gedanke des ewigen Lebens der Natur – die Umsetzung eines ursprünglich religiösen Archetyps in einen genetischen im Sinne der neuen Naturwissenschaft. Die Sprache des Gedichts spiegelt den Bruch der Auffassungen und überdeckt ihn zugleich: daher das Verwirrende, ja Groteske des Motivs. Es ist jedoch

Oskar Loerke, Handschriftprobe

nicht so, als habe Oskar Loerke einfach Motive jener Dichter oder Ideen der Wissenschaft vom Jahre 1900 umgesetzt. Für ihn waren die Gedichte „Fetzen“ des Erinnerns; was er über das Entstehen seiner Gedichte mitteilt, macht diesen Zusammenhang deutlich:

Obwohl das Entstehen und Erscheinen meiner sieben Gedichtbücher über gut fünfundzwanzig Jahre verteilt ist, sind die darin enthaltenen Verse für mich zum Teil nicht verschieden alt, ausgenommen selbstverständlich Einführendes, Überleitendes und vom Stande der Erfahrung und Technik Abhängiges. Die Keime der überwiegenden Mehrzahl meiner Gedichte lagen vor der Arbeit am ersten Bande in mir. Entwürfe, Bruchstücke, halbe und viertel Zeilen des siebenten Bandes standen schon in frühesten Notizbüchern. Sie wurden, soweit sie nicht ausgeführt und darum ausgestrichen oder zerrissen waren, aus einem Hefte in das nächste und übernächste die Jahre hindurch übertragen. Die tyrannischen Akkord- und Melodiefetzen zwangen mich immer wieder, auf sie zu achten, sie wollten, obwohl keine Gefahr des Vergessens bestand, immer wieder aufgeschrieben werden, unerbittlich schwenkten sie gleichsam den Schuldschein vor mir. Heute ist der Notizenvorrat zu dem Sieben-Buche erschöpft, und ich bin froh, daß ihn außer mir niemand nachgelesen hat, so dunkel wäre seine Bedeutung jedem Neugierigen gewesen. Das Vereinzelte in den Notizen war mir von je mit einem unsichtbaren Ganzen umschlossen, das deutlich vernehmbar atmete, aber noch nicht ans Licht wollte.

Die Entwicklung der Formen

Obwohl Loerkes Gedichte aus einer einzigen Quelle gekommen sind, läßt sich eine Entwicklung erkennen. Diese verläuft formal: vom Komplizierten zum Schlichten, vom verwirrten, schwimmenden Ausdruck zum klaren, einfachen Wort. Da hört Loerke, zur Zeit des Dritten Reiches, wie schon an der Arche gezimmert wird, welche die Sintflut überstehen soll:

Fern hämmert schon der Archenzimmermann.
Wie Halme wird es bald die Menschen heuen.
Oft sah ichs vom gepichten Floße an:
Die Bösen sind geliebt, zerstiebt die Treuen.
Es glauben, daß sie nichts zerstören kann,
Die Bösen, die sich der Zerstörung freuen.

Loerke neigte mit den Jahren immer mehr zum Spruchhaften, was zu seiner Vorliebe für Walther von der Vogelweide und Rückert stimmen mag. Die expressionistischen und visionären Gedichte der Frühzeit sind zugleich die entrücktesten, sachfernsten, während die späteren Natur- und Dinggedichte sind. Auch Reim, Metrum und Strophe werden schlicht. Loerke hatte sie übrigens nie aufgegeben oder gesprengt wie die Kosmologen und Expressionisten. Das einzige, was gleichgeblieben ist, ist seine Neigung zum Gedrungenen und Geprägten; nie hat Loerke wie Werfel und Stadler ekstatische oder Parlandogedichte geschrieben. Überhaupt wirkt er gegenüber der Masse der dichtenden Zeitgenossen als konservativer „Naturdichter". Er schrieb Aufsätze über Jean Paul, Stifter, Goethe, Rückert, von den Jüngeren über G. Hauptmann, Mombert, Dauthendey, Döblin, Lehmann und Stehr – während die modernen Autoren im eigentlichen Sinn, also Heym, Trakl, Kafka, Benn nur sehr gelegentlich erwähnt werden. Über Paul Zech in der „Aktion" notierte er: „Es wird von ihm soviel Rühmens gemacht. Aber in den meisten Gedichten ist das Gedicht vergessen, was mir bei der Feierlichkeit besonders peinlich ist." Und über Werfel heißt es im April 1921: „Vorlesung im Beethovensaal. Lebhafter Eindruck seiner ungeheuren Virtuosität. Kälte, Verstimmung wegen der Lüge darin." Das sind Urteile, die nicht bloß in der Sache von der Geschichte bestätigt wurden, sondern sie drücken Loerkes grundsätzliche Reserviertheit gegenüber dem „Modernen" aus.

Beziehungen zur Zeitdichtung

Gehört Loerke, wie Konrad Weiß, zu den dunklen Dichtern? Die Frage kann bejaht werden, wenn man die Mühe scheut, seine Chiffern zu deuten. Auf den ersten Blick verschlossen, pflegen sich die Gedichte dem zweiten, genaueren Betrachten zu öffnen. Nur darf man keine Ideen hinter ihnen suchen, die durch Bilder ausgedrückt würden, sondern „Sprüche", Artikulierungen der Magier:

Befahre zu deinem Glücke
Die Flut, die keiner kennt!
Hinüber führt eine Brücke?
Aber die Brücke brennt.

Der Autor als Magier

Was „ist" jene Flut, die keiner kennt, die aber das Glück bringen wird? Das Spiel mit dem Unbekannten, das eines Tages offenbar wird, spielt bei Loerke eine große Rolle. Es lag ebenso in seiner ostdeutschen Natur, wie es Attitüden der von ihm geschätzten Dichtung Momberts oder Däublers aufnahm: der Dichter ist Vates, Prophet, Künder und Wahrsager; er deutet die Zeichen der Welt. Da liest man in einem Gedicht auf die pensionierten Kapitäne, die an Land bleiben müssen:

Sie steigen – voller Treppen drehn die Straßen –,
Durch Werften, Läden, Trattorien streifend,
Zum hohen Markte, wo sie oft schon saßen,
Mit Blicken auf der Meerestafel schreibend.

Was sie „schreiben", ist schwermütige Sehnsucht. So hat Loerke einem Atlantis nachgehangen und diesen Traum in einem auf Rügen entstandenen Zyklus ausgesponnen. Die Idee des Untergangs einer alten Kulturlandschaft wird vom Dichter „gesehen"– hier ohne Zweifel im Zusammenhang mit seinen Ahnungen über den bösen Ausgang des Hitlerschen Reiches. Dort, auf Rügen, leben noch die alten Götter; aber sie sind vergessen und unbekannt geworden.

Niemand besucht sie, aber sie sind.
Gelbgefleckte Molche schlüpfen ein und aus bei ihnen
In Buchstabenbändern, die niemand liest.

Oskar Loerke, Totenmaske

Die Urschrift des Seins

Daß das Sein eine geheime Schrift ist, die nicht jeder lesen kann, es sei denn der Dichtermagier, dieser Glaube findet sich auch bei Wilhelm Lehmann, wenn er die Schrift der Schaftritte oder jene Zeichen lesen möchte, die die Krähen am Himmel bilden. Sind sie Signale oder „Buchstaben" einer geheimen „Zentralsprache" (G. Eich), der poetischen Ursprache? Die Hamann-Herder-Jean-Paul-Tradition lebt in solchen Ahnungen weiter. Es sind Säkularisationsformen jener Sprache, die Gott mit Adam im Paradies gesprochen hat.
In der Erzählung „Vineta" hatte Loerke sein erstes Gesicht von Atlantis beschrieben. Wie Atlantis sind Pompeji, der Ararat, die südlichen Inseln, die Landschaften und Meere „hinter dem Horizont" die wahren Orte des Beschwörers. Da gelingen ebenso knappe wie hinreißende Gedichte, in denen alles Fragen nach dem Sinn hinfällig wird, weil das Gemeinte deutlich, als Sache selbst, redet; so in den Versen auf das Grab des Dichters in Pompeji mit der poetologischen Schlußstrophe:

Früh sah ich vorne
Vorm Tor, wo der Bauer im Kühlen harkt,
Die feurigen Dorne
Des Morgens zu maßlosem Licht erstarkt.

Der Gott hat Muße.
Andern verblieb es, ein Tagwerk zu tun,
Mir, unter dem Fuße
Der trauernd geschwätzigen Winde zu ruhn.

Wenn die uralte Traube,
Die schwarze, wiederkehrt staubig und warm,
Weckt mich immer der Glaube:
Du sollst nicht schluchzen, der Gott wird nicht arm.

Bruckner und J. S. Bach

Dieses „Schluchzen" wird in den Tagebüchern bezeugt, wenn Loerke von musikalischen Eindrücken überwältigt war. Er hat nicht nur immer wieder musiziert und über Johann Sebastian Bach und Anton Bruckner Bücher geschrieben, sondern die Musik war für Loerke in vielleicht noch höherem und naiverem Maße magischer Weltausdruck, da sie keiner sprachlichen Artikulation bedarf. Das erste Gedicht des Ararat-Zyklus schließt mit der Strophe:

Dich überschwebt nach Afrika der Storch,
Du suchst den Heimatschnee, des Nordens Fichte.
In einer Stadt vom Orgelchore, horch!
Sebastian Bach singt: uns im Weltgerichte.

Oskar Loerke hat seine Gedichte gelegentlich als „Fugen" im Bachschen Sinne bezeichnet. Damit meinte er den Übergang von der Einstimmigkeit zur Mehrstimmigkeit. So wie die Fuge in *einem* Satz bis zu fünf Stimmen verarbeitet, wollte Loerke seine Gedichte als gebaute Kunstwerke verstanden wissen. So muß man sie auch lesen: die verschiedenen Stimmen im Nacheinander aufnehmen und doch ihre Einheit erkennen. In der Mehrstimmigkeit liegt die sogenannte Dunkelheit des Loerkeschen Gedichts. Mit ihr trat Loerke weit hinaus über den Chor der „bloßen" Naturlyriker. Da seine Form immer auch geprägte, kunstvoll gearbeitete Gestalt ist, haben seine Gedichte die formlosen und unartikulierten „Schreie" des Expressionismus überdauert.

Wilhelm Lehmann

Besessenheit verleiht
Besitz.

Wilhelm Lehmann

Wirkungsgeschichte

Lange Zeit galt Wilhelm Lehmann als Einzelgänger der deutschen Literatur, und er vermochte sich wie Benn, Kafka und Jahnn erst allmählich durchzusetzen. Sein erster Roman „Der Bilderstürmer" (1917) erregte literarisches Aufsehen, es wurde durch den Roman „Die Schmetterlingspuppe" (1918) und vor allem durch „Weingott" (1921) bestätigt. Oskar Loerke hat 1923 Lehmann und Musil gemeinsam den Kleistpreis zuerkannt. Die Romane waren bei aller Qualität herb und spröd. Ihre Helden gehörten zu einem nicht beliebten Typus, und die Beziehung des Autors zur Botanik wurde als Eigensinn mißverstanden und hat den Erfolg des Lyrikers aufgehalten. In den Jahren 1927 bis 1932 entstanden Tagebuchblätter, die Lehmann 1948 als „Bukolisches Tagebuch" erscheinen ließ. Es verweist auf die Quellen seiner Dichtung; hier kann man seine Welt- und Naturbetrachtung kennenlernen. Für Lehmann gehören zu dem als „unsere Welt" bezeichneten Vorstellungskomplex vor allem die Vögel, Bäume, Sträucher und Kräuter. Er sagt in einer Niederschrift unter dem Datum des 15. Juli 1928, die deutlich wie bei Gustav Sack den Naturwissenschaftler verrät:

Vor der großen Hitze erblassen die Blütenblätter der Hundsrose, sie fallen, matt gaukelnd, im Hauche, der von der See her jenseits des Deiches tänzelt. Die Staubfäden vertrocknen zu einem zimmetfarbenen Büschel, die Hagebutte schwillt. Die jungen Stare steigen schnalzend aus den Heuschwaden. In Heckendorn, Schlehe und Pfaffenhütchen sitzt, gleich erstarrten Tropfen, die Puppe der Spindelbaummotte. Im verdunstenden Wiesengraben blüht jetzt der Wasserstern, mit einer Blüte, die nur ein gelbköpfiger Staubfaden ist. Die Kälber drängen sich unter den Erlen im Schatten zusammen um die Tränkrinne. Oben auf dem Meeresdeich verwelkt das Gras vor der Hitze. Wo seine Narbe birst und die Steine, die Knochen der Erde, herausstehen, blühen mit ausgespannter Kraft die goldenen Rasen des Mauerpfeffers. Gäben seine Blüten einen Ton, lautete es als Trompetengeschmetter über den Deich. Aber die selig gereckte Julihitze zeugt hier einen anderen Klang: das samumheiße, sausende Summen von Schwärmen kleiner, grauer Mücken. Ein greller Gott wispert hier mit sich selbst: eilig und hitzig, aus trockenen gespaltenen Lippen ...

Antwort

des Schweigens

Gedichte von

Wilhelm Lehmann

Einband von A. Paul Weber, 1935

„Der grüne Gott“

In einer wuchernden wilden Flora heckt, krabbelt, hüpft, kriecht Lehmanns Fauna der Vögel, Schmetterlinge und Insekten. Aber die Natur wird nicht bloß deskriptiv, sondern als „Ausdruck“ gefaßt: „Ein greller Gott wispert hier mit sich selbst.“ Die Natur ist ein Substrat des Geistes, aber nicht in dem Sinne, daß Geister und jener „Gott“ ihr transzendent sind: die Natur selbst ist Elementargeist. Lehmanns Natur hat etwas vom „sanften Gesetz“ Adalbert Stifters; aber es ist auch kein Zufall, daß antike und nordische Geister der Sagen und Märchen beschworen werden:

„Daphne und der Elf“

Die Quitte schwillt. Wie heiß die Lüfte,
Sie kühlt die Hand, die sie umspannt.
So tastete Apollons Finger,
Von Daphnes junger Brust entbrannt.

Wir sind schon über Jahresmitte,
Doch steigt rhapsodisch noch und fällt,
Ein menschenscheuer Elf, Grasmücke,
Aus grünem Zelt in grünes Zelt.

WILHELM LEHMANN

Die wachsende und vergehende, sich immer erneuernde, die in ihrer Fruchtbarkeit unerschöpfliche Natur ist göttlich, deshalb nannte Lehmann einen Gedichtband – nach einer von Loerke für ihn erfundenen Metapher – „Der grüne Gott" (1942 erschienen und teilweise von Bomben vernichtet, die zweite Auflage erschien 1948 und wurde Loerkes „hohem Andenken" gewidmet). Im Sinne des Evangeliums vom grünen Gott werden Mythos, Religion, Geschichte, Menschenwelt und die literarische Überlieferung umgedeutet und umgeschmolzen:

„Göttin der Fruchtbarkeit"

Da Juliglut die goldnen Lippen auf die Wege legt,
Daß sich die Milch im Lattichstengel regt,
Der Odermennig schneller seine Früchte reift,
Flugs sie mir an die Kleider streift –
Seh ich es wellen durch das Meer der Gräser,
Diana ist es der Epheser:

Wenn weiß ihr Angesicht im Grunde schwimmt,
Zerbricht der hohle Weg in einen Duft von Zimt.
Der Glanz beglänzt der vielen Brüste Runde,
Die Erde hängt ihr an mit jedem Munde.
Ich höre die versunknen Wesen saugen,
Ich seh den Staub verwandeln sich in Pfauenaugen.

Lehmann war kein Einzelgänger, mag er sich auch als junger Mensch dafür gehalten haben; er war lediglich einsam. Auch seine Wissenschaften – Philologie, Botanik und am Ende Poetik – stehen in genauem Zusammenhang mit der Entwicklung seiner Epoche. Er ist 1882 als Sohn eines in Südamerika tätigen Lübecker Kaufmanns in Puerto Cabello (Venezuela) geboren. In Hamburg-Wandsbek ging er zur Schule und studierte in Tübingen, Straßburg und Berlin Philologie. In seiner biographischen Aufzeichnung „Mühe des Anfangs" (1952) hat Lehmann seine Entwicklung beschrieben. Da heißt es im Sommer 1900:

Tübingen

... hörte enttäuscht Kunstgeschichte bei dem Einführungstheoretiker Konrad Lange und landete zu nachmittäglicher Stunde bei Übungen im Pflanzenbestimmen. Außer mir nahmen nur zwei katholische Theologen teil. Der alte Hegelmaier handhabte die Pflanzen liebevoll; ich brachte ihm ein weißblühendes Helmkraut, das er noch nie gefunden hatte. Wo blieb die Philologie?

Lehmann dachte daran, sich zur Medizin zu wenden. Der Übergang wäre sinnvoll gewesen; er hätte ihn in die Reihe seiner Generationsgefährten Benn, Döblin, E. Weiß, Goering, Carossa und F. Wolf geführt. (Diese Neigung zum Studium der Medizin war ein Erbe des naturwissenschaftlichen Zeitalters.) Aber es fehlte der Mutter an den Mitteln. So ging er nach Straßburg:

Straßburg

Im Garten eines mineralogischen Institutes schlug sommernächtlich eine Nachtigall so inbrünstig, wie ich es nie wieder gehört habe: es war, als klammere sich ein Mensch an das Gitter seines Gefängnisses und stürze im Übermut der Trauer seine Klage in die Welt. Ich las „Wuthering Heights" [von Emily Brontë], die jütischen Novellen Steen Stensen Blichers und immer wieder Büchners „Leonce und Lena". Ich war weit entfernt von dem Ort, wo mein Körper weilte.

Berlin

Dem jungen Lehmann fehlte das mittlere Glied, die Literatur, und er hoffte diese Verbindung in Berlin zu finden, denn „die Neue Rundschau, die Bücher, die ich liebte, stammten alle aus Berlin". Die Bücher waren Gerhart Hauptmanns „Ver-

Wilhelm Lehmann, Zeichnung von Ludwig Meidner

sunkene Glocke", Emil Strauß' und Hermann Stehrs Erzählungen. (In Stehrs „Leonore Griebel" sah auch der alternde Lehmann noch ein genialisches Werk.) So schrieb er an den Fischer-Verlag, und Moritz Heimann, „ein Menschenfischer", lud ihn ein. In Heimann fand Lehmann seinen ersten Lehrer und Helfer, ein menschliches Vorbild, „ich wurde sein Schüler, sein hingebender Schüler". Wilhelm Lehmanns Schilderung des Kreises um die Neue Rundschau im ersten Jahrzehnt des zwanzigsten Jahrhunderts läßt spüren, wie ihm die Brust weit wurde. Hier lernte er den einige Jahre jüngeren Oskar Loerke kennen, mit dem ihn ein enges Freundschaftsverhältnis auf der Grundlage verwandter Neigungen und Talente verband. In einer ganzen Reihe von Besprechungen und Aufsätzen haben Loerke und Lehmann einander gehuldigt. Auch die späten poetologischen Schriften lassen den Geist Heimanns und Loerkes durchscheinen. Lehmanns Ausspruch „Der poetische ist der wahrheitschaffende Zustand" könnte von Loerke sein. Beider Empfinden und Streben waren verwandt, manchmal identisch. Die Quelle ihrer Dichtung war „Natur" – bei Lehmann Fauna und Flora, bei Loerke mehr die Landschaft.

Oskar Loerke

Die Lehre von der Dichtung als Erlöserin der Existenz, als Artikulation des Seins und damit seine Vollendung, lag auf der Linie der spät-idealistischen Philosophie Georg Simmels, den Lehmann in Berlin hörte, aber auch Heimanns. Später sollte Martin Heidegger eine Sprachphilosophie von diesem Punkt her entwickeln. Lehmann hat sich mit Hegels Sprach- und Bewußtseinsphilosophie auseinandergesetzt. Offenbar fand er hier eine ihm gemäße Theorie. War sie romantisch? Das wahre Wort, das „Lied", ist verborgen in der Natur. Indem man sie zur Sprache bringt, gewinnt man die Wahrheit. Arnim und Cl. Brentano, Lehmanns Lieblinge, hatten aus diesem Empfinden gedichtet. Lehmann spricht als Poetologe:

> Glücklicher, du! Zu süßestem Besinnen
> Durchwandert dich das fabelnde Beginnen.
> Brombeerenblatt belaubt

Teilsam dein Haupt;
Wohliges Ach!
Schiebt sich der Fuß den Wurzeln nach,
Stößt deine Schulter an das Himmelsdach.

Der Dichter

Du überfliegst es mit den Geistern und den Dschinnen.
Das All, in dir verengt,
Wie Wind im Rohr,
Treibt sich aus deinem Mund hervor,
Gehorsam seinem Zwang.
Es hört sich selbst, erschrickt und flieht, bedrängt
Von solchem Drang –
Du nächtigst zwischen Seufzer und Gesang.

Der Lehrer

Lehmann legte das Staatsexamen für das höhere Lehramt ab, ging in den Schuldienst und war – meistens in Schleswig-Holstein – Studienrat. Einige Jahre unterrichtete er in Wickersdorf und scheint unter Wynekens pädagogischer Tyrannei geseufzt zu haben. Man kann dem erzählerischen Werk Lehmanns eine Fülle von Fremd- und Selbstporträts entnehmen. Fast immer ist der Held ein Lehrer, der seine Freuden und Nöte mit Schülern und Kollegen hat. Wichtiger ist ein innerer Gegensatz: Lehmanns Lehrer gehen nicht in ihrem Beruf auf, sondern werden von ihm zerrieben. In Lehmanns erstem Roman, „Die Bilderstürmer" (1917), stiftet ein rebellischer Lehrer eine „Schule neuer Menschen". Dabei handelt es sich nicht um den Typ des damaligen expressionistischen Schemas, sondern um einen Menschen, der in die Natur entlassen wird, damit er sich ungehemmt entfalten kann. Der Held der „Schmetterlingspuppe" (1918) war ein Lehrer in Mecklenburg, dessen Ehe zerbrochen ist, der in Irland und Holstein vergebens eine neue Existenz zu gewinnen sucht, wie die symbolische Schmetterlingspuppe.

„Weingott"

Der Roman „Weingott" (1921) spielt in einer Universitätsstadt nach dem Deutsch-französischen Krieg von 1870/71. Der Held heißt Weingott und ist Historiker, der zwischen der „Dame Vernunft" und der „Dirne Phantasie" hin und her getrieben wird. Das geistige Leben der kleinen Stadt schwankt zwischen zwei Extremen. Auf der einen Seite stehen die Vertreter der rückständigen religiösen Orthodoxie, auf der andern die eines sich wissenschaftlich gebenden Materialismus. Sie lesen Georg Ebers, David Friedrich Strauß, Ludwig Büchner („Kraft und Stoff", 1855; er war ein Bruder des Dichters G. Büchner) und sprechen, an Stelle von geistiger und literarischer, von „Herzensbildung", womit sentimental verfälschtes Gefühl gemeint ist. Unter diesen Professoren und ihren Familien lebt Weingott. Er wird mit den Gegensätzen, die noch durch soziale Konflikte verschärft werden, nicht fertig und endet tragisch. Die Schwäche des Romans ist der herbe, etwas knappe Zuschnitt, in dem nur die lyrischen Medaillons wirklich leuchten.

Unter den Erzählungen der folgenden Jahre ragt „Die Hochzeit der Aufrührer" (1934) hervor. Sie erzählt die Geschichte jenes Lehrers, der einen neuen Menschheitszustand mit überspannten Ideen begründen möchte. Die Erzählung spielt in den Bergen der Südschweiz. Man diskutiert Erfolge oder Mißerfolge der russischen Revolution, und Piscator wird von einem Extremisten als Erneurer des Theaters gepriesen. Der sektiererische Charakter der Forderung wird deutlich:

In der Nacht fiel ein schneller Regen, zur Taufe der jung geglühten Erde. Sie stand flink zur Meisterschaft auf. Der zerschlitzten weißen Lichtnelke stieg eifersüchtig der Tauben-

Eine kurze Weile
Wünscht es mir mit den Emblemen
Ähre, Distel, Zaun erblicken,
Muß sich meine Hand bequemen
Zu ein paar Gedächtnisstücken.

Wellig zieht der Horizont,
Ihn beziehen weiße Reiter.
So ängstlich übersonnt
Sieht Vergänglichkeit selbst heiter.

Die verkühlten Vögel sammelt Wanderzug,
Die versprengten Worte ordnet Fug.
Hört Verhängnis Huldigung ergehen,
Mäßigt sie die Eile,
Eine kurze Weile
Läßt sie das Gesagte stehen.

Wilhelm Lehmann

Wilhelm Lehmann, Handschriftprobe

Neue Menschen

kropf nach, sie mit seiner Schönheit zu überflügeln ... Ein leiser Wind nahm den Eschen ihre Schoten weg. Ramloh blieb stehen und strich mit dem kleinen Finger über die glatt Gedrechselten. „Schön wie sie und unbrauchbar", sagte er zu sich, „das könnte ein Gedichtanfang sein. Ich bin auch unbrauchbar, aber wenn ich schreite, füllt das Ganze mein Gesicht. Man muß aufpassen, daß einem nichts entgeht. Wenn ich die Gegenwart sehe, wenn ich sie *ganz* sehe, verwirrt mich keine Utopie. Nicht alles ändert sich. Einiges ist immer da und wartet zufrieden, bis es verstanden wird."

„Ruhm des Daseins"

Auch in seinem größten Roman, „Ruhm des Daseins" (1953), der schon viel früher geschrieben wurde und eigentlich „Der Provinzlärm" hieß, wird eine verfehlte Methode der modernen Erziehung, wie in „Weingott", deutlich. Es heißt über den Schuldirektor Lupinus:

Lupinus sehnte sich nach Anerkennung. Er redete und schrieb von den „leuchtenden" Augen der Schüler. Aber er betrog sich; hinter dem Rausch seiner Begeisterung zeigte sich kaum ein unbefangenes freudiges Gesicht. Die Schüler ließen den pathetischen Fanatismus nicht viel anders über sich ergehen als die Lehrer.

Held des Romans ist ein Lehrer, der nichts „will", so daß schließlich auch Lupinus dessen Lebensgewohnheiten „nachmodelte" und „liebenswert" wurde. Aber dieser Lehrer wird von einer Schülerin geliebt, und so muß er versetzt werden: der wahre Mensch kann in einer denaturierten künstlichen Welt nicht existieren. Diese Romane stellen Lehmanns Kritik an der Zeit dar. Es sind nicht Schüler-, sondern Lehrerromane. Lehmann geht es nicht um Bildung und Erziehung der andern, sondern um das poetische Ich, jenes Organ, das sich seiner Besonderheit in der Welt unglücklich-glücklich bewußt ist.

Sinn der Lyrik

In den zwanziger Jahren hat Lehmann die ersten Gedichte publiziert. Sie erschienen einzeln oder in kleinen Folgen in der „Neuen Rundschau". Erst 1934 kamen sie in einem Bändchen unter dem Titel „Antwort des Schweigens" heraus. Lehmann wählt einen Ausschnitt aus Fauna und Flora, der dazu dient, bestimmte Phänomene sichtbar zu machen; er will nicht Stimmung geben oder Gefühle wecken, sondern den Menschen zu sich selbst befreien, indem er ihn der Enge einer banalen – ideologischen, technischen, rationalen – Existenz entreißt. Es ist eine Art von Programm, wenn Goethe zitiert wird: „Naturgeheimnis werde nachgestammelt". In dem Aufsatz „Erfahrung des Lyrischen" heißt es:

Dichten als Widerstand

Auch der Mensch, der die phänomenale Welt verwirft, kann sich der Wucht der Erscheinungen nicht versagen. Die Kunst kann der Materie nicht entraten. „L'art chrétien", bemerkt André Gide, „en tant qu'art chrétien, n'existe guère, peut-être y a-t-il contradiction dans les termes." Fichte war nicht einverstanden mit der natürlichen Herkunft des Menschen. Aber, vergängliches Geschöpf, das er ist, ein Spiel von jedem Druck der Luft, hat der Dichter Ursache genug, sich im Diesseits anzusiedeln und in seiner Erstaunlichkeit auszukennen. Die Gehörs- und Gesichtszauberei der Verse „Der Ahorn mild, von süßem Safte trächtig, / Steigt rein empor und spielt mit seiner Last" ruht auf realen Verhältnissen: bevor man aus Zuckerrohr, Zuckerrübe und aus einer Art Ahorn den Zucker gewann, süßte man mit Honig. Der Dichter läßt nicht ab, sich der Realität mit Sprache, mit Worten als den Fühlfäden aller seiner Erkenntnis, zu bemächtigen. Er stößt aus einem Scheinleben der Dinge zu ihrem eigentlichen Dasein, das will heißen, aus der Scheinsprache zu der eigentlichen Sprache vor. Heute ist das dichterische Tun, da Sprache den heutigen Menschen nur noch schwach durchgeistet, eine *Widerstandsbewegung.*

Das Weltbild des Dichters Lehmann, seine Sprachlehre, seine Meinungen über andere Dichter und andere Möglichkeiten der Poesie braucht man nicht zu teilen; man kann sie Formen des Selbstverständnisses nennen. Denn Lehmann ist kein naiver Dichter. Der reiche Aufwand von philologischer, botanischer, geographischer und anderer Gelehrsamkeit zeigt, daß er als Typus dem Poeta doctus nahekommt, und das Fehlen lyrischer Gefühlstöne erschwert einem breiten Publikum den Zugang zu diesem Dichter.

Arnim und Brentano

Während Lehmann Klopstock und die christliche Motivwelt ablehnt, beruft er sich auf Armin und Brentano, die die Anarchie des Lebens mit der Poesie bewältigen wollen. Lehmanns Verfahren steht dem ihren nahe: Der Dichter gibt dem Namenlosen seinen Namen.

Wenn die Mittagslichter brennen
Und die andern Menschen ruhn,
Kommt in seinen grauen Garten
Nur der Dichter, nichts zu tun
Als das Namenlose nennen.

Im Grunde gibt es hier weder eine Person noch den Geist; sie existieren lediglich als Durchgangs- und Artikulationspunkte in einem offenbar ewig fortspinnenden Prozeß. Die Buchenblätter im Herbst wirbeln dunkel davon. Das Gedicht selbst durchstößt den Vorgang und zeigt ein Gesetz:

„Dunkelnde Buchenblätter“

Da sie bezaubert zaubernd hingen,
Hat sie der Südwind schnell verführt,
Von ihrer Schönheit angerührt.
Als sie in seinem Arm vergingen,
Erscholl ein leises Wehgeschrei:
Ist unsre Jugend schon vorbei?

Huflattich stiebt im Windestanz,
Zerrissen liegt ein Jungfernkranz.
Wie dunkel jetzt die Blätter hangen!
Gelassen hebt die Anemone
Die vielgespitzte Früchtekrone.
Vergängnis schreckt? Laß dich vernichten.
Die Söhne werden weiter dichten.

Das ist ein erschreckender Trost, er stimmt in seinen erotischen Bezügen eher für Pflanzen und Tiere als für den Menschen, der doch unverwechselbar und einmalig, „ewig“ ist. Das Problem hat Lehmann unablässig beschäftigt. In dem Gedicht „Die Signatur“ hat er es dichterisch zu fassen gesucht. Die Vögel leben noch im Angesicht der Götter, was aber ist mit dem Menschen? Wo und wie wird er den Seinsgrund gewahr? Das Bild der Vogelwolke (wie bei Loerke und F. Schnack), die Chiffren des Vogelflugs am Himmel, die Ziselierung eines Sandwegs durch Schaftritte – was bedeuten diese schönen Zeichen, und was ist die Signatur des Menschen selbst?

„Die Signatur“

Damastner Glanz des Schnees,
Darauf liest sich die Spur
Des Hasen, Finken, Rehs,
Der Wesen Signatur.

In ihre Art geschickt,
Lebt alle Kreatur.
Bin ich nur ihr entrückt
Und ohne Signatur?

Es huscht und fließt und girrt –
Taut Papagenos Spiel
Den starren Januar?
Durchs Haupt der Esche schwirrt,
Der Esche Yggdrasil,
Die Hänflings-, Zeisigschar.

Die goldnen Bälle blitzen.
Vom Mittagslicht gebannt,
Bis sie in Reihen sitzen,
Der Sonne zugewandt,
Wie Geister von Verklärten,
Die noch die Götter ehrten.

Die leisen Stimmen wehn
Aus den verzückten Höhn
Ein Cembalogetön.
Die Vogelkreatur,
Kann ich sie hören, sehn,
Brauch ich nicht mehr zu flehn
Um meine Signatur.

Die Struktur dieser Strophen ist frei, aber man bemerkt, daß sie einander antworten. Die I- und A-Reime der dritten Strophe sind erotische Lautsymbole, wie Papageno und die Vogelschar Sinnbilder der Fruchtbarkeit sind. Die letzte Strophe antwortet der zweiten, und die Lösung besteht darin, daß der Mensch in der lauschenden Hingabe an die zwitschernde Kreatur innerlich frei wird. Man muß die Phänomene nicht, wie jene schlechten Erzieher, gängeln, sondern sich an sie hingeben. Die beliebte „magische" Deutung hat bei Lehmann nur dann einen Sinn, wenn man weiße Magie meint, die den Menschen nicht be- und verzaubert, sondern ihm hilft. Als eigentlicher Feind des modernen Menschen erscheint bei Lehmann der logische Fanatismus oder die fanatische Logik. Ein Mensch, der sein Leben nach ihr einrichtet, hat seine Signatur verfehlt. In einem Aufsatz „Wirkungen der Literatur" hat Lehmann sich auf Valéry und Novalis berufen:

Wirkungen der Literatur

Das gelungene Gedicht vernichtet das Begriffliche, in der Verklärung noch bleibt es greifbar; es ist knapp, aber von der schwankenden Knappheit einer Frucht; sein Wort ist reinlich, schmeckt aber nach Erde wie die Hand des alten Lear . . .
Wir mögen auf Grund eines körperlichen Beschlusses existieren, wir *sind* erst in der Dichtung. Wir sind alle nur so weit vorhanden, als wir uns dichterisch verhalten, um nicht zu sagen, wenn wir dichten. Mit Novalis' Worten: „Die Poesie ist das echt absolut Reelle. Dies ist der Kern meiner Poesie. Je poetischer, je wahrer." . . . Die Poesie sorgt, daß das Denken nicht zum Klischee ermatte, befreit uns von den Abziehbildern der Abziehbilder, rettet uns vor dem Tode der Gewöhnlichkeit. Ich sah den Weberknecht, die Spinne, nicht, bevor Verse sie entdeckten:

Die flieht am senkrechten Absturz gespenstisch
Lautlos auf langen Beinen wie Rauch:
Schon schläft sie vergessen hoch oben im Dunkel
Wie ein geretteter Krüppel auf Krücken
Zwischen zitternden Stöcken eingeknickt.

Wurde ich des Schwalbenfluges inne, bevor ich hörte:

Um Hals und Hüften legen Schwalben
Tief den saturnisch schiefen Ring?

. . . Tapferkeit gehört zu der nie erlassenen Mühe, den immer wieder verschütteten Schatz zu heben, denn immer wieder stiebt der Staub, eilt das Unechte, dem Echten seinen Platz zu stehlen.

Die Gedicht- und Essaybände

Lehmanns Gedichte stehen in den Bändchen „Antwort des Schweigens" (1935), „Der grüne Gott" (1942), „Entzückter Staub" (1946), „Noch nicht genug" (1950), „Überlebender Tag" (1954) und sind gesammelt in dem Band „Meine sieben Gedichtbücher" (1957), die im letzten Teil noch zwölf Gedichte aus den Jahren 1955–57 enthalten. 1962 erschien der Gedichtband „Abschiedslust". Es sind im ganzen etwa 250 Gedichte in 35 Jahren. Der Band „Bewegliche Ordnung" (1947) enthält Essays und die später in „Mühe des Anfangs" aufgenommene Kindheitsgeschichte. Der Band „Verführerin, Trösterin", aus dem gleichen Jahre, sammelt

WILHELM LEHMANN

die Erzählungen, als Hauptstück „Die Hochzeit der Aufrührer". „Dichtung und Dasein" (1956) enthält die poetologischen und kritischen Schriften. Die Ungunst der Zeiten ließ diese Werke so spät erscheinen, obwohl sie, wie auch die Gedichte, zum großen Teil wesentlich früher entstanden sind. Lehmanns Dichtung setzte sich während des Dritten Reiches langsam durch; aber erst die späteren Bände gaben ihm sein großes Ansehen. Es bildete sich eine Lehmann-Schule. Elisabeth Langgässer, die ihm auch in Essays gehuldigt hat und seine Thematik christlich umsetzte, Günter Eich, Peter Huchel und Karl Krolow gehören dazu. Die indirekte Ausstrahlung ging jedoch wesentlich weiter; man findet den Lehmannton fast so häufig wie vor zwanzig Jahren den Rilke- und Traklton. Lehmann ist der letzte Autor aus dem Geschlecht der Naturalisten im weitesten Sinne, und der lange verkannte Dichter hatte das Glück, seine nahezu unbestrittene Anerkennung noch zu erleben.

Die Lehmann-Schule

Georg von der Vring

GEORG VON DER VRING

Wenn man die Werkliste Georg von der Vrings betrachtet, so überwiegen bei weitem Erzählungen und Romane, und gewöhnlich wird er als Erzähler gewürdigt. Aber die in den dreißiger Jahren einsetzenden lyrischen Veröffentlichungen begründeten seinen literarischen Ruhm. Seit „Englisch Horn" (1953) hat von der Vring als Übersetzer von Lyrik einen respektierten Namen, der sich auch auf seine früheren Übersetzungen von Jammes, Maupassant, Blake und Verlaine stützte. Seine Übertragungen sind nicht Übersetzungen von Inhalt, Sinn und grammatischem Bestand, sondern lyrische Gebilde aus der Kraft der eigenen Poesie. Vrings eigene Form wurde das Lied in den einfachen, vierzeiligen, gereimten Strophen der deutschen Überlieferung, denen er seinen Ton gab:

Einführung

„Im Laubgang"

Am liebsten hab ich gelebt
Im Schleier verregneter Gärten.
Hier fanden mich gute Gefährten.
Wir haben nach Hohem gestrebt.

Sie fielen, so blieb ich allein
Und lebte, da niemand mich störte,
Ein Leben, das keinem gehörte,
Und also war es nicht mein.

Die weiße Dahlie am Zaun
Wird nie meine Grüße erwidern,
Begehr ich in einsamen Liedern
Sie anders und schöner zu schaun.

Bald zieht mich der Abend hinaus.
Kühl hängt das Laub in die Gänge.
Bald schallen im Regen Gesänge
Der alten Gefährten ums Haus.

Das Erlebnis des Krieges

Von der Vring ist 1889 in Brake an der Unterweser als Sohn eines Seemanns geboren. Er sollte Lehrer werden und besuchte das Seminar in Oldenburg. Die Malerei interessierte ihn damals mehr als die Dichtung, und so besuchte er 1912–14 die Berliner Kunstschule. In dem Erinnerungsbuch „Die Wege Tausendundein" (1955) hat von der Vring aus Jugend und Familie, Schule, Seminar und Kunstschule erzählt. Dies Leben wurde durch den Krieg jäh unterbrochen. Von der Vring geriet als Kompanieführer verwundet in amerikanische Gefangenschaft. In dem Roman „Camp Lafayette" (1929) hat er Gefangenschaft und Flucht aus einem Offizierslager geschildert. Das Kriegserlebnis hat der Dichter in „Soldat Suhren" (1927) dargestellt, das als dichterische Aussage den Ruf des Autors begründete. Das Erlebnis der Kameradschaft, der Treue, der Einsamkeit des Künstlers und des einfachen Mannes haben von der Vrings weiteres erzählerisches Werk genährt, auch in seinen historischen Romanen, wie im „Schwarzen Jäger Johanna" (1934), „Die spanische Hochzeit" (1938) und den fingierten Aufzeichnungen eines oldenburgischen Rittmeisters vom vergeblichen Aufstand der Friesen gegen Napoleon in „Der Büchsenspanner des Herzogs" (1937). In dem Roman „Der Wettlauf mit der Rose" (1932) hat von der Vring ein Thema behandelt, das Döblin in seinem „Hamlet" nach dem zweiten Weltkrieg tiefenpsychologisch aufgegriffen hat (ein Soldat verliert sein Erinnerungsvermögen).

Auch die Rahmengeschichte „Der Goldhelm" (1938) erzählt von Krieg und Liebe. In den Jahren bis 1928 war von der Vring Zeichenlehrer in seiner Heimat, in Jever. Seit 1930 lebte er als freier Schriftsteller in Süddeutschland, erst in Stuttgart, seit 1951 in München.

GEORG VON DER VRING

Georg von der Vring

In der Erzählung „Der ferne Sohn" (1942) begegnen sich die Generationen: die Gedanken des Vaters, der im ersten Kriege schon Soldat war, gehen zu seinem Sohn, der in Frankreich die Feuertaufe erhält. Zufällig treffen sie sich, und das gemeinsame Erlebnis führt sie auch innerlich wieder zusammen. 1939 erschienen von der Vrings Soldatenlieder unter dem Titel „Dumpfe Trommel, schlag an!". Es sind Gedichte, die von der Vring im ersten Weltkrieg geschrieben hatte. Dort finden sich rein lyrische Stücke, wie „Waldlager bei Billy", „Marsch zur Front", das „Lied der Soldatenwitwe" und „Manches Jahr":

„Manches Jahr"

Manches Jahr hab ich getrauert,
Manches Jahr auf dich gelauert,
Daß du kämst mich zu besuchen
Bei den Eichen, bei den Buchen.

Aber ach, es blieb das Gleiche
Bei der Buche, bei der Eiche:
Wort, das dort so oft gesprochen,
Kann nicht an den Himmel pochen.

Er ist hoch und ich bin nieder,
Er ist leichter als Gefieder.
Blätter streifen meine Hände,
Mir zu sagen, was ich fände.

Entwicklung der Lyrik

Von der Vrings erste Bändchen waren „Muscheln" (1913) und „Südergast" (1925). (Ihnen sind die ältesten Stücke des großen Sammelbands „Die Lieder des Georg von der Vring" [1956] entnommen, vor allem die Gedichte aus dem Felde.) Darauf folgten „Verse" (1930), „Das Blumenbuch" (1933), „Garten der Kindheit" (1937), „Bilderbuch für eine junge Mutter" (1938), „Lieder" (1938) und,

GEORG VON DER VRING

als erste größere Sammlung, „Oktoberrose“ (1942). In dieser mittleren Periode klingt immer wieder der Ton des Volks- und Kinderliedes an. Aber es findet sich auch das Liebeslied eines Mädchens mit dem Ton erotischer Traumvergessenheit:

Wenn wir Mund auf Munde
Lagen in der Nacht,
Ward zu mir die Kunde
Jener Zeit gebracht
Da ich dich nicht fühlte,
Und im Gartengrund
Mir die Lilie kühlte
Angesicht und Mund . . .

Georg von der Vring schien von den Naturlyrikern der volkstümlichste und „naivste“ zu sein. Seit den Liebesgedichten „Verse für Minette“ (1947) nahm seine Dichtung einen sonoren Klang an, und da finden sich die Stücke von lyrischer Schwermut, in denen die seit Loerke virulenten Keime einer neuen Kunstdichtung über die Chiffren der Natur entwickelt werden:

„Schwarz“

Nacht ohne dich.
Wer wird mein Herz bewahren?
Der Mond erblich.
Die Vogelwolken fahren.
Vorüber strich
Ein Schwarm von schwarzen Jahren.

Noch anschaulicher wird das Verfahren da, wo der Dichter nah am Objekt bleibt:

„Der Häher“

Als Markwart meine Kirschen aß,
Da wolltst du, daß ich dein vergaß.

Der dich vergäß, verlör auch sich
Samt Kirschenblut und Schnabelstich;

Und auch dir selber blieb' als Rest
Nicht mehr, als Markwart übrig läßt:

Ein Kirschenrest, ein Blätterwehn,
Und wo du gehst, allein zu gehn.

Die lyrische Kraft wirkt am stärksten, wenn Bild und Metapher nur noch poetischen, scheinbar keinen logischen Zusammenhang haben:

„Grab unter Kirschbäumen“

Unterm Geglitzer der Sterne,
Kirsche, du schwarzer Schein,
Reifen die blutigen Kerne
Dir in den schwarzen Wein.
Aber schon färbt sich die Ferne,
Suchen im schwarzen Hain
Frühwinde mich, ob ich lerne
Singen im schwarzen Stein.

Hier ist ein Sonderthema der deutschen Lyrik seit dem Ausgang des neunzehnten Jahrhunderts noch einmal traumhaft sicher aufgenommen, die Identifizierung des Ich mit der Welt, im Bild der wachsenden Kirsche, bei der Fruchtfleisch und

Kern mit- und ineinander werden und wachsen. Ähnlich wie bei Lehmann und Schnack gibt es auch bei von der Vring Schlüsselstellen, in denen der Dichter sich als Mund der Natur, als Artikulation der stummen Existenz empfindet; er setzt sich gleich mit den Blumen und dem Regen, der Erde und der Nacht. Auch die Liebe zwischen dem Dichter und der Geliebten wird als ein Sinnbild der Vereinigung des Ich mit dem All gedeutet, wobei die Bilder der wachstümlichen Natur vorwiegen: „Wenn Blätter im November wehn, / Wir schauen durch die Scheiben.“ Gewiß ist diese Vorstellung nicht gerade neu, aber sie ist nicht sentimental gemeint; denn jenes Ich, das sich da „empfinden“ soll, ist selbst vergänglich, seiner selbst nicht gewiß. Im Gegensatz zu den hybriden Versgebilden, die das Ich als Mittelpunkt der Welt setzen, steht von der Vrings späte Lyrik im Zusammenhang mit dem Vergänglichkeitsthema der englischen Lyrik: GEORG VON DER VRING

„Aus einer Nacht“

Oh Nachtgedank, mein Ungewinn:
Ich werde nie sein, der ich bin.
Der Ulmbaum ist's, das Weinlaub ist's,
Du Regenguß an Scheiben bist's,

Ihr Füchse seid's, ihr Gruben seid's.
Ein hingeflüstert Wort bereits.
Dies lag mir schon im Kindersinn:
Ich werde nie sein, der ich bin.
Die Mutter war's, das Zimmer war's.
Der Fluß im Sterngeflimmer war's.
Ein Hund im Ort, ein Hund an Bord,
Ihr Zorngebell durch Stunden fort.

Mich führt kein Weg zu keinem hin:
Ich werde nie sein, der ich bin.
Was ich bedenk, bleibt ungelenk,
Was ich betracht, scheint ungeschlacht;
Was ich mir träum, sind Uferbäum,
Darin ich euren Ruf versäum.

Ihr ruft mir schon seit Anbeginn,
Jedoch ich bin nicht, der ich bin.
Ich hör im Ried, ich hör im Schilf
Mein unverlierbar Lied: Gott hilf!
Und greif ins Haar, ob ich erfahr,
Daß ich ein Schilf, ein Ried nie war.

Das lyrische Ich

Die große Zahl der Schlußreime auf i, die Binnenreime der fünften Strophenzeile, die Antinomien von Sein und Nicht-Sein entsprechen einander durch das ganze Gedicht hin und geben ihm die lullende Form, die wie geschaffen scheint für den Ausdruck der Identifizierung des Ich mit einem Nicht-Ich. Aus der Reihung der negativen Werte entsteht der Ton der romantischen Klage eines rein lyrischen Ich, das den Kern seiner Existenz ausspricht. Das Gedicht stammt aus dem Band „Kleiner Faden blau“ (1954). Die kunstvolle Verschränkung der Themen, Motive, Bilder und Gleichnisse wurde in der letzten Epoche von der Vrings, („Der Schwan“, 1961) vereinfacht zum Spröden und zur Meditation. Es heißt von den Beeren, die sich im Oktober röten, vielleicht zum letztenmal für den Dichter: „Sie mögen, als ob wir noch wären, / sich röten – aber sie waren / In all unsren

Altersformen

Sturz der Rosenblätter

Plötzlich unter dem Regen
Fielen die Blumenblätter der Rose,
Wessen Rose
Fielen ?: Von wem gelesen ?

Und die Großen der Erde
Sprachen: nein!
Aber dein kleines
Herz war anders fröhlich gewesen.

Georg von der Vring

Georg von der Vring, Handschriftprobe

wenigen Jahren / roter als irgendwann.“ Die scheinbar einfachen Mittel seiner Kunst dienen der Chiffrierung. Der Flockenwirbel des Schnees wird zum Bild des Menschen:

„Flocken in der Frühe“

Du meinst – da uns die Bienen
Aus Schnee und garem Nichts
Hinwirbelnd sind erschienen
Beim Graun des Morgenlichts –:
Auf die sei nicht zu zählen,
Wenn wir den Weg verfehlen
Auf all den Serpentinen
Ins Heile und ins Nichts.

Von der Vring wandte seine Bemühungen als Übersetzer im Alter der angelsächsischen Lyrik zu, der größten unseres Kulturkreises, der er sich aus niedersächsischem Empfinden wohl auch innerlich verwandt fühlte. Er begann sein

„Englisch Horn" mit einem Stück aus Chaucer und bot dann Proben aus dem Werk der großen Elisabethaner. Den ersten Höhepunkt des Bandes bilden Lieder aus Shakespeares Stücken. Herrick, George Herbert und Richard Crashaw sind besonders gut gelungen – Dichter, die sehr schwer in unsere Sprache und unser Zeitgefühl zu übertragen sind. In den späteren Epochen stieß von der Vring auf seine alten Lieblinge Blake, Shelley, Keats und Tennyson. Er übertrug, unter vielen andern, fünf Stücke von G. M. Hopkins, vier von Joseph Frost und James Joyce sowie je ein Gedicht von fast allen modernen anglo-amerikanischen Lyrikern. „Englisch Horn" gehört zu den bedeutendsten Leistungen dieser Gattung. Es hat seinen Platz neben den Übertragungen von George, Borchardt, von Taube, Rilke, Voßler und Schröder.

Der Übersetzer

Friedrich Schnack

Mit fünfundzwanzig Jahren ließ Friedrich Schnack ein Heft mit vierzehn Gedichten erscheinen, „Herauf, uralter Tag" (1913). Er war 1888 in der Vorderröhn in dem Dorf Rieneck als Sohn eines Gerichtsvollziehers geboren. (Sein Bruder Anton, der als expressionistischer Lyriker begann, ist vier Jahre jünger.) Schnacks eigener Ton war angeschlagen. Aus weiteren lyrischen Sammlungen kam nur ein Gedicht in die erste reife Sammlung, das Bändchen „Das kommende Reich" (1920). Besonnte Heimat, verhüllte Fremde, lichte Gegenwart und dunkle Vergangenheit, Wirklichkeit und Traum, Zeit und Ewigkeit, Technik und Magie spielen ineinander. Die Jugendzeit, die Heimat an Saale und Main, die Arbeit der Wein- und Weizenbauern, der Blumen- und Tierforscher, der Bildschnitzer, Musiker, das Leben der Waldmenschen und der in geheimnisvolle Ferne entrückten Abenteurer und Reisenden geben die Motive. Durch Erinnerungen verklärt, steigt die Jugendheimat Franken auf, während von der Stadt gesagt wird: „Du besitzest mich nicht." Der Blick des Dichters umfängt Wiesen, Ströme, Wälder, die Blumen und Bildstöcke, die Falter über den Weinbergen.

„Herauf, uralter Tag"

Der Dichter Frankens

„An die Flur"

Aus deinen Schluchten dampft der Morgenrauch,
Ich höre deine hellen Flüsse schallen,
Feucht blitzt der Tau, ans Sterngewölk gefallen,
Lobflammen brennen aus geweihtem Osterstrauch.

Wie fühl ich dich, erhabner Geist der Flur,
Dein großes Herz klopft heiß im Saft der Wälder,
Rot glänzt dein Blut im braunen Strom der Felder,
Die Bronce deines Leibes schmückt des Ginsters Feuerschnur.

Aus Teichen leuchtet sinnend dein Perlmutterblick,
Hier sitzt die Fabel alt und hütet ihre Wunder,
Der Zeitenvogel wacht vertieft im seufzenden Holunder,
Die Sonnenblumen deiner Gärten künden Gold und Glück.

Umlaube mich, umgrüne mich, uralte Sommeraue!
Ich bin dein Sohn und deines Schoßes Frucht,
Geborgen süß in dir – im Schatten deiner Braue
Bleiben die Einfältigen und Weisen wie Lämmer unversucht.

Friedrich Schnack

Schnack war im ersten Weltkrieg als Soldat in die Türkei geraten; dieses Erlebnis hatte seine „eigentliche Stimme“ freigemacht. „In den orientalischen Städten, Dörfern, Friedhöfen und Landschaften, am Schwarzen Meer, Bosporus, Goldenen Horn und im Marmarameer, wo ich nach Kriegsende bis zum Frühjahr 1919 von der Mittelmeerflotte interniert war, auf der Insel Prinkipo ... dort fand ich neue Klänge, Bilder, Strophen.“ Die Titel von Gedichten wie „Lebenslied“, „Spuk“, „Verwehende Seele“, „Der Siebentag“, „Verfehmtes Gesicht“, „Der große Engel“, „Der Entkettete“, „Licht der Welt“, „Tod in Asien“ bereiten auf die Verwandlung der Welt in ein Geheimnis vor:

Das Meer verröchelt in der Nacht — o schwarzer Ebenholzhain!
Ein Stern fiel weiß in Mitternacht, und Lorbeerbusch roch schwer und alt
Bei einem goldbemalten Stein,
Der einem Toten galt.

Das imaginierte Reich

Das Erlebnis ist dem von Arnim T. Wegner verwandt, der als Soldat im alten türkischen Reich orientalische Schönheit, aber auch wahrhaft orientalische Greuel erlebt hatte, nur daß Friedrich Schnack ganz anders darauf reagierte: er entwarf „das kommende Reich“ seiner dichterischen Bilder, jenes halb reale, halb phantastische Reich seiner Einbildungskraft. Franken und der Orient schieben sich dann übereinander. Bald wird Schnacks Geographie den planetarischen und kosmischen Raum einbeziehen, werden paradiesische und transzendentale Reiche einbeschlossen. Die von der zeitgenössischen Lyrik verlästerte Welt erscheint hier in heiterer Verzückung. Sicher haben Max Dauthendey, Walt Whitman und Franz Werfel auf den Lyriker Schnack gewirkt, so wie seine Prosa von Jammes und Maeterlinck beeinflußt wurde.

Sprachliche Bilder

Schnack suchte neue Bilder für sein Weltbild: in den ersten vier Versen von „An die Flur“ bildete er Morgenrauch, Sterngewölk, Lobflammen und Osterstrauch. Die Verbindung von zwei Hauptwörtern zu einem neuen ist das typische Stilmittel in dieser Zeit: Sternenbrot, Traumgang, Bettlerstirnen, Gotteswolke, Vogelflur, Weizenträume, Schicksalswind, Seelenblume, Traumgong, Schatten-

(Getöse, Geheule aus den Eichen. Erschreckt fliehen alle.)

Zuschauer und Gäste: Laufts' – Jetzt kommens! – Die Schiechen [Häßlichen]! D' Wilden! Ai! Laufts! Ai!

Altbäuerin (der Ohnmacht nahe): Peter . . .

Peter (zur Magd): Fürchte dich nicht!

(Die schiechen, wilden Perchten rücken an, in Teufelsgestalten, furchtbar. Sie kommen mit ihren Zaubersprüngen, schrecken, jagen, überfallen Weiber, schütten den Wein aus.)

Metzger: Ich mach das Kreuz! Der Percht, er scheuts!

Der Altknecht (zur Altbäuerin): 's Feuer springt ihnen aus der Hand, ausm Maul. Aufs Dach fliegt der rote Hahn. Hat gleich euer Haus 's Flammenhemmat an.

Rufe der Gäste: Feuer! Feuer! (zur Altbäuerin) Euer Haus verbrinnt! Ai! Ai! Ai!

(Gejammer, Geschrei. Das Feuer schlägt aus Peters Hause.)

Altbäuerin: Wo sinds, die helfen? –
Die Schönen, die Guten?

Metzger (lacht): Verflogen, zergangen!

(Schieche Perchten umringen die Altbäuerin, die schreiend flieht.)

Perchtinmutter (rüttelt die Magd, die wie in einem goldenen Scheine mit Peter steht; geborgen, liebesselig): 's Haus!! Es verbrennt! – Die Flamme hats! – –

Die Magd (sich wie erinnernd): 's Haus? . . .

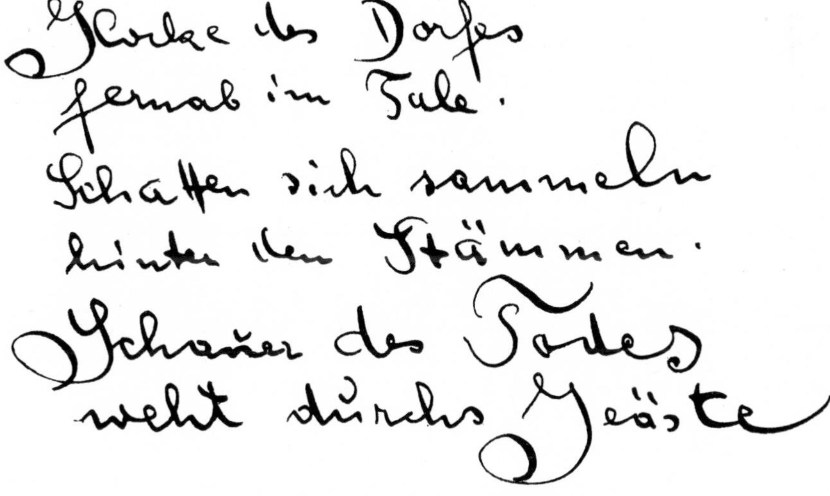
Glocke des Dorfes
fernab im Tale.
Schatten sich sammeln
hinter den Stämmen.
Schauer des Todes
weht durchs Geäste

Richard Billinger, Handschriftprobe

Die Magd erwacht und stürzt ins Haus, die Sachen zu retten; sie kommt darin um. Peter will wieder in die Ferne, er vermacht das Haus dem Metzger mit der Verpflichtung, die Alten aufzunehmen. Da erschlägt ihn der im Wirrwarr der Vernichtung wahnsinnig gewordene Ahn. Eine schwangere Magd aber hat ein Kind von Peter entbunden; und dann schreiten, riesenhaft goldschimmernd, die vierzehn Nothelfer heran, ein jeder mit seiner Gabe. Die Heiligen triumphieren über die Mächte der unholden Natur.

„Rauhnacht"

Mit diesem Stück und „Rauhnacht" (1931), dem 1932 der halbe Kleistpreis zugesprochen wurde, errang Billinger seinen Ruf als Dramatiker. („Das Perchtenspiel" wurde in Salzburg als Festspiel gegeben, „Rauhnacht" wurde in den Münchner Kammerspielen uraufgeführt.) Kreszenz, die Kramerstochter, erlebt in einer episodenreichen Handlung, „bebend vor Erwartung“, die Rauhnacht, den heidnischen Spuk am Tag vor dem Heiligen Abend:

Die Rauhnächtler erscheinen wie im Triumphzuge des Satans. In umgestülpten Schafspelzen, in langen, weißen, mit Goldpapiersternchen verzierten Hemden; Gestalten mit Eberköpfen, Hirschhäuptern, Kuhhäuptern; „Hexen“, „der Teufel“, „die Nonne“ kommen, in der „Ordnung“, in einem Zuge, im Tanzschritte. Es schreiten auch einher „der Acker“, ein Grüngewandeter mit den Heuhaaren, „der Wald“, einer, der Astarme und das Wipfelhaupt trägt. Der Hanswurst mit der Schlagschlange umhüpft den Zug. Pferdeschellen, Kuhhörner, Dudelsack und Ziehharmonika erzeugen Musik. Die Musikanten stellen sich abseits, spielen, während der Zug der Vermummten im Tanzschritte den Tisch, den für sie gedeckten, umsingt und immerfort umschreitet.

Alle (singen): Der Teufel lockt die Fledermäus
und lasset aus die Schaben.
Die alten Weiber füttern d' Läus,
der Galgen alle Raben.

Der Hanswurst (bedrängt Kreszenz):
Bist 's Manndel oder 's Weibel?
Glaubst an den Herrgott oder den Deibel?

(Kreszenz steht auf der Wandbank, erstarrt vor Entzücken.)

Die Stücke

Ein fast schon naturalistisches Drama der frühen Zeit ist „Rosse“ (1933), angeregt durch Hans Baldung Griens Bild vom Stallknecht und der Hexe. Die weiteren Stücke gliedern sich in historische Schauspiele, zum Teil Festspiele für Salzburg und München, wie „Das Spiel vom Erasmus Grasser“ und „Paracelsus“ (1943), „Die Hexe von Passau“ (1935), das Margarete-Maultasch-Stück „Traube in der Kelter“ (1951), die Komödie „Der Galgenvogel“ (1949), die im alten München spielt, und „Das Haus“ (1949) als politisches Zeitstück der Jahre nach dem zweiten Weltkrieg. Die andere Gruppe stellt entweder die „reine Frau“ dar, wie die Wienerin „Gabriele Dambrone“ (1941), oder den Untergang eines Landmädchens in den Verführungen der großen, „goldenen“ Stadt Prag in „Der Gigant“ (1937). In die Welt der Kranken und Zwerge führt die Komödie „Stille Gäste“ (1933). „Das Verlöbnis“ (1932) beschwor die Macht der Finsternis in den Herzen mänadisch mordender Mägde und Jäger. (Die Kritik wurde hier stutzig, sie erkannte grausame und perverse Züge des Vitalisten Billinger.)

„Die Fuchsfalle“

Nach den Dramen mit städtischen Figuren, unter denen „Gabriele Dambrone“ am merkwürdigsten erscheint, kehrte Billinger mit der „Fuchsfalle“ (1941) zum Thema der „Rauhnacht“ zurück. Die junge schöne Irene lebt als Frau des Professors Mauch auf einem ererbten Landschloß. Sie soll dort drei Jahre verbringen, so lautet die Bedingung des Erblassers, eines skurrilen Landarztes. Hier erliegt Irene dem zweiten potentiellen Erben, dem urigen Verwalter Maximilian Fürst, der ein Sohn des Landarztes ist. Mauch, ein von Drüsenstörungen seiner Patienten besessener Wissenschaftler, sieht nicht, wie Irene dem dämonischen Zauber der Bergwelt anheimfällt. Billinger läßt die verkrüppelten Jodler zum höhnischen Tanz um den Stadtmenschen auftreten. Die Stilisierung der frühen Stücke wird nur selten erreicht, so in der Kreiselszene und im Tanz der Kretine: hier sieht man noch einmal das Wirken der entbundenen und entarteten „Mächte“ – die ihrerseits wissenschaftlich mit Drüsenstörungen und Folkloreforschung motiviert werden. Der Professor erzählt seiner schon verlorenen Frau sogar eine Parellelepisode zu ihrem und seinem Schicksal:

Da war im Nachbardorf ein Lehrer — also er amtierte dort — der besaß eine junge blühende Frau, eine Salzburgerin — Städterin also. Der Mann hatte das idealste Bestreben: in seinem Berufe, in seiner Lebensführung. Plötzlich — eines Tages — war die Frau Lehrer spurlos verschwunden: Nach Wochen erst entdeckte man das Weib bei einem Bergbauern. Sie verrichtete dort in völliger Selbstentäußerung die Dienste einer Magd, kochte, lebte als Ehegenossin mit dem Bergbauern — war unter keiner Bedingung mehr zu bewegen, wieder zurückzukehren — in ein bürgerliches, angenehmes Leben.

Richard Billinger, Büste von Hans Wimmer

Gefahr des Naturalismus

Man hat Billinger vorgeworfen, er habe mit einigen späten Stücken sein Rauhnachtthema wiederholt, etwa in „Das nackte Leben" (1951), oder er habe mit dem „Plumpsack" (1953) ein historisches Thema aus dem Umkreis seiner „Hexe von Passau" wiederaufgenommen. Gewiß sind die späten schwächer als die frühen Stücke; aber man darf nicht übersehen, wie sehr sich der Stil des Theaters, der Schauspieler und der Geschmack des Publikums in der Zwischenzeit gewandelt haben. Die opernhafte Zurüstung wurde ebensowenig verstanden wie der „magische" Blick auf eine entfesselte Natur und der halb pathetische, halb mythische Ausdruck, der Billingers sprachlichen Gestus auszeichnet. Der eigentliche Grund liegt tiefer. In „Perchtenspiel" und „Rauhnacht" hatte Billinger poetische Allegorien geschaffen. Aber die Tänze der Rauhnächtler, Perchten, Irren, Zwerge und Riesen — als Sinnbild der guten und bösen Mächte im Menschen — paßten nicht mehr zu den naturalistischen Figuren der späten Stücke. Billinger war wie Jahnn und Barlach ein visionärer Dichter; je weiter er sich von diesem Typus entfernte und das Absurde naturalistisch fassen wollte, verlor er an Kraft. Er zeigte den ländlichen Menschen, der in der Berührung mit der städtischen Zivilisation sein Wesen verliert und oft genug grotesk wirkt und zugrundegeht. Der religiöse Überbau ist Folklore und erscheint lediglich als allegorisches Gerüst. Gleiches gilt von den Teufeln und Dämonen.

GEORG BRITTING

Georg Britting gehört zu den wenigen, die das expressionistische Erbteil bis in die dreißiger Jahre hinein bewahrten. Sein Hamletroman zählt, da der Expressionismus selbst kein großes Prosawerk hervorgebracht hat, zu den – verspäteten – Zeugnissen jener Epoche, ähnlich wie Jahnns „Perrudja" und Döblins „Alexanderplatz".

Frühe Dramen

Erst die Gesamtausgabe der Werke hat die Erzählungen des Bändchens „Der verlachte Hiob" (1921) wieder zugänglich gemacht; hier findet man auch die Komödie „Das Storchennest" (1921). Karl Otten hat sie in seinen Sammelband des expressionistischen Theaters aufgenommen. Andere Dramen des frühen Britting, „Die Stubenfliege" (1923) und „Bianca und Maria" (1928), sind an Staatstheatern in München und Dresden gespielt worden, „surreale" Stücke mit grotesker Handlung und einer als Notbehelf durchgehaltenen Fabel. Es waren Versuche, guckkastenhaft auf das Sein zu blicken. Die Typen späterer Erzählungen tauchten hier auf, verschmähte Mädchen, hoffnungslos resignierende Frauen, glühende Jugend, das Personal der modernen Großstadt, Totengräber, Straßenbahner, Polizisten und lose Mädchen. Sie treiben wie Flocken im Wind am Zuschauer vorbei. Die Situation ist gespenstisch:

„Das Storchennest"

(Abendliche Straße vor der weißen Friedhofsmauer, im unwirklich grellen blauen Mondlicht. Die tiefschwarzen Schatten der Figuren spielen mit.)

Sebald (im dunklen Straßenanzug, ohne Hut, treibt den Kreisel): Dreh dich, Luder! Spring! Tuts weh? Spring nur! Vielleicht lernst du noch fliegen! Hoppla, meine kleine Weltkugel! Hopsassa! Friß dich durch den Staub! Ich will mir noch ein paar Kreisel anschaffen und ein ganzes Sternensystem in Bewegung setzen. Wenns jetzt dem lieben Gott einfiele, die Peitsche fortzuwerfen? (Wirft sie fort.)

Der Straßenbahner (kommt von links): Zehn Minuten Aufenthalt! (Zieht ein Buch aus der Tasche.) Kennen Sie Marx? Ich verstehe ja manches nicht, aber genug, um überzeugt zu sein, daß er das Rechte sagt.

Sebald: Ich hatte einen Mitschüler, der so hieß. Der hat in der Mathematikstunde einen Feuerfrosch losgebrannt. Der machte dem Lehrer ein Loch in die Hose. Ich habe lange nichts mehr von dem Menschen gehört. Sollte er nun ein Buch geschrieben haben?

Der Straßenbahner: Ich bin Sozialist.

Sebald: Was ist das? . . .

Die wenigen Sätze enthalten eine ganze Reihe von Motiven Brittings, das wichtigste steckt in dem Gleichnis mit dem Kreisel: Die Welt ist ein Kreisel, der sich dreht, weil er gepeitscht wird. Das zyklische Naturbild enthält, als Modell der metaphysischen Sinnlosigkeit, die Qualität der Wirbel. Das Ordnungsprinzip (Marx) ist zufällig und wird eingetauscht gegen eine konkrete Person, jenen Mitschüler mit dem Feuerfrosch. Der Student Georg Britting hatte 1913 in den Münchner Kammerspielen die Uraufführung von Büchners „Woyzeck" gesehen. Georg Britting ist 1891 in Regensburg geboren und begann in München ein Studium der Volkswirtschaft. 1914 zog er als Soldat in den Krieg und kam nach vier Jahren, mehrfach und schwer verwundet, zurück. In Regensburg gab er mit seinem einige Jahre älteren Freund, dem Maler Josef Achmann, „Die Sichel" heraus, eine Zeitschrift für Dichtung und Graphik.

„Die Sichel" (1919–20) erschien in zwei Jahrgängen und einem weiteren Interimsjahrbuch. Dann machte die Inflation dem Unternehmen ein Ende. Hier standen erste Gedichte und Prosastücke Brittings. Er ging dann, wie Achmann, nach München, wo er seither, abgesehen von großen und kleinen Reisen, gelebt hat. Die Geschichten des „Verlachten Hiob" (1921) spiegeln Gedankenwelt und Vorbilder des jungen Britting. Sie sind in sich abgeschlossen und erzählen von irren, genialisch wilden und stolzen Figuren. Es sind Hiob, Kain und der verlorene Sohn. Die Faszination geht von einem „Göttlichen" aus, das den verlorenen Sohn auch dann noch umstrahlt, wenn er im Elend ist. Der Vater setzt den Zurückgekehrten über seinen Bruder. Die Sammlung ist ein Gegenstück zum gleichzeitig entstandenen „Baal" Bert Brechts. Einige Motive erinnern an Heym und Kafka („Totentanz", „Das Fest der Vierhundert"). Don Quichotes Tod wird beschrieben:

> Don Quichote hatte das Kinn auf die Brust gesenkt. Seine mageren und ungewaschenen Hände lagen auf den Lehnen des Sessels. Seine Gedanken waren schon nicht mehr bei ihm. Sie hatten sich von seinem Befehl gelöst wie meuternde Truppen. Sie führten einen Feldzug auf eigene Faust. Sie wogten hin und her, kämpften geschlossen und aufgelöst, drangen vor und zurück, stritten im Nahkampf und schossen mit Pfeilen . . .

O ihr andern Flaschen,
Burgunder, kurzhalsig und stämmig,
Die strohumflochtne
Vom Berge Chianti,
Die schlanke des Rheinweins
Und die des Bocksbeutels,
Tierischer Formung!

Auch am Tag kann man trinken,
Nicht jeder,
Wenn die Sonne zusieht,
Ein goldener
Fleck an der Wand!

Eine Seite aus G. Britting, Lob des Weines
Zeichnung von Max Unold

Stil und Komposition

Die Phantasie des Dichters arbeitet ähnlich wie die des sterbenden Quichote. Sie schreitet von Bild zu Bild, und jedes macht sich selbständig. Das neue Bild ruft wieder ein anderes hervor. Es gibt keine assoziierende Kette; jedes Bild hat seine eigene Bedeutung und Wahrheit. Eine spätere Schilderung des nächtlichen Himmels kann mit einander widersprechenden Adjektiven schließen: „Und still und stürmisch jagte der Mond über den wolkenverhangenen Himmel." Zwei Bildvorstellungen sind zu einer einzigen gerafft. Das gilt auch für die Komposition. Der Dichter weiß, daß sein Verfahren dem naturalistischen und psychologischen Ablauf widersprechen kann; er nimmt ein anderes Gesetz für sich in Anspruch: die Verbindung der Dinge und Ideen zu einer surrealistischen Einheit. Der frühe Britting entschuldigt sich gelegentlich:

> Ich weiß wohl, daß das bisher Erzählte sehr unwahrscheinlich klingt. Fast wie eine Legende, fast wie im Märchen. Zu meiner Entschuldigung könnte ich anführen, daß wir

es hier ja auch nur mit einer erfundenen Geschichte zu tun haben, mit einer durchaus und ganz und gar erfundenen Geschichte. Auch ich glaube nicht, daß es eine Frau gegeben hat, die aus freiem Entschluß so handelte und die Stärke hatte, so zu handeln. Auch ich glaube nicht, daß es je so eine Frau geben wird. Aber es ist angenehm, es sich vorzustellen.

Legende und Märchen werden nicht zufällig genannt. Ihre Art, das Dasein zu fassen, gilt auch für Britting. Alle frühen Erzählungen sind kurz. Sie spielen unter einfachen Leuten oder Kindern, gelegentlich bilden Kriegserinnerungen den Hintergrund; meistens ist es die Jugend des Dichters an der Donau, die zum Ursymbol des Lebens wird, ein gewaltiger Strom mit Altwassern und Überschwemmungen, mit Sumpfwäldern und üppigen Auen, schwarzen Strudeln und gefährlichen Untiefen, wo in der Tiefe der Raubfisch steht. Wie Billinger durch Hans Baldung Grien zu seinen „Rossen" angeregt wurde, so schrieb Britting „Das Duell der Pferde" unter dem Eindruck des gleichen Malers. Manche Geschichten sind nach Albanien verlegt, das Britting als junger Mann durchstreift hat, eine Urlandschaft mit Menschen in homerisch-epischer Ländlichkeit. Einige Erzählungen spielen auch in Bosnien, das Britting mehrfach besucht hat. Die Menschen sind Bauern, Handwerker, Krieger, Verkäuferinnen, Offiziersfrauen, Gastwirte und Wirtinnen, also „Volk". Die Themen sind Mord und Totschlag, Liebesbetrug und blutige Rache. Der Dichter sucht nach dem epischen Explosionspunkt; und er braucht dazu keinen dramatischen Anlaß: in „Der Franzose und das Ferkel", einem der früheren Meisterstücke, ist der Anlaß komisch, in den Tiergeschichten ist er symbolisch. Stets leuchtet hinter dem Geschehen etwas Abgründiges, das verhalten stilisiert wird: „Das klatschnasse Stoffbündel, das der Schmied an einer langen Stange, an dem scharfen, krummen Eisenhaken der langen Stange ans Ufer zog, die plätschernde und rieselnde Gewandkugel barg tief innen, wie die Nuß den Kern, Monikas lächelnde Leiche." Britting liebt eine ironische Zurückhaltung: „Den Halsschuß festzustellen war dem Arzt leicht gefallen, einen tadellosen, sauberen Halsschuß, ein tüchtiger Schütze, der ihm den beigebracht hatte." Der Realismus spielt Katz und Maus mit dem Leser. (Als Stilmittel ist er an der Wasserleichenpoesie entwickelt worden. Ophelia, seit Rimbaud und Heym wieder Thema der Literatur, beherrscht den Anfang von Brittings Roman.) Die Erzählungen nach dem „Verlachten Hiob" stehen in „Michael und das Fräulein" (1927), „Das treue Eheweib" und, zusammen mit Gedichten, in „Die kleine Welt am Strom" (beide 1933). Ein Jahr vorher war der Roman „Lebenslauf eines dicken Mannes, der Hamlet hieß" erschienen.

Landschaft der Erzählungen

Wasserleichenpoesie

Entstehung des Hamletromans

Nicht Shakespeares „Hamlet" hat den Roman angeregt, sondern Ophelia, die verlassene Geliebte, die ins Wasser geht. Das erste Kapitel, „Das Landhaus", war ursprünglich eine selbständige Erzählung, die Anfang der zwanziger Jahre gedruckt wurde. Britting dachte nicht an einen Roman. Paul Wiegler und Max Krell vom Propyläen-Verlag forderten Britting um 1928 auf, einen Roman für sie zu schreiben. Er hielt „Das Landhaus" für einen geeigneten Anfang, schrieb das Buch zum größten Teil in Elbigenalp in Tirol in einer Sommerfrische, fand bei seinen Auftraggebern höchste Anerkennung, aber keine Möglichkeit zum Druck. Diese ergab sich erst 1931.

Hamlet wird wider Willen in die Händel und Kriege des dänischen Königshauses verstrickt. Er ist ein skeptischer Weltmann, ein mächtiger Trinker und Esser, ein treuer Freund und untreuer Liebhaber, ein Soldat, der das Wesen des Krieges kennt. Schließlich zieht er sich mit seinem Ophelia-Sohn, der auch Hamlet heißt, in ein Kloster zurück. Auf „Das Landhaus" folgen die Kapitel „Die Hofdamen", „Im Feldlager, hinten", „Im Feldlager, vorn", „Der Sieger Hamlet", „Salat gegen die Hitze", „Punsch gegen die Kälte" und „Hinter der weißen Mauer" [des Klosters]. Brittings Ironie richtet sich nicht gegen den Helden. Sie geht vielmehr aus Hamlets Charakter hervor: Hamlet kann die spektakulären Dinge nicht ernst nehmen, weil er ein unabhängiger Mensch ist. Er erfüllt zwar alle ständischen Konventionen, sogar im Amt des Feldherrn bewährt er sich. Er besitzt jedoch keine unreflektierte Lust am Leben, Lieben, Töten, Intrigieren und Machthaben wie die Männer, Damen, Minister, Königinnen seiner Umgebung. Wohl liebt er Speise und Trank, aber nicht im Kasinostil, dessen Treiben im Strombild erscheint:

Georg Britting

Trunkenheit

Die Nacht war schon weit vorgeschritten, die Mitternacht war schon vorüber, an den Kerzen hatten sich Trauben von Wachsperlen gebildet und an manchen zierliche Gitter mit durchbrochenem Laubwerk. Zu beiden Seiten der weißgedeckten Tafel schwebten in gleichen Abständen rote Köpfe, junge und alte, bebartete und glatte, runde und schmale, weißhaarige und schwarzhaarige und blondhaarige und kahle und halbkahle, lauter gerötete Köpfe, und die Schnüre, an denen diese Köpfe hängen mußten, waren nicht zu sehen, der Prinz konnte sie nicht sehen, er sah nur die geröteten und gedunsenen Köpfe wie Kugelfische schwimmen. Die Köpfe schwebten und dazwischen die kleinen Lichter, die waren wie Funken auf dem Wasser, und der Prinz griff mit der Hand nach hinten an die Lehne seines Stuhls, sich festzuhalten, um nicht mitzuschwimmen und zu schaukeln in dem Tanz, denn er war nicht mehr ganz nüchtern. Das Reden ringsum ging nieder wie ein Regen ohne Unterlaß, und dieser viele Regen wohl war zu der Flut angeschwollen, in der die roten Kugelfische schwammen, und der weißflossige Fisch, der dem Prinzen gegenüber im Wasser sich drehte, nahm auf einmal die Richtung zu ihm her, schwamm ihm entgegen, kam näher, er unterschied die Augen und das Fischmaul, und plötzlich erinnerte er sich, daß das der Kopf der Obersten Jahannsen war, und der Kopf sagte etwas, und er erwiderte etwas, und während dieser paar Worte verwandelte sich der

Fisch in den Obersten, und die weißen Flossen in die weißen Haare, aber das dauerte nur kurz, dann nahm der Oberst wieder Fischgestalt an, wie der Prinz halb erschrocken und halb befriedigt bemerkte, und schwamm wieder drehend und rotgefärbt an seinen Platz . . .

Eigentümlichkeiten des Stils

Das Thema des Buches wird in seinem Stil transparent. Indem so beschrieben und gesprochen wird, treten die Charaktere hervor. Es fällt kein psychologisierendes Wort. Die Wirklichkeit ist nicht da, sondern wird erzeugt im Duktus dieser Sätze, Abschnitte und Kapitel, die sich kunstvoll verhaken. Es gibt wenig direkte Rede, im Grunde nur Beschreibung. Auch die Handlung wird nicht wichtig genommen; denn obwohl wichtige, auch spannende Dinge geschehen, bleibt der Stil in seiner Manier gleichmäßig überlegen. Brittings Neigung zur grammatischen Parataxe, das Akkumulieren, das Weggehen aus Stoff und Handlung in die selbständig werdenden Bilder („Das Zimmer, das Zimmerinsekt, die zimmerige Fliege, hatte keine Flügel, aber zu verwundern wärs nicht gewesen, wenn . . . der behende kleine Saal sich gehoben hätte und wär davongeflogen“) ist kein spätexpressionistischer Gag, sondern Ausdruck für die Auflösung der Wirklichkeit im Sinne des neunzehnten Jahrhunderts. Da wirken Schopenhauers idealistische und Nietzsches ästhetische Vorstellungen mit, beide waren lange Zeit Lieblingsautoren des jüngeren Britting.

„Kein Bild ist Betrug“

Auf der andern Seite finden sich knappe Naturbilder: „Das wurde ein schöner Sommertag heute, blaudämmernd schälte sich der Himmel aus der Nacht, keine Wolke bis jetzt . . .“ Die drei Aussagesätze hintereinander sind grammatisch verschieden gebaut. Der Leser merkt kaum, daß es sich um ein kosmisches Gedicht in Prosa handelt. Im Grund sind die dichterischen Bilder wirklicher als die Realität; sie schaffen erst den wahren, poetischen Zusammenhang des sinnlos flutenden Seins:

Über den Bach lief ein Steg, ein Stangensteg, weiß glänzten die geschälten Äste, aus denen das Geländer bestand. Das Geländer war neu, kaum ein paar Tage alt, noch floß der lebende Saft in den Stangen. Der Schattensteg auf dem Wasserspiegel zitterte leise von der sanften Strömung, ihn mochten wohl Wasserkäfer benützen. Schwereres trug er nicht, und er verging ganz, wenn weder Sonne noch Mond war, an trüben Tagen und in finsteren Nächten, aber heut hing der Mond rund am blauschwarzen Himmel, und da sah er fast so gediegen aus wie sein hölzernes Ebenbild oben.

Die Lyrik

Seit den frühen zwanziger Jahren, vereinzelt schon im Kriege, hatte Britting Lyrik geschrieben. Das erste Bändchen „Gedichte“ erschien jedoch erst 1930. „Der irdische Tag“ (1935) brachte das lyrische Werk aus anderthalb Jahrzehnten. Auch hier wird die Natur durch Bilder in Bewegung gesetzt:

Das Dach glänzt brandrot aus den schwarzen Ästen,
Die es, wie Stricke einen Fuchs, fest binden,
Und wie mit Stricken, zähen, dicken, festen,
Muß es gebunden sein, sonst flög es mit den Winden

Auf und davon, ein Frühlingstier, zu räuberischen Fahrten.
Zum Steuer nähme es die rote Dachrinnrute –
Und ich, sein Herr, ich stünd im kahlen Garten,
Fluchend, voll Zorn, und gelben Neid im Blute.

Die Anlage des Bandes folgt dem Zyklus des Jahres; es sind Naturgedichte, in die Brittings Strom- und Fisch-Motive eingesprengt sind:

Der große Strom kam breit hergeflossen
Wie ein großer, silberner Fisch. Wälder waren seine Flossen.
Mit dem hellen Schwanz hat er am Himmel angestoßen.

So schwamm er schnaubend in die Ebene hinein.
Licht wogte um ihn, dunstiger Schein.
Dann war nur mehr er, nur mehr er, der silberne, nur mehr er allein.

GEORG BRITTING

Dem Naturbild wird eine mythische Figur unterlegt. Am Ende des Bandes sind biblische Balladen eingebaut: Salome, der Bethlehemitische Kindermord, der verlorene Sohn, die Heiligen Drei Könige, die Drei am Kreuz, „Unterwegs", Könige und Hirten und das großartige „Mitten im Föhrenwald", ein Bethlehemgedicht in nordischer Landschaft. Formal geben sich die Gedichte frei liedhaft; gereimte, binnengereimte, langzeilige Verse und Strophen mit und ohne Reim wechseln, als habe der Autor alle Möglichkeiten spielerisch benützt. Aber man kann nicht überhören, daß dem Wildwuchs eine hohe rhythmische und musikalische Form abgerungen ist.

Die freie Form

Unscheinbare Motive kamen zur Geltung, die Käfer und Gräser, ungewohnt realistisch als Objekte einer kämpfenden Natur dargestellt. Das Kleine erscheint optisch vergrößert und näher gebracht. Vögel und Fische sind die Akteure erbarmungslos grausamer Szenen oder Gegenstand unschuldiger Idyllen mit umgekehrten Vorzeichen. Die Natur ist Metapher schlechthin; was sich in ihr begibt, ist Ausdruck des Seins und frei von den ethischen Leitsätzen des Tages.

Das Bild der Natur

Britting hatte sich, auf ungelehrte Weise, mit der lyrischen Überlieferung vertraut gemacht, vor allem mit den griechischen Anfängen. Er ging dem Formgesetz der sapphischen und alkäischen Ode nach, studierte und übte das Sonett. Gegen das dionysisch Wilde, das aus sich heraus Elemente des Tanzes, des Taktes, der Töne freisetzt, hatte Brittings Temperament künstlerische Vorstellungen als Maß gesetzt. Er sieht in den Tieren seiner Dichtung Zeichen eines Schicksalszusammenhangs, etwa die Forelle an der Angel oder das Reh, das aus dem Talgrund steigt, um aus dem Flintenrohr des Jägers den Tod zu finden. So entstand das vielleicht schönste, in der strengen Form der Ode gebildete Gedicht:

Wege zur strengen Form

„Jägerglück"

Du bückst dich, hältst ein Vierblatt empor, als gäb
Es viele: aber andere suchen lang
Im grünen Kleefeld glücklos. Dir doch
Zeigt es sich gerne, das sonst so scheu ist.

Und wills die Stunde, brauchst du wie träumend nur
Das Flintenrohr zu heben im Wald: schon stürzt
Das Reh. Das stieg aus heiterm Talgrund
Eilig herauf, um den Tod zu finden.

Was nicht der List des kundigsten Fischers glückt,
Oft glückts dem Neuling: hoch aus dem Bache schnellt
Er leichter Hand die alte, schlaue
Gumpenforelle ans grelle Taglicht –

Und wild sich schleudernd hilft sie selbst dem Feind.
Es zwingt das Herz, das reif ist, den Pfeil herbei.
Drum preise laut den Schuß nicht, Schütze!
Schultre den Bogen und troll dich schweigend.

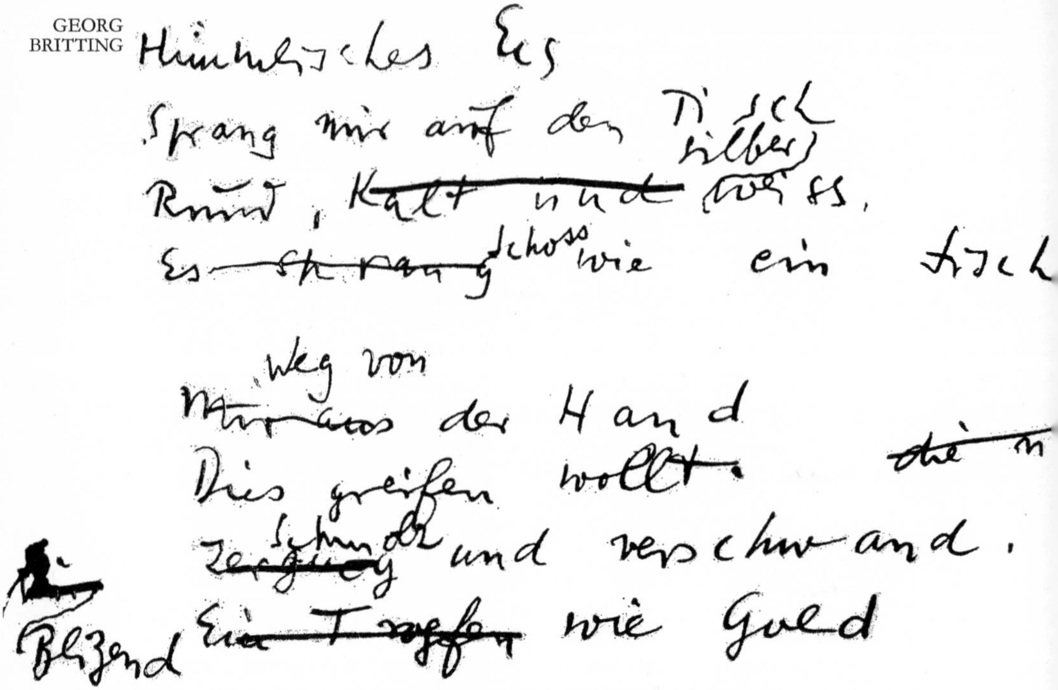

Georg Britting, Entwurf eines Gedichtes

Die Gedichtbände

Der Band „Rabe, Roß und Hahn“ (1939) ist eine Variation der Themen des „Irdischen Tags“, vor allem die Titelgedichte sind Höhepunkte der Brittingschen Naturlyrik. In dem „Lob des Weines“, zuerst 1942, später oft erweitert und mit Zeichnungen von Max Unold, standen die ersten odischen Strophen und ein Sonett auf den Tod. Es deutete auf Brittings Zyklus „Die Begegnung“ (1947) hin, siebzig Sonette über die Begegnung des Todes mit dem Menschen in verschiedenen Situationen, Totentanz als Antwort des Dichters auf die Kriegs- und erste Nachkriegszeit. 1951 erschien „Unter hohen Bäumen“, ein lockerer Jahreszyklus. Die Form der Ode haben Schröder, Weinheber und F. G. Jünger damals erneuert, doch nur Brittings Ode hat jene innere Beweglichkeit und heitere Freiheit, die man so oft bei der Ode vermißt. Brittings sapphische Ode stammt aus dem „Lob des Weines“:

„Labsal des Alters“

Weißer Wein, der unruhig übers Glas drängt,
Perlend wie der Wortschwall der Mädchen, wenn sie
Aug in Aug mit dem Ersehnten ihre
Liebe verbergen,

Honigfarbner, koboldisch glühend, wenn der
Taumel rast bei Hochzeit und Taufe, mondschein-
Gelber, zarter, voll von Empfindung wie der
Vers eines Dichters,

Und der grüne, Hoffnungen weckend, grün wie
Morgenduft des kommenden Freudentages,
Ist der rechte Trunk für die Jugend, für die
Glänzenden Männer . . .

Am offnen Fenster bei Hagelwetter

Himmlisches Eis
Sprang mir auf den Tisch,
Rund, silberweiss.
Schoss wie ein Fisch

Weg von der Hand,
Die's greifen wollt,
Schmolz und verschwand.
Blitzend wie Gold

Georg Britting, Reinschrift eines Gedichtes

Die späteren Erzählungen

Die Erzählungen Brittings geben in den dreißiger Jahren die gesteigerten Motive auf; der Stil wird ruhiger, die Erinnerungen nehmen zu, die Erfindungen der Fabeln lassen Raum zu gegliedert „epischem“ Erzählen, die grotesken Züge werden humoristisch genommen, am großartigsten wohl in der Geschichte von den Schwestern, die sich gegenseitig, obwohl sie nahe wohnen, nicht mehr sehen. Der Schluß wird symbolisch, hier in einem Fisch, in der „Wallfahrt“ mit Vögeln gegeben. „Das Fliederbäumchen“ und „Die Totenfeier“ zeigen den klassischen Umriß, den vor allem „Ulrich unter der Weide“ hat, eine in sich vollkommene Erzählprosa von Stifterschem Rang. Die Erzählungen waren im „Inneren Reich“ und in andern Zeitschriften gedruckt, bevor sie in den Bänden „Der bekränzte Weiher“ (1937), „Das gerettete Bild“ (1938) und „Der Schneckenweg“ (1941) erschienen. Nach dem Kriege veröffentlichte Britting die Erzählung „Afrikanische Elegie“ (1953) und andere Stücke. Sie sind in der Gesamtausgabe vereinigt.

Der Dichter

Die Entwicklung Brittings vollzog sich langsam und erreichte im „Hamlet“ den Höhepunkt. Britting ist der letzte Expressionist mit eigener Stimme, kein literarischer Schriftsteller, sondern nur Dichter. Er hat nie eine Kritik oder einen Aufsatz geschrieben. Nur über Mörike gibt es zwei großartige Seiten. Zusammen mit Karl Voßler, Hans Hennecke und Curt Hohoff gab er die umfangreiche „Lyrik des Abendlands“ (zuerst 1949) heraus. Politisch, literarisch und persönlich hat Britting stets seine Unabhängigkeit gewahrt. Sein Einfluß ist bei Friedo Lampe, Stefan Andres, Karl Krolow, Günter Eich, Gerd Gaiser, Friedrich Bischoff, Walter Höllerer und andern zu bemerken.

DIE NEUE LAGE

Nach der Revolution von 1918 und in Verbindung mit dem politischen und religiösen Aufbruch nach dem Weltkrieg überwand die christliche Literatur der beiden Konfessionen unerwartet rasch das Getto, in dem sie im neunzehnten Jahrhundert gelebt hatte. Wie so oft im geistigen Leben kam der Erfolg nicht von den wackeren Streitern und Programmatikern, auch nicht von den Hütern der Überlieferung, sondern von Außenseitern, von einigen Gestalten, die plötzlich durch ihr Werk die Existenz einer neuen christlichen Literatur bezeugten. Es sind Gertrud von le Fort, Ina Seidel, Rudolf Alexander Schröder, Konrad Weiß. Noch George hatte als Argument gegen den deutschen Katholizismus angeführt, daß die moderne deutsche Nationalbildung protestantisch gewesen sei. Der deutsche Protestantismus habe nie den Zusammenhang mit dem deutschen Bildungsgut verloren. Auffallend ist der Anteil der Konvertiten, und er ist menschlich zu verstehen: für den Konvertiten ist die Religion der Schlüsselpunkt seines geistigen Lebens; darum sind die Romane Gertrud von le Forts und Elisabeth Langgässers Konvertitenromane. Ina Seidel konnte sich – umgekehrt – auf ganze Geschlechterketten evangelischer Pastoren stützen und gewann dadurch ein ebenso fesselndes wie dankbares Milieu.

Die Konvertiten

Max Scheler

Theodor Haecker, selbst ein Konvertit, hat 1925 in einer scharfen Polemik gegen Max Scheler die Behauptung aufgestellt, dieser sei niemals ein Christ gewesen. Das könnte für Leben und Person stimmen, obwohl Scheler selbst sich gelegentlich als Katholiken bezeichnet hat. Seit dem großen systematischen Werk „Der Formalismus in der Ethik und die materiale Wertethik" (1916) konnte man an der christlichen Substanz des *Denkers* Scheler nicht zweifeln, und seine Aufsätze in dem Sammelband „Vom Ewigen im Menschen" (1921) ließen schon durch die Themen – Reue und Wiedergeburt, die christliche Liebesidee, der kulturelle Wiederaufbau Europas – deutlich erkennen, das Scheler im Kampf gegen den pessimistischen Nihilismus der Zeit im Christentum die Rettung sah. Die Idee war nicht neu, aber wie Scheler sie vertrat, selbständig entwickelte, im Zusammenhang mit dem Husserlschen Denken ausbaute und im Kontakt mit der Zeitkritik begründete, das gab dem christlichen Selbstbewußtsein ungeheuren Auftrieb. Schelers Lehre war nicht das im Laufe von Generationsketten schlaff gewordene Traditionsgut; wenn er „Reue" oder „Wiedergeburt" sagte, so war die alte Sache eine brennende Frage der Gegenwart geworden. Bei dem titanischen Versuch, die philosophischen Einzeldisziplinen der Reihe nach „aufzuarbeiten", hat er das eigene Ziel dann wieder aus den Augen verloren.

Romano Guardini

Romano Guardini ist der Urheber einer neuen „liturgischen" Geistigkeit. In unserm Zusammenhang ist seine ständige Beschäftigung mit der Literatur wichtig. In Kierkegaard, Dostojewski, Hölderlin, Rilke und Dante sah er nicht unverbindliche „Literatur", sondern Zeugnisse von gesehener („visionärer") Wirklichkeit. Die Dichter haben die Frage nach dem Sinn der Existenz wahrer beantwortet, als ein Theologe es vermöchte; sie heben die Unwiderruflichkeit des Seins über den Zufall hinaus und lassen ihm die Würde der Freiheit. Im Dantebuch stellt Guardini die Frage: „Wie kann Gott alles in allem sein und Beatrice sie selbst bleiben?" Es ist die gleiche Frage, die Karl Barth in seiner Dogmatik erwägt. In der Dichtung werden Geist und Herz, Gedanke und Liebe eins. Dieser „extentielle" Berührungspunkt von Sphären, die im Leben unvereinbar sind, wurde von Guardini herausgearbeitet.

In seinem literarischen Meisterwerk „Vergil, Vater des Abendlandes“ (1931), das zur zweitausendsten Wiederkehr von Vergils Geburtstag erschien, beschäftigt sich Theodor Haecker (1879–1945) mit der Frage nach der wahren Existenz und findet sie bei Vergil in dem Verständnis von Amor, Fatum, Labor, Res und Lacrima. Gegen die deutsche Neigung zum idealistischen Schaum und zur Triebsentimentalität stellt er Vergils Bindung an die lateinische Erde und den wachen Intellekt.

Theodor Haecker, Zeichnung von Richard Seewald

Vergils „Fatum“

Sagt aber Vergil auch klar aus, was das Fatum sei, und eindeutig? Nein, er tut es nicht, denn er weiß es nicht, und er ist ein großer und wahrhaftiger Mensch, der nicht mehr zu wissen vorgibt, als er weiß, und sich selber ehrt durch die Ehre, die er dem Unerforschlichen erweist. Er ist dunkel in der klarsten Sprache der Welt und kündet eben dadurch klar, daß er vom dunkelsten Geheimnis alles Seins natürlich redet ... Wenn heute ein Moderner das Wort angeben soll, das ungefähr als die letzte Erklärung für alles, was geschieht, ob wir selber es tun oder andere, für alles, was erscheint oder ist, gelten soll, so wird er nicht lange suchen, er wird es rasch haben, da er es selber schon oft genug gedankenlos zu gleichem Zweck gebraucht haben wird. Es ist das Wort *Schicksal*. Er wird dann sogar reflektierend sagen müssen, daß es heute unser Schicksal zu sein scheint, immerfort vom Schicksal reden zu müssen ... Aber hier lauern die tiefsten und tragischen Mißverständnisse ... Das Schicksal ruht für den Modernen auf dem Primat des Willens und des Tuns und dann leider, freilich notwendig, schließlich, auf dem der Triebe, auf dem des Urtriebs, der zur Gottheit selber führt. Seitdem der deutsche Faust durch eine groteske Vergewaltigung die Wahrheit in ihrer theologischen, philosophischen und philologischen Gestalt übersetzt hat: Im Anfang war die Tat, statt: Im Anfang war das Wort, ist der deutsche Genius in ein Taumeln ohne Ende geraten.

Geistige Entwicklung

Haecker polemisiert gegen Klages und Scheler und deren späte Philosophie des schöpferischen Dranges. Aber auch ohne diesen zeitgeschichtlichen Zusammenhang ist der Sinn seiner Opposition einzusehen, er tritt in der christlichen Zeitkritik immer wieder hervor. Haecker, ein Schwabe, war entscheidend von Sören Kierkegaard angerührt, den er in langjähriger Arbeit übersetzt hat. Er war, ursprünglich „Heide“, über Hilty und Blumhardt zu Kierkegaard gekommen und von diesem zu John Henry Newman und Thomas von Aquin. Das erste kleine Buch, „Sören Kierkegaard und die Philosophie der Innerlichkeit“, war 1913 erschienen. Haecker wurde und blieb Mitarbeiter des Insbrucker „Brenner“. Die hier veröffentlichten oder geplanten Aufsätze (der „Brenner“ konnte 1915 wegen des Krieges für einige Jahre nicht erscheinen) wurden 1921 in dem Band „Satire und Polemik“ zusammengefaßt. Das Buch wurde zu Lebzeiten Haeckers nicht wieder aufgelegt, da er, seit 1921 Christ, meinte, es verletze durch die unerhörte Schärfe seiner Angriffe (z. B. gegen Franz Blei, Mauthner, Th. Mann, St. Zweig, W. Herzog, den „Simplicissimus“, die „Neue Rundschau“ und das „Berliner Tagblatt“ und ihre Autoren) das Gebot der Liebe. Bezeichnend für den Kampfgeist des jungen Haecker war der Ausgangspunkt seiner Satire: es waren die Angriffe gegen seine Kierkegaarddeutung. 1917 veröffentlichte er bei Hegner in Hellerau, dessen künftigen Weg er stark bestimmte, die Übersetzung „Sören Kierkegaard: Der Begriff des Auserwählten“, durch „Ein Nachwort“ ergänzt, in dem Haecker gegen „die furchtbaren Verbrechen einer verworfenen Staatsgesinnung“ protestierte, gegen den Weltkrieg. Die böse Rasanz verriet Haeckers stilistischen Lehrmeister, Karl Kraus. Radikal bestand er darauf, mit dem Eifer des werdenden Konvertiten, der Christ kenne kein Vaterland. In satirischer Absicht werden Rathenau, Hermann Bahr, Troeltsch („Versorger der theologischen Bedürfnisse von Berlin W“), Harnack („preußische Exzellenz“) und der „tüchtige Erzbischof“ Faulhaber in einen Topf geworfen. „Der Liberalismus würde ihn einladen, zusammen mit diesen und jenen und andern und vielen, bei Ullstein, bei Fischer, bei Müller, bei Kösel, es ist alles einerlei, einen christlichen Almanach herauszugeben.“ Der Zorn Haeckers wandte sich gegen seine eigene Vergangenheit, jenen religiösen – nicht politischen – Liberalismus, den er als den größten Schaden des bürgerlichen Denkens ansah:

„Satire und Polemik“

> Es würde zwar heute, wenn Christus wiederkäme, der religiöse Liberalismus ihn nicht kreuzigen oder umbringen lassen, aber nur, weil der religiöse Liberalismus das überhaupt nicht tut; auch damals hat er es nicht getan, denn er ist in diesen Dingen ... der Laue, der weder sich ärgern noch glauben kann.

Haeckers beste Aufsätze enthält „Christentum und Kultur“ (1927). Eine Reihe von Dialogen und Essays standen während des Dritten Reiches im „Hochland“, posthum sind die „Tag- und Nachtbücher“ (1947) veröffentlicht worden. Ähnlich wie Loerke ist Haecker am fressenden Kummer über die „falschen Propheten“ der nationalsozialistischen Zeit gestorben.

Jakob Hegner

Eine besondere Rolle spielte der Wiener Drucker Jakob Hegner (1882–1962) in Hellerau bei Dresden. Abseits der großen Verlage entwickelte Hegner seinen Buchtyp mit der nobel zurückhaltenden Typographie. Er verschmähte die Illustration und hat sich nur gelegentlich, etwa in Seewalds Illustrationen zu Jammes' Hasenroman, von diesem Prinzip abbringen lassen. Auch die Buchumschläge blieben graphisch; Hegners Typographie war nicht ein Ausdruck des kunstgewerblichen Puritanismus, sondern des Geistes: das Wort spricht aus dem klassisch-einfachen Druck für sich selbst und bedarf keiner Unterstützung. Hegners Bücher sind nur für wirkliche Leser geschaffen. Es kam hinzu, daß Hegner im Wittern dichterischer Qualität den andern Verlegern voraus war. Er hat Paul Claudel übertragen, gedruckt und gespielt, als man dessen Manuskripte in Frankreich noch in Abschriften herumreichte! Seit seiner Wandlung und seinem Übertritt zum Christentum brachte Hegner nur Werke, die seiner Überzeugung entsprachen. Innerhalb des katholischen Raums genoß er oder nahm er sich Freiheiten, die traditionelle Verlage nicht wagen konnten. Die Freundschaften mit Franz Blei, Paris von Gütersloh, Paul Adler zeigen, daß er eine offene Linie verfolgte. Vielleicht ist die „Summa“ (1917) deshalb ein Unikum geblieben. Allmählich entwickelte sich Hegner zum Verlag der katholischen Avantgarde, obwohl er unter der Ungunst der Zeiten den Namen des Verlages wechseln und selber emigrieren mußte. Er hat Bernanos, E. Gilson, Sertillanges, Ernest Hello, Martin Buber, Josef Pieper, Leopold Ziegler, Friedrich Schnack, Reinhold Schneider, Hans Urs von Balthasar, Richard Seewald, Edzard Schaper und viele andere verlegt.

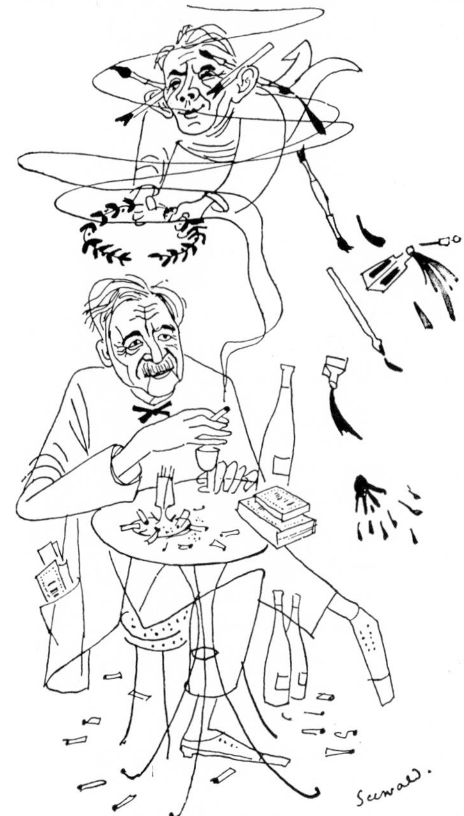

Jakob Hegner, Zeichnung von Richard Seewald

Im Jahre 1920 erschien „Der weiße Reiter“, ein „Sammelbuch“, herausgegeben von Karl Gabriel Pfeill (1889–1942) aus Neuß am Rhein. Es war der Almanach eines jungen katholischen Expressionismus. Das weiße Pferd aus der Apokalypse Johannis trug den Welterlöser. Dem Inhalt nach schien „Der weiße Reiter“ einer der vielen Almanache, Jahrbücher und Anthologien zu sein, die für die Epoche bezeichnend sind. Nach ihm nannte sich der „Jungrheinische Bund für kulturelle Erneuerung“. Pfeill schrieb:

„Der weiße Reiter“

Apokalyptische Entscheidung

> Die neuzeitliche Kultur ist einen Damaskusweg gegangen. Mitten im Prangen ihres abgöttischen Siegeslaufes von den Schlägen eines himmlisch-höllischen Ungewitters, wie es unser Gestirn noch nicht gesehen, zu Boden geschmettert, glauben wir heute, blind fast und noch taumelnd, im Flammengewand des Weltkrieges in den Wolken immer deutlicher die Züge einer ungeheuren Wiederkunft Christi zu schauen, die beglückenden wie drohenden Vorboten und Anzeichen, daß wir, wenn nicht vor dem Untergang Europas, so vor dem Beginn des zweiten christlichen Weltzeitalters, einer großen christlichen Wiedergeburt, stehen. Weltuntergang oder christliche Welterneuerung: das ist, so scheint es, die gewaltige Damaskusentscheidung, vor welche die abendländische Kulturmenschheit nun gestellt ist ...

Literatur und Liturgie

Hier kommt also aus dem Erlebnis des Weltkrieges, wie bei vielen andern Dichtern, die Vision einer Erneuerung des Christentums. Die Alternative ist der Untergang des Abendlandes. So wie zwölf Jahre früher die „Werkleute auf Haus Nyland“, wie Ludwig von Fickers „Brenner“ in Innsbruck und wie der Kreis um den Berliner Studentenpfarrer Carl Sonnenschein in Berlin sollte „Der weiße

DER WEISSE REITER

Reiter" nicht Literatur verkünden, sondern ein neues Christentum mit Hilfe der neuen Literatur und Kunst. Die Mitarbeiter Pfeills waren Franz Johannes Weinrich, Konrad Weiß, Max Fischer, Ernst Thrasolt, Leo Weismantel, Maximilian M. Ströter und Peter Bauer. Es war kein Zufall, daß man sich auf Novalis („Die Christenheit oder Europa") und Brentano berief, aus dessen Gesichten der Anna Katharina Emmerick man einige Kapitel druckte. Werner Thormann schrieb einen Aufsatz über den Dichter des „Inferno", August Strindberg, und Romano Guardini gab einen Beitrag „Liturgie als Spiel". Die Illustrationen stammten von Thorn-Prikker, E. Dülberg, J. Urbach, H. Coßmann und andern.

Mitarbeiter

Umschlagentwurf von Josef Urbach

Hier war eine Mannschaft, die kaum typischer zusammengesetzt sein konnte. Man spürt den Geist des späten Reinhard Sorge, aber auch der „Proklamationen" (1904) – es waren die Jahre, in denen Derleth mit seinem „Fränkischen Koran" begann. „Der weiße Reiter" zeigt den Expressionismus in enger Berührung mit dem Stil der kirchlichen Hymnik und Liturgik. Pfeill hatte gefragt: „Wird er aus unsern Reihen erstehen, der Retter, der Deuter und Prophet: wir wissen es nicht. Und werden wir nicht die Erfüller sein, so die Wegbereiter." Er hat wohl nicht geahnt, daß die drei Gedichte Konrad Weiß' im „Weißen Reiter" ein Werk vertraten, das „Erfüllung" andeutet – freilich in einem verwandelten Sinne. Pfeill glaubte vorerst selbst dieser Dichter zu sein. Er verband die Sprache der hymnischen Dichtung mit den Rufen der Apokalypse:

„Morgenruf"

Wir stoßen in die Posaune:
Und die Dinge ordnen sich zu Sinnbildern.
Zum zweiten tönt Tubenruf:
Und alle Dinge werden Reittiere zu Gott.
Auf! Wohlan! Besteiget sie!
Legt an weißschimmernde Wehr!
Daß keiner zurückbleibe und ungegürtet.
Näher winken die Zinnen der ewigen Stadt.

Pfeills Gedichte erschienen 1923 unter dem symbolischen Titel: „Vom Licht bedacht / Der Mund der Nacht". Später wandte er sich, nach einem Hymnenzyklus „Morgengabe" (1930), mit dem Fackelspiel „Der ewige Tag", der Liturgie zu.

KATHOLISCHE AUTOREN

Entschieden selbständiger war in Sprache und Auffassung Franz Johannes Weinrich, 1897 in Hannover geboren. Er begann, nach einer schwierigen Jugend, mit dem „Himmlischen Manifest"' (1919) und „Stern" (1921), um sich dann dem Spiel zuzuwenden: „Ein Mensch" (1920), „Der Tänzer Unserer Lieben Frau" (1921), „Spiel vor Gott" (1921) und vielen andern, die von Laienspielscharen, oft in liturgischem Zusammenhang („Xantener Domspiel", 1936), gespielt wurden. Sein Gedicht „Aufbruch" akzentuiert den Expressionismus kirchlich:

Gesammelt die Mannschaft, entrollt die Fahnen.
Azurener Tag besonnt Prozessionen.
Aufgewühlt, aufgekrampft schlängeln Karawanen
Bekränzter Jünglinge aus allen Zonen.

Verkünden sich. Sie schwingen wie Monstranzen
Inbrünstig ihrer Herzen Explosionen.
Stoßen, goldgesalbt, die Aufbruchlanzen
In das zage Wagen der Nationen.

Leo Weismantel

Leo Weismantel, 1888 in der Rhön geboren, hatte mit dem Roman „Maria Madlen" (1917) begonnen. Wie Weinrich erreichte er auf der als Tribunal verstandenen Laienbühne seine größten Erfolge. „Der weiße Reiter" enthielt schon ein Stück aus „Die Reiter der Apokalypse" (1919). 1924 erschien „Die Kommstunde". Weismantel suchte, wie in vielen späteren Romanen, in seinem pädagogischen und politischen Wirken einen christlichen Weg zwischen der Restauration und heidnischem („antichristlichem") Zeitgeist.

Thrasolt und Sonnenschein

Ernst Thrasolt (Deckname für Johann Matthias Tressel, 1878–1945) stammte von der Saar und lebte in den zwanziger Jahren als Waisenhausseelsorger in Berlin. Er war mit Carl Sonnenschein befreundet, dessen Biographie er 1930 erschienen ließ. Seine Lyrik war seit „De profundis" (1908) religiös bestimmt („Christus in der großen Stadt", 1932). Er wurde von Sonnenscheins Ideen beeinflußt und gründete eine bäuerliche Gemeinschaftssiedlung in der Uckermark. Als überzeugter Pazifist wurde er, nach anfänglicher Anerkennung als Autor der Erde und des Landes, von der Gestapo verfolgt. – In Carl Sonnenscheins Notizen spiegelt sich die Entwicklung des Christentums in der modernen Weltstadt. Die Erfolge waren in der Persönlichkeit begründet, einer eigentümlichen Verbindung von franziskanischer Bruderliebe mit politischem Auftrag. Sonnenschein hat auf eine Reihe von katholischen Autoren maßgeblich eingewirkt, vor allem auf Herwig und Dietzenschmidt.

Franz Herwig

Franz Herwig (1880–1931) stammte aus Magdeburg, wurde Journalist, wohnte seit 1912 in Weimar und kam in den Krieg. Der Weltkrieg war sein entscheidendes Erlebnis. Seine geistige Heimat waren Berlin und die preußische Geschichte. Sonnenschein machte ihn auf die christlich-sozialen Fragen der Weltstadt aufmerksam. 1920 erschien die Legende „St. Sebastian am Wedding". Ein moderner Heiliger geht durch den roten Terror zum Martyrium. Das kleine Werk ist im ekstatisch-visionären Stil des Expressionismus geschrieben. Wie viele

DIETZENSCHMIDT

Die · Sanct Jacobsfahrt

Eyn Legendenspiel in drey Außzügen v.

Dietzenschmidt

Bey Oesterheld & Co Verlag Berlin · W · Anno Domini 1920

Titelseite von Angela Straeter

Autoren dieser Generation kehrte Herwig bald zu realistischer Aussage zurück, vor allem mit dem Roman „Die Eingeengten“ (1926). Die Geschichte spielt im Milieu der kleinen Leute im Osten Berlins; arme Teufel, Künstler, Huren, ein mildtätiger Jude sind die im tristen Milieu der Weltstadt „Eingeengten“. Herwigs – und Sonnenscheins – Frage war: Ist diesen Menschen zu helfen durch ein tätiges Christentum?

Noch schärfer und krasser wurden die Gegensätze der sündigen „Welt“ zu den Idealen des Christentums bei Dietzenschmidt (eigentlich Anton Schmidt, 1893–1956) herausgearbeitet. Er kam aus einer schwäbischen Familie in Teplitz-Schönau und studierte in Berlin, wo er durch Sonnenschein religiös erweckt wurde. Er ist unter den modernen Autoren des Laienspiels der stärkste und reinlichste zugleich. Seine Themen und Titel heißen: „Die Vertreibung der Hagar“ (1916), „Kleine Sklavin, Tragikomödie aus einem Dirnenhaus“ (1918): Ein vierzehnjähriges Mädchen wird in einem Bordell festgehalten, und auch ihrem edlen Retter gelingt die Befreiung nicht. 1919 erhielt er den Kleistpreis. In „Die Nächte des Bruders Vitalis“ (1922) dramatisierte Dietzenschmidt die Geschichte vom Mönch Vitalis aus der Legenda Aurea, die über ihn berichtet:

„Die Nächte des Bruders Vitalis“

Darum ging er hin in die Stadt und schrieb an alle öffentlichen Dirnen und ging zu einer nach der anderen und bat jegliche, daß sie ihm eine Nacht gäbe und in der Nacht keine leibliche Sünde beginge. Also ging er in jeglicher Sünderin Haus, und kniete die ganze Nacht in ihrer Kammer in einem Winkel und betete für sie; des Morgens ging er von dannen und gebot ihr, daß sie es niemandem verriete . . .

Dietzenschmidt läßt die heikle Fabel in der Neuzeit spielen. Vitalis wird am Ende von einem fanatischen jungen Mann erstochen, und an seinem Totenlager offenbart sich, daß er der Sieger über Laster und Versuchung war.

Volkstümliche Autoren

Nach dem Kriege nahm die christliche Volksdichtung einen Aufschwung. Eine Fülle von Talenten schien den religiösen Aufbruch zu bezeugen. Die meisten Autoren kamen vom Lande, aus einem Reservoir unverbrauchter Kräfte. Formal handelte es sich in vielen Fällen um Bauernromane. Selbst Autoren, die in die Literatur im eigentlichen Sinne vordrangen, waren Dichter des Landes, etwa Max Mell, Richard Billinger, Regina Ullmann, Jakob Kneip und Paula Grogger. Das städtische Thema von Herwig und Dietzenschmidt berührte kaum einen breiteren Kreis. Ihre Erfüllung sollte die christliche Literatur beider Konfessionen im Geschichtsroman oder in historisierenden Zeitbildern finden: bei Peter Dörfler, Karl Linzen, Reinhold Schneider, Edzard Schaper, Ina Seidel, Karl Borromäus Heinrich, Gertrud von le Fort und Jochen Klepper. Die Familiengeschichte gab Ruth Schaumann und Ina Seidel Themen und Motive; auch Elisabeth Langgässers spätere Romane sind Geschichtsdeutungen, obwohl sie in der Gegenwart spielen. Ilse von Stach, die Dichterin des von Pfitzner vertonten „Christelflein“ (1906), wirkte mit ihren Dialogen über die Gleichberechtigung der Geschlechter, „Die Frauen von Korinth“ (1929), als Außenseiterin. Die evangelische Gruppe wirkte nicht so geschlossen wie die katholische. Der christliche Aspekt erscheint für ihr Werk zu eng. Sie gehören in andere Zusammenhänge, es sind Agnes Miegel, Rudolf Alexander Schröder, Heinrich Wolfgang Seidel, Otto von Taube, Paul Alverdes, Waldemar Augustiny, Bernt von Heiseler, Edzard Schaper (der später katholisch wurde), Albrecht Goes, Kurt Ihlenfeld und Hans Egon Holthusen.

Paula Grogger

Als bezeichnend für den historisch-folkloristischen Typus sei Paula Grogger (geb. 1892) genannt. Das Hauptwerk führt in ihre obersteiermärkische Heimat, „Das Grimmingtor“ ist ein Bauernroman aus der Franzosenzeit im Umfang von 600 Seiten. Als er 1926 erschien, glaubte man, das Ineinander von Sage, Historie, Folklore, Familienüberlieferung, Frömmigkeit, Heimatliebe, Dialekt und Bauernleben mache das Buch zu einem „fast mystischen Ganzen“ (J. Nadler). Die Geschichte von vier Brüdern im Befreiungskampf um die Heimat, kräftiger Männer und Frauen, heldischer Kinder, von Dorfschelmen und fremden Militärs, dazu unerschütterliche kirchliche und zugleich patriotische Frömmigkeit verfehlte in einer Zeit allgemeiner Verstädterung und Intellektualisierung ihren Eindruck nicht. Paula Groggers Talent glich dem eines ländlichen Holzschnitzers: die großen Züge gaben der Erzählung feste Kontur, aber in den Details hielt sie sich an Klischees. Die Bauern sind urig, die Franzosen böse, die Kinder unschuldig, die Knechte trinkfest, die Weiber fromm. Auch die Sprache spiegelt, wenn sie die Art des gestandenen Mannes und Helden, des Bräumeisters, schildert, ein Klischee: „Die Burschen gröhlten nur und meinten, es wäre ein Spaß. Da zog der Bräumeister gewaltig aus und hieb ihnen baß um das Maul, worauf sie sogleich alle Engel singen hörten.“ Das ist Wunschromantik und erklärt, im Verein mit der Darstellung eines ländlichen Volkskatholizismus, den Erfolg des Buches. Paula Grogger war von Enrica von Handel-Mazzetti beeinflußt; wenn sie auch deren psychologische Kunst nicht erreichte, so übertraf sie sie in ihrer Landschaftsschilderung. Außer dem „Grimmingtor“ schrieb sie Mundartgedichte, religiöse Laienspiele und legendenhafte Erzählungen. In der „Räuberlegende“ (1929) findet man dieses Landschaftsbild:

Über dem Bösenstein reiste die Mondsichel. Die Schattenseite war noch kalt. Der Schnee breitete sich opalfarben zwischen dem Holze. Manchmal pochte es wunderbar in der Gefrier. Die Sträucher blühten im Reimfrost. Die hangenden Baumbärte waren an den Grund geeist. Und die Vögel wurden munter und schwirrten mit ihren Flügeln herbei. Ihre feine Kehle öffnete sich trillernd und quoll stärker und heller mit jedem Ton. Es rauschte ein so merkwürdiger Gesang, daß der Räuber oft seinen Schimmel anhielt und umherblickte, wo sich Menschen verborgen hätten. Er verstand immerzu „Halleluja, halleluja“. Vor dem Dorfe Hohentauern lichtete sich der Wald. In schmalen Bogen schnitt der Pfad sich in den flachen winterlichen Anger. Rings wehte der süße Duft des geräucherten Wacholders. Bauernschlitten standen am Zaune . . .

Karl Barth

Seit dem Jahre 1920 verbreitete sich die dialektische Theologie innerhalb der protestantischen Welt. Ihr Vater war Karl Barth, 1886 in Basel geboren. Sie sollte die liberale, von der skeptischen Philologie ausgegangene akademische Theologie durch die Entscheidung für die eine Theologie des Glaubens und aus dem vorausgesetzten Glauben überwinden. Das geschah nicht laut, sondern anfangs ganz unauffällig, beginnend mit Karl Barths Auslegung des Römerbriefs des Apostels Paulus, die 1918 erschien. Hier wurde der „Welt" in aller Kraßheit das Evangelium als das „ganz andere" entgegengehalten. Das Wort der Verkündigung wurde nicht als Bestätigung, sondern als Widerspruch aufgefaßt, als nicht zu überhörende Provokation. Barth, ein Schüler Adolf Harnacks, wirkte nicht durch gelehrte Argumente, sondern durch einen in der Neuzeit unerhörten „prophetischen" Ton. Eine neue Fassung des Kommentars zum Römerbrief vertiefte den Eindruck, daß die reformierte Christenheit eine Erneuerung erfahren solle. Barth berief sich ausdrücklich auf Kierkegaard, wenn er Zeit und Ewigkeit einen „unendlichen qualitativen Unterschied" zuschrieb. Obwohl Barths Werk im Lauf der Jahrzehnte buchstäblich unübersehbar geworden ist – eine Bibliographie zum siebzigsten Geburtstag verzeichnete bereits 406 Titel –, findet man den Barthschen Grundgedanken von Seite zu Seite mit der Geduld des großen Schriftstellers wiederholt. Über Gott heißt es: „Es charakterisiert das göttliche Wesen im Unterschied zu dem der Kreatur, daß in ihm ein Widerspruch zu sich selbst nicht nur ausgeschlossen, sondern in sich unmöglich ist."

Der prophetische Stil

Wenn Barth vom Charakter der Schöpfung als etwas Geoffenbartem spricht, wird jener unendliche Abstand sichtbar und als das eigentliche Thema beschrieben:

Die Lehre von der Schöpfung ist nicht weniger als der ganze übrige Inhalt des christlichen Bekenntnisses Glaubensartikel, d. h. die Wiedergabe einer Erkenntnis, die kein Mensch jemals sich selbst verschafft hat, noch verschaffen wird – die ihm weder angeboren noch auf dem Wege der Wahrnehmung und des verknüpfenden Denkens zugänglich ist – für die er kein Organ und keine Fähigkeit besitzt, sondern die er ganz allein im Glauben faktisch vollziehen *kann*, im Glauben aber, d. h. im Empfang und in Beantwortung des göttlichen Selbstzeugnisses faktisch *vollzieht*: in seiner Ohnmacht mächtig, in seiner Blindheit sehend, in seiner Taubheit hörend gemacht wurde durch den, der laut der Ostergeschichte, wenn er sich des Menschen annimmt, durch verschlossene Türen geht.

Polemik und Kritik

Aus solchen Sätzen wird der dialektisch-kritische Charakter der Theologie Barths deutlich; es ist kein Zufall, daß sein Stil, paulinisch gefärbt, in Grammatik und Syntax das große Entweder-Oder antithetisch mächtig anlaufend und rhetorisch gefüllt spiegelt. Im Laufe der Jahre, vor allem in der „Kirchlichen Dogmatik" (seit 1932 in fünf fast tausendseitigen Doppelbänden), hat Barth eine unabsehbare theologische Wirkung in der ganzen, auch katholischen Christenheit erreicht. Eingesprengt in die Werke finden sich äußerst prägnante, manchmal polemische, oft kritische Stellungnahmen zur modernen Kultur. Barth ist der wortmächtigste unter den christlichen Kritikern an den Aufweichungserscheinungen der Moderne geworden. Tröstend und erweckend ist diese Stimme, weil sie von einem leidenschaftlichen und sachlichen Pathos getragen wird. Großartig unbefangen sind die Stellen, in denen Barth auf Mozart zu sprechen kommt — ein Thema aus dem Erbe Kierkegaards:

Mozarts Musik

Warum kann man dafür halten, daß er in die Theologie gehört, obwohl er kein Kirchenvater und allem Anschein nach nicht einmal ein besonders beflissener Christ — und überdies auch noch katholisch! — gewesen ist und, wenn er nicht gerade arbeitete, nach unseren Begriffen etwas leicht gelebt zu haben scheint? Man kann darum dafür halten, weil er gerade in dieser Sache, hinsichtlich der in ihrer Totalität guten Schöpfung etwas gewußt hat, was die wirklichen Kirchenväter samt unseren Reformatoren, was die Orthodoxen und Liberalen, die von der natürlichen Theologie, die mit dem „Wort Gottes" gewaltig Bewaffneten und erst recht die Existentialisten so nicht gewußt oder jedenfalls nicht zur Aussprache und Geltung zu bringen gewußt haben, was aber auch die anderen großen Musiker vor und nach ihm so nicht gewußt haben ... Er hat wie von diesem Ende her den Einklang der Schöpfung gehört ... Et lux perpetua lucet (sic!) eis (Und das ewige Licht leuchte ihnen): auch den Toten von Lissabon. Mozart sah dieses Licht so wenig wie wir alle, aber er *hörte* die ganze von diesem Licht umgebene Geschöpfwelt. Und es war bei ihm auch das von Grund aus in Ordnung, daß er nicht etwa einen mittleren, neutralen Ton, sondern den *positiven stärker* hörte als den negativen: er hörte diesen nur in und mit jenem.

Die literarische Bedeutung

Die Anspielung auf die Opfer des Lissaboner Erdbebens, mit dem die Aufklärer Gott in den Zustand der Anklage zu versetzen pflegten, ist ebenso ein Lieblingsargument Barths wie der Hinweis auf die Schönheit und Herrlichkeit der Schöpfung — die von zeitgenössischen Existentialisten schwarz in schwarz gemalt wurde. So entschieden sich Barth für eine neue christliche Theologie einsetzte, so langsam wichen die Fronten, gegen die er zu kämpfen hatte. Es war eine streitbare Theologie, die viele Gegnerschaften hervorrief und Feindschaften auslöste. Aber ihre Wirkung hat noch kein Ende gefunden. Karl Barths Werk gehört außer zur Theologie zur spekulativen Prosa unserer Zeit. In ihm fand der christliche Widerstand gegen religiöse Gleichgültigkeit und Irrlehre den mächtigsten literarischen Ausdruck.

Otto von Taube

Erst spät schloß sich das Lebenswerk des baltischen Freiherrn Otto von Taube (geboren 1879), als er nämlich entdeckte, daß die Einheit von hüben und drüben, Chaos und Paradies, Vereinzelung und Gemeinschaft im christlichen Leben prä-

OTTO VON TAUBE

formiert und in der religiösen Gewißheit erfahren wird. Er begann als Lyriker, von d'Annunzio beeinflußt („Verse", 1907). Mitte der dreißiger Jahre näherte er sich, wie sein Freund R. A. Schröder, dem orthodoxen Christentum. Aus der Jugend in den baltischen Ländern, aus den Wanderjahren als Student und Angehöriger der adligen Gesellschaft schrieb er farbige Erinnerungsbücher und den Roman „Die Löwenprankes" (1921). Der junge Taube hatte sich in den Wirren der Revolution 1918 der Weimarer Metzgerzunft nützlich erweisen können und wurde ihr „Ehrenbruder". Auf Wanderungen durch Deutschland, die er zu Fuß unternahm, lernte er die Sitten und Bräuche näher kennen und schrieb nach längeren Vorarbeiten den historischen Roman „Die Metzgerpost" (1935). Der Held ist ein Pfarrerssohn, der aus dem Bereich der väterlichen Humaniora in die der reitenden Metzgerkuriere übertritt. Auch der Held des Romans „Das Opferfest" (1926) ist ein renitenter Pfarrerssohn. Wie H. Brochs „Versucher" gipfelt der Roman in einem germanisch-keltischen Opferritus, der schauerlich grotesk anmutet. Die Romane und Novellen Otto von Taubes repräsentieren die Vorstufe seines Spätwerks, das in den Geschichten von „Doktor Alltags phantastischen Aufzeichnungen" (1951) und „Der Minotaurus", einem Stierkämpferroman (1959), gipfelt. Hier ist der Stil gestrafft, die Fabel verschränkt und die Komposition nach Maßgabe des epischen Stoffes gefügt. Otto von Taube lebt, wie auch die verdienstlichen Übertragungen ausweisen (d'Annunzio, Lope de Vega, Camões, Stendhal, Blake, Berdjajew, Lesskow u. a.), aus der Breite der europäischen Tradition. Auch seine freundschaftlichen und verwandtschaftlichen Bindungen weisen darauf hin: Bergengruen, R. Schneider und Keyserling. Neben dem literarischen Werk steht das nicht minder reiche religiöse und historische, welches den Ideen der christlichen Überlieferung im slawischen, deutschen und romanischen Raum verpflichtet ist.

„Die Metzgerpost"

„Doktor Alltag", „Minotaurus"

Edzard Schaper

Edzard Schaper ist als Sohn niederdeutscher Eltern in der damaligen Provinz Posen 1908 geboren und führte in der Jugend ein bewegtes Leben. Einige Zeit versuchte er sich am Theater und schrieb über Barlach. Fluchten aus der Zivilisation in die Wälder und auf einsame Inseln, zu Fischern und Schiffern kehren in fast allen Büchern wieder. Mitte der dreißiger Jahre fand er „sein" Thema im Kampf des Kommunismus gegen „Die sterbende Kirche" (1935) der russischen Orthodoxie. Ähnlich wie Heinrich Zillich oder Bruno Brehm interessierte Schaper das Phänomen der Grenze und des Übergangs zwischen Völkern und Ideen. Schaper lokalisiert seine Erzählungen mit Vorliebe in Estland, wo er 1930–40 gelebt hat. In einigen Romanen übernimmt die napoleonische Staatsdoktrin die Rolle der antichristlichen Ideologie. Edzard Schapers Sprache ist mehr beschreibend als darstellend; der Autor möchte den Leser in theologisch behenden Gesprächen überzeugen. In den viel gelesenen Werken kehren die Startzen, Kommissare und Offiziere ebenso wie die Matrosen, Fischer und Waldläufer immer wieder.

Jochen Klepper

Ihm verwandt ist Jochen Klepper (1903–1942). Er war ursprünglich evangelischer Theologe und kam vom Journalismus in Breslau und Berlin zum Funk. Dort lernte ihn Reinhold Schneider kennen. In dem dicken Roman „Der Vater" (1937) sieht Klepper Friedrich Wilhelm I., den strengen Vater des Großen Königs und Begründer der preußischen Militärmacht, als gläubigen Protestanten von altem Schrot und Korn. Die Lyrik des „Kyrie" (1938) wahrte die Tradition des evangelischen Kirchenlieds. Klepper plante einen Lutherroman, von dem „Die Flucht der Katharina von Bora" 1951 aus dem Nachlaß als Fragment veröffentlicht wurde. Ein hintergründiges Dokument sind die 1956 aus dem Nachlaß veröffentlichten Tagebücher mit dem Titel „Unter dem Schatten deiner Flügel". Sie enthalten fast tägliche Aufzeichnungen des Autors aus den Jahren 1932 bis 1942, die von biblischen Betrachtungen ausgehen. Klepper war mit einer jüdischen Frau verheiratet. Seine Versuche, die Kinder der Frau vor der Verfolgung zu retten, bilden den äußeren, die hadernden Gespräche mit Gott den inneren Inhalt des Buches, das kaum für die Veröffentlichung bestimmt war. Reinhold Schneider hat auf das Geheimnis und den Widerspruch hingewiesen: wie konnte ein Mann, der gläubig zum Tode bereit war, so an seinem irdischen Haus hängen? Warum ging er nicht mit Frau und Kindern fort, so lange es noch möglich war? Der Weg mit Frau und Stieftochter in den freiwilligen Tod, „unter dem Kreuz", ist christlich schwer zu verstehen. „Das Problem stellt sich in einer Gestalt, auf die es keine Antwort gibt" (R. Schneider).

Dokument der Verfolgung

Die drei wichtigsten Gestalten der christlichen Literatur sind Rudolf Alexander Schröder, Konrad Weiß und Reinhold Schneider. Weiß ist, als katholischer Dichter, einer der großen Lyriker aus expressionistischem Erbe, Schröder gehört als literarische Gestalt in die spezifisch humanistische Tradition, die in der „Corona" noch einmal bezeugt wurde, und Schneider zählt zu den spekulativen Geschichtsdenkern, die zwischen den Katastrophen deutsches Schicksal zu deuten und abzuwenden suchten.

Schröder, Weiß, Schneider

Gertrud von le Fort

Herkunft und Familie

Gertrud von le Fort ist 1876 zu Minden in Westfalen geboren, dort stand ihr Vater als preußischer Offizier in Garnison; er stammte aus Mecklenburg, und in einem Haus am Müritzsee ist die Dichterin groß geworden. Die Familie le Fort ist savoyardischer Herkunft. Zur Zeit der Reformation war sie nach Genf gezogen, ein anderer Zweig gelangte über Rußland nach Deutschland. Ein François le Fort war Admiral und Zechgenosse Peters des Großen. Andere le Forts standen im Dienst der französischen Könige. Die deutschen le Forts sind Freiherrn des alten deutschen Reiches, der Adelsbrief kam aus der Wiener Hofburg. Die Mutter der Dichterin stammte aus der Mark und war Protestantin; täglich las sie die Losungen der Brüdergemeinde. Die junge Gertrud von le Fort studierte in Heidelberg und Berlin evangelische Theologie und Geschichte und fand ihren Lehrer in Ernst Troeltsch. Es war eine schicksalhafte Begegnung. Soeben hatte Troeltsch sein Buch über „Die Absolutheit des Christentums" (1902) geschrieben und trieb Studien über die Bedeutung des Protestantismus für die Entstehung der modernen Welt. Während des Krieges, bewegt durch die allgemeine Erschütterung, wandte sich Troeltsch Studien über den Historismus zu und entwickelte eine „Glaubenslehre", die er selbst nicht mehr herausgab. Das Buch erschien 1925, ein Jahr nach seinem Tode, in einer sorgfältigen Nachschrift der Heidelberger Vorlesung. Die Herausgeberin war Gertrud von le Fort.

Die Schule Ernst Troeltschs

Im Jahre 1924 sind Gertrud von le Forts „Hymnen an die Kirche" erschienen, Gedichte in Form von Zwiegesprächen zwischen der suchenden, nach Gott verlangenden Seele und der Kirche. Da heißt es:

Ich bin ein Reis aus entwurzeltem Stamm, aber dein Schatten liegt auf meinen Wipfeln wie Hochwaldschatten.
Ich bin eine Schwalbe, die im Herbste nicht heimfand, aber deine Stimme ist wie das Rauschen von Flügeln.
Dein Name tönt mich an wie der Name eines Sternes.

Es sind psalmodierende Langzeilen, wie sie von Arno Holz und Max Dauthendey und – im frühen Expressionismus – von Ernst Stadler angewandt worden waren. Die Spätexpressionisten (z. B. Th. Tagger/Bruckner) erkannten im Psalm ein archetypisches Urbild ihrer eigenen Dichtung, hier wurzelt die Verbindung von Pathos und Frömmigkeit. In diesen Zusammenhang gehören die feierlichen Beschwörungen, wenn die Kirche bei G. von le Fort sagt:

Psalm und Expressionismus

Ich habe noch Blumen aus der Wildnis im Arme, ich habe noch Tau in meinen Haaren aus den Tälern der Menschenfrühe,
Ich habe noch Gebete, denen die Flur lauscht, ich weiß noch, wie man die Gewitter fromm macht und das Wasser segnet.
Ich trage noch im Schoße die Geheimnisse der Wüste, ich trage noch auf meinem Haupt das edle Gespinst grauer Denker,
Denn ich bin die Mutter aller Kinder dieser Erde: was schmähest du mich, Welt, daß ich groß sein darf wie mein himmlischer Vater?
Siehe, in mir knien Völker, die lange dahin sind, und aus meiner Seele leuchten nach dem Ew'gen viele Heiden!
Ich war heimlich in den Tempeln ihrer Götter, ich war dunkel in den Sprüchen aller ihrer Weisen ...

Der Weg der Konvertitin

Wie kam es, daß die Schülerin Troeltschs, des protestantischen Theologen, die katholische Kirche feierte? Wie kam es, daß Gertrud von le Fort erst mit ihrer Konversion (1927) zur Dichterin wurde? Ihre früheren Versuche (seit 1902) sind unbeachtet geblieben und später von der Autorin verworfen worden. Der dichterisch neue Ansatz ist aufschlußreich: Durch Troeltsch hatte Gertrud von le Fort Meister Eckehart, Jakob Böhme und Nikolaus von Cues kennengelernt. Troeltsch hatte die einigende Substanz des Christentums in der verinnerlichten Frömmigkeit der Mystiker gesehen. Deren Gewißheit wurde dem modernen Zweifel entgegengesetzt, und der späte Troeltsch hatte in der Lehre vom „Kompromiß" eine Wesensforderung des Daseins erblickt – und zwar im Gegensatz zum lutherischen Entweder-Oder, dem heiligen Ja Gottes und dem sündigen Nein des Menschen. Damit war die Dichterin zurückverwiesen auf das orthodoxe Elternhaus mit seinen pietistischen Losungen. Sie hat den Übertritt zum Katholizismus nicht als einen Bruch, sondern als Betonung der Einheit der Christen empfunden:

Die Einheit des Glaubens

Der Konvertit ist nicht, wie mißverstehende Deutung zuweilen meint, ein Mensch, welcher die schmerzliche konfessionelle Trennung betont, sondern im Gegenteil einer, der sie überwunden hat: Sein eigentlichstes Erlebnis ist nicht das eines andern Glaubens, zu dem er übertritt, sondern sein Erlebnis ist das der Einheit des Glaubens, die ihn überflutet. Es ist das Erlebnis des Kindes, welches inne wird, daß sein eigenstes religiöses Besitztum – das zentral christliche Glaubensgut des Protestantismus –, wie es aus dem Schoße der Mutterkirche stammt, auch im Schoß der Mutterkirche erhalten und geborgen bleibt. Es geht also ... um die aufleuchtende Erkenntnis, daß die Glaubensspaltung weniger eine Spaltung des Glaubens ist als eine Spaltung der Liebe, und daß die theologische Überwindung jener niemals gelingen kann, wenn ihr nicht die Überwindung dieser vorausgegangen ist.

Aus diesem Erlebnis läßt sich das Werk der Dichterin deuten. 1928 kam der erste Band des Hauptwerks, „Das Schweißtuch der Veronika“, heraus. Hier schien der christliche Roman auf hohem literarischem Niveau verwirklicht zu sein, daher seine lang anhaltende Wirkung, bis 1946 der zweite Teil erscheinen konnte. Den Hintergrund des dichterisch bedeutenderen ersten Teils bildet die Stadt Rom, wie die Dichterin sie in ihrer Jugend in langen Aufenthalten kennengelernt hatte, das heidnische, das christliche und das modern-vitalistische Rom. Die Großmutter und die Tanten Edelgard und Jeanette verkörpern diese Schichten und ringen um die Seele des heranwachsenden Kindes. Im zweiten Teil, „Der Kranz der Engel“ (1946), liebt das inzwischen erwachsene junge Mädchen in Heidelberg Enzio, den Vertreter des unfromm gewordenen, aufrührerischen, nationalsozialistischen Deutschland: der Roman ist eine Geschichtsdichtung –: die Geschichte bietet Ort und Raum der Entscheidung zwischen Wahrheit und Lüge, deren eigentümliche Verschränkung aufzulösen die Aufgabe des Menschen ist. Die zugrunde gelegte Gnadentheologie rief eine heftige Kontroverse hervor.

Gertrud von le Fort, Plastik von Fidelis Bentele

In den dreißiger Jahren erschienen, in rascher Folge, Erzählungen und Romane. Sie exemplifizieren jeweils eine menschliche Entscheidung für oder gegen Gott. 1930 kam „Der Papst aus dem Ghetto“ heraus, 1931 „Die Letzte am Schafott“. Paul Claudel sagte darüber: „Diese Dichtung wird bleiben. Sie ist von einer mystischen Erfülltheit wie keine zweite in den letzten Jahrhunderten.“ Tatsächlich gipfelt das Schaffen der Dichterin in diesem Werk. Eine junge Nonne läuft bei Ausbruch der Französischen Revolution aus Angst davon und versteckt sich. Als ihre Mitschwestern unter dem Gesang des Veni Creator das Blutgerüst besteigen und eine Stimme nach der andern unter der Guillotine verstummt, beginnt diese Blanche aus der johlenden Masse heraus den Hymnus weiterzusingen und stirbt ihren Schwestern nach. Das Thema der Novelle ist die Todesangst. Die Erzählung ist als Brief stilisiert. Dem Gerede von Menschlichkeit und natürlicher Güte wird die christliche Heiligkeit entgegengestellt. Die Christenverfolgung inmitten der modernen Welt, dem aufgeklärten Paris von 1789, ist Thema der Erzählung.

„Die Letzte am Schafott“

Anfangs heißt es einmal: „Revolutionen werden ja immer nur bedingt durch Mißwirtschaft und Fehler des Systems verursacht, diese lösen sie vielmehr nur aus: ihr eigentliches Wesen ist der Ausbruch der Todesangst einer zu Ende gehenden Epoche.“ Auch der Vater der kleinen Blanche deklamierte in den Kaffeehäusern über Freiheit und Gleichheit, aber er ahnte nicht, daß diese Ideen seiner Familie den physischen Tod bringen könnten. Das eigentliche Problem ist die Wirklichkeit der Ideen. Es heißt:

> Die kleine naive Constance de Saint Denis setzte altklug hinzu: „Wenn es nun also wirklich zu diesen Verfolgungen kommt, können wir denn auch mit gutem Gewissen sagen, daß wir alle stark genug sein werden?“
> „Nein, mein Kind, das können wir bestimmt nicht sagen“, erwiderte Madame Lidoine, die zufällig vorüberging, mit ihrer tiefen Stimme. „Allein es kommt zum Glück auch nicht darauf an, sondern wenn jene Verfolgungen eintreten, wird sich ‚Seine Majestät‘ [d. i. Jesus] sowohl der Starken als auch der Schwachen unter uns annehmen müssen.“
> „Aber doch wohl vor allem der Schwachen?“ fragte die kleine Constance ein wenig unsicher, als Madame Lidoine weitergegangen war. Sie sprach aus, was alle dachten, und infolgedessen antwortete ihr niemand, aber jeder blickte selbstverständlich auf Blanche . . .

Die historischen Werke

„Das Schweißtuch der Veronika“ war als Ich-Roman, „Die Letzte am Schafott“ als Brieferzählung stilisiert. Gertrud von le Fort blieb bei diesem Verfahren. Am meisten liebt sie den Stil der Chronik. „Der Papst aus dem Ghetto“ hatte die Geschichte eines angeblich jüdischen Papstes im frühmittelalterlichen Rom im Stil treuherzig drastischer Zeitberichte dargestellt. Weitere Bücher setzten sich mit den Fragen der männlichen Macht und ihrer weiblichen Überwindung durch Liebe auseinander. Sie erschienen in rascher Folge, 1933 die historische Legende „Das Reich des Kindes“ und 1938 der Roman vom Untergang Magdeburgs im Dreißigjährigen Krieg, „Die Magdeburgische Hochzeit“. In verwandtem Milieu spielt „Die Abberufung der Jungfrau von Barby“ (1940), eine Nonne wird untreu und kommt gewaltsam ums Leben. Die Grausamkeit, die den Leser bei Enrica von Handel-Mazzetti peinigt, wird bei G. von le Fort nie naturalistisch dargestellt; der äußere Vorgang ist ein Spiegel der inneren Dämonie.

„Die Jungfrau von Barby“

Das Werk der Dichterin kennt drei Grundthemen, die Deutung der Geschichte, der Frau und der Kirche. Wo es ihr gelingt, diese Motive zu verbinden und eine symbolische Handlung zu motivieren, da öffnet sich eine religiös-mystische Tiefe. In der „Jungfrau von Barby“ lehnt sich eine von der Rotte sektiererischer Kirchenschänder bedrohte Äbtissin gegen das Wort Christi auf „Vergib ihnen, denn sie wissen nicht, was sie tun“. Wieso soll die Rotte nicht wissen, was sie tut? Man hat sie doch selbst unterrichtet und viele gute Werke leiblicher und seelischer Barmherzigkeit an ihnen getan. Der Propst muß sie belehren, daß die Stürmenden trotzdem blind seien; denn hätten sie den christlichen Geist wahrhaft aufgenommen, so würden sie jetzt nicht das Kloster stürmen.

Der sittliche Gehalt

So tritt die Geschichte der „Welt“ der Kirche gegenüber. Trägerinnen des Mysteriums sind Jungfrauen und Kinder. Hinter den symbolischen Vorgängen steckt eine „existentielle Geschichtsphilosophie“. Der gegen die Ordnung rebellierende Haufe weiß tatsächlich nicht, was er tut. Er verwüstet nicht bloß den Boden, von dem er selbst stammt und auf dem er steht, sondern begibt sich, wie Enzio im „Kranz der Engel“, in einen leeren, utopischen oder wahnhaften Raum.

Unbändiger Glanz,
Ungeblendeter,
Jauchzender Ausbruch der Allmacht,
Des brausenden Anfangs
Erstgeborenes Kind u. alleiniger Erbe:
Durch Jahrmillionen strahlst du
Das göttliche Schöpfungswort –

Gertrud von le Fort, Handschriftprobe

Der Aufstand findet auch innerhalb der Kirche statt. In den Religionskriegen haben keineswegs Katholiken oder Protestanten recht, denn beide verletzen das höhere Gesetz der Liebe und werden schuldig, bis ein Gerechter, die Jungfrau, das Kind oder die Liebende, durch ihr Opfer die Welt erlöst.

Kleinere Werke

1943 erschien „Das Gericht des Meeres", 1947 „Die Consolata", die beide 1953, mit „Plus Ultra" und „Die Tochter Farinatas" vereinigt, wieder herauskamen. Es folgten in den nächsten Jahren einige kleinere Werke, darunter die biographisch interessanten „Aufzeichnungen und Erinnerungen" (zuerst 1951).

Im Jahre 1932 waren, eine Art Gegenstück zu den „Hymnen an die Kirche", „Hymnen an Deutschland" erschienen, Warnruf und Beschwörung der Deutschen, ihrer wahren Aufgabe nicht untreu zu werden. 1934 veröffentlichte Gertrud von le Fort die Essays „Die ewige Frau". Sie gehörte mit solchen Büchern zu den bedeutendsten Gestalten des inneren Widerstands gegen das Hitler-Regime und konnte deshalb nach dem Kriege ein glaubwürdiges Bekenntnis zu Deutschland ablegen.

Ina Seidel

Die Familie Seidel

Ina Seidel ist 1886 in Halle an der Saale geboren, doch sechs Monate später ließ sich der Vater als Arzt in Braunschweig nieder; hier hat Ina Seidel ihre Kindheit verbracht. Der Bruder des Vaters war Heinrich Seidel, der Autor von „Leberecht Hühnchen". Die Mutter stammte aus Riga und war die Stieftochter des Ägyptologen und berühmten Autors historischer Romane, Georg Ebers. Nach dem Tode des Vaters zog die Mutter mit den Kindern Ina, Willy und Annemarie erst nach Marburg, dann nach München, zumal die Großeltern der Kinder in Tutzing wohnten. Über ihre Jugend hat Ina Seidel Erinnerungen (1935) geschrieben, die zu ihren besten Prosaarbeiten gehören. Mit zweiundzwanzig Jahren heiratete sie

Ina Seidel

ihren Vetter, den Berliner Pfarrer Heinrich Wolfgang Seidel, dessen Tagebücher und Briefe sie 1946, 1950 und 1952 herausgab. Heinrich Wolfgang Seidel tritt darin als kluger, vornehmer, scharf kritischer Beobachter aus dem ersten Drittel unseres Jahrhunderts vor den Leser. Die Briefe und vor allem die Stücke aus dem Nachlaß, „Aus dem Tagebuch der Gedanken und Träume", haben nicht nur dokumentarische Bedeutung, sie sind Erfindungen eines Dichters, der zu wenig bekannt ist.

Heinrich Wolfgang Seidel war als Sohn des Ingenieurs und Schriftstellers Heinrich Seidel in Berlin aufgewachsen (1876–1945). Als Pfarrer kam er 1914 nach Eberswalde, wo er

Heinrich W. Seidel

zehn Jahre blieb, und ging dann an den Deutschen Dom in Berlin. 1934 trat er aus Widerspruch gegen die Politisierung des kulturellen und kirchlichen Lebens in den Ruhestand und zog sich mit seiner Familie nach Starnberg zurück. Etwa gleichzeitig mit seiner Frau begann er zu publizieren. 1913 erschienen die Geschichten „Der Vogel Tolidan", zwei Jahre darauf die Novellen „Ameisenberg" und „Die spanische Jagd". Der erste Roman, „Das vergitterte Fenster", behandelte einen Kriminalfall (1919), während „George Palmerstone" (1922) eine Berliner Jugend zu Beginn der Industrialisierung beschrieb: das war ein Thema, das Seidel immer wieder beschäftigte, die Tagebücher und Briefe bezeugen es. Er galt damals als ein Nachfolger Fontanes, den er herausgegeben und 1940 biographisch dargestellt hat. In der eigenen Gegenwart spielt der Roman „Krüsemann" (1935), der offenbar autobiographisch gefärbt ist. H. W. Seidel war ein Neuromantiker mit dem in vielen Geschichten auftauchenden Fernweh. Er hat aber nicht, wie seine Frau, die spätidealistische bürgerliche Epoche und Lebensweise zu schildern versucht, sondern die Grenzwelt des Epochenschnitts, das Auftauchen bisher als unliterarisch geltender Figuren und Themen. Seine Ethik nährte sich am Urchristentum („Das Antlitz vor Gott", religiöse Aufsätze, 1941) und suchte einen modernen Ausdruck für den christlichen Glauben. Sein märchenhaft spröder, unbestechlicher Stil ist dem seiner berühmten Frau an literarischer Qualität überlegen.

Ina Seidel hat von allen Mitgliedern der Familie den größten Erfolg gehabt. Ihr „Wunschkind" (1930) erreichte eine ungewöhnliche Auflage, weil sich eine breite bürgerlich-idealistische Schicht davon angesprochen fühlte. Was eine halbe Generation früher Ricarda Huch gewesen war, was für den katholischen Volksteil Gertrud von le Fort bedeutete, hat Ina Seidel für viele evangelische Leser vertreten und bezeugt. Sie wagte sich, weiblich kühn und unbefangen, an große historische, religiöse und auch politische Zusammenhänge. Ihr Ausgangspunkt war nicht so sehr das idealistische norddeutsche Bürgertum, sondern etwas Allgemeineres, das mit der sozialen und geistigen Sphäre der Jahrhundertwende eng zusammenhing: Pantheismus, historisches Interesse, Patriotismus, romantische Verklärung der Zeitlage und der Glaube an weibliche Idole von Muttertum, Erde, Heimat, Brutwärme. Dadurch entzieht sich das Werk eigentlich der Literatur; es reicht in Anlage und Wirkung weit darüber hinaus, wie immer, wenn politische und religiöse Motive in die Literatur eindringen. INA SEIDEL

Das „Wunschkind" ist ein Roman vom deutschen Schicksal im Raum zwischen dem Rhein und der Mark und spielt zur Zeit Napoleons. Der Roman beginnt im Revolutionsjahr 1792 in Mainz und endet 1813 mit der Aussicht auf die Zertrümmerung der Macht des Erben der Revolution. Über die Entstehung des Romans hat Ina Seidel selbst berichtet: „Das Wunschkind"

Das Wunschkind war schon vor dem Juli 1914 vorhanden. Wahrscheinlich entstand er unter dem Druck jener Vorkriegsspannung, der kaum ein Mensch sich entziehen konnte. In ihm habe ich versucht, das Schicksal einer Frau darzustellen, die vor dem Auszug des im Kriege gefallenen Mannes einen Sohn empfangen hat, den sie dann zwanzig Jahre lang dem Schicksal seines Vaters entgegenschreiten sieht. Zu seiner Darstellung brauchte ich einen Zeitraum von ungefähr zwanzig Jahren, in den zwei Kriege fielen. Ich fand ihn in dem Abschnitt von 1792–1813. Die Arbeit an diesem Buch zog sich eigentlich durch 16 Jahre. Immer wieder wurde es, weil ich mich dem Stoff noch nicht gewachsen fühlte, hinter anderem zurückgestellt. So entstanden verschiedene Romane und Novellen und schließlich 1921 der Forscherroman „Das Labyrinth".

„Das Wunschkind" ist also das Hauptwerk, dem eine Fülle von verwandten Themen parallel laufen, teils als Ergänzung, teils als ausgeschiedene und selbständig weiterentwickelte Massen. „Das Labyrinth" behandelt den genialischen Georg Forster, der mit Cook um die Welt reiste, sich politisch auf die Seite der Französischen Revolution schlug und in Paris unterging. Die Mächte und Menschen eines aufgerührten Zeitalters bilden die Sphäre des unglücklichen Forster: Lichtenberg, Heyne, Caroline Michaelis, Huber und andere. „Das Labyrinth" sollte kein historischer, sondern ein psychologischer Roman sein; Forster unterliegt dem Schicksal; aber seine Idee wird siegen. Im Labyrinth herrscht der Vater Forsters als Minotauros, der den Sohn auf die gefährliche Bahn zwingt; Ariadne zieht ihn tiefer hinein, sie ist das Leben und bringt den Tod. „Durch die innersten Windungen des Labyrinths führt der tödliche Wirbel der Sinnlosigkeit." „Das Labyrinth"

„Das Wunschkind" könnte als Überwindung des „Labyrinths" erscheinen, aber der Plan war ja viel älter! Forster versteht sein Leben, nach Ina Seidel, als ein Opfer: „Wenn wir Geopferte werden zu Opfernden, so haben wir heimgefunden ins Herz der Dinge und Gottes", sagt er. Diese Philosophie lebte aus der romantischen Todeserotik, die jener „Wirbel der Sinnlosigkeit" auslöste. Später wird ein göttlicher Ratschluß, in „Lennacker" die Vorsehung Gottes, zur Erklärung Sinnlosigkeit des Opfers benützt. Auch das Wunschkind ist solch ein „Opfer“. Die religiösen Vorstellungen der Personen werden als psychologische Daten gegeben. Der Roman beginnt mit einer starken Szene. Der preußische Premierleutnant Hans Adam Echter von Mespelbrun wacht mit Frau und Mutter am Bett seines sterbenden Kindes. Es ist der Tag vor seiner Abreise in den Krieg. Er fühlt, daß es nicht nur um das Kind geht, sondern auch ihn haben die Frauen schon aufgegeben:

Aus dem „Wunschkind“

Sich aufraffend, gewahrte er, daß seine Mutter die Augen geschlossen hatte, und atmete auf. Indessen wußte er ganz gut: mochte seine Mutter auch schlummern, – mochte er selbst in Schlaf fallen, und mochte sein kleiner Sohn endlich Ruhe finden: *eine* blieb wach. In den unbeholfenen Denkformen, die ihm zu Gebot standen, machte er es sich klar, daß ein Wille, eine Seele von übermenschlicher Kraft in der Kammer wach seien, und daß diese Wachheit im Raum stand wie überhelles Licht, in dem die Toten und Schlummernden hingen wie Früchte am Baum in der reifenden Zeit. In dieser Erkenntnis verging ihm das Denken. Er geriet in einen fürchterlichen und doch seligen Zustand des Schauens und gab sich ihm hin . . .

Das Mutterbild

Es ist Cornelie, die Frau und Mutter, der hier heroische Tugenden mit Gleichnissen und schwankenden Metaphern zugeschrieben werden. Sie ist Trägerin und Bewahrerin des „Lebens“. Hans Adam Echter von Mespelsbrun wirft sich schließlich erschöpft auf ein Bett, aber das Bild läßt ihn nicht los: Mutter und Frau am Totenbett des Kindes. („Er schluchzte auf. Ölberg . . . ging es ihm durch den Sinn, – Ölberg!“) Er hat Traumvisionen von seinem und seines Kindes Tod, und da naht ihm seine Frau. Er muß „der Erde gehorchen“, ebenso wie der schwülen „Julinacht“, und er „gehorchte am tiefsten der Frau, die die Arme um seinen Nacken schlang und leer von allen Wünschen war bis auf den einen Willen zur Fruchtbarkeit . . .“ Am nächsten Morgen besteigt Hans Adam sein Pferd, reitet in den Krieg und fällt, während seine Frau („schon quoll im Erdreich der Keim“) das Wunschkind bekommt – das den gleichen Weg wie der Vater geht.

Die Naturreligion

Das Schema des Lebens ist also der Kreislauf der Natur. Werden und Vergehen sind identisch. Das Individuum unterliegt dem Gesetz wachstümlichen Lebens und Sterbens. In der Lyrik läßt sich Ina Seidels Erd-, Welt- und Schicksalsgefühl im Zusammenhang mit den Ideen ihrer Zeit nachweisen. Sie sind naturpantheistisch, noch weit entfernt von einer geistlichen Glaubenswelt. Nur die Tönung der Sprache erinnert an die Zerknirschung frommer Liederdichter:

Unsterblich duften die Linden,
Was bangst du nur?
Du wirst vergehn und deiner Füße Spur
Wird bald kein Auge mehr im Staube finden.
Doch blau und leuchtend wird der Sommer stehn
Und wird mit seinem süßen Atemwehn
Gelind die arme Menschenbrust entbinden.
Wo kommst du her? Wie lang bist du noch hier?
Was liegt an dir? –
Unsterblich duften die Linden. –

Das lyrische Werk

Die ersten „Gedichte“ Ina Seidels erschienen 1914. Rasch folgten die Bände „Neben der Trommel her“ (1915), neue Gedichte mit dem bezeichnenden Titel „Weltinnigkeit“ (1919), die „Neuen Gedichte“ (1927), „Die tröstliche Begegnung“ (1932), „Gesammelte Gedichte“ (1937) und die Festausgabe der „Gedichte“ zum

Ina, Seidel, Handschriftprobe

siebzigsten Geburtstag 1955. Die Themen sind Liebe zum Gatten, zur „mütterlich" aufgefaßten Erde, zum Volk, zur Heimat. Die „Erdenlieder" sind Planetengesänge, Nachklänge Walt Whitmans, Dauthendeys, Verhaerens, wie sie auch bei Gertrud von le Fort, Alfons Paquet und Paul Zech zu finden sind. In den langzeiligen Strophen bricht ein Mythos der als „heilig" aufgefaßten Wildnis durch:

„Der Wanderer"

Stätten fand ich im Land, heilig, noch niemals bewohnt,
Wartend lagen sie da unter dem wandernden Mond.
Ewig sah sie der Mond, sah sie noch immer erwacht,
Bis ich herausschritt von fern, stumm durch die schimmernde Nacht.

Bis ich vom Zauber gebannt, ruhte und sprach wie im Traum:
„Oh, so erlöse mich, Quell – oh, so erlöse mich, Baum!"
Und dann erbebte der Baum, und der Quell pulste dunkel und voll
Als ein lebendiges Blut, das dem Herzen der Erde entquoll.

Bis man den Bruder erkennt, ward ich von ihnen erkannt,
Liebe zog Liebe herbei, eins ward mein Herz und das Land,
Oh, da verließ mich das Leid, – oh, da zerging es wie Rauch!
Bäume und Wiese und Quell rauschten und freuen sich auch.

Die Erzählerin

Ina Seidels Erzählungen wurden von der gleichen Naturmystik genährt wie die Gedichte. Noch vor dem „Labyrinth" waren die Novellen „Hochwasser (1920) erschienen. Die Novelle „Die Fürstin reitet" (1925) stammte aus dem Stoffbereich der Studien zum „Labyrinth" und behandelte eine Episode der russischen Geschichte. Die Jugendgeschichte zweier Halbgeschwister schilderte der Roman „Sterne der Heimkehr" (1923). Das Thema war in der Erzählung „Das Haus zum Monde" (1916) schon angeschlagen. Der Roman „Brömseshof" (1928) berichtete von einem Kriegsheimkehrer, dessen Schwestern ihm den Hof entreißen, indem sie nachweisen, daß er ein uneheliches Kind ihrer Mutter war. Auch „Weg ohne Wahl" (1933) erzählte von der Lösung der Kinder von den Eltern. All diese Werke waren Neben- und Rankenwerk zum „Wunschkind" (1930). 1938 erschien das dritte Hauptwerk, „Lennacker". Ein aus dem ersten Weltkrieg heimgekehrter

Medizinstudent hat in den Zwölf-Nächten im Fiebertraum die Erscheinung von zwölf väterlichen Ahnen seiner Pfarrersfamilie. Von Luther bis Adolf Harnack spiegelt sich da in Novellen die Geschichte des deutschen Protestantismus. Lennackers Kindheit wurde in dem Roman „Das unverwesliche Erbe" (1954) nachgeholt, kompliziert durch die drei Mütter, von denen eine mit einem Katholiken verheiratet war. Erst in „Lennacker", 1938, war die Naturfrömmigkeit durch die Besinnung auf die christliche Familientradition ersetzt worden.

Der Lennackerkreis

Fast alle Geschichten der Autorin hängen untereinander zusammen. Ina Seidel will „in dem unabsehbaren Gewühl des Lebens bestimmte Bewegungslinien ins Auge fassen, ihren Ursprung aufsuchen oder vielmehr ihre Abzweigung aus einer anderen Linie als willkürlichen Ursprung feststellen . . ." Mit der Traumerzählung „Unser Freund Peregrin" (1940) begab sich Ina Seidel unter dem Eindruck des Dritten Reiches auf den „Weg nach innen". Die Novalis-Gestalt ist wohl dem 1934 gestorbenen Bruder Willy nachgezeichnet. Der Altersroman „Michaela" wird denselben fingierten Aufzeichnungen des Historikers Brock wie „Peregrin" entnommen. Er enthält die Auseinandersetzung der Autorin mit dem Phänomen des Nationalsozialismus. Gerade sie, als Deutsche und Protestantin, fragte sich, wie und warum ein großer Teil des deutschen Volkes den Lockungen Hitlers erliegen konnte. Freilich weicht der Roman dem eigentlichen Problem aus, denn er spielt in halb utopischen sozialen und politischen Bereichen. Nur von fern schimmert die Realität der deutschen Katastrophe durch. Hier, wo Geschichte Gegenwart bedeutete, verschiebt ein romantisches Fühlen die Umrisse. Das Werk drückt aus, wie unsicher das bürgerliche Denken geworden war, das aus den Wurzeln des neunzehnten Jahrhunderts lebte, und wie verhängnisvoll der Schwund an Wirklichkeitssinn sich in der Welt auswirken konnte.

Der Peregrinkreis

Konrad Weiß

Geistige Landschaft

Weder zu Lebzeiten noch später hat Konrad Weiß (1880–1940) die Beachtung gefunden, die ihm gebührt. Es mag symbolisch erscheinen, daß er anderthalb Jahrzehnte lang in der Redaktion der katholischen Monatsschrift „Hochland" saß, durch die Karl Muth eine neue publizistische Garde heranzubilden hoffte, doch die Zeitschrift nahm keine Kenntnis von dem Dichter Konrad Weiß. Ähnlich erging es ihm bei den „Münchner Neuesten Nachrichten", deren Redaktion er mit einigen Unterbrechungen zwei Jahrzehnte als Kunstkritiker angehörte. Die Anekdote erzählt, Rudolf Borchardt habe dem Chefredakteur der Zeitung eines Tages zugerufen, er scheine keine Ahnung zu haben, daß er den größten deutschen Dichter zu seinen Mitarbeitern zähle.

Konrad Weiß galt und gilt nicht bloß als tiefer, sondern auch als dunkler Dichter. Er hat sich als Dichter in die Mysterien der christlichen Glaubenslehre vertieft, und sein volles Verständnis setzt theologische Kenntnisse voraus. Die natürliche Sprache ist ihm buchstäblich „in Stücke" gegangen, er selbst hat sein Dichten als Nachstammeln verstanden. Schließlich war auch sein politisches Weltbild theologisch bestimmt und geriet in die Nähe konservativer Ideologien. Ein Kreis von Freunden, vor allem in München und Westfalen, hat ihn glühend verehrt und für ihn geworben.

Der Dichter ist in Rauenbretzingen bei Schwäbisch-Hall als Sohn einer kinder-

Konrad Weiß, Jugendbild

reichen Bauernfamilie geboren und sollte Theologie studieren. Damals erregte der Kampf um den Modernismus die Gemüter. Man versteht darunter das Eindringen der liberalen, bibelkritischen, von Kant und Schleiermacher eingeleiteten, von Feuerbach, Strauß, Büchner und Moleschott polemisch verfochtenen Spätaufklärung in die katholische Kirche. Vertrug sich der Geist dieses Wissenschaftsglaubens mit den Lehren der Kirche? Pius X. sprach ein hartes Nein. Den damaligen Professoren und Studenten, die den Modernismus verfochten, galt die Entscheidung gegen den „modernen" Geist des Reformkatholizismus als reaktionär und fortschrittsfeindlich. Zu den zahlreichen Theologen, welche die Seminare verließen, gehörte Konrad Weiß. Er ging nach München und führte dort eine bescheidene Existenz. Daß er ein Dichter von Rang war, haben die meisten seiner Zeitgenossen nicht gewußt. Nur Karl Gabriel Pfeill hatte ihm 1920 in seinem „Weißen Reiter" einen zentralen Platz in der Gesellschaft von Franz Johannes Weinrich, Ernst Thrasolt, Leo Weismantel und einiger anderer gegeben. Im gleichen Jahr erschien von Werner E. Thormann, der auch im „Weißen Reiter" vertreten war, eine Anthologie „Im Jubel des geschlossenen Rings", in der Weiß mit Josef Feiten, Ilse von Stach, Christoph Flaskamp und Richard Knies vorgestellt wurde. Sein erstes Buch „Tantum dic verbo" erschien 1918 bei Kurt Wolff, 42 Gedichte mit acht Steinzeichnungen von Karl Caspar, einem der ältesten Freunde, der eine ganze Reihe von Illustrationen zu Gedichten von Weiß geschaffen hat. Von den Psalmen bis Klopstock und Goethe reichte der Ton der Verse:

Äußeres Leben

Erste Veröffentlichungen

„Erde Mutter"

Erde, Mutter grenzenleer,
Augen fassen es nicht mehr,
blinden wie in Furchen Tau,
Himmel überfließt die Au,
erdüberwärts
weht der späte Wind ins Herz.

Ausgeronnen alte Schrift
neu verdorrte Wurzeln trifft,
blinder Seele heller Geist
kälter seine Fenster weist,
bis weltverstummt
jede Stunde sich vermummt.

Weißt du, wer du gestern warst,
treibend, bis die Hülle barst?
Heute wandelt sich der Sinn,
taumelnd zwischen Mauern hin
so schicksalbloß,
wie die Knospe nicht in ihrem
Schoß.

Einbandzeichnung von Karl Caspar
zu K. Weiß Die kleine Schöpfung

Die grammatischen Inversionen und Zusammensetzungen stehen an den gleichen Stellen innerhalb der Strophen (erdüberwärts, weltverstummt, schicksalbloß). Subjekt und Adjektiv werden einander entfremdet (blinden wie in Furchen Tau, Himmel überfließt die Au). Der Inhalt des Gedichts ist eine Klage über die von Gott verlassene „Erde", seit dem Fall Adams trostlose Stätte, die der Mensch, ein Adam aus Lehm, bewohnt. Neu sind nicht die Theologie und Anthropologie von Konrad Weiß, sondern der scharfe Akzent, mit dem er sie gegen die Welt des angeblich hellen Geistes, der Ratio, stellt: Welt und Zeit vermummen sich und sind verstummt. Niemand weiß sich selbst, er „treibt" und taumelt, das Schicksal ist ausgesetzter als die Knospe der Rose. Neu ist auch die Sprache. Weiß steht ähnlich und noch mehr als Trakl außerhalb der gewöhnlichen Traditionen. Manche frühe Gedichte sind Variationen von Psalmworten:

Der Herr ist stark;
ich ruhe auf ihm wie auf Bogens Sehne,
sein Finger drückt mich auf die weite Lehne . . .

Sprachauffassung

Die Grammatik hebraisiert, so wie sie später gelegentlich gräzisieren wird. Der Titel „Tantum dic verbo" ist dem Kommunionvers der Meßliturgie entnommen und soll sagen, daß das erlösende „Wort" nicht vom Menschen, sondern von Christus gesprochen werden muß. Er hängt eng mit Weiß' Sprachtheorie zusammen und hat nichts mit der rhetorischen Worttrunkenheit des Expressionismus gemeinsam.

Der nächste Gedichtband von Konrad Weiß erschien bei Georg Müller unter dem Titel „Die cumäische Sibylle" (1921, wiederum mit Steinzeichnungen von Karl Caspar). Der Titel weist darauf hin, daß nicht der Mensch das „Eigentliche" – wie man es damals gern nannte – auszusprechen vermöge, sondern das mit „Sinn" erfüllte Organ, in diesem Fall die Sibylle Gottes. Viel schlichter gab sich Weiß in dem Zyklus „Die kleine Schöpfung“ (1926). Es war ein Bilderbuch, das er gemeinsam mit Karl Caspar schuf. Ein Kind geht durch die Welt und sieht die Schöpfung mit naiven Augen, es redet mit Tier und Pflanze, und diese sprechen mit ihm:

„Die kleine Schöpfung“

Täglich, spricht der alte Hahn,
fängt ein neues Tagwerk an,
seit die Welt von Gott, mein Christ,
kikriki erschaffen ist.

Alle Kinder wachen auf,
Mutter spricht der Vater, lauf,
Sonne scheint vom Himmelszelt
in die Kammer dieser Welt.

Komm heraus auf meinen Schoß,
ei wie ist das Kindlein groß,
weil bei Nacht die Zehe siehst
du gagag gewachsen ist.

„Das Herz des Wortes“

1929 erschien die Sammlung „Das Herz des Wortes“, wie „Tantalus“ und „Die Löwin“ üppig gedruckt bei Benno Filser in Augsburg. In diesem Band steht eine Anzahl der großartigsten lyrischen Schöpfungen von Weiß. Es ist merkwürdig, wie Weiß die Naturpoesie der Mond-, Vogel- und Wandergedichte, wie sie sich seit Klopstock und Goethe in Deutschland entwickelt hatte, zurückzunehmen weiß in den Zusammenhang theologischer Naturbetrachtung, die von der Bibel ausgeht: Die Natur ist „unerlöst“, sie harrt der Vollendung in einem neuen Paradies, nachdem sie mit den Menschen aus dem Urparadies vertrieben wurde. Durch die Berührung mit der Immaculata gewahrt die beseelte Natur der Tiere und Pflanzen sich selbst, sie erwacht aus dumpfer Insichbefangenheit zur „Lust“ des „Gottesganges“. Hier finden sich die Bethlehem-Gedichte und das kunstvolle „Eleison“ mit Strophen, springenden Reimen und Bildern, wie sie in der deutschen Dichtung seit dem Minnesang nicht mehr möglich gewesen waren:

„Eleison“

Horch Maria, höre, Klänge,
die man nicht mehr kennt,
wie der dunkle Strom mit einem hellen Zischen
seine Gegenbrandung bänger
überrennt,
Klänge warf es fort am Firmament,
daß sie lag so wie ein totes Reh in Büschen
und nur Joseph lauscht dazwischen.

Maria ist die Rose, rosa mystica, die offensteht für die Empfängnis des inkarnierten Gottes. Weiß hat dafür immer wieder Bilder und Motive gefunden; aber für den Sinn des *religiösen* Mysteriums, das ja zugleich offen und verschlossen ist, hellstes Licht im Sinne der Mystiker, dunkles Geheimnis für den Verstand und verriegelt für den, der nicht glauben kann oder will – dafür hat Weiß ganz sinnliche Elemente: den musikalischen Klang, das Spiel der Reime, das Drehen und Wiederkehren der Echos und die betäubenden Wirbel sprachlicher Spiralen, in denen sich das Gedicht aufschnellt zu jähen Einsichten. Hier wird eine dichterische Evidenz erreicht, die keiner Logik nachvollziehbar ist. Das geschieht in den schlichten Versen: „Kummerlos steht die im Hoffen / unerschrockne Rose

Steinzeichnung von Karl Caspar zu Konrad Weiß Tantum dic verbo

offen", die Maria auf der Flucht nach Ägypten vor sich hinsingt und in denen sie träumend-singend, ohne zu wissen, aber glaubend, ihr Wesen ausspricht; es geschieht auch in den vielen Gedichten mit dem Motiv vom singenden Vogel. Indem der Vogel – gemeint ist der Kanarienvogel der Frau Weiß – allmorgendlich, mit dem ganzen Körper singend, das Sein erfüllt, sich hingibt an eine Lust des Daseins, für die es keine Worte gibt, und indem diese Lust in ihrer absoluten Unschuld Entzücken hervorruft, preist das singende Wesen den Grund seiner eigenen Existenz. In vielen Gedichten auf dies Vögelchen spricht Weiß den Vorgang nach:

Der Kanarienvogel

Eine volle Kehle spannt
ihr fast gurgelndes Berücken
hell doch und ein Widerzücken
wirft sich kecker an den Strand;

daß es plätschernd sich verliert
und versiegt, indes das Zagen
hat inzwischen angeschlagen
in vier Wänden, im Geviert.

Das winzige Tier antwortet dem Sein, in glücklicher Unschuld singend:

Da irgendwo, wo ich nicht weiß,
singt nun das Kehlchen wirbelleis
und steht auf seinen zarten Füßen,
es ringt sein Mund, ihm selbst nicht kund,
als müsse doppelt es begrüßen
zu dieser Stund das Erdenrund.

Absolute Sprache

Die vielen Vogelmotive – seit der Romantik längst zum Klischee erstarrt, in R. Wagners „Siegfried" mythisch aufgefaßt, bei Wilhelm Lehmann Zeugnis des abgründigen Wesens, Chiffre der Natur – entsprachen bei Weiß jenem „Schrei", mit dem der Expressionismus zu Gott hatte vordringen wollen. Seine Reime, Echos, Gleichnismetaphern („Conceits") und Klangspiralen sind Ausdrucksmittel der Transzendenz. Mit diesen Formen nahm er Traditionen auf, die zuletzt bei Brentano, früher bei Spee Laut geworden waren. Ein „absoluter" Sprachsinn wurde deutlich, der nicht unbedingt an den „Sinn" der Rede gebunden war, sondern auch durch diese andern, sinnlichen, Mittel sich auszudrücken vermochte. Daher die Dunkelheit und Schwerverständlichkeit seiner Gedichte für moderne, an den rationalen Gebrauch der Sprache gewohnte Leser.
Was in den Vogelversen idyllisch klingt, hat in Gedichten mit „heroischen" Motiven eine großartig-tiefe Lautgestalt gefunden. Der Dichter wurde überwältigt von Sprachvisionen, als seien nicht die Inhalte, sondern Lautformen der Strophen geträumt und, mit der Logik des Traums, zu Papier gebracht:

„Aktäon"

Wer so mit Schallen bläst,
es sinkt das Glück
des Jagens nicht ins Herz zurück,
ein Odem, der an Wälder stößt
und wiederkehrt und unerlöst
gebiert es Stück für Stück.

Jungfrau zu dir gesinnt,
die sein Verlies
mit Macht aufbrach und ihn verstieß,
die Hindin ist allzu geschwind,
es braust, die Seele hebt ein Wind,
es will doch nichts als dies:

Die Eile nicht, die Flucht,
die Beute nicht,
nichts als wie ihn dein Augenlicht
gleich einem Blitz in dunkle Schlucht
in seines Sturzes kranker Wucht
verwurzelt und verflicht . . .

Dichterische Gestalt

Natürlich läßt sich solch ein Gedicht nicht bloß „hören", sondern auch deuten, indem man die Schichten unterscheidet. Der Jäger Aktäon, der sehen wollte, was er nicht durfte, die Göttin, wird von dieser in einen Hirsch verwandelt und zu Tode gehetzt. Die nächste Schicht ist „Deutung"; Aktäon ist der irdische Mensch, vorwitzig, treulos, unbarmherzig. Die göttliche Artemis hütet ihr Geheimnis, der Mensch, der es berührt, wird ihr Opfer –: und findet darin seine Erfüllung. Artemis ist für Weiß ein Vor-Bild Marias. Die göttliche Macht jagt den Menschen, und dieser, der wohl fliehen kann und will, hat doch auch den geheimen Wunsch –

und wird dessen inne –, daß er zur Strecke gebracht werden will: weil die Jägerin jene Macht ist, der er im Augenblick, da er sie erkannt hat, gehören muß. Über der theologischen Deutung steht die dichterische. Sie nimmt Theologie und Mythos auf und verschmilzt beide zu diesem konkreten Text, dreht die Reime und Echos zu einer Spirale auf, zerbricht die normale Syntax, löst die Grammatik aus den Gliedern, redet asyndetisch und invers. Dadurch wird der Text jedoch nicht zerstört und verwischt, sondern deutlicher: indem Weiß so redet, wird das, was er sagen will, begrifflich-sinnlich anschaulich und hörbar. Der volle Sinn seiner Gedichte erschließt sich erst über die Sinne, durch das Ohr, welches Laut, Klang, Rhythmus, Strophe, Echo aufnimmt, sie an das innere Gehör und schließlich an die Intelligenz weitergibt.

„Das Sinnreich der Erde“

Weiß hat neue Gedichte 1935 gesammelt und dann, anders zusammengestellt, durch ältere Stücke ergänzt in dem Zyklus von 75 Gedichten „Das Sinnreich der Erde“ (erschienen 1939, 19 Gedichte enthielt schon „Tantum dic verbo“). Hier steht auch das berühmt gewordene „Vorwort“, in dem Weiß, soweit ihm das möglich war, seine Poetologie ausgesprochen hat:

Was im einzelnen gefügt
Wort ist und nicht mehr kann rücken,
daß es nicht im ganzen trügt,
geh du fort auf Traumes Stücken –

nein, der Sinn versinkt wie Traum
in dem auferwachten Tage,
und du suchst im ganzen Raum
endlos deine eigene Sage.

Im Jahre 1948 begann eine Gesamtausgabe der Werke zu erscheinen, betreut von Friedhelm Kemp. Hier wurden auch zahlreiche Stücke aus dem Nachlaß veröffentlicht, darunter die unvollendete fünfzigseitige Versdichtung „Largiris“, das tiefste und wohl auch schwierigste Poem des Dichters. Kemp, der beste Kenner des Werkes, sagt dazu: „Die Dichtung Largiris hat Konrad Weiß durch viele Jahre hindurch beschäftigt; die ersten Niederschriften reichen bis in den November 1917 zurück. Wäre sie vollendet worden, so besäßen wir in ihr wohl eine poetische Summe seines Lebens und Sinnens, gewissermaßen ein großes Gewebe, dessen Zettel eine christliche Anthropologie und marianische Geschichtslehre gewesen wäre, durch den sich der vielfarbige Faden einer inneren Biographie des Dichters als Einschlag hindurchgeschlungen hätte. Die Pläne lassen einen Aufbau in drei Stufen oder Stockwerken erkennen ...“ In einer neuen Gesamtausgabe des Dichters, beginnend 1961, gleichfalls von Kemp betreut, wurden abermals zahlreiche Gedichte aus dem Nachlaß an den Tag gebracht.

„Largiris“

Prosa, „Die Löwin“

Die dichterische Prosa von Konrad Weiß umfaßt die vier Traumerzählungen des Bandes „Die Löwin“ (1928) und die drei Stücke des Bändchens „Tantalus“ (1929). Die Titelerzählung „Die Löwin“ behandelt ein Motiv aus Goethes „Novelle“. Eine Löwin, die ausgebrochen ist, wird von Jägern gestellt. Ein Kind nähert sich mit seinem Begleiter, dem Erzähler; die Löwin, Mitteldding zwischen Frau und Tier, tut ihm nichts. Es wäre ein grobes Mißverständnis, wollte man Weiß’ Geschichten als Tiererzählungen begreifen. Ähnlich wie bei Regina Ullmann und Marieluise Fleißer ist das Tier dem Göttlichen nahe. Aus ihm dringt eine höhere Potenz auf den Menschen ein. Der Vorgang ist als Traum wahr; denn der Traum erlaubt das Spielen und die Übergänge, er gestattet auch die Umdrehungen der Logik. Der Text wird erst beim Hören auf die innere Wortgestalt verständlich:

Zeichnung von Karl Caspar

Die wenigen Schritte, die ich noch bis zu dem Brett zurückzulegen hatte, ging ich mit dem Bewußtsein, daß die Löwin hinter mir herkommen würde. Ich schaute nicht zurück. Doch als ich schon fast mit einem Fuße auf dem Brette hinter dem Körper des Kindes durchblickte, entdeckte ich sie noch auf der anderen Seite, wo sie ganz am Schilfrande Kehrt gemacht hatte und schon unter dem nächsten Baume schnell gegen uns herkam. Sie trat fast gleichzeitig mit mir auf das Brett, das so schmal war, daß man zum Ausweichen sich hätte aneinanderhalten müssen. Noch ehe ich mich darüber zu klären wußte, was nun geschehen konnte, waren wir in der Mitte, unsere Gesichter waren ineinander getaucht oder deutlicher, ich sah mich vor dem Flächenblitze ihrer nahen und starken Miene aufgerichtet wie in einer heißen Flamme. Obgleich von Gestalt ein wenig kleiner als ich, ging sie doch leicht und sicher zur Seite vorbei; nur spürte ich ihren Vorübergang beinahe hart an meinem rechten Arme, mit dem ich das Kind vor mich hergezogen hatte. Und diesmal war sie es gewesen, die sich fast um mich gedreht hatte ...

Der christliche Epimetheus

Die Prosa von Konrad Weiß kann man nicht realistisch lesen. Sie spricht von Erfahrungen der meditierenden, schlafenden Seele, der die Realia transparent geworden sind. Den Gehalt bildet die Demonstration eines Tiefen-Ich, das nicht rational, nicht „fühlend" lebt, sondern Medium der Mächte ist. So hat Weiß, in gefährlicher Parallelität mit den politischen Ideen des Dritten Reiches, vom „Blut" gesprochen, die „Erde" als (sakramentales) Heilmittel angesehen, sich zu einer mystischen Adam-Existenz des Menschen bekannt und schließlich in schwierigen politischen Broschüren („Der christliche Epimetheus", 1933) die Wirklichkeit eines „nationalen Aufbruchs" christlich zu deuten versucht. Hindenburg wird von ihm als eine Gestalt aus matt gewordener, „epimetheischer",

Konrad Weiß, Handschriftprobe

christlicher Substanz ausgelegt. (Das Buch ist aus Diarien im Winter 1931/32 hervorgegangen, als noch Hoffnung bestand, die konservativen und christlichen Kräfte könnten den Gewaltstoß der Radikalen abfangen.) Konrad Weiß war ein Anhänger des mittelalterlichen Reiches und seiner sakralen Deutung. Auch sein kunstgeschichtlicher Essay „Das gegenwärtige Problem der Gotik" berief sich auf ein christlich-germanisches Sonderwesen.

Es ist kein Zufall, daß Rudolf Borchardt, aus ähnlichen Voraussetzungen ein Herold des Mittelalters, Dantes, der Reichsidee, sich für Konrad Weiß in einer

Zeit eingesetzt hat, als nur wenige Freunde seine Bedeutung erkannten. Das große Zeugnis seines religiösen und geschichtlichen Denkens ist „Deutschlands Morgenspiegel“, ein Reisebuch in zwei Teilen. Es ist 1950 in Buchform erschienen und beruht auf großen Reisen durch Deutschland, die Konrad Weiß in den Jahren 1933/37 im Wagen seines Freundes und Gönners Franz Schranz unternahm. Weiß wollte keinen Reiseführer schreiben; er reiste auf den Spuren des Mittelalters und der germanischen Vorzeit. Er wollte die Geschichte von den Orten her verstehen. Das alte Reich war ein föderalistisches Gebilde gewesen, dem eine sakrale Idee Zusammenhalt gab. Es hat Weiß gereizt, die zahlreichen örtlichen, stammesgeschichtlichen, landschaftlichen, geistigen und geistlichen Data unter die Idee vom germanischen sakralen Kaisertum zu stellen und sie dadurch zu verbinden. So ist das reichste und tiefste Landschaftsbuch der modernen deutschen Literatur entstanden, in dem trotz dem schlichten und historisierenden Grundgedanken die komplexe Wahrheit eines Dichters steckt. Hier löst sich die Weißsche Prosa. Beschreibung und Betrachtung gehen ineinander über.

„Deutschlands Morgenspiegel“

Das Reisebuch führt durch Norddeutschland, Preußen und den deutschen Osten. Erst viel später sind süddeutsche Reisebilder unter dem Titel „Wanderer in den Zeiten“ (1958) erschienen. Es ist kein Zufall, wenn Weiß nicht dazu kam, die süddeutschen Gegenstücke mit der gleichen Ausführlichkeit zu schreiben. Denn Konrad Weiß war einer der wenigen, die nicht den Drang nach dem Süden, sondern nach dem Norden, nicht zum Romanischen, sondern zum Germanischen, nicht zum Mediterranen, sondern in die Tiefe der eigenen Vorzeit hatten.

Nordisch-germanisch

Weiß hat sich auch als Dramatiker versucht, freilich in einem ganz andern Sinne als die Dichter der Klassik, Romantik oder der modernen Literatur. Kann man sein Trauerspiel „Konradin von Hohenstaufen“ noch dem historischen Schauspiel zurechnen, so hat er seine andern Dramen als Hörspiele konzipiert, für jene neue dramatische Gattung, die auf naturalistische und realistische Wiedergabe verzichten kann und mit „Stimmen“ arbeitet. „Das kaiserliche Liebesgespräch“ am Todesabend Kaiser Heinrichs II. in der Pfalz Grona bei Göttingen wurde am Ostermontag 1934 vom Sender München, mit Musik von Werner Egk, aufgeführt und bald im „Inneren Reich“ gedruckt. 1936 brachte der Sender Leipzig „Die König-Heinrich-Ballade mit den deutschen Vorstimmen“ (gedruckt 1951). Die Stücke sind Weihespiele, in deren Mitte ein König steht, dem Weiß sein politisch-sakrales Geschichtsdenken unterlegt. Den Stil bestimmt „Klage“ über die Zerstörung alten und tiefen Selbstwissens. Der Kult des Landes und Reiches nimmt mythische Formen an. Konrad Weiß hat auch einen Tantalus gedichtet, „der lebte, indem er die Elemente und die Dinge der Erde bewegte, und auch auf diese Weise nicht starb ... und der so die Qual der seligsten Entfremdung erfuhr“. Solche „Verschränkung“ hat auch Weiß erfahren und gelebt. Sie war seine Sonderart und sein Anteil am Grunderlebnis der Zeit.

Das kaiserliche Liebesgespräch

ELISABETH LANGGÄSSER

Lange bevor Elisabeth Langgässer mit ihrem Roman „Das unauslöschliche Siegel" berühmt wurde, hatte sie schon als Lyrikerin einen guten Ruf. Sie gehörte mit Peter Huchel, Günter Eich, Martin Raschke und Horst Lange dem Kreis um die Zeitschrift „Die Kolonne" an. Die Natur suchte in diesen Dichtern einen neuen Ausdruck; es war die moorige und schlammige Natur der Sümpfe, Auen und Altwasser, der Schoß einer immerzu samenden und treibenden Fruchtbarkeit. Wie kommt dies Chaos zu einer Ordnung? Elisabeth Langgässer sah das Prinzip der antiken Idee des Kosmos. Die antike Bilder- und Götterwelt stellte einen Versuch dar, die Wildnis unter mythischen und sakralen Begriffen zu ordnen. Da im Christentum das antike Ordnungsprinzip weiterlebte, verwandte die Dichterin Begriffe der christlichen Lehre. „Der Wendekreis des Lammes" (1925) ist ein dem Kirchenjahr folgender „Hymnus der Erlösung", in dessen Mittelpunkt das Lamm Gottes steht. Die Gedichte sind Variationen liturgischer Aussagen.

„Wendekreis des Lammes"

Erde und Unterwelt

Elisabeth Langgässer (1899—1950) stammte aus Alzey in Rheinhessen, besuchte in Darmstadt die höhere Schule und wurde Lehrerin in ihrer Heimat. 1929 zog sie als verheiratete Frau nach Berlin. 1936 wurde sie, als Halbjüdin, aus der Reichsschrifttumskammer ausgeschlossen und durfte nicht mehr publizieren. Ihre älteste Tochter kam nach Auschwitz. 1947 ging die Dichterin in ihre Heimat zurück und starb, unerwartet, einige Monate nach ihrem fünfzigsten Geburtstag. Das Leben in Rheinhessen und Berlin, die Schicksale der Landschaft im Dreieck Worms, Mainz und Bingen, das wirtschaftliche Elend der Nachkriegszeit und die französische Besetzung des Heimatgebiets, die Spannungen von katholischem und jüdischem Glauben sollten ihre Werke nähren. 1932 erschien der kleine Roman „Proserpina" (1949 in der Urfassung herausgebracht), eine Mädchenerzählung, und das „Triptychon des Teufels", ein Buch „vom Haß, vom Börsenspiel und der Unzucht". Proserpina ist die Tochter der Vegetationsgöttin, der Mutter Erde, zugleich Herrscherin über eine Unterwelt. Diese wird geschichtlichbuchstäblich verstanden: unter der gegenwärtigen Schicht Rheinhessens liegen die Generationen des Mittelalters und der germanisch-römisch-christlichen Antike: aus diesem Boden wächst die Seele mit dem Leib des Kindes empor zu Licht und Freiheit. Das epische Hauptwerk jener Zeit ist der Roman „Gang durch das Ried" (1936). Ein Soldat hat sein Gedächtnis und seine Identität verloren und wandert durch die hessische Riedlandschaft. Ist er Deutscher, Franzose, Marokkaner, ein „Politischer"? Er weiß es nicht. Zwischen den rohen Bauern, Polizisten, Schiffern und Mägden, deren Kinder ihre Väter nie kennenlernen, treibt dieser Aladin ohne Wunderlampe dahin. Er spielt die Glasharmonika, und aus dieser Musik hebt sich, wie bei Kafka in „Amerika", die mythische Gestalt eines Urwesens empor ins Helle:

„Triptychon des Teufels"

„Gang durch das Ried"

Den Blick auf das strahlende Kind gerichtet, ließ Aladin Ton um Ton aus der Glasharmonika quellen, aus der Himmelsorgel, der Wasserviola, und spielte nicht anders als Wind und Wellen in Laub und Stromschilf spielen: Eine wilde Gewalt mit dunklem Gesicht hob sich undeutlich, formlos vergehend, aus dem unruhigen Element und blickte sehnsüchtig durch das Gitter des hochgeschossenen Röhrichts, das sich leise klirrend bewegte; Hände mit Schwimmhaut zwischen den Fingern teilten wieder und wieder die Gräser, das Gesicht wurde heller, blieb länger stehen, gewann an Umriß und schien eine Klage aus dem offenen Mund zu verströmen; diese Klage wurde zum Lied und empfing, indem sie an Umfang verlor, einen Inhalt: eine vertraute Süße, die von Menschen geschmeckt werden konnte; sie begnügte sich nicht, einen einfachen Weg hinauf und hinab zu gehen, und hielt sich an seinen Rändern. Nun trat immer klarer das Lied hervor, das Element blieb zurück und rauschte nur noch von ferne; gewiß, es sättigte dies Lied aus unergründlichen Quellen, aber schon waren die Quellen sich selber zurückgegeben und ruhten in ihrem Grunde, das Lied stieg empor, wie die Lerche aus dem Schoß der Finsternis steigt, und schwebte in zarter Bläue . . .

Das Mädchen artikuliert endlich, mit unreiner Stimme, was die Glasorgel gespielt hatte: „Wo findet die Seele die Heimat, die Ruh –." Der Roman hat keine Fabel im Sinne der realistischen Erzählkunst. Sein Inhalt ist die Auseinandersetzung des chaotischen Ich mit sich selber. Die Klärung wird nur symbolisch gefunden, indem Aladin seinen Namen nicht erfährt, aber zugleich als der letzte einer unendlichen Kette von Besatzungssoldaten verschwindet. Dahinter steckte ein elementares Erlebnis der Dichterin. (Ihr „Triptychon des Teufels" besteht aus Mars, dem Krieger, Merkur, dem Händler der Inflation, und Venus, der Göttin der käuflichen Liebe in Mars' Gefolge.) In einer frühen Erzählung, „Mithras" (1931/32 entstanden, nach dem Tode veröffentlicht), hatte die Dichterin zum erstenmal nach einem mythisch-symbolischen Ausdruck dafür gesucht; denn die bürgerlich-rationale Literatur schien ihr ungeeignet für ein Erlebnis der Seele zu sein.

Mars, Merkur und Venus

Im Jahre 1935 erschienen „Die Tierkreisgedichte". Da raunte eine nornenhafte Stimme von Natur, Frucht und Same. „Natur" ist hier Wachstum, und die Tierkreisfiguren und Gestalten der antiken Mythe sind, wie bei Wilhelm Lehmann, Korrelate in sich gefangener und beschränkter Natur:

Tierkreisgedichte

Saturn, der Bauer mit den starken Hüften
aus Gold und Kot, aus Fleisch und wilden Haaren,
gedörrt, gerillt, gebeizt von allen Lüften,
die in den zwölf Kalendersäcken waren –
der Bauerngott,
o Trauern, Spott und große Jammerschelle,
sitzt auf des Jahres Schwelle.

Er schweigt und schmeckt noch einmal unterm Gaumen
den jungen Lauch, die Milch der Roggenspindel,
erinnert sich, den Finger überm Daumen,
der süßen Erbse eingebundner Windel,
und wie zu Tag
die Bohne lag, von Ceres ausgefabelt,
als er sie abgenabelt.

Nur mühsam löst sich das christliche Mysterium aus dem heidnischen. Elisabeth Langgässer stand vor einer Wende und schrieb an Wilhelm Lehmann, ihren Lehrer und ihr dichterisches Vorbild, dem sie in Briefen und Essays bis in die letzte Zeit gehuldigt hat:

Selbstdeutung

Seit den Tierkreisgedichten ist ein entscheidender Umbruch bei mir geschehen. Meine neuen Verse sind rein religiöse; es sind Mysteriengedichte, die in und mit den Bildern der Natur jene geheimnisvolle Mitte umkreisen, die das Dogma der unbefleckten Empfängnis meint: jenen unberührten Kreis, in welchem die Schöpfung noch paradiesisch ist, und deren Gleichnis die „rosa mystica" ist, der „elfenbeinerne Turm", das „goldene Haus" und die „Arche des Bundes" der lauretanischen Marienlitanei. Dieser „rosa-mystica-Maria" steht die unerlöste Natur als „Laubmann" gegenüber . . .

„Metamorphose"

Elisabeth Langgässer glaubte, auf dem Weg vom panisch-antikischen zum christlichen Mysteriengedicht zu sein. Sie plante ihre Zyklen unter dem Titel „Metamorphose" zusammenzufassen. Jene Verwandlung, auf die der Goethesche Begriff Metamorphose anspielte, sollte eine Verwandlung der Natur durch die Gnade sein. Unter dem Bilde des Laubmanns sah sie die Natur, die unerlöst um sich selber kreist, aber den Willen hat, zu transzendieren. Der Laubmann hat Wurzeln in der Erde, wenn er sich aber von der Erde löst, hängen seine Wurzeln im Wesenlosen, und er muß verdorren. (Ähnlich sah K. Weiß den „Mann aus Erde", Adam, den ewigen Menschen.) In Elisabeth Langgässers Begriff steckt also nicht Natur im Sinne von Fauna und Flora oder im Sinne der Naturwissenschaft: sie meint die Physis der Griechen. „Natur" ist ein religiöser Begriff für sie: Elisabeth Langgässer bezeichnet sich, wenn sie von ihren Naturgedichten spricht, fast synonym, als religiöse Dichterin. In den Gedichten „Der Laubmann und die Rose" (1947) ist die antike Mythologie weitgehend verschwunden. In den Nachlaßgedichten unter dem Titel „Metamorphose" wird das Geheimnis der werdenden, fruchttragenden und gebärenden Natur im Schema der Erlösungsgnosis gedeutet. Die christliche Erlösung wird auf die antike Naturwelt bezogen:

„Daphne an der Sonnenwende"

Wird die Verfolgte sich retten
vor seiner düsteren Brunst!
Ihre Gelenke zu ketten,
wirft er ihr Erdrauch und Ketten
zu als ein Zeichen der Gunst.

Glühend erreicht sie des flachen,
ländlichen Gartens Geviert,
Löwenmaul sperrt seinen Rachen,
ach, und wie feurige Drachen
blühen die Bohnen verwirrt.

Mitleidlos wölben die lauen
Frühsommeräpfel die Brust,
schließt ihre Finger, die schlauen,
Demeter schnell um der blauen
Kapseln betäubende Lust.

Über dem Gedicht steht der Psalmvers „. . . ut eruam te". Das Naturgedicht benützt den antiken Mythos von der Verfolgung Daphnes durch Apollon und gibt ihm einen christlichen Sinn: Daphne wird, in einen Lorbeerbaum verwandelt, unberührbar, ein Bild der Immaculata. Die intellektuelle Kette ist bezeichnend für die Dichterin, das Gedicht wird erst verständlich, wenn man diese Bezüge zur Interpretation heranzieht und theologisch nachvollziehen kann.

In dem umfangreichen Roman „Das unauslöschliche Siegel" hat Elisabeth Langgässer das gleiche Problem darstellend und beschreibend zu lösen versucht. Der Held, Belfontaine, ist ein Jude, der das unauslöschliche Siegel, die Taufe, empfangen hat; aber es scheint ihn nicht verwandelt zu haben, Belfontaine lebt bürgerlich dahin wie ein Mensch ohne religiösen Glauben. Zwar weiß er um den Kampf Satans mit der Gnade, er hat dafür eine gewisse intellektuelle Neugier. Seine Vorstellungen und Träume sind sinnlich lüstern. Seine metaphysische Existenz ist in einem unwirklichen Raum aufgehoben als die eines potentiellen Heiligen. Um sein wahres Selbst weiß er nicht, obwohl er es ahnt; er will es auch nicht wissen, denn es setzt die Preisgabe der faunischen Natur voraus. Der

ELISABETH LANGGÄSSER
DER TORSO

Einband von Hans Hermann Hagedorn

Vergehender Frühling

Abgeblüht ist schon das weisse
Ackerhornkraut, und das Zelt,
Welches die Larve, die leise,
Lila umsträumte, zerfällt.
Löwenzahn löschte die Lampe,
Lerchensporn samte geschwind,
Brennessel trat vor die Rampe,
Schwalbenflug schreibt in den Wind
– Blass wie auf brüchiger Seide –
Lobe das Urbild und scheide!

Dulde Verwandlung und eile
Von der Erscheinung zum Sinn.
Fürchte dich nicht vor der Feile
Emsiger Grillen: Ich bin,
Wie überm Grab des Osiris,
Flügelblitz jeglichem Ort,
Wo sich mit Schwertern der Iris
Hingang des Frühlings durchbohrt.
Schmerz nicht und Abschied vermeide.
Neugeburt liebe und leide!

Elisabeth Langgässer, Handschriftprobe

Roman schillert wie der Charakter Belfontaines. Obwohl es sich um eine Bekehrungsgeschichte und einen politischen Roman handelt, dessen Peripetie in der Judenverfolgung und dem Zusammenbruch Deutschlands liegt, hat das Buch keine Fabel im Sinne der realistischen Kunst. Epische Stellen von eindringlicher Kraft wechseln mit Essays, referierenden und dramatischen Partien. Das Buch möchte neben der erzählerischen noch psychoanalytische, geschichtsphilosophische und theologische („gnostische") Rechnungen begleichen und zeugt von jener Belesenheit, die im Roman selbst gelegentlich apostrophiert wird: „Und wenn Sie schon so belesen sind, nun, dann müßten Sie wissen, daß jeder Myste, der nach Vergottung strebt, ähnlich denkt. Jeder Mithrasjünger und jeder Sohn der eleusinischen Mutter würde genau so sprechen wie Petrus Chrysologus."

„Märkische Argonautenfahrt" (1950)

Der zweite Nachkriegsroman knüpft zeitlich an den ersten an. Sieben verschiedene Menschen, die „überlebt" haben, pilgern nach dem zweiten Weltkrieg zu einem märkischen Wallfahrtsort. Jeder symbolisiert eine der sieben Hauptsünden. Das Ziel ist das goldene Vlies (daher der Titel „Märkische Argonautenfahrt"), mit dem das wahre Selbst, die von Schuld befreite Person, gemeint ist. Die Zerstörung Deutschlands und Berlins bildet den geschichtsmetaphysischen Hintergrund. Die sieben Fabeln sind kunstvoll verschlungen: Ein radiales System von Personen und Verläufen erstrebt den Mittelpunkt St. Anastasiendorf, das „Kloster der Auferstehung". Die Konstruktion ist also symbolisch gemeint.

Der zentrale Gedanke

Elisabeth Langgässer hat Kurzgeschichten und Essays geschrieben, die zu den besten ihrer Gattung gehören. Die Aufsätze kreisen um die Idee einer neuen Möglichkeit christlicher Dichtung. Sie soll den neuen christlichen Äon einleiten und deuten. Die Dichterin hat den zweiten Weltkrieg mit seinen Greueln unter eschatologische Zeichen gerückt. Die neue Dichtung sollte nicht nur, wie Elisabeth Langgässer polemisch gegen F. Mauriac sagte, nach Absicht und Inhalt, sondern auch nach Wesen und Form christlich sein. Sie hat ihre eigene Dichtung nach solchen Gedankengängen künstlerisch und gedanklich organisiert.

Reinhold Schneider

Reinhold Schneider (1903–1958) ist eine der merkwürdigsten Erscheinungen der modernen Literatur, ein unendlich fruchtbarer Autor von weitreichender Wirkung in religiösen, moralischen, historischen und politischen Bereichen. Er ist in Baden-Baden geboren. Sein Elternhaus war das alte Hotel Meßmer, in dem Kaiser Wilhelm I. einst Sommer für Sommer zu wohnen pflegte und der europäische Adel verkehrte. So fand Schneider früh einen Anschluß an die preußische Überlieferung – später regte ihn Preußens Königtum sogar zu einem Buch über die Tragik der „Hohenzollern" (1932) an. Ganz jung fand Schneider *sein* Thema, den Widerstreit von politischer Größe und geistiger Bedeutung, die Perspektive von Macht und Gnade. Er fand es in Spanien, in Portugal, die er als Kaufmann im Auftrage einer Kunstfirma bereiste. Es ist ein zentrales Thema, und obwohl Schneider über hundert Bücher größeren und kleinen Umfangs darüber geschrieben hat, wandelt es sich kaum; es war wie ein innerer Auftrag, den er erfüllen mußte, und ob der Autor Lyrik oder Geschichten erzählt, Historien aufzeichnet oder Gebete auslegt: das Thema bleibt. Er schreibt 1940:

„Macht und Gnade"

Die Behauptung, daß die Macht einer Rechtfertigung bedürfe, kann zunächst nicht bewiesen werden. Denn sie gilt nur dann, wenn für den Menschen jenseits des Irdischen Maßstäbe bestehen, und fällt, wenn ihm das Irdische und seine Erfüllung als höchstes Ziel erscheinen ... Der Geist wirkt zunächst nur auf den Geist, und er wird nur vom Geistigen gefordert. Ethik ist nur für den Bedürfnis, in dem ein Ethos lebt ... Europa bietet in einem Zeitraum von anderthalb Jahrtausenden den Anblick mit ungeheurer Schnelligkeit erblühender und welkender Reiche; die Aura der Macht, die eines nach

Reinhold Schneider
Gemälde von Leo von König
1936

dem andern über den Erdkreis wirft, scheint kaum mehr zu sein als ein Blitz; nach dem Zerfall des Reichs, das den auseinanderstrebenden Kräften europäischer Völker wenigstens zuweilen sammelnde und ordnende Mitte war, vollzieht sich der Wechsel der Vormacht in immer gefährlicherer Schnelle; die höchste Macht, das Imperium, das heißt das Erbe Roms, wird als Antrieb in allen Völkern lebendig; es ist, als habe das längst hingeschwundene römische Weltreich noch in seinem Untergange tödlichen Samen gestreut: alle Völker, selbst diejenigen, deren natürlicher Lebensraum einer solchen Nachfolge spottet, erstreben cäsarische Macht. Es wird immer merkwürdig bleiben, daß Lissabon zur Zeit des portugiesischen Imperiums mit der Stimme seines Dichters Camões den Anspruch erhob, Rom, das zugleich als Stadt der Cäsaren wie des Papstes erschien, zu übertreffen.

Reinhold Schneider ließ seinem ersten Buch über Portugal, „Die Leiden des Camões“ (1930), eins über Philipp den Zweiten „oder Religion und Macht“ folgen. Dann kam ein Buch über den Philosophen Fichte, in dem er den Weg zur Nation und zugleich den Weg des Scheiterns an einem zu hohen edlen Anspruch darstellte. Noch im gleichen Jahr, 1932, erschien das Hohenzollernbuch und dann, nach dreijähriger Pause, „Das Inselreich, Gesetz und Größe der britischen Macht“. Ein merkwürdiges Buch in jener Zeit. Es beschrieb die Innenseite der englischen

Geschichte, nicht den Aufstieg zur äußeren Macht, sondern die Gestalten eines wahren England, in dem sich der Engel der Nation verkörperte, als diese Nation sich losriß vom Corpus Europas und einen eigenen Weg beschritt. Hier hielt ein Geschichtsmetaphysiker seiner Nation, die sich auf den Weg der Gewalt begab, einen Spiegel vor. Die Angeschuldigten merkten es zu spät. Erst in der dritten Auflage wurde das Werk verboten. Was war geschehen?

Im Nachwort des nächsten Buches, „Kaiser Lothars Krone, Leben und Herrschaft Lothars von Supplinburg“ (1937), steht der Satz: „Die Geschichtsschreibung beschränkt sich zu oft auf die nachträgliche Rechtfertigung des Erfolges, wie ja dem Vorbereiter, dem der Nachfolger versagt wurde, meist auch der Ruhm versagt worden ist; denn die Nachwelt pflegt das Unglück schlimmer zu ahnden als das Unrecht.“

Widerstand aus dem Geist

Der das Verhängnis von Macht und Gnade durchsinnende Historienschreiber mußte erleben, daß seine Zeit, sein Land, seine politische Führung ungescheut alles das verletzte, was er in der Geschichte als wirkende Mächte deutete und verehrte. Das Thema wurde in einem ganz andern als dem literarischen Sinn aktuell: Schneider wurde für weite Kreise ein Kristallisationspunkt des Widerstandes. Seine Lehre war einfach: Primat des Geistes! Wo materieller Widerstand sinnlos ist, wirkt der geistige mit der Gewalt einer Kraft aus dem Innern. 1938 ließ Schneider Las Casas, den Vater der Indianer, vor Kaiser Karl V. treten, einen Anwalt der Humanität gegen die Versklavung. Ein historischer Prozeß wurde auf der Ebene der Geschichte nachgespielt. Dieser eine Mann steht gegen Militär und Räuber, gegen Glückssucher und geschäftliche Interessenten. Er hat die Verwaltung der Kolonien ebenso gegen sich wie die Vertreter der Staatsräson. Er reibt sich auf – aber er siegt. Die Welten sind wieder im Gleichgewicht.

Die mystische Periode

Allmählich bildete sich um Reinhold Schneider eine Gemeinde von Lesern und Freunden, die im Kriege seine Sonette in Abschriften von Hand zu Hand gehen ließ. In den ersten Jahren nach dem Kriege glaubte Schneider, er müsse die gewonnene sittliche Autorität hinter der künstlerischen zurücktreten lassen und die aktive Welt dem Wort der Beter anvertrauen. Die Welt sei nur zu retten, indem sie sich Gott anheimgebe. Neben zahlreichen erbaulichen Traktaten schrieb Schneider religiöse Deutungen geschichtlicher und literarischer Figuren, teilweise in szenischer Form („Der große Verzicht“, 1950). In einer Gestalt wie Cromwell trafen Religion und Politik, politische Dämonie und christliches Sendungsbewußtsein zusammen. In „Zar Alexander“ (1951) suchte er das russische Wesen in seiner „geheimnisvollen“ Tiefe, in Verbindung mit den Ideen des Gottesgnadentums zu ergründen. Die monarchische Krone erschien als sakrales Sinnbild der Herrschaft. Selbst in einer Gestalt wie Kaiser Wilhelm II., den er mehrfach im holländischen Exil besuchte, sah Schneider den – wenn auch subjektiv vielleicht unwürdigen oder versagenden – Träger einer metapolitischen Idee. Die geschichtliche Tat erschöpft sich für Schneider nicht in der Aktion, nicht in Gut oder Böse, in Wirkung, Folgen und Ursachen. Sie erscheint ihm zeitlos: sie wird höheren Ortes verantwortet. Im alten Preußen nannte man das Pflicht, in den christlichen Königreichen Spanien, Portugal und Österreich weiß sich der Herrscher nur Gott verantwortlich. Die Geschichte transzendiert aus dieser Welt in die andere. Das ist der eschatologische Zug Schneiders, der in Krieg und Nachkrieg gelegentlich elementar durchbrach.

Das Symbol der Krone

Am Boden des Geschichtsbildes von Reinhold Schneider entdecken wir einen Pessimismus. Schiller und Fichte haben mit ihrer Geschichtsauffassung auf ihn gewirkt; Fichte hat er ein Buch gewidmet und Schiller eine der bewegendsten Reden des Schillerjahrs gehalten. Von Fichte stammt der von Schneider zustimmend zitierte Satz: „Was für eine Philosophie man wähle, hängt sonach davon ab, was für ein Mensch man ist.“ Nun handelt es sich bei Fichte und Schiller um revolutionäre Denker. Diesem deutsch-revolutionären Denkinhalt unterlegte Reinhold Schneider seine Historien der christlichen Völker. Der Grundgedanke ist das Werden der Volkspersönlichkeiten, das Herausläutern dessen, was man von Anlage her ist, dessen, was in der Mitte steht, mit Schneiders eigenem Begriff: des Schicksals. Darum sieht er Friedrich den Großen am besten in den anonymen Anekdoten über den preußischen König getroffen.

Das heidnische Schicksal

„Der Balkon“ als Kantilene

Unvereinbares bleibt nebeneinander stehen. Doch Schneider hat in seinen letzten Jahren einen Bereich entdeckt, in den der geschichtliche Kosmos und sein tragischer Ernst keine Schatten werfen, in Plaudereien wie „Der Balkon“ (1957). Das alte Hotel Meßmer, Schneiders Vaterhaus, wird abgerissen, und diesen Anlaß benützt Schneider zu einem Renkontre von Geschichte, Erinnerung, Heimatkunde, Lokalgenuß, aber auch Literatur und allerhand Hieben. Der Balkon schwebt über dem Ruinengrundstück, und von hier fallen des imaginären Besuchers Dicta mit überlegener Ironie. Schneiders Ernst löst sich auf im Goldschaum einer Kantilene; hier wird er, was er sein möchte: Dichter. Da bekennt er sich zum indizierten Unamuno, dem Lehrer der Jugend, da sieht man Bismarck aus- und eingehen, skandinavische Bischöfe müssen sich Herbheiten sagen lassen, Hunde und Papageien werden beschworen, auch die Temperatur der Ölheizung wird bei Tage wie bei Nacht notiert. Lorca ist sein Lieblingsdichter – hätte man das erwartet? Alles wird mit überlegenem Spott einbezogen in ein phantastisches Reich – und ich zweifle nicht, daß es Reinhold Schneiders wahre Welt ist, die private Sphäre, wo man keine historischen und moralischen Kraftakte vorzuführen braucht, weil man Mensch ist und als solcher seine Stärke und seine Tiefe besitzt. Die liebenswürdige Abschweifung wird Stilprinzip. Schließlich erscheint die ganze Welt mit ihrer Geschichte und Problematik, mit Alltag und Erinnerung als ein Achsenkreuz, dessen Mitte der künstlerische Betrachter einnimmt.

„Verhüllter Tag“

Auch in „Verhüllter Tag“ (1954) löste sich Schneider von seinen historischen Stoffen und schrieb eine Selbstbiographie in Einzelbetrachtungen über seine Neigungen, Freundschaften, Themen, Idiosynkrasien und Bücher. Er bekannte seine Entwicklung vom tragischen Nihilismus zum Christentum und Deutschtum:

> Ich kann nur leben mit meinem Volke; ich möchte und muß seinen Weg mitgehen Schritt für Schritt; so hoch ich diejenigen achte, die aus Gesinnung emigrierten, so habe ich doch nie daran gedacht, Deutschland zu verlassen; es hat sich auch ergeben, daß eine geistige Einwirkung auf ein der Diktatur unterworfenes Land von außen kaum möglich ist . . .

„Winter in Wien“

Man hat gesagt, Schneider habe sein Bekenntnis zum Christentum zurückgenommen. In seinem letzten Buch, „Winter in Wien“ (1958), ist die Stimmung, unter dem Eindruck der Krankheit und der politischen Lage, niederdrückend. Schon im „Verhüllten Tag“ wird die christliche Aussage reduziert:

> Der Schleier der Barmherzigkeit ist vom All, von der Geschichte gerissen. Meine Natur, ursprünglich viel zu weich, ist hart geworden. Die großen Tragiker, deren Wort von

früh an das mächtigste für mich war, haben Recht behalten. Es ist eine europäische Aussage: wenn die tragische Melodie verstummt, nicht mehr angenommen, nicht mehr gelebt wird, kann von Europa nicht mehr gesprochen werden; denn die Tragiker sprachen seinen Prolog und begleiteten mit ihrem Gesang seine Kulminationen. Tragik bedingt höchste Sittlichkeit im sakralen Sinne, wie Leopold Ziegler, ein echter Denker des Tragischen ausgesprochen hat . . .

Es folgen zahlreiche wissenschaftliche, philosophische und biblische Belege, gipfelnd in Erich Przywaras düsterem Satz: „Gott ist das Licht, das im Menschen verfinstert erscheint." Das Wort von Gott als dem Vater des Lichtes und der Liebe, gesteht Schneider, gehe ihm immer schwerer über die Lippen:

Die letzte Verzweiflung

Wenn aber die alten Götter doppeltes Antlitz trugen, des Lichtes und der Finsternis, Begnader und Zerstörer, wenn allem Göttlichen der Widerspruch eigen ist — wieviel mehr dann Gott! Geschichtswelt ist Verdammnis. Uns bleibt kaum eine irdische Hoffnung: es bleibt die Notwendigkeit, das eherne Soll des kämpfenden Glaubens, und es bleiben die Zeichen unsichtbarer Zusammenhänge, in denen wir leben, ohne es zu wissen.

Hier ist das Ende; Strom und Felder fliessen
In diese Ebne, wo die Zeit nicht gilt.
Hier bleibt das Licht, das zögernd niederquillt,
Im Dämmertraum die Erde zu verschliessen.

Tief dringt das Meer in die zerstörten Wiesen
Schon wird das Land zum schwankenden Gefild
Und wieder steigt die Flut im Wolkenbild,
Von oben sich noch einmal zu ergiessen.

Reinhold Schneider, Handschriftprobe

So klingt Schneiders Werk nicht als Elegie aus, sondern mit dem Urthema seiner Zeit. Benn hatte es „das Ambivalente" genannt, ein Sowohl-Als-auch, weder ja noch nein. Die Theologie hatte es wiederentdeckt in jenem Gott, der nach Barth Gnade *und* Verdammnis bereithält, das In- und Miteinander aller Dinge, so daß nicht mehr auszumachen ist, was wahr und falsch, richtig und verkehrt, Wahrheit und Lüge ist.

ESSAY ALS LITERATUR

Erst spät hat sich in der deutschen Literatur der Typus des écrivain, des Schriftstellers, entwickelt, dem es nicht um Kunst allein ging, sondern dem die Literatur als Mittel zu einem Zweck diente. In Frankreich gab es den Typ seit den Tagen Montesquieus, er hatte immer mehr an Einfluß gewonnen. Ist der glänzende Schriftsteller dem Dichter gleich, sind Poesie und Literatur zwei Dinge? Thomas Mann hat einen der Kämpfe seines Lebens gegen die deutsche Unterscheidung geführt, die doch wohl ihre tieferen Gründe in der deutschen Sonderart hat. Aber

Schriftsteller oder Dichter

diese Unterscheidung war ein Verhängnis der deutschen Geistesgeschichte. Sie hat verhindert, daß eine große Anzahl der bedeutendsten Schriftsteller nicht zur Literatur gerechnet werden, obwohl sie dorthin und nicht in die Wissenschaftsgeschichte ihres Faches gehören, etwa Leopold von Ranke, Fallmerayer, Friedrich Karl von Savigny, die Brüder Grimm, Johannes Müller, Victor Hehn, Arthur Schopenhauer, Carl Ritter, die Brüder Humboldt und Theodor Mommsen. Unter den neueren wären Karl Voßler, Ernst Robert Curtius, Ernst Bloch, Max Kommerell und der Theologe Karl Barth zu nennen. Man versteht die Entwicklung der neueren Literatur nicht, wenn der Blick nur von „Dichtern" gefangengehalten wird. Nur wenige von ihnen hatten die hohe Intelligenz eines Robert Musil oder die Überlegenheit Joseph Roths.

Dichtung läßt sich intellektuell „verwenden", dafür zeugen Parodisten, Satiriker und ausgesprochen „geistreiche" Lyriker wie Peter Gan und die gescheiten Feuilletonisten – ob sie Idylliker waren wie Victor Auburtin oder Kämpfer wie Kurt Tucholsky. Verwandt bis in die stilistischen Eigentümlichkeiten hinein sind Ernst Jünger und Walter Benjamin. „Das abenteuerliche Herz" entspricht der „Eisenbahnstraße". Max Kommerell und Walter Benjamin waren aufeinander bezogen durch ein verwandtes Qualitätsgefühl. (Tucholsky bemerkte bitter: „Das ‚Menschliche' ist das, was sich anderswo von selbst versteht.") Hermann Bahr und Franz Blei waren die ersten Vertreter des politischen und satirischen Essays, zwei wandelbare Herren, deren Skala vom Antisemitismus des frühen Bahr über die Erotomanie Franz Bleis in München bis zu beider Feindschaft gegen Hitler ging.

Aphorismus und Essay

Sie haben, auf den Spuren der Franzosen, den literarisch-satirischen Essay der Moderne und die Literatur als Waffe entwickelt. Bei Bahr geht es offen und manchmal ungeschickt zu, mit einem Schuß Journalismus; bei Blei wurde nach allen Seiten gefochten, gestochen, geschossen und verulkt. Sein „Großes Bestiarium" charakterisiert nur Autoren der Literatur; leicht hätte er ebenso witzig die Denker und Politiker entlarven können. Blei selbst war, wie Bahr, kein Denker oder Dichter, sondern eine rasch und hellhörig reagierende schriftstellerische Intelligenz, die den jeweiligen Anlaß brauchte. Das Tagebuch, der notierte Aphorismus, der Einfall sind die Formen dieser Kunst.

Zur Kritik der Intelligenz

Im Jahre 1919 erschien Hugo Balls Streitschrift „Zur Kritik der deutschen Intelligenz". Es war Balls unmittelbarstes Bekenntnis zum Anarchismus und zur Revolution, ein genialisch wirres und nicht Balls bestes Buch, aber ein Programm: ein in der Schweiz lebender deutscher Schriftsteller katholischen Glaubens schrieb es gegen das moderne Deutschland und den offiziellen Katholizismus. In Bausch und Bogen wurden Überlieferung und Geschichte verworfen: die Kaiser des Mittelalters, Luther, Habsburg, Bismarck, der marxistische Sozialismus, das Zentrum unter Windthorst, die Jesuiten, das Papsttum, Paulus und Augustin, die Juden, Kant und Hegel. Ball wollte eine freie Internationale der Weltintelligenz gründen, „an die die Verwaltung der Heiligtümer und des Gewissens übergeht". Er stützt seine Ideen mit den Gedanken der damaligen Freunde Leonhard Frank, René Schickele, G. A. Borghese und Franz Blei.

Die Kirche der Intellektuellen

Neben den Obskuranten, die in Abhängigkeit gerieten, — gab es nicht reine, begeisterte Mystiker, die uns den Blick rein hielten für das, was wir wollen müssen: eine ecclesia militans, deren Hauptstadt Paris ist; deren Väter Pascal, Münzer und Tschaadew heißen: deren Gott in der Zukunft wartet und erkämpft werden muß, deren Reich nicht von dieser Welt, sondern einer neuen ist . . .

Thomas Münzer und Michael Bakunin wurden hier in die Reihe der großen Utopisten gestellt, die der modernen Intelligenz als Muster erschienen. Es sind also sozialreformerische Gesichtspunkte, mit welchen der Intellektuelle der Neuzeit sich das Problem und die Tatsache des Massenmenschen vom Leibe hält; eine „Kirche der Intellektuellen" soll über die Massen herrschen.

Umschlag in die Groteske

Ähnlich erwartungsvoll haben sich damals, mit andern Akzenten, Ernst Bloch („Der Geist der Utopie", 1918 und 1923), Paris von Gütersloh, Kasimir Edschmid, Walter Benjamin, Kurt Hiller (in „Das Ziel"), Franz Blei (in „Summa") und René Schickele (in den „Weißen Blättern") geäußert — von den zahlreichen Manifesten der Expressionisten abgesehen. Bald drehte sich das Bild, und die Autoren zeichnen die Negative der Enttäuschung. Gottfried Benn schrieb „Gehirne", Walter Mehring entwarf eine „Topographie der Hölle", Paul Gurk erhielt für seinen „Thomas Münzer" (1920) den Kleistpreis, Martin Kessel beschrieb „Herrn Brechers Fiasko" und Bert Brecht das verkommene Genie Baal. Zahlreiche Schriftsteller versuchten sich in mehr oder minder aktuellen Zeitromanen. Sie befriedigten, nach dem Muster Heinrich Manns, das Bedürfnis nach literarischer Kritik an sozialen und politischen Zuständen.

Marxismus und Christentum

Das Verhältnis der meisten Schriftsteller zur Gegenwart war nicht revolutionär (politisch), sondern paradox (widersprüchlich). Sie schritten nicht zur Tat, sondern schrieben groteske Gedichte oder Aphorismen. Das war die natürliche Form für Wunschbilder und Träume. Die bedeutenderen unter den Autoren gingen in einem bestimmten Augenblick zu einem festen System über, besonders deutlich bei Benjamin und Bloch, die Marxisten wurden oder sich dafür hielten. Ball und Scheler wurden katholisch, ähnlich Th. Haecker. Da wiederholte sich, wie in der Romantik, ein bezeichnender Vorgang. War der Geist der Epoche moralisch unentschieden, ein Sowohl-als-auch, ein Neben- und Miteinander, Ambivalenz (G. Benn) gewesen, der sich in einem Schillern, einem Vieldeutigen, einem allgemeinen Freiheitsgefühl aussprach, so wurde immer mehr eine bestimmte Stellungnahme, ein Für und Wider verlangt. Der Marxismus, mit seinem Prinzip des Dialektischen, bot den Intellektuellen ein System — und ähnlich das Christentum in seiner von Kierkegaard dialektisch-existentiell definierten Form. Es wurden die beliebtesten Formen des Engagements.

Die Existenzphilosophen

Die Philosophen im engeren Sinn, vor allem Karl Jaspers und Martin Heidegger, die Existenzphilosophen des deutschen Sprachbereichs, traten nicht auf einen andern Boden über. Sie wollten die Person des einzelnen im Bodenlosen sichern, und zwar nicht von der Realität und Ontologie her, sondern in seiner konkreten „Existenz". Die Existenzphilosophie ist das Ergebnis des Zusammenbruchs der

Martin Heidegger, Büste von Hans Wimmer

alten Wertsysteme, eine Reaktion auf Technisierung und Bürokratisierung. Die Person verschwindet im Kollektiv. Wie wird der Mensch in diesem, wie es scheint, schicksalhaften Vorgang wieder zu einem Ich, zu seinem Selbst? Heidegger und Jaspers kamen beide vom Erlebnis Kierkegaards her, seiner Beschreibung des Menschen, der seine Existenz verloren hat: er wird von der Nivellierung, der „öffentlichen Meinung" verschlungen und reagiert mit den negativen Gefühlen der Angst und Verzweiflung. Hatte Kierkegaard diesen Vorgang religiös erklärt, so suchte Jaspers, von Haus aus Psychiater („Allgemeine Psychopathologie", 1913 und öfter) und von dem Soziologen Max Weber beeinflußt, an die Stelle der alten philosophischen Probleme die Frage nach dem Selbstsein und In-der-Welt-Sein der Person und der Kommunikation der Personen untereinander zu setzen. Später entwickelte er eine Philosophie der Vernunft. Heideggers Lehrer war Edmund Husserl, dessen phänomenologische Methode er in seinem berühmten Frühwerk „Sein und Zeit" (1927) zu einer Metaphysik der Sinnfrage erweiterte. Hier wurde Husserls Ansatz gesprengt zu der Urfrage des Philosophierens: warum etwas sei und nicht eigentlich nichts sei. Der zweite Teil des Werkes wurde nie geschrieben. Ein Teil des dort gegebenen Versprechens wurde in der kleinen Schrift über „Kant und das Problem der Metaphysik" eingelöst, die Heidegger dem Andenken Max Schelers widmete. Es ist merkwürdig, daß sich Heidegger dann zu einem Philosophen der Sprache und Dichtung entwickelte. Er legte Hölderlin, Trakl und J. P. Hebel aus – oder interpretierte sein Denken an Hölderlin und Trakl:

Karl Jaspers

Martin Heidegger

Erläuterungen zu Hölderlin

Die Sprache dient zur Verständigung. Als dazu taugliches Werkzeug ist sie ein „Gut". Allein das Wesen der Sprache erschöpft sich nicht darin, ein Verständigungsmittel zu sein. Mit dieser Bestimmung ist nicht ihr eigentliches Wesen getroffen, sondern lediglich eine Folge ihres Wesens angeführt. Die Sprache ist nicht nur ein Werkzeug, das der Mensch neben vielen andern auch besitzt, sondern die Sprache gewährt überhaupt erst die Möglichkeit, inmitten der Offenheit von Seiendem zu stehen. Nur wo Sprache, da ist Welt, das heißt: der stets sich wandelnde Umkreis von Entscheidung und Werk, von Tat und Verantwortung, aber auch von Willkür und Lärm, Verfall und Verwirrung.
Nur wo Welt waltet, da ist Geschichte. Die Sprache ist ein Gut in einem ursprünglicheren Sinne. Sie steht dafür gut, das heißt: sie leistet Gewähr, daß der Mensch als

geschichtlicher sein kann. Die Sprache ist nicht ein verfügbares Werkzeug, sondern dasjenige Ereignis, das über die höchste Möglichkeit des Menschseins verfügt . . .

PHILOSOPHISCHE KRITIK

Heideggers Sprachphilosophie entsprang seiner Kritik an der Zeit, dem Verlorengehen des Menschen an das apersonale Man – wie es einige Jahre später Jaspers in seinem beschwörenden Büchlein „Die geistige Situation der Zeit" (1931) für ein größeres Publikum überzeugend darstellte. Im ganzen folgt die Darstellung mehr den von Autoren wie Musil, Scheler, Spengler, Kraus, Hofmannsthal, Borchardt, Brecht u. a. längst bemerkten negativen Entwicklungen, als daß sie diese neu sichtbar gemacht hätte. Erregend war die Konzentration, mit der hier alle Phänomene aufeinander bezogen wurden. Heidegger hatte die Analyse eindringender und tiefer geleistet. Aber die „Gewaltsamkeit" seiner Auslegungen, später auch seiner Sprache, machte die Aufnahme schwer, zumal er philologisch auf Wortbedeutungen zurückzugreifen begann, die nur dem geschulten Etymologen etwas sagten. Diese Entwicklung erklärt sich aus einem Systemzwang des Heideggerschen Denkens: wenn Sprache das Sein des Menschen artikuliert, muß ihre Wurzel auch an die Wurzel der Existenz führen. Das Archaisieren enthüllt sich als Parallele zu Vorgängen in der bildenden Kunst, wo man sich auf die Neger, Etrusker und sogar die Eiszeitmenschen berief: Je weiter man zurückging, desto „wahrer" wurde der Ausdruck.

„Die geistige Situation der Zeit"

Der junge Heidegger war in seinem Sprachstil vom Expressionismus bestimmt worden. Seine berühmten Vokabeln von der „Geworfenheit" und „Befindlichkeit", dem „Mitsein", der „Für-Sorge", „Grundbefindlichkeit der Angst" klingen ebenso expressionistisch wie seine Sätze: „Die Angst holt das Dasein aus seinem verfallenden Aufgehen in der Welt zurück." Er definiert Zeitlichkeit als „Bedingung der Möglichkeit von Geschichtlichkeit als einer zeitlichen Seinsart des Daseins selbst". Solch eine Sprache erscheint als Ergebnis von etwas Gedachtem, aber sie ist zugleich Zeugnis eines Zeitstils, dem sich das eigensinnigste Individuum nicht entziehen kann.

Expressionistischer Gestus

Kulturkritik und literarischer Essay

Georg Lukács

Die Literatur wurde durch zwei inspirierte Forscher umgewertet. Georg Lukács, ein Ungar aus reicher bürgerlicher Familie, kam vom Studium der deutschen Geistes- und Literaturgeschichte zum Marxismus russischer Prägung. Der Übergangspunkt hieß Hegel, und ein gewisser Hegelianismus hat ihn nie zu jenem linientreuen Kommunisten werden lassen, der er sein wollte. Er kam über den Widerspruch der marxistischen Forderung nicht hinweg, daß nur ein ideologisch reiner Autor ein guter Autor sei. Er war zu allerhand dialektischen Künsten genötigt. Balzac sei z. B. als Mensch und Politiker durchaus reaktionär gewesen; aber als großer Schriftsteller, der nicht lügen kann, sei er gezwungen gewesen, in Analyse und Darstellung den Sieg der bürgerlichen über die feudalen Kräfte zu schildern. Während sein Herz bei der Aristokratie gewesen sei, habe er den Aufstieg der damals revolutionären Klasse schildern müssen. Lukács' berühmte These über den deutschen Roman sagte, sein Fehlen hinge mit politisch-sozialen Mängeln der deutschen Geschichte zusammen. So hat er, der ein glänzender deutscher – nicht ungarischer – Schriftsteller war, der Literatur ein ideologisches Gerüst unterschieben wollen.

SYSTEMATISIERUNGSVERSUCHE

Josef Nadler

Die andere These, auf den ersten Blick bestechend, stammte von Josef Nadler. Seine „Literaturgeschichte der deutschen Stämme und Landschaften", die zuerst 1911 erschienen ist, wurde von Hofmannsthal, Borchardt, Hofmiller und vielen anderen bewundert und empfohlen. Nadler unterlegte der deutschen Literatur anstelle der bisherigen moralisch-ästhetischen Wertung eine stammesgeschichtlich-soziologische. Die Herkunft der Dichter wurde in die Typologie der deutschen Stammeseigenschaften und der politischen Aufgabe der Stämme eingeordnet. So entstand ein föderalistisches Bild der Literaturgeschichte, deren berühmteste Entdeckung die Definition der Romantik als Integration der kolonialen Oststämme in das Ganze der altdeutschen Bildung war. Die Romantiker waren – nach Nadler – Dichter vom ostdeutschen Kolonialboden. Ähnlich wie Lukács hat Nadler seinem System auch scheinbar widersprechende Fälle dialektisch eingeordnet und schließlich die ganze deutsche Literatur, unter Verzicht auf qualitative Wertung, systematisiert. Der Nationalsozialismus hat ihn dazu verführt, seine Lehre von den Stämmen und ihrer Geschichte rassisch zu begründen. Dadurch hat er ein in der Anlage großartiges Werk um seinen Wahrheitsgehalt gebracht.

Kulturphilosophische Schlager

Die Neigung zu schlüssigen Systemen und einer Logik der Entwicklung war in den zwanziger Jahren weit verbreitet. Aus ihr gingen nicht nur die totalitären politischen Ideologen hervor, auch Wissenschaftler und Schriftsteller von Wissen und Können sind ihr in verschiedenen Formen erlegen. Das berühmteste Buch war Oswald Spenglers „Untergang des Abendlandes" (1918/22). Die These des Titels schien glänzend belegt zu sein durch Analogieschlüsse aus Geschichte und Mathematik, Gebieten, auf die kein Laie folgen konnte. Als Musil das Buch 1921 las, notierte er einen Satz Schillers: „Belletristische Willkürlichkeit im Denken ist freylich etwas sehr Übles", und widerlegte Spengler mit ebenso amüsanten wie komischen Etüden zum Thema. Ähnliches gilt von Houston Stewart Chamberlains Werk über „Die Grundlagen des 20. Jahrhunderts" (zuerst 1898). Wie Spenglers Thesen haben die Chamberlains durch die Neigung, welche die Nationalsozialisten für sie faßten, ihre Glaubwürdigkeit eingebüßt. Spengler und Chamberlain waren Schriftsteller von erstaunlicher Wirkung, nicht weil sie bedeutende Gedanken hatten, sondern weil sie es verstanden, die Welt von einem einzigen Punkt her scheinbar schlüssig zu erklären. Ein Beispiel aus der Sexualpsychologie bot Otto Weiningers glänzend geschriebenes Buch „Geschlecht und Charakter" (1903), das die seelische und sittliche Minderwertigkeit der Frau demonstrierte. Als Beispiel aus dem Dritten Reich ist Christoph Stedings Riesenwerk „Das Reich und die Krankheit der europäischen Kultur" zu nennen. Auch hier ist die große Linie klar, aber fast alle Details erscheinen sonderbar gepreßt. Stedings oft zitierter Vorläufer war Julius Langbehn, der „Rembrandtdeutsche". Steding ist bereits 1938 gestorben, kurz nach dem Abschluß seines Werkes. Auch der „Vorläufer" des Dritten Reiches, Arthur Moeller van den Bruck (1876–1925), ist lange vor dessen Verwirklichung gestorben. Moeller hatte seit 1904 eine achtbändige historische Serie „Die Deutschen" begonnen, 1916 sein bestes Buch, „Preußischer Stil", erscheinen lassen und gab mit „Das dritte Reich" (1923) dem Nazismus sein wirkungsvollstes Schlagwort. Moeller war ein literarischer Anarchist und trat für einen revolutionären Konservatismus ein. Es ist kein Zufall, daß die große deutsche Dostojewski-Ausgabe von ihm angeregt war. Ähnlich wie Steding konstruierte er eine Reichsutopie.

Theorie ohne Wirklichkeit

E. R. CURTIUS UND M. RYCHNER

Gegenüber diesen ideologisch gebundenen und deshalb wirksamen Werken entwickelten Ernst Robert Curtius (1886–1952), Karl Voßler, Max Rychner und Max Kommerell den literarischen Essay im eigentlichen Sinne. Curtius ließ 1918 „Die literarischen Wegbereiter des neuen Frankreich" erscheinen, Essays, in denen er auf Gide, Rolland, Claudel, Suarès, Péguy, Proust und Valéry so eindrücklich hinwies, daß er im Fall Proust als sein deutscher Entdecker gelten muß. Später gab er Essays über R. Borchardt, F. Schlegel, Ortega y Gasset, Du Bos, einige spanische Autoren, vor allem über Goethe und Hofmannsthal heraus, sowie ein Balzacbuch. Curtius ist neben R. Borchardt der deutsche Herold Hofmannsthals geworden: in ihm sah er den Erneuerer unserer Literatur in einem fast Goetheschen Sinn. Curtius lehrte seine Schüler, moderne Dichter mit den Maßstäben der klassischen Philologie zu messen. Sein wissenschaftliches Hauptwerk ist „Europäische Literatur und lateinisches Mittelalter" (1948). Ein klarer entschiedener Stil und ein souverän formuliertes Urteil sicherten ihm tiefreichende Wirkung.

Max Rychner

Max Rychner

Curtius' bedeutendster Schüler ist Max Rychner, ein Schweizer aus Lichtensteig, 1897 geboren. Rychner studierte deutsche und lateinische Literatur und machte in den zwanziger Jahren aus der „Neuen Schweizer Rundschau" eine Zeitschrift von internationaler Geltung, ähnlich der „Corona", B. Croces „La Critica" und T. S. Eliots „Horizon". Seine Ausgangspunkte hießen Max Scheler, Paul Valéry, Karl Kraus und Ernst Robert Curtius. Rasch ergaben sich Verbindungen zu Hofmiller, C. J. Burckhardt, Hofmannsthal und ihrem Freundeskreis. Rychner hat Novellen und Gedichte („Freundeswort" 1941, „Glut und Asche" 1946, darin „Die Ersten, ein Epyllion") geschrieben und Paul Valéry und Valéry Larbaud übersetzt. Seine natürliche Äußerungsweise ist der literarische Essay.

Die Kunst des Essays

Rychner hat über fast alle Gebiete der Weltliteratur geschrieben, hat die Moderne dem Anspruch des gebildeten Lesers unterworfen und die Ansichten der Soziologie, Politik und Zeitkritik zurückgewiesen. Die modischen Vokabeln „mit dem bißchen Rück- und Überblenden, der Montage, Verfremdung, innerem Monolog" hat er nicht wichtiger genommen, als sie sind. Rychner weiß, daß Literatur Kunst ist und die Großen der alten Zeit enger bei den Großen der neuen Zeit stehen, als eine vom Gesetz historischer oder ideologischer „Entwicklung" faszinierte Intelligenz zugeben mag. Rychners Kritik entzündet sich an der Literatur, weniger tadelnd als lobend. Bücher, die zum Tadel Anlaß gaben, ignorierte er lieber, es sei denn, er setzt sich mit polemisch gebundener Literatur auseinander. Die großartigsten Studien sind die über Benn, Hofmannsthal, Gide, Fontane, Stifter, Valéry, Jean Paul, Schlegel, Joyce, Ortega y Gasset und immer wieder Hofmannsthal und Goethe, dessen „Diwan" Rychner herausgegeben und gedeutet hat. Dazu kommen grundsätzliche Essays über das Wesen des Romans, die Sprache und Literatursoziologie. Gegenüber Vorwürfen, die Deutschen hätten keinen Gesellschaftsroman im Sinne Frankreichs und Englands hervorgebracht, betont Rychner den besonderen Charakter des deutschen Romans:

Sonderart des deutschen Romans

Durch die ganze deutsche Dichtung geht der Zug, den Menschen nicht nur als gesellschaftsgebunden, wenn auch seinesgleichen zugewandt, nicht nur erdgebunden, wenn auch naturliebend darzustellen. Ihre Menschen sind in den Kosmos gestellt oder geworfen, um den Punkt zu finden, wo Ordnungen des Ichs und des Weltalls sich treffen und das Gleichgewicht halten . . .

Kurz vorher hatte Rychner auf Fontanes „Stechlin", Kellers „Martin Salander" und Jeremias Gotthelfs realistische Epik als ausgesprochen politische Dichtungen der angeblich unpolitischen deutschen Literatur hingewiesen:

Der Dichter hat als Einzelner, Einsamer die ganze Verantwortung gegenüber seinem Volk auf sich genommen, wo heute der Kreis, die Sekte, oder ein mehrumfassendes nationales oder soziales Kollektiv das Volksgewissen darstellen will . . . Nehmen wir nur Jean Paul: er wandte sich allerdings nicht allein nur Zuständen zu. Er hat die holdesten und tiefsten Versunkenheiten und Aufschwünge der deutschen Seele in unsere Sprache zu bannen vermocht, deren eines Geheimnis es ist, die Welt überfliegen und unter sich lassen zu können, „in wesenlosem Scheine". Daß sie diese Möglichkeit hat, daß ihr als deren traumhafte Erfüllung Jean Paul geschenkt wurde, mag immerhin beweisen, daß sie *wesentlich* noch in einer anderen Sphäre beheimatet ist als in einem gesellschaftskritischen Realismus, das heißt, daß der Deutsche eine Hemisphäre seines Wesens aufgeben müßte, um zum realistisch reduzierten Zustandskopisten mit Wohlfahrtstendenz zu werden.

Man sieht, daß Rychner zu jenen Einzelnen gehört, denen Curtius die Verantwortung für die literarische Kultur Deutschlands zuschrieb. „Was als Dichtung produziert wird, pflegt als ‚Weltanschauung' konsumiert zu werden", hatte Curtius gesagt und den Bestand literarischer Traditionen beim lesenden Publikum vermißt. Wenn Rychner sich die ganze europäische Überlieferung vergegenwärtigte, so wertete er sie neu und machte sie bewußt. Die Literatur der Nation ist kein Ganzes für sich, sondern gehört in einen übergreifenden Zusammenhang. Dieser Zusammenhang macht eine Ortung möglich, die auf den Wert der Literatur schließen läßt.

Karl Voßler

Nicht Gelehrsamkeit, sondern ihre Umsetzung in Werke, die selbst Literatur sind und literarisch wirken, transzendiert die Disziplin. So war es bei den Theologen Guardini und Barth, den Philosophen Scheler und Heidegger, und so ist es bei den Philologen Ernst Robert Curtius und Karl Voßler. Beide waren Romanisten, in gewisser Hinsicht Weggefährten, in anderer Konkurrenten. Karl Voßler (1872 bis 1949) wurde früh mit einer sprachwissenschaftlichen Studie gegen den Positivis-

Karl Voßler, Büste von Hans Wimmer

mus bekannt. Sein Werk über „Die göttliche Komödie“ (1907–10) Dantes, sein „Leopardi“ (1923), das mehrfach aufgelegte Frankreichwerk und der großartige „Lope de Vega“ (1932) verbreiteten seinen Namen bei den Liebhabern und Freunden der Literatur. Sein Meisterwerk war „Die Poesie der Einsamkeit in Spanien“ (1940), eine Aufsatzsammlung zur Sprache und Poesie der romanischen Länder, vor allem Spaniens. Eine Art Nachlese stellten die Aufsätze „Aus der romanischen Welt“ (1948) dar. Noch mehr als Curtius, der immer Fachmann blieb, war Voßler musischer Mensch und Schriftsteller, der das wissenschaftliche Rüstzeug als selbstverständlich voraussetzte. Voßler hatte vor der Jahrhundertwende die „idealistische“ Sprachwissenschaft in Deutschland neu begründet und aus der mechanistischen Erstarrung gelöst, indem er Geschichte, Psychologie, geistige und natürliche Voraussetzungen zur Erklärung der Sprachentstehung und der grammatischen und syntaktischen Formen herangezogen hatte. Für ihn waren die Dichter der fremden Zeiten und Völker nicht Objekte der Analyse, sondern Schöpfer von Dichtungen; Dichtung war nicht bloß Zeugnis „für etwas“, sondern Kunstwerk. Die vielen Übertragungen romanischer Lyrik „dienten“ den fremden Literaturen. 1936 sagte Voßler in einem Vortrag über die Sprache:

Musische Philologie

. . . Die alten Iberer und Gallier, die so leicht und rasch das Latein sich gefallen ließen, haben nur einen geistlosen Nationalstolz ohne geistige Sehnsucht gehabt. War dieser einmal gebrochen, so lag er am Boden, unfähig zu innerem Widerstand. Ja, die Eitelkeit, die größer war als der Stolz, trieb den Gallier, die Sprache seines Besiegers zu erlernen, mit lateinischer Redekunst sich zu schmücken, der Muttersprache sich zu schämen und die Sagen, die Sprichwörter, die Dichtung der Väter zu vergessen . . . Die hellen Köpfe der Positivisten meinen und behaupten, daß die Ausbreitung der einen Sprache gegen die andere ausschließlich durch die Macht bestimmt werde, Macht der geographischen, politischen, kirchlichen, militärischen, wirtschaftlichen Faktoren . . . Man will beobachtet haben, daß es die Gotthardbahn ist, die das Deutsche nach dem Tessin trägt, während das Romanische mit der Simplonbahn nach dem Norden vordringt. Ich möchte das bezweifeln; denn nur in geistig beruhigten, um nicht zu sagen schläfrigen Zeiten und Völkern kutschieren die Sprachen je nach Gelegenheit und Vorteil per Post, Eisenbahn und Kraftwagen dahin und dorthin.

Idealistische Sprachauffassung

Es war kein Wunder, daß dieser Philologe und Weltmann, ähnlich wie der junge Nadler, Hofmannsthal anzog. Voßler wurde einer der gelehrten Freunde des Hofmannsthalkreises; die Ergebnisse waren in der „Corona" zu lesen. Die andere Strahlung Voßlers ging unmittelbar in die romanische Welt, die er mit seiner Wissenschaft durchdrang, so daß er in jenen Völkern eine angesehene Gestalt des Geisteslebens wurde – wie umgekehrt der Spanier Ortega y Gasset in Deutschland. Das schönste Zeugnis dafür ist Voßlers Freundschaft mit Benedetto Croce. Ihr Briefwechsel (1955) ist ein bewegendes Denkmal internationaler Freundschaft in verdüsteter Zeit.

Max Kommerell

Kam Rychner von Curtius und Hofmannsthal, so spürt man bei Max Kommerell (1902–44) den starken Einfluß Stefan Georges. Er war Literaturwissenschaftler an den Universitäten Frankfurt am Main, Marburg und Köln. Sein erstes Buch „Der Dichter als Führer in der deutschen Klassik" (1928) veranlaßte Walter Benjamin zu einem großartigen Essay „Wider ein Meisterwerk". 1930 hielt Kommerell eine Vorlesung über Hofmannsthal, 1933 folgte ein Buch über Jean Paul, 1940 Untersuchungen über Lessing und Aristoteles und „Geist und Buchstabe der Dichtung" mit Aufsätzen über Goethes „Faust", Schiller, Kleist und Hölderlin, und 1943 „Gedanken über Gedichte". Kommerell übertrug und deutete Calderon und hinterließ viele verstreute Aufsätze, von denen ein Teil in dem Band „Dichterische Welterfahrung" (1952) gesammelt ist. Auch als Dichter hat sich Kommerell in allen Gattungen versucht. Sie zeigen ein erstaunliches formales Talent mit selbstbewußt ironischen Tönen. Seine Muster blieben Jean Paul für die Erzählung und Calderon für das Drama. Die Dichtungen leiden an der literarischen Bildung des Verfassers. „Grundsätzlich darf behauptet werden, daß Kommerell die stärksten Beweise seines künstlerischen Vermögens nicht in den eigenen Dichtungen gegeben hat, sondern in den Essays über fremde Dichtung" (Holthusen). Nachfühlend wird der Essayist zum Dichter, am vollkommensten da, wo er sich, wie im Calderonbuch, ganz von den Voraussetzungen der deutschen Literatur lösen kann. Das gleiche gilt für seine Deutung von Murasakis Roman vom Prinzen Genji, dessen Substanz das stete Don-Juan-Erlebnis ist, wo also die Tabus europäischer Bildung und Gesittung entfallen:

„Dame Dichterin"

So blieben diese zeithabenden Damen aufmerksam auf alles, was geschah – nicht bloß auf die Gelage, wo das Stegreifgedicht mit dem gemeinsamen Becher umlief und die kaiserlichen Prinzen und Ministersöhne als vornehme Dilettanten ein Hoforchester bildeten, sondern auf das, was hinter den Bambusvorhängen und Wandschirmen geschah, während draußen der Wächter die Stunde des Tigers ausrief: was geschah zwischen denen, für die jetzt der herrlichste Gewinn des Daseins beneidete Gegenwart war. Im Grunde gab es nur den Hof! Kaum die Provinz, kaum den Klerus, keine Feudalität, kein Volk. Denn die Wollust dieser Epoche war so geistig, daß sie sich ohne die feinste Weihe der höfischen Formen nicht behagte. Wer nicht kaiserliches Blut hatte oder den drei bis vier großen Familien angehörte, war nicht der Rede wert. Auch die Liebe war höfische Liebe; der Rest war Exil!

Die Qualität

Kommerells Studie ist nicht belehrend, sondern beschreibend. Sie erweitert ihren Gegenstand, spinnt ihn fort, variiert und verschiebt das Thema und das Motiv, um jenes andere ganz bewußt zu machen, welches diese Welt so zauberisch macht. Es ist der Genuß der Literatur mit Zutaten der eigenen Einbildungskraft und Kombinationsgabe. Darum sind Kommerells Essays soviel mehr als Wissenschaft

Eugen Gottlob Winkler

oder Lehrstück. Sie haben ihre eigene Form und sind auch abgelöst vom Gegenstand, den sie behandeln, zu lesen.

EUGEN GOTTLOB WINKLER

Hierher gehört Voßlers Schüler, der junge Eugen Gottlob Winkler (1912–1936), der seines Lehrers Lope-de-Vega-Buch nachdrücklich gehuldigt hat. Winkler war eines der jungen Talente von schwieriger geistig-seelischer Konstitution, geistesgeschichtlich geschult, literarisch von Haus aus so begabt, daß seine ersten Arbeiten ihn gleich in die erste Reihe rückten. Er schrieb Essays, Versuche in deskriptiver Prosa („Die Insel", „Die Erkundung der Linie") und Kritiken sowie unter dem Titel „Trinakria" Bilder von einer Sizilienreise. Die mediterrane Welt, das Paris Marcel Prousts und Jules Romains' zogen ihn an. Er schrieb Essays über Platen, Stefan George, Ernst Jünger, T. E. Lawrence und den späten Hölderlin. Kurz nach seinem Tode erschienen diese Arbeiten gesammelt in einem Band von fünfhundert Seiten. Später sind noch Briefe publiziert worden.

Winklers Stärke war die Beschreibung. „Die Insel" deutet Erlebnisse des Autors auf Frauenwörth im Chiemsee. Ähnlich wie Ernst Jünger und Fritz Alexander Kaufmann, der Autor des „Leonard" und „Roms ewiges Antlitz" (1940), suchte Winkler die erzählende Darstellung, nach französischen Vorbildern, durch die essayistische Epik zu ersetzen. Es ist kein Zufall, daß Winklers dichterische Arbeiten aus Reisenotizen hervorgingen. Sie sind längst nicht so „fertig" wie die literarischen Kritiken. Hier sprach eine geformte Persönlichkeit, souverän in ihrem ästhetischen Urteil. Winkler kann über Proust resümieren:

Prousts Recherche

Was den Proustschen Geschichten zu einem Memoirenwerk grundlegend fehlt, ist eben das Interessante, durch das der Autor einstmals beteiligt war und das den Leser nun nachträglich noch beteiligt. Doch was sie anderseits über ein solches unendlich erhebt, ist das *Dichterische*, das sie als Auftrieb durchdringt. Er läßt von keinem Gegenstand ab. Nichts kann zu gering dafür sein. Es geht hier der Kunst um die gutgemalte Rübe, die besser und wertvoller ist als eine mangelhafte Madonna. Und das Malerwort gilt sehr genau: auch Proust berücksichtigt nicht jenen ethischen Wert, der vielleicht von der künstlerisch schlechten Madonna nichtsdestoweniger ausgehen kann und dessen Annahme eine derartige Gegenüberstellung sogleich verunmöglichen würde ...

Gewiß fehlt da manches, vor allem am Stil; aber der junge Winkler war fähig, zu sehen und zu unterscheiden.

FRANZ BLEI Franz Blei war und ist eine der schillerndsten Gestalten der neueren deutschen Literatur – ein „Literat", wie er im Buche steht, erstaunlich vielseitig und fruchtbar, umwittert von amourösen Skandalen. Er war Herausgeber von etlichen Zeitschriften und Sammlungen, beteiligt an wichtigen literarischen Gründungen seit der Jahrhundertwende, in Fehden verwickelt, ein Erzähler, Kritiker und Satiriker – aber nichts ganz und mit keinem der mehr als achtzig Bücher und Stücke, außer dem „Großen Bestiarium der Literatur" (1924), das 1920 schon unter dem Pseudonym Dr. Peregrinus Steinhövel in einer kurzen Fassung erschienen war, wirklich erfolgreich. Die Autobiographie „Erzählung eines Lebens" (1930) löst sich nach der Jugendgeschichte in allgemeine Betrachtungen und Einzelbilder auf. Die Unruhe spiegelt sich im Lebenslauf. Franz Bleis Vorfahren stammten, wie die Weinhebers, aus dem landflüchtigen Proletariat des alten Österreich. Der Vater war analphabetischer Schuster und wurde in Wien als Geschäftsmann reich. Franz Blei ist 1871 in Wien geboren. Schon als Gymnasiast ging er zur Sozialdemokratie, trat 1887 aus der katholischen Kirche aus, studierte in Zürich und Genf und heiratete eine Medizinerin, mit der er 1898 nach Amerika ging. Auf der Rückkehr, 1900, lernte er in Paris Oscar Wilde kennen und zog nach München, wo er in die Redaktion der bisher von Bierbaum und Schröder redigierten „Insel" eintrat. Es war die Zeit, da nach Thomas Manns Worten „München leuchtete". In den folgenden Jahren gab Blei die kostbaren Zeitschriften „Der Amethyst" (1906), „Opale" (1907) und „Hyperion" (1909) heraus. Mit Ernst-Erik Schwabach entwarf er Plan und Programm der „Weißen Blätter", wurde aber 1914 als österreichischer Soldat eingezogen, so daß René Schickele die Zeitschrift übernahm.

Herkunft und Leben

Literarische Spannweite

Damals war Blei schon ein bekannter und berühmter Schriftsteller, hatte einige Komödien („Thea" 1895, „Die Sehnsucht" 1900 und „Das Kußmal" 1902) sowie eine Menge von geistreichen Erzählungen, Dialogen und Essays geschrieben, die 1911/12 als „Vermischte Schriften" bei Georg Müller in sechs Bändchen erschienen. Im dritten Band, „Das Rokoko", stellte Blei Eleganz und Tiefe des Rokoko der eigenen Zeit gegenüber; er enthält Bildnisse von Prévost, Piron, Heinse, Casanova, Galiani, Karl Philipp Moritz, Pope, Retif de la Bretonne, Lenz und anderen. Im vierten Band stehen „Zwiesprachen" und Gedichte. Die Widmungen und Zuschreibungen bezeichnen die damaligen Freunde des Autors: Friedrich Alfred Heymel, Robert Walser, Carl Sternheim, André Gide, Rainer Maria Rilke, Paul Scheffer, Max Brod, Hugo von Hofmannsthal. Die dramatischen Stücke waren von Hofmannsthal beeinflußt. Auch thematisch berührte sich Blei mit Hofmannsthal, etwa in der Oper für Anna Bahr-Mildenburg „Scaramuccio auf Naxos".

Claudel und Sternheim

Franz Blei war der erste Übersetzer Paul Claudels ins Deutsche, mit „Mittagswende" (1908) und „Der Tausch" (1910) machte er Claudel bekannt. Außerdem hat er im Lauf der Jahre Gide, Schwob, Chesterton, Wilde, Hawthorne und andre übertragen. 1914 erschien sein Essay „Über Wedekind, Sternheim und das Theater". Mit Sternheim war Blei seit langem befreundet, gemeinsam gaben sie den „Hyperion" heraus, und Blei konnte sich rühmen, den Dramatiker Sternheim auf aktuelle Themen gedrängt zu haben; die Anregung zu „Die Hose" kam von ihm. Was beide verband, war die Schwärmerei für das Rokoko als letzte Epoche

gemeineuropäischer Bildung und Kultur, die durch die Französische Revolution zerstört worden sei. Blei war ein „Modernist“, ein katholischer Jakobiner, und typisch war sein Verhalten 1919: er kehrte mit seiner Familie zum Katholizismus der Jugend zurück und bekannte sich zum Kommunismus: „Es lebe der Kommunismus und die heilige katholische Kirche!“ Blei hatte den österreichischen Zusammenhang mit dem Katholizismus nie aufgegeben. Die Umkehr Bleis wurde in den vier Heften der bei Hegner in Hellerau verlegten Vierteljahrsschrift „Summa“ deutlich. FRANZ BLEI

Es ist Franz Blei nicht gelungen, obwohl er ununterbrochen Bücher edierte, übersetzte und persönlich in seinem Münchner Haus auf Schriftsteller und Theater einwirkte, seine feste Position als Kulturkritiker und Satiriker zu halten. Die mit Paris von Gütersloh zusammen bei Hegner seit 1918 herausgegebenen „Blätter zur Erkenntnis der Zeit“ mit dem Titel „Die Rettung“ konnten sich nicht durchsetzen. Zum Expressionismus, in dessen frühen Anthologien er vertreten war, hatte Blei keine Beziehung. Seit 1923 wieder in Berlin, arbeitete er als Dramaturg für den Film.

Die Satire

Das „Große Bestiarium“ fand deshalb so großen Widerhall, weil Blei und seine Freunde (etwa Carl Schmitt) die gesamte Gegenwartsliteratur unerhört geistreich zu klassifizieren wußten. Der witzige Spott bekam literarischen Rang im Sinne der englischen Satire des achtzehnten Jahrhunderts. Die Umsetzung der Autoren in skurrile Tiere mußte in einer von Biologie und Zoologie besessenen Zeit groteske Wirkung haben, zumal Blei seinen Tieren einen poetischen Schimmer gab:

Die Kafka ist eine sehr selten gesehene prachtvolle mondblaue Maus, die kein Fleisch frißt, sondern sich von bitteren Kräutern nährt. Ihr Anblick fasziniert, denn sie hat Menschenaugen.

Höchst amüsant und vieldeutig ist Franz Bleis Selbstporträt im großen Bestiarium:

Der Blei ist ein Süßwasserfisch, der sich geschmeidig in allen frischen Wassern tummelt und seinen Namen – mhd. bli, ahd. blio = licht, klar – von der außerordentlich glatten

FRANZ BLEI und dünnen Haut trägt, durch welche die jeweilige Nahrung mit ihrer Farbe deutlich sichtbar wird. Man kann so immer sehen, was der Blei gerade gegessen hat, und ist des Fraßes Farbe lebhaft, so wird der Blei ganz unsichtbar, und nur die Farbe bleibt zu sehen. Unser Fisch ißt sehr mannigfaltig, aber gewählt, weshalb er auch, in Analogie zu jenem Schweine, der Trüffelfisch genannt wird wegen seiner Fähigkeit, Leckerbissen aufzuspüren. Gefangen und in einen Pokal gesteckt, dient er oft Damenboudoirs als Zimmerschmuck und macht da, weil er sich langweilt, zur Beschauerin nicht ganz einwandfreie Kunststücke mit Flossen und Schwänzchen . . .

Der Kenner

Über eine Reihe der karikierten Autoren hat Blei Essays geschrieben. Sie beruhen auf persönlicher Freundschaft und beteiligter Kennerschaft, ohne im eigentlichen Sinne kritisch zu sein. Bleis liebendes Verstehen beflügelte ihn zu blitzartigen Einsichten in das Wesen der Dichter. So bezeichnete er schon in den dreißiger Jahren Musil, Gütersloh und Broch als repräsentative Gestalten der neuen deutschen Dichtung, und von Joseph Roths schriftstellerischer Intelligenz sagte Blei, sie habe sich auch in der äußersten alkoholischen Betrunkenheit nicht lockern können. Ähnlich erkannte er das Wesen Karl Valentins oder Robert Walsers. Musil hat Blei geradezu seine Entdeckung zugeschrieben und hat ihn in einem Aufsatz zum sechzigsten Geburtstag gefeiert; Blei habe unserer Literatur ein bestimmtes Licht geschenkt:

Musil über Blei

Es enthält Strahlen aus dem Spektrum der Aufklärungszeit, dieser großen Emanzipationsperiode des europäischen Geistes, und hat dem Farbenband des Katholizismus die steinernen Farben abstrakter Gefühlsspekulation entnommen, es hat sich aus nationalökonomischen und biologischen Studien gebildet, aus den klassischen Systemen der Philosophie und den Reizen ihrer gegenwärtigen Auflösung, aus umfassenden Kenntnissen der Geschichte und einer unvergleichlichen Belesenheit, die an Originalen der Literatur beinahe alles umfaßt, was zwischen Homer und Gottfried Benn geschrieben worden ist.

Der erotische Schriftsteller

Bleis zahlreiche Bücher über Frauen, Eros, Sitten der Liebe, Liebe und Ehe, die „Formen der Liebe" (1930) und die vier Bände „Lehrbücher der Liebe" (1923) betonen seine erotomanischen Neigungen. Aber die Liebe ist bei Blei etwas anderes als „das Sexuelle" bei Lautensack, als der Pansexualismus der expressionistischen Stürmer und Dränger, ist keine Literarisierung der seit Sigmund Freud und Otto Weininger populären Sexualpsychologie; Blei war auch hier Literat, seine „Liebe" spiegelt die Lust des Anarchisten am Verbotenen.

Die politische Entscheidung

Im Jahre 1933 verließ Blei als Feind des Nationalsozialismus Deutschland; seine Frau blieb in Berlin; er ging nach Mallorca, von dort nach Wien, dann zu Rudolf Borchardt nach Italien. Seit 1939 lebte er, bereits schwer herzleidend, in Südfrankreich und gelangte mit Hilfe von Freunden schließlich über Lissabon nach Amerika. Hier traf er Albert Ehrenstein, Berthold Viertel und Hermann Broch wieder. Im Juli 1942 ist Franz Blei in der Nähe von New York gestorben. Sein letztes Buch waren die „Zeitgenössischen Bildnisse" (1940), Porträts von Gestalten der internationalen Literatur, von Lenin bis Unamuno, die er persönlich gekannt hatte.

Walter Benjamin

Noch Hugo von Hofmannsthal, Rudolf Borchardt, Franz Blei und – in Beschränkung auf das Geistreich-Boshafte – Alfred Kerr gingen als Kritiker von der Einheit einer Welt aus, die schon 1914 ihr Ende gefunden hatte. Die folgende Generation versuchte anstelle der verlorenen Richtpunkte neue zu setzen, am deutlichsten bei Max Kommerell und Walter Benjamin. Beide gingen nicht von der Psyche, sondern der Physiognomie ihrer literarischen Gegenstände aus. Sie waren von der Jugendbewegung und Stefan George beeinflußt und versuchten, ein Leben als „Literator" in das eines Hochschullehrers zu verwandeln; beide unterlegten ihrem Werk schließlich weltanschauliche Gerüste. Hier beginnt der Unterschied deutlich zu werden, denn Kommerell hielt an Georges Idee von der „Führung" des Lebens durch die Literatur fest, während Benjamin erkannte, daß es keine konstanten Typen der Bildung und des Lebens gäbe, daß vielmehr der Typus Mensch unterwegs sei auf dem Wege zu einem Ziel. Dabei drangen ältere, vor allem jüdisch-messianische Vorstellungen ein und machten die Auseinandersetzungen mit Kafka und Kraus fruchtbar, also Autoren, bei denen ähnliche Voraussetzungen wie bei Benjamin vorlagen.

WALTER BENJAMIN

Die neuen Kritiker

Walter Benjamin ist 1892 in Berlin als Kind liberal denkender Eltern geboren und kam mit dreizehn Jahren, in dem Landerziehungsheim Haubinda (Thüringen), unter den Einfluß Gustav Wynekens. Seine ersten Aufsätze veröffentlichte er unter einem Pseudonym als Schüler in einer Zeitschrift der Jugendbewegung „Der Anfang". 1912 begann er zu studieren und spielte in der Berliner „Freien Studentenschaft" eine Rolle. Sein Aufsatz „Das Leben der Studenten", auch als Rede – etwas abgeändert – gehalten, erschien in Kurt Hillers erstem Jahrbuch „Das Ziel, Aufrufe zum tätigen Geist" (1914), wo auch Blüher, Wyneken, Werfel, Brod, H. Mann und Rubiner publizierten. Als Kriegsfreiwilliger nicht angenommen, konnte er in München und dann in Bern weiterstudieren. 1915 schloß er eine lebenslange Freundschaft mit Gerhard Scholem, der ihm die geistige und sittliche Welt des Judentums öffnete.

Jugenderlebnisse

Schon vor dem Kriege hatte Benjamin einen Sommer in Paris verbracht, das seine große Liebe wurde. Nach dem Kriege begann er Baudelaire zu übertragen und wandte sich 1925 mit seinem Freunde Franz Hessel der Übertragung Marcel Prousts zu. In Proust hatte er den größten französischen Autor unserer Zeit erkannt, aber die Übertragung kam zu früh, sie hatte keinen Erfolg. 1924/25 erschien Benjamins großer Essay über „Goethes Wahlverwandtschaften" in Hofmannsthals „Neuen deutschen Beiträgen". Ein Versuch, sich mit einer Schrift über den „Ursprung des deutschen Trauerspiels" (als Buch 1928 erschienen) in Frankfurt zu habilitieren, schlug fehl. So sah sich Benjamin, auf das väterliche Haus in Berlin-Grunewald gestützt, als freier Schriftsteller, Kritiker, Essayist und Übersetzer in einer Welt, die ihn bald gewaltsam isolierte. 1933 suchte er einige Zeit unter Pseudonymen zu arbeiten, doch bald mußte er sich zur Emigration entschließen und wählte Paris. 1936 brachte ein Schweizer Verlag noch seine Briefsammlung „Deutsche Menschen" heraus. Die Jahre in Paris, wo er sich seit je heimisch gefühlt hatte, waren erst schwierig, doch dann wurde Benjamin Mitglied des aus Frankfurt ausgewanderten „Instituts für Sozialforschung". Als sich die Lage verschärfte, weigerte er sich, nach Amerika zu gehen, und wurde 1940 für

Der Schriftsteller

Paris und Exil

drei Monate in Paris interniert. Auf dem Weg nach Spanien, an der Grenze von Auslieferung bedroht, nahm er sich das Leben.

Außer der Dissertation „Der Begriff der Kunstkritik in der deutschen Romantik" (1920) und jener Habilitationsschrift ist von Benjamin zu Lebzeiten in Buchform nur das Bändchen „Einbahnstraße" (1928) erschienen, während seine Essays und Kritiken lediglich in Zeitungen und Zeitschriften veröffentlicht waren. Erst in den „Schriften" (1955) wurden sie unter Mitwirkung von Friedrich Podszus von Th. W. Adorno und Gretel Adorno herausgegeben.

Themen und Figuren

Die Betrachtungen und Einfälle des Bändchens „Einbahnstraße" verraten dem Leser den geistigen Haushalt des Schriftstellers Benjamin. Es sind Meditationen über Schreiben, Verleger, literarische Formen und Methoden, Träume und Lieblingsvorstellungen. Sie erinnern an Ernst Jüngers „Abenteuerliches Herz", dessen Capriccios um die gleiche Zeit entstanden sind. Benjamin schreibt über Kinder, Antiquitäten, Erinnerungen an Reisen in Frankreich, Italien, Spanien, hin und wieder über literarische Figuren. Er meditiert über Schießbuden, Modellierbogen und das Stereoskop. Die Form liegt zwischen Essay und Aphorismus. Unter der Rubrik „Kriegerdenkmal" findet sich der Absatz:

Karl Kraus

Karl Kraus. — Nichts trostloser als seine Adepten, nichts gottverlassener als seine Gegner. Kein Name, der geziemender durch Schweigen geehrt würde. In einer uralten Rüstung, ingrimmig grinsend, ein chinesisches Idol, in beiden Händen die gezückten Schwerter schwingend, tanzt er den Kriegstanz vor dem Grabgewölbe der deutschen Sprache. Er, der „nur einer von den Epigonen, die in dem alten Haus der Sprache wohnen", ist zum Beschließer ihrer Gruft geworden. In Tag- und Nachtwachen harrt er aus. Kein Posten ist je treuer gehalten worden, und keiner war je verlorener. Hier steht, der aus dem Tränenmeere seiner Mitwelt schöpft wie eine Danaïde, und dem der Fels, der seine Feinde begraben soll, aus den Händen rollt wie dem Sisyphos. Was hilfloser als seine Konversion? Was ohnmächtiger als seine Humanität? Was hoffnungsloser als sein Kampf mit der Presse? Was weiß er von den wahrhaft ihm verbündeten Gewalten? Doch welches Sehertum der neuen Magier läßt sich vergleichen mit dem Lauschen dieses Zauberpriesters, dem eine abgeschiedene Sprache selbst die Worte eingibt? Wer hat je einen Geist beschworen wie Kraus in den „Verlassenen", als ob sie vordem nie gedichtet worden wäre, die „Selige Sehnsucht"? So hilflos, wie nur Geisterstimmen sich hören lassen, sagt das Raunen aus einer chthonischen Tiefe der Sprache ihm wahr. Jedweder Laut ist unvergleichlich echt, aber sie alle lassen ratlos wie Geisterrede . . .

Das „Chinesische"

Das ist ein Glanzstück Benjaminischer Prosa, sowohl stilistisch wie kritisch. Einige Motive fallen besonders auf, etwa die Vorstellung von Kraus als einem archaischen Ritter; das Adjektiv „chinesisch" rührt einen Topos Benjaminschen Denkens an. Der als „epigonisch" empfundene Charakter Krausschen Sprechens hängt mit Benjamins Glauben an die Entwicklung des Menschen und seiner Sprache zusammen. (Er konstatiert ihn übrigens auch bei Brechts Gedichten und leitet Brechts Zwei- und Mehrdeutigkeit davon ab.) Sehr mißfällt ihm Kraus' angebliche Konversion, und dem Begriff der klassischen Humanität wird Benjamin etwas später die „reale Humanität" von Karl Marx entgegensetzen. Mit dem „Sehertum der neuen Magier" meint er die Georgeschen Kosmiker Klages-Wolfskehl-Schuler, und jene chthonische Tiefe deckt sich für Benjamin weitgehend mit dem „Chinesischen", das er bei Kafka 1934 feststellen wird — Ahnungen und Erinnerungen des Menschen, die bis weit vor die historische Zeit zurückreichen.

Walter Benjamin

Benjamin plante ein Buch über Paris. Die genialischen Studien über Baudelaire, die Stadtbilder, wohl auch die Aufsätze über Proust und Gide gehören in diesen Bereich. Paris sollte als Stadt der „Moderne" des neunzehnten Jahrhunderts schlechthin erscheinen, jenes Paris, das bei Baudelaire zu einer großen Allegorie der Existenz geworden war. Benjamin sann typisch Baudelaireschen Konstellationen nach, die später auch in die deutsche Literatur Eingang gefunden hatten: die Identifikation von Literat und Hure, der anarchistische Typus des ametaphysischen Menschen, das Moderne als Geheimbehälter der Jahrtausende, das durch den Charakter der Nichtumkehrbarkeit der Geschichte (daher der frühe Titel „Einbahnstraße") bestimmt wird. Bei Baudelaire sah Benjamin den Schriftsteller gegenüber der Masse, welche mit dem Lesen von Lyrik Schwierigkeiten hat: „Es ist befremdend, einen Lyriker anzutreffen, der sich an dieses Publikum hält, das undankbarste." Am raschesten entzündet sich sein Denken bei der Betrachtung Baudelaires. In Notizen unter dem Titel „Zentralpark" bemerkt er:

Literatur als Ware

Baudelaires Verhalten auf dem literarischen Markt: Baudelaire war — durch seine tiefe Erfahrung von der Natur der Ware (auch die Frau ist „Ware" — als Prostituierte) befähigt oder genötigt, den Markt als objektive Instanz anzuerkennen. Durch seine Verhandlungen mit Redaktionen stand er in ununterbrochenem Kontakt mit dem Markt. Seine Prozeduren — die Diffamierung (Musset), die contrefaçon (Hugo). Baudelaire hat vielleicht als erster die Vorstellung von einer marktgerechten Originalität gehabt, die eben dadurch damals origineller war als jede andere. Diese création schloß eine gewisse Intoleranz ein. (Baudelaire wollte für seine Gedichte Platz schaffen und mußte zu diesem Zweck andere verdrängen). Er entwertete gewisse poetische Freiheiten der Romantiker durch seine klassische Handhabung des Alexandriners und die klassizistische Poetik durch die ihm eigenen Bruchstellen und Ausfallserscheinungen im klassischen Verse selbst . . .

Benjamins Kampf gegen die klassische und traditionelle Lehre von der Dichtung wird deutlich im Widerspruch gegen Kommerell — wobei er freilich sagen konnte, daß Kommerell von keinem so eindringlich bewundert und kritisiert worden sei wie von ihm – und ungemein scharf gegen Theodor Haeckers „Vergil", wenn er dem glänzenden Schriftsteller vorwirft, er sei ein schlechter Denker, der den philologischen Bestand rücksichtslos einem dogmatischen Anspruch unterwerfe; dadurch hatte Haecker freilich gegen Benjamins Grundthese verstoßen, die Geschichte und Philologie als Maß der Wahrhaftigkeit nahm.

Marxistische Phase

Seit 1924 war Benjamin unter dem Einfluß einer Lettin, die als Regisseurin in Moskau tätig war, und nach dem Studium von Marx und Lukács Marxist geworden und glaubte den soziologischen Zauberschlüssel für seine Allegorien gefunden zu haben. Baudelaires Widerstand gegen das bürgerliche Jahrhundert war nun Widerstand gegen die sittliche und geistige Korruption der Bourgeoisie. Der „werdende Mensch", von dem Benjamin im Sinne der kosmischen und expressionistischen Ideologien geträumt hatte, trat dem konstanten klassisch-romantischen Typ als Vertreter eines neuen, wenn auch blutigen, so doch „realen Humanismus" gegenüber. Die Moskauer Reiseerinnerungen deuten freilich an, daß dies Schema 1927 schon skeptisch betrachtet wurde. Benjamin fand, daß der „heroische Kommunismus" abgelöst sei von einem bürokratischen, daß aus erprobten Stützen der Partei in wenigen Wochen Defraudanten wurden. Der marxistische Schlüssel zum Verständnis der Geschichte und Literatur erwies sich noch fruchtbar bei den Betrachtungen zu Brechtschen Gedichten, aber im übrigen kam es zu „produktivem Mißverständnis" (Adorno). Daß das Kunstwerk „im Zeitalter seiner technischen Reproduzierbarkeit" einen andern Sinn hatte als in Zeiten des aristokratischen Genies, schien am besten durch Marx' Theorie von der unaufhörlichen „Arbeit" erklärt zu sein. Der Widerspruch, dem sich Benjamin gegenübersah, bestand zwischen der idealistischen Metaphysik, die er als bequeme Ideologie ablehnte, und jenem Absoluten, das ihn doch aus jedem Kunstwerk anblickte. Er fand die Lösung in jenen uralten, vorhistorischen, „chinesischen" Verhaltensweisen, die er Goethe, Walser, Leskow und Kafka unterlegte, wenn er Kafkas Gehilfenfiguren einen amorphen Charakter zuschrieb, totemistische Züge – die Verwandlungen von Menschen in Tiere – aufdeckte oder sich gegen die theologische Deutung wandte. Er zitierte die kabbalistische Tradition oder berief sich auf Paul Scheerbart und Mynona, bei denen die exzentrischen Spannungen in einer „dünnen Atmosphäre" ausbalanciert erschienen.

Gegen die Metaphysik

Ausgesparte Stellen

Man hat bemerkt, daß in Benjamins Ableitungen gewisse Glieder zu fehlen scheinen; er gilt als schwierig und dunkel. Er stürzt sich in philosophisch-moralische Deduktionen („Schicksal und Charakter") oder kommentiert Briefe Kants und Pestalozzis als „Briefe aus dem bürgerlichen Zeitalter", wodurch er sich die Aussicht zu verstellen scheint. Er bringt es fertig, über Dostojewskis „Idiot" fünf glänzende Seiten zu schreiben und dessen Hauptproblem, die christliche Existenz in der Zivilisation, zu verschweigen oder zu übersehen. Doch sind diese Lücken nicht solche der Unwissenheit, sondern der Aussparung; man findet an unerwarteten Stellen – über die Kunst des Erzählens und in den Aufsätzen zum Problem der Sprache – die fehlenden Stufen deutlich bezeichnet, und dann sind es theologische. Was in den marxistisch gefärbten Teilen seiner Essays negativ unter den Begriffen der Klasse und Ausbeutung erscheint, wird positiv sichtbar überall dort, wo er von Engeln und der Schöpfung spricht. Paul Klees Angelus Novus war einer seiner Schätze, und Benjamin hat in der Nachkriegszeit

Der Engel als Mittler

eine Zeitschrift mit dem Titel „Angelus Novus" geplant. Der Engel ist der alttestamentarische Bote zwischen Gott und den Menschen: er übersetzt die Ursprache Gottes in die Sprache der Menschen:

Die Sprache gibt niemals bloße Zeichen. Mißverständlich ist aber die Ablehnung der bürgerlichen durch die mystische Sprachtheorie. Nach ihr nämlich ist das Wort schlechthin das Wesen der Sache. Das ist unrichtig, weil die Sache an sich kein Wort hat, geschaffen ist sie aus Gottes Wort und erkannt in ihrem Namen nach dem Menschenwort... Für Empfängnis und Spontaneität zugleich, wie sie sich in dieser Einzigartigkeit der Bindung nur im sprachlichen Bereich findet, hat aber die Sprache ihr eigenes Wort, und dieses Wort gilt auch von jener Empfängnis des Namenlosen im Namen. Es ist die Übersetzung der Sprache der Dinge in die des Menschen. Es ist notwendig, den Begriff der Übersetzung in der tiefsten Schicht der Sprachtheorie zu begründen, denn er ist viel zu weittragend und gewaltig, um in irgendeiner Hinsicht nachträglich, wie bisweilen gemeint wird, abgehandelt werden zu können. Seine volle Bedeutung gewinnt er in der Einsicht, daß jede höhere Sprache (mit Ausnahme des Wortes Gottes) als Übersetzung aller andern betrachtet werden kann. Mit dem erwähnten Verhältnis der Sprachen als dem von Medien verschiedener Dichte ist die Übersetzbarkeit der Sprachen ineinander gegeben. Die Übersetzung ist die Überführung der einen Sprache in die andere durch ein Kontinuum von Verwandlungen . . .

Der theologische Hintergrund

Benjamin folgt hier nicht, obwohl er auch Hamann zitiert, der von ihm „mystisch" genannten Sprachauffassung, sondern einer weit älteren, im Talmud literarisch eben noch faßbaren Überlieferung, wo Engel mit den Menschen verkehrten und die Erde ein Ort der Begegnung und Genesung von einer Urschuld war. Als trümmerhafte Zeugen aus dieser Zeit liebte Benjamin Märchen und Volkslieder zu zitieren; hier wurzelten seine Studien vom Ursprung der Tragödie (im „bodenlosen Tiefsinn" des Bösen erkannte er den Fundus des Trauerspiels), und schließlich gehört das Phänomen der Scham, das Benjamin so oft beschäftigte, zur „messianischen Spur". In theokratischen Vorstellungen wurzelte auch Benjamins Kritik am Bürgertum; es mußte ihm als Verräter erscheinen, weil es die Metaphysik als ideologischen Überbau für ökonomische und politische Machenschaften bemühte. Das Christliche und das Christentum blieben Benjamin unter solchen Kategorien verdächtig als spiritualistische Verflüchtigung. Er liebte das Konkrete als den Ort, wo das Absolute faßbar und sichtbar wird, daher seine Faszination durch Brecht, Proust und Baudelaire; für ihn waren sie Desillusionisten, also Autoren, die jener ideologischen Lüge zu entkommen trachteten, die Benjamin als die Krankheit des entgötterten Bürgertums ansah.

Ernst Bloch

Weltbild und System

Gewöhnlich wird Ernst Bloch als Philosoph bezeichnet, und sein großes Spätwerk gibt sich als Werk eines Denkers, unter dem Gesichtspunkt der Hoffnung als Prinzip des Trostes für die Zukunft angelegt. Es hat prophetische Untertöne und enthält zahlreiche Stellen erzählender, anekdotischer, betrachtender Art; es enthält Psychologie, Metaphysik, Ästhetik und bringt ausführliche Beispiele aus der Literatur, von den Griechen bis Brecht, setzt sich mit „C. G. Jungs faschistisch schäumender Psychoanalyse", mit den Leidenschaften des Menschen, mit „Träumen an der pompejanischen Wand", mit Bauhütten und barocken Festdeko-

Ernst Bloch

rationen auseinander. An diesen Stellen ist Bloch einer der lebendigsten und geistreichsten Autoren auf der Linie des Versuchs, das pluralistische Nebeneinander umzuwandeln in ein dialektisches Miteinander.

Ernst Bloch ist 1885 in Ludwigshafen am Rhein geboren und studierte in München und Würzburg Philosophie, Germanistik und Physik. Nach der Promotion, 1908 über Heinrich Rickert, lebte er in Berlin, Heidelberg, bei München, in Bern, München, Berlin, war Mitte der zwanziger Jahre auf Reisen in Italien, Frankreich und Nordafrika, ging 1933 nach Zürich, von dort über Wien, Paris und Prag nach Nordamerika. 1949 kehrte er nach Deutschland zurück und wurde Professor in Leipzig. Hier hielt er elf Jahre aus und kam 1961 nach Westdeutschland. Über seine menschliche, geistige und politische Entwicklung schrieb er:

Geistige Entwicklung

Zweiundzwanzigjährig kam der Blitz: die Entdeckung des Noch-nicht-Bewußten, die Verwandschaft seiner Inhalte mit dem ebenso Latenten in der Welt... Freundschaft und Symposion zu dieser Zeit mit Lukács, er noch mit Eckehart und Ethik, mit den Konfinien von Moral und Kunst beschäftigt, ich noch mit Thomas und den Systematisationsproblemen einer neuen „Summa“ ... In der Stille des Isartals wurde das Buch „Geist der Utopie“ geschrieben, 1917 beendet, zehn Jahre nach dem Blitz des Noch-nicht-Bewußten. Eine erste opushafte Bekundung, musikhaft, sozialistisch, metasozialistisch, ein noch überladenes Kompaktum, dem zum Teil einiges aus dem Buch „Spuren“, kraft alter Geschichtenfreude, auch zeitlich vorangeht. ... Bedeutende Naturen auf dem weiteren Weg getroffen, so Brecht, Benjamin ... Das Buch „Spuren“ (1930) leitet parabelhaft das erste Werk ein, den Rhapsodiebau des „Geist der Utopie“ zweite Auflage, 1923, und diesem folgt, revolutionär-romantisch 1921 das Buch „Thomas Münzer als Theologe der Revolution“.

Thomas-Münzer-Thema

Das Thomas-Münzer-Thema begegnete uns schon bei Hugo Ball. Münzers religiöser Kommunismus, mit seiner Berufung auf die Bibel, wird für Bloch immer denkwürdig bleiben als Ausdruck eines sozialistisch getönten religiösen Messianismus. Das „Reich“, das Münzer verkündete, sollte das Prinzip Hoffnung, die menschliche Utopie vom Reich Gottes auf Erden verwirklichen. Blochs eigenes Reich ist freilich irdisch und hiesig. Die Verwirklichungen früherer Zeit, die religiösen und philosophischen Lehren seit Buddha, der Bibel, der griechischen Antike, im Mythos, der Legende, in der Musik Bachs und Mozarts, in Gedanken Kants, Hegels und Kierkegaards, sind Vor-Schein und Vor-Existenz der *realen* Utopie im Reich demokratischer Freiheit. Der Mensch dafür wird noch geboren. Das ist kommunistisch gemeint, das Heil wird von Osten erwartet, dort soll die Utopie Schritt für Schritt verwirklicht werden. Die Stücke von Blochs Konstruktion sind jüdisch, christlich, westlich und liberal, vom deutschen Idealismus genährt. Es ist ein von ihm selbst erfundener Edel-Marxismus.

„Geist der Utopie"

„Das Prinzip Hoffnung" erschien, tausend Seiten stark, im Jahre 1959, 1938–47 in den USA geschrieben und 1953 und 1959 durchgesehen. Freilich waren die beiden Fassungen von „Geist der Utopie" genialischer und unmittelbarer. Da wurde die Lage am Ende des ersten Weltkriegs analysiert:

> Es ist genug. Nun haben wir zu beginnen. In unsere Hände ist das Leben gegeben. Für sich selber ist es längst schon leer geworden. Es taumelt sinnlos hin und her, aber wir stehen fest, und so wollen wir ihm seine Faust und seine Ziele werden. Was jetzt war, wird wahrscheinlich bald vergessen werden. Nur eine leere grausige Erinnerung bleibt in der Luft stehen . . . Was jung war, mußte fallen, aber die Erbärmlichen sind gerettet und sitzen in der warmen Stube.

Mit dem Prinzip wird ernst gemacht. Bloch glaubt, das Noch-nicht-Bewußte bewußt machen zu können. Das ist ein geistiger Vorgang, wie ihn ähnlich Musil als seine Aufgabe empfunden hat. In der zweiten Auflage vom „Geist der Utopie" fand Bloch das Gleichnis von Odysseus:

> Schlafend, lautlos kam Odysseus nach Ithaka, gerade nach Ithaka kam er schlafend, jener Odysseus, der Niemand heißt, und in jenes Ithaka, das eben die Art sein kann, wie die Pfeife daliegt oder wie sich sonst ein Unscheinbares plötzlich gibt und das stetig Gemeinte sich endlich anzublicken erscheint. So fest, so sehr unmittelbar evident, daß ein Sprung ins Noch-nicht-Bewußte, ins tiefer Identische, in die Wahrheit und das Lösewort der Dinge getan ist, der nicht zurückgeht; daß mit der plötzlich letzten Bedeutungsintention des Beschauers am Objekt zugleich das Gesicht eines noch Namenlosen, das Element des Endzustandes, allenthalben eingebettet, in der Welt auftaucht und diese nicht mehr verläßt.

Die ägyptische Helena

Solche Topoi der Literatur zu finden wird Bloch nicht müde. Großartig ist seine Deutung des Motivs der ägyptischen Helena: Menelaos findet, aus dem Trojanischen Krieg heimkehrend, auf der ägyptischen Insel Pharos Helena, die gleiche und doch nicht gleiche Frau, die er bei seinen Kriegern zurückgelassen hatte. Sie behauptet, die andere, die große Kokotte, um die zehn Jahre gekämpft wurde, sei ein Phantom. (Das euripideische Thema hatte Hofmannsthal aufgegriffen, ein Opernlibretto, „das ohne die Straußsche Musik wenig bedeutet".) Man kann die großartigen Details des Blochschen Werkes „Prinzip Hoffnung" aus dem ideologischen Zusammenhang lösen – und dann bleiben an Benjamin und E. Jünger erinnernde Denkstücke übrig:

Über das Sammeln

> Gesammelt werden kann alles: Knöpfe, Weinetiketten, Schmetterlinge, besonders häufig Briefmarken. Das Sammeln antiker Gegenstände, nicht mehr vorhandener oder exotischer Kunst ist nur die edelste Jagdart unter den übrigen. Auch die Sucht nach Vollständigkeit findet sich beim Markensammler ebenso wie beim Porzellansammler;

der Wunsch einen Satz, und der, ein Service komplett zu haben, ist der gleiche. Und die Seltenheit bestimmt hier wie dort den Preis, handle es sich um eine abweichende Zähnung oder um eine auch seitlich geschweifte Barockkommode, die die Hälfte mehr kostet als eine nur vorn, an den Schubladen, geschweifte. Bei allen Sammelobjekten ist die Arbeit des Händlers, als eines Finders von Raritäten, produktiv (eine der wenigen produktiven im Verteilungsgeschäft); bei allen reguliert die Konkurrenz der Liebhaber den Preis. Trotzdem unterscheidet sich Kunstsammeln wesentlich von dem übrigen, denn das Seltene ist in diesem Fall zugleich das Nichtwiederherzustellende, das Unwiederbringliche.

So ist das Blochsche Denken und Schreiben in der Sprache eins geworden. Der Stil zeugt für den Mann und seine Gedanken und tritt da, wo er anekdotisch oder erzählend wird, ins Dichterische über.

Ernst Jünger

Ausstrahlung der Kriegsbücher

Der volle Titel des ersten Buches lautet: „In Stahlgewittern. Aus dem Tagebuch eines Stoßtruppführers, von Ernst Jünger, Kriegsfreiwilliger, dann Leutnant und Kompagnieführer im Füs.-Regt. Prinz Albrecht von Preußen (Hannover Nr. 73). Mit 5 Abb. u. dem Bilde des Verf. – Hannover, Selbstverlag des Verf. 1920." Das Buch war den gefallenen Kameraden gewidmet und Hermann Stegemann, dem Historiker des ersten Weltkrieges. In den späteren Auflagen wurde diese Widmung durch einen Zusatz erklärt: „Er war einer der wenigen Fürsprecher, die der deutsche Soldat während des Krieges im Ausland fand." Die zweite Auflage des Buches erschien in dem militärwissenschaftlichen Verlag E. S. Mittler & Sohn, Berlin. Von hier begann es seinen Siegeszug als Buch der revolutionären Rechten. Im Jahre 1922 folgte eine Kampfschilderung unter dem Titel „Der Kampf als inneres Erlebnis", gewidmet „meinem Bruder Fritz [Friedrich Georg Jünger] zur Erinnerung an unseren Tag von Langemarck". Drei Jahre später erschien „Das Wäldchen 125, eine Chronik aus den Grabenkämpfen 1918", und im gleichen Jahr 1925 „Feuer und Blut, ein kleiner Ausschnitt aus einer großen Schlacht".

Der neue Ansatz

Jüngers Kriegsbücher sind nicht bloß Erlebnisberichte, sondern Versuche zu einer Klärung der Lage. Für die Masse der europäischen Soldaten gehörte der Krieg, nachdem der patriotische Firnis verlorengegangen war, zum Unbegreiflichen schlechthin. Viele Dichter und Autoren der Zeit haben sich mit dem Krieg auseinandergesetzt; sie blieben in Vorstellungen stecken, die ihrer psychologischen Reaktion entsprachen: der Krieg war Unsinn, Verbrechen, Meintat, Verrat am Geist, göttliches Strafgericht am verdorbenen Europa, Selbstzerfleischung der Völker, Ende des kapitalistischen Bürgertums, Beginn einer neuen – nach Karl Marx proletarischen Menschheit. Diesen Auffassungen stellte Jünger die eigene entgegen: In den Wirbeln der Vernichtung entsteht das Bild eines Zeitalters mit veränderter Ordnung. Ihr Träger ist „der Arbeiter" als neuer Typus des Menschen, der den idealistisch-romantischen Bürger überwinden wird. Seine große Leistung ist die Technik, und der Krieg ist der Sieg des technischen Instruments über den entsetzten Bürger.

Warum ist gerade unsere Zeit an Kräften, vernichtenden und zeugenden, so überreich? Warum trägt gerade sie so ungeheure Verheißung im Schoß? Denn mag auch vieles unter

Fiebern sterben, so braut zu gleicher Zeit die gleiche Flamme Zukünftiges und Wunderbares in tausend Retorten. Das zeigt ein Gang auf die Straße, ein Blick in die Zeitung, allen Propheten zum Trotz. Der Krieg ist es, der die Menschen und ihre Zeiten zu dem machte, was sie sind. Ein Geschlecht wie das unsere ist noch nie in die Arena der Erde geschritten, um unter sich die Macht über sein Zeitalter auszuringen. Denn noch nie trat eine Generation aus einem Tore so dunkel und gewaltig wie aus dem dieses Krieges in das lichte Leben zurück. Und das können wir nicht leugnen, so gern mancher wohl möchte: Der Krieg, aller Dinge Vater, ist auch der unsere; er hat uns gehämmert, gemeißelt und gehärtet zu dem, was wir sind.

Ernst Jünger

Diese Sätze klingen und sprechen vom Krieg in den Floskeln der alten Zeit; darum mochte man einen naiven Nationalismus in ihnen sehen, während sie auf den Typus des Arbeiters vordeuten, den Jünger bald als übernational und planetarisch bezeichnen sollte. Die konservative Rechte, das Militär, die nationalen Bünde beanspruchten Jünger für sich, so daß die intellektuelle Linke in Jünger eine Gegenposition sah. Geistesgeschichtlich hängt Jüngers neuer Typus mit Nietzsche zusammen, mit dem antibürgerlichen Erneuerungswillen und dem Sendungsbewußtsein der im Kriege zu kritischem Bewußtsein aufgerufenen Generation. Jünger wurde für die seit der Niederlage von 1918 heimatlose Rechte zum Idol – soweit sie intellektuellen Rang besaß; er hat sich, obwohl seit jeher Einzelgänger, in dem Jahrzehnt nach dem Kriege weitgehend den „Mauretaniern" aus den „Marmor-Klippen" verbunden, militärischen Nihilisten nationalbolschewistischer Prägung, bis er zu Anfang des Dritten Reiches eindeutig zu verstehen gab, daß er *diese* „nationale Revolution" nicht gemeint hatte: er lehnte die Aufnahme in die Preußische Akademie der Künste ab und ersuchte den „Völkischen Beobachter", vom Nachdruck seiner Werke abzusehen.

Politische Mißverständnisse

Ernst Jünger ist 1895 in Heidelberg als Sohn eines niedersächsischen Chemikers und Apothekers und einer bayrisch-fränkischen Mutter geboren. Er verbrachte seine Jugend in der Nähe von Hannover. Friedrich Georg Jünger hat in seinem Erinnerungsbuch „Grüne Zweige" (1951) ausführlich von der Landschaft Niedersachsens, von Familie, Schule, Liebhabereien, Studium und Kriegszeit er-

Herkunft und Leben

zählt. Man gewahrt eine durchaus normale, eines gewissen Wohlstands und überlieferter Bildung sich erfreuende Familie. Ernst Jünger war früh ein begeisterter Käfer- und Insektensammler geworden; schon als Schüler gingen die Brüder der „subtilen Jagd" nach. Drang nach Abenteuern trieb den sechzehnjährigen Ernst von daheim fort, und so geriet er in die Fremdenlegion, aus welcher der Vater ihn herausholen mußte; später hat er diese Epoche in „Afrikanische Spiele" (1936) dargestellt.

Neuer Typ – neuer Stil

Bei Ausbruch des Krieges meldete sich Jünger von der Schulbank freiwillig, wurde Stoßtruppführer im Westen und errang – als Infanterist und Leutnant – die höchste deutsche Kriegsauszeichnung, den Pour le mérite. Er war vermutlich nicht „der geborene Krieger", als welcher er nach seinen Kriegsbüchern später gerühmt wurde, sondern repräsentierte den *neuen Typus*, der die Bedingungen der verwandelten Welt annimmt und denkend kämpft. Es war nicht nur eine Frage des Handelns, sondern es ging auch darum, die neue Haltung bewußt zu machen und sie in einem neuen Stil auszudrücken. Aber noch hatte Jünger kein adäquates sprachliches Instrument entwickelt. Als Schriftsteller war er von sich selbst und seinem Erlebnis ausgegangen, alle Bücher spiegeln den Prozeß einer fortdauernden Assimilation von Lektüre, Gedanken und Träumen. Bildung wird zeitweise geradezu snobistisch aufgepickt und präsentiert. Das oft bemerkte und gerügte Nennen seltener Bücher, abseitiger Wissenschaften, versteckter Zitate deutet auf den „erlesenen" Charakter der Jüngerschen Bildung hin. In den beiden Fassungen von „Das abenteuerliche Herz" (1929 und 1938) spiegelt sich die Entwicklung zum Stilisten, der erkennt, daß zwanzig Worte zu einem Satz zu fügen selteneren Lorbeer bringen kann als zwanzig Regimenter ins Treffen zu führen.

„Das abenteuerliche Herz"

Der innere Gehalt dieses Werkes mußte auf die Leser der Kriegsbücher vorerst befremdend wirken. Es sind Betrachtungen, „Aufzeichnungen bei Tag und Nacht", Träume und Wachträume, „Denkstücke", Tagebuchblätter aus Leipzig und Berlin. Sie bezeugen Meditationen, Lektüre, naturwissenschaftliche Studien, Umgang mit Künstlern, den „Frieden der Bibliotheken" und Museen, Jugenderinnerungen und Erlebnisse. Die Träume geben dem Buch den surrealistischen Charakter; Jünger hört Stimmen, sieht Kombinationen teils schauerlicher, teils grotesker Art. Sein Selbstgefühl wird durch die Träume sonderbar erhöht und in die Nähe des Geheimnisvollen gerückt. Der Stil eines magischen Realismus wird benützt, um mit aller Lebhaftigkeit ein geheimnisvolles Zeitgefühl auszudrücken:

Surreale Träume

Ich schlief in einem altertümlichen Hause und erwachte durch eine Reihe seltsamer Töne, die wie ein nasales „dang, dang, dang" klangen und mich sofort auf das Höchste beunruhigten. Ich sprang auf und lief mit gelähmtem Kopfe um einen Tisch. Als ich an der Tischdecke zog, bewegte sie sich. Da wußte ich: Es ist kein Traum, du bist wach. Meine Angst steigerte sich, während das „dang, dang" immer schneller und drohender klang. Es wurde durch eine geheimnisvolle, in der Mauer verborgene Warnungsplatte hervorgebracht. Ich lief ans Fenster, aus dem ich auf eine alte, ganz schmale Gasse blickte, die im tiefen Schachte der Häuser lag. Unten stand eine Gruppe von Menschen mit hohen spitzen Hüten, Frauen und Mädchen, altertümlich und unordentlich angetan. Sie schienen eben aus den Häusern auf die Gasse gelaufen zu sein; ihre Stimmen schollen zu mir herauf. Ich hörte den Satz: „Der *Fremde* ist wieder in der Stadt."
Als ich mich umwandte, saß jemand auf meinem Bette. Ich wollte aus dem Fenster springen, aber ich war wie an den Boden gebannt. Die Gestalt erhob sich ganz langsam und starrte mich an. Ihre Augen waren glühend und nahmen mit der Schärfe des An-

6 Nr. 3156 Sp. Drastherius bimaculatus Rossi E. Jünger leg.

Datum	Det.	Patria	Fundort	Bemerkungen
9.12. 1936	[illegible]	Casablanca Maroc		
25.4. 1938	"	Rhodos	[illegible]	a. anticus? Rk.
16.5. 1938	"	Bari, Italia mer.	Lido	a. fenestratus Küst.
23.12. 1942	"	[illegible]	nahe Bahndamm, [illegible]	[illegible]
7.10. 1952	Jünger	Carrara Italia med.	Am Strand Alexander legit	a. quadrisignatus Küst. [illegible]

Karteikarte aus Jüngers Käfersammlung

starrens an Umfang zu, was ihnen etwas grauenhaft Drohendes verlieh. In dem Augenblick, in dem ihre Größe und ihr roter Glanz unerträglich wurden, zersprangen sie und rieselten in Funken herab. Es war, als ob glühende Kohlenbrocken einen Rost durchglitten. Nur die schwarzen, ausgebrannten Augenhöhlen blieben zurück, gleichsam das absolute Nichts, das sich hinter dem letzten Schleier der Angst verbirgt.

Das existierende Ich

Das Jüngersche Ich jener Zeit erfuhr sich als ein aus allen Bindungen entlassenes Bewußtsein. Es trat einem als Nichts verstandenen Sein gegenüber, gleichsam dem Negativ der alten Werte. In vielen Wendungen wird dies Empfinden bezeugt. Dies Ich ist sich selbst, der „pöbelhaften Eigenwärme", entfremdet. Die Einsamen bilden unter sich einen namenlosen Bund. Die niederdeutschen Städte Hannover und Goslar mit ihren geschnitzten Häusern und plattdeutschen Sprüchen heimeln den Betrachter an und geben zugleich das Gefühl einer unendlichen Entfernung. „Daß es noch Wildnisse gab, die nie ein Fuß beschritten hatte: dies zu wissen, bedeutete für mich ein großes Glück." Mit grimmiger Freude liest Jünger, „daß Schwarzwasserfieber und Schlafkrankheit den Ankommenden schon an der Küste erwarten und hohe Opfer forderten". Der Überdruß an der Zivilisation ist nicht romantisch, sondern wie bei G. Benn und K. Weiß existentiell zu verstehen. Das geographisch und historisch Entrückte wird zum Symbol einer seit den Zeiten der Banalaufklärung verschütteten Welt:

Im Museum

Gern verbrachte ich die Sonntagsvormittage in der Gemäldegalerie. Obwohl ich dank einer zeitgemäßen Erziehung nicht zu glauben glaubte, denn so ist jener seltsam zwiespältige Zustand wohl am besten ausgedrückt, so wurde ich doch vor mittelalterlichen Bildern tief berührt. So fiel mir auf, daß manche der in bunte Gewänder gekleideten Gestalten höchst merkwürdige, ja beunruhigende Gesichter besaßen. Es war sehr rätselhaft, wie diese oft bäurischen und hölzernen, wie mit dem groben Messer zugestutzten Züge dennoch ein Glanz verklären konnte, der jenseits der Möglichkeiten des Pinsels und der Farbe zu liegen schien. Da hielten Männer, die unter Steinwürfen zusammenbrachen, über denen scharfe Messer tödlich geschwungen wurden, oder an denen satanische Wesen ihr blutiges Handwerk übten, das Haupt erhoben, strahlend in der Weißglut des Martyriums, während über ihnen aus zerrissenen Wolken das Leuchtauge Gottes im Dreieck erschien. Hier drang aus einer volleren Vergangenheit die Mahnung eines Sinnes, für den das Organ fast verloren gegangen war, und die daher mit unbewußter Scheu wie eine Stimme aus dem Unsichtbaren vernommen wurde.

Am Rande der Vernunft

Nicht bloß christliche Märtyrer vermitteln Jünger diesen Eindruck; er notiert die Erschütterung, als er in Baudelaires Tagebüchern zum erstenmal den Satz liest, daß der französische Dichter den „Flügelschlag der Imbezillität" gespürt habe; er erwägt, ob dort nicht ursprünglich das brutalere Wort „Wahnsinn" gestanden habe. In der Auseinandersetzung mit der positivistischen Wissenschaft, die in den Laboratorien noch als geistige Aura lebte, reagierte Jünger mit angriffslustigem Humor:

Katalog des Zeitgeists

In dieser Weise drängte sich viel heran und wurde mit einer seltsamen Begierde aufgenommen: Romane französischer, flämischer und nordischer Naturalisten, das soziale Drama, das kritische Sittenstück, die kultischen Ansprüche der Volkswirtschaftler, Astronomen, Zoologen und Chemiker. Ohne Zweifel bestand der Genuß, den diese Beschäftigungen erweckten, im unbewußten Behagen an einer sich der Formen einer scheinbaren Ordnung bedienenden Anarchie, die kälter und strenger als die des Herzens war. Sie wurde von den Vertretern der Autorität mit Wohlwollen betrachtet, von patenten Oberlehrern, eingeschworen auf das Dogma der großen Heidelberger Scheidekünstler und Jenenser Biologen . . .

Das Ich in der Welt

Die Stelle richtet sich gegen Haeckel, Ostwald, Bölsche, gegen Zola, Hamsun und das neonaturalistische Zeitdrama der späten zwanziger Jahre in Berlin. Der Mensch in der Großstadt wird mit dem Ritter bei Ariost verglichen, der sich allein einer Armee von Bewaffneten gegenüberstellt.

Es liegt eine tiefe Überzeugung von der Aristokratie, vom unverlierbaren Uradel der Seele in einer Anschauung, die ein winziges Kloster, in das ein Heiliger sich zurückgezogen hat, von Legionen von Dämonen umlagert und von Heeren von Engeln verteidigt werden läßt, während daneben eine riesige Stadt, von der Geschäftigkeit der Millionen erfüllt, ganz unbeachtet bleibt.

Was ist jene „Anarchie des Herzens", die man gegen die Vernunft ausspielen darf? Während die Vernunft sich durch Pseudowerte und lügenhafte Ordnungen täuschen läßt, ist das „abenteuerliche Herz" in der Tiefe seiner selbst gewiß und kann – wenn es nur hören will – vernehmen, was Träume, Visionen, Bilder und Prophezeiungen sagen. Jünger beruft sich auf Jakob Böhme, Hamann und Pascal, also moderne Mystiker, später wird Kierkegaard hinzukommen. Punkthaft tauchen Gleichnisse des neuen Weltbildes auf, und hier redet Jünger in einer neuen, seiner eigenen Sprache:

Sinn der Existenz

Wir schreiten über gläsernen Böden dahin und ununterbrochen steigen die Träume zu uns empor, sie fassen unsere Städte wie steinerne Inseln ein und dringen auch in die kältesten ihrer Bezirke vor. Nichts ist wirklich und doch ist alles Ausdruck der Wirklichkeit. Im Heulen des Sturmes und im Prasseln des Regens vernehmen wir einen verborgenen Sinn, und schon dem Zuschlagen einer Tür in einem einsamen Haus hört selbst der Nüchternste nicht ohne Spur von Mißtrauen zu. In dem sehr rätselhaften Gefühl des Schwindels deutet sich das uns ständig wie ein unsichtbarer Schatten begleitende Bewußtsein der Bedrohung an, und Pascal bemerkt mit Recht, daß auch der größte Mathematiker, der an vollkommen sicherer Stelle vor einem Abgrunde steht, sich ihm nicht zu entziehen vermag.

Die zweite Fassung

Im „Abenteuerlichen Herzen" hat sich Jünger erzogen, er entwickelte das literarische Talent. Er gewann – über den Bericht von Erlebnissen hinaus – die Form des politisch-literarischen Essays wie „Die totale Mobilmachung" (zuerst 1930 erschienen) und „Der Arbeiter". Inzwischen ging die Ausarbeitung des „Abenteuerlichen Herzens" weiter; 1938 erschienen die „Figuren und Capriccios" der zweiten Fassung. Praktisch ist es ein neues Buch, nur ein Fünftel aus dem Bestand der ersten Fassung kehrt wieder. Stil und Anlage waren die gleichen – nur daß in der Neufassung der Zugriff fester und souveräner ist. Hier bewegt sich Jünger sicher auf dem neuen Boden, bezieht Farben, Mineralia, Vexierbilder, Vögel, Personen der späteren Erzählungen – z. B. Nigromontan – ein, erweitert die Träume zu Phantasmagorien, meditiert über das Glücksrad, den „kombinatorischen Schluß", über Bücher, „Zur Désinvolture", notiert Reisebeobachtungen, vor allem in der mediterranen Welt, die für Jünger damals so wichtig wie für Benn, Weinheber und Loerke wurde. Hatte sich die erste Fassung nur mühsam bei den Lesern durchsetzen können, so erreichte die zweite gleich mehrere Auflagen: Die Jugend war auf Ernst Jünger zugewachsen und verehrte in ihm, im Protest gegen den Kult ungeistiger „Führer", den Präger eines neuen Leitbildes. Damals war jedem Lesenden der heimliche Bezug deutlich, wenn Jünger von seinem Lehrer Nigromontan erzählte:

„Die Schleife"

Hier fällt mir ein, daß er einmal auf gewisse Gegenstücke des Magnetberges zu sprechen kam, auf geistige Zentren von so abweisender Kraft, daß sie dem gewöhnlichen Sinn unnahbarer und unbekannter als die Rückseite des Mondes sind. Es geschah dies in seiner Vorlesung über metalogische Figuren, und zwar im besonderen über jene, die er als die Schleife bezeichnete. Unter der Schleife verstand er eine höhere Art, sich den empirischen Verhältnissen zu entziehen. So betrachtete er die Welt als einen Saal mit vielen Türen, die *jeder* benützt, und mit anderen, die nur wenigen sichtbar sind. Wie man in Schlössern, wenn Fürsten erscheinen, besondere, sonst streng verschlossene Portale zu öffnen pflegt, so springen vor der Geistesmacht des hohen Menschen die unsichtbaren Türen auf ... Wer so die Schleife zu beschreiben weiß, genießt inmitten der riesigen Städte und im Sturme der Bewegung die herrliche Windstille der Einsamkeit. Er dringt in verkleidete Gemächer ein, in denen man der Schwerkraft und den Angriffen der Zeit in geringerem Maße unterliegt. Hier wird leichter gedacht; im unfaßbaren Augenblick erntet der Geist Früchte ein, die er sonst durch jahrelange Arbeit nicht gewinnt ...

In solchen Sätzen und „Schleifen" verriet sich Überlegenheit über die staatlichen Ordnungen, die damals absolut waren, aber auch Einsicht in „Urstromgewalten", aus denen die *echten* Revolutionen kommen.

„Der Arbeiter"

Im Jahre 1932 erschien „Der Arbeiter, Herrschaft und Gestalt", Jüngers größte systematische Studie; sie hatte zu ihrer Zeit eine überraschende Wirkung; denn hier war der neue Typus genannt, der Arbeiter, nicht im Sinne der marxistischen Klassenlehre oder der bürgerlichen Standesauffassung, sondern als Typus des Menschen im technischen Zeitalter. Ähnlich wie der Proletarierbegriff der Linken war Jüngers Arbeitertyp aus dem Widerstand gegen das idealistische Denken und Fühlen entwickelt. Die erste Bewährungsprobe hatte der neue Typ im Kriege bestanden, wo jeder ein anonymer Funktionär innerhalb der durch die moderne

Ernst Jünger

(Kriegs-) Technik bestimmten Apparatur gewesen war. Jünger hatte erkannt, daß wir – mitten im Chaos – auf dem Wege zu einer neuen Ordnung seien. Ihr Ausgangspunkt wurde bei Namen genannt:

Der Zustand jedoch, in dem wir uns befinden, ist der einer Anarchie, die sich hinter der Vorspiegelung von ungültig gewordenen Werten verbirgt. Dieser Zustand ist notwendig, insofern er die Verwesung der alten Ordnungen verbürgt, deren Schlagkraft sich als ungenügend erwiesen hat. Die innerste Volkskraft dagegen, der zeugende Mutterboden des Staates, hat sich in ungeahnter Weise bewährt. Schon heute dürfen wir sagen, daß die Erschöpfung im wesentlichen überwunden ist, – daß wir eine Jugend besitzen, die ihre Verantwortung kennt, und deren Kern für die Anarchie unangreifbar war . . .

Die Auffassung vom „Kern“ der Volkskraft ist auffallend verwandt der zehn Jahre späteren von Bert Brecht, wenn er in Typen wie Schweyk eine Figur aus dem „Volk“ zeigte, die unangreifbar blieb, oder wenn er 1953 höhnte, die Regierung müsse sich ein anderes Volk „wählen“, wenn sie nicht abtreten wolle.
Jüngers Tendenz nährte sich an Vorbildern: „Je zynischer, spartanischer, preußischer oder bolschewistischer im übrigen das Leben geführt werden kann, desto besser wird es sein.“ Ähnlich wie im bolschewistischen System decken sich bei Jünger Freiheit und Notwendigkeit:

Der neue Freiheitsbegriff

Es ist aber nichts einleuchtender, als daß innerhalb einer Welt, in der der Name des Arbeiters die Bedeutung eines Rangabzeichens besitzt, und als deren innerste Notwendigkeit die Arbeit begriffen wird, die Freiheit sich darstellt als Ausdruck eben dieser Notwendigkeit, oder mit anderen Worten, daß hier jeder Arbeitsanspruch als Freiheitsanspruch erscheint. Erst wenn der Freiheitsanspruch in dieser Fassung zutage tritt, kann von einer Herrschaft, kann von einem Zeitalter des Arbeiters gesprochen werden. Denn nicht darauf kommt es an, daß ein neues, allen großen historischen Gestalten ebenbürtiges Menschentum den Machtraum sinnvoll erfüllt. Darum lehnten wir es ab, im Arbeiter den Vertreter eines neuen Standes, einer neuen Gesellschaft, einer neuen Wirtschaft zu sehen, darum, weil er entweder nichts ist, oder mehr, nämlich der Vertreter einer eigentümlichen, nach eigenen Gesetzen handelnden, einer eigenen Berufung folgenden und einer besonderen Freiheit teilhaftigen Gestalt . . .

Totale Mobilmachung

Jünger erblickte ein Vorbild der neuen Welt im preußischen Soldatentum und in seinem Pflichtbegriff. Er behauptete, das neue Arbeitertum sei der einzig mögliche Erbe des Preußentums: Hier mischte sich Nietzsches Lehre über den „Willen zur Macht“ mit altpreußischen Vorstellungen von Zucht und Pflicht. Die von Jünger aufgezeigte Linie führte paradox auch zur Diktatur faschistischer und bolschewistischer Prägung. Der von ihm literarisch in Umlauf gesetzte Begriff der „Totalen Mobilmachung“ (1930) wurde ein Schlagwort der wehrtechnisch bedingten „totalen“ Kriegführung der Mächte des zweiten Weltkriegs. Man versteht den Begriff am besten aus Jüngers antibürgerlichem Affekt.

Der Publizist

Der Ausgangspunkt spiegelte sich noch in den Titeln der später von Jünger mit andern herausgebrachten Periodika „Die Kommenden, überbündische Wochenschrift der deutschen Jugend“ (1929/31), „Der Vormarsch, Blätter der nationalistischen Jugend“ (1927/29). Noch früher lagen rein politisch orientierte Gründungen: „Standarte, Wochenschrift des Neuen Nationalismus“ (1926) und „Arminius, Kampfschrift für deutsche Nationalisten“, 1926/27 im Selbstverlag erschienen. Jüngers Mitarbeiter waren Franz Schauwecker, Werner Lass, Wilhelm Weiß und Helmut Franke. Literarische Bekannte waren Arnolt Bronnen, Friedrich Hielscher und Ernst von Salomon. Die wichtigste Zeitschrift des „Nationalbolschewismus“ war Ernst Niekischs „Widerstand“ (1927–34). Hier hat Ernst Jünger Aufsätze, Buchrezensionen, Vorabdrucke aus „Das abenteuerliche Herz“, dem „Arbeiter“ und der „Totalen Mobilmachung“ veröffentlicht. Er gehörte als Publizist zu den Vorkämpfern der „Konservativen Revolution“ (Armin Mohler), einer Bewegung, die mit teilweise verkehrten Fronten gegen den bürgerlich restaurativen Nationalismus und den faschistischen Nationalsozialismus kämpfte.

Die großen Essays Jüngers und viele Stücke der beiden Fassungen des „Abenteuerlichen Herzens" haben Wurzeln in den Erlebnissen dieser Kampfzeit. Ihre Wirkung danken die Aufsätze einer weit über den Anlaß hinausgehenden allgemeinen Gültigkeit. Neben dem „Arbeiter" ist der Essay „Über den Schmerz"

„Blätter und Steine"

Jüngers Meisterstück. Er bildet den Kern des Sammelbands „Blätter und Steine" (1934), der den „Dalmatinischen Aufenthalt" der Brüder Jünger, das „Lob der Vokale" (Vorabdruck in der „Corona"), „Feuer und Bewegung" (aus dem „Widerstand", 1930), „Die Staubdämonen" (zuerst unter dem Titel „Alfred Kubins Werk", 1931), den „Sizilischen Brief an den Mann im Mond" (1930), „Die totale Mobilmachung" und im Anhang hundert später zum Teil wieder gestrichene Epigramme enthielt. Der Aufsatz „Über den Schmerz" artikulierte die Bedrohung des modernen Menschen, eine Gegenposition zu Jüngers Metaphern der Fülle und des Reichtums. Hier ist der Stil bildhaft gesättigt und erhebt sich zur Bestimmung des metaphysischen Standorts:

„Über den Schmerz"

. . . so scheint uns das Insekt, das sich zu unseren Füßen durch die Grashalme wie durch den Bestand eines Urwaldes windet, in unvorstellbarem Maße bedroht. Sein kleiner Weg gleicht einer Bahn von Schrecknissen, und zu beiden Seiten ist ein unermeßliches Arsenal von Greifzangen und Schlünden aufgestellt. Und doch ist diese Bahn nur ein Ebenbild unserer eigenen. Freilich neigen wir dazu, dieses Verhältnis in Zeiten der Sicherheit zu vergessen, wir erinnern uns jedoch sofort mit großer Schärfe daran, wenn die elementare Zone sichtbar wird. In diese Zone aber sind wir unentrinnbar eingebettet, und wir können uns ihr durch keine Art der optischen Täuschung entziehen. Wir schmausen und lustwandeln jedoch zuweilen auf ihrer Oberfläche wie Sindbad der Seefahrer mit seinen Gefährten auf dem Rücken des ungeheuren Fisches, den er für eine Insel hielt.

Das „zweite Bewußtsein"

Der Sinn der Essays war leicht zu fassen, weil er mit einer im deutschen Sprachbereich seltenen Eleganz ausgedrückt wurde. Nur G. Benn hat ähnliche Prägnanz erreicht, während R. Borchardt, R. Kassner, J. Hofmiller, Th. Haecker als Denker und Stilisten dem gelehrt und weltanschaulich dozierenden Typus angehören. Jener „Sinn" liegt in der Auseinandersetzung mit dem Tode, der – als letztes Stadium des Schmerzes – den Menschen transzendieren läßt: „Besonders einleuchtend wirkt das dort, wo der Mensch inmitten der Vernichtungszone mit der Bedienung von Instrumenten beschäftigt ist. Wir finden ihn hier im Zustande der höchsten Sicherheit, über die nur der verfügt, der sich in der unmittelbaren Nähe des Todes sicher fühlt." Der neue Typus des Menschen fällt durch den Besitz eines „zweiten Bewußtseins" auf: er kann sich, in früher nicht geahnter Weise, als Objekt sehen. Jüngers Arbeiter kennt keine „Empfindsamkeit" im Sinne von Sentiment; er hat ein amoralisches und technisches Verhältnis zu den Dingen, die ihrerseits nicht Formen lebloser Materie sind, sondern Einfluß nehmen. So kann Jünger gelegentlich bemerken, daß eine Landschaft ihn, den Menschen, ansähe. Das ist eine expressionistische Ausdrucksweise.

Die neue Sprache

Die frühen kosmischen Dichter, seit Dauthendey, hatten die Natur aktiviert. Robert Musil, dessen „anderer Zustand" etwas Ähnliches wie Jüngers „zweites Bewußtsein" meinte, sagte einmal – mit Jünger übereinstimmend –, ein Buch könne wichtiger sein als eine gewonnene Schlacht. Im „Lob der Vokale" hatte Jünger eins der von Rimbaud über Becher zu Weinheber virulenten grammatischen Motive des neuen Sprachbewußtseins aufgegriffen. Leibnitz und Vico, Hamann und Pascal wurden zu Zeugen des neuen Seinsverständnisses und der Versuche, es sprachlich neu zu fassen. Jünger meint nicht die Dichtung, als eine durch die Mittel der Kunst vom Autor gelöste Aussage, sondern er will den Ort des Menschen in dieser Zeit bestimmen. Weder das Individuum noch die Masse können sich in der Elementarwelt, die 1914 begann, behaupten. Viel später, im „Waldgang", wird er es so ausdrücken:

Titelblatt von Alfred Kubin

Das heißt nicht, daß der Mensch als Einzelner und Freier verschwinden wird. Er muß vielmehr tief unter seine individuelle Oberfläche hinabloten und wird dann Mittel finden, die seit den Religionskriegen verschwunden sind. Es ist kein Zweifel daran, daß er aus diesen Titanenreichen im Schmucke einer neuen Freiheit scheiden wird. Sie kann nur durch Opfer erworben werden, denn Freiheit ist kostbar und fordert, daß man vielleicht gerade das Individuelle, vielleicht sogar die Haut der Zeit zum Raube läßt ... Das eigentliche Problem liegt eher darin, daß die große Mehrzahl die Freiheit *nicht* will, ja daß sie Furcht vor ihr hat. Frei muß man *sein*, um es zu werden, denn Freiheit ist Existenz ...

Die wahre Freiheit

Im Jahre 1913 war Jünger in die Fremdenlegion ausgerissen. Es war sein Versuch, im alten, „romantischen" Sinn die Freiheit zu gewinnen. Erst das Scheitern des Abenteuers ließ ihn die andere Freiheit des modernen Menschen suchen. Ähnlich wie drei Jahre später der Anfang der „Marmor-Klippen", war ein Vorabdruck der als Erzählung bezeichneten „Afrikanischen Spiele" (1936) in der „Corona" erschienen. Das Buch ist eine spannende Erzählung, aus der Distanz des reifen Mannes und Schriftstellers geschrieben, der den knabenhaften Plan und das romantische Sujet zum Anlaß einer kaum noch biographisch gemeinten Geschichte nimmt: die Einbildungskraft verwandelt das Erlebnis in ein Abenteuer des Herzens. Daß die Fremdenlegion Ziel der Flucht war, erscheint als ein Zufall, die Tat selbst als ein „Bestreben, das sich der Kälte der heraufziehenden technischen Ordnungen zu entwinden gedenkt".

„Afrikanische Spiele"

Im Frühjahr und Sommer 1939 schrieb Ernst Jünger die Erzählung „Auf den

Marmor-Klippen" (1939). Sie galt damals als politischer Schlüsselroman. Es ist bezeichnend, daß die Gestalt des Oberförsters, der die mediterran geschilderte Kulturwelt durch seine Horden überrennen läßt, Züge Görings, Bismarcks und Stalins trägt. Zwar repräsentiert er das Moor und die Sümpfe (entsprechend der gleichzeitigen Moor- und Sumpfpoesie der „Kolonne"-Autoren), die vitalen Kulte, die soziale Unterwelt, aber der Verfasser kennt ihn auch aus der Zeit bei den Mauretaniern, dem bloß taktisch mit der Macht spielenden Offizierskorps.

„Auf den Marmor-Klippen"

Die Vertreter der Marina, der kristallinen Formation, wo man den Wein baut, leben nach bedenklich reduzierten Ideen, für die sich im Ernstfall nur Einzelgänger einsetzen:

Es war doch schließlich kein Zufall, daß der Alte mit dem Lemuren-Volke aus dem Wälderdunkel herauszutreten begann und Wirksamkeit entfaltete. Gelichter dieser Art ward früher gleich Gaudieben abgefertigt, und sein Erstarken deutete auf tiefe Veränderungen in der Ordnung, in der Gesundheit, ja, im Heile des Volkes hin, und daher taten Ordner not und neue Theologen . . . dann erst der Hieb des konsekrierten Schwertes.

Mit solchen Gedanken stand Jünger auf ähnlichem Boden wie Ludwig Derleth und Konrad Weiß; aber damals hatte er seine „katholisierende" Richtung bereits hinter sich. Was ihn anzog, war die gegenseitige Durchdringung der beiden feindlichen Sphären durch Verräter, Überläufer, gleiche Herkunft und Erziehung, Verwechslung der Ideen und Ausnützen des geistigen Chaos durch dämonische Naturen. Er hatte diese Welt im Berlin der zwanziger Jahre kennengelernt, war ihr teilweise erlegen, hatte opponiert und konspiriert wie jede Jugend, welche meint, ihre revolutionären Ideen entsprächen der Erwartung der ganzen Welt oder ließen sich ihr aufzwingen. Die „Marmor-Klippen" spiegeln das Chaos jener Anarchie, die den Boden der Diktatur bereitete.

Verwilderung des Geistes

Es konnte die Verwirrung nur vermehren, daß auch Söhne von Notabeln und junge Leute, die die Stunde einer neuen Freiheit gekommen glaubten, an diesem Treiben sich beteiligten. So gab es Literaten, die begannen, die Hirtenlieder nachzuahmen, wie man sie bisher nur von den Ammen, die aus der Campagna kamen, an den Wiegen hatte lallen hören, und die man nun, anstatt in wollenen und leinenen Gewändern in Zotten-Fellen und mit derben Knüppeln auf dem Corso wandeln sah. In diesen Kreisen wurde es auch üblich, den Bau der Rebe und des Kornes zu verachten und den Hort der echten, abgestammten Sitte im wilden Hirtenland zu sehen. Indessen kennt man die leicht ein wenig qualmigen Ideen, die die Begeisterten entzücken . . .

Die Erzählung schildert nicht schwarz-weiß — auch räumlich und zeitlich war alles in poetischer Schwebe gehalten. „Auf den Marmor-Klippen" ist ein allgemeines Modell. Das erzählende Ich steht zwischen den Fronten und teilt seine Sympathien zwischen Kriegern und parzivalhaften Toren, zwischen Gelehrten und bläßlichen Typen des Adels und der Kirche. Der Erzähler begibt sich auf die Suche nach dem roten Waldvögelein und findet es in unmittelbarer Nähe der Schinderhütte von Köppels Bleek: es ist die Situation des Märchens, der magischen Poesie, wo der Drache die Jungfrau hütet und das Licht aus dem Mund der Schlange zu rauben ist. Ein gnostisches Muster des Sinnens wird sichtbar.

Der zweite Weltkrieg

Im zweiten Weltkrieg nahm Jünger seine Tagebucheintragungen wieder auf und entwickelte später drei Bücher aus ihnen: „Gärten und Straßen" (1942), „Strahlungen" (1949) und „Jahre der Okkupation" (1958). Während die Bücher nach dem ersten Kriege nach Tagebüchern geschrieben waren, blieben später die Tage-

vereinfacht sich, wenn man einen hellen Gegenstand ins Wasser wirft und mit den Augen verfolgt. Die sizilischen Fischer wenden dazu die lanterna, einen weißen Thunfischknochen, an, den sie an einem Faden in die Tiefe hinabsenken. Diese Art zu sehen ähnelt doch sehr der geistigen Schau, sowohl was den jähen Niederschlag des Bildes in seinen feinsten Zügen, als auch was die Mitwirkung eines fremden Körpers dabei betrifft. So gehört das zinnerne Gefäß des Jakob Böhme hierher.

Zeichnung von Alfred Kubin zu Ernst Jünger, Myrdun

bücher erhalten oder wurden als solche stilisiert. Äußerlich schildern sie den deutschen Einmarsch nach Frankreich, den Jünger als Hauptmann einer Einheit mitmachte, dann die Jahre im Stabe des Militärbefehlshabers in Paris. Diese Zeit wird unterbrochen durch einen dienstlichen Aufenthalt im nördlichen Kaukasus, von dem die „Kaukasischen Aufzeichnungen" berichten. Die „Kirchhorster Blätter" leiten zu den Tagebüchern aus den Jahren der Besetzung Deutschlands nach Kriegsende über. Sämtliche Tagebücher sind interessant durch die Figur ihres Autors, des reifen und berühmten, seiner künstlerischen Mittel und der Faszination durch seinen Namen sicheren Ernst Jünger. Die Pariser Begegnungen und Notizen sind ein kulturhistorisches Dokument von Rang. Eine Fülle von Personen taucht teilweise unter ihren echten, teilweise unter Schlüsselnamen auf. Fesselnde Nebenthemen sind die Psychologie des Militärs, die Politik in besetzten Ländern und der Widerstand, der sich in der Wehrmacht gegen Hitler bildete.

Wandel des Geschichtsbewußtseins

Fast immer wird das Durch- und Ineinander gegensätzlicher Konstellationen beschrieben. Die Gedanken zur Bibel, Jüngers Lektüre, Bekanntschaften und Reisen, vor allem die Stadt Paris, Gehäuse der europäischen Weltkultur, faszinieren den Leser durch den Autor. Dazu kommt das Untergründige und Groteske, die Neigung zu Untergangsschilderungen, apokalyptische Töne und Meditationen über ein Deutschland, das bald endgültig untergehen wird. In Paris begann sich Jünger von den „heroischen" Idealen zu lösen, um schließlich – in „An der Zeitmauer" (1959) – die Feststellung zu treffen, daß das humanistische Ideal dem heroischen überlegen sei: Diese tiefgreifende Wandlung hängt mit einem neuen Sinn für die Geschichte zusammen. Diese wird nach antiken Vorbildern als Zyklus begriffen, als ein stets wiederkehrendes Spiel von Flut und Ebbe, als rhythmisches Ereignis, dessen Gesetze durch keine Tat des einzelnen geändert oder verhindert werden können. Schon der „Arbeiter" hatte den nationalen Typus beiseite gerückt und den planetarischen Typus eines neuen Menschen erkannt. Die Entwicklung hat die Voraussage bestätigt. „An der Zeitmauer" überwindet den Spenglerschen Untergangskomplex und sieht den Sinn der Katastrophen in der Schutträumung. Bis in die Gleichnisse und Bilder der Natur verfolgt Jünger diese Idee. Es ist bezeichnend, daß nicht nur das Subjekt, sondern auch Natur und Welt der Änderung entgegenkommen:

„An der Zeitmauer"

> Der Lachs steigt durch die Stromschnellen und Katarakte in den Bergsee auf. Er verliert an Gewicht und auch an Glanz der Farbe, aber dort oben wartet ein neuer Sinn auf ihn. Der Anstieg aus dem Meere und seiner Freiheit würde nicht gelingen, wäre undenkbar, wenn nicht bereits der See und seine Freiheit mithüben.

Auch ein anderer Denkvollzug wäre dem frühen Jünger schwergefallen, der Umschlag von Quantität in Qualität: „Das Massenauftreten, die quantitative Vermehrung einer Spezies oder eines Genus, ist undenkbar ohne qualitativen Bezug." Hier bemerkt man scholastische Denkformen, und es ist kein Zufall, daß bei Jüngers Gedanken-Gängen weniger Philosophen als Theologen und Mystiker Pate gestanden haben. Er liebt die mythische Form der Anschauung:

Der Staat als Ungeheuer

> ... zum Eisberg: der große Schub findet im Unsichtbaren, im Unbewußten, in der blinden Masse statt. Das gilt auch dort, wo der Staat als Promotor erscheint. Vielen, die sich mit Nietzsches Vision beschäftigt haben, wird seine Mißachtung des Staates aufgefallen sein. Wie kann ein Krieger staatsfeindlich sein? Er sah im Staat den Drachen, das tausendschuppige Ungeheuer, also Hobbes' Leviathan.

Von dieser Ebene her hat Jünger sein Weltbild neu zu fassen gesucht und sittliche und politische Forderungen abgeleitet. Die Entwicklung reicht von der Schrift „Der Friede", seit 1944 in zahlreichen Abschriften und hektographierten Abzügen zirkulierend und im Mai 1945 gedruckt, bis zu „Der Weltstaat" (1960). „Der Waldgang" (1951) und „Der gordische Knoten" (1953) beschäftigten sich mit dem Verhalten der Menschen in der politischen Katastrophe. Auch „Über die Linie" – erste Fassung in der Heidegger-Festschrift 1960 – kann man hier einrechnen. Mit der Überschreitung der Linie ist der Abschied von der nihilistischen Weltauffassung gemeint, der sich auch literarisch gespiegelt habe:

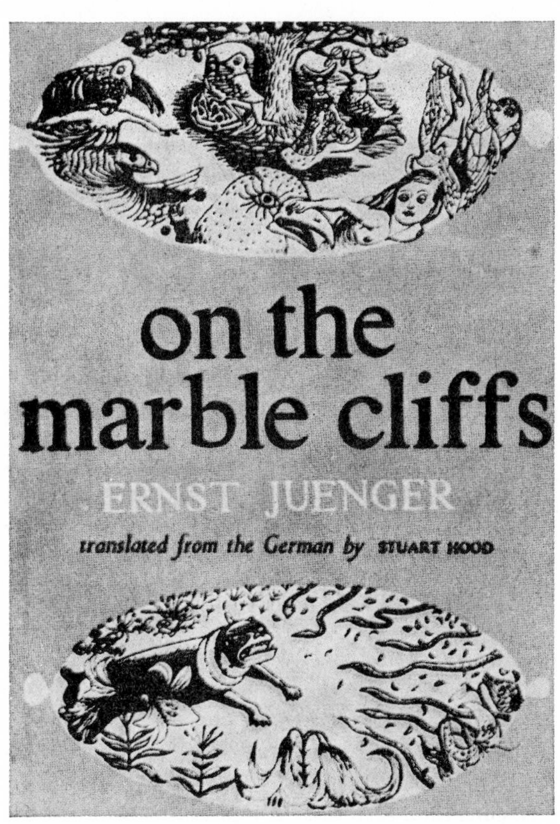

Englische Ausgabe Auf den Marmor-Klippen

Abschied vom Nihilismus

Das große Thema seit hundert Jahren ist der Nihilismus, gleichviel, ob es nun passiv oder aktiv zum Vortrag kommt ... In so verschiedenen Autoren wie Verlaine, Proust, Trakl, Rilke, und wieder in Lautréamont, Nietzsche, Rimbaud, Barrès ist dennoch viel Gemeinsames. Das Werk von Joseph Conrad ist deshalb merkwürdig, weil Resignation und Aktion sich in ihm die Waage halten und eng verflochten sind. Schmerz aber ist hier wie dort, und wohl auch Mut. Der große Einschnitt liegt darin, daß die Vernichtung zunächst leidend empfunden wird. Das bringt oft eine letzte Schönheit wie in den Wäldern der erste Frost, auch eine Feinheit, die klassischen Zeiten nicht gegeben ist. Dann schlägt das Thema um, zum Widerstande; es stellt sich die Frage, wie der Mensch im Angesichte der Vernichtung, im nihilistischen Soge bestehen kann. Das ist die Wendung, in der wir begriffen sind ...

Die Erzählungen, „Sturm"

Dies Thema beherrscht auch Jüngers Erzählungen. In der Jugend hatte er nur einmal versucht, das Kriegserlebnis als Erzähler zu bewältigen, in „Sturm", April 1923 als Zeitungsroman in fünfzehn Fortsetzungen im „Hannoverschen Kurier" gedruckt. Sturm ist der Name des Helden, eines Offiziers an der Westfront. Die Handlung ist autobiographisch genährt, der Name symbolisch gemeint (er wurde als Pseudonym Jüngers zu Teilvorabdrucken aus der ersten Fassung des „Abenteuerlichen Herzens" im „Arminius" wieder benützt). Der erzählerische Vortrag ist naturalistisch wie in „Stahlgewittern".

ERNST JÜNGER

Der umfangreiche Roman „Heliopolis, Rückblick auf eine Stadt" (1949) wurde 1947 in Kirchhorst begonnen und zwei Jahre später in Ravensburg abgeschlossen. Entwürfe, die in den Roman nicht eingingen, erschienen 1951 als „Das Haus der Briefe". Stil und Thema sind den „Marmor-Klippen" verwandt. Heliopolis ist eine vom Autor imaginierte Stadt, an der gewisse Möglichkeiten künftiger Entwicklungen vorgeführt werden. Titanische Menschen setzen, mit den Mitteln einer perfektionierten Technik, einen Staatsstreich ins Werk, der aber scheitert, weil ihm ein kleines „phantastisches" Element gefehlt habe. Der Stil ist zwar frei von psychologischen Traditionen des Romans, dafür bricht aber ein spielerisches Element ein, das sich in technischen Erfindungen gefällt und die Typen nicht episch schildernd darstellt, sondern essayistisch vorführt:

„Heliopolis"

Das also war der Mann, dem die Bevölkerung, vor allem der niederen Quartiere, fanatisch anhing, und dessen Erscheinen Jubelstürme begleiteten. Die volle Macht, die Breite der unverhohlen animalisch geführten Existenz ging von ihm aus. Er nahm wie ein Missouri seine Bahn. Die Polizei mit ihren rationalen Methoden und Registraturen langweilte ihn. Sie war von ihm abhängig als von dem Punkte, der ihren Recherchen Sinn verlieh. Er liebte die Arbeit nicht. Er liebte den Genuß und seine Pracht. Er kannte die ungeheure Macht des Menschen, der Blut vergossen hat. Immer war diese Witterung um ihn, erhöhte seine Herrlichkeit. Und seltsam war, daß er dabei als gütig galt.

Essays der Spätzeit

Der erzählerische Rang Jüngers wurde nicht in Romanen und Erzählungen („Gläserne Bienen", 1957) deutlich, sondern in den auf Reisen entstandenen Landschaftsporträts, deren erstes Stück der „Dalmatinische Aufenthalt" war. Hier erhob sich Jünger zu dichterischer Höhe.

Die wichtigsten Essays nach dem zweiten Weltkriege waren „Sprache und Körperbau" (1947), „Das Sanduhrbuch" (1954) und „Rivarol" (1956). Rivarol war einer der Lieblinge Jüngers, ihm widmete er einen langen Essay und die Übersetzung der Maximen. Mit den „Sgraffiti" (1960) nahm Jünger noch einmal Stil und Technik des „Abenteuerlichen Herzens" auf – wie er überhaupt gewisse Themen seiner früheren Zeit jetzt kontrapunktierte, den „Arbeiter" durch die „Zeitmauer", „Myrdun" durch „Besuch auf Godenholm" und die frühen politischen durch die späten metapolitischen Essays. In der Gesamtausgabe wurden die „Sgraffiti" mit den beiden Fassungen des „Abenteuerlichen Herzens" vereint. An den Stichworten kann man die innere Fülle des Bandes ablesen; zugleich wird auch die Konzentration auf eine universal verstandene Einebnung des Menschlichen deutlich:

Universalsprachen

Technik als Universalsprache, die Welt als Universalstaat, Moral als Universalreligion. Es bleibt aber immer ein Undividierbares. Man muß also zunächst den Menschen reduzieren, ehe es aufgehen mag. Das ist die Idee, die der Glaubensverfolgung und der Verwirklichung der Utopien zugrunde liegt. Sie wächst mit der Stärke der Überzeugungen ...

So kommt ein kaleidoskopisches System zustande, das etwas Willkürliches hat. Ernst Jünger hat den eigenen Denk- und Sprechstil – vielleicht unbewußt – in einer Notiz über biblische Tiersymbole berührt:

Wenn ich auch nur von ferne ahne, was der Adler, die Schlange, der Stier, die Taube darstellen, will ich gern auf die Kenntnis der 2048 möglichen Stellungen des Schlusses verzichten, die Leibniz errechnet hat. Hier leuchtet das Wort im Glanze unmittelbarer Schöpfungsmacht, hier spricht kein erschaffener Geist.

Schluß des Vorworts zu einer neuen französischen Übersetzung von In Stahlgewittern, 1960 (handschriftlicher Entwurf)

Im Jahre 1935 unternahm Jünger in Gesellschaft Hugo Fischers (des „Magisters") seine erste Nordlandreise. Aus den Briefen, die er an Friedrich Georg nach Hause schrieb, entstand „Myrdun, Briefe aus Norwegen", zuerst 1943 für die deutschen Soldaten in Norwegen gedruckt, 1948 mit Zeichnungen Alfred Kubins neu herausgebracht. Die Nordlandreise glich Jüngers alte Vorliebe für den Süden aus.

„Myrdun"

„Ich meinte damit [mit dem Norden] nicht die Welt der kimmerischen Nebel, sondern die blaue Tiefe des metaphysischen Raumes, in der sich der Geist wie in unsichtbaren Kammern erholt." Hier wird Jünger von der Welt der Fische bezaubert. Ihre Masse, Schönheit und Geheimnisfülle regten ihn zu Beschreibungen und Meditationen an:

Du kennst mich als Liebhaber der Meeresgründe, und hier habe ich neue Einblicke getan. So sprießt gleich vor unserem Bootshause ein kleines Salzkraut mit violetten Blüten, das die Steinfugen wie bunter Mörtel füllt. Bei steigender Flut wandelt sich der Strand in einen submarinen Alpengarten um, über dem die Fische spielen, und in dessen Gewächsen die Luft in silbernen Perlen hängt.

Die „Atlantische Fahrt" (1947) ging auf ein Tagebuch der brasilianischen Reise Jüngers im Spätherbst 1936 zurück. 1948 erschien „Ein Inselfrühling. Ein Tagebuch aus Rhodos, mit den sizilianischen Tagebuchblättern ‚Aus der goldenen Muschel'". Das Büchlein brachte die Reisetagebücher der Sizilienreise von 1929 und der Rhodosreise von 1938, die der Bruder Friedrich Georg in den „Wanderungen auf Rhodos" beschrieben hat.

„Besuch auf Godenholm"

Neben kleineren Stücken erschien 1952 der „Besuch auf Godenholm", eine Erzählung, die das Myrdunthema aufnahm und mit „nordisch-magischen ‚Bühnenbildern'" (K. O. Paetel) überlud. Die mißglückten Partien verraten eine geheime Tendenz Jüngers. Die Reisenden, ein Urgeschichtsforscher und ein Nervenarzt, geraten in eine märchenhaft entrückte Welt, in der der Magier Schwarzenberg (= Nigromontan) haust. Die Besucher wollen die Einweihung in das „metaphysische Abenteuer". Kobolde und Trolle rumoren in der Julinacht, und dann nahen in Visionen die Waberlohe, das Vaterhaus, Gewässer des Lebens mit flutenden Fischzügen, Walhall und Frigga selbst, „das uralte Mütterchen". Das magische Einverständnis mit der Welt, die Gleichsetzung des Urgrunds mit dem Ich, der Zeit mit dem Augenblick sind Substrate der mystischen Erfahrung aller Zeiten. Ernst Jünger unterliegt aber einem modernen Schema, dem Spätidealismus, von dem die „kosmische" und „kosmologische" Dichtung von Däubler und Mombert zu Barlach und Jahnn schon verführt war: Der religiöse Glaube an den Urzusammenhang aller Dinge wird durch einen Phantasietraum des Ich ersetzt.

Die Landschaftsbilder

Wahrer, anschaulicher und bildhafter sind Jüngers kosmische Ahnungen, wenn sie sich auf Details beziehen und von Gesehenem ausgehen. Das ist der Fall in den äußerlich so anspruchslosen Ferienberichten „Am Sarazenenturm" (1955), „Serpentara" (1957), „San Pietro" (1957) und „Ein Vormittag in Antibes" (1960). Sie sind zuerst in Privatdrucken erschienen, dann aber in Band 4 der Gesamtausgabe vereint; sie umfassen Arbeiten aus den Jahren 1934 bis 1960. Hier erfüllt sich der außerordentliche Anspruch Jüngers an sich selbst: die Stücke sind dichterisch. Man wird sie dereinst im Zusammenhang mit den Landschaftsdarstellungen der großen Deutschen sehen, mit Alexander von Humboldt, Georg Forster, Carl Ritter, Adalbert Stifter, Jakob Fallmerayer, Victor Hehn und Konrad Weiß. Auf dieser Linie – und nicht in der Erzählung – erreicht die deutsche

Ernst Jünger

Prosa ihre Vollendung. In dichterischen Bildern erfüllt sich nun auch Ernst Jüngers reifer Stil: „Das Inselchen lag wie ein bleicher Knochen in der Flut. Die Fische benagten ihn in der Tiefe und Vögel flatterten um seinen Grat. Es lag fern der Geschichte, vor der berechenbaren Zeit, als winziger Balkon, auf den man hinaustritt und zeitlose Flut erblickt."

Leicht erkennt man in diesen Sätzen Jüngers Lieblingsgedanken und literarische Topoi. Am schönsten sind Fischzüge bei Tag und Nacht beschrieben, die schon die Glanzstellen von „Myrdun" bildeten und sich an mediterranen Küsten und Inseln wiederholen:

„San Pietro"

Nun strandete in der Ecke ein großer Thun. Er zeigte Flanken und Bauch in reinstem Silber, von dem große dunkle und kleine schwefelgelbe Flossen abstachen. Der Rücken trug die Farbe der Meereswogen; ich sah, daß sein Email bereits von Schrammen durchzogen war. Der Fisch gehörte unverkennbar zur Gattung der Makrelen, wie man sie etwa als Angelmakrele auf Helgoland zum Frühstück ißt. Nur wirkte er etwas voller, wie aufgeblasen, und als Makrele vom Gewichte eines Ochsen, der keine Knochen mit in den Kauf brachte. Er lag ganz reglos, nur zwei Schlitze, die an der Kehle im V zuliefen, hoben und senkten sich. Bei jeder Hebung leuchteten die Kiemen als ein Gewebe blutschwerer Spitzen auf. Das Maul stand offen; die Zunge, fleckig grau, rosa gerandet, lag unter einem Gaumen, der wellig geriffelt war. Das kobaltblaue Auge blickte starr. Ein Jagdherr der großen Tiefen war hier ins Garn gegangen und den Insulten des Pöbels ausgesetzt. Schon brach der Schimmer seiner Rüstung im nie geschauten Licht.

Da wird nicht versucht, das Ganze zu durchdringen, im Detail leuchtet der ewige Schimmer durch. Die Heiterkeit, früher von Jünger gefordert, ist nun sicherer Besitz; noch im Spott auf den mondänen Betrieb klingen metaphysische Töne kontrapunktisch wider:

Ein Vormittag in Antibes

Der schönste Sandstrand ist bei Juan-les-Pins. Der Weg zu ihm führt über das Cap. Es ist übervölkert dort. Jeder zweite Laden ist eine Bar oder ein Schönheitssalon. Bei Eden Rock kommt man an einer Terrasse vorüber, auf der hochblonde Amerikanerinnen mit brillantroten Zehen und von Ambre solair glänzend sich langsam wie auf Toaströstern in der Sonne drehen. Zuweilen erfrischen sie sich in einem blauen Schwimmbecken. Das Bild erinnert an Boschs „Garten der Lüste", es ist auch ein wenig Hölle dabei.

Jüngers Stil löste eine echte Faszination aus. Zahlreiche Schüler sind ihm, wie einst George, Rilke und Th. Mann, später Benn und Kraus, gefolgt. Wenn ein Schriftsteller in diesem Sinn Schule macht, so hat sein Wort die Menschen verändert, schreibend hat er sie sehen gelehrt. Der Stil des Autors entspricht seinem Denken und drückt es vollkommen aus. Jünger gab *eine* von mehreren möglichen Antworten auf das Chaos, aus dem seine Generation gekommen war.

Hermann Broch

Literarische Zuordnung

Es hat nicht an Versuchen gefehlt, Broch einen deutschen Proust oder Joyce zu nennen. Durch seine Huldigungen an den Genius Joyces hat Broch selbst dazu beigetragen. Thomas Mann erklärte nach dem Erscheinen des Romans „Der Tod des Vergil", das deutsche Schrifttum im Exil dürfe stolz darauf sein, daß es der Welt „ein dichterisches Werk solchen Ranges zu geben" vermochte. Franz Blei war einer der ersten, der Brochs „Schlafwandler" in einem Atem mit Musils „Mann ohne Eigenschaften" nannte. Betrachtet man das Werk auf die von Broch selbst so wichtig genommene sittlich-politische Bedeutung hin, so ist ein doppelter Zusammenhang gegeben: der Widerstand gegen das Dritte Reich und der umfassendere eines kritischen Bewußtseins vom Ende des alten Europa und der Notwendigkeit einer Neugründung. Broch wollte nicht bloß künstlerisch und stilistisch verstanden werden, sondern als Analytiker und Kritiker der sozialen Welt, aus welcher das Unglück Europas gekommen war.

Kaufmännische Laufbahn

Hermann Josef Broch ist 1886 in Wien als Sohn eines Textilindustriellen geboren. Er studierte an der Wiener Technischen Hochschule und der Textilhochschule in Mühlhausen im Elsaß. Er absolvierte einige Praktikantenjahre in deutschen und böhmischen Textilfabriken und war 1906 auf einer Studienreise in Amerika. 1908 trat er in die Firma ein und übernahm nach dem Tode des Vaters die Leitung der Fabrik. Er wurde Mitglied des Österreichischen Industriellenverbandes und übernahm ehrenamtlich Aufgaben im Schlichtungswesen und Arbeitsamt. Der Stoff des einzigen Dramas „Denn sie wissen nicht was sie tun", 1934 in Zürich aufgeführt, stammt aus Brochs Erfahrungen als Schiedsrichter bei Arbeitskonflikten. 1927 gab Broch die kaufmännische Existenz auf und begann ein Studium der Mathematik, Philosophie und Psychologie an der Wiener Universität. Gleichzeitig begann er die Romantrilogie, die 1931/32 unter dem Titel „Die Schlafwandler“ erschien und den literarischen Ruf begründete. In den dritten Teil des Romans ist eine erkenntnistheoretisch gestützte Wertlehre und Geschichtsmetaphysik eingebaut, die Frucht des Studiums und Vorstufe der später entwickelten Massenpsychologie. In den „Schlafwandlern“ heißt das Stichwort „Zerfall der Werte“. Er ist das Thema der Brochschen Erzählungen.

„Die Schlafwandler“

Die drei Romane tragen vor dem Titel jeweils Jahreszahlen. Der erste heißt „1888, Pasenow oder die Romantik“. Er spielt also im Jahre 1888 und schildert Vater und Sohn der preußischen Junkerfamilie von Pasenow. Unter „Romantik“ ist eine konventionell erstarrte Lebensform zu verstehen, die krampfhaft festgehalten wird, vor allem der Begriff der Ehre des preußischen Offizierskodex. Die Ehre der Pasenows ist die Hülse eines im Innern längst abgestorbenen Sinnes für das Ideal. Der eine Sohn des alten Herrn ist in einem sinnlosen Duell gefallen – für den Begriff jener „Ehre“, die der alte Mann nun zu ergründen sucht. Die eigentliche Handlung des Romans bilden die Liebeserlebnisse des andern Sohnes, Joachim. Gleich zu Anfang erreicht die Schilderung einen Höhepunkt in der Kasinoszene mit der jungen Böhmin Ruzena, deren Liebhaber Joachim wird:

Ruzena tut ihm leid, obwohl sie sicher etwas von einem kleinen geduckten Raubtier spüren läßt, in dessen Kehle der dunkle Schrei steckt, dunkel wie die böhmischen Wälder, und er möchte wissen, ob man mit ihr reden kann wie mit einer Dame, denn all dies ist erschreckend und doch verlockend und gibt dem Vater und seinen schmutzigen Absichten irgendwie recht. Er fürchtet, daß auch Ruzena dies durchschauen könne und er sucht in ihrem Gesicht nach Antwort; sie merkt es, und sie lächelt ihm zu, doch ihre Hand, die weich über die Tischkante hängt, läßt sie von dem Alten tätscheln, und der tut es in aller Öffentlichkeit und versucht dabei, seine polnischen Brocken anzubringen, eine sprachliche Hecke um sich und das Mädchen zu errichten. Natürlich dürfte sie ihn nicht gewähren lassen, und wenn es in Stolpin immer hieß, daß die polnischen Mägde unzuverlässig seien, so hatte man vielleicht recht. Aber vielleicht ist sie bloß zu schwach und die Ehre würde es verlangen, daß man sie vor dem Alten schützt. Solches allerdings wäre das Amt eines Liebhabers.

Ruzena gibt sich Joachim mit der Glut ihrer naiven Existenz hin; er aber ist gebunden an die Familie, die Tradition, die Ehre. Er gibt Ruzena auf und heiratet Elisabeth, obschon er weiß, daß sie nie eine richtige Ehe führen werden.

„Esch oder die Anarchie“

Der nächste Roman spielt eine halbe Generation später und verrät als Alternative den nächsten Grad des gesellschaftlichen Verfalls: „1903, Esch oder die Anarchie“. Esch ist ein kleiner Angestellter in Köln, unzufrieden mit sich selber. Er kündigt seine Stellung und geht nach Mannheim. Hier schließt er zahlreiche Bekanntschaften, darunter mit dem Direktor eines Tingeltangels und einem Messerwerfer mit dessen Partnerin. Gemeinsam gründen sie ein Etablissement für Damenringkämpfe, das jedoch nach kurzer Blüte falliert. Esch heiratet am Schluß die Wirtin einer Kölner Kneipe, Mutter Hentjen, mit der er schon lange ein Verhältnis hatte. Esch ist der Typus des entwurzelten Kleinbürgers, der mit sich und der Welt zerfallen ist, aber nicht weiß, daß seine Unrast in sittlicher und religiöser Bindungslosigkeit begründet ist. Für ihn gibt es nur noch *eine* Bindung, die geschlechtliche, die sich in seinen vielen Liebschaften ausdrückt, vor allem in der Gestalt Mutter Hentjens, die still, verschwiegen und treu zu ihm hält, deren Liebe den haltlosen Esch rettet und zu einer bürgerlichen Existenz zurückführt. Neben

Hermann Broch

der Welt des Tingeltangels steht – für Esch unerreichbar – die Welt der Finanz, repräsentiert in dem Generaldirektor von Bertrand, dessen Selbstmord Esch indirekt herbeiführt, indem er droht, Bertrands homosexuellen Umgang an die Öffentlichkeit zu bringen.

Hinter diesem Treiben des anarchischen Groß- und Kleinbürgertums erhebt sich in der Gestalt eines sozialistisch überspannten Funktionärs die Vision einer neuen Welt, die eine Revolution heraufführen soll. Esch selbst verwechselt freilich die Idee der demokratischen Freiheit mit seiner Anarchie, und dafür gibt es eine symbolische Szene:

Zu Mutter Hentjens Wiegenfest, das alljährlich von den Stammgästen entsprechend gefeiert wurde, hatte Esch eine kleine bronzene Freiheitsstatue aufgetrieben, und das Geschenk dünkte ihn sinnig, nicht nur als Hinweis auf die amerikanische Zukunft [Esch wollte eigentlich nach den Vereinigten Staaten auswandern], sondern auch als glückliches Pendant zu der Schillerstatue, mit der er solchen Erfolg gehabt hatte. Mittags stellte er sich damit ein. Leider war es ein Mißerfolg. Hätte er ihr das Geschenk in aller Heimlichkeit zugesteckt, so wäre sie sicherlich imstande gewesen, die Schönheit des Bildwerkes aufzunehmen; aber die panische Furcht, in die sie durch jede Annäherung in der Öffentlichkeit und durch jede Vertrautheit versetzt wurde, machte sie so blind, daß sie wenig Freude äußerte, und sie wurde auch nicht wärmer, als er entschuldigend bemerkte, daß die Statue vielleicht gut zu Schillers Monument passen dürfte. „Ja, wenn Sie finden ..." sagte sie unbeteiligt, und das war alles. Natürlich hätte sie auch dieses Geschenk zum Schmucke ihres Zimmers verwenden können; aber damit er sich nicht etwa einbilde, daß er für alles, was er daherbringe, solch bevorzugten Platz beanspruchen dürfe, und damit er ein für allemal zur Kenntnis nehme, daß sie die Reinheit ihres Zimmers noch immer hochhielt, ging sie hinauf und holte das Schillermonument, um es mitsamt der neuen Freiheitsstatue auf das Bord neben den Eiffelturm zu stellen. Da standen nun der Freiheitssänger, die amerikanische Statue und der französische Turm als Symbole einer Gesinnung, die Frau Hentjen nicht zu eigen war.

„Huguenau oder die Sachlichkeit"

Im dritten Roman „1918, Huguenau oder die Sachlichkeit" wird ein roher Kriegsgewinnler beschrieben, taucht Esch als sozialistischer Zeitungsredakteur auf, ist Joachim von Pasenow zum Major avanciert, führen zahlreiche Personen den Tanz um zivilisatorische Fetische auf: Geld, Sexus, politische Utopie, sektiererische

Heilslehren, Chauvinismus und wirres Plänemachen. Eingesprengt in den Roman ist Brochs Geschichtsphilosophie vom Zerfall der Werte, der christlichen und jüdischen Orthodoxie; er zeichnet die Umrisse einer neuen Erlösungslehre – die ein Mädchen der Heilsarmee in Vers und Prosa vorträgt. Daß die Figuren der früheren Romane hier mit gleichen Namen, aber in anderer Gestalt und mit anderen Ideen auftauchen, ist Absicht des Autors: die Personen sind nicht mehr sie selber, sie sind gespalten und zerfallen. So wie der leichtsinnige Leutnant von Bertrand des ersten Romans als Direktor einer Reederei im zweiten Roman wiederkehrt, ist der Buchhalter Esch im dritten Roman infolge einer unvorhergesehenen Erbschaft in den Besitz des „Kurtrierschen Boten und des dazugehörigen Anwesens gelangt". Höheren Rang hat darin die Episode Hanna Wendlings, deren Ehe, wie es scheint, am Krieg zugrunde geht, in Wirklichkeit aber aus einer Ursache, welche sie überhaupt nicht gewahrt:

Von außen gesehen wäre das Leben Hanna Wendlings als das eines Müßiggangs in geordneten Verhältnissen zu bezeichnen gewesen. Und sonderbarerweise auch von innen her besehen. Sie selber hätte es wahrscheinlich auch nicht anders bezeichnet. Es war ein Leben, das zwischen dem Aufstehen am Morgen und dem Niederlegen am Abend wie ein schlaffer Seidenfaden hing, schlaff und sich kräuselnd vor Spannungslosigkeit . . .

Sie führt ein leeres Leben. In einer Zeit der Kriegsgreuel und der Pflichterfüllung verbringt sie nutzlos ihre Tage. Davon geht eine Lähmung aus, von der sie um den Preis der Selbstvernichtung nichts wissen darf.

„Die unbekannte Größe"

Gleich nach den „Schlafwandlern" schrieb Broch einen später unterdrückten Roman „Die unbekannte Größe" (1933). Der Physiker Hieck, Sohn einer bäuerlichen Mutter und eines „schattenhaften" Vaters, kämpft gegen „die Sünde" des Unberechenbaren. Er will die Welt durch seine Wissenschaft erkennen und beherrschen; aber eine unbekannte Größe tritt dazwischen in Gestalt seiner Liebe zu einer Mathematikstudentin. Während Hiecks Geschwister in amoralischen Bindungen und durch Selbstmord scheitern und die Schwester Susanne katholisch wird, will er selbst das Unberechenbare durch das Berechenbare „erfassen". Beim Tode seines Bruders beginnt aber etwas anderes: er wird von einem Tränenstrom „aus den tierischen Urgründen des Seins" überschwemmt und kommt zu der Erkenntnis, daß die denkerische und die animalische Existenz beim Menschen zusammengehören, daß sich das eine nicht vom andern trennen läßt. Der Roman wiederholt also an einem engeren Modell das Motiv der „Schlafwandler" und nimmt durch die Betonung des Todesmotivs das Grundthema des Vergilromans vorweg. Hermann Broch selbst war unzufrieden mit diesem „Roman des intellektuellen Menschen", er hielt ihn für mißlungen.

Das mystische Thema

Brochs Kritik an der Zeit, philosophisch, kultursoziologisch und psychologisch erarbeitet, war bisher nur in Einzelpunkten zu einem positiven Gegenbild vorgestoßen. Er glaubte weder an die politisch-sozialistischen Heilslehren noch an die Kraft der überlieferten Religionen. Er hatte sich schon früh mit der deutschen Mystik und dem Platonismus vertraut gemacht und erwartete daher einen neuen Aufbruch des Absoluten. Die „Schlafwandler" hatten mit einer damals nur diskursiv erfaßten Vision geschlossen, daß im Augenblick der revolutionären Zeitaufhebung „im Pathos des absoluten Nullpunktes" – von der kreatürlichen und natürlichen Angst des Menschen her – etwas Neues erwacht, nämlich:

die Sehnsucht nach dem Führer, der leicht und milde bei der Hand ihn nimmt, ordnend und den Weg weisend, der Führer, der keinem mehr nachfolgt und der vorangeht auf der unbeschrittenen Bahn des geschlossenen Ringes, aufzusteigen zu immer höheren Ebenen, aufzusteigen zu immer hellerer Annäherung, er, der das Haus erbauen wird, damit aus Totem wieder das Lebendige werde, er selber auferstanden aus der Masse der Toten, der Heilsbringer, der in seinem eigenen Tun das unbegreifbare Geschehen dieser Zeit sinnvoll machen wird, auf daß die Zeit neu gezählt werde. Dies ist die Sehnsucht.

Vorstehend das Motto, das den Inhalt umreißt
(verzeihen Sie, daß es gereimt ist)

Fühl ich das Staunen? staunt mein Ich?
Von welcher Grenze kommst du her
Gedanken, tiefstes Ungefähr!
Im Todesraume schwebe ich,
Schreiend und ewig, Ahasver —

Gemeint die Angst, die aus der Spalte zwischen dem „ich denke" und dem „es denkt" immer hervorbricht, die „philosophische Angst", die sich letzten Endes doch nur im platonischen „ich denke" beruhigen kann — das Logische im Ethischen

Hermann Broch, Handschriftprobe

Broch meint eine religiöse Erneuerung, die „Messiashoffnung der Annäherung“ und eine Heiligung alles Lebendigen, die eine Brüderlichkeit der Menschen und ihre neue Verbindung mit den Mächten des Irrationalen heraufführt.

„Der Versucher“

Nach der Machtübernahme der Nationalsozialisten in Deutschland machte Broch den Versuch, das Ausbrechen kollektiven Massenwahns in einem tirolischen Dorf in einem Roman zu schildern, der unter mehreren Arbeitstiteln erwähnt wird, einmal als „Bergroman“, dann als „Demeter“ und schließlich als „Der Versucher“ erschienen ist. Der Roman erzählt, wie ein ausländischer Arbeiter, Marius Rassi, die Bewohner eines realistisch geschilderten Bergdorfes durch radikal utopische Sektiererei behext. Er predigt Keuschheit, Antialkoholismus, Abschaffung der Maschinen und verspricht ungeheure Schätze aus einem alten Bergwerk. Die wirren Lehren werden zu einer Pseudoreligion gesteigert, in welcher sich der heidnische und biblische Gedanke vom Opfer verbinden. Irmgard, ein junges Mädchen, die Tochter des gläubigsten Anhängers von Marius, ist bereit, sich für das neue Heil der Erde zu opfern. In einer grausamen Szene wird sie im Felsgebirg auf einem Opferstein getötet. Merkwürdig durchdringen sich alte Riten und menschliches Urwissen, Wagnersches Pathos, jugendbewegte Bräuche und der Irrsinn der Behexten, wenn die Totenklage angestimmt wird:

Die Jungfrau kehrte zurück, lio,
doch die Erde war ohne Glück, lio,
es standen alle Bäche still,
und Frucht und Tiere starben viel.

Nicht schicke den Helden, den Sohn in den Berg,
oh Mägdelein,
es wird ihn töten der silberne Zwerg.

Es wird das Erz vom Zwerg gebracht, lio,
oh Mägdelein,
güldener Berg, güldene Pracht, lio,
mit Gold vermauert des Saales Tor,
daß nimmer der Held mehr kam hervor.

Mutter Gissons Herzwissen

Die Gegenwelt wird in Mutter Gisson gezeigt, der Großmutter Irmgards, die als einzige nicht dem Wahn verfällt; sie ist „Demeter", die Erdmutter, die Wissende (ihr Name ist ein Anagramm des Begriffes „Gnosis"), die noch wahrhaft aus der Tiefe lebt und nicht getäuscht und überwältigt werden kann durch die Botschaft des falschen Führers, der übrigens – in Parallele zu Hitler – die natürlichen Rivalitäten, persönliche Gegensätze, Vorurteile und die Gier des Volkes auszunützen weiß. Der Fanatiker, Marius selbst, ist guten Glaubens, während Wenzel den Typus des bedenkenlosen Gehilfen darstellt. Auch Wetchy, der Händler und Agent des Dorfes, vertritt einen Typus, den armen Teufel, der, wenn man ihm an der Haustür eine Ohrfeige gibt, durch die Hintertür wieder hereinkommt, um seine Geschäfte zu machen. Gegenüber der Pseudowelt der Verführer vertritt Mutter Gisson jenes „Herzwissen", für das es keine gewöhnliche Sprache gibt. Zum Schluß wird sie, sterbend, dem Unendlichen visionär vermählt. Der Roman ist dem Landarzt als Erzähler in den Mund gelegt, der das Treiben des politisch-religiösen Verführers anfangs mit Widerwillen verfolgt, dann aber selbst so weit innerlich gelähmt wird, daß er keinen Widerstand leistet.

Der Binnenstil als Problem

Broch hatte für die drei Epochen der „Schlafwandler" verschiedene Stile verwandt. Der Pasenow-Roman wurde nach Fontane stilisiert, der Esch-Roman ist kraß realistisch bis naturalistisch angelegt, und der Huguenau-Roman soll episodisch, uneinheitlich, „aufgelöst" bis in den Stil wirken. Ähnlich verfuhr er auch im „Versucher", der übrigens dreimal überarbeitet wurde, so daß die endgültige Fassung der Gesamtausgabe (1953) eine Kombination der jeweils am weitesten entwickelten Teile darstellt. Auch hier ist die äußere Schicht ein naturalistischer Berg-und-Bauern-Roman, darunter liegt in den Mutter-Gisson-Kapiteln ein mythisch-mystisches Element, das auch sprachlich einen mythischen Ausdruck sucht. Ihm steht die Talmiwelt der Volksverführer gegenüber. Hier wurde sprachlich ein bezeichnender Schwebezustand erreicht; er soll dem gedeuteten Befund, einer halb wahren und halb lügnerischen Welt entsprechen. Das erscheint aber als künstliche Konstruktion, und deshalb ist der Ärger Musils zu verstehen, wenn man Broch mit ihm verglich. Er sah das Problem des „philosophischen" Romans hier falsch gelöst.

Die Emigration

Schon bald nach Beendigung des „Versuchers" sollten die Marius und Wenzel Österreich besetzen. Broch wurde vorübergehend in Haft genommen, konnte dann über England nach Amerika auswandern, wo er zunächst in New York, dann in Princeton und zuletzt in New Haven wohnte, dort ist er 1951 plötzlich gestorben. An der Universität Princeton hat er einige Jahre dozieren und seine Studien zur Psychologie der Massen weitgehend abschließen können. Hier schrieb er auch seinen dritten Roman „Der Tod des Vergil", der 1945 in englischer und deutscher Sprache zugleich erschien, und entwickelte aus einer Reihe von Erzählungen den Roman „Die Schuldlosen". Seine letzte Arbeit galt dem immer noch unvollendeten „Versucher". Dessen dritte Fassung war bis zu einem Drittel gediehen, da traf Broch ein Herzschlag.

„Der Tod des Vergil"

Der Roman „Der Tod des Vergil" erzählt von den achtzehn letzten Stunden des römischen Dichters Vergil, der todkrank aus Griechenland nach Italien kommt. Broch wendet hier die Technik des inneren Monologs an. Alle Vorgänge – Landung, Hafen, Docks, Straßenbetrieb, Volksmenge, politische Ereignisse – erlebt der fiebernde Dichter in seinem überwachen Bewußtsein. Erinnerungen, Träume und Visionen überborden bald die äußeren Ereignisse, dazu kommt an der Schwelle des Todes die zur Gewißheit sich verdichtende Ahnung, daß sein Werk, die „Äneis", unvollendet sei. Er will sie vernichten. Doch Cäsar Augustus selbst besucht Vergil und weiß ihn zur Hergabe der Manuskripte zu bestimmen:

Augustus bei Vergil

Der Cäsar war gekommen, um Abschied zu nehmen, doch wichtiger noch war es ihm, die Äneis zu holen, und das eine wie das andere trachtete er unter den vielen Worten zu verbergen. War dies der Weg, auf dem die Wirklichkeit sich des Unwirklichen bemächtigte? oder war es die Unwirklichkeit, die sich am Wirklichen vergriff? Oh, auch der Cäsar lebte im Unwirklichen, und das Licht – war die Sonne schon so weit vorgerückt? – wurde fahler: „Dein Leben ist Pflicht, Cäsar, aber die Liebe Roms, von der du erwartet wirst, entschädigt dich." Die sonst so verschlossene Miene des Cäsars bekam etwas sehr Freimütiges: „Livia erwartet mich, und das Wiedersehen mit den Freunden wird mir wohltun."
Wer eine Frau wahrhaft liebt, der vermag auch Freund zu sein und ein Beistand für die Menschen; nicht anders verhielt es sich wohl beim Augustus: „Wer mit deiner Freundschaft bedacht wird, Octavian, der ist glücklich." „Freundschaft macht glücklich, mein Vergil." Wiederum war es aufrichtig und warm gesagt, so sehr, daß fast zu hoffen war, es werde der Anschlag auf die Manuskripte unterbleiben: „Ich bin dir dankbar, Octavian." „Das ist zu viel und zu wenig, Vergil, denn Freundschaft besteht nicht aus Dankbarkeit." „Da du stets der gebende Teil bist, findet der andere bloß den Weg der Dankbarkeit für sich offen."

Während sich nun Vergil, genau wissend, was Augustus von ihm will, auf diesen Dank beruft, mahnt Augustus ihn an seine Verpflichtung. Vergil behauptet, seine Leistung als Dichter sei zu gering, und darauf antwortet der Cäsar:

„Du bist immer allzu bescheiden gewesen, Vergil, doch kein Mann falscher Bescheidenheit; es ist mir klar, daß du deine Gaben absichtlich schlecht machen willst, um sie uns schließlich hinterrücks zu entziehen." Nun war es ausgesprochen – unbeirrbar und hart ging der Cäsar auf sein Ziel los, und nichts wird ihn hindern, die Manuskripte zu rauben: „Octavian, laß mir das Gedicht."

Hermann Broch Totenmaske

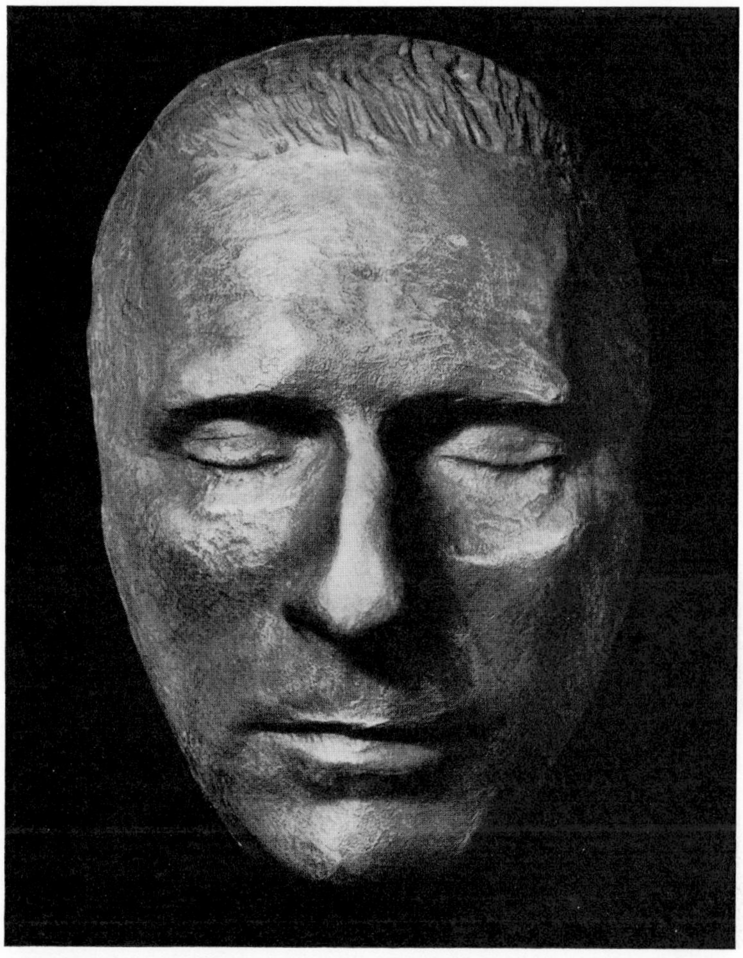

Das Gefühl der Krise

Hinter Vergils Widerstreben steht der Gedanke, daß Dichten nicht genüge, die menschliche Existenz zu rechtfertigen. Er hatte sich hingegeben an ein formales Thema, an die Bewältigung der römischen Vorzeit. Doch glaubt er erkannt zu haben, daß er mit seiner Hingabe an die Literatur die wahre Aufgabe des Menschen versäumt habe. Er weiß, daß er in einer Zeit der Krise lebt und der Mensch in solchen Zeiten tätig sein muß für die Erlösung der Menschheit. Er ahnt, daß das Leben gewaltig verwandelt werden wird und der wahre Erlöser der Welt kommt. Im Grunde handelt es sich in Brochs „Tod des Vergil" um sein eigenes Problem, um die Frage der Berechtigung der Literatur in einer Zeit revolutionärer Wandlungen: die platonische Idee von der Nichtigkeit der Poesie und der ethischen Aufgabe des Menschen überschwemmt in „Vergil" Brochs Empfinden. So ernst das Anliegen sein mag, so groß der Gegensatz der durch Augustus vertretenen politischen und von Vergil geahnten religiösen Erlösung der Menschheit ist – dem Thema entspricht die künstlerische Form nicht. Brochs Stil ist erschlafft; Vergil und Augustus reden oft in Phrasen miteinander, und die Mehrdimensionalität ist nur im Anspruch vorhanden.

So wie „Der Tod des Vergil" aus einer im Wiener Radio 1937 gelesenen Kurzgeschichte „Die Heimkehr des Vergil" hervorgegangen ist – erst in der Todeserwartung der Haft weitete er sich zu einem Mysterium aus –, ist Brochs Roman in elf Erzählungen „Die Schuldlosen" (1950) der Idee nach in der Geschichte „Der steinerne Gast" von 1941 skizziert. Ähnlich wie in den „Schlafwandlern" suchte Broch einen Verfall zu schildern, der schließlich bis ins Dritte Reich führte. Die Personen sind ahnungslos; sie tun Böses, ohne es als solches zu erkennen. Auch der Titel „Die Schlafwandler" hatte ja angedeutet, daß der entscheidende Vorgang den handelnden Subjekten fremd war. Die Erzählungen der „Schuldlosen" werden lediglich durch eine chassidische „Parabel von den Stimmen" zusammengehalten, und diese „Stimmen", 1913 einsetzend und 1933 endend, werden sonderbar rauhen Parlandoversen anvertraut. (Schon die Prosa des Huguenau und des „Vergil" ging gelegentlich in Lyrik über.) Die Stimme auf das Jahr des Unheils 1933 beginnt:

„Die Schuldlosen"

Wir wollen uns nicht täuschen,
wir werden niemals gut:
uns treibts von Rausch zu Räuschen,
zu Folterung und Blut.

Die Todesstraf wir lieben
mit Knute, Strick und Schrei;
nach fünfzig braven Hieben
liegt Ripp und Wirbel frei.

In das zehnseitige Gedicht sind politische und historische Betrachtungen eingeschaltet, der Rhythmus der „Stimmen" wechselt. Und dann beginnt die Erzählung „Der Steinerne Gast" – eine in die Gegenwart übertragene Don-Juan-Geschichte mit merkwürdiger Psychologie.

Die vier ältesten Stücke sind zwischen 1931 und 1933 entstanden. 1949 schrieb Broch sechs Erzählungen hinzu. Sie schließen sich episch nicht zu einem Ganzen zusammen. Nur die Idee eines Gegensatzes von echter und mißbrauchter Liebe, die „Esch oder die Anarchie" bestimmte, verbindet sie.

Hermann Broch ist am besten da, wo der ideelle Gehalt nicht diskursiv ausgesprochen wird, sondern aus den berichteten Tatsachen und den Charakteren, die der Autor schildert, hervorgeht, etwa in den ersten beiden Teilen der „Schlafwandler" und im ersten Drittel des „Versuchers", also da, wo er realistischer Erzähler ist und, wie in den Liebesgeschichten oder in der dialektischen Tönung der Bauernsprache, die Wirklichkeit nachzeichnet. Bei der Durchführung der verfremdeten „Binnenstile" reichte die Kraft zur Behauptung des eigenen Stils kaum aus. Broch war sich dieser Schwierigkeit bewußt. Die mannigfachen Überarbeitungen des „Versuchers" und die künstliche Integration der „Schuldlosen" legen Zeugnis davon ab. Die philosophische Idee störte die künstlerische Durchführung und verletzte, wie im „Vergil", die immanenten Gesetze, die der historische Stoff einem Autor auferlegt. So entsteht der zwiespältige Gesamteindruck eines „gebrochenen" Autors, ein Eindruck, der durch das Nebeneinander künstlerischer und wissenschaftlicher Werke über das gleiche Objekt, den „modernen" Menschen, bestätigt wird.

Die Literatur ist eine Waffe, sie kann persönlich und politisch benützt werden und muß sich mit intellektuellem Mut verbinden, um die Form der Satire anzunehmen. Peter Gan, ein deutsch-holländischer Hamburger des Jahrgangs 1894, heißt eigentlich Richard Moering. Er studierte nach seiner juristischen Promotion noch Philosophie und englische Philologie. Er lebte in Oxford, Paris, Berlin, emigrierte nach Madrid, kehrte nach Paris zurück und 1959 in seine Heimatstadt. 1934 ließ er sein „Sammelsurium" in Prosa, unter dem Titel „Von Gott und der Welt", erscheinen. Das waren Denkspiele und Betrachtungen im Sinne der Moralisten des achtzehnten Jahrhunderts, deren Sprache Gan in seinen Gedichten spricht: geistreich zugespitzt, mit Wort- und Reimwitzen, philosophisch mit Berufung auf Immanuel Kant. Verliebt spottend schreibt er über die prästabilierte Harmonie nach einem Motto von Leibniz: PETER GAN

„Die weiße Seite vollbeschrieben
mit Milch" – ist mir von allen lieben
Urbildern dies, wie's blind verstummt
und, Schlüssel, sich als Schloß vermummt,
das liebenswerteste geblieben.
Denn alles ist (vorausgesetzt,
ich sehe recht) voraus gesetzt.

Gan liebt Sprüche, Briefgedichte, Widmungsstücke, Episteln, Preislieder, Lehrgedichte und die Spielformen in Reim, Echo und Klang. Er hat ein paar meisterhafte Oden geschrieben. Seine Gedichte erschienen in den Bänden „Die Windrose" (1935), „Die Holunderflöte" (1950), „Schachmatt" (1956) und „Die Neige" (1961). Die Entwicklung geht vom Lyrischen zum Didaktischen; die Melancholie nimmt im gleichen Maße zu, wie die verkehrte Welt sich von den Idolen der guten alten Zeit abkehrt – ob es moderne Maler oder Dichter (Benn und T. S. Eliot) sind oder die Hast der Menschen und ihr Unverständnis für jenen geheimnisvollen Reiz der Dinge, welcher Schönheit heißt –: der Dichter Peter Gan vindiziert Wahrheit und Unsterblichkeit dem Gedicht („so bitt ich denn dich innig: lies mich!"), schreibt ein Preislied aufs Schreiben, „auf meine goldene Feder", in dem er auf scherzhaft-ernste Weise den Glauben der Zeit an den Übergang von Stoff in Geist ausspricht: „Alphabetische Gedanken"

Mystische Verwandlung mir vor Augen,
augenblickliche des Stoffs in dich,
heilige Form: aus Gallenapfelaugen
heben geistgetauft ins ewige Taugen
alphabetisch die Gedanken sich.

Ein verwandter Typus ist der in Berlin lebende Martin Kessel, geboren 1901 zu Plauen im Vogtland. Kessel hat in Berlin, München und Frankfurt studiert und über Thomas Mann promoviert. 1925 erschien sein Gedichtband „Gebändigte Kurven" als Jahresgabe der Frankfurter Bibliophilen und wurde mit einem Kleistpreis-Teil bedacht. Kessel ist Stadtdichter und will nichts anderes sein („Weltstadt, gurgelt meine Lust in jeder Gosse"). Steine reden, Gassen singen, Straßen wandern bei ihm. Der expressionistisch scharfe Ton geht bis an die Grenze der Groteske („Du stampfst, Geliebte, fleischern, fest umrändert, / nun Martin Kessel weiß ich, daß im Himmel Elefanten wohnen ..."); man findet Gedichte auf Straßenkreuzungen, Maschinen, die AEG. Ein neues Zeitalter der Maschinen wird verkündet. Der Mensch ist hinausgedrungen über die Natur im alten Sinne. Kosmischer Raum öffnet sich, und das Ich – Lieblingsgedanke der kosmischen Dichtung – weiß sich als Organ des Seins („ich muß die Sonne lenken!"):

„Kristalle"

Gestreifte Wände rauschen in die Breite.
Der Damenzirkus meldet sich, frisiert,
Schön rote Wangen, wunderbar beschmiert,
Und dreiunddreißig Affen an der Seite.

Jawohl, die Philosophen sind geschlagen!
Das „Ding an sich" bin ich, der Knoten im Gefädel;
Die Welt wird mit den Knochen ausgetragen
Und ist, entpuppt, nichts als das Kino unterm Schädel.

Kessels Stadtdichtung ist also satirisch. Sie legitimiert sich durch einen neuen Ton, wenn auch durch keine neue Sprache. In den „Gesammelten Gedichten" von 1951 ist das Thema erweitert und erweicht, der Ton wird „lyrischer". In „Spuren und Widerspruch" setzt sich der Autor mit einer Welt auseinander, die zwar funktioniert, aber „ein Rätsel" ist. Kessel hat Novellen und zwei Romane geschrieben und literarischen Ruhm durch Essays über Stirner, Grabbe, Gogol, Wedekind, über das Märchen und den Sport erworben. Unter dem Pseudonym H. Brühl schrieb er ein Lustspiel, ließ 1948 „Aphorismen" und 1955 Berliner Satiren „In Wirklichkeit aber ..." erscheinen. Kessel möchte die Illusionen der Menschen durch die Wirklichkeit korrigieren.

Eugen Roth

In München gab es zwei satirische Richtungen, ihre großen Namen waren Wedekind und Ludwig Thoma. Außerordentliche Wirkung auf das grotesk-surrealistische Theater hatte Karl Valentin, ursprünglich ein Vorstadtkomiker, der in den zwanziger und dreißiger Jahren mit seiner Partnerin Lisl Karlstadt den Weltruhm der Kenner genoß. Die Schriftsteller Georg Queri und Julius Kreis kamen nicht recht zur Entfaltung, vertreten aber wichtige Überlieferungen der sterbenden Folklore. Eugen Roth hat sich von ihr befreit, er ist 1895 in München geboren, kam von der Schulbank in den Krieg, studierte und wurde wie sein Vater Journalist. 1918 erschienen seine Gedichte im „Jüngsten Tag" unter dem Titel „Dinge, die unendlich uns umkreisen". Weitere Gedichte, auch Erzählungen, wurden publiziert, doch der Erfolg kam von unerwarteter Seite, als Roth, 1933 entlassen, aus einer Gelegenheitsarbeit für den Fasching den heiteren Vers-band „Ein Mensch" (1935) entwickelte. Hinter einer bänkelsängerischen Fassade wird der ruinöse Zeitcharakter sichtbar:

„Umwertung aller Werte"

Ein Mensch von gründlicher Natur
Macht bei sich selber Inventur.
Wie manches von den Idealen,
Die er einst teuer mußte zahlen,
Gibt er, wenn auch nur widerwillig,
Weit unter Einkaufspreis, spottbillig.
Auf einem Wust von holden Träumen
Schreibt er entschlossen jetzt: „Wir räumen!"
Und viele höchste Lebensgüter
Sind nur mehr alte Ladenhüter.

Doch ganz vergessen unterm Staube
Ist noch ein Restchen echter Glaube,
Verschollen im Geschäftsbetriebe
Hielt sich auch noch ein Quentchen Liebe,
Und unter wüstem Kram verschloffen
Entdeckt er noch ein Stückchen Hoffen.
Der Mensch, verschmerzend seine Pleite,
Bringt die drei Dinge still beiseite
Und lebt ganz glücklich bis zur Frist,
Wenn er noch nicht gestorben ist.

Das Büchlein hatte ungeheuren Erfolg, wurde durch zahlreiche neue „heitere Verse" („Mensch und Unmensch", 1948, „Der Wunderdoktor", 1939) und die von Fritz Fliege (Ernst Penzoldt) illustrierte „Frau in der Weltgeschichte" (1936) ergänzt und abgewandelt. Der *ernste* Dichter und Erzähler Eugen Roth verschwand hinter dem erfolgreichen Humoristen.

Robert Neumann

Robert Neumann stammt geistig und biographisch aus Wien, der Stadt des witzigen Feuilletons und der leichtschreibenden Intelligenz. Er kam, 1897 geboren, als Student und Geschäftsmann zur Lyrik, die er später „schlecht" nannte. Literarischen Ruhm gewann der heute in mehr als 24 Sprachen übersetzte Schriftsteller, der nach der Emigration auch englisch schrieb, durch die Parodien „Mit fremden Federn" (1927). Robert Neumann ist ein mimisches Talent, er konnte jeden nachmachen und parodieren, der einen Stil entwickelt hatte: Nataly von Eschstruth, Rabindranath Tagore, R. H. Bartsch, Richard Voß, die Marlitt und Courths-Mahler, aber auch Kant, Eckermann und Shakespeare. Literarische Autoren wie Sternheim, Rilke, Döblin, Kraus, Werfel, Kaiser, Brecht, Däubler, Edschmid, Hofmannsthal, George und die Brüder Mann wurden neben Wassermann, Dinter („Die Sünde wider das Blut"), Graf Hermann Keyserling, Thieß und Bonsels parodiert. Hier folgt der „Dritte Akt des Stückes ‚Zweimal Kochsalat', nach Georg Kaiser":

G. Kaiser-Parodie

(Am Riesenaeroplan der Speiseraum. Nur ein Sessel. Herein kommt, vom Kellner geleitet, Kochsalat.)
Kochsalat (setzt sich): Hinter der Glaswand?
Kellner: Führersitz.
Kochsalat: Sichtbar ist?
Kellner: Rücken des Führers.
Kochsalat: Hier Speiseraum? Stört ihn das nicht?
Kellner: Sorge seinerseits. (Lange Pause)
Kochsalat: Menü? Vegetarisch.
Kellner: Potage à la Clérambault. Dann Kochsalat. Wie beurteilen Sie das?
Kochsalat: Fundamental doppelsinnig.
Kellner (geht, kommt, serviert): Potage.
Kochsalat (versucht): Erstaunlich schnell kommt es zu blutflüssigen Vorfällen. Ich warne den Gegner!
Kellner: Die Suppe?
Kochsalat: War kalt. Nächster Gang?
Kellner (geht, kommt, serviert): Ersatzweise für Suppenkälte Doppelung des folgenden Gangs. Zweimal Kochsalat!
Kochsalat: Macht Küchenchef Anspielungen?

Kellner: Auf?
Kochsalat: Zwiespalt.
Kellner: Der?
Kochsalat: Seele, Innere Zerrissenheit! Hier fällt Maske – fliegend zweitausend Meter über Menschenstätten!! Sitzend auf einem Sessel – zweimal Kochsalat!!! (Er hat den Revolver herausgerissen.)
Kellner: Meschugge?

Weitere Parodien

Weitere Parodien auf Plato, Werner Beumelburg, Ilja Ehrenburg, Hans Carossa, Hans Grimm, Theodor Kramer, Rudolf Stratz, Walter Mehring, Emil Ludwig („Kempinski – Geschichte eines Restaurateurs"), Richard Billinger, Erich Kästner, Klabund, Walter von Molo, Eduard Engel, Sigmund Freud („Nietzsches Verdauungsbeschwerden als Symbol einer präembryonalen Tantenliebe"), Alfred Neumann, sich selbst und manche andere folgten in dem Band „Unter falscher Flagge" (1932). Hinter den Parodien steckte eine kritische Absicht und in vielen Fällen ein Angriff: der Parodierte sollte durch die Übertreibung seiner eigenen Mittel entlarvt werden. Das gelang am besten bei manierierten Autoren wie Kasimir Edschmid, Stefan George, Rainer Maria Rilke, Gottfried Benn, Alfred Neumann, Bert Brecht. Treffend läßt Neumann Erich Kästner sagen: „Uns Erwürger des Gefühls erwürgt ja doch nur das Gefühl."

Bert Brecht stimmt einen Mahagonny-Song an; nach dem Motto: „Ich gestehe, daß ich in Dingen des geistigen Eigentums –" folgt: „Wie herrlich leuchtet / Mir die Natur! . . ." Rilkes „Malte" wird, wie im ersten Band schon der „Cornet", karikiert. Neumann parodierte nicht nur die hohe Literatur, sondern auch die niedere und den Edelkitsch. Als zeitkritischer Autor schrieb er selbst die Betrüger- und Geldfälscherromane „Sintflut" (1929) und „Die Macht" (1932) sowie romanhafte Biographien und Novellen. Ein weiterer Band mit Parodien erschien 1955, in dem Martin Heidegger, Jean-Paul Sartre, Albert Camus, Hans Habe, Hans Hellmut Kirst, Curt Rieß und andere die „fremden Federn" ergänzen.

Der Balte Sigismund von Radecki, geboren 1891, wurde in Wien ein Schüler von Karl Kraus und schrieb witzig-verspielte Feuilletons, während der Wiener Alfred

Alfred Polgar

Polgar (1873–1955) von Wien nach Berlin ging und von Siegfried Jacobsohn für die Theaterkritik der „Weltbühne" entdeckt wurde. Neben Viktor Auburtin (1870–1928) wurde er Mitarbeiter des „Berliner Tageblattes". Polgar floh 1933 nach Wien und emigrierte über Frankreich und Spanien nach den Vereinigten Staaten. 1949 kehrte er nach Europa zurück. Auch er gehört zur Schule von Kraus und Peter Altenberg, dessen Nachlaß er herausgab, und entwickelte sich zu einem liebenswürdig-scharfen Satiriker. Seine Kritiken und Feuilletons sind in einer langen Reihe von Bänden gesammelt. Polgar schrieb seine Kritiken nicht wie Alfred Kerr nach momentanen Eindrücken, sondern ging vom Handwerk des Dichters, Regisseurs und Schauspielers aus. Er hat selbst erfolgreiche Theaterstücke übersetzt und bearbeitet, etwa Molnars „Liliom", Hašeks „Schwejk" und van Drutens „Lied der Taube". Der kritische Zugriff ließ Polgar nicht grimmig, sondern geistreich werden, was in der „Weltbühne" ebenso fehl am Platze wie in der Sache verdienstlich war. Die Feuilletons Polgars sind oft Kurzgeschichten; aus ihnen zieht der Autor die Wurzel einer moralischen Nutzanwendung. Hofmiller war geneigt, ihnen klassischen Rang zuzuschreiben.

„Für dich gibt es nur ein Wort, wenn du weise bist, es richtig auszusprechen:

Heute!“ Mit diesem Satz schloß Tucholsky sein 1926 verfaßtes „Plädoyer gegen die Unsterblichkeit“. Tucholsky schrieb außer unter seinem richtigen Namen unter Peter Panter, Ignaz Wrobel, Theobald Tiger und Kaspar Hauser. Die Namen haben eine gewisse Bedeutung für seine Selbsteinschätzung. Tucholsky war Berliner (1890–1935), besuchte das Französische Gymnasium und studierte in Berlin und Genf die Rechte. Schon als Schüler begann er zu schreiben. Seine Erzählungen und Romane mit einer sentimentalen Note wirkten in der prüden Vorkriegswelt „frei“ („Rheinsberg, ein Bilderbuch für Verliebte“, 1913). Tucholskys Stunde schlug 1919, als er, vorübergehend Mitglied der USPD, die bürgerliche, preußische, militaristische und kapitalistische Welt anzugreifen begann, die soeben ihre welthistorische Niederlage erlitten hatte. Die Muster seines Stils sind bei Heine, Nietzsche und Heinrich Mann zu suchen. Er selbst war ein „Intellektueller“ und litt unter dem Mißtrauen des Proletariats und seiner Funktionäre. Seit 1913 hatte er Beziehungen zu Siegfried Jacobsohns „Schaubühne“, die 1919 als „Weltbühne“ das Blatt der linksradikalen Kritik wurde. Tucholsky schrieb hier unter seinen fünf Namen und wurde der wichtigste Mitarbeiter. Nach Jacobsohns Tod (1926) gab er die Wochenschrift mit Carl von Ossietzky, der 1938 nach mehrjähriger Haft in einem Konzentrationslager gestorben ist, gemeinsam heraus. Tucholsky selbst ging 1929 nach Schweden, 1933 wurde er ausgebürgert, seine Bücher wurden verbrannt. Zwei Jahre später setzte er seinem Leben aus Zorn und Gram über die Barbarei, vor der er gewarnt hatte, ein Ende.

Kurt Tucholsky

„Die Weltbühne“

Die Wirkung

Tucholskys Name war für seine Gegner ein rotes Tuch, während er seinen Anhängern als Satiriker, Pamphletist und Gesellschaftskritiker ersten Ranges erschien. Beide Wertungen hängen mit der Heftigkeit des politischen Kampfes jener Zeit und Tucholskys Glauben an die Macht des intelligenten Witzes und entlarvenden Verstandes zusammen. In gewisser Weise trifft auf ihn selber zu, was er dem befreundeten und ideologisch verwandten Karikaturenzeichner George Grosz gelegentlich vorwarf:

Ich bin mit George Grosz gut befreundet: Er weiß also, daß ich nicht für die Hochfinanz schreibe. Ich meine nur: um einen Gegner so zu treffen, wie er das mit den Feldwebeln in Uniform getan hat, muß man den Gegner kennen und ihn bis ins letzte Fältchen treffen. So verfressen, so dickschädelig, so klobig sehen aber die deutschen Bankiers nicht aus, die IG-Farben-Leute nicht, die Hüttenbesitzer nicht. Sie sammeln Porzellan; sie haben zum Teil schmalere Köpfe; sie sind als Teilhaber eines Systems, was die Wirkungen ihrer Handlungen angeht, unmenschlich – aber man sieht es ihnen nicht auf den ersten Hieb an. Sie bevölkern Reinhardts Premieren, sie wählen die Deutsche Volkspartei . . . sie sehen anders aus. Differenzierter, drei Rasternummern feiner; nicht besser: anders.

Tucholsky wußte, daß politische Polemik nicht so sehr Sache der Politik war als der Literatur. Für die Tageswirkung brauchte er journalistische Mittel, die im Augenblick „ankamen", aber das literarische Konzept mit der Schnoddrigkeit des Stils verdarben. Es ist der gleiche Fehler, dem Alfred Kerr erlag, die Begeisterung am sentimentalen Einfall, artikuliert mit dem, was der Berliner „Schnauze" nennt:

„An die Berlinerin"

Mädchen, kein Casanova
hätte dir je imponiert.
Glaubst du vielleicht, was ein dofer
Schwärmer von dir phantasiert?
Sänge mit wogenden Nüstern
Romeo, liebesbesiegt,
würdest du leise flüstern:
„Woll mit der Pauke jepiekt – ?"
Willst du romantische Feste,
gehst du beis Kino hin . .
Du bis doch Mutters Beste,
du, die Berlinerin –!

Tucholsky prägte zahllose Bonmots, die damals umliefen. Er schlug zu, wo er gereizt wurde, und er wollte die rasche, gelegentlich auch reißerische Wirkung. Er glaubte an das Wort und die Sprache, und nichts war ihm mehr zuwider als der nationalistische, militärische und publizistische Jargon, der mit ungewöhnlichen Worten Gewöhnliches sagt; nach Schopenhauer müsse es umgekehrt sein. Er spottete auf „jene österreichischen Essayisten, von denen jeder so tut, als habe er gerade mit Buddha gefrühstückt, dürfe uns aber nicht mitteilen, was es zu essen gegeben hat, weil das schwer geheim sei". Das bezog sich auf Hermann Bahr und Stefan Zweig. Tucholsky fügte maliziös hinzu: „die Norddeutschen können es auch ganz schön", damit meinte er Frank Thieß und Hermann Graf Keyserling. Sie hätten zuviel Verstand, um dumm zu sein, und zu wenig, um nicht schrecklich eitel zu sein. Wie treffend bösartig und raffiniert ist seine Charakterisierung der Modeberühmtheit in fünf Zeilen:

„Die Essayisten"

Aus der Hegelecke naht sich ein Kegelkönig: Spengler. Von diesem Typus sagt Theodor Haecker: „Das Geheimnis des Erfolges besteht genau wie bei Hegel darin, daß jeder, der keck genug ist, auch mittun kann." Und das tun sie ja denn auch. Sie stoßen einen Kulturjodler aus, und die Jagd geht auf.

Tucholsky wollte die Dinge, mit Schopenhauer zu reden, ohne den Schleier der Maja sehen. Aber das polemische Temperament ging mit ihm durch. Die Börse, das Militär, den snobistischen Theaterbetrieb, die Korpsstudenten, die Nationalisten, die Kirche griff er mit keckem Selbstbewußtsein an. Nicht in den äußeren Erscheinungen, aber in der Substanz hat er sich geirrt; darum wirkt manches vordergründig. Nur die blitzgescheite Formulierung überdeckte diesen Mangel. Er reagierte prompt und schrieb schnell, daher die publizistische Frische. Ein Beweis der Qualität liegt darin, daß man manches heute noch lesen kann.

JOACHIM RINGELNATZ

Der kesse Ton

Im Berlin jener Jahre entwickelte sich, neben den Stadtgedichten der Holz, Loerke, zur Linde und Däubler, eine neue enthusiastische Großstadtlyrik, die ihren Ort im Kabarett fand. Erich Kästner, Walter Mehring, Joachim Ringelnatz und Martin Kessel kamen aus Berlin oder dessen sächsischen Vororten. Sie neigten zu Witz, Spott und Satire und griffen mit Vorliebe die Tabus der nationalen Geschichte, des Sexus und der Gesellschaft auf. Ihre Stimmung ist verzweifelt oder melancholisch. (Die Welt der Kinder wird gewöhnlich als Gegensatz dargestellt.) Der Verkehr, der Sport, das Turnen und die Liebesbeziehungen junger Menschen werden im Ton rein sachlicher Gegebenheiten behandelt. Amoralisch, lieben sie die Moral. Das politische Engagement hat fast alle Autoren dieser Richtung in Schwierigkeiten gebracht; sie wurden von den Nationalsozialisten verboten und verfolgt, ihre Bücher wurden verbrannt.

Joachim Ringelnatz

Joachim Ringelnatz hieß eigentlich Hans Bötticher (1883–1934). Er war Sachse, fuhr einige Jahre zur See und fand im Münchner Kabarett „Simpl" 1909 als Hausdichter eine literarische und ökonomische Basis. Während des ersten Weltkrieges brachte er es zum Boots-Kommandanten. 1920 erschienen seine „Turngedichte", drei Jahre darauf die Seemannsgedichte „Kuttel Daddeldu". Im Parlando der Verse zerbricht die Form; die Reime sind Spielerei, Bilder und Motive der ehedem „hohen" Welt werden deflatiert, ob nun zwei Ameisen aus Hamburg nach Australien „reisen" wollen oder ob die patriotische Naivität ad absurdum geführt wird: die Welt *ist* absurd. Die Satire von Joachim Ringelnatz geht von bekannten Dingen aus:

Joachim Ringelnatz
Zeichnung von Schaefer-Ast

„Die Schnupftabakdose"

Es war eine Schnupftabakdose,
Die hatte Friedrich der Große
Sich selbst geschnitzelt aus Nußbaumholz.
Und darauf war sie natürlich stolz.

Da kam ein Holzwurm gekrochen,
Der hatte Nußbaum gerochen.
Die Dose erzählte ihm lang und breit
Von Friedrich dem Großen und seiner Zeit.

Sie nannte den alten Fritz generös.
Da aber wurde der Holzwurm nervös
Und sagte, indem er zu bohren begann:
„Was geht mich Friedrich der Große an!"

WALTER MEHRING

Ringelnatz hat nicht den Sprachwitz und die Phantasie eines Morgenstern, er desillusioniert sich selbst. Seine Gedichte rechnen auf einen sentimentalen Hörer. Wesentlich politischer sind Walter Mehrings Chansons und Gedichte in Prosa. Er ist 1896 in Berlin als Sohn des Journalisten und Villon- und Whitman-Übersetzers Sigmar Mehring geboren. Herwarth Walden veröffentlichte 1916 im „Sturm“ die ersten Polemiken und Gedichte. Später arbeitete Mehring in der „Zukunft“ Maximilian Hardens und der „Weltbühne“ mit. Über George Grosz kam er zum Berliner Dada und schrieb für Max Reinhardts zweites Kabarett „Schall und Rauch“ (1919) aggressive Verse, die von den Chansonetten der Zeit berühmt gemacht wurden:

„Heimat Berlin“

Die Linden lang! Galopp! Galopp!
Zu Fuß, zu Pferd, zu zweit!
Mit der Uhr in der Hand, mit'm Hut auf'm Kopp
Keine Zeit! Keine Zeit! Keine Zeit!

1928 schrieb Mehring für die Piscatorbühne die schockierende Inflationstragödie „Der Kaufmann von Berlin“. 1933 ging er nach Paris, das neben Berlin seine literarische Heimat war. Im Laufe der Jahre gelangte er auf teilweise abenteuerlichen Fluchtwegen nach Amerika. Hier entstand der melancholische Rückblick auf „Die verlorene Bibliothek“ seines Vaters (zuerst 1951 in englischer Sprache).

Erich Kästner

Die Anregung zum modernen deutschen Großstadtgedicht war von Rimbaud und Laforgue gekommen. Deren Ton hatten Jakob von Hoddis und Ernst Lichtenstein ins Deutsche übertragen und dadurch die früheren Stadtgedichte Dehmels und Holz' als Romantik hinter sich gelassen. Die Jungen kamen als „Konfirmanden zum Militär“; Bert Brecht, Walter Mehring, Erich Kästner und Martin Kessel entwickelten einen lyrischen Zynismus, der im Berlin der zwanziger Jahre gern aufgenommen wurde. Vor allem Erich Kästner, 1899 in Dresden geboren, wurde ein Gebrauchsdichter der Großstadt und hatte auch als Erzähler und Dramatiker Erfolge. 1928 erschien, von Erich Ohser (e. o. plauen) illustriert, die Sammlung „Herz auf Taille“. Sie enthält Gedichte im Stil der neuen desillusionierten „Sachlichkeit“. Ein Chor der Fräuleins singt:

Wir hämmern auf die Schreibmaschinen.
Das ist genau, als spielten wir Klavier.
Wer Geld besitzt, braucht keines zu verdienen.
Wir haben keins, drum hämmern wir.

Wir winden keine Jungfernkränze mehr.
Wir überwanden sie mit viel Vergnügen.
Zwar gibt es Herrn, die stört das sehr.
Die müssen wir belügen.

Zweimal pro Woche wird die Nacht
mit Liebelei und heißem Mund,
als wär man Mann und Frau, verbracht.
Das ist so schön und außerdem gesund.

Es wär nicht besser, wenn es anders wäre.
Uns braucht kein innrer Missionar zu retten!
Wer murmelt düster von verlorner Ehre?
Seid nur so treu wie wir, in euren Betten!

Nur wenn wir Kinder sehn, die lustig spielen
und Bälle fangen mit Geschrei,
und weinen, wenn sie auf die Nase fielen –
dann sind wir traurig. Doch das geht vorbei.

Nicht der Ton dieser Lyrik, aber ihre Offenheit war neu, der Hohn auf die sächsisch-norddeutschen Puritaner und ihre Heuchelei in der neuen Sozialwelt. Seit 1927 lebte Kästner in Berlin und ließ fast Jahr für Jahr eine Sammlung Gedichte erscheinen: „Lärm im Spiegel" (1928), „Ein Mann gibt Auskunft" (1930) und „Gesang zwischen den Stühlen" (1932). 1928 erschien als „Roman für Kinder" das erfolgreiche Jugendbuch: „Emil und die Detektive", dem eine Reihe weiterer Kinderbücher folgte. Kästner war in Berlin mit der Verlegerin Edith Jacobsohn bekannt geworden, und sie hatte diese Arbeiten angeregt, die Kästner rasch – auch bei Theater und Film – im In- und Ausland große Erfolge brachten. 1929 erschien im Stil des „Chors der Fräuleins" das Hörspiel und Bühnenstück „Leben in dieser Zeit", mit Musik von Edmund Nick, 1931 der Zeitroman „Fabian, die Geschichte eines Moralisten". Ursprünglich sollte er „Der Gang vor die Hunde" heißen; es ist eine Satire auf den verlogenen Reichtum einer im Grunde armen Zeit. Kästners Stil, geschult an der Satire Tucholskys, skelettierte die Phänomene. Der Humor ist ausgesprochen ätzend und geht in bitterböse Trockenheit über:

Kinderbücher, Film und Theater

Labudes Eltern bewohnten im Grunewald einen großen griechischen Tempel. Eigentlich war es kein Tempel, sondern eine Villa. Und eigentlich bewohnten sie die Villa gar nicht. Die Mutter war viel auf Reisen, besonders im Süden, in einem Landhaus bei Lugano. Erstens gefiel es ihr am Lago di Lugano besser als am Grunewaldsee. Und zweitens fand Labudes Vater, die zarte Gesundheit seiner Frau erfordere südlichen Aufenthalt. Er liebte seine Frau sehr, besonders in ihrer Abwesenheit. Seine Zuneigung wuchs im Quadrat der Entfernung, die zwischen ihnen lag.

Fabian, das negative Bild

Kurz nach dem „Fabian" begann Kästner einen zweiten Roman, dessen erste Kapitel als Fragment „Der Doppelgänger" später veröffentlicht wurden.
Im Jahre 1933 gehörte Kästner zu jenen Autoren, deren Bücher wegen „zersetzender und unmoralischer" Geisteshaltung öffentlich verbrannt wurden. Der Autor erhielt Schreibverbot für Deutschland, wanderte aber nicht aus, sondern blieb, um „Augenzeuge" einer Entwicklung zu werden, die er weitgehend vorausgesehen hatte. Vorerst durfte er im Ausland publizieren. Er schrieb drei humoristische Romane und veröffentlichte „Dr. Erich Kästners lyrische Hausapotheke" (Zürich 1938). Wie dem Autor innerlich zumute war, bezeugen die „Briefe an mich selbst", eine literarische Fiktion:

Früher schriebst Du Bücher, damit andere Menschen, Kinder und auch solche Leute, die nicht mehr wachsen, läsen, was Du gut oder schlecht, schön oder abscheulich, zum Lachen oder Weinen fandest. Du glaubst, Dich nützlich zu machen. Es war ein Irrtum, über den Du heute, ohne daß uns das Herz weh tut, nachsichtig lächelst . . . Du glichst einem Manne, der die Fische im Fluß überreden möchte, doch endlich ans Ufer zu kommen, laufen zu lernen und sich den Vorzügen des Landlebens hinzugeben . . . Wie unsinnig es wäre, Löwen, Leoparden und Adlern die Pflanzenkost predigen zu wollen, begreift das kleinste Kind. Aber an den Wahn, aus den Menschen, wie sie sind und immer waren, eine andere höhere Gattung von Lebewesen entwickeln zu können, hängen die Weisen und die Heiligen ihr einfältiges Herz . . .

„Briefe an sich selbst"

ERICH KÄSTNER

Nach dem Kriege sah sich Kästner nach München verschlagen; er gründete mit einigen Freunden das Kabarett „Die Schaubude" und übernahm das Feuilleton der amerikanischen „Neuen Zeitung". 1946 erschien der Sammelband „Bei Durchsicht meiner Bücher"; ferner gab Kästner die Jugendzeitschrift „Pinguin" heraus. Nach der Währungsreform von 1948 erschienen Chansons und Artikel der drei vergangenen Jahre unter dem Titel „Der tägliche Kram". Kästner wurde wieder freier Schriftsteller und schrieb mehrere Kinderbücher, die auch verfilmt wurden, und unter dem Namen Melchior Kurtz das Lustspiel „Zu treuen Händen" (1949). Aus einem zwanzig Jahre alten Plan entwickelte Kästner nun sein Drama „Die Schule der Diktatoren". Der Autor des „Fabian" und des „Herz auf Taille" erhob darin seine warnende Stimme, scharf, bitter, ätzend (1957). Im Jahre darauf erschienen die Erinnerungen „Als ich ein kleiner Junge war". Hier und in den Monatsgedichten (1955), von Richard Seewald illustriert, wurde ein neuer Kästner sichtbar. In den Epigrammen (1950) wird das gelegentlich so formuliert: „Es gibt nicht Gutes / außer: Man tut es." Mit der bei solch einem Dichter gebotenen Selbstverspottung heißt es: Merk dir, du Schaf, weil es immer gilt; / Der Fotograf ist nie auf dem Bild.

Nach dem Kriege in München

Erich Kästner, Zeichnung von Erich Ohser

Sinn der literarischen Groteske

Literarisch gesehen ist Kästner, wie seine Vorfahren, Heine und Georg Büchner, zu denen er sich bekannt hat, ein parodistisches Talent. Fast überall in seinen Gedichten stößt man auf offene oder versteckte satirische Abwandlungen klassisch-romantischer Prägungen. Er selbst entdeckte in seiner vielleicht schönsten Rede, der auf Georg Büchner, daß dessen „Woyzeck" eine Groteske sei. Das ist der Sinn von Kästners „angewandter" Lyrik. Da entspannt sich die Gesellschaft, weil sie sieht, daß ein niederes Milieu im Rahmen der hohen Literatur abgehandelt wird.

AUTOREN DER ZEIT

Die jüngere Generation, in der Aura des Expressionismus aufgewachsen und von seinem rebellischen Ton bezaubert, konnte sich auch der Gegenbewegung nicht entziehen, die zur Abkehr vom Pathos und zu einer „neuen" Sachlichkeit führte oder sich religiösen oder politischen Heilslehren zuwandte. Gegen Ende der zwanziger Jahre war die Ernüchterung allgemein. Bis dahin übertönte Richtungen kamen zu ihrem Recht. Die große Wirtschaftskrise, das soziale und politische Elend der Zeit drängten fast zwangsläufig zu einem neuen Realismus. Im allgemeinen kam den Schriftstellern die literarische Schule des Expressionismus zugute. Pinthus' „Menschheitsdämmerung" wurde ein Musterbuch. Aber im Gegensatz zu den späteren fünfziger Jahren erlebte der Expressionismus keine Fortsetzung. Die poetologischen Konsequenzen aus der Zerstörung der „Formen" wurden nicht gezogen; das Thema blieb ebenso unerledigt wie das aufgeworfene Problem: Es gibt keinen „großen" expressionistischen Dichter. Unter den zahlreichen Romanautoren der Zeit waren die von Musil charakterisierten „Großschriftsteller" nicht selten, die für den Geschmack ihres Publikums schrieben. Sie paßten ihre literarische Produktion den Erwartungen der Leser an oder erfüllten Wunschträume, die im Unbewußten schlummerten. Dazu gehören die Familien- und Kindheitsgeschichten, die Bauernromane, die historischen und politisierenden Romane, in gewisser Hinsicht auch die sogenannten Reise- und Gesellschaftsromane. Beliebte Autoren jener Zeit, verschieden im Rang, waren Vicki Baum, Henry Benrath, Margarete zur Bentlage, Rudolf G. Binding, Waldemar Bonsels, Max Brod, Hermann Eris Busse, Alfons von Czibulka, der spätere Kasimir Edschmid, Lion Feuchtwanger, Otto Flake, Hans Franck, Bruno Frank, Leonhard Frank, Ernst Glaeser, Oskar Maria Graf, Carl Haensel, Manfred Hausmann, Max René Hesse, Robert Hohlbaum, Moritz Jahn, Bernhard Kellermann, Hermann Kesten, Jakob Kneip, John Knittel, Erwin Guido Kolbenheyer, Hans Leip, Martin Luserke, Edgar Maaß, Joachim Maaß; auch die Brüder Mann gehören mit ihren erzählenden Schriften in diesen Zusammenhang, ferner Walter Meckauer, Walter von Molo, Franz Nabl, Eckart von Naso, Alfred Neumann, Ernst Penzoldt, Theodor Plivier, Gerhart Pohl, Erich Maria Remarque, W. Augustiny, Paul Gurk, Albert Steffen, Ruth Schaumann, August Scholtis, Friedrich Schreyvogl, Hermann Stahl, Emanuel Stickelberger, Hermann Hesse, Eugen Ortner, Frank Thieß, B. Traven, Ludwig Tügel, Arnold Ulitz, Karl Heinrich Waggerl, Jakob Wassermann, Leo Weismantel, Franz Werfel, Heinrich Zillich, Arnold Zweig und Stefan Zweig; später waren es Edzard Schaper, Luise Rinser, Heinz Risse.

Angesehene Schriftsteller

Rudolf G. Binding

Liebling seines Publikums war Rudolf G. Binding (1867–1938). Er nahm mit etwa vierzig Jahren die Überlieferung G. Kellers und C. F. Meyers wieder auf. Seine Novelle „Opfergang" (1912) hielt sich jahrzehntelang im Wettbewerb mit Rilkes „Cornet" als erfolgreichstes Inselbändchen. Das Erlebnis des ersten Krieges regte Binding zu etlichen Erzählungen an, wie er auch Liebeserfahrungen im Sinne eines Kavaliers literarisch stilisierte. Sein Erfolg beim Bürgertum zwischen den Weltkriegen bezeugt den Widerhall eines Weltbildes, das von der Moderne unberührt geblieben war.

Albrecht Schaeffer (1885–1957) wurde schon zu Lebzeiten vergessen, obwohl

Albrecht Schaeffer
Gemälde von
Herbert
von Reyl-Hanisch

ihm eine entschlossene Modernität nicht fehlte. Mit zweiundzwanzig Jahren begann er, aus Elbing stammend, in Hannover groß geworden, den zweitausendseitigen Roman über die Menschen seines erfundenen Herzogtums Trassenberg, „Helianth" (1920). Der Untertitel lautet „Bilder aus dem Leben zweier Menschen von heute und aus der norddeutschen Tiefebene". Das Motto kam von Stefan George; Hofmannsthal, George und die griechische Antike bestimmten die Bildung des jungen Schaeffer. Vorher hatte er, durch Stefan Zweig und Felix Braun entdeckt, Gedichte und Geschichten sowie den Roman eines Mädchens, das von der Studentin zur Prostituierten absinkt, „Elli oder die sieben Treppen" (1919), geschrieben. Die meisten Geschichten sind Vorstufen des „Helianth"; die Personen und die Familie Montfort verbinden sie. Das war Zolas System aus den Rougon-Macquart; auch von Dostojewski her war es Schaeffer vertraut. Im „Helianth" wird nicht nur erzählt. Tagebücher, Briefwechsel, Meditationen, Essays, Zeit- und Sozialkritik wechseln mit epischen Stellen. Dem Publikum gefiel das Umschlagen ästhetisierender Forderungen in jähe Handlungen von „kinohafter Überstürzung" (Werner Mahrholz). Schaeffer wollte das moderne Leben darstellen, aber ihm fehlten die Überlegenheit Th. Manns, die Lässigkeit O. Flakes. Er nahm seine längst versunkene Welt ernst und geriet da, wo er die soziale Wirklichkeit meinte, wie in „Elli", in die Nähe der Kolportage. Eine bleibende Leistung Schaeffers sind seine Nachschöpfungen. Hier berührt er sich mit R. Borchardt. „Der göttliche Dulder" (1920) war eine Odysseusvariation. 1920 erschien das Versepos „Parzival". 1927 kam Homers Odyssee in Trochäen heraus. Später

„Helianth"

wandte er sich einem gnostisch-mythischen System auf der Grundlage eines johanneischen Christentums zu.

ERWIN G. KOLBENHEYER

Auch der Sudetendeutsche Erwin Guido Kolbenheyer (1878–1962) legte seinen Büchern später eine Philosophie, die „Bauhütte" (1925), unter. Hans Drieschs Entelechie und der romantische Organismusgedanke verbanden sich zu einer Polemik gegen den alten und neuen Kantianismus. „Amor Dei" (1908) ist ein guter naturalistischer Spinozaroman; auch die Paracelsustrilogie „Die Kindheit des Paracelsus" (1917), „Das Gestirn des Paracelsus" (1921) und „Das dritte Reich des Paracelsus" (1925) ist ein historisch-biographischer Roman, in dessen Lutherdeutsch man sich, wie beim „Florian Geyer" G. Hauptmanns, freilich einlesen muß. Streckenweise redet der Roman auch schwyzerdütsch-alemannisch. Die Romane handeln, trotz des historischen Gegenstandes – wie die ähnlichen Werke Ina Seidels, Gertrud von le Forts, Ricarda Huchs, Alfred Döblins, Kasimir Edschmids – von modernen Menschen: Paracelsus ist ein faustisch „ringender" Typus. Der Roman gehört zu den schaumig schwellenden Historien der Zeit.

Kosmologie des Plasma

In Kolbenheyers „Bauhütten"-Philosophie ist der Mensch ein biologisches Wesen, Ergebnis plasmatischer Ausdifferenzierung im Sinne der Evolutionstheorie von H. Driesch. Aus dem „Urelementaren" sollen Pflanzen, Tiere und Menschen entstanden sein. Die Menschen teilen sich wieder nach Rassen, Völkern, Sippen und Individuen. Klima, Boden, soziale und politische Bedingungen nötigen dem Substrat weitere Differenzierungen ab. (So weit ging Drieschs Vitalismus schon 1905.) Kolbenheyer fügt seinen Nationalismus hinzu. Das Germanisch-Deutsche erhält den sittlich entscheidenden Rang. Das Motiv entstellt den Spinozaroman: Spinoza wurde von den Amsterdamer Juden bekämpft, weil er germanisch-mystische Lehren der Gottesschau ausgebildet habe.

In dem Roman „Das gottgelobte Herz" (1938) aus der Zeit der Mystik zerstört Kolbenheyer seine mystische Welt durch Einführung der gleichen Psychoanalyse, über die er sich früher belustigt hatte. Der wortreich raunende Stil, der Neigung demiurgischer Autoren, Götter miteinander reden zu lassen, angemessen, ist depraviertes Bibeldeutsch: „Die verworfensten Hurer und Schlemmer unter den Brüdern, die verlogensten Heuchler und eitelsten Dunstköpfe tragen den Funken in sich, der geweckt werden kann", sagt Kolbenheyers Meister Eckehart. Der im Dritten Reich geförderte Autor kannte auch schlichte Töne. Man findet sie in dem satirischen „Reps die Persönlichkeit" (1932), in den Jugenderzählungen der „Weihnachtsgeschichten" (1932) und dem autobiographischen Roman „Das Lächeln der Penaten" (1927).

Wirkung und Typus

Die Dramen dieses Gralsuchers im Land der sozial, sexuell und national Emanzipierten sind zum großen Teil früher entstanden („Giordano Bruno" 1903, Neufassung als „Heroische Leidenschaften" 1929); sie haben expressionistische Töne und Figuren („Jagt ihn – ein Mensch", 1931), wurden aber erst im Dritten Reich häufiger gespielt. Die Umdeutung der christlichen Mystik zu einem Ausdruck der germanischen Rassenseele paßte in die Zeit. Die autobiographischen Bände „Sebastian Karst über sein Leben und seine Zeit" (1957/58) verraten, daß der Verfasser, wie die Kosmiker der Jahrhundertwende, ein Botschafter seines eigenen Geistes, ein introvertierter Typus war.

Während der bürgerliche und Gesellschaftsroman der ersten Jahrhunderthälfte in den Werken Thomas Manns und in Musils „Mann ohne Eigenschaften" Höhepunkte erreichte, die auch internationale Anerkennung fanden, hat der Bauernroman trotz vieler Ansätze kein großes Werk hervorgebracht; er mündete schließlich mit utopischen und politischen Wucherungen in den Blut-und-Boden-Roman des Dritten Reiches. Das Phänomen ist zu vielfältig, als daß man seine Entartung von diesem Ende her begreifen oder erklären könnte. Der Bauernroman war durchaus keine deutsche Eigentümlichkeit; in Rußland, Polen und Skandinavien gab es bedeutende Vorbilder. Man braucht nur an Turgenjew, Tolstoi, Leskow, an Sienkiewicz und Reymont, an Knut Hamsun und Selma Lagerlöf zu denken. Sie haben mittel- und unmittelbar auf die deutsche Bauerndichtung gewirkt.

Die Bauernromantik

Die deutschen Dorfgeschichten Pestalozzis, Immermanns, Gotthelfs, Auerbachs, G. Kellers hatten ihrerseits Tolstoi, Turgenjew, Balzac und Reymont beeinflußt. Die Wertschätzung des Bauerntums im neunzehnten Jahrhundert ging teilweise auf die Romantik zurück, welche im Bauernstand das Rückgrat der Volkskultur sah, teilweise auf die ökonomischen Lehren der Aufklärung, die den Wohlstand der Völker in den Erträgnissen der Vieh- und Feldwirtschaft erblickt hatte. Nationale und religiöse Erwägungen kamen hinzu; der Bauernstand galt als das biologische Reservoir des Volkes und der Religion. Es ist bedeutsam, daß der pessimistische Realismus jener Autoren, die den Bauern wirklich kannten, ohne Wirkung blieb (Jeremias Gotthelf, Wilhelm Raabe). Erst auf dem Umweg über die Bauernkritik des Naturalismus entwickelte sich ein Bild des *wahren* Bauerntums, mit harten, egoistischen, geizigen, atavistischen und bösartigen Zügen, am deutlichsten, wenn auch verdeckt durch überwältigende Komik, bei Ludwig Thoma, aber auch bei Hermann Stehr, W. v. Polenz und Hermann Löns. Bei Gerhart Hauptmann befinden sich die Bauern im Übergang zur modernen Industriegesellschaft; sie werden als Arbeiter ausgebeutet und reagieren mit Alkoholismus oder Resignation; im Widerstand haben sie keinen Erfolg.

Die Autoren der Idylle

Der deutsche Bauernroman hat sich nicht auf dieser realistischen Ebene weiterentwickelt, sondern auf der idyllischen, verlogen romantischen. Er blieb identisch mit dem Heimatroman und erreichte wie dieser nur provinzielle Geltung. In Zeiten der zunehmenden Verstädterung, Industrialisierung und Politisierung des Lebens erschien weiten Schichten der Leser das Leben auf der „Scholle“ als ein verlorenes Paradies. Sie fanden es bei Karl Heinrich Waggerl, Ernst Wiechert, Josefa Berens-Totenohl, Peter Dörfler, Emil Strauß, Helene Voigt-Diederichs, Friedrich Griese, Hermann Eris Busse, Moritz Jahn, Gustav Schroer, Jakob Kneip, Josef Georg Oberkofler, Stefan Andres, Margarete zur Bentlage, August Hinrichs, Will Vesper, Hans Friedrich Blunck, Hermann Claudius, Wilhelm Scharrelmann, Josef Leitgeb, Josef Friedrich Perkonig, Franz Nabl, Josef Ponten und andern.

Andere Möglichkeiten

Musil hat einmal, gelegentlich einer Betrachtung über Paula Grogger, darauf hingewiesen, daß aus den Möglichkeiten um 1900 ja auch andere Stile zu entwickeln waren, etwa der Symbolismus eines Hofmannsthal und George oder die Décadence in der Art Hermann Bangs oder Rilkes – tatsächlich aber habe im bürgerlichen und Gesellschaftsroman ein teils verfeinerter, teils sentimental verflachter Naturalismus gesiegt.

Der Gehalt dieser Romane läßt sich auf wenige Grundgedanken zurückführen. Adolf Bartels („Der Bauer in der deutschen Vergangenheit“, 1900) und Friedrich Lienhard („Literaturjugend von heute“, 1901) riefen zur Verbindung mit dem

Lande, mit Volk und Volkstum auf. Ihr Appell war eindeutig gegen das literarische Berlin und die dortige „Moderne", gegen die „Emporkömmlingskreise", den modischen Intellektualismus und teilweise gegen das Judentum gerichtet. In Sohnreys Zeitschrift „Das Land", später in der Zeitschrift „Heimat", wurden diese Gedanken vertreten. Hermann Hesse und Ludwig Thoma wollten dem literarischen Berlin mit ihrer Zeitschrift „März" ein süddeutsches Gegengewicht entgegenstellen, die zuerst einfach „Süddeutschland" hatte heißen sollen. In Düsseldorf gab Wilhelm Schäfer die in gleichem Sinne wirkende Zeitschrift „Die Rheinlande" heraus. 1899 hatte Rudolf Huch „mehr Goethe!" (und weniger „Berlin") proklamiert. Alle diese Tendenzen appellierten an die Heimattreue, an Stammeseigenheiten, an föderalistische und historische Gefühle. „Berlin" war für weite Kreise in Bayern, Rheinland und Westfalen identisch mit Preußentum, Hohenzollern, Militärmacht und staatlichem Zentralismus.

Antistädtische Neigungen

Das bodenständige Bauerntum mit seiner scheinbar festen Verwurzelung in Heimat, Brauchtum, Tugend, Religion und Sitte wird in der Masse der Romane gegen die Stadt ausgespielt, die als Ort der Armut, Verführung, des falschen Glanzes, seelischen Verderbens und im Fall Berlin als Hure Babel hingestellt wird. Im deutschen Bauernroman – soweit er nicht dichterischen Rang hatte – kam also Zivilisations- und Zeitkritik zum Ausdruck, aber auch ein Ressentiment der Schriftsteller gegen die Lebensweise der modernen Industriegesellschaft. Aber auch Autoren wie Ernst Rathenau, Ernst und Friedrich Georg Jünger, Rudolf Borchardt, Walter Benjamin übten Kritik an der modernen Gesellschaft und entwickelten ein neues Leitbild. Die gefühlsmäßigen Vorbehalte des Volkes, das nur langsam und widerwillig die neue Existenzform annahm, spiegelte der durchschnittliche Bauern- und Gesellschaftsroman. Es ist kein Wunder, daß diese Tendenzen als Bestandteil der „nationalen Erneuerung" ausgenützt wurden und daß viele Autoren ihre Wünsche hier naiv verwirklicht sahen.

Die verkürzte Wirklichkeit

In den Büchern der Bauerndichter erscheint die Wirklichkeit reduziert auf das Bauernjahr, den Rhythmus der Landarbeit, die volkskundlich betrachteten Feste, die Ideen der Sippe, der Generationsfolge und Zucht. Am weitesten wurde das Bäuerliche bei Ernst Wiechert sentimentalisiert. Seine Autobiographie „Wälder und Menschen" (1936) beginnt mit biologischen Metaphern: „Ich kann nicht bei den Wurzeln meines Geschlechts beginnen und mich als Krone unseres Lebensbaumes betrachten . . ." Die Arbeit in der Natur wird idealisiert und mythisiert, und Schweiß, Schmutz und Blut werden Gegenstände fast kultischer Verehrung. Die Wirkung Wiecherts (1887–1950) macht Zusammenhänge sichtbar, die historisch und ideengeschichtlich schwer zu fassen sind. Er war ein ostpreußischer Försterssohn, studierte in Königsberg, machte den Krieg mit und wurde Studienrat. Seit 1933 lebte er als freier Schriftsteller in Bayern und kam 1938 einige Monate in das Konzentrationslager Buchenwald. 1948 ging er, verwirrt über die Kritik an Person und Werk, in die Schweiz. Seine frühen Romane schilderten bereits den enttäuschten Menschen, der in die Wildnis der masurischen Wälder und Seen flüchtete. Im „Totenwolf" (1924) ist der Übergang zu einer pruzzisch-germanischen Naturreligion, polemisch gegen den Christengott, vollzogen. Ähnlich wie Rilke wird Wiechert nicht aufhören, von „Gott" zu reden. Der Pfarrer der „Jerominkinder" (1945 und 1947) lästert Gott als „Kindermörder". „Sein Gott war ein Traum, ein böser Traum . . ." Es ist der anarchi-

Ernst Wiechert

Ernst Wiechert, Gemälde von Leo von König

stische Haß gegen das Vaterbild, das umschlägt zum Kult der Erde, der Fruchtbarkeit, der Mägde und Schwangern, der wölfisch-wilden Natur gegen die Stadtkultur. Die „Magd des Jürgen Doskocil“ (1932) tötet einen Prediger des Hasses. Die „Große Mutter“ wird gefeiert, die panische, fruchtbare, Leben und Sterben regelnde Natur. Die Erde ist „heilig“. Thomas von Orla predigt im „Einfachen Leben“ (1939), alles sei „richtig, wie es war und werden würde“. Er unterwirft sich, auf Kultur und Liebe verzichtend, einem „einfachen Leben“ als Fischer und Jäger. Die Rückkehr der Menschen zur Steinzeit war auch Agnes Miegels und Alfred Brusts Thema. Die Erde ist ihnen kein Gegenstand ökonomischer Bemühungen, sondern Lebensquell im kultischen Sinne. Wiecherts letzter Roman, „Missa sine nomine“ (1950), erneuert den „heiligen Frühling“ (ver sacrum) des antiken Ritus: das schuldbeladene und verfluchte Geschlecht von 1914 (die vertriebenen Litauer und Preußen von 1944) zieht aus und gründet eine neue Heimat. Die Grundidee ist Fruchtbarkeit ohne Vater. Witwen und Mägde bekommen Kinder. Der Heiland der neuen Welt ist ein Mörder des Henkers von Buchenwald. Amadeus Liljecrona ist ihr „Totemtier“, ein Wolf, der zum Hirten einer neuen Herde, einer praefeudalen Sippe, wird. So hat Wiechert die Motive der christlichen Symbolik umgekehrt. Seine Sprache spiegelt die Verwischung in Metaphern, die von der Masse seiner Leser als dichterisch empfunden wurden. In „Wäldern und Menschen“ verliert sich Wiechert nach der ersten Liebe in Grübeleien:

Das isolierte Ich

Es gibt einen bitteren Winter, den Feind aller heimlich Liebenden, und es ist, als welke in ihm langsam, aber unaufhaltsam die behütete Blüte. Ich weiß nicht mehr, wie es gekommen ist. War das Bild der Sehnsucht so vollkommen gewesen, daß die Wirklichkeit es nicht erreichte? Verlangte ich nach der Erlösung, die kein Mensch zu geben vermag, weil niemand uns aus unsrem eigenen Dasein reißen kann, aus der letzten Einsamkeit, die jedes Menschenherz umhüllt? Oder pochte das Schicksal schon leise mahnend an meine Tür, daß es nun Zeit sei, von einem Becher sich zu wenden, der den Durst meines damaligen Lebens gestillt hatte? Daß ich weiter müßte, zu neuen Versen, zu neuen Schmerzen und also auch zu neuen Lippen, die sich schenkten?

Aus der Masse der zeitgenössischen Bauerngeschichten lassen sich nur wenige von wirklich literarischer Geltung hervorheben. Das sind neben Thomas „Wittiber“ und „Andreas Vöst“ Max Mells „Barbara Naderers Viehstand“, die Erzählungen der Regina Ullmann, Richard Billingers Roman „In der Asche des Fegefeuers“ und die Kapitel aus der Jugendgeschichte Hans Carossas.

DER BÜRGERLICHE ROMAN

Bruno Brehm

Der bürgerliche Roman war seit Heinrich Mann gesellschaftskritisch angelegt. In einem urbanen Autor wie Henry Benrath (1882–1949) verbanden sich gesellschaftskritische Neigungen mit historischen. Man fand in der Geschichte positive und negative Spiegel der Gegenwart. Eine Spiegelung hat die Vorkriegsgesellschaft in Bruno Brehms Trilogie „Apis und Este“ (1931), „Das war das Ende“ (1932) und „Weder Kaiser noch König“ (1933) erfahren, einer Epopöe über den Untergang des deutsch-habsburgischen Reiches. Brehm ging von einer österreichischen Auffassung unseres „Reiches“ aus. Die Trilogie behandelt die serbische Vorgeschichte des Weltkriegs in einer damals neuen, szenischen („filmischen“) Gliederung des umfänglichen Stoffes – nicht ohne lehrhafte Absicht, aber mit dem erzählerischen Charme des alten Österreich. Brehm hat das Regime Hitlers, wie viele nicht in Deutschland groß gewordene Autoren, vorübergehend für die politische Form eines neuen deutschen Reiches gehalten. Er suchte das Phänomen Hitler, der in der Atmosphäre eines kranken Staatsgebildes aufwuchs, später in dem Roman „Der Trommler“ (1960) zu deuten.

Alexander Lernet-Holenia

Einen gelungenen Fall parasitärer Dichtung stellt das Werk Lernet-Holenias dar, eines Wieners vom Jahrgang 1897. Bernhard Diebold erkannte ihm für seine Dramen 1926 den Kleistpreis zu. Die Lyrik des Bandes „Die Goldene Horde“ (1933) übersetzt und verarbeitet Sappho, Pindar, Homer, die Bibel, Villon, Petrarca, Minnelied, Mysterienspiel in odischen und liedhaften Formen, in einer durch Hofmannsthal und Rilke geformten österreichischen Literatursprache. Die Gedichte sind Prunk- und Kunststücke:

„Der Dreikönigszug“

Abends reiten die Könige über das Eis, Majestäten!
  Fischer zeigen mit Windlichtern den Weg, wo er geht.
In Geschirren aus Sammet und leuchtenden Panzerketten
  gehn die Hengste voll Angst, ganz verschneit und verweht.
Aus den offenen Stellen ist schwarzes Wasser getreten
  unter der dröhnenden Last und dem Eisengerät.
Von den Gefolgen dahinten kommt ununterbrochenes Beten,
  wo es im Finstern von Frost, Rauchdampf und Fahnen weht.

Unter dem Titel „Die Abenteuer eines jungen Herrn in Polen“ (1931) erschien der keck-erotische Roman eines Husarenoffiziers, der hinter den feindlichen Linien in Frauenkleidern die Boudoirs hübscher Komtessen und den Pour le mérite gewinnt. Die ironische Geschichte wird von tragischen Schicksalen unterströmt. Lernet-Holenia, vielfältig talentiert, ist der Gefahr des filmischen „Reißers“ nicht entgangen. Er schrieb neben den Komödien Romane mit parfümierten Liebesgeschichten. Es war die Welt von Rilkes „Cornet“, die ihn als Dichter gefangenhielt („Die Standarte“, 1934). Wie bei Heimito von Doderer und Fritz von Herzmanovsky-Orlando leben in Lernet-Holenia die österreichischen universalistischen Neigungen in spielerischer Form fort: Liebe ist Kavalierssache, Krieg ein Abenteuer und Dichtung ein Gesellschaftsspiel.

Eine Art preußisches Gegenstück zu dem österreichischen Kavalier ist Ernst von

Salomon. Seine Laufbahn war härter, seine Erlebnisse waren echter. Er schloß sich der radikalen Rechten an und saß wegen Beteiligung am Rathenau-Mord jahrelang im Zuchthaus. Erst dann fand er, als glänzender Schriftsteller, eine Karriere beim Film. Als Sohn eines Polizeioffiziers sollte er als Kadett erzogen werden. Sein Roman „Die Kadetten" ist das betont preußische Gegenstück zu Musils „Törleß" und den Schulromanen der Zeit. Salomon verschrieb sich nach dem Kriege einem jugendlich-heißspornigen Patriotismus, kämpfte in Freikorps und scheinlegalen politischen Verbänden. In den Romanen „Die Geächteten" (1930) und „Die Stadt" (1932) hat er diese Zeit, naturalistisch im Stil, landsknechthaft in der Auffassung, behandelt. Verglichen mit den im Milieu ähnlichen Romanen von Lernet-Holenia sind Salomons Romane echte Dokumente. 1950 ließ er die Geschichte „Boche in Frankreich" und 1951 den ironischen Roman „Der Fragebogen" erscheinen – der „Boche in Frankreich" in sich aufnimmt –, wo er den Fragebogen der amerikanischen Militärregierung in Deutschland zu einem satirischen Bericht über sein Leben benützt. Salomon, ursprünglich Typ des anarchistischen Täters, ist als Person Nihilist. Als Schriftsteller beschreibt er diesen Typus mit verführerischem Glanz; man bemerkt daher kaum die Fragwürdigkeit der menschlichen und politischen Lebensweise.

E. v. Salomon

Hans Fallada

Hans Fallada hieß eigentlich Rudolf Ditzen (1893–1947), er stammte aus Greifswald; der Vater war hoher Beamter am Berliner Kammergericht und Leipziger Reichsgericht. In „Damals bei uns daheim, Erlebtes, Erfahrenes und Erfundenes" (1941) hat Fallada auf amüsante Weise aus seiner Jugend erzählt; er war ein mißratener Sohn und wurde nach dem Scheitern auf der Schule Landwirt, Angestellter, Buchhalter, Getreidehändler, aber auch Berichterstatter, Anzeigenwerber und Nachtwächter. Die reichen Erfahrungen sind der Stoff seiner seit 1930 (mit „Bauern, Bonzen und Bomben") erfolgreichen Bücher. Er kaufte einen Bauernhof und bewirtschaftete ihn im Familienbetrieb. In seinem bekanntesten Roman, „Kleiner Mann – was nun?" (1932), schilderte er das Leben eines Angestellten in der Zeit der Arbeitslosigkeit Ende der zwanziger Jahre. „Wer einmal aus dem Blechnapf frißt" (1934) ist der Roman eines Vorbestraften. Nach dem Tode erschien der autobiographische Roman „Der Trinker" mit interessanten Schilderungen aus einer Trinkerheilanstalt. Falladas Kleine-Leute-Romane enthielten vorzügliche Momentaufnahmen, zahllose humoristische Details, aber auch wirksame Kolportage. Der Stil war naiv-naturalistisch, nur das erste Werk, der Schulroman „Der junge Godeschal" (1920), hatte expressionistischen Jargon benützt. Fallada war ein Schriftsteller, der die romantischen Sehnsüchte seines „kleinen Mannes" und dessen Angst vor dem Leben teilte. Sein Rang ist soziologisch zu fassen; er hat das Empfinden des Durchschnitts treffsicher beschrieben.

Ernst Penzoldt

Eine als Erzähler, Kritiker, Bildhauer und Zeichner begabte Persönlichkeit war Ernst Penzoldt, 1892 in Erlangen geboren und 1955 in der Wahlheimat München gestorben. Mit dem humoristisch getönten, von Jugenderlebnissen genährten Roman „Die Powenzbande" (1930) wurde er weiteren Kreisen bekannt, doch seine Prosa-Idyllen und die „fränkische Idylle" mit dem Titel „Der Schatten Amphion" (1924), die Erzählung „Der Zwerg" und der Bericht von dem englischen Wunderkind „Der arme Chatterton" (1928) hatten seine Eigenart längst deutlich gemacht: Penzoldt besaß eine Neigung zum seraphischen Jüngling – einem paradiesischen Urbild –, der in der bösen Welt notwendig Schaden nimmt und zugrunde gerichtet wird. Das ist der Inhalt der Komödie und Erzählung „Die portugalesische Schlacht“, wo ein jugendlicher König in der Schlacht fällt, und der romantisch verspielten Geschichte von „Korporal Mombour“ (1941). „Squirrel“, Erzählung und Komödie (1953), demonstriert die poetisch verträumte Existenz in einer Zeit öder Betriebsamkeit. 1949 erschienen Penzoldts Betrachtungen und Theaterbesprechungen unter dem glücklichen Titel „Causerien“ als erster Band der späteren Gesamtausgabe. Penzoldts schriftstellerische Welt wird gewöhnlich als „liebenswürdig“ bezeichnet; der Begriff deckt nur die Oberfläche eines durchaus hintersinnigen, verschlüsselten und schmerzlich der Zeit abgewandten Werks.

DIE KOLONNE

„Die Kolonne“

Zu einem wenig bemerkten, aber literarischen Kristallisationspunkt wurde „Die Kolonne“ (1929–32). Zu den Mitarbeitern der Zeitschrift gehörten Martin Raschke, Peter Huchel, Günter Eich, Theodor Kramer, Horst Lange und Elisabeth Langgässer. Bei allen gibt es Gedichte auf das Land, das Moor, die Flüsse und Sümpfe—und diese sind Korrelate der dumpfen triebhaften, dämonisch verstrickten und befangenen menschlichen Natur. Elisabeth Langgässer hat ihre Lyrik aus dieser Symbolik genährt. Die idyllische Naturdichtung wandelte sich zu einer Dichtung des Schauders vor dem Abgründigen in der Natur. Die politischen Parallelen dieses Skeptizismus lagen auf der Hand. Martin Raschke, ein Dresdner (1905–43), war Kritiker, Erzähler und Hörspielautor. Er bildete den intellektuellen Mittelpunkt des Kreises um „Die Kolonne“.

Horst Lange

In Horst Langes Gedichten klingen Töne des schlesischen Barock nach. Die „Menschheitsdämmerung“ von Kurt Pinthus war ein entscheidendes Erlebnis seiner Jugend. Georg Heym hat stark auf ihn eingewirkt. Dichtung ist Traumerinnerung:

„Gesang hinter Zäunen“

Töne mir wieder, du Stimme, die ich so lange entbehrte! –
Dort, wo das Unkraut steht, sangst du dich einstmals empor;
Als ich ein Knabe noch war und der Tod mir Gefährte,
Hörte ich dich hinter triefenden Weiden und raschelndem Rohr.
Feindlich der Himmel, indem er dir lauschte und sich dann mit krächzenden
Vogelgeschwadern bekränzte,
Über der schwärzlichen Erde, auf welcher der Angstschweiß glänzte.

Lange wurde durch den Roman „Schwarze Weide“ (1937) bekannt. Darauf folgten die Erzählung „Ulanenpatrouille“ (1940) und drei Geschichten aus dem Kriege, „Die Leuchtkugeln“ (1944). Unter dem Eindruck des Krieges geriet Lange, als Sohn eines preußischen Soldaten und Beamten, in einen ethischen Konflikt, der ihn zu einer tragischen Auffassung von der Unentrinnbarkeit des Bösen führte: das Gute geht in den Sümpfen der Existenz verloren.

Peter Huchel

Im Jahre 1932 erhielt Peter Huchel, 1903 geboren, den Lyrikpreis der „Kolonne“ für den Gedichtband „Der Knabenteich“. Während des Dritten Reiches schrieb er unpolitische Funkdichtungen, wurde 1940 Soldat und kehrte 1945 aus russischer Gefangenschaft zurück. Er wurde Lektor des Aufbau-Verlages, Chefdramaturg und Sendeleiter des Ostberliner Rundfunks und 1948 Chefredakteur der Literaturzeitschrift „Sinn und Form“. Huchel ist ein „reiner“ Naturlyriker. Wie bei Horst Lange und Günther Eich verliert sich der Mensch an die Natur und in der Natur; diese wird mit Sümpfen, Mooren, Wassern und unendlich vielen Details als Übermacht erfahren, in welcher der Mensch vergeht. Hin und wieder klingen bei Huchel Klassenvorstellungen an; so huldigt er Mägden und Kutschern als bisher übersehener Volksschicht, aus welcher sich die Dichtung auch sprachlich regenerieren könne.

Im allgemeinen aber spricht aus Huchels Gedichten die Übermacht einer dunklen, rätselhaften und romantisch befragten Natur:

„Eine Herbstnacht" (1953)

Wo bist du, damals sinkender Tag?
Septemberhügel, auf dem ich lag
Im jähen blätterstürzenden Wind,
Doch ganz von der Ruhe der Bäume umschlungen . . .
Kraniche waren noch Huldigungen
Der Herbstnacht an das spähende Kind.
O ferne Stunde, dich will ich loben.
Langhalsig flogen die großen Vögel dort oben.
Der Knabe rief ihnen zu ein Wort.
Sie schrieen gellend und zogen fort.
In Bäumen und Büschen wehte dein Haar,
Uralte Mutter, die alles gebar,
Moore und Flüsse, Schluchten und Sterne . . .

Der Ton ist von einer elegischen Eigenart: Trauer um verlorene Paradiese der Kindheit. Die Stimmung ist ähnlich wie bei Albert Zollinger, der sprachliche Zugriff jedoch ungleich sicherer:

Nun wintert es in Luch und Lanken,
im Graben klirrt das schwarze Eis.
Und Schilf und Nebel an den Planken
stehn unterm Nebel steif und weiß.

Die implizite Poetik

Huchels „Gedichte" (1948, 1950 und aus jüngster Zeit) kennen keine abstrakten Formen und drahtigen Vokabeln. Die Faszination ist rein auf die abgründige Natur bezogen, ohne Wortkrampf, aber auch ohne Ekstase. Thematisch gibt es nichts Neues, und formal bleibt es bei der schlichten Liedform. Aber mit Ton und Stimmung dringt Huchel in die Verstecke der Naturkraft und taucht als Person dort unter. So flieht er sowohl vor der gefühlvollen bürgerlichen Routine wie vor der Hybris der modernen Mechanisierung: wer nur von der Natur und ihren Details spricht, kann von sich selbst absehen. Der Zauber der Huchelschen Strophe ruht auf natürlichen Voraussetzungen: „Oktober, und die letzte Honigbirne / hat nun zum Fallen ihr Gewicht." Huchel *sieht* die Welt erst im Vers. Hier berührt er sich mit Günter Eichs chinesischer Vorstellung vom trügerischen Schein der Welt. Dichterisch sprechend kommt der Mensch zu sich selber; nur als Dichter ist er wahr.

Theodor Kramer

Theodor Kramer (1897–1957) stammte aus Nieder-Hollabrunn bei Wien. Er kam als Soldat an die Ostfront, wurde schwer verwundet und führte ein unstetes Leben in wechselnden Berufen. 1929 erschien sein Gedichtband „Die Gaunerzinke", wo er den fünften Stand, das Proletariat der Vorstädte, Handwerksburschen, Landstreicher und verlorene Existenzen besang. Das war keine Arme-Leute-Romantik, sondern ein radikaler Realismus in traditionell liedhafter Form, versetzt mit Worten der Gaunersprache. Die Krankheiten, die Laster, die finsteren und unsauberen Orte, Kneipen und dunkle Flure werden besungen. Mit traumhafter Lust versenkte sich Kramer in diese Welt:

Die stillste Straße komm ich her,
im Schluchtenfluß die Otter schreit.
Mein Schnappsack ist dem Bund zu leer,
Gehöfte stehen Meilen weit.

Im Kotter saß ich gestern noch
und tret ins Tor im Abendrot
und weiß im Janker Loch um Loch
und bitte nur ganz still um Brot . . .

Hier war, auf andere Weise, Bert Brechts proletarisches Thema aufgenommen. Kramers realistische Psychologie bewährte sich in den Kriegsgedichten „Wir lagen in Wolhynien im Morast“ (1931) und den niederösterreichischen Landgedichten „Mit der Ziehharmonika“ (1936). Auch hier wandte sich Kramer den Mägden, den Gewohnheitssäufern, Alten, Ausgesteuerten und Hausierern zu. In der englischen Emigration, seit 1939, dichtete Kramer in den gleichen Formen über die gleichen Themen, nur die „Entrückung“ nahm zu:

Sing es dem Fraß im Gemäuer,
sing es der Zeit, die verrinnt,
sing es dem sinkenden Feuer
und in den Bäumen dem Wind.

Hans Leifhelm

Die Natur beherrscht das Werk Hans Leifhelms (1891–1947). Als Landsmann und Wandergenosse Heinrich Lerschs kam er früh in den Süden, lebte seit 1933 in seiner Wahlheimat Graz, später wieder in Italien. Aus sozialistischen Anfängen entwickelte er sich zu einem Feind der seelenlosen Maschinenwelt und wurde ein Lyriker der von der Zivilisation noch nicht berührten Welt, des Hochgebirges. Er ist ein Sänger im alten Sinne; er feiert die Berge, die riesigen Bäume, den nächtlichen Himmel, den Wald, und südlich arkadische Landschaften. Seine Gedichte sind streng gereimt, in Strophen gegliedert, metrisch und rhythmisch gebunden:

„Lärche in den Alpen“

Des Gebirgs Terrassen stieg ich empor,
Wo die Rune des Marmorgeäders verlief –
Die Gewässer entrauschten dem Felsentor,
Und im Schimmer versinken die Täler so tief,
Der Wald schwindet hin, verschrumpft und klein,
Und es grünen mit sturem Grase die Matten,
Wie der nackten Klippen smaragdene Schatten,
Rhododendron leuchtet am steinigen Rain.

Da ist expressionistische Inbrunst, Beschwörung des Alls, aber Leifhelm wagt sich nicht vom Stil des Lieds und der Ballade zu lösen. Der traditionelle Rhythmus klopft virtuos, ohne Halt am Wort und Sinn dahin. Seine Gedichtbände „Hahnenschrei“ (1926) und „Gesänge von der Erde“ (1933) wurden mit andern in dem Band „Sämtliche Gedichte“ (1955) wieder zugänglich.

Albin Zollinger

Verwandte Probleme stellen sich bei der Lyrik des Schweizers Albin Zollinger (1895–1941). Seine Romane stehen in den pädagogischen Traditionen seiner Heimat, er war Lehrer von Beruf. Seine „Gedichte“ (1933), „Sternfrühe“ (1936), „Stille des Herbstes“ und „Haus des Lebens“ (beide 1939) gehören zur Wildnis- und Moordichtung, wie die Lyrik der „Kolonne“-Autoren und Gertrud Kolmars. Überdrüssig der Zivilisation – als Kind war Zollinger mit seinen Eltern einige

Jahre nach Amerika ausgewandert, daher seine indianischen Themen –, wendet der Dichter sich zur Natur. Hier findet er die Chiffren eines tieferen, des wahren Seins. Die Natur ist Gegenstand der Religion. Es ist kein Zufall, daß die Gedichte sich biblischer und hierarchischer Bilder bedienen:

„Mein Waldlied"

Mein Wald hat Gerüche
Wie in den Truhen des Papstes keine vornehmeren sind.
Wolken, jenseits schimmernde Marmorbrüche,
Von Engeln blitzt euer schneeiger Wind!

Bald kommen die Herbstkardinäle und knien
In den Stämmern von Sandstein purpurn mit veilchenen Lichtern.
Oben im Goldenen stolpert der Häher dahin
Und der Schalk in den schönen, hochwürdigen Kirchengesichtern.

Gottfried Keller war das Vorbild des Erzählers und Lyrikers Zollinger. Seine Idyllen sind zwar modern, aber doch ländliche Elegien nach Traumerinnerungen:

„Die Bauernstadt"

Ich hab im Traum die Bauernstadt gesehen.
Sie lag auf Bergen voller Kathedralen
Mit Galgen, Türmen, Brücken, Ehrenmalen,
Und es war geisterhaft, in ihr zu gehen ...

Fast nie gelang der Durchbruch zum freien Rhythmus oder zur Ode, wo unbequeme metrische Formen den Singsang brechen. Zollinger war einsam, und sein Ende war traurig. Die Welt erschien ihm als ein Labyrinth, und keine Ariadne gab ihm den Faden der Freiheit.

Friedo Lampe

Friedo Lampe (1899–1945), ein Bremer, war Kenner der Literatur und Kunst und kam erst spät zum Schreiben. 1933 erschien sein Bremer Roman „Am Rande der Nacht" (später „Ratten und Schwäne") mit einem Motto Hofmannsthals. Es sind Momentbilder aus dem Leben einer Hafennacht; zwei Studenten stehen vor der Ausfahrt, Kleinbürger genießen ihre Ruhe, der Anlagenwärter warnt die Stadt vor Ratten, seine Tochter geht auf die Straße und sucht – vergeblich – den einen Studenten zu verführen. Alle Personen und Szenen scheinen sich in dem Vergnügungsetablissement Astoria zu sammeln, Tingeltangel, Halbwelt, Seeleute aller Rassen. Die Szenen gleiten am Leser vorüber. Eigentümlich ist die Hoffnungslosigkeit des Tons, die tiefe Überzeugung von der Sinnlosigkeit der Welt. Lampe findet dafür immer neue Symbole:

„Am Rande der Nacht"

Die beiden Männer, die da noch immer in der Laube saßen, Herr Hennicke und der Inspektor, die empfanden das wohl [den Gesang eines verzweifelten Kindes], sie sahen manchmal von ihrem Tisch mit der warmleuchtenden Petroleumlampe auf, sahen von diesem trübgemütlichen dunstigen Lichtschein, in dem die Mücken tanzten, auf und sogen den Frieden der Höhe in sich. Sie waren jetzt dabei, sich Briefmarken auszutauschen, vor ihnen lag Herrn Hennickes großes Briefmarkenalbum, das schon auf allen Seiten mit den seltensten Marken vollgeklebt war, und nun betrachtete Herr Hennicke eine neue Sammlung, die der Inspektor mitgebracht hatte, mit einer Lupe sah er auf die zarten bunten Dinger. Die hatte er schon, aber die fehlte ihm noch, und Worte wie Cuba, Madagaskar, Ceylon und Afghanistan tropften traumschwer in die Nacht.

Lampe fand noch nicht jene Prosa, nach der zur gleichen Zeit Autoren wie F. A. Kaufmann, G. Böhmer und F. Hartlaub suchten. Er blieb „weich", ein wehmütiger Romantiker. Seine Erzählungen lösen sich ungern vom vertrauten Bereich; selbst antikische Szenen, wie die mit Nausikaa in der großen Erzählung „Septembergewitter" (1937), bleiben niederdeutsch; die vielleicht schönste Erzählung, „Die Alexanderschlacht", ist von Georg Brittings Schilderung in „Der Berg Thaneller" (zuerst 1927) angeregt. Lampe wollte hinter der geschilderten Oberfläche etwas anderes sinnlich wahrnehmen, „das Magische". Er hatte eine Vorliebe für Zauberkünstler und Hypnotiseure. Die Figur des sich verwandelnden Proteus hat ihn ebenso angezogen wie die Raketen, aus denen unerwartete Feuerschwärme brechen, und der Schauspieler als ein Mensch, der nicht „ist", sondern jemanden spielt. Er tut den Schritt vom spießigen Bürgertum zur illusorischen Bohème. Diese Welt endet im Tode, ihre schaurigen und zweideutigen Leidenschaften sind nicht unter Kontrolle zu bringen. Lampes eigener Tod – er wurde Ende des Krieges in Berlin fälschlich für einen SS-Mann gehalten und erschossen – war solch ein „Versehen".

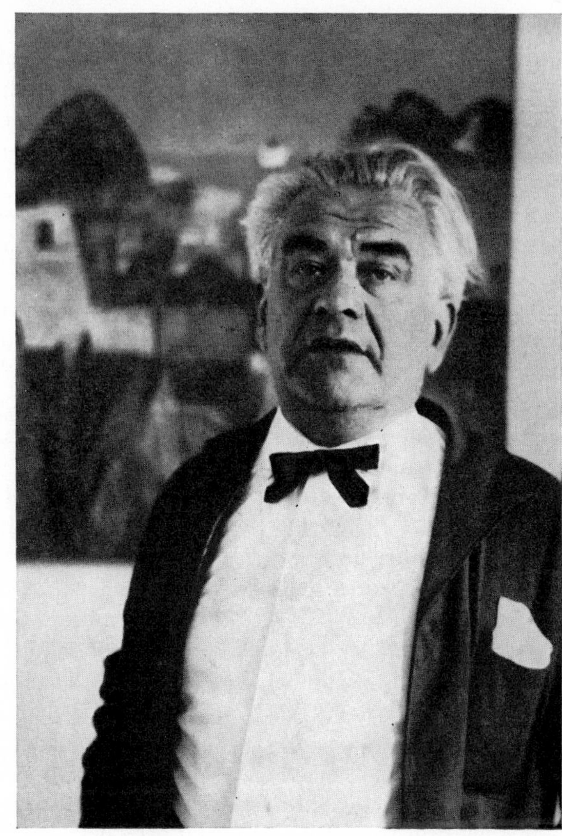

Stefan Andres

Stefan Andres

Immer wieder hat Stefan Andres von seiner Jugend erzählt, von jener glücklichen Zeit, da er als Müllerssohn in Breitwies, im Landkreis Trier, in einer fast ungestörten Idylle gelebt haben muß. Noch in dem Erinnerungsbuch „Der Knabe im Brunnen" (1953) wird von jenen Zeiten erzählt. In einem der ersten autobiographisch genährten Romane, „Die unsichtbare Mauer" (1934), heißt es von den Müllern –:

Sie betrieben ihr Geschäft des Kornmahlens mit einer seltsamen Ehrfurcht, und sie glaubten selber daran, daß jede Mühle ein anderes Mehl herausbringe. Sie ererbten ihr Handwerk und übten das scheinbar so einfach wie eine Kunst. Sie kannten alle Arten des Kornes und fühlten es, wogen es vorher in der Hand wie der Goldschmied seinen Stoff. Sie wußten Sprüche, die im Klappern der Kästen keiner verstand, sie bekamen Feinheiten im mehr und geringeren Ausmahlen ohne alle technischen Kniffe. Sie säuberten das Korn in der einfachen Wurfwanne, warfen den Körnerberg vor der Brust in die Höhe, fingen ihn auf und wiederholten es, bis Korn und Nichtkorn sich getrennt hatten: es dauerte länger, aber ihr Gesicht hatte etwas richterlich Hartes bei diesem Kornsäubern.

STEFAN ANDRES

Der Roman erzählt von der ländlichen Entwicklung junger Leute, schon wird in dem stillen Tal eine große Staumauer gebaut; aber als sie fertig ist und die Dörfer das erste elektrische Licht bekommen, bricht der Weltkrieg aus. Zwei Jahre früher, 1932, hatte Andres, unter seinem vollen Namen Stefan Paul Andres, sein erstes Buch „Bruder Lucifer" veröffentlicht, das von seinen Novizenjahren bei den Kapuzinern genährt ist und einen freilich sehr weltlichen Autor verriet. Die Lösung des Müllersohns von Familie und Heimat schilderte der Roman „Eberhard im Kontrapunkt" (1933). Er ist das persönlichste Buch von Stefan Andres geblieben.

„Bruder Lucifer"

Bis in den Stil spiegelt sich die Ungewißheit der Entscheidung zwischen gebundener und freier Welt, zwischen Überlieferung und Anarchie, Sinnlichkeit und Enthaltung. Gemessen an den älteren Autoren der Rhein- und Mosellandschaft, Kneip und Ponten, wirkt Andres bereits als Typus des aus den Überlieferungen bewußt auf- und ausbrechenden Autors. So ist im „Eberhard" die Reise in den fremden Süden ein entscheidendes Motiv.

„Moselländische Novellen"

Mit diesen Romanen hatte sich Andres, der auch Dramen und Gedichte („Die Löwenkanzel", 1933, teilweise übernommen und ausdrücklich widerrufen in den Oden, Gedichten und Sonetten „Der Granatapfel", 1950) geschrieben hatte, als Erzähler einen Namen gemacht, der durch die „Moselländischen Novellen" (1937) überraschend bestätigt wurde. Es sind die reifsten Geschichten, die er geschrieben hat. Da wird von der Traumerfüllung eines Waldbuben auf der Reise in die große Welt erzählt. Als er zurückkehrt, glaubt man seine Abenteuer nicht:

Titus schüttelte den Kopf und betrachtete den Stein, hielt ihn an die Backe und er wühlte im Säckchen, schüttete es auf den Tisch, fuhr mit der Hand drin umher; er spürte den Sand unter den Fingernägeln: o ja, das war die Wüste! Er zitterte, wollüstig erschauernd: alles war da! „Und ich war auch da!" Er sagte es laut vor sich hin, angstvoll – und mit den Augen zur Kammertür der Eltern wiederholte er diese Worte wie eine grauenvolle Schändlichkeit, wie einen bösen Zauber. Und dann zog er die Hände an sich, als habe er sich verbrannt, klopfte den Sand von seinen Fingern und lief hinaus, lief auf die Straße, auf die dunkle Straße. Es war Neumond, und der Himmelsstrich oben zwischen den Tannen war jetzt kaum so hell wie sonst die weiße Straße in Mondnächten, und die Sterne glänzten darin wie Kieselsteine. Und Titus bekam Angst, die Straße sei nicht mehr da, und so wollte er sie fühlen, legte sich mitten auf sie hin; ja, da war sie wieder, trug ihn wie im Traum, trug ihn wie Wasser, die Stangen an den Seiten sangen, sangen die Namen der nahen so fernen Städtchen, und dann hupte es – ach ja, es hupt, wie im Traum! – Freilich, es ist nur ein Traum! Nur das kann er noch: im Schlaf in die Welt hinausschweben, allein, ganz allein . . .

Übergang zur politischen Dichtung

In der Erzählung „Die Vermummten" wird ein Motiv des Fastnachtstreibens, ähnlich wie in Pontens „Bockreitern", zu einer großartig bitteren Dorfgeschichte entwickelt, in der die Unschuldigen Opfer und die Schuldigen die spät bereuenden Nutznießer sind. Weitere Novellenbände erschienen 1943 und 1960.

Andres hat Deutschland Ende der dreißiger Jahre verlassen und lebte lange in Italien. Hier lernte er ein fremdes Volkstum und „heidnisches" Christentum kennen und suchte es in einer Reihe von Erzählungen zu fassen. Die Novelle „Wir sind Utopia" (1942) nahm das Motiv des entsprungenen Mönchs auf und verband es mit einer etwas künstlichen antifaschistischen Fabel. In der Sintfluttrilogie (1949–59) wollte er den deutschen politischen Sündenfall unter Hitler in einer beziehungsreichen Allegorie schildern.

Emil Barth

Emil Barth (1900–1958) stammte aus dem Rheinland und wandte sich nach einer Zeit als Buchdrucker 1924 zur Literatur. Es ist kein Zufall, daß es zwei Bücher über seine Kindheit gibt, „Das verlorene Haus" (1936) und „Der Wandelstern" (1939), heile Welten beschreibend, die dem modernen Zerfall als Inbilder der Erinnerung gegenüberstehen. Man entdeckte eine innere Nähe zu Carossa; aber Barth war eine Generation jünger und hat mit einem Problem gerungen, das dem älteren Dichter in dieser Schärfe nicht begegnet war: die Reflexion muß die Werte der nicht mehr erfahrenen und wohl auch verschatteten Bildung ersetzen. Barths Prosa gehört deshalb in die Nähe von F. A. Kauffmanns „Leonhard", E. G. Winklers Versuchen und der Betrachtungen F. Hartlaubs. Der Substanzverlust an Überlieferungen wurde durch Experimente ersetzt. Daher das Mit- und Nebeneinander verschiedener Werke. Barth schrieb seine ersten Gedichte, eine „Totenfeier" für die Mutter, schon 1927, ferner Romane, Erzählungen, Tagebücher, „kleine Prosa" und Essays, von denen der über Trakl (1935/36) der bekannteste und beste war. Seine Gedichte benützten manchmal Reim und feste Strophe, aber sie hatten eine Neigung, „frei" zu werden, der Konvention der metrischen Gerüste zu entkommen. Die Motive sind Nacht, Wasser, Sumpf, Teich und herbstliches Wetter. Sie dienen dem Hauptthema Barths, der Schwermut über die Vergänglichkeit des Schönen. 1944–56 entstand die Sammlung „Tigermuschel" (1956):

Ein Glas voll Schlaf . . . so nahe strömt der Fluß,
Wo schwarz in Schwarz vom Strand der Nachen stößt,
So nah der Bach, wo sich im Spiegelkuß
Des Ichs Narziß in Lethe löst.

Der kleine, magisch erinnernde Roman „Das Lorbeerufer" (1942) handelt von der Dichterin auf einem Sizilien, wo sich Antike und Christentum treffen. Sapphos tragisches Schicksal steht hinter der Fabel. Die Verquickung von Eros und Schönheit führt sie ins Verderben. Sie sagt: „Wenn mir ein Vers, eine

Tigermuschel

Die Tigermuschel an des Knaben Ohr.
Ein Meer von Bildern dämmerungsgrün gewiegt
Und sich an Riffen glasig brechend.
Kalte Hai-Augen, die sich zu hoch herauf gewagt
Und zwischen Raub- und Todesblick
Weißlich mit einer Haut von Horn beziehen.
Robinson-Inseln, mitten in der Zeit,
Die Hafer pflanzt und Palmen windverfangen,
Unendlichkeit-umschäumt, – ein Mann allein
Mit seinem Traum aus eines Schiffbruchs Trümmern.
Die Welt ein Tigerrachen atemheiß,
Der aus der Muschel haucht, – ein All von Grauen,
Das einer abhorcht, der auf einmal weiß,
Er wird, was auch geschehe, immer wieder
Das Kind sein, das der Zeitendämmerung lauscht,
Die riesig in der Himmelsmuschel braust
Und Bilder aus der Leere wälzt ins Leere.

E. Barth.

Emil Barth, Handschriftprobe

Strophe, ein Lied gelang, von dem ich hoffen durfte, es würde bleiben, so getröstete ich mich daran meines unaufhaltsamen Vergehens. Ich glaubte aus dem immerwährenden Untergang einiges Schöne gerettet zu haben . . .“ und stürzt sich in den Abgrund.

Nicht nur Sappho, auch Hölderlins Empedokles hat Barths Ebenbild genährt. Seine Prosa, seine „Xantener Hymnen“ (1948) zeigen ihn in der Umstrickung des Klassizismus. In den Aufzeichnungen aus den letzten Kriegsjahren („Lemuria“ 1948) wird deutlich, wie schwer Barth an der Wirklichkeit litt. Er flüchtete in eine edle Innerlichkeit und wurde von Überlegungen „zerrüttet“. Die Erzählung „Enkel des Odysseus“, 1949/50 entstanden, hat er mit einem Kierkegaard-Zitat der Verzweiflung eingeleitet; ein abgeschossener Flieger resümiert sein Leben. Aber die Erzählung hat nicht die Bündigkeit entsprechender Seiten bei E. Jünger, F. Hartlaub, G. Gaiser. Die Reflexion stört die Schilderung mit dem „schwermütigen Brüten eines metaphysischen Heimwehs“, statt sie auf das Niveau einer sachgemäßen, z. B. politischen Vernunft zu heben.

Nach und neben den Dramatikern des Expressionismus, welche die Berliner Bühnen beherrschten und die sich wieder realistischen und naturalistischen Formen zuwandten, kam die jüngere Generation nur mühsam zur Geltung. Franz Theodor Csokor überwand die futuristische Phase der Jugend und wählte österreichische und eschatologische Themen. Ernst Bacmeister schrieb klassizistisch strenge Dramen. Curt Goetz verfaßte bühnenwirksame Komödien. Günther Weisenborns Rollenstücke plakatierten politische Situationen. Hans Rehberg war Theatertechniker von sicherem Zugriff; seine Preußendramen wurden viel gespielt. So wirksam viele ihrer Stücke auf dem Theater waren, ihre Gestalten blieben auf bestimmte historische oder soziale Typen beschränkt. Es handelt sich um Thesenstücke, die etwas beweisen oder widerlegen sollen, die eine politische oder religiöse Meinung aussprechen – und eben dieser Beweis des Einzelnen führt zur Reduzierung des Ganzen.

CURT LANGENBECK

Curt Langenbeck

Curt Langenbeck machte den Versuch, das Drama als Dichtung zu konzipieren. Er war ein echter Tragiker in der Linie seiner Vorbilder, vor allem Äschylos und Kleist. Er schrieb Stücke in Versen, meistens in Jamben, während andere Autoren, vor allem Rehberg, die sprachliche Form vernachlässigten, aus den gleichen Gründen wie der Naturalismus und Expressionismus, wo Gestik, Mimik und „Schrei" die klassische Artikulation verdrängt hatten. Curt Langenbeck (1906 bis 1950) stammte aus einer Elberfelder Industriellenfamilie mit pietistischer Überlieferung. Seine schriftstellerische und dramaturgische Laufbahn fiel mit dem Dritten Reich zusammen. Sein erstes bedeutendes Stück war die historische Tragödie „Alexander" (1934). Unter den Dramen ragt „Der Hochverräter" (1938), ein tragisches Schauspiel um Jakob Leisler, einen deutschen Kommandanten New Yorks im Jahre 1691, hervor. Die Tragik liegt hier im notwendigen Widerspruch zweier für sich richtiger Rechtsstandpunkte. Die Not ist religiös und wird im grammatischen Ausdruck äschyleisch, als Klage, vorgetragen:

> .... Menschen
> Zittern in Angst und Unruh. Ihr Herz ruft
> Heillos bedrängt Gewißheit herab. Gott
> Schenkt uns den Spruch, den rettenden, nicht. Aber
> Nimmer vertrockne heiliges Flehn schmerzlich,
> Nimmer verglüh, in Aschen des Grams rasend,
> Gläubiger Mut! Die Erde besteht. Rastlos
> Wölbt sich der Himmel, aber das Herz bangt.
> Hör unser Rufen, Gott, und erkenn freundlich
> Unserem Schicksal das Glück.

Das puritanische Erbe

Ähnliche Versuche antikisch-christlicher Erneuerung der „hohen" Form fanden sich bei Georg Kaiser, Rudolf Borchardt, Josef Weinheber und Emil Barth; aber die Darstellung eines integren („neuen") Menschen war im Zustand der existentiellen Benommenheit kaum möglich. Langenbeck hat den Versuch dazu gemacht. Daß er damals unternommen und gegen Widerstände und Verbote („Das Schwert", 1940) durchgeführt werden konnte, bleibt denkwürdig. Langenbeck glaubte an „die Wiedergeburt des Dramas aus dem Geist der Zeit" (1939). Nach dem Kriege hat man sein Schauspiel „Der Phantast" (1948) gespielt. Hier wurde der religiöse Konflikt zur These: ein Professor will seine vernichtende Erfindung zerstören. Die Auseinandersetzung des idealistischen Puritaners mit der Bosheit der Welt war Langenbecks Anliegen; Menschen, die im politischen Raum etwas Konkretes wollen, werden „Hochverräter" an ihrem besseren Ich.

WERNER BERGENGRUEN

In der kleinen Erzählung „Das Tempelchen“ (1950) findet sich ein bezeichnender Satz Werner Bergengruens: „In seinem Herzen hat der Mensch einen Punkt, da kann er nicht irren.“ Diese Herzensqualität wird gegen die „Gedanken im Kopf“ ausgespielt. Zu den Gedanken im Kopf zählt auch der Nationalhaß; denn das Herz weiß, daß die Menschen einander lieben sollen. Bergengruen hat die Geschichte immer wieder nach Modellen für seinen christlichen Humanismus abgesucht. Zeiten der Verfolgung, der Verwirrung und Verführung treten zu unserer Zeit und den Erlebnissen des Autors selber in Analogie. Hinter diesem Gegensatz wird ein ursprüngliches Erzählertalent deutlich, das alle Grenzen sprengt. Bergengruen ist ein „geborener“ Erzähler. Wenn man sich seine Erzählungen und Gedichte in einem baltischen Tonfall vorstellt, werden die Gestalten und das Milieu lebendig. Er kann Novellen im Sinne des neunzehnten Jahrhunderts schreiben, in der Nachfolge A. Puschkins, N. Leskows, und E. T.A. Hoffmanns. Die Modellfrage lautet immer: Wie verhält sich der Mensch (sein „Herz“) in der außergewöhnlichen Lage? Entscheidet er sich für oder gegen das Geheimnis seiner Bestimmung?

Erzählerisches Temperament

Äußeres Leben

Bergengruens Denken und Dichten wird entscheidend von metaphysischen Fragen bestimmt. Auch der Lebenslauf spiegelt etwas davon. Er ist 1892 in Riga als Sohn eines Arztes geboren. Riga vor dem ersten Weltkrieg, das bedeutete das Aufwachsen in den baltischen Provinzen des russischen Reiches, bedeutete eine deutsche Oberschicht über lettischem Volkstum, bedeutete ständige Konflikte zwischen politischer und geistiger, östlicher und westlicher Autorität. Riga ist der geographische und atmosphärische Ort fast aller Erzählungen Bergengruens, es ist die Erinnerungsmacht, aus der die Träume und Gestalten des Dichters kommen. Legte man sich alle Details aus Schriften und Gedichten Bergengruens zusammen, ergäben sie die heimliche Biographie. Die äußere liest sich nüchtern: Studium des Rechts, der Geschichte und Literatur bis 1914 in Marburg, München und Berlin. Dann Weltkrieg und Kämpfe gegen die Rote Armee im Baltikum. 1920–22 Redakteur der „Ost-Informationen“, ab 1925 der „Baltischen Blätter“. Er schien also Journalist zu werden. An ziemlich versteckter Stelle, in einem Nachwort zur „Feuerprobe“, schrieb Bergengruen eine autobiographische Notiz. Er leitete sie mit einem Wort Goethes ein: „Jeder Bär brummt nach der Höhle, in der er geboren ist.“ Dort sagt er:

Autobiographische Notiz

Die wichtigsten Stationen meines Lebensweges hießen nun Berlin, München, Tirol, Zürich, Rom; was das Weitere angeht, so gebe ich es durchaus dem Schicksal anheim, in dessen Weisheit ich ein unbegrenztes Zutrauen setze. Mehrere meiner Bücher entsprangen meiner nie erschöpflichen Lust am Reisen. Welches öffnende Erlebnis Italien mir war, davon zeugte manche geschriebene Seite, und nicht nur in meinen Reisebüchern. Der Süden war mir die naturnotwendige Ergänzung zum angestammten Nordosten. Aber solchen Einwirkungen zum Trotz wird man in meinen Büchern keinen stärkeren Antrieben begegnen als denen, die ich meiner baltischen Herkunft und Heimat verdanke ... Wunderliches Land, gleichermaßen verschollen und gegenwärtig! Weite, menschenarme, waldreiche Landschaft, noch nicht von geschäftigen Verschönerungsvereinen industrialisiert, auf Meilen und Abermeilen noch unberührt, wie sie aus Gottes Herzen und Händen hervorging. Güter, die noch Herrenhöfe im alten Sinne waren und kleine Kulturmittelpunkte ... Hansisch-patrizische Städte und verschlafene abgelegene

WERNER BERGENGRUEN

Provinzorte voll schrulliger Originale, um die eine unversiegliche Erzählfreude das nie abdorrende Gerank ihrer Anekdoten wand.

Werner Bergengruen

In den frühen zwanziger Jahren wurde aus dem Journalisten Bergengruen der Erzähler. Die wichtigsten Novellenbände sind „Rosen am Galgenholz“ (1923), „Das Buch Rodenstein“ (1927), „Der tolle Mönch“ (1930), „Die Schnur um den Hals“ (1935), „Der Tod von Reval“ (1939), „Der spanische Rosenstock“ (1940), „Die Sultansrose“ (1946) und „Die Flamme im Säulenholz“ (1955). Bergengruens Romane haben geschichtliche Themen: „Das große Alkahest“ (1926), umgearbeitet zu „Der Starost“ (1938), spielt in der baltischen Welt zur Zeit Katharinas II. „Das Kaiserreich in Trümmern“ (1927) behandelt Aufstieg und Ende des germanischen Königs Odoaker. „Herzog Karl der Kühne oder Gemüt und Schicksal“ (1930) erzählt vom Glanz des alten Burgund. Am bekanntesten wurde „Der Großtyrann und das Gericht“ (1935), den man als Schlüsselroman gegen die Diktatur verstand. Künstlerisch bedeutender ist der Roman von der Lebensangst „Am Himmel wie auf Erden“ (1940); er erzählt von der Erwartung der Sintflut im Jahre 1524 in Berlin. Kleinere Romane sind „Pelageja“, die Geschichte einer russischen Alaska-Expedition (1946), und „Das Feuerzeichen“ (1949), wo die Verstrickung eines Menschen in den Widerspruch von freier Tat und geschriebenem Gesetz dargestellt wird. Zwei Ereignisse gaben dem Autor in Zukunft Halt und Richtung. Seine metaphysischen Zweifel löste die Konversion, seine politische Haltung wurde bestimmt durch die Verfolgungen im Dritten Reich. 1936 erschien die Sammlung „Die Rose von Jericho“:

„Die Heimkehr“

Tritt in den ewigen Bildersaal
Nimm Sternen-Brot und -Wein.
Du sollst beim großen Abendmahl
In deinem Erbteil sein.

Es zeigen sich und neigen dir
Die alten Zeichen groß.
Das Einhorn legt die Silberzier
Gesenkt in deinen Schoß.

WERNER BERGENGRUEN

Über Bergengruens Gedichten liegt etwas Unbefangenes. Eine ungemein sichere Vers- und Wortkunst kann scheinbar alles ein- und umschmelzen. Sie sprechen das Heitere und Kindliche eines in sich ruhenden Charakters aus. Der Gedichtband „Dies Irae“ mit siebzehn Gedichten aus dem Sommer 1944 bezeugt den vollzogenen Wandel. Bergengruen nannte seinen Sammelband unveröffentlichter

Metaphysische Töne

Gedichte aus fünfzehn Jahren „Die heile Welt“ (1950). Heil ist die Welt da, wo Kunst und Religion zusammenfallen. Im zweiten Weltkrieg aber konnte man nicht von einer heilen Welt reden. Die Verdüsterung des Horizonts, der Mißbrauch mit dem Heiligen und Nationalen, die persönlichen Verfolgungen fanden einen neuen drohenden Ausdruck:

Die Stimme sprach: „Wo ist dein Bruder Abel?“
Ihr aber habt die Stimme nicht gehört.
Ihr werktet trunken, lärmend und betört
Im Fiebertaumel um den Turm zu Babel.

Nun steht ihr an der letzten Wegegabel.
Der Traum liegt hinter euch, wüst und verstört,
Ihr sucht den Zauber, der die Flut beschwört,
doch keine Taube trägt das Blatt im Schnabel.

Ähnlich wie Reinhold Schneider, der Freund, wurde Bergengruen im Dritten Reich und nachher für viele Leser zu einer moralischen Autorität. Bergengruens

„Der letzte Rittmeister“

schönstes Buch ist „Der letzte Rittmeister“ (1952), eine Sammlung von Novellen, die einem baltischen Kornett in den Mund gelegt werden, der am Ende seines Lebens die mediterrane Welt entdeckt und den Wunsch hat, Geschichten zu schreiben. Der Rittmeister hat den Beinamen „Minutotschka“, das Minütchen: Er wartet sein Leben lang auf jene Minute des Kairos, der Erfüllung der Existenz, die nie für ihn kommen soll, wo Ereignis und Person, Zeit und Ewigkeit, irdische und jenseitige Welt eins werden. Seine Qualität liegt im Herzen, im Adel der Seele. Ebenso wie das Motiv der Minute, stammt der Idealtypus des Rittmeisters aus der russischen Literatur. Es ist der treue Mensch von tiefer Bildung – im Gegensatz zum modernen. Hier findet man, in einem Porträt des Rittmeisters, Bergengruen selbst:

Der Rittmeister war schon auf der Kriegsschule durch seine Geschicklichkeit in Croquiszeichnen aufgefallen. Etwas Croquishaftes haftete allen seinen Bildern an. Bestimmte Dinge wurden mit Präzision in den Mittelpunkt der Aufmerksamkeit gebracht. Das für wichtig Gehaltene war scharf hervorgehoben, das Überflüssige weggelassen oder durch rahmendes Laubwerk verdeckt. So kam eine mit Klarheit und Reinlichkeit gepaarte altmodische Anmut zustande, die diesen bescheidenen Bildern eine Beliebtheit sicherte... Bei Kunstgesprächen verhielt er sich schweigsam, ohne je die geringste Ungeduld zu zeigen. Höflich vorgeneigt, mit einem etwas angestrengten Ausdruck hörte er zu, als wolle er gern sich belehren lassen und etwas Rechtes begreifen und müsse sich doch damit abfinden, daß dies Bemühen ohne Frucht blieb. Es versteht sich leicht, daß er insbesondere mit avantgardistischen Gedankengängen nicht viel zu beginnen wußte.

Indem der Rittmeister die alte und neue, die historische und gegenwärtige, die nördliche und südliche Welt mit dem Medium seiner ebenso ernsten wie heiteren Kunst durchdringt, eignet er sich und uns eine bessere Vergangenheit zu. In dieser Vermittlung liegt die Aufgabe des konservativen Dichters; Bergengruen sagt geradezu: „Jede Begebenheit liegt hinter uns, anders wäre sie nicht erzählbar.“

Ich höre die späte
geängstigte Stunde schlagen.
Alles Gesäte,
reift es, uns zu verklagen?

Wirf von dir die Beschwerde!
Alle Saat wird entsühnt
im Dunkel der schuldlosen Erde,
und das Dürre ergrünt.

Werner Bergengruen

Werner Bergengruen, Handschriftprobe

Das Rittmeisterbuch wurde in dem „Roman" „Die Rittmeisterin" 1954 fortgesetzt, und 1962 erschien der umfangreichste Band der Trilogie unter dem Titel „Der dritte Kranz", wo Musa Petrowna und Werner Pawlowitsch, also die Muse und der Dichter W. Bergengruen, aus dem Nachlaß des Rittmeisters Geschichten erzählen – wobei Bergengruen unbefangen zahlreiche seiner früheren Novellen in den Kranz einbezieht.

Während die meisten seiner Landsleute vom magischen Grund des Ostens nicht losgekommen sind, hat Bergengruen wie sein Rittmeister, aber auch wie G. Hauptmann und G. Benn, seine Mediterranée entdeckt und dort die Befreiung von den pruzzischen Gespenstern gefunden. Der Plauderer und Essayist Bergengruen ließ schon früh diese innere Freiheit ahnen. Sie wurde deutlich in seinem „Baedeker des Herzens, ein Reiseverführer" (1932, zweite Auflage unter dem Titel „Badekur des Herzens" 1933), in „Des Knaben Plunderhorn" (1934), in dem skurrilen „Titulus" (1960) und schließlich in den „Schreibtischerinnerungen" (1961).

JOSEPH ROTH

Joseph Roth (1894—1939) war der Sohn eines armen jüdischen Mädchens „von kräftiger, erdnaher, slawischer Struktur". Den Vater hat er nie gesehen. Wohlhabende Verwandte der Mutter ließen ihn das k. k. humanistische Gymnasium in Brody besuchen, dann ging er zum Studium nach Lemberg und Wien. Roth stammte aus der damals österreichischen Provinz Galizien; die Masse der Bevölkerung bestand aus polnischen Ukrainern, zwischen ihnen wohnte das galizische Judentum, das jiddisch sprach und sich den Deutschen näher fühlte als den Polen.

Eigenart des Schriftstellers

Joseph Roth, der sich früh von dieser Welt gelöst hatte, ist in seinen besten Romanen und Erzählungen in das ostjüdische Milieu zurückgekehrt. Bei Ausbruch des Weltkrieges wurde er als Soldat nicht angenommen. Erst 1916 wurde er eingezogen und wollte Offizier werden. An der Ostfront brachte Roth es zum Fähnrich. Später, nachdem sie untergegangen war, hat er sich zu einem glühenden Anhänger der k.k. Monarchie entwickelt. In seiner Jugend war er, wie alle fortschrittlichen Liberalen, überzeugt, daß Österreich ein Herd des Unheils sei. Nach dem Kriege, als erfolgreicher Journalist in Deutschland, begann Roth sich zu finden; er wurde konservativ und fühlte sich am Ende als „katholischer Mensch". In seinem ersten literarisch anerkannten Roman „Hotel Savoy" (1924) schildert er sein Spiegel-Ich in einer typischen Situation:

„Hotel Savoy"

Ich komme um zehn Uhr vormittags im Hotel Savoy an. Ich war entschlossen, ein paar Tage oder eine Woche auszuruhen. In dieser Stadt leben meine Verwandten — meine Eltern waren russische Juden. Ich möchte Geldmittel bekommen, um meinen Weg nach dem Westen fortzusetzen. Ich kehre aus dreijähriger Gefangenschaft zurück, habe in einem sibirischen Lager gelebt und bin durch russische Dörfer und Städte gewandert, als Arbeiter, Taglöhner, Nachtwächter, Kofferträger und Bäckergehilfe. Ich trage eine russische Bluse, die mir jemand geschenkt hat, eine kurze Hose, die ich von einem verstorbenen Kameraden geerbt habe, und Stiefel, immer noch brauchbare, an deren Herkunft ich mich selbst nicht mehr erinnere. Zum erstenmal seit fünf Jahren stehe ich wieder an den Toren Europas. Europäischer als alle andern Gasthöfe des Ostens scheint mir das Hotel Savoy mit seinen sieben Etagen, seinem goldenen Wappen und einem livrierten Portier. Es verspricht Wasser, Seife, englisches Klosett, Lift, Stubenmädchen in weißen Hauben, freundlich blinkende Nachtgeschirre, wie köstliche Überraschungen in braungetäfelten Kästchen; elektrische Lampen, aus rosa und grünen Schirmen erblühend wie aus Kelchen; schrillende Klingeln, die einem Daumendruck gehorchen; und Betten, daunengepolstert, schwellend und freudig bereit, den Körper aufzunehmen. Ich freue mich, wieder ein altes Leben abzustreifen, wie so oft in diesen Jahren. Ich sehe den Soldaten, den Mörder, den fast Gemordeten, den Gefesselten, den Wanderer . . .

„Die Rebellion"

Die Stadt war das polnische Lodz, das Milieu durchaus osteuropäisch. Im Hotel begegnet der Heimkehrer Kaufleuten und Schiebern, alten Kameraden, einem bald sterbenden Clown, dem (Schnitzlerschen) „süßen Mädel" und dem geheimnisvollen Liftboy — der Besitzer des Hotels ist. „Die Rebellion", im gleichen Jahr erschienen, die Geschichte eines vom Staat mit einer Drehorgel abgefundenen Invaliden, beschreibt den Kampf gegen eine kalte Bürokratie. Der Held, von der Herzlosigkeit der Welt verworfen, nähert sich der sozialen Unterwelt. Der aus Sibirien heimkehrende Offizier Franz Tunda des nächsten Romans, „Die Flucht ohne Ende" (1927), lebt eine Zeitlang bei seinem Bruder und geht nach Paris, wohin ihn die Erinnerung an eine verlorene Braut zieht. Er steht schließlich allein

Joseph Roth

vor der Madeleine, „inmitten der Hauptstadt der Welt, und wußte nicht, was er machen sollte. Er hatte keinen Beruf, keine Liebe, keine Lust, keine Hoffnung, keinen Ehrgeiz und nicht einmal Egoismus. So überflüssig wie er war niemand in der Welt." Mit diesen Bemerkungen hört der Roman auf. Tunda ist der leere Mensch, der nicht mehr fähig zum Erleben, Erleiden oder Handeln ist.

„Rechts und links"

Immer wieder begegnet man in Roths Büchern einem vor hohen Ansprüchen versagenden Typus. In den frühen Romanen schilderte Roth den erledigten Menschen einer nihilistischen Umgebung. „Rechts und links" (1929) spielte im chaotischen Berlin. Paul Bernheim, der Held des Romans, ist ehrgeizig, er hatte ursprünglich „ein Genie" werden wollen. Er träumte davon, die Geschichte seiner vornehmen Familie zu schreiben, in der er ihren alten Adel beweisen wollte. Er schwärmt von seiner Oxforder Erziehung und versucht zu spielen, denn „Geld muß man haben, reich muß man werden". Der Roman beschreibt auch das Schicksal der aus dem Osten kommenden Juden, die in Berlin ihr Mekka suchten und nun enttäuscht sind: „Ihm war, als ob die kleine deutsche Kolonie in der Ukraine mehr Deutschland gewesen wäre als dieses Land, aus dem die ewigen Auswanderer das Heimatliche wegzutragen, die ewigen Einwanderer das Fremde mitzubringen scheinen."

Die verlorene Generation

Oft tritt aus dem Halbdunkel der reiche Mann aus dem Osten, der den verkrachten Freunden helfen kann und muß. Später wird er Kapturak heißen, der im „Hiob" und „Radetzkymarsch" russischen Deserteuren zur Flucht über die Grenze verhilft. In andern Erzählungen wird er seine Macht für das Böse mißbrauchen, wie Ramsin in „Tarabas"; in „Leviathan" ist er der Begleiter Lakatos, des Teufels in Menschengestalt. In „Zipper und sein Vater" stellte Roth den philiströs kleinbürgerlichen Typus dar, aus dem sich das Unheil der Zukunft entwickeln sollte, der alle Phrasen nachspricht und für das eigene Versagen die Entschuldigung bereithält, er habe nie „die Gelegenheit gehabt". Auch aus Zippers Sohn wird

„Zipper und sein Vater"

nichts – obwohl der Vater ihm „die Gelegenheit“ gab. Die Bildung, die der Alte entbehrt, macht den Sohn nur schwach und weich. Keiner von ihnen kann „die Zeit repräsentieren“, einer schiebt dem andern die Schuld zu:

Erinnern Sie sich an diese schauderhaften Elternhäuser! Haben Sie jemals die Bibliothek der Zippers gesehen? Ich habe oft mit den Bänden gespielt. Da waren drei prachtgebundene Jahrgänge „Moderne Zeit“, das „Deutsche Knabenbuch“, „Der Trompeter von Säckingen“ – welch eine Literatur! Erinnern Sie sich an die Kommode? . . . Wenn ich ein Meter von ihr entfernt bin, fürchte ich mich schon vor ihren Kanten. Welch lebensgefährliche Möbel! Welch klirrender Hängeleuchter mit elektrisch beleuchteten Kerzen aus Porzellan, aber gedreht wie Wachs!

„Hiob“

Roths erstes großes Buch war der Roman „Hiob“. Da wurde die Geschichte des armen Lehrers Mendel Singer erzählt, der schließlich von seinem in Amerika zu Wohlstand gekommenen Sohn herübergeholt wird; doch der Sohn fällt im Kriege, die Mutter stirbt, die Tochter wird wahnsinnig, und erst im hohen Alter, als Singer ein armer Teufel in der Fremde ist und wie Hiob dem Gott, der ihn verlassen hat, flucht, kommt ein berühmter Musiker zu Besuch und offenbart sich ihm als der in Rußland damals krank zurückgelassene Sohn Menuchim. In diesem Werk taucht Joseph Roth in das Milieu seiner Kindheit zurück, das arme, gedrückte, doch in der religiösen Sitte noch ruhende Ostjudentum. Mendel sucht seinem sprachunfähigen Sohn die Anfangsgründe des Glaubens beizubringen:

Biblische Beschwörung

Mendel holte das schwarze Buch der Bibel, hielt die erste Seite aufgeschlagen vor Menuchims Angesicht und intonierte in der Melodie, in der er seine Schüler zu unterrichten pflegte, den ersten Satz: „Am Anfang schuf Gott Himmel und Erde.“ Er wartete einen Augenblick, in der Hoffnung, daß Menuchim die Worte nachsprechen würde. Aber Menuchim regte sich nicht. Nur in seinen Augen stand noch das lauschende Licht. Da legte Mendel das Buch weg, blickte seinen Sohn traurig an und fuhr in dem monotonen Singsang fort:
„Hör mich, Menuchim, ich bin allein! Deine Brüder sind groß und fremd geworden, sie gehn zu den Soldaten. Deine Mutter ist ein Weib, was kann ich von ihr verlangen. Du bist mein jüngster Sohn, meine letzte und jüngste Hoffnung habe ich in dich gepflanzt. Warum schweigst du, Menuchim? Du bist mein wirklicher Sohn! Sieh her, Menuchim, und wiederhole die Worte: ‚Am Anfang schuf Gott Himmel und Erde . . .‘“
Mendel wartete noch einen Augenblick. Menuchim rührte sich nicht. Da klingelte Mendel wieder mit dem Löffel an das Glas. Menuchim drehte sich um, und Mendel ergriff wie mit beiden Händen den Moment der Wachheit und sang wieder: „Höre mich, Menuchim! Ich bin alt, du bleibst mir allein von allen Kindern, Menuchim! Hör zu und sprich mir nach: ‚Am Anfang schuf Gott Himmel und Erde . . .‘“
Aber Menuchim rührte sich nicht.
Da ließ Mendel mit einem schweren Seufzer Menuchim wieder auf den Boden. Er schob den Riegel zurück und trat vor die Tür, um seine Schüler zu erwarten . . . „Wofür bin ich so gestraft?“ dachte Mendel. Und er durchforschte sein Gehirn nach irgendeiner Sünde und fand keine schwere.

Der schwache Held

Hiob-Mendels Sünde ist die aller Helden Roths, es ist ihre Schwäche, das Versagen im entscheidenden Augenblick, ihre Weichheit und Entschlußlosigkeit. Es ist die Sünde der Väter schlechthin, die sich dem Unternehmungsgeist der Jugend widersetzen und dadurch verhängnisvoll auf das Gemüt ihrer Kinder wirken. Wenn der Bezirkshauptmann von Trotta, offizieller Stellvertreter des Kaisers Franz Joseph, seinen Sohn in den Ferien prüft, was er auf der Kadettenschule

Joseph Roth, Brief vom 20. Januar 1930

gelernt habe, so prüft er aus Körners „Zrinyi". Dieser Bezirkshauptmann ist der halb tragische Held des bedeutendsten Romans von Joseph Roth, „Der Radetzkymarsch" (1932). Sein Vater hatte als Offizier in der Schlacht von Solferino durch einen Zufall dem Kaiser das Leben gerettet und wurde geadelt. Er selbst ist ein pflichttreuer Beamter; er ist von der Vortrefflichkeit des von ihm vertretenen Systems so überzeugt, daß er keinen Platz für andere Gedanken hat. Roths Kunst besteht nun darin, in zahlreichen kleinen Zügen diesen Charakter als Typus der Verknöcherung erscheinen zu lassen:

„Der Radetzkymarsch"

Er suchte nach einem neuen Diener. Man empfahl ihm viele jüngere und offensichtlich brave Männer, mit tadellosen Zeugnissen, Männer, die drei Jahre beim Militär gedient hatten und sogar Gefreite geworden waren. Den und jenen nahm der Bezirkshauptmann „auf Probezeit" ins Haus. Aber er behielt niemanden. Sie hießen Karl, Franz, Alexander, Joseph, Alois oder Christoph oder noch anders. Aber der Bezirkshauptmann versuchte, jeden „Jacques" zu nennen. Hatte doch selbst der alte Jacques anders geheißen und seinen Namen nur angenommen und ein langes langes Leben lang mit Stolz geführt, so, wie etwa ein berühmter Dichter seinen literarischen Namen, unter dem er unsterbliche Gedichte und Lieder schreibt . . . Wie? Es paßte ihnen nicht, Jacques zu heißen? ! Diesen Taugenichtsen ohne Jahre und ohne Verdienst, ohne Intelligenz und ohne Disziplin? !

Typologie des Untergangs

Weit mehr Interesse als dieser Held des Romans beansprucht der erste Namensträger, der „Held von Solferino", und der letzte, der Enkel, der Offizier wird, aber an der russisch-österreichischen Grenze, in den wolhynischen und galizischen Sümpfen moralisch und physisch zugrunde geht. Daneben stehen glänzende Typen wie der lebenslustige polnische Graf, der diesem Staat den Untergang vorhersagt, der jüdische Stabsarzt, der sich nach einem von ihm selbst längst überwundenen Ehrenkodex zum Duell stellen muß und fällt. Da sind die Soldaten und Burschen, die Kneipwirte und der unheimliche Kapturak, die glänzende Adelsgesellschaft bei Chojnicki, die Offizierssuite des Kaisers selbst, die Wachtmeister, die Spieler und – weit, weit im Hintergrund – die Frauen, welche dem Vergnügen dieser Männer träge und willig dienen und ihr Unglück beschleunigen.

Spätere Erzählungen

Weiber, Spiel und Alkohol ziehen die schwachen Männer von Roths Erzählungen in ihr Unglück, und es ist nicht so, als ob sie gewaltige Leidenschaften erregten; dazu sind diese Helden nicht mehr fähig. Sie lassen sich bloß gehen, sie gleiten haltlos dahin wie „Stationschef Fallmerayer" (1933), der auf den Verdacht der Verführung hin seine Existenz preisgibt und die Frau mit ins Unglück reißt, oder „Tarabas" (1934), der ehrenwerte russische Oberst, der seine Vitalität im Branntwein ersäuft und nicht bemerkt, daß seine Untergebenen ein Pogrom veranstalten. Das Thema des „Radetzkymarschs" wird, mit teilweise gleichen Gestalten, in dem Roman „Die Kapuzinergruft" (1938) noch einmal aufgerollt. In der „Geschichte der 1002. Nacht" (1939) wird der Schah, der zu Besuch in Wien ist und eine bestimmte Dame wünscht, mit einem zweifelhaften Mädchen hintergangen. Aber der Vermittler, Rittmeister und Baron von Taittinger, kommt, als er die Affäre schon vergessen wähnt, in den Verdacht „der hohen Kuppelei". Er beginnt zu trinken, und als endlich, nach langen Jahren, „die Geschichte" immer noch nicht erledigt ist und aktenkundig wird, schießt er sich eine Kugel durch den Kopf. Liebenswerter als die leichtsinnigen Offiziere sind Roths Typen aus dem Volk, etwa Mizzi Schinagl und der Bursche Onufrij. Hier erreicht seine Schilderung Fontanesche Höhe. Mit wenigen Strichen, meistens im Gespräch, stellt er die Personen hin. Im Gegensatz zu Werfels Romanen über den Untergang Österreichs schildert Roth keine Intellektuellen, sondern Beamte, Offiziere und die soziale und sittliche Unterwelt, der sie verfallen. Auch ein so kräftiger Mann wie der Eichmeister Eibenschütz kann, in „Das falsche Gewicht" (1937), dem Schnaps und den Weibern nicht widerstehen. Selbst Napoleon wird in der Erzählung „Die hundert Tage" (1935) in Verstrickung mit dem Schicksal einer Magd gezeigt. Wie Taittinger ist auch Golubtschik in „Beichte eines Mörders" (1936) aus falschem Ehrgeiz zum Spitzel der russischen Geheimpolizei geworden und

Die Typen

muß selbst untergehen. In allen Geschichten ist die Tragik zwangsläufig. Selbst die Starken können sich dem Sog des Verderbens nicht entziehen und verfallen einem schicksalhaften Verhängnis.

Ähnlich wie René Schickele war Joseph Roth ein glänzender Feuilletonist, der bis 1933 in großen Zeitungen und Zeitschriften begehrte Skizzen, Aufsätze und Betrachtungen schrieb. Ein Teil der frühen Stücke, soweit Roth sie der Vergessenheit der Journale zu entreißen für wert hielt, erschien 1930 in dem Band „Panoptikum". Es sind Studien, wie sie Roth, der in Hotels und Kaffeehäusern „lebte", stets betrieben hat. Nach der Emigration nach Frankreich 1934 suchte er seine Irrfahrten in großartigen Städte- und Landschaftsbildern festzuhalten und nannte sie „Im mittäglichen Frankreich". Im „Tagebuch" – nach der Emigration im „Neuen Tagebuch" – schrieb er eine Reihe von Polemiken. 1934 ließ er eine Auseinandersetzung mit dem Ungeist der Zeiten unter dem Titel „Der Antichrist" erscheinen: überall, wo Bosheit und Verkehrtheit am Werk sind, regiert Satan.

Joseph Roth

Juden und Christen

Eine historische und soziologische Studie ist „Juden auf Wanderschaft", in der Roth den Weg der Juden aus dem Osten nach Wien, Berlin und New York beschreibt. Hier und in den Feuilletons war der Schriftsteller Roth immer lebendig, geistvoll und einfallsreich – man merkt, daß seine Romane zugleich Werke eines Journalisten sind, der sein Metier als Künstler verstand. Aus dem Nebeneinander von großem Einfall und detailliertem Bericht, einer aus der Erinnerung genährten Deskription und elegischer Trauer gewinnen die Romane ihre Struktur. Sie bilden Ketten von Szenen und Bildern, durch Motive und Personen verbunden, die ineinandergreifen. Viele Romane und Geschichten haben keinen Anfang und kein Ende – sie erzählen Ausschnitte und öffnen Einblicke.

„Leviathan", „Der heilige Trinker"

In zwei großen Erzählungen hat Roth gegen Ende seines Lebens sich selbst objektiviert, in dem Korallenhändler Piscenik, der von der Tiefe des Meeres träumt, aus dem seine Korallen kommen, dem Reich des „Leviathan" (1940), und in der „Legende vom heiligen Trinker" (1939), wo die kleine heilige Therese dem Trinker, als er in großem Elend ist, zweihundert Francs schickt. Joseph Roth erging es in der Emigration materiell und physisch schlecht. Das politische Unheil in Deutschland ließ ihn dem Laster seiner schwachen Helden, dem Branntwein, verfallen. Der junge Roth hatte mit seiner Heimatlosigkeit kokettiert – nun war er wirklich heimatlos geworden. Er zog sich immer mehr von der Welt zurück und dachte nach über die geheimnisvolle Zusammengehörigkeit von Judentum und Christentum im Glauben an den erwarteten und erschienenen Messias. Fünftausend Jahre die Zehn Gebote und zweitausend Jahre das Gesetz der Liebe: wer gegen solche Traditionen rebellierte, war ihm ein Helfer des Antichrist.

Heimito von Doderer

Blei und Gütersloh

Die literarischen Anfänge Heimito von Doderers lagen im Wien der ersten Nachkriegsjahre; es war nicht mehr das Wien Hofmannsthals und Schnitzlers, sondern Franz Bleis und Paris von Güterslohs. Am Anfang stand Franz Blei, dessen Schriften 1960 noch einmal, auf Anregung Doderers, mit einem Nachwort Güterslohs erschienen. Blei und Gütersloh hatten 1919 eine kurzlebige Zeitschrift, „Die Rettung“, herausgegeben. Gütersloh, 1887 in Wien geboren, ursprünglich Schauspieler, heißt eigentlich Albert Konrad Kiehtreiber. 1911 erschien seine „Tanzende Törin“, einer der frühen halb neuromantischen, halb expressionistischen Romane. In Paris entwickelte er sich unter Anleitung von Maurice Denis zum Maler und nahm den liturgischen Symbolismus auf, den kurz vorher Blei bei Paul Claudel entdeckt hatte. Wie Blei protestierte Gütersloh, als Literat, gegen das junge Wien, aus dem er kam, jene verwöhnte und snobistische Jugend der Vorkriegszeit. 1922 hielt er seine „Rede über Blei“, den er als Helden seiner

wissen diesbezüglich. Die Alten sind von mir leider
sehr vernachlässigt worden in den letzten Jahren. Das
geht nicht mehr so weiter. Und wenn ich einmal
drüben bei ihnen bin, lassen sie mich nicht weg!
Melzer war erfreut, daß sie so vertraulich zu ihm
sprach von ihren Angelegenheiten – wie zu einem Gatten.
Beinahe berührte es ihn so. Er hatte durch Secunden
eine ihm fremde und darum auffallende Empfindung des Bereits: des schon vollzogenen. Es war vorbei. Vorbei auch der Gipfel vom Berg des Lärms,
den die Spannung im eigenen Blut machte.
Die dicke Schoppung und Stoppung des Kommerses
gelöst, alles gelichtet, Konturen trat durch, dünnerer

Heimito von Doderer, Handschriftprobe

Novelle „Die Bekehrung“ (1945) und des Romans „Eine sagenhafte Figur“ (1946) darstellte. Gütersloh war inzwischen Akademieprofessor geworden und schrieb neben vielen Erzählungen im Lauf der Jahre an einem umfassenden Roman, der 1962 unter dem Titel „Sonne und Mond“ beendet wurde.

Gütersloh bei Doderer

Für den jungen Heimito von Doderer, 1896 bei Wien geboren, wurde Gütersloh Vorbild und Meister. In der „Strudlhofstiege“ huldigt er Gütersloh durch ein wörtliches Zitat an einer symbolisch bedeutenden Stelle. Es heißt dort vom Haupthelden, als er die Stiege hinaufsteigt:

Langsam ging Melzer hinauf, durch die Schichten gleichsam emportauchend, als stiege er vom Grunde, nicht also wie hinabtauchend in die Tiefe der Zeit. Ihm lag die Vergangenheit oben, als ein Helles, Schäumendes, daraus die Sonne gewesener Tage zu gewinnen war, kein Dumpfes und Dunkles. An diesem aber wollt' er sich bäumen, „die süße Luft der Oberfläche zu schmecken", wie Gütersloh einmal sagt.

HEIMITO VON DODERER

Doderer wuchs in Wien auf, wurde im Weltkrieg Offizier und geriet mit zwanzig Jahren, 1916, in russische Kriegsgefangenschaft. Vier Jahre später kehrte er aus Sibirien zurück und begann ein Studium der Geschichte. 1930 erschien „Das Geheimnis des Reichs, Roman aus dem russischen Bürgerkrieg". Im gleichen Jahr kam der Essay „Der Fall Gütersloh" heraus. Im folgenden Jahr begann Doderer die Arbeit an dem 1957 erschienenen Roman „Die Dämonen". In dem Essay über Gütersloh stellte Doderer seinen Freund Gütersloh ähnlich dar, wie dieser Franz Blei gezeichnet hatte, als priesterliche Figur, welche die moderne Kluft zwischen Ethik und Ästhetik schließen wollte. Für Blei und Gütersloh handelte es sich noch darum – auf den Spuren der französischen Nabis und Claudels –, Kunst und Katholizität zu vereinen. Doderer löste dieses Problem für seine Person mit dem Übertritt zur katholischen Kirche; als Dichter wollte er das Geheimnis des Lebens in den großen Romanen spiegeln. Eine Fülle von Gestalten und Handlungen wird kunstvoll verschlungen, und im Sinn des Ganzen haben das Große und das Geringe ihren gleichen Platz.

Ethik und Ästhetik

Vor den Hauptwerken veröffentlichte Doderer 1923 die Gedichte „Gassen und Landschaft", 1924 die Erzählung „Die Bresche, ein Vorgang in 24 Stunden" und 1938 den Roman „Ein Mord, den jeder begeht". Hinter der kriminalistischen Entlarvungsgeschichte steht die Entwicklung des Helden zu sich selbst. In seinem Schicksal wird – wie in den großen Romanen – der Untergang der bürgerlichen Welt sichtbar. Der Stil ist naturalistisch, die Ereignisse gehen ins Surreale über:

Kleinere Werke

Einst, in der Nacht, als sie noch im selben Zimmer schliefen, schlug Mariannes plötzlich und erschreckt eingeschaltete Bettlampe eine mattbunte Höhlung in die Dunkelheit des Gemachs: Conrad hatte geschrien, und zwar fürchterlich. Sie beugte sich über ihn und schüttelte ihn an den Schultern. „Hast du geträumt?" fragte sie nicht gerade sehr sinnvoll und eher zornig als tröstend. „Ich weiß nicht", sagte er und starrte sie verschlafen und erschrocken an. Jedoch, er wußte. Als das Licht wieder ausgeschaltet war, hing der Traum noch dicht und unzerronnen über ihm in der Finsternis, ja, sein Druck schien wiederzukehren, so daß Conrad nun seinerseits beinahe nach dem Knopf des Lichtes tasten wollte. In der Mitte des „Ankleidezimmers", das nächtlich war, seltsam hoch und blaß erleuchtet, saß auf dem Parkettboden schwarz, feucht, glänzend und in einer Art von furchtbarer Schamlosigkeit – ein meterlanger dicker japanischer Riesenmolch. Dahinter erhob sich an der Wand jener große Spiegel, der dort zwischen den Fenstern hing.

Ein Mord, den jeder begeht

Sigmund Freud und Otto Weininger waren die wissenschaftlichen Erfinder jener Wiener Gespenster, welche die Ruhe der Bürger störten. Das literarische Muster bot Dostojewskis „Raskolnikow". 1940 erschien „Der Umweg", ein Roman aus der Mitte des siebzehnten Jahrhunderts, der ein Motiv aus Enrica von Handel-Mazzettis Welt behandelte. Eine Magd rettet einen verurteilten Soldaten vom Galgen, indem sie ihn heiratet. Sie wird jedoch von einem spanischen Grafen geliebt, und der Soldat kommt, nachdem er diesen umgebracht hat, doch an den Galgen. Doderer interessiert nicht die novellistische Fabel, sondern wie die Tat aus den Charakteren hervorgeht.

„Der Umweg"

Heimito von Doderer

Alle andern Erzählungen — und Gedichte — Doderers sind Arabesken zu den Hauptwerken, „Die Strudlhofstiege oder Melzer und die Tiefe der Jahre“ (1951) und „Die Dämonen nach der Chronik des Sektionsrates Geyrenhoff“ (1956). Der Titel des zweiten Romans erinnert, ebenso wie der Umfang, an Dostojewski. Das Thema der Werke ist der Untergang des alten Österreich, insbesondere der Gesellschaft Wiens. Die „Strudlhofstiege“ spielt in den Jahren 1910/11 und 1923/25. Sie ist ein Vorspiel zu den „Dämonen“, deren Handlung in den dreiviertel Jahren vor dem Brand des Wiener Justizpalasts, dem 15. Juli 1927, spielt. Der Brand dieses Gebäudes eröffnet für Doderer das neue Zeitalter der dämonischen Massen und der über sie verhängten Katastrophen. Etwa fünfzig Hauptfiguren bewegen sich in den beiden Büchern; diese bilden ein „Zeitgemälde“, sind zugleich aber Ehe-, Entwicklungs-, politischer und Kolportageroman. Doderers Stil mischt epische und essayistische Elemente, erreicht aber nur selten die schwebende Balance von Musils „Mann ohne Eigenschaften“ oder die spröde Ruhe Hermann Brochs. Typisch ist die Bindung aller Figuren an ihr Schicksal, das stärker als der Wille oder gar die Ideologie ist: Jeder muß eine Aufgabe an der ihm zugewiesenen Stelle erfüllen. Der Gedanke ist nicht philosophisch-fatalistisch, sondern christlich bestimmt. Während eines konventionellen Gesprächs über die Braut Ethelka heißt es, ausgehend vom bräutlichen Zustand:

Aus der „Strudlhofstiege“

Jeder untersteht oder unterliegt den Gesetzen derjenigen Kategorie, in welche ihn das äußere Leben gestellt hat, ganz unangesehen, ob sein Kopf jetzt Wahres oder Falsches über diesen Punkt enthält. Es kann einer Sektionsrat im Finanzministerium sein und dabei gar kein Beamter im gewöhnlichen Sinne, ja, er kann wider Willen in diese Carrière hineingezwungen worden sein, oder er kann wesentlich zu einem ganz anderen Menschentypus gehören, etwa zu dem des Künstlers — schau dir den Ministerialrat P. an, der übrigens bei Küffers oft die Viola gespielt hat — die Welt wird ihn als Beamten nehmen, ihn immer wieder förmlich in seine Kategorie zurückdrängen und ihn zugleich darin halten, aufrecht erhalten, stützen. Und die Welt weiß in diesem Falle wirklich, was sie tut. Genau das gleiche hast du, wenn einer als Rekrut einrücken und Soldat werden muß oder als Reserve-Leutnant herumlaufen. Er mag der überzeugteste Anti-Militarist sein, so steht er doch jetzt unter den Gesetzen seines nunmehrigen Standes. Und damit meine ich jetzt aber nicht die geschriebenen Gesetze und deren äußeren Zwang, die Dienst-Pragmatik des k. k. Finanzministeriums oder das Dienst-Reglement beim Militär. Sondern durchaus das innere Funktionieren. Man kann nicht das, was man vorstellt, um mit Schopenhauer zu reden, dauernd negieren von dem her, was man ist oder nur sein will ...

Existentielles Verhalten

Unter solchem Zwang stehen hier alle Personen, die Damen und Herren, die Kinder und Mädchen, der Verbrecher Meisgeier (in den „Dämonen"), die Beamten, der komische Pensionär Zihal, der sein Fernrohr dazu benützt, um in die Fenster der Nachbarschaft zu blicken: das Thema stammt aus einer Episode der „Strudlhofstiege", und daraus entstand 1951 der Roman „Die erleuchteten Fenster oder Die Menschwerdung des Amtsrates Julius Zihal". Doderer geht wie Nestroy ernst, heiter, grotesk und böse zugleich vor. Zwar ist er wie Blei dem Erotischen verfallen, aber es gehört zu dem „Müssenden", über das man beruhigt sein kann. Doderer unternimmt als Dichter die Darstellung eines Faktischen, das so ist, *weil* es so ist. „Die Strudlhofstiege" hat er in den Jahren nach dem zweiten Weltkrieg geschrieben. Die „Dämonen" ließ er erst später erscheinen. Die Erzählung „Das letzte Abenteuer" (1953) hat er mit einem autobiographischen Nachwort versehen. 1957 versuchte er — der Nichtlyriker — sich noch einmal an Versen („Ein Weg im Dunkeln", Gedichte und epigrammatische Verse). 1958 erschienen „Die Posaunen von Jericho" und der Essay „Grundlagen und Funktion des Romans", 1959 die Erzählungen und Kurzgeschichten „Die Peinigung der Lederbeutelchen".

Kritik an der Sprache

Doderer ist ein eigenwilliger, ja kauziger Autor. Weite Strecken seiner Romane sind in naturalistischer Manier geschrieben, andere lesen sich wie ein Gesellschaftsroman, manche wie eine Hintertreppengeschichte. Dann kommen wieder dichterisch-epische Einschübe und meditative und humoristische Stellen von Raabeschem Rang. Die ständigen Schwankungen des Stils, der Gefühlslage und der Qualität spiegeln sich bis in das syntaktische und grammatische Gefüge. Auf der einen Seite möchte Doderer die Alltagssprache überwinden, auf der andern Seite erliegt er ihren Banalitäten: „Sogleich nach Erhalt des Blankos von Seiten Theas war Hedi Loiskandl, der freudige Hiobspostler (eine besonders empfehlenswerte Sorte!), aus Spannung und Interesse geraten, was der Thea Rokitzer hätte auffallen müssen, jedoch war dies infolge ihres filmisch gemilderten Zustandes nicht der Fall."

Zahlreiche ähnliche Stellen bestätigen den Verdacht seiner Kritiker, daß Doderer seinen dichterischen Visionen sprachlich nicht folgen könne. Großartiges steht neben Plattem, ein überzeugendes und in sich folgerichtig entwickeltes Weltbild findet keinen organischen Ausdruck.

Agnes Miegel

Der ostpreußische Untergrund

Ostpreußen war die Heimat von Arno Holz, Hermann Sudermann, Alfred Brust, Albrecht Schaeffer, Thassilo von Scheffer und Ernst Wiechert. Agnes Miegel hat ihr Leben mit einigen Unterbrechungen bis 1945 in Ostpreußen zugebracht. Zu ihren Vorfahren zählten nieder- und oberdeutsche Familien, aber sie wirkt als Dichterin durchaus östlich. Die slawisch-skythische Welt spielt nicht nur thematisch in ihren Gedichten und Erzählungen eine große Rolle, sondern auch formal

Agnes Miegel, Plastik von Schrott-Fiechtl

leben die Dichtungen von Traum, Vision und romantischer Rückerinnerung. In Ostpreußen, das ein Kolonialland war, wucherten die Geister des Pruzzentums im seelischen Untergrund; und wenn die Dichterin nach England, Schottland und Irland kam, so spürte sie auch dort die – von der Oberfläche verschwundene – Welt des alten Zaubers, des Zweiten Gesichts, der Urerinnerung und Mythe. Das lag an der seelischen Struktur einer Frau, welche die moderne Intellektualisierung abwehrt und sich zum Boden, zur Erde, zur Urzeit, zu den älteren Sippen- und Kultverbänden gezogen fühlt, ähnlich wie bei Annette von Droste-Hülshoff, die stark auf Agnes Miegel gewirkt hat. Sie ist ein matriarchalischer Typ.

Vorbilder und Anfänge

Agnes Miegel, 1879 in Königsberg geboren, begann heimlich schon auf der Schule zu dichten. Die bürgerliche Atmosphäre des Vaterhauses kannte das Gedicht nur als sonntägliche Unterhaltung. Die ersten Eindrücke kamen von Felix Dahn, Annette, Goethe und Fontane – und immer waren es Balladen, die dem jungen Mädchen gefielen, eine Gattung, die bald darauf von Börries von Münchhausen als Kunstform wiederbelebt wurde. Im Göttinger Musenalmanach von 1899 erschienen ihre ersten Gedichte, und als Münchhausen seine Theorie der Ballade begründete, nahm er als Musterstück Agnes Miegels „Die Mär vom Ritter Manuel" (1907). Die ersten „Gedichte" der Miegel waren 1901 erschienen, liedhafte Stücke im romantischen Schema, aber schon mit dem „pruzzischen" Thema der romantischen Urzeit:

„Mainacht"

O meine selige Jugend!
Blaue Tage am Ostseestrand,
Wenn in den grauen Schluchten
Jeder Baum in Blüte stand.

O glühende Sommernächte,
Am offenen Fenster durchwacht!
Ferne Gewitter rollten
Im Westen die ganze Nacht,

Und über den Lindenwipfeln
Führten im Blitzesschein
Die alten Preußengötter
Ihren ersten Frühlingsreihn,

Herden und Saaten segnend,
Schwanden sie über das Meer.
Ihre hohen Bernsteinkronen
Blitzten noch lange her.

Die Balladen

Im Jahre 1907 erschienen die „Balladen und Lieder" als Buch, sie haben den frühen Ruhm der Dichterin begründet. Da finden sich biblische Balladen von den unschuldigen Kindern, von Melchior und Magdalena, historische Balladen aus der deutschen und englischen Geschichte und aus der mythischen Vorzeit. Sie haben den Prunk und das Pathos der Gründerzeit und sind uns ferngerückt. Von „Jane" heißt es:

Sechs Schritte vom Fenster zum Kamin,
Drunten der Richtplatz von Tower Green.
Auf und ab, tausendmal
Maß den Weg Unrast und Qual.

Das Kerkerfenster ist blind und grau,
Die Wände sind tief, verwittert und rauh,
Sind rauh von Schrift. In Kreuz und Stein
Schrieb Jammer mit feurigen Fingern ein ...

Übergang zur Erzählung

Agnes Miegel muß nach dem ersten Weltkrieg, als die altbürgerliche Herrlichkeit Ostpreußens ins Wanken kam, selbst gespürt haben, wie brüchig diese Welt geworden war; denn sie wandte sich dem epischen „Spiel" und der Erzählung zu – einer Gattung, wo ihr Talent zu bezeichnender Entfaltung kam. 1926 erschienen die „Geschichten aus Altpreußen" mit den schönen Erzählungen „Die Fahrt der sieben Ordensbrüder" und „Die schöne Malone". In der ersten erleben sieben Ordensbrüder die grausige Agonie des heidnischen Preußentums, in der zweiten taucht ein verwunschenes Mädchen nach langer Zeit als Dienerin auf, verschwindet aber nahezu spurlos wieder bei einem Gewitter. Immer hat A. Miegel der gespenstische und magische Untergrund der Geschichte angelockt. Ein Grundthema ist die geheimnisvolle Heilung des Menschen durch Berührung mit den Urkräften: dem Wasser, dem Blitz, dem Bernstein, der Heimat, den Naturgeistern, den ungestorbenen alten Göttern. (Alfred Brust, Stefan George, Gerhart Hauptmann, Alfred Mombert, Max Mell, Hermann Broch und Ernst Barlach sind, um die gleiche Zeit, in Urlandschaften der Sage und Mythe, der Urparadiese und des kindhaft reinen Zustands zurückgekehrt.) Damit hängt wohl auch zusammen, daß Agnes Miegel glauben konnte, die Ideen des Nationalsozialismus wiesen auf Wahrheiten der Geschichte zurück. Ihre Neigung zum heroisch verstandenen heidnischen Urzustand, zum vorgeschichtlichen und germanischen Element innerhalb der europäisch-mediterranen Geschichte machte die Täuschung möglich.

Urkräfte der Seele

Ur-Geschichte

Den Kern des Miegelschen Wesens erkennt man aus den reifen Geschichten von Gespenstern, Sippen, Träumen, Zweitem Gesicht, Ahnung, Todeserotik und Kinderparadies. Am schönsten sind „Licht im Wasser" (1937), in der samländischen Vorzeit spielend, die Gespenstererzählung „Die Mahr" (1928), „Verena" (1940), die Tiergeschichte „Am Schlangenberg" (1937), die Odysseuserzählung

Agnes Miegel
Balladen und Lieder
Jena 1907
Verlegt bei Eugen Diederichs

Titelblatt von F. H. Ehmcke

„Der Ruf“ (1949), die fast zu einem Familienroman sich dehnende Geschichte „Dorothee“ (1931) und die an Adalbert Stifters „Narrenburg“ erinnernde, in Irland, Baden-Baden, Schweden und anderswo spielende kunstvoll verschlüsselte Reiseerzählung „Besuch bei Margaret“ (1940, im „Inneren Reich“ zuerst veröffentlicht). Ein junger Deutscher will in Irland einen Zweig der Familie besuchen und trifft eine alte Nurse, die, Altes und Neues wunderbar-närrisch vermengend, die romantische Geschichte eines alten Clans aus Dokument, Traum und Erinnerung beschwört. Nachts im Schlaf erscheint dem Gast ein Reigen der Gestalten im Traum. Agnes Miegel schreibt:

Der Traum aus „Besuch bei Margaret“

Zuerst erschienen sie ihm winzig klein wie ein Schmetterlingszug, dann größer, schimmernd wie Vögel. Sie wurden zu kinderkleinen Gestalten und zuletzt wuchsen sie zu Menschengröße. Da waren Dudelsackpfeifer und Kinder, die auf langen Flöten bliesen, und andere, die ein seltsames Instrument hämmerten oder auf kleinen Harfen spielten, während sie tanzend vorüberzogen, wunderschöne Kinder mit grünen Kränzen in den wehenden Locken, die ihre spitzen kleinen Ohren freigaben. Ein alter Mann schlug mit der Hand den Takt ihrer Weise, der glänzende Mantel wehte um ihn, der wie ein Bauer gekleidet war und Oskar mit listigem Augenzwinkern zulachte, während er in die Hände schlug. Kleine Frauen, zierlicher noch als die Kinder, schwammen in dem Lichtschein, als wäre es ein glänzender Bach, bewegten perlmutterbunte, muschelgeschmückte Fischschwänze und wiegten kleine rotgoldene Karpfen und weißbäuchige Schollen, mit Korallenkettchen geschmückt, wie Kinder in ihren Armen. Dann folgten ihnen wieder die Pfeifer, und zuletzt kam ein schlanker Trommler, dessen Wirbel, dumpf und gleichmäßig wie Kuckucksruf in der Mittagsstunde, die fremde Weise übertönte. Er wandte das schöne, dunkle Haupt, und nie, meinte Oskar, hatte er so ein stilles Gesicht erblickt wie dieses, dessen dunkle Augen von ihm fort nach denen blickten, die jetzt lautlos auf ihren weißen Pferden heranritten. Zuerst ein gewappneter Greis mit fremdartigem Helm, der wie eine bronzene Sonnenscheibe um sein schmales, bartloses Antlitz stand. Vor sich auf dem Sattel hielt er eine sehr junge Frau, deren langes goldenes Haar im Wind wehte. Die beiden waren die einzigen, die Oskar deutlich erkennen konnte, denn nun wurde es ein buntes Wirbeln, wie Wipfel im Sturm, von grünen und glänzenden Mänteln, von blitzenden Waffen, von einem lauten Brausen wie Meeresbrandung. Möwenschrei, hell und grell, wie über den Dünen daheim, klang herüber, es flappte wie

Vogelschwingen und Segel, ein Lied kam, nicht wild und süßlockend wie die Weise der Kleinen, sondern dumpf und stark, wie Heldenlied und Totenklage . . .

Die magische Welt

Es ist eine mediale Erzählweise in einer traumdichten Prosa, wie sie sonst nur Regina Ullmann und Emily Brontë haben schreiben können. Durch sie treten uralmagische und sagenhafte Mächte in die Gegenwart, aber nicht als „Romantik" oder literarische Mache, sondern aus der Tiefe hervorbrechend. Das Christentum der Dichterin erscheint als Fortsetzung ingwäonischer Kulte, und unterhalb alter Kulturnationen der Gegenwart vertritt sie eine pruzzisch-keltische Vorwelt, wo Mahre und Heroen natürlich, der moderne Städter und rational Gebildete willkürlich und künstlich wirken.

Regina Ullmann

Das geistige München

Regina Ullmann (1884–1961) stammte aus Sankt Gallen in der Schweiz. Sie kam früh nach München und schrieb eine kleine Dichtung „Feldpredigt", die 1908 in der Inselbücherei erschien. Die Autorin sandte das Büchlein an Rainer Maria Rilke, und daraus entwickelte sich ein Lebensfreundschaft. Regina Ullmann hat etwa drei Jahrzehnte in München gelebt. Als alte Frau erinnerte sie sich an eine Vorlesung Norbert von Hellingraths. Sie verkehrte im Hause Wolfskehls und lernte Anna Derleth, die Schwester Ludwig Derleths, kennen. Unter seinem Einfluß konvertierte Regina Ullmann. Lou Andreas-Salomé, das Malerehepaar Caspar-Filser, Hans Carossa, Ina Seidel und schließlich Wilhelm Hausenstein gehörten zu ihren Freunden. Während der Kriege kehrte sie in ihre Schweizer Heimat zurück. Die letzten Jahre verbrachte sie bei ihren Töchtern in der Umgebung von München, wo sie auch begraben ist.

Die frühen Werke

„Feldpredigt" war das Drama von einem kranken Knaben, dem der Vater Nichtsnutzigkeit vorwirft. Erst als er tot ist, ahnt der Vater, was er verloren haben könnte. Etwas Elementares, Rauhes durchbrach die symbolistische Form. Alles schien aus einem rein dichterischen Herzen zu kommen. Rilke versah ihr nächstes Prosabändchen „Von der Erde des Lebens" (1910) mit einer Einleitung und traf mit seiner schwebenden Charakterisierung den richtigen Ton: „Vielmehr möchte man behaupten, es wäre völlig Rohes unter sublim Vollendetes geschoben, und zwar so, daß das Köstliche, davon unterstützt, in eine subtile ständige Lage kommt, in ein großartiges Aufruhn, das man ohne weiteres für ewig hält." Das Buch enthielt Betrachtungen, Zwiegespräche, legendarische oder märchenhafte Geschichten und Erlebtes mit eingestreuten Versen. Nach dem Kriege, 1919, erschien ein Bändchen „Gedichte", freirhythmische und spruchhafte Gebilde. Themen und Klänge, zumal die balladischen, ließen Rilkes Einfluß erkennen.

„Im Mohnfeld zur Gewitterzeit"

Ich ging im Mohnfeld zur Gewitterzeit
vor vielen Jahren –
und es war mein Kleid
von rotem Seidenstoff und mächtig weit . . .
wie umgestülpter Mohn aus Seidenhaaren

Und schlug ein Rad aus mir und deckt' das Feld
vor den Gefahren –
und rief als Zeugen mich der höheren Welt,
die mich auf dieses rote Feld bestellt
für diesen Tag vor ungezählten Jahren!

In den folg
und Jahrzeh
nen zahlreic
gen, „Die
(1921), „Die
(1925), „V
Stillen“ (19
in der K
„Der Enge
„Madonna
und „Sch
(1954). In
gen Gesan
wurden no
fragmente
rungen u
schienene
geteilt.
Das Gesa
nicht 900
als die m
65 Erzä
bescheid
alten N
dern,
Mädche
schen,
erinner
schränk
die Er
lichen
stem F
haben

Der Traum
als Wahrbild

Wie n
stand
orden
süßen
oft ge
gehrt
So sa

Der
wert
Dich
süße
kon

Frau
sche

Dir fehlt die Härte,
Ewigzeitiger
und wie zu früh
gereifte Früchte,
oder in den Schnee
gefallene Blüten
sind deine Werke.
Keine Zeit
ist mehr in ihnen.
Die Zeit,
die jedes Korn
und jede Beere,
die ein Trunk Wasser,
der vom Gebirge
niederrinnt,
in sich hört,
die das Tier
das es wittert, kennt,
wie Abend oder Früh. –

Regina Ullmann, Handschriftprobe

Jüngling seinen Schöpfer (den zu nennen und in das Leben einzubeziehen, ihm nicht gelehrt worden ist) nicht einmal denken. So war es dem Greis vorgekommen. Doch wer sollte ihn, diesen Knaben, darüber belehren? So eng umgrenzt das Leben einer solchen Seele sein mochte: es bedurfte anscheinend noch ganz anderer Schläge, um einen Funken zu wecken.

Das Todesmotiv ist hier ähnlich wie bei Hofmannsthal und Rilke eingeführt; das Leben erhält vom Tode her eine fördernde Spannung. Dies Empfinden ist dem Menschen der Gegenwart, „diesem Knaben“, abhanden gekommen – und darin liegt der eigentliche Mangel seiner Existenz. Jeder „Crétin" ist ihm in diesem Punkt voraus – und nimmt seine Seligkeit, „als sei sie ein Brotlaib", geradewegs in den Himmel.

Somnambule Befangenheit

1920 erschien die Erzählung „Von einem alten Wirtshausschild". Ein blödsinniges Mädchen ist nahe dem Wirtshaus einer uralten Wirtin zurückgeblieben und wächst auf. In sie verliebt sich zu seinem eigenen Erstaunen ein Bauernbursche; diese Liebe ist anderer Art, als er berechnet hatte. Er ist brünstig wie die Hirsche im Wald und stellt sich vor, er könne die schöne Blödsinnige rauben. Sie war ja doch nur ein Tier, sagt er, und dann ist nur das eine wahr, „daß er sie haben wollte". Großartig ist die nächtliche Begegnung mit der Hirschkuh in die Fabel gewoben und wie der Bursche, das Röhren nachahmend, die Hirsche auf sich zieht:

Immer wieder war der Mensch da, der da wie tot auf dem Grase lag, der die Heftigkeit ihrer Sprünge von neuem wachrief. Wie oft sie den Schädel getroffen, wie oft die Arme und Füße gestreift, ist nur zu ahnen. Einmal gemerkt in ihrem Hirschherzen, vergaßen sie ihn auch nicht mehr. Darin bewährt das Tier noch seine urhafte Wesenheit. Es beharrt. Mit seinen röhrenden Lauten drang es auf ihn ein. Es machte einen furchtbaren Kampf mit einem wehrlosen Menschen. Seine Geweihe trugen ihn. Über den Bach, über den Nebel hinaus. Es schien die Last gar nicht zu spüren. Und wortlos wie diesen der Schreck gemacht hatte, schien er auch ihn gefühllos zugleich zu machen. Und der freudige Zorn des Tieres trug ein scheinbar Unbewegliches mit seiner wachsenden Kraft hinfort. Einer jagte dem andern ihn ab. Einer sprang vor dem andern her, mit der Beute auf dem breiten Geweih. Der Mond, die Sterne rührten sich nicht. Gott rührte sich nicht. Der Wald, die Wiese lagen da, als seien sie nicht. Nur die Tiere, mit diesem, der sie vergeblich getäuscht hatte in seinen Rohrstiefeln, als sei er eine Hirschkuh, eine reine unschuldige, nur die Hirsche wogten noch immer in ihrem Gange mit der Beute auf ihrem Geweih. Die röhrenden Laute waren verstummt. Die Tiere schienen nur noch Freude zu sein, leerer Triumph.

Die verborgene Musik

Das Motiv der Reinheit, der Triumph des „schönen Nichts" über das Unreine und Verwirrte in dieser „musikalischen" Traumgeschichte hat Rilke noch tief beeindruckt. In dieser Geschichte steht der Hinweis auf die Herkunft der Dichtung: „Dies Leben hat wahrhaftig noch irgendwo eine Tanzbodenmusik, der wir nur noch nicht ganz auf die Spur gekommen sind." Diese verborgene Musik hat Regina Ullmann wahrgenommen, und nach ihr hat sie ihre Geschichten niedergeschrieben.

Gertrud Kolmar

Leben und Ende

Gertrud Kolmar ist 1894 in Berlin als Tochter eines Strafverteidigers geboren und wuchs im Widerspruch gegen die reiche Wilhelminische Epoche auf. Früh beschäftigte sie sich mit der Französischen Revolution, der deutschen und östlichen Geschichte und dem Zionismus. Sie wurde Sprachlehrerin und erlebte zu Anfang des ersten Weltkrieges eine Liebesenttäuschung, die als Grundmotiv durch zahlreiche Gedichte geht. Die elementare Wildheit einer „barbarisch" reinen und edlen Natur spricht aus dem an die Droste erinnernden Gedicht:

„Du"

Du. Ich will dich in den Wassern wecken!
Du. Ich will dich aus den Sternen schweißen!
Du. Ich will dich von dem Irdnen lecken,
Eine Hündin! Dich aus Früchten beißen,

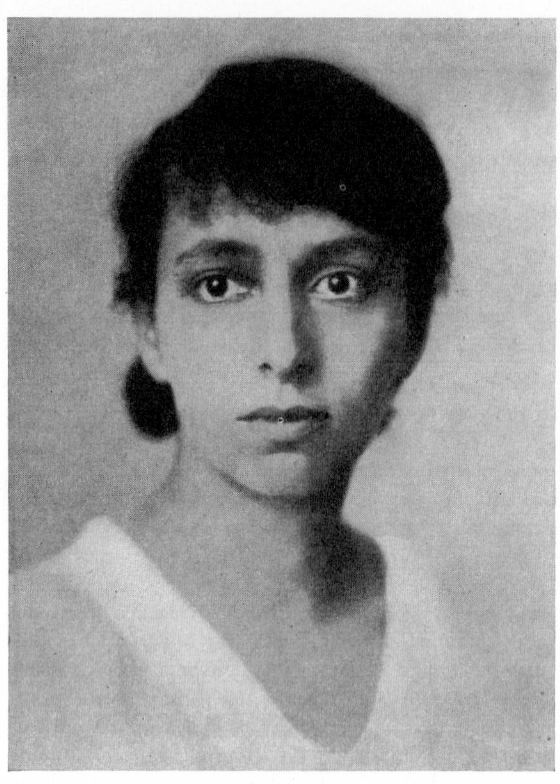

Gertrud Kolmar

Eine Wilde! Du. Ich will so
vieles —
Liebes. Liebstes. Kannst du
dich nicht spenden?
Nicht am Ende des Levkojen-
stieles
Deine weiße Blüte zu mir
wenden?

Sieh, ich ging so oft auf
harten Wegen,
Auf verpflastert harten, bösen
Straßen;
Ich verdarb, verblich an Glut
und Regen,
Schluchzend, stammelnd:
„. . . über alle Maßen . . .“

Und die Pauke und das Blas-
rohr lärmten,
Und ich kam mit einer
goldenen Kette,
Tanzte unter Lichtern, die
mich wärmten,
Schönen Lichtern auf der
Schädelstätte . . .

Gertrud Kolmar wünschte sich ein schlichtes Leben mit Mann und Kind; es war ihr nicht beschieden, und sie wurde, noch im Kriege, Dolmetscherin. Ihr Vater zeigte 1917 heimlich ihre Lyrik einem befreundeten Verleger, und so erschienen die „Gedichte“ (1917). Es waren drei Zyklen: Mutter und Kind, Mann und Weib, Zeit und Ewigkeit. Nach dem Kriege reiste die Dichterin nach Frankreich. Sie verwies später auf die französische Dichtung und die gleichen (französischen) Vorbilder, als man Rilkes Einfluß bei ihr finden wollte. Zurückgekehrt wurde sie Erzieherin kranker und taubstummer Kinder. Eine von Karl Otten aus dem Nachlaß veröffentlichte Erzählung „Susanne“ spielt in der Märchenwelt dieser Kinder. Nach dem Tode der Mutter brachte der alternde Vater die Kraft nicht mehr auf, Deutschland rechtzeitig zu verlassen. Die Dichterin blieb bei ihm und hatte die Schikanen und den Terror zu erdulden, die deutschen Juden angetan wurden: Beengung des Raums, des Umgangs; schließlich wurde sie in eine Kartonagenfabrik dienstverpflichtet, der achtzigjährige Vater wurde nach Theresienstadt verschleppt. Im Frühjahr 1943 wurde die Dichterin selbst deportiert. Ihre Schwester schrieb: „Nie wieder hat jemand von ihr gehört. Niemand weiß ihre Todesstunde, kennt ihren Todestag. Kein Gedenkstein kündet von ihr.“

Die ersten „Gedichte“

Die jüdische Tragödie

Das dichterische Werk

Gertrud Kolmar war als Mensch so verschlossen, daß sie sich nur zögernd bewegen ließ, ihre Gedichte zu veröffentlichen. 1934 erschien das Bändchen „Preußische Stadtwappen“, die im Sommer 1927/28 entstanden waren. Es sind Gedichte auf die Wappen der norddeutschen Städte von Niedersachsen bis Ostpreußen. Kurz vorher hatte Elisabeth Langgässer, zusammen mit Ina Seidel, vier Gedichte der

Gertrud Kolmar in eine Anthologie moderner Frauenlyrik aufgenommen. Sie hat auch den Druck der „Preußischen Stadtwappen" gefördert. 1938 erschien unter dem Familiennamen Gertrud Chodziesner („Kolmar" war Pseudonym) im Jüdischen Buchverlag der Band „Die Frau und die Tiere". Alles andere wurde erst nach ihrem Tode veröffentlicht, mit Ausnahme einiger weniger Stücke in Zeitschriften und dem Insel-Almanach von 1930. Die beste Ausgabe ist die von Friedhelm Kemp mit dem Titel „Das lyrische Werk" (1961).

Die Motive

Ein großer Teil der Gedichte, etwa ein Drittel, gilt den Themen der Frauenlyrik, Liebe und Kind, Sehnsucht nach Erfüllung. Ein anderes Drittel gehört zur balladischen Dichtung, wie sie seit Uhland durch das neunzehnte Jahrhundert ging, stark rhythmisch bestimmt und streng gereimt, gesammelt unter den Titeln „Napoleon und Marie" und „Robespierre". Es sind Lieder, Sonette und Balladen im deklamatorischen Stil. In dem Gedicht auf den jungen Saint-Just heißt es:

„Die Messe von Soissons"

Sie leuchten. Ihre Herzen brennen klar.
Rekruten. Knaben, die der Lese reifen,
Dem Schlachtfeld, Säbelstreich und Kugelpfeifen –
Noch lügt der Tod, spricht nur das Leben wahr . . .

Auch die Stadtwappengedichte skandieren häufig über den Sinn der Worte hinweg, es sei denn, die Dichterin stieße auf „ihr" Thema vom Moor und Sumpfgetier. Hier liegt die Nähe zu Elisabeth Langgässer und dem spätexpressionistisch malenden Naturgedicht. Im „Wappen von Ahlen" (in Rot gerundeter silbriger Aal mit Flügeln und goldener Krone) stößt sie auf das Symbol des Zyklischen, Schlange und Aal, das sich auch bei F. G. Jünger findet:

Ich feuchte tief einen roten Grund
Mit lieblich schlüpfriger Kühle;
Quäl ich lächelnd den Erdschoß wund,
Wackelt zitternd die Mühle.
In Stuben rücken die Stühle.

Chiffre-Natur

Der Vater hatte Gertrud Kolmar mit der Natur vertraut gemacht. Er hatte ihr Pflanzen und Tiere gezeigt. Sie war wie ihre Generation im Widerspruch gegen den rationalen Zeitgeist aufgewachsen. So wurde ihr die Natur Chiffre und Schlüssel des Seinsgeheimnisses. Das Magische ist Gegenteil des Rationalen; das Tier gehört ganz jener fremden Ordnung des Lebens an; sie empfand Wasser, Sumpf und Moor als Schoß des unerschöpflich quellenden, sich aus der Materie emporringenden Lebens. Gertrud Kolmar hat in den magischen Gedichten die Tiefe auch sprachlich umworben:

„Der Seegeist"

Die Glashaut meiner Lider
Verwirft die Nacht, verwirft das Licht;
Der Möwe Sturmgefieder
Hat keine Feder, die sich bricht.
Weil ihre wölbige Schale
Nicht von des Auges Sternfrucht sprang:
Es sah den Tanz der Wale
Und fühlte niemals Salz noch Tang.

Die Sprache wird körnig und wie gerauht. Sie wagt sich jedoch, ähnlich wie bei Hans Leifhelm, nicht von Rhythmus und Reim zum freien Parlando zu lösen:

„Die Kröte"

Ein blaues Dämmer sinkt mit triefender Feuchte;
Es schleppt einen breiten rosiggoldenen Saum.
Schwarz steilt eine Pappel auf in das weiche Geleuchte,
Und milde Birken verzittern zu fahlerem Schaum.
Wie Totenhaupt kollert so dumpf ein Apfel zur Furche,
Und knisternd verflackert mählich das herbstbraune Blatt.
Mit Lichtchen gespenstert ferne die dürstende Stadt.
Weißer Wiesennebel braut Lurche.

Im Expressionismus hatte man auf die Bindungen des Reims und Rhythmus verzichten wollen: lieber den unartikulierten Schrei als die Bindung an das traditionelle Geleier. Gertrud Kolmar kennt diese Ekstase nicht. Sie will die Natur ergründen und zugleich ordnen. Die geheimnisvolle Metapher „Leben" geht in dem elegischen Zyklus „Welten" ein Bündnis mit allen Themen ein, welche

Gertrud Kolmar, Handschriftprobe

die Dichterin bewegten: Liebe, Kind, Verzicht, der Osten, Asien, der väterliche Sommergarten, die Tiere, das Dienen, das Opfer, das Alter, das jüdische Schicksal, Untergang und Vertrauen. Das Einhorn, das Fabeltier, schreitet durch die Welt, und zum Schluß bestimmen die Tiere von Ninive den Propheten Jona, sein Werk zu tun. Diese Elegien sind in freien Rhythmen geschrieben. Es sind Visionen einer Sibylle, die den Reichtum der Welt im Parlandoton zum Bilde formt:

„Die Stadt"

Sie gingen
Durch den Nebel leicht kühlen Wintermorgen, Liebende, Hand in Hand.
Erde bröckelte hart, gefrorene Pfütze sprang gläsern unter den Sohlen.
Drunten am Uferwege
Saß einer in brauner Sammetjoppe vor seiner Staffelei
Und malte die blattlos hängende Weide.
Kinder pirschten neugierig näher,
Und die Großen hielten für Augenblicke mit ihrem Gange ein, tadelten, lobten.
An dem algengrünen, glitschigen Stege
Schwamm ein lecker, verrotteter Kahn.
Drei Schwäne über den Wellen
Bogen die stengelgleichen Hälse, schweigend, entfalteten sich, blühten.
Die Frau brach Brot und warf es weit in die Flut.

MARIELUISE FLEISSER

Im Jahre 1929 wurde in Berlin das Lustspiel „Pioniere in Ingolstadt" aufgeführt und hatte großen Erfolg. Die Verfasserin war Marieluise Fleißer, geboren 1901. Drei Jahre vor den „Pionieren" hatte Uwe Seeler „Die Fußwaschung" von Marieluise Fleißer aufgeführt. Im Jahre 1929 erschien ein Band Erzählungen unter dem Titel „Ein Pfund Orangen" und 1931 „Mehlreisende Frieda Geier, Roman vom Rauchen, Sporteln, Lieben und Verkaufen". Die literarische Karriere der Dichterin wurde 1933 unterbrochen; die „Pioniere von Ingolstadt" wurden von Studenten öffentlich verbrannt. Die Autorin, seit 1929 in Berlin lebend, galt als politisch unerwünscht. Sie kehrte nach Ingolstadt zurück, wo sie seither lebt.

B. Brecht als Anreger

Lion Feuchtwanger hatte die junge Marieluise Fleißer mit Bert Brecht bekannt gemacht, und die „Pioniere" sind nach einer Anregung Brechts geschrieben, der dann den Kritiker Herbert Ihering und den Regisseur Seeler auf das neue Naturtalent hinwies.

„Mehlreisende Frieda Geier"

In ihrem einzigen Roman hat Marieluise Fleißer die Welt der ackerbürgerlichen Kleinstadt am „Danubienfluß" beschrieben. Das Volk erscheint wie es ist, fern der Welt der üblichen Bauernromane oder der sozialkritischen Bauerngeschichten. Der traurige Held des Romans ist ein Genußmittelkaufmann, der einen kleinen Laden eröffnet, der nicht recht floriert. Dieser Gustl ist ein tüchtiger Sportsmann und hat schon manchem Ertrinkenden das Leben gerettet. Frieda Geier, die Mehlreisende, seine Braut, hat es in harten Jahren zu einer selbständigen Existenz gebracht. Als er meint, sie könne ihm finanziell beispringen, kommt es zum Bruch. Er versucht brutal, sie zu halten. Aber Gustl Amricht ist nicht der Mann wirklicher Entscheidungen. Er reagiert seinen Verdruß als kleinstädtischer Star im Sportverein ab. Großartig trocken ist der Realismus dieses Romans vom Rauchen, Sporteln, Lieben und Verkaufen:

Der schwache Mann

> ... der Wald- und Wiesengustl weiß sich auf die Dauer zu helfen. Er hat sich die Waffen des Bürgerlichen Gesetzbuches zu eigen gemacht, streckt sich schon jetzt entsprechend den Befugnissen, die das Eherecht verleiht, und wächst, sofern ihm als Persönlichkeit bange werden muß, in eine belehrende Buchstabengerechtigkeit hinein. Er ist wohl der Komplikationen, die ihm von Natur nicht beschieden sind, müde geworden und will fortan im Einklang mit seinen Trieben leben, von denen Eigennutz obenan steht. Er weiß mit Tieren, Bäumen, Flüssen, schwierigen Brückenübergängen Bescheid. Er wäre in keinem Urwald, auf keiner einsamen Insel verloren. Jetzt hat er, um seine künftige Ehe zu meistern, den primitiven Lehrsatz angenommen: Weib ist Weib. Er umrankt es mit wohlmeinender Zärtlichkeit, ist so sinnlich gewährend, hält aber am Buchstaben fest, der es dem Manne leicht macht. Und er hat doch keine Autorität bei Frieda, wird sie niemals haben. Es ist ein zu ungleiches Paar.

Der Freie in der Masse

Harte kleine Geschäftsleute, Geldverdiener, Pantoffel- und Maulhelden, feige Gauner und Rohlinge, das ist die Welt dieser Dramen und Geschichten. Unter ihnen lebt gedrückt das reine Mädchen, der an ein Ideal glaubende Held, der zölibatäre Typus der Frau. Das Leben der modernen Massengesellschaft spiegelt sich in der engen Welt der Kleinstadt. Geld und Sexus bestimmen sie, und der Hauch von Lüge und Verdrängung vergiftet die Atmosphäre.

Zu Anfang des zweiten Weltkriegs begann die Autorin ein Trauerspiel „Karl Stuart". In einer Vorbemerkung heißt es:

Marieluise Fleisser

Mehlreisende Frieda Geier

ROMAN VOM RAUCHEN, SPORTELN, LIEBEN UND VERKAUFEN

G. SALTER

Gustav Kiepenheuer Verlag

Umschlag von Georg Salter

„Karl Stuart" ist kein historisches Stück. An die geschichtlichen Gestalten eines anderen Volkes und eines anderen Jahrhunderts geknüpft, ist es doch aus der deutschen Passion der zwölf Jahre Hitlers herausgewachsen. Seine Gestalten sind deutsche Menschen. Karl Stuart ist ein Stück von der unzerstörbaren inneren Freiheit.

Das Drama wurde 1945 beendet. 1950 wurde die bayerische Komödie „Der starke Stamm" an den Münchner Kammerspielen von Schweikart inszeniert. Die Welt dieser bayerischen Dialektkomödie ist die gleiche wie im Roman und in den „Pionieren". Der hintergründige Charakter und die aussparende Redeweise des bayerischen Volkes treiben das naturalistisch gebaute Stück.

Nach dem Kriege hat Marieluise Fleißer einige Erzählungen geschrieben, die verstreut gedruckt wurden, die schönsten sind „Das Pferd und die Jungfer" und „Die Witfrau", Geschichten von Not und Leiden, weiblicher Eifersucht und Bedürfnis nach Liebe. Dagegen steht die Härte und in ihrem Wesen beschränkte Welt der Männer. Unendlich genau sind die Gewichte verteilt, mit jener „poetischen" Gerechtigkeit, die ein Zeuge innerer Wahrheit ist. In „Das Pferd und die Jungfer", einer der Geschichten von Mensch und Tier, kauft eine Jungfer ein Pferd, mit dem sie, eine zweite Frieda Geier, über Land fährt. Sie liebt das Tier. Plötzlich aber kommt ein Zirkusmann – und ihm folgt das Pferd, weil er etwas an sich hat, das sie, die Jungfer, nur ahnen mag. Er durchbricht den „Sperrkreis":

„Das Pferd und die Jungfer"

Magischer Eros

Es reibt sich an ihm und sprüht dicke Flocken von Schaum, der Mann wird ganz naß übers Gesicht und zwickt die Augen lachend zusammen, er kann in lauter Liebe sich baden. An mir ging es vorbei wie an einem Pfahl. Ich könnte weinen, denn das ist mein Pferd. Der Mann schüttelt sich ab, die Spritzer springen mir gegen den Mund, und ich wische nichts weg, ich gehe auf mein Pferd zu, will es am Zügel fassen, ihm, wer sein Herr ist, zeigen. Wie die Schlange fährt es herum und ich springe weg mit einem Satz, der Satan wollte mich beißen. Ich bebe am ganzen Leib vor seinem unerklärlichen Haß, die Knie geben unter mir nach, und es ist die eindeutige Niederlage vor einem Mann, oh, es ist schändlich . . .

KARL BENNO VON MECHOW

Der dichterische Text weiß mehr, als die Aussage preisgibt. Darüber und darunter werden die Dinge angerührt. Marieluise Fleißers Kunst benützt rohe Stoffe, aber sie sind mehr verschwiegen als ausgebreitet. Ihr dichterischer Takt braucht weder Spannung noch Gefühle, er läßt die Dinge, Vorgänge, Charaktere und Handlungen in ihrer Tatsächlichkeit auf sich beruhen. So wird eine sublime Wahrheit gewonnen, die keine Zeit mehr kennt.

Das Wesen der Kunst

Mechow, Alverdes und „Das Innere Reich"

Karl Benno von Mechow

Reinheit und Sinnlichkeit sind die Pole des Romans, mit dem Karl Benno von Mechow (1897–1960) großen Erfolg hatte. „Vorsommer" (1933) erinnert im Titel an Stifters „Nachsommer", und wie dieser das Leben der Jugend aus der Perspektive des Alters betrachtet, so hat Mechow die Epoche zwischen Frühling und Sommer eines Frauenlebens dargestellt – durchaus im Sinne des klassischen Vorbilds. Sein erster Roman war „Das ländliche Jahr" (1929), sein bester „Das Abenteuer" (1930). Hier hat der preußische Offizierssohn seine Reiterzüge auf dem östlichen Kriegsschauplatz beschrieben. In den Erzählungen „Der unwillkommene Franz" (1932), „Sorgenfrei" (1934) und andern suchte von Mechow Zeitprobleme dichterisch darzustellen. Seine besten Schilderungen, teils erzählend, teils essayistisch, entstanden auf Reisen nach Italien und Sizilien. Der Roman „Der Mantel und die Siegerin" (1942) griff zu hoch; unvereinbare Gegensätze sollten vereinigt werden. Von Mechows zarte seelische Konstitution erlaubte ihm nicht, mit epischer Distanz auf die Verhältnisse zu blicken. Adliges Menschentum, glühende Vaterlandsliebe, brennende Christlichkeit bestimmten ihn abwechselnd, und es war schwierig, alle Spannungen auszuhalten. Jahrelang hat er nichts veröffentlicht. Als Mechow die Erzählung „Auf dem Wege" (1956) schrieb, transponierte er die politischen Schrecken vierzig Jahre zurück ins Baltikum, den Raum seines „Abenteuers" bei den Ulanen.

Paul Alverdes

Auch Alverdes war Sohn eines preußischen Offiziers, auch für ihn war der Krieg ein großes Erlebnis. Die entscheidende Prägung hatte er bei der Jugendbewegung erfahren. Er ist der einzige Autor, welcher die Wandervogelbewegung literarisch in einem großen Roman dargestellt hat, der nur in Teilen veröffentlicht ist. In den ersten Heften der „Corona" waren Kapitel daraus abgedruckt. Dann aber erschienen die Zeitläufe einer dichterisch schildernden, episch distanzierten Darstellung dieser Epoche ungünstig zu werden. Die Stücke sind keine am Erlebnis haftenden Berichte, sondern an der Tradition von Keller, Stifter und Goethe kunstvoll geschulte, rhythmisch gegliederte Prosa:

Aus „Die Waldbrüder"

Christian hörte . . . das helle Geläut des Traufenstrahls auf dem Wasser der Regentonne, die mit unaufhörlichem Geplätscher überlief, und zuweilen, wenn es draußen wilder herniederprasselte und das Zischeln und Sieden des Regens plötzlich zu einem brausenden Getöse anschwoll, spürte er die Kühle über sein Gesicht hinstreichen wie einen Windstoß. Er spürte es wohlig, er genoß dann den wiederkehrenden Schlaf wie eine sättigende Speise, wie einen süßen, körnigen Brei aßen ihn seine Augen in sich hinein. Manchmal streckte er sein nacktes Bein unter der Decke hervor, um zu spüren, wie sich

Paul Alverdes

die Kühle darauf niederließ. Dann zog er es wieder herein, die sanfte Wärme des Bettes mit allen Poren einatmend, und hielt sich noch eine Weile wach, um auf das Wetter zu horchen. Er stellte sich die Tiere vor, die nun in ihren warmen Höhlen unter der Erde lagen, und die Vögel in ihrer Nestern unter dem Laub, und die Hunde im Stroh ihrer Hütten, wie sie zuweilen den Kopf in den Regen hinausstreckten . . .

Auch der Krieg wird aus epischer Überlegenheit geschildert. In der autobiographisch genährten „Pfeiferstube" (1929) liegen Soldaten mit Kehlkopfschüssen und warten die schweren chirurgischen Eingriffe ab. Den Höhepunkt der Schilderung erreicht Alverdes, als eines Tages ein „Feind", Harry Flint, „zu deutsch Heini Kieselstein", aus Gloucester, mit der gleichen Verletzung eingeliefert wird und, nach anfänglichem Mißtrauen, die Einsicht keimt und wächst, daß der Mensch mehr ist als der „Feind". Alverdes beschreibt die Situation mit überlegenem Humor. Das Büchlein, Hans Carossa gewidmet, beginnt mit folgender Erklärung:

„Die Pfeiferstube"

Das große Zimmer mit der breiten Terrasse davor und dem Ausblick auf Park und Felder und den in der Ferne unter braunen Rauchwolken hervorblitzenden Rhein war im ganzen Lazarett unter dem Namen Pfeiferstube bekannt. Es hieß nach den Halspfeifern so, drei durch die Kehle geschossenen Soldaten, die dort auf Genesung warteten. Sie waren vor langem schon, manche sagten, es sei noch im ersten Jahr des Krieges gewesen, dorthin gekommen. Die Sanitäter, die ihnen draußen im Feuerschatten zerfallender Häuser oder in einer mit Brettern und Rasenstücken überdachten Erdgrube den ersten Verband um den Hals wickelten, hatten ihnen den baldigen Tod vorausgesagt; aber gegen alle Erfahrung dieser Kundigen brachten sie das Leben fürs erste davon.

„Die Verwandelten"

Die Erzählungen der Sammlung „Reinhold oder die Verwandelten" (1931) deuten im Titel die Verwandlung als Hauptmotiv an: das Erlebnis des Krieges entläßt „neue" Menschen. Die Verwandlung des banalen Ich in ein ideales geschieht bei Alverdes im Kriege: der einzelne gewinnt Rang in der Hingabe an den Gedanken des Opfers. Da mischen sich altpreußische und lutherische Vorstellungen zu einem nationalen Idealismus. Noch in der späten Erzählung „Grimbarts Haus" (1949) wird von einem Vater erzählt, der vier Söhne als Soldaten verliert. Die Erzählungen in dem Bändchen „Vergeblicher Fischzug" (1937) mit ihren humoristischen Untertönen sind Höhepunkte dieser Kunst; hier bleibt die Idee fast traumhaft im Hintergrund, vor allem in der Geschichte vom Vater, der in jenem Fluß Persante angelt, den sein Sohn „nicht mit eigenen Augen sehen sollte, bis auf den heutigen Tag". In dem Tagebuch einer Reise nach Oberitalien und Rom „Die Grotte der Egeria" (1950) hat Alverdes einen ähnlichen humoristischen Abstand von der Wirklichkeit. In den folgenden Jahren kehrte er zu Gattungen zurück, in denen er schon früher Erfolge gehabt hatte, zu Hörspiel und Kindermärchen. Das innige, lautere und reine Wesen von Musik, Märchen und „Spiel" war eine Quelle des Wandervogelprotestes gegen die entseelte Zeit gewesen. Hier lebt ein kindlicher Adel, verwandt dem der Hirten auf dem Felde und der einfachen Soldaten.

Das Innere Reich

Im Jahre 1932 waren die beiden Münchner Verlage Albert Langen und Georg Müller vereinigt worden. Der Langen-Müller-Verlag, unter Leitung von Gustav Pezold, Korfiz Holm und Reinhold Geheeb, plante die Herausgabe einer literarischen Monatsschrift von konservativem Charakter. Als Herausgeber sollten Paul Alverdes und Karl Benno von Mechow zeichnen. Durch die nationalsozialistische Machtübernahme wurde das Vorhaben politisch überschattet. Alverdes' Vorstellung von einer Vereinigung des liberalen mit dem konservativen Gedanken wurde zerstört, und das Nationale war in Gefahr, nationalistisch mißdeutet zu werden. Im April 1934 erschien das erste Heft der Zeitschrift unter dem von Mechow gefundenen Titel „Das Innere Reich".

Alverdes und Mechow gehörten zu den Frontsoldaten des Weltkrieges, geistig zum deutschen Idealismus. Alverdes' entscheidendes Jugenderlebnis war der Wandervogel. Was die Herausgeber mit einem „inneren Reich" meinten, lag auf der Linie der idealistischen und protestantischen Überlieferung einer deutschen Sonderkultur.

Die Mitarbeiter

Im ersten Heft schrieben, nach einem einleitenden redaktionellen Aufsatz, Rudolf G. Binding „Über die Freiheit", Paula Grogger, Peter Huchel, Paul Appel, Georg Britting (Gedichte), Kolbenheyer („Gregor und Heinrich"), Erika Mitterer, K. A. von Müller, Max Mell, Hans Friedrich Blunck, Dr. Owlglaß und Otto von Taube. In den nächsten Heften fand man außer den Genannten folgende Autoren: Friedrich Ludwig Barthel, Ernst Bertram, Alexander Berrsche (über Pfitzner), Werner Beumelburg, Richard Billinger, Bruno Brehm, Hermann Claudius, Paul Ernst, Joachim von der Goltz, Rudolf Huch, Curt Langenbeck („Alexander"), Wilhelm Lehmann, Hans Leifhelm, Johannes Linke, Eberhard Meckel, Hans Joachim Moser, Karl Rössing (über seine Bilder), Ulrich Sander, Wilhelm Schäfer, Eduard Spranger („Vom Wandel des Lebens und der Werte"), Ina Seidel, Emil Strauß (Vorabdruck von „Das Riesenspielzeug"), Franz Tumler, Hans Thyriot, Georg von der Vring, Konrad Weiß („Das kaiserliche Liebesgespräch"), Ernst Wiechert, Julius Zerzer und Leopold Ziegler. In den folgenden Heften des ersten Jahrgangs standen Beiträge von Ernst Bacmeister, Adolf Beiß, Erna Blaas, Fritz Diettrich, Günter Eich, Hans Grimm, Adolf von Hatzfeld, Josef Hofmiller, Robert Hohlbaum, Jochen Klepper, Rudolf Mirbt, Eberhard Wolfgang Möller, Johannes Pfeiffer, Heinrich Ringleb, Oda Schaefer, Hermann Stehr und Eberhard Viegener. Alverdes selbst schrieb, außer einigen Buchbesprechungen, über Knut

DAS INNERE REICH

Hamsun zum fünfundsiebzigsten Geburtstag, ein „Gespräch über Goethes Harzreise im Winter“ und die „Rede vom inneren Reich der Deutschen“.

Der Umriß der Zeitschrift war gegeben. Zugeständnisse an den Nationalsozialismus schienen nicht zu umgehen: Blunck, Präsident der Reichsschrifttumskammer, sandte seine Beiträge. Möllers „Briefe der Gefallenen“ waren eine Gedichtfolge aus „Berufung der Zeit“, für die er den Stefan-George-Preis (Staatspreis für deutsche Dichtung) erhielt. In den Bildbeiträgen nahm man Rücksicht auf den amtlich geförderten Neoklassizismus und brachte Porträtbüsten der Machthaber.

Weitere Entwicklung

Politische Ereignisse wie die Angliederung der Tschechoslowakei und Österreichs wurden im Sinne der großdeutschen Überlieferungen begrüßt. Alverdes suchte den Begriff des inneren Reiches, vor Münchner Studenten, auf die Tradition von Walther von der Vogelweide bis Herder und Hölderlin, mit Hinweisen auf die deutsche Musik, festzulegen. Er betonte, wie wichtig es sei, das Gesetz der Trägheit der Masse des Volkes zu überwinden.

Zu Anfang des zweiten Jahrgangs schrieb Rudolf Alexander Schröder einen fünfundzwanzigseitigen Essay über „Kunst und Religion“. Weitere Mitarbeiter wurden: Martha Saalfeld, Friedrich Bischoff, Albrecht Fabri, Max Rychner, Emil Barth, Curt Hohoff, Martin Raschke, Josef Weinheber, Willi Steinborn, Agnes Miegel, Erwin Wittstock, Gertrud Fussenegger, Reinhold Schneider, Clemens Graf Podewils und Heinrich Zillich. 1935 erschien Günter Eichs Erzählung „Katharina“. Gunter Groll schrieb seinen „Traktat über das Wesen der Filmkunst“. Walter Bauer brachte vor allem Buchbesprechungen. Einige Autoren wurden im „Inneren Reich“ zum erstenmal literarisch vorgestellt: Willi Steinborn, Curt Langenbeck, Franz Tumler, Erwin Wittstock, Curt Hohoff, Karl Krolow, Willy Kramp und Heinrich Ringleb. In späteren Jahrgängen tauchten weitere neue Namen auf, wie Fritz Knöller, Hans Hennecke, Gerd Gaiser, Jürgen Rausch, Hellmut von Cube, Edgar Hederer, Wolf von Niebelschütz und Hans Leifhelm. Fast vollständig fanden sich die Autoren der „Kolonne“ hier wieder: Peter Huchel, Günter Eich, Martin Raschke, Martha Saalfeld, Oda Schaefer, Horst Lange. Ältere Mitarbeiter waren Hans Grimm, Moritz Jahn, Josef Weinheber, Georg von der Vring, Josef Nadler, Emil Strauß und Otto von Taube. Schäfer und Kolbenheyer störten als Mitarbeiter die Konzeption, hatten aber maßgeblichen Einfluß auf den Verlag. Nur zögernd wandte man sich fremdsprachiger Literatur zu. Immerhin erschienen englische, französische, später rumänische und vor allem italienische Beiträge.

Schwierigkeiten und Verbote

Wer nur die freie Welt kennt, kann sich nicht vorstellen, wie schwierig es war, unter einer Diktatur zu leben. Da entwickeln sich neue Verfahren und Verständigungssysteme; die Andeutung wurde verstanden, die Zweideutigkeit war Kunst. Die Geschichte des „Inneren Reichs“ ist ein Beispiel dafür. Während der kränkelnde von Mechow seit 1936 praktisch aus der Leitung ausschied und Benno Mascher Redakteur wurde, hatte Alverdes die Verantwortung zu tragen. Zum hundertfünfzigsten Todestag Friedrichs des Großen erschien ein Aufsatz von Rudolf Thiel, in dem auf menschliche Schwächen des Königs hingewiesen wurde. Das „Schwarze Korps“ ließ daraufhin einen anonymen Artikel (von Kurt Eggers, Verfasser eines „deutschen Hiob“) erscheinen, in dem mit gefälschten Zitaten aus Thiels Aufsatz bewiesen wurde, daß die Zeitschrift das Ansehen des preußischen Königs geschmäht habe. Diesen Anlaß benützte das längst mißtrauische Propagandaministerium zum Verbot des „Inneren Reichs" – gleichzeitig mit dem Verbot des „Querschnitts". Alverdes wurde die Vortragstätigkeit untersagt. Unter Mühen gelang die Wiederzulassung der Zeitschrift. Ein zweites Verbot drohte aus Anlaß eines Langemarck-Gedichts von Georg Britting; die Reichsstudentenführung beschwerte sich, Britting hätte die Freiwilligen von Langemarck der Feigheit bezichtigt.

Hinter den mehrfachen Verboten und Drohungen steckte allgemeine Abneigung gegen jedes höhere Niveau und das Mißtrauen der NS-Kleinbürgerpartei gegen die Intelligenz. Man wünschte keine „literarische" Politik und Kultur und war eifersüchtig auf eine Zeitschrift, welche das allgemeine Evangelium der Rasse, des Blutes und Germanentums mit Aufsätzen über die große deutsche Musik, Geschichte und Dichtung zu unterlaufen suchte und sozialistische oder christliche Autoren förderte. Alverdes und Mechow konnten sich auf einen Kreis von Freunden stützen. Zu ihnen gehörten Georg Britting, Hans Carossa (der aber nicht im „Inneren Reich" publizierte), Rudolf G. Binding und von den Jüngeren Tumler und Steinborn. Das Verhältnis zu Wiechert war zwiespältig, seit Alverdes den Vorabdruck von „Das einfache Leben" abgelehnt hatte. Die Redaktion verwendete bis zum endgültigen Verbot, Ende 1943, die Begriffe „Reich" und „Volk" im Sinne von Herder und Hölderlin und suchte auch die Lage der damals zahlreichen deutschen Volksgruppen im befreundeten oder feindlichen Ausland entsprechend zu interpretieren. Als Versuch einer intelligenten Zeitschrift unter einem dem Geist feindlichen Regime ist das „Innere Reich" schließlich zugrunde gegangen.

Hintergrund der Verbote

Der engere Kreis

Das Dritte Reich und die Emigration

Für die Masse der deutschen Autoren kam der Sieg des Nationalsozialismus überraschend. Soweit sie selbst revolutionär dachten und fühlten, neigten sie mehr zur Linken als zur radikalen Rechten. Gefühlsmäßig gehörten die meisten einer bürgerlich-gemäßigten Richtung an. Fast alle hatten sich 1918 auf die Seite der Weimarer Republik gestellt und suchten, als der Staat in Gefahr kam, das Heil an der Seite jener Gruppen, die das Erbe der Novemberrevolution in Anspruch nahmen. Von diesen Gruppen trennte sie ihre bürgerliche Herkunft; sie erschienen, als studierte und gebildete Leute, dem Proletarier und Kleinbürger fremd und verdächtig. Tucholsky hat sich beklagt, daß die streitbaren Intellektuellen von den Funktionären der Parteien mit äußerstem Mißtrauen angesehen wurden.

Der Nationalsozialismus

Die Nationalsozialisten hatten keinen Autor von Rang und Namen. Zwar glaubten sie der Sympathien einiger nationaler Autoren sicher zu sein. Aber Hanns Johst und Arnolt Bronnen hatten schon damals kaum noch Geltung. Die eigentlichen Parteidichter, Heinrich Anacker, Baldur von Schirach, Eberhard Wolfgang Möller, waren der literarischen Öffentlichkeit unbekannt. Am ehesten traten auslandsdeutsche Autoren, die den Nationalsozialismus als einen Ausdruck ihrer großdeutschen Wünsche ansahen, auf die Seite der neuen Weltanschauung, oder solche, die zum Blut-und-Boden- oder Kampfthema neigten: Erwin Guido Kolbenheyer, Werner Beumelburg, Hans Friedrich Blunck, Börries Freiherr

Repräsentative Autoren

von Münchhausen, Wilhelm Schäfer, Will Vesper und Edwin Erich Dwinger. Auch die sogenannten „Arbeiterdichter" haben das Dritte Reich begrüßt. Hermann Stehr und Emil Strauß haben sich antisemitisch geäußert. Gerhart Hauptmann widerstand der Versuchung nicht und „sagte [zeitweilig] ja". Barlach, später selbst ein Opfer der Verfolgung, riet jungen Verehrern „sich der NSDAP anzugliedern" (11. Sept. 1934). Gottfried Benn, alles andere als ein NS-Literat, sah für einige Monate im Nationalsozialismus das, was er später ironisch eine „Genesungsbewegung" nannte. Thomas Mann, dem das Regime nach der Flucht noch goldene Brücken zu bauen suchte, schrieb einen denkwürdigen Essay über „Bruder Hitler", in dem er betroffen feststellte, daß er und Hitler die gleiche Vorliebe für Richard Wagner und Friedrich Nietzsches Philosophie hätten und daß in der Ähnlichkeit der Zuneigung etwas Fatales liege, das ihn arg verdrossen habe. Ernst Jünger, als nationaler Autor umworben, blieb eisig zurückhaltend, und Hans Carossa, der angesehenste bürgerliche Autor jener Zeit, verstand sich zehn Jahre lang allen Zumutungen zu entziehen.

Ausländische Parallelen

In den meisten Fällen war die Entscheidung der Autoren für und wider den Nationalsozialismus von persönlichen oder gar privaten Umständen abhängig. Es gab keine „nationalsozialistischen" Dichter und Schriftsteller, wohl aber, wie überall in den zwanziger und dreißiger Jahren, Autoren, die totalitär orientiert waren und sich den autoritären faschistischen und kommunistischen Machtblöcken näherten. Da der politische Spielraum durch den brutalen Machtkampf der radikalisierten Horden auf den Flügeln des parlamentarischen Systems sehr eingeschränkt war, lag die Versuchung nahe, gegen die marxistisch-leninistische Ideologie eine nationale zu stellen. Sie wird meistens als „faschistisch" bezeichnet. Ihre berühmtesten nichtdeutschen Autoren waren die Italiener Marinetti, Curzio Malaparte, Evola, Salvatore Quasimodo (der später zum Kommunismus überging), G. Gentile, Pareto und Bontempelli, die Franzosen G. Sorel, Céline, Giono, Montherlant und der Royalist Claudel, der Amerikaner Ezra Pound, der Norweger Knut Hamsun. Die deutschen Autoren haben sich teilweise lebhaft mit ihnen auseinandergesetzt. Das Phänomen war nicht auf Deutschland beschränkt.

Interne Gruppenkämpfe

Der Nationalsozialismus war ideologisch keine Einheit: Reichsschrifttumskammer, Dichterakademie, die Gäste der Weimarer Dichtertagungen und die völkischen, historisierenden, aktuell-kämpferischen, „germanischen" und nationalkonservativen Gruppen führten interne Machtkämpfe. Die Ablösung Bluncks, des ersten Präsidenten der Reichsschrifttumskammer, Vertreters der nordisch-historisierenden Gruppe, durch Hanns Johst wurde durch Auseinandersetzungen über Marinetti ausgelöst. Für die konservativen Deutschtümler war der Futurist Marinetti „entartet". Bezeichnend ist auch der von Börries von Münchhausen gegen Gottfried Benn geführte Kampf. Das eigentliche Motiv war nicht die damals fast tödliche Verdächtigung, Benn sei nicht „arisch", sondern der Gegensatz des intellektuellen Typus zu dem des feudalen Träumers. Der Einfluß Johsts war seit 1937 gebrochen, als das Propagandaministerium Kammern und Akademie zurückdrängte und das geistige Leben zentralistisch zu beeinflussen suchte. Möller, Anacker, Schumann waren die offiziellen Parteidichter geworden. Ältere Autoren wie Kolbenheyer, Blunck, Brehm, Schäfer, Ina Seidel entdeckten Widersprüche zwischen ihren eigenen Ideen und denen des Nationalsozialismus. Die Zerstörung des Rechtsstaates, die Aufhebung der Persönlichkeitsrechte, die radi-

Sitzung der Dichter-Akademie im Jahre 1929. Stehend von links: Bernhard Kellermann, Alfred Döblin, Thomas Mann, Max Halbe; Sitzend: Hermann Stehr, Alfred Mombert, Eduard Stucken, Wilhelm von Scholz, Oskar Loerke, Walter von Molo, Ludwig Fulda, Heinrich Mann

Bergengruen über die Diktatur

kale Verfolgung der Juden, die Unterdrückung der christlichen Bekenntnisse, die Förderung der „Deutschen Christen", zahlreiche Verbote für Schriftsteller, die in Deutschland lebten, die – offiziell geleugnete – Zensur des Schrifttums und der Presse ließen viele Autoren, die sympathisiert hatten, innerlich zu Gegnern werden. Freilich durfte man von ihnen keine flammenden Proteste erwarten. Werner Bergengruen, selbst verfolgt, sagt dazu:

Man hat heute manchmal Gelegenheit, spöttische Äußerungen zu hören wie die, die „Helden der inneren Emigration" wollten ihre Proteste gegen die Barbarei zwischen den Zeilen geschrieben haben, hätten das aber mit so sympathetischer Tinte getan, daß niemand sie je habe entziffern können. Wer so spricht, der verwechselt kindlich die Situation im Nazistaat mit den ihm allein geläufigen Normalzuständen freier Länder ... Er hat keine Vorstellung davon, bis zu welchem Grade die Feinhörigkeit der Unterjochten sich zu steigern vermag ... Besserwisser solcher Art können sich nicht einmal die Frage vorlegen, wem es denn genützt hätte, wenn damals jemand in Deutschland den Versuch gemacht hätte, unumwunden zu schreiben. (Allenfalls in Form von illegal verbreiteten Flugblättern war das möglich.) Er konnte nicht hoffen, einen Herausgeber, einen Verleger, einen Drucker zu finden, also auch nicht einen Leser zu erreichen ... Die Wahrheit ist, daß jeder, dem wirklich ums Lesen zu tun war, mit sympathetischer Tintenschrift ebenso leicht fertig wurde wie der Normalbürger mit gewöhnlichen Druckbuchstaben. Die leiseste Andeutung wurde verstanden.

Bergengruen gibt in seinen „Schreibtischerinnerungen" treffende und (heute) amüsant zu lesende Beispiele für die Kunst der Anspielung.

Im Rahmen der damaligen politischen „Gleichschaltung" wurden die Künste

DIE REICHSSCHRIFTTUMSKAMMER

organisatorisch erfaßt und zu „Kammern" zusammengeschlossen. Die Reichsschrifttumskammer war eine Abteilung der „Reichskulturkammer" und unterstand dem „Reichsminister für Volksaufklärung und Propaganda", Joseph Goebbels. Die Kammer wurde im Herbst 1933 gegründet und entsprang dem Gedanken einer Gliederung des Volkes in „Stände": so, wie die Arbeiter in der „Deutschen Arbeitsfront" zu einer Zwangsgewerkschaft zusammengefaßt waren, die Bauern im Reichsnährstand, die Ärzte in einem Gesundheitsstand, sollten Kultur- und Literaturkammern „die Schaffenden auf allen Gebieten unter der Führung des Reichs zu einer einheitlichen Willensgestaltung zusammenfassen" (G. Menz, „Der Aufbau des Kulturstandes", 1938). Gemäß der nationalsozialistischen Doktrin vom Primat des Staates über das Individuum sollten die Künste „erfaßt" und ihre Vertreter ständisch gegliedert werden. Die Reichsschrifttumskammer war eine Zwangsorganisation aller Autoren, Verleger, Buchhändler und Drucker. Der Begriff Literatur wurde weit gefaßt; die bei Film und Funk beschäftigten „Übermittler geistiger Schöpfung" gehörten dazu. Nicht nur Einzelpersonen, sondern auch Verbände, Unternehmen, Körperschaften und Gesellschaften mußten der Kammer angehören. Die Kammer war eine Behörde; die finanziellen Beiträge wurden wie öffentliche Abgaben beigetrieben.

Voraussetzung der Mitgliedschaft

Die Voraussetzung zum Erwerb der Zwangsmitgliedschaft der Kammer war die Vorlage des sogenannten Ariernachweises – unter den Vorfahren des Mitglieds durften keine Juden sein. Vorerst wurde der Nachweis für drei Generationen gefordert; später – doch dazu kam es nicht – sollte der Nachweis lückenlos bis ins achtzehnte Jahrhundert geführt werden. Praktisch war die Zugehörigkeit zur Reichsschrifttumskammer, als Beweis „deutschen Blutes", eine antisemitische Maßnahme. Es wurde keineswegs verlangt, daß man sich als Autor auswies. Die Qualität etwa geschriebener Literatur war gleichgültig. Alle Schreibenden – und auch die technischen Vermittler des Schrifttums – *mußten* Mitglieder der Kammer sein. Außer den Juden wurde eine Reihe von Schriftstellern „unwürdig" gefunden, vor allem die Opfer der Bücherverbrennungen in großen Städten; zu diesen gehörten, neben toten Verfassern politischer Literatur (Marx, Kautsky usw.), Heinrich Mann, Ernst Glaeser, Erich Kästner, Marieluise Fleißer, Emil Ludwig, Erich Maria Remarque, Alfred Kerr, Sigmund Freud, Kasimir Edschmid, Walter Mehring, Kurt Tucholsky und andere. Autoren, die sich mißliebig machten, wurden, wie Gottfried Benn und Werner Bergengruen, ausgeschlossen. Der spektakuläre Charakter der Verbrennung unter Teilnahme von Professoren und Studenten hat dem moralischen und literarischen Ansehen der Machthaber des Dritten Reiches die ersten Stöße versetzt.

Die Bücherverbrennungen

Hanns Johsts Rolle

Nach der „Machtübernahme" war Hanns Johst zum Preußischen Staatsrat ernannt worden und übernahm den Präsidentenstuhl der Preußischen Dichterakademie. 1935 löste er Hans Friedrich Blunck als Präsident der Reichsschrifttumskammer ab und wurde in den „Kultursenat" des Reiches berufen. Triumphierend schrieb der „Völkische Beobachter" über Johst: „Seinen frühen schriftstellerischen Einsatz für die Partei Adolf Hitlers beantworteten seine weltanschaulichen Gegner mit Hohn und Verleumdungen. Ihre Anwürfe waren ihm in gleicher Weise Bestätigung für die Richtigkeit seines Tuns, wie es ihm heute das wütende Geheul der Emigranten ist." Johst hat seine Tätigkeit unter dem Gesichtspunkt der Partei ausgeübt; er hat seine Freunde aus der expressionistischen

Zeit preisgegeben, und es sind keine Fälle bekannt, in denen sich der sächsische SS-Brigadeführer Johst für gefährdete ehemalige Freunde eingesetzt hätte.

Die Preußische Dichterakademie

Bereits im Februar 1933 schieden der Präsident Heinrich Mann und Käthe Kollwitz unter Druck aus der Preußischen Dichterakademie aus; im März folgten Alfred Döblin, Leonhard Frank, Ludwig Fulda, Georg Kaiser, Bernhard Kellermann, Thomas Mann, Alfred Mombert, Alfons Paquet, Rudolf Pannwitz, René Schickele, Fritz von Unruh, Jakob Wassermann und Franz Werfel. Damit hatte die Akademie – noch unter dem Sekretariat von Oskar Loerke – eine Reihe von Plätzen frei, auf die Werner Beumelburg, Hans Friedrich Blunck, Peter Dörfler, Paul Ernst, Friedrich Griese, Hans Grimm, Hanns Johst, Erwin Guido Kolbenheyer, Agnes Miegel, Börries von Münchhausen, Wilhelm Schäfer, Emil Strauß und Will Vesper berufen wurden. (Hans Carossa und Ernst Jünger nahmen die Berufung nicht an.) Von den alten Mitgliedern trat Ricarda Huch jetzt aus. Loerke schrieb in seinem Tagebuch: „Die alten Mitglieder wurden absolut ausgeschaltet, außer mir: Stucken, Molo, Scholz, Benn, Seidel, Halbe." Die Tagebücher Loerkes geben ein Bild von der lauten Rolle, die Schäfer, Kolbenheyer und Vesper unter den Neuen spielten, während von den alten Mitgliedern Döblin und L. Frank bei Loerke schlechte Zensuren bekommen.

Die Parteidichtung

Die Gedichte, Festspiele, Dramen, Romane und Essays der Partei wurden von Heinrich Anacker, Baldur von Schirach, Eberhard Wolfgang Möller, Hans Schwarz, Herbert Böhme, Wilhelm Hymmen und Gerhart Schumann geschrieben. Sie waren verwendbar, weil sie ideologische Themen benützten und zu festen Anlässen, z. B. den Gedenktagen der Partei, schrieben oder Kantaten (Schumann) verfaßten. Da die deutsche Sprache in der Parteiideologie ein romantisches Ansehen genoß und als „heilig" galt, griff man gern auf Hölderlin und die Freiheitsdichter der Napoleonischen Zeit zurück. Möller und Schumann sind literarisch einzuordnen. Dieser banalisierte George und Rilke, jener schrieb Historienstücke („Rothschild siegt bei Waterloo", 1933), in denen das „gesunde" dumpfe Volk von überlegenen Persönlichkeiten (Ministern, Juden, Geistlichen) geprellt wird. Die Gedichte waren nicht so sehr heroisch wie idyllisch. Man besang den Garten des kleinen Mannes, die Mutter und ihr Kind. In den Groß- und Heldentaten der Geschichte sahen die weltblinden Idylliker Stoffe für Unterhaltung und pathetische Deklamation. Im Kriege hatte man keine eigenen Töne und benützte Klischees. Es ist so traurig wie komisch, wenn Goethes „Willkommen und Abschied" bei Möller zum Muster eines Reiterlieds wird:

Sie reiten stumm, von Nacht bedrängt.
Es ist der Gott, der ihre Pferde
mit unsichtbarem Griffe lenkt,
und unter ihnen fliegt die Erde ...

Die Emigration

In einem ganz andern Sinne als die in Deutschland gebliebenen Autoren haben die Emigranten sich mit einem widrigen Schicksal auseinandersetzen müssen. Ein Schriftsteller, der das Land seiner Sprache verläßt, hat wie der Riese Antaios seine Kraft verloren. Nur wenige Emigranten waren so berühmt, daß sie im Ausland etwas galten. Die meisten suchten in Länder deutscher Sprache auszuweichen. Sie gingen in die Schweiz, nach Österreich oder in Nachbarländer, wo ihre Sprache von Teilen der Bevölkerung gesprochen wurde, in die Tschechoslowakei und

Amtliches.

Deutsches Reich.

Bekanntmachung.

Auf Grund des § 2 des Gesetzes über den Widerruf von Einbürgerungen und die Aberkennung der deutschen Staatsangehörigkeit vom 14. Juli 1933 (RGBl. I S. 480) erkläre ich im Einvernehmen mit dem Reichsminister des Auswärtigen folgende Reichsangehörige der deutschen Staatsangehörigkeit für verlustig, weil sie durch ein Verhalten, das gegen die Pflicht zur Treue gegen Reich und Volk verstößt, die deutschen Belange geschädigt haben:

Dr. Apfel, Alfred, geb. am 12. März 1882;
Bernhard, Georg, geb. am 20. Oktober 1875;
Dr. Breitscheid, Rudolf, geb. am 2. November 1874;
Eppstein, Eugen, geb. am 25. Juni 1878;
Falk, Alfred, geb. am 4. Februar 1896;
Feuchtwanger, Lion, geb. am 7. Juli 1884;
Dr. Foerster, Friedrich-Wilhelm, geb. am 2. Juni 1869;
v. Gerlach, Helmuth, geb. am 2. Februar 1866;
Gohlke, Elfriede, gen. Ruth Fischer, geb. am 11. Dezember 1895;
Großmann, Kurt, geb. am 21. Mai 1897;
Grzesinski, Albert, geb. am 28. Juli 1879;
Gumbel, Emil, geb. am 18. Juli 1891;
Hansmann, Wilhelm, geb. am 29. Oktober 1886;
Heckert, Friedrich, geb. am 28. März 1884;
Hölz, Max, geb. am 14. Oktober 1889;
Dr. Kerr, Alfred, geb. am 25. Dezember 1867;
Lehmann-Rußbüldt, Otto, geb. am 1. Januar 1873.
Mann, Heinrich, geb. am 27. März 1871;
Maslowski, Peter, geb. am 25. April 1893;
Münzenberg, Wilhelm, geb. am 14. August 1889;
Neumann, Heinz-Werner, geb. am 6. Juli 1902;
Pieck, Wilhelm, geb. am 3. Januar 1876;
Salomon, Berthold, gen. Jacob, geb. am 12. Dezember 1898;
Scheidemann, Philipp, geb. am 26. Juli 1865;
Schwarzschild, Leopold, geb. am 8. Dezember 1891;
Sievers, Max, geb. am 11. Juli 1887;
Stampfer, Friedrich, geb. am 8. September 1874;
Toller, Ernst, geb. am 1. Dezember 1893;
Dr. Tucholski, Kurt, geb. am 9. Januar 1890;
Weiß, Bernhard, geb. am 30. Juli 1880;
Weißmann, Robert, geb. am 3. Juni 1869;
Wels, Otto, geb. am 19. September 1873;
Dr. Werthauer, Johann, geb. am 20. Januar 1866.

Das Vermögen dieser Personen wird hiermit beschlagnahmt.

Die Entscheidung darüber, inwieweit der Verlust der deutschen Staatsangehörigkeit auf Familienangehörige ausgedehnt wird, bleibt vorbehalten.

Berlin, den 23. August 1933.

Der Reichsminister des Innern
J. V.: Pfundtner.

Bekanntmachung des Reichsministers des Innern vom 23. 8. 1933

nach Norditalien. Zürich, Prag und Wien wurden einige Jahre lang Emigrantenstädte. Je mehr sich die deutsche Herrschaft über Europa ausdehnte, um so weiter wichen die Emigranten aus. Ein Teil entkam über Spanien und Portugal nach Amerika, eine kleine Gruppe war direkt nach Moskau gegangen, z. B. Theodor Plivier und Johannes R. Becher, der 1935–45 Chefredakteur der „Internationalen Literatur, deutsche Blätter“ in Moskau war. Die Emigranten im Westen gruppierten sich um die Brüder Heinrich und Thomas Mann. Heinrich Mann gab zusammen mit André Gide und Aldous Huxley 1934 „Die Sammlung“ heraus. Redakteur war Klaus Mann. Ähnlich wie Bert Brecht, der nach Kopenhagen gegangen war, glaubten Heinrich Mann und seine Freunde, der Nationalsozialismus werde rasch erledigt sein. Thomas Mann gründete mit Jean Schlumberger und Josef Breitbach, einem Deutschen, der schon lange in Paris lebte, 1937 die Zeitschrift „Maß und Wert, Zweimonatsschrift für freie deutsche Kultur“; sie brachte es in der Schweiz auf drei Jahrgänge. Redakteur wurde anstelle von René Schickele, der von neuen „Weißen Blättern“ träumte, Ferdinand Lion, ein Anhänger Thomas Manns. Hier erschienen Benjamins Berliner Kindheitserinne-

Zeitschriften der Emigranten

rungen und (anonym) sein Aufsatz über B. Brecht. Die Zeitschrift hatte mit großen Hoffnungen begonnen, doch Th. Mann ahnte ihr Scheitern, als er meinte, nach dem ersten Heft und vor dem zweiten entscheide sich ihr Schicksal. Sie bot politisch nichts, mögliche Mitarbeiter (Döblin, Else Lasker-Schüler) wurden vor den Kopf gestoßen. Statt Analysen der Gegenwart und Zukunft brachte man Historie. Hier fanden sich die ersten Kapitel der Europäischen Geschichte von Golo Mann, ein Stück von Lorca und eine Erzählung von Sartre; beide waren in Deutschland noch unbekannt.

Schickeles Kritik

Döblin wandte sich damals nach Frankreich, nach Paris. Schickele schrieb seinen ironischen Roman „Die Witwe Bosca" und hielt in Tagebüchern und Briefen ein trauriges Bild von der Gespaltenheit der deutschen Emigranten in Frankreich fest. Er beklagte, daß die totalitäre Gesinnung Leute ergriffen habe, deren „Mehrzahl nur deshalb nicht nationalsozialistisch ist, weil der Nationalsozialismus sie nicht haben will" (11. Sept. 1934, an Stefan Zweig). Und er erkannte, daß der Bolschewismus, mit dem Heinrich Mann liebäugelte, den Terror schon seit langem in den Friedenszustand übernommen habe: „Das Furchtbarste aber ist, daß dieser Zustand von der zweiten Generation bereits als der normale empfunden wird. Sklaven, die gar nicht mehr wissen, daß sie Sklaven sind — das ist doch wohl das Ende des Menschen."

Schicksal einzelner Emigranten

Neben Autoren, die emigrierten, weil sie an Leib und Leben bedroht waren, also vor allem die jüdischen und politisch verfolgten Schriftsteller, standen die, welche Deutschland freiwillig verließen, wie Th. Mann und H. H. Jahnn. Ludwig Renn ging als kommunistischer Funktionär nach Spanien. Franz Blei und Albrecht Schaeffer kehrten Deutschland aus Widerwillen gegen das Regime den Rücken und gingen nach Amerika. Armin T. Wegner setzte sich in Deutschland für die Juden ein und kam in Haft und Gefängnis. Schickele blieb freiwillig in Frankreich. Als Elsässer hatte er einen französischen Paß, der ihm erlaubte, noch einige Male nach Deutschland zurückzukehren. Fritz von Unruh hatte Deutschland bereits 1932 verlassen, wurde nach dem Einmarsch der deutschen Truppen in Frankreich interniert und entkam nach Amerika, wo er sich als Maler durchschlug. Karl Barth ging 1934 in seine Schweizer Heimat zurück. Mechthilde Lichnowsky heiratete nach dem Tode ihres Mannes 1937 ihren früheren Verlobten und wurde Engländerin. Annette Kolb zog sich nach Paris zurück. Leonhard Frank ging 1933, nach der Verbrennung einiger seiner Bücher, in die Schweiz, wo er schon den ersten Weltkrieg verbracht hatte, und floh später über Westeuropa nach den Vereinigten Staaten. Ludwig Derleth und Rudolf Borchardt lebten schon seit Jahren im Ausland, vor allem in Italien, und kehrten nicht zurück. Rudolf Pannwitz ging 1933 nach Dalmatien und Robert Musil in die Schweiz.

Jüdische Autoren

Die jüdischen Emigranten wandten sich meist in den Westen, ein kleiner Teil (A. Zweig, S. Kronberg) gelangte nach Israel. Ernst Toller, der die Gefängnisse als Symbole der Existenz ansah, beging im Mai 1939 in New York Selbstmord. Albert Ehrenstein ist 1950 in tiefer Verzweiflung in New York gestorben. Walter Hasenclever machte seinem Leben 1940 in Frankreich ein Ende. Ernst Weiß nahm sich beim Einmarsch der deutschen Truppen in Frankreich im Juni 1940 das Leben. Paul Adler flüchtete 1933 von Hellerau nach Prag, erlitt 1939 einen Schlaganfall, der ihn halbseitig lähmte. Karl Otten berichtet: „Die letzten sieben Jahre verbrachte er bettlägerig in einem Versteck in Zbraslav bei Prag. Dort erlag er am 8. Juni 1946 einem Herzschlag." Werfel ging nach USA und lebte in der Nachbarschaft Th. Manns, ebenso Lion Feuchtwanger. (Später kam auch Bert Brecht nach Kalifornien.) Erwin Piscator ging nach New York und konnte Theater spielen; 1941 führte er Bruckners „Verbrecher" unter dem Titel „Deutschland 1926" als antinazistisches Zeitstück auf.

Fortsetzung der Werke

Einige Autoren waren in Deutschland als Schriftsteller eben erst bekannt geworden, als sie es verlassen mußten, etwa die Kommunistin Anna Seghers mit den „Fischern von St. Barbara". Hermann Broch schrieb seine späten Werke im Exil, wie Robert Musil den „Mann ohne Eigenschaften" in der Schweiz weiterführen mußte, Werke, die das Klima und den Boden Österreichs voraussetzten. In vielen Fällen wurden die Werke der Emigration Tendenzliteratur. Es war kaum zu erwarten, daß diese Autoren, in schwieriger Lage, meistens zu einem Brotberuf genötigt, Meisterwerke schreiben würden. Aber es gab Ausnahmen. Bert Brecht schrieb seine besten Stücke in Dänemark und Kalifornien, als er dem politischen Tageskampf entrückt war. Heinrich Mann verfaßte „Henri Quatre" in der Ruhe der ersten französischen Jahre. Später sank die literarische Qualität („Der Atem", „Empfang bei der Welt") bis zur Unlesbarkeit. Thomas Manns in den USA geschriebener Schlußteil des Josephsromans ist zum großen Teil referierend. „Doktor Faustus" ist ein Schlüsselroman und suchte den Grund der Katastrophe in der deutschen Geistesgeschichte. Döblin, Wolfskehl und Werfel haben sich menschlich und religiös von den Positionen ihrer Jugend gelöst und hinterließen dokumentarisch bewegende Werke. Einige literarisch unverbrauchte Autoren schrieben in der Emigration besser als vorher, das waren außer Bert Brecht Anna Seghers, Joseph Roth und Hermann Kesten.

Negative Wirkungen

Der Fall jedes Autors ist unverwechselbar einmalig. Die politische Einstellung sollte nicht das Urteil trüben. Da es bei uns keine literarische Allgemeinbildung gibt, werden menschliche, politische und literarische Begriffe allzu leicht verwechselt, und da der Sinn für Toleranz bei uns noch schwächer entwickelt ist als der für Literatur, verwirrt politische Leidenschaft häufig die Maßstäbe. Die Verfolgung traf vor allem die jüdischen, die politisch links orientierten und jene Schriftsteller, die als „fortschrittlich", rational und antimythisch galten, die also gegen nationalsozialistische Forderungen und Zumutungen gefeit sein mußten. Daraus leiteten sie nach 1945 stärkere moralisch-politische Rechte ab als die Vertreter der inneren Emigration.

Verlagszeichen des Piper Verlages
gezeichet von Paul Renner

DIE LITERATUR NACH DEM ZWEITEN WELTKRIEG

DIE LITERATUR AM NULLPUNKT

Die Lage 1945

Die Katastrophe von 1945 war ungleich größer als die von 1919. Mit den politischen, historischen, ökonomischen und sittlichen Traditionen schienen auch alle geistigen zerbrochen. Man sprach und schrieb in apokalyptischen Kategorien: wenn das Weltende kommt, hat es keinen Sinn mehr, Literatur zu machen. Professor Walter Muschg verkündete „die Zerstörung der deutschen Literatur". Auf den ersten Blick hatten die Schwarzseher recht; es gab keine Literatur oder nur solche, die in Manuskripten von Hand zu Hand gereicht wurde oder, durch besondere Gunst, aus dem Ausland hereinkam. Einige Emigranten gelangten im Gefolge der Besatzungsarmeen nach Deutschland zurück. Der berühmteste war Alfred Döblin. Die meisten zögerten und warteten eine Klärung der Verhältnisse ab; zu diesen gehörten, als die prominentesten, Bert Brecht, Thomas und Heinrich Mann. In München ließ sich die amerikanische „Neue Zeitung" für Deutsche nieder; ihr Feuilletonredakteur wurde Erich Kästner. Die Franzosen gaben in deutscher Sprache eine Zeitschrift „Lancelot" heraus, in der die Résistance den Deutschen ihre Ideen und Poesien vermitteln wollte. Döblin gründete und leitete die Zeitschrift „Das goldene Tor". Sämtliche Besatzungsmächte lizensierten eine Reihe von Zeitschriften, die meisten mit politischer Richtung, einige mit literarischer. Die Blätter erhielten ein Gesicht, als deutsche Herausgeber sich an die

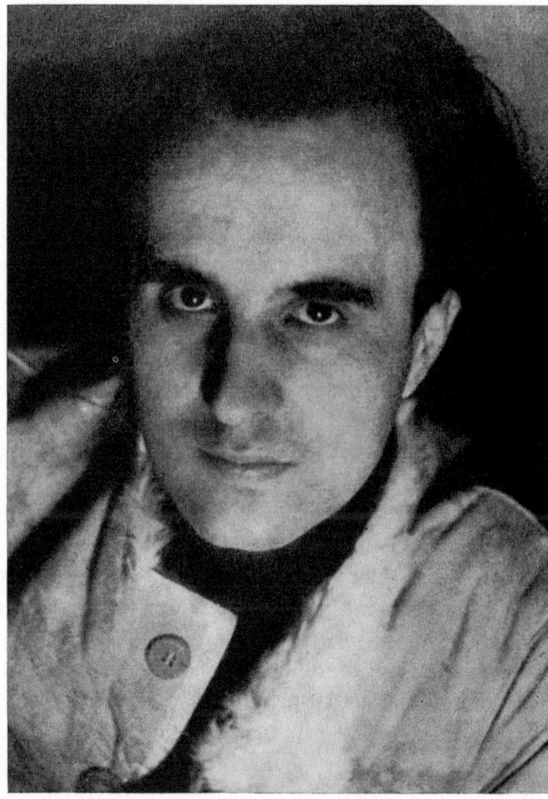

Wolfgang Borchert

Neue Gründungen

NEUE GRÜNDUNGEN

Arbeit begeben durften. So gründeten Hans Paeschke, früher bei der „Neuen Rundschau", und Joachim Moras, früher bei der „Europäischen Revue", den „Merkur, deutsche Zeitschrift für europäisches Denken" (1947). Es war eine Zeitschrift für das geistige Leben mit Akzenten auf Politik, Soziologie und Dokumentation im Sinne ihres Titels. In den ersten Heften schrieben Rudolf Kassner,

„Merkur"

Denis de Rougemont, Hans E. Holthusen, Ernst Robert Curtius, Peter Gan, Jürgen von Kempski, Gerhard Nebel, Clemens Graf Podewils, Ortega y Gasset, Friedrich Georg Jünger, Stefan Andres, Leopold Ziegler, Ernst Schnabel, Hans Erich Nossack, André Gide, Rudolf Alexander Schröder, Georg Schneider, Herbert Günther, Joachim Günther, Martin Kessel, Kurt Kusenberg, Bernt von Heiseler und andere. Hier wurde F. A. Kauffmanns „Leonhard" zuerst veröffentlicht. „Merkur" war eine der sehr wenigen Zeitschriften aus Deutschland, die internationale Anerkennung fanden, obwohl oder weil Mitarbeiter und Leser auf eine Elite beschränkt blieben. Der „Merkur" wurde zuerst in Baden-Baden herausgegeben, später übersiedelte die Redaktion nach München. Sie konnte sich auf ausgezeichnete Verbindungen und Mitarbeiter in Frankreich, Amerika, England und Italien stützen.

„Deutsche Beiträge", „Fähre"

1946 erschien in München die erste Nummer der „Deutschen Beiträge", eine Zweimonatsschrift, unter Mitwirkung von Hermann Uhde-Bernays und Ernst Penzoldt von Berthold Spangenberg und Wolf Lauterbach herausgegeben. Hier schrieb eine süddeutsche Gruppe: Penzoldt, R. A. Schröder, Goes, Hesse, Carossa; man wertete die Nachlässe Max Schelers und Rudolf Borchardts aus, kam aber nicht über drei Jahrgänge hinaus. – Der literarische Ehrgeiz der „Fähre" war größer. Sie gab sich erst unter der Leitung Herbert Burgmüllers, später gemeinsam mit Hans Hennecke, dann unter Herbert Schlüter, als ein literarisches Instrument, das „zu neuen Ufern" übersetzen wollte. Dies neue Ufer bezeichnete man mit Goethes Begriff „Weltliteratur". Die „Fähre" war aus Ideen hervorgegangen, die Ernst Schönwiese in der Wiener Emigrantenzeitschrift „das silberboot" seit 1935 entwickelt hatte. Die Namen Hermann Broch, Franz Blei, Robert Musil, Hans Henny Jahnn und ihre ausländischen Gegenstücke (Canetti, Joyce, Wilder, Valéry usw.) wurden in der „Fähre" bekannt gemacht. Auch diese Zeitschrift, mit einer besonderen Neigung zu russischer Literatur, ging nach der Währungsreform (1948) ein.

„Sinn und Form"

Erst im Jahre 1949 erschien, unter sowjetischen Auspizien, „Sinn und Form, Beiträge zur Literatur", herausgegeben von Johannes R. Becher und Paul Wiegler. Bis Ende 1962 blieb Peter Huchel Chefredakteur. Die ersten Jahrgänge wahrten den Zusammenhang mit der deutschen und europäisch-humanistischen Überlieferung. Das erste Heft brachte Beiträge von Romain Rolland, Oskar Loerke, Wladimir Majakowski, C. F. Ramuz, Vitezlav Nezval, Elio Vittorini, Hans Reisiger, Gerhart Hauptmann („Traum"), Ernst Niekisch („Zum Problem der Elite") und Hermann Kasack („Der Webstuhl"), außerdem Gedichte aus der französischen Résistance von Louis Aragon und andern. Das zweite Heft veröffentlichte Anna Seghers, Mao Tse Tung („frei übertragen von Bertolt Brecht") und Stephan Hermlin; im dritten Heft setzte die hegelsche und marxistische Dialektik der literarischen Paradepferde Ernst Bloch und Georg Lukács ein. „Dialektik wirkt als produktive Kraft, wissend, was sie jetzt, ahnend, was sie überhaupt will", schrieb Bloch; und Lukács stellte die Frage: „Wie steht der wichtigste Vertreter des präfaschistischen

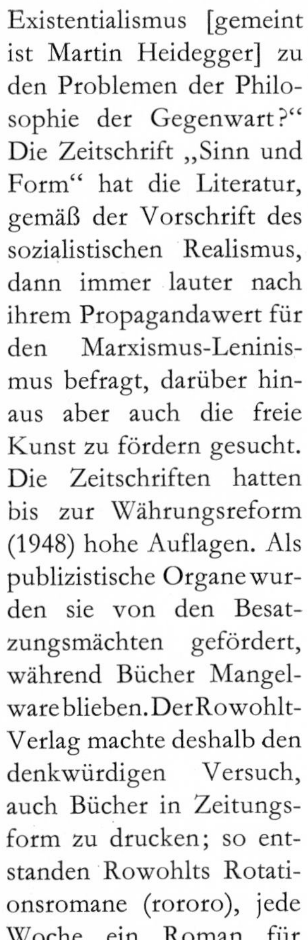

Existentialismus [gemeint ist Martin Heidegger] zu den Problemen der Philosophie der Gegenwart?“ Die Zeitschrift „Sinn und Form“ hat die Literatur, gemäß der Vorschrift des sozialistischen Realismus, dann immer lauter nach ihrem Propagandawert für den Marxismus-Leninismus befragt, darüber hinaus aber auch die freie Kunst zu fördern gesucht. Die Zeitschriften hatten bis zur Währungsreform (1948) hohe Auflagen. Als publizistische Organe wurden sie von den Besatzungsmächten gefördert, während Bücher Mangelware blieben. Der Rowohlt-Verlag machte deshalb den denkwürdigen Versuch, auch Bücher in Zeitungsform zu drucken; so entstanden Rowohlts Rotationsromane (rororo), jede Woche ein Roman für fünfzig Pfennig. Hier sind zahlreiche bedeutende Bücher der modernen Weltliteratur erschienen. Nach der Währungsreform und der schnellen Erholung der Wirtschaft in den Zonen der Westmächte fanden diese Hefte freilich keinen Absatz mehr, und Rowohlt ging – wie später auch S. Fischer und viele andere Verlage – daran, nach amerikanischem Muster Taschenbücher in broschierten Ausgaben zu drucken. Sie haben, ein Novum auf dem deutschen Markt, das traditionell gebundene Buch keineswegs verdrängt, sondern nach einer soziologisch interessanten Seite hin ergänzt. Zwar kann sich der deutsche Leser nicht entschließen, wie der angelsächsische, das Pocketbuch nach der Lektüre fortzuwerfen; auch wenn er es aufhebt, sieht er es nicht als Ersatz für ein Vollbuch an.

Ernest Hemingway

Literatur als Widerstand

Wichtiger als die ökonomisch bedingten Zustände des Buchmarkts und die politischen der Zeitschriften waren die geistigen Veränderungen. Zwar lebten viele Autoren und schrieben weiter, zwar kamen die Bücher der Emigranten nach Deutschland – aber das war nicht jene „neue“ Literatur, die man in gewisser Analogie zu 1918/19 erwartete, als der Expressionismus plötzlich zu einer breiten Bewegung wurde. Der wichtigste Unterschied war ein emotionaler. Nach dem Jahre 1919 glaubte man an ein neues Weltalter, eine neue Sprache, eine Befreiung von alten Konventionen, man glaubte an den „neuen Menschen“ und an eine neue

Politik: In jenem Sommer 1945 kam der bisher unterdrückte Widerstand gegen das NS-Regime, den Krieg, die Vernichtungstaktik, die Juden- und Christenverfolgung zum Ausbruch. Zwar hatte es auch nach dem *ersten* verlorenen Kriege Antimilitarismus, Pazifismus und einen vertrotzten Nationalismus gegeben, aber 1945 handelte es sich um eine radikale Verwerfung aller bürgerlichen, nationalen, militärischen und faschistischen Übel: die Vergangenheit wurde abgelehnt, weil sie eine schlechte Vergangenheit war. Die Generalisierung wollte das Jahr Null als absoluten Anfang setzen. Der Einsatz wurde bei Wolfgang Borchert am deutlichsten.

Wolfgang Borchert

Borchert (1921–1947), ein Hamburger Buchhändler und Schauspieler, kam 1941 an die Ostfront, wurde schwer verwundet und erkrankte. Mißmutige briefliche Äußerungen über das NS-Regime führten zu einem Prozeß, zu Todesurteil und Verschickung, „zur Bewährung", an die Ostfront. Hier mußte er seiner angegriffenen Gesundheit wegen entlassen werden; er trat in Hamburger Kabaretts auf, wurde bald wieder verhaftet und eingesperrt. 1945 kehrte er todkrank in die zerstörte Heimat zurück und schrieb seine Gedichte, Erzählungen und das Drama „Draußen vor der Tür". Ein Kuraufenthalt in der Schweiz kam zu spät. Einen Tag nach dem Tode des Dichters wurde das Drama in Hamburg uraufgeführt und ging über alle Bühnen. Borcherts Werk erreichte in wenigen Jahren große Wirkung. Das Heimkehrerstück „Draußen vor der Tür" ist im Herbst 1946 in wenigen Tagen als Hörspiel entworfen worden:

„Draußen vor der Tür"

Oberst: Sagen Sie mal, was haben Sie für eine merkwürdige Frisur? Haben Sie gesessen? Was ausgefressen, wie? Na, raus mit der Sprache, sind irgendwo eingestiegen, was? Und geschnappt, was?

Beckmann: Jawohl, Herr Oberst. Bin irgendwo mit eingestiegen. In Stalingrad, Herr Oberst. Aber die Tour ging schief, und sie haben uns gegriffen. Drei Jahre haben wir gekriegt, alle hunderttausend Mann. Und unser Häuptling zog sich Zivil an und aß Kaviar. Drei Jahre Kaviar. Und die andern lagen unterm Schnee und hatten Steppensand im Mund ...

Oberst: Lieber junger Freund, Sie stellen die ganze Sache doch wohl reichlich verzerrt dar. Wir sind doch Deutsche. Wir wollen doch lieber bei unserer guten deutschen Wahrheit bleiben. Wer die Wahrheit hochhält, der marschiert immer noch am besten, sagt Clausewitz.

Beckmann: Jawohl, Herr Oberst. Schön ist das, Herr Oberst. Ich mache mit, mit der Wahrheit. Wir essen uns schön satt, Herr Oberst, richtig satt, Herr Oberst. Wir ziehen uns ein neues Hemd an und einen Anzug mit Knöpfen und ohne Löcher. Und dann machen wir den Ofen an, Herr Oberst, denn wir haben ja einen Ofen, Herr Oberst, und setzen den Teekessel auf für einen kleinen Grog ...

Borcherts Beckmann nimmt den Oberst „beim Wort", und unversehens kommen die Leere, der Phrasencharakter der schönen Worte an den Tag. Ähnlich verfährt Borchert in den Erzählungen; ob er einen Kellner, der mit seinem Sprachfehler seelisch nicht fertig wird, in einer humoristischen Erzählung zu sich selbst bringt („Schischyphusch"), ob er eine Frau bemerken läßt, daß ihr hungriger Mann heimlich das wenige Brot ißt, oder ob er in der „Hundeblume", ein anderer Ernst Toller, das reduzierte Glück eines Gefangenen beschreibt:

Ein blasierter, reuiger Jüngling aus dem Zeitalter der Grammophonplatten und Raumforschung steht in der Gefängniszelle 432 unter dem hochgemauerten Fenster und hält mit seinen vereinsamten Händen eine kleine gelbe Blume in den schmalen Lichtstrahl – eine ganz gewöhnliche Hundeblume. Und dann hebt dieser Mensch, der gewohnt war, Pulver, Parfüm und Benzin, Gin und Lippenstift zu riechen, die Hundeblume an seine hungrige Nase, die schon monatelang nur das Holz der Pritsche, Staub und Angstschweiß gerochen hat – und er saugt so gierig aus der kleinen gelben Scheibe ihr Wesen in sich hinein, daß er nur noch aus Nase besteht.

JEAN PAUL SARTRE

Borchert artikulierte den Schrei des Menschen gegen den Krieg. Die Mittel Hemingways haben ihn gefördert. Sein lyrisch getönter Stil und seine manchmal sentimentalen Verkürzungen der Motive gehören zum Bild jener Jahre, vor allem das Empfinden, einer sinnlos geopferten Jugend anzugehören. Sein Nachfolger in der zeitkritischen Literatur wurde Heinrich Böll.

Die Trümmerliteratur

Man verwarf das Gewesene und setzte einen neuen Anfang; das galt für alte wie für junge Autoren, z. B. Ernst Wiechert („Die Jerominkinder"), Theodor Plivier, Johannes R. Becher, Günther Weisenborn („Die Illegalen"), Alfred Döblin, Ernst Hardt, Stephan Hermlin, Elisabeth Langgässer („Das unauslöschliche Siegel"), Anna Seghers („Das siebte Kreuz"), Georg Kaiser (Uraufführung des „Soldat Tanaka", 1946), Hermann Kasack („Die Stadt hinter dem Strom"), Walter Kolbenhoff, Rudolf Hagelstange („Venezianisches Credo", 1945), Wolfgang Weyrauch, Ilse Aichinger, Ernst Kreuder und Arno Schmidt. Damals prägte man die Begriffe „Trümmerliteratur" und „Kahlschlagprosa". Es gab Schriftsteller, denen die Darstellung oder Erfindung von Greueln beklemmend gut gelang – ob sie die Untaten in die Vergangenheit oder Zukunft projizierten (Friedrich Heer, Walter Jens, Hermann Kasack). Die Kafkaschen Angstträume wurden literarisch aufgenommen – wie es ja auch tiefere Gründe hatte, daß Kafka in diesen Jahren zum Weltautor wurde. Joyce, Faulkner, Wolfe, Wilder – alle seit den zwanziger und dreißiger Jahren übersetzt und bekannt – wurden jetzt als Analytiker einer destruierten Gesellschaft gelesen und propagiert. Der Faulknersche Süden der USA entsprach deutschen Verhältnissen: die Greuel rassischer Kämpfe waren hier exakt beschrieben. Bei Joyce war der Regenbogen der europäischen Überlieferung unbarmherzig prismatisch zerlegt. In Wilders „The Skin of Our Teeth" fand man den Spiegel des eigenen Weltendes.

Sartres Existentialismus

Der Gegensatz zur vorhergehenden Generation bestand in dem Fehlen eines Glaubens an neue Werte. Der Expressionismus hatte eine positive Botschaft verkündet, jetzt predigte man einen verzweifelten Nihilismus. J. P. Sartre, 1905 in Paris geboren, hatte 1932–34 als Stipendiat des Institut Français in Berlin Edmund Husserl und Martin Heidegger studiert, sich dann aber zum Publizisten eines literarisch getönten „Existentialismus" entwickelt. Sartres Mensch steht einer Fülle von sinnlosen Fakten, genannt „Welt", gegenüber und hat die Aufgabe, sein eigenes Sein zu entwerfen und zu entwickeln. Bei Sartre hat sich die Existenzphilosophie ungleich weiter als bei Jaspers und Heidegger vom theologischen Ausgangspunkt Kierkegaards gelöst. Nicht der denkerische Prozeß und seine Folgen interessieren Sartre, sondern die Literatur. In *ihr* erkennt er die entscheidende Möglichkeit des Ich zu sich selber, seiner Person zu kommen. Der wahre Autor formt die an sich rohe, ungestalte Welt auf moralische Ziele hin. Dies Ziel ist „die Freiheit". Damit nahm Sartre ein Grundmotiv des revolutionären Frankreich auf, zumal er seine Freiheit in scharfem Gegensatz zur christlichen Tradition begriff. Der Schriftsteller, lautet die entscheidende Forderung, hat sich zu enga-

JEAN PAUL SARTRE

Jean Paul Sartre

gieren. Sartres „Qu'est-ce que la littérature?" (1948) wurde 1955 ins Deutsche übersetzt. Um die gleiche Zeit wurden seine philosophischen und dramatischen Werke übertragen. Die Bühnenstücke hatten ihren Anteil an der Prägung eines kritischen Zeitbewußtseins. Sartres Denken war begrifflich einfacher als das Heideggers und kam durch die Verbindung mit der Literatur zur Breitenwirkung. Der Widerspruch zwischen dem proletarischen Täter und dem immer bloß redenden („bürgerlichen") Intellektuellen traf das Bewußtsein des Jahres 1948, als „Les Mains sales" (im gleichen Jahre deutsch als „Die schmutzigen Hände") erschienen, ziemlich genau. Obwohl auf die Krise der französischen Intelligenz bezogen, haben Sartres Thesen literarisch und allgemein publizistisch, vor allem auch politisch, in Deutschland ein lebhaftes Echo gefunden.

T. S. Eliot

Ganz anders war die Wirkung T. S. Eliots. Er ist 1888 in den Vereinigten Staaten geboren und hat sich früh unter dem Einfluß Ezra Pounds von der puritanischen Konvention der viktorianischen Dichtung gelöst. Ähnlich wie die Berliner Stadtdichter van Hoddis, Lichtenstein und Heym war Eliot von Laforgue und Rimbaud beeinflußt und schrieb 1910 – in München – das Gedicht „The Love Song of J. Alfred Prufrock", das erst 1951 in der Übertragung von Klaus Günther Just deutsch erschien, ein Gegenstück zur expressionistischen Stadtdichtung:

„Prufrock"

Komm, wir gehen, du und ich,
Wenn der Abend ausgestreckt ist am Himmelsstrich,
Wie ein Kranker äthertaub auf einem Tisch;
Komm, wir gehn durch halbentleerte Straßen fort,
Den dumpfen Zufluchtsort
Ruhlos-verworfner Nächte in Kaschemmen
Und schmierigen Restaurants zum Austernschlemmen:
Straßen, die wie ein listiges Argument,
Das jede Tücke kennt,
Zum überwältigenden Fragen führen . .

NEO-EXPRESSIONISMUS

An den Übertragungen Eliots hatten Ernst Robert Curtius („The Waste Land"), R. A. Schröder („Ash-Wednesday") und Nora Wydenbruck („Four Quartets") Anteil. Publizistisch haben sich H. Hennecke und H. E. Holthusen mit Eliot auseinandergesetzt und wurden von ihm beeinflußt. Aber nicht der frühe „nihilistische" Eliot hatte in Deutschland die größte Wirkung, sondern der spätere christliche Dramatiker und gelehrte Essayist. Eliots Versuche eines neuen, poetisch wie liturgisch gebundenen Dramas stehen neben der deutschen Claudel-Renaissance. Diese Wirkung hängt mit dem Neu-Expressionismus der fünfziger Jahre eng zusammen, als man neben Ezra Pound, James Joyce und Thomas S. Eliot, Kafka, Trakl, Heym, Benn und die Masse der deutschen Expressionisten als Zeitgenossen empfand und neu herausgab. Auch die etwas spätere Eroberung der deutschen Bühne durch Samuel Beckett und Eugène Ionesco, durch Federico García Lorca und Dylan Thomas hängen mit diesem Phänomen zusammen. Ähnlich wie die Romantik aus Frankreich (als „Symbolismus") wieder nach Deutschland zurückgekehrt war, ist der „Expressionismus" der europäischen Autoren in einer späten, mehr literarischen als weltanschaulichen Phase, vor allem als „Surrealismus", wieder nach Deutschland gelangt.

Der internationale Neu-Expressionismus

„Der Ruf"

Zeitlich vor diesen Ereignissen liegt eine andere Bewegung, die einige Jahre lang – bis um 1950 von der Lyrik her ein neuer Einsatz erfolgte – repräsentativen Einfluß gewann. Alfred Andersch und Hans Werner Richter ließen 1946–47 die Zeitschrift „Der Ruf" erscheinen, von der sechzehn Hefte herauskamen; dann wurde sie verboten. Der Tenor der Zeitschrift war politisch: die Deutschen sollten nicht den Fehler begehen, die armseligen Zustände der Nachkriegszeit mit „der" Demokratie zu verwechseln, und die Amerikaner wurden beschworen, die Demokratie den Deutschen nicht als einem Staat von Bettlern aufzuzwingen. Die nationalen Töne waren ebenso deutlich wie die „proletarischen". Außer den ersten Mitgliedern der Gruppe 47 schrieben hier Horst Lange, Erich Kuby, Gustav René Hocke und Karl Krolow. Literarisch las man eine satirisch scharfe Attacke auf Ernst Wiechert.

Richter und Andersch

Hans Werner Richter, geboren 1908, und Alfred Andersch, geboren 1914, hatten in der Jugend Buchhandel gelernt und sich früh der politischen Linken angeschlossen. In amerikanischer Gefangenschaft lernten sie sich kennen und gründeten dann in München den „Ruf". Richter hatte mit Romanen („Die Geschlagenen", 1949, „Sie fielen aus Gottes Hand", 1951, und andere) als Schriftsteller eines bewußt politischen Engagements Erfolg. Andersch schrieb seinen Überläuferroman „Die Kirschen der Freiheit" (1952), Erzählungen und den Roman „Sansibar oder der letzte Grund" (1957). Auch er war „engagiert", suchte aber zur Poesie zu „desertieren". Andersch schreibt angenehm, trocken und gespannt. Der Stil wird mit Jargon versetzt: „Die kindliche Tour, dachte Judith, ich muß die kindliche Tour schieben." An der später von Andersch herausgegebenen Zweimonatsschrift „Texte und Zeichen" (1955–57) arbeiteten Hans Magnus Enzensberger, Paul Celan, Arno Schmidt, Walter Jens, Wolfgang Weyrauch, Sartre, Hemingway, Céline, Beckett und andere Autoren mit. Andersch und Richter sind ihrer Zeit jedoch nie so nahe gekommen wie in den Monaten des „Ruf": als sich ihr politisches Engagement mit der Herausforderung durch den Zeitgeist deckte.

Im Herbst 1947 traf sich eine Gruppe von Autoren, Publizisten und Journalisten

DIE GRUPPE 47

im Allgäu im Hause der Schriftstellerin Ilse Schneider-Langyel. Sie wollten anstelle des eingegangenen „Der Ruf" eine neue Zeitschrift mit dem Titel „Der Skorpion" gründen. Hans Werner Richter mußte jedoch mitteilen, daß die geplante Veröffentlichung schon im voraus verboten sei. So begann man, sich gegenseitig Manuskripte vorzulesen. Die ersten Mitglieder der „Gruppe 47" waren Hans Werner Richter, Alfred Andersch, Heinz Ulrich, Walter Kolbenhoff, Heinz Friedrich, Ernst Kreuder, Nikolaus Sombart, Walter Hilsbecher, Wolfgang Bächler, Walter A. Guggenheimer, Walter Mannzen, Wolfgang Lohmeier, Wolfdietrich Schnurre, Friedrich Minssen, Siegfried Heldwein, Günter Eich und andere. Man traf sich jährlich einmal in Klausur. In den folgenden Jahren traten in den Vordergrund: Ilse Aichinger, Ingeborg Bachmann, Walter Jens (der anfangs als Dichter, später als Kritiker geladen wurde), Heinrich Böll, Ernst Schnabel, der Holländer Adrien Morriën, Wolfgang Hildesheimer, Siegfried Lenz, Wolfgang Weyrauch, Martin Walser, Uwe Johnson, Paul Celan, Hans Magnus Enzensberger und Günter Grass. Die Autoren waren damals etwa dreißig Jahre alt; sie fühlten sich als Vertreter einer neuen Literatur, die noch zu schreiben wäre. Ältere Autoren und solche, die man für unmodern hielt, wurden nicht eingeladen.

Thomas Stearns Eliot

Die Tagungen

Es gab Tagungen, an denen bis zu 120 Personen teilnahmen, sie dauerten mehrere Tage. Das System blieb zwanglos. Richter hatte die Leitung. Die Teilnehmer durften bis zu einer Stunde Gedrucktes und Ungedrucktes vorlesen und mußten sich jede Kritik gefallen lassen. Es wird erzählt, Schnurre habe nach einer Lesung Ilse Aichingers gesagt: „Ich möchte wissen, wer das Zeug drucken soll." Darauf die Autorin: „Ist schon gedruckt", und Schnurre: „Das wundert mich aber sehr." Aichinger: „Mich auch." Später bildete sich ein gefürchtetes Kritikerteam, das aus Walter Jens, Walter Höllerer, Joachim Kaiser und andern bestand. Bald wurden Journalisten, Kritiker, Literaturprofessoren als Gäste geladen und nicht zuletzt die Lektoren der Verlage. Aus dem Kreis der Verleger wurde seit 1950 eine Summe gespendet, die als Preis der Gruppe 47 im Jahre 1950 an Günter Eich,

1951 an Heinrich Böll, 1952 an Ilse Aichinger, in den nächsten Jahren an Ingeborg Bachmann, Morriën, Walser und Grass verliehen wurde. Hier Anerkennung gefunden zu haben bedeutete in den besten Zeiten einen raschen literarischen Aufstieg. Von hier nahm der Ruf von Ingeborg Bachmann, Heinrich Böll, Walter Jens, Martin Walser und Günter Grass seinen Ausgang. Zahlreiche andere, darunter Eintagsfliegen, geschickte Blender und Dilettanten wurden in Grund und Boden kritisiert. Aber auch ein Roman von Höllerer, ein Drama von Enzensberger fand hier keine Gnade. In der Zeitschrift „Texte und Zeichen" gab Alfred Andersch 1950 eine Bibliographie der Gruppe 47.

Die Gruppe 47 und ihre Gründer haben lange bestritten, daß sie eine „Ideologie" hätten. Sie fühlten sich als Vertreter einer Nachkriegsliteratur, als es diese noch gar nicht gab. Sie wollten sie hervorlocken und durch gegenseitige Kritik hieb- und stichfest machen. Zu Anfang sagte Richter in einem Interview:

Gegen die Romantik

> Alle Anzeichen aber sprechen dafür, daß die neue Sprache [der Literatur] realistisch sein wird. Die heutige schreibende Jugend hat sich zum großen Teil von dem ungeheuren Schock der letzten Jahre noch nicht erholt und zieht sich in eine imaginäre romantische Welt zurück. Ein Beispiel dafür ist das kolossale Anwachsen der Lyriker [sic], die zum Teil gute Sachen schreiben. Aber diese Romantiker leben noch immer in einer anderen Zeit, ihre Vorbilder sind meist Rilke, George, Heyse [!], Alverdes und andere...

Richter verstand unter neuer Literatur, wie seine Bemerkungen zeigen, vor allem neue Stoffe, die Auseinandersetzung mit dem Faschismus. Als die politische Phalanx verwitterte und durch Jens, Höllerer, Hildesheimer, Enzensberger und Grass literarische Gesichtspunkte in den Vordergrund traten, änderte sich der Teilnehmerkreis. Außer Enzensberger, Grass und Höllerer selbst lasen nun Barbara König, Cyrus Atabay, Kuno Raeber, Gabriele Wohmann, Ingrid Bachèr, Helmut Heißenbüttel, Christian Ferber, Peter Rühmkorf und andere. Das sozialkritische Pathos verlor sich, aber die historische Schattenbeschwörung, die surrealistischen Scherze, die Freude an der Provokation blieben. Hatte Richter einst den Rückzug der Jugend in eine imaginäre romantische Welt verurteilt, so verlor die Gruppe den Kontakt mit der neuen Wirklichkeit von 1952 oder 1957; politisch blieb sie beim Antifaschismus stehen. Die Autoren entfernten sich vom Pathos des Von-Vorn-Anfangens; die Gründer und ihre Freunde gingen zur Publizistik über, die Kritiker fanden zu literarischen Maßstäben zurück. Die Gruppe ist denkwürdig als Keimzelle einer politischen Literatur in Deutschland.

DIE NEUE PROSALITERATUR

Originale Kriegsdichtung

Nach dem Kriege konnte man die Bemerkung hören, es sei erstaunlich, daß sich in einer Zeit, die soviel erlebt habe, nicht mehr Leute fänden, die etwas zu erzählen hätten. Nun hat das naive Erzählen von schaurigen und großartigen Dingen nur sehr bedingt mit dem künstlerischen Erzählen zu tun; sieht es doch aus, als ob sich Ereignisse wie Krieg, Verfolgung, Untergang ganzer Völker und Stände nur in den Maßen Homers und Dantes, nicht aber mit den Mitteln des bürgerlichen Romans, des privaten Tagebuchs oder der Erzählung bewältigen ließen. Auch Drama und Gedicht haben für das Problem des Leidens einer fast immer anonym bleibenden Masse keine gültige Lösung finden können.

DER ZWEITE WELTKRIEG

Zögernder und spärlicher als nach dem ersten Weltkrieg erschienen die Tagebücher. Die meisten suchten nicht das individuelle Erlebnis zu gestalten, sondern waren Anklage und Rechtfertigung. Das gilt etwa für H. W. Richters „Die Geschlagenen" (1949) und Alfred Anderschs „Kirschen der Freiheit" (1952). Zahlreiche Bücher boten Dokumentation und Bericht oder suchten die unterhaltende Fabel. Die Lage des Soldaten im Kriege war jedoch ganz anders, als lange nachher geschriebene Bücher sie hinstellten; sie war schlichter und menschlicher.

Militärische Existenz

Der Soldat war plötzlich aus dem bürgerlichen Leben gerissen und gegen seinen Willen, aber oft mit Neugier und Abenteuerlust in kriegerische Situationen gestellt. Er erlebte vor allem die Fremde, ein ganz anderes Milieu, und da der gewöhnliche Mensch weder Antimilitarist noch Antifaschist, überhaupt kein „Kämpfer", sondern ein Zivilist war, der sich in neuer Umgebung als Individuum zu halten und behaupten suchte, so ergaben sich tragisch, romantisch oder grotesk empfundene Situationen, aus denen einige Kriegsbücher entstanden sind. Sie wurden nach dem Mai 1945 nahezu unverständlich. Da ist nicht von Pauken und Trompeten, von Herrlichkeit oder Untergang, von Volk und Führer die Rede, sondern vom Alltag der soldatischen Existenz. Dazu gehört die alltägliche Erscheinung des Todes. Moralische und politische Fragen sind Fragen des Vorfelds; der Soldat als Individuum *muß* aus dem Augenblick heraus handeln, und Handeln und Nichthandeln werden befohlen. Diese kriegerische Ordnung spiegelt sich in den Büchern von Curt Hohoff „Der Hopfentreter" (1942), Erzählungen aus dem polnischen und französischen Feldzug, in den Geschichten Günter Böhmers aus „Pan am Fenster" (1943), den im „Inneren Reich" seit 1941 veröffentlichten Erzählungen Gerd Gaisers, die später in dem Jagdfliegerroman „Die sterbende Jagd" im Zusammenhang erschienen, und in Erhart Kästners „Zeltbuch in Tumilad" (1949) aus der ägyptischen Gefangenschaft. Die russischen Feldzüge schilderte Curt Hohoff später in seinem literarischen Tagebuch „Woina-Woina" (1951).

Kriegsdichtung

In Böhmers „Pan" fällt einmal der Stoßseufzer: „So war es. Herrgott, wir aber lebten." Diese Stimmung trägt, weit unter oder über jeder politischen Meinung, das komplexe Erlebnis des kämpfenden Soldaten, der sich weder als Held noch als Verbrecher fühlte, der ein geschundener und gelassener Mensch blieb. Der Dichter bemühte sich, das medusische Antlitz der Zeit wahrzunehmen:

Günter Böhmer: „Eine unverhoffte Tasse Tee"

Mein Schneehemd, ein weißer, aus einem Schrank gerissener Kleiderfetzen, war dicht am Hals durchschossen worden, und als ein kleines Weilchen später ein Schuß den ledernen Tragegurt des Sturmgepäcks fingerlang aufriß und mir eins wie mit zwölf Unzen vor die Schulter schlug, glaubte ich fast, daß ich für alle Zeit mein Teil bekommen hätte. Wie ich mich recht besinne, schlitterten wir auf und nieder, standen hier und dort, duckten und reckten uns zuweilen, fuhren mitunter zur Seite und in die Knie, als wäre es einer uns ahnungsvoll eigenen Intuition gegeben, einer Kugel auszuweichen oder auch nur dem bösen Blick eines über Kimme und Korn auf uns gerichteten Verhängnisses. Aber ein heißer Ruck fuhr bis in jede Fiber, erhaschte ich ganz von ungefähr im Fenster dieses widersinnige Bild: Da stand eine Frau mit einem kleinen Singsang auf den Lippen und bügelte mit der ganzen peinlichen Sorgfalt, die dieses Tun erfordert, ihre Leibwäsche. Bar aller Wirklichkeit und doch wie in tiefsinniger Verhöhnung der furchtbaren Stunde stand es, lebte es, ein friedfertiges Genrestücklein im gläsernen, eisverschlierten Oval, und trat, wie aus fernen, dämmernden Gründen nah und näher dringend, bohrend, ungeheuerlich in mein Bewußtsein, das sich fast verzweifelt dagegen sträubte und zur Wehr setzte.

Man sieht an solch einem Stück Prosa die Realität des Krieges. Ähnliche Stücke finden sich bei Horst Lange („Die Leuchtkugeln", 1944), Gerd Gaiser, Martin Raschke und Felix Hartlaub. Sie gehören zu den Versuchen einer Generation, eine sachliche, unromantische, harte Sprache zu finden, die sich auch in den „zivilen" Arbeiten F. A. Kauffmanns, Max Kommerells, E. G. Winklers, Franz Tumlers, Hans Egon Holthusens („Das Schiff") und Arno Schmidts findet – eine Sprache zwischen Essay und Dichtung, Darstellung und Schilderung, Erfindung und Erleben. Die bedeutendsten Autoren dieser zum großen Teil im Krieg gefallenen Zwischengeneration sind Felix Hartlaub und Gerd Gaiser.

NEUE TALENTE

Stil der verlorenen Generation

Die „Verlorenheit" dieser Generation spiegelt sich auch in einem anderen, bis heute dauernden Prozeß. Nach der Rückkehr konnten sie mit ihrem Kriegserlebnis nichts anfangen, denn alle Werte waren umgekehrt. Viele entdeckten den Sinn ihrer Erlebnisse in entschlossenem Engagement. Andere gaben das Schreiben auf und nahmen Stellungen in der kulturföderalistischen Praxis der Bundesrepublik an: sechzehn Rundfunksender, zahlreiche Verlage, Zeitungen und Zeitschriften boten Stellungen in der verwaltenden Welt.

Neue Talente

Der Einfluß Kafkas, nicht so sehr seines Stils und seiner Kunst wie seiner als Prophezeiung eines moralischen Kältetods der Welt interpretierten Anschauungen, zeigte sich bei einer Reihe von Autoren. Rudolf Krämer-Badonis 1942 veröffentlichter Roman „Jacobs Jahr" wirkte wie ein Vorläufer dieser Bücher. Kafkaeske Phantasieschübe findet man in der traumhaft anarchistischen Weltflucht der Romane Ernst Kreuders, „Die Gesellschaft vom Dachboden" (1946) und „Die Unauffindbaren" (1949), in Hermann Kasacks großangelegtem allegorischen Unterweltsroman „Die Stadt hinter dem Strom" (1949), in Hans Erich Nossacks Erzählungen und Heinz Risses Roman „Wenn die Erde bebt" (1950).

Rudolf Krämer-Badoni

Krämer-Badoni ist noch einmal Vorreiter eines neuen Typus geworden: mit seinem Schelmenroman „In der großen Drift" (1949), der die Entwicklung eines geschickt durch die Zeiten lavierenden Mannes darstellte. Sein Versuch eines neuen metaphysischen Romans, „Der arme Reinhold" (1951) ist in seinem Ernst denkwürdig, wenn er auch mißlungen ist. Die eigentlichen Schelmenerzählungen und -romane der Zeit, voll versteckter und offener Bezüge, schrieb Gregor von Rezzori in seinen „Maghrebinischen Geschichten" (1953) und den beiden gleichfalls „maghrebinischen" Romanen „Ödipus siegt bei Stalingrad" (1954) und „Ein Hermelin in Tschernopol" (1958). Mit großer Verve und viel Sinn für erotischen und blasphemischen Witz hat Rezzori mit seinem „Maghrebinien" ein groteskes Gegenstück zu Musils Kakanien geschrieben – nur balkanischer und entsprechend amüsant. Ein Glanzstück parasitärer Prosa ist das große Bruchstück „Atalanta oder die Jagd von Kalydon (ein Roman, der seinen Autor sucht)", 1957 im „Jahresring" veröffentlicht. Man muß hier an André Gides „Theseus" erinnern. Rezzori hat die antike Sage persiflierend erneuert. Es ist ein Spiel sowohl mit den Versuchungen der „schwarzen Literatur" als auch mit einer ironischen Neoklassik, für die sich weitere Beispiele bei Rudolf Hagelstange („Die Aufzeichnungen des trojanischen Prinzen Paris", 1958), Ernst Schnabel („Der sechste Gesang", 1956), Walter Jens („Das Testament des Odysseus", 1957) und Arno Schmidt („Leviathan", 1949) finden.

Gregor von Rezzori

Der Schelmenroman ist die Antwort des Erzählers auf den Bruch im Epochenbewußtsein. Die Geschichten von Siegfried Lenz („So zärtlich war Suleyken",

Wolfdietrich Schnurre

1955) und August Scholtis gehen vom masurischen und oberschlesischen Milieu aus. Die glänzend gemachte Epopöe von Hans Scholz „Am grünen Strand der Spree" (1956) offenbarte ein Naturtalent im Berliner Jargon, wo Geschichte, Gegenwart, Nähe und Ferne in einer Reihe von epischen Medaillons aufleuchten. Aufsehen erregte 1953 der groteske, autobiographisch genährte Roman von Albert Vigoleis Thelen „Die Insel des zweiten Gesichts". Auch hier hat eine ungewöhnliche erzählerische Begabung das anarchistische Rebellentum in der eigenen Brust zum Anlaß genommen, die Zeit zu verhöhnen. Ähnlich verfuhr Günter Grass in dem Roman „Die Blechtrommel" (1959). Thelen und Grass brechen die sozialen, erotischen und religiösen Tabus der Gesellschaft. Sie sind temperamentvolle Schriftsteller, welche der herausfordernden Wirkung die Komposition opfern. Besonders reizt Grass die Verbindung abnormer Veranlagungen in Politik und Sexus: die jüngste Geschichte, von Hitler bis heute, wird als strikter Zusammenhang von weltanschaulichen, religiösen und sittlichen Perversionen hingestellt, ganz deutlich in der Novelle „Katz und Maus" (1961). Der Stil ist naturalistisch, versetzt mit surrealistischen Gags. Die Erzählung treibt auf einer Woge von unverbrauchter Vitalität, die Anarchie für Freiheit hält. Die Bücher sind Versuche einer „schwarzen" Literatur in Deutschland.

Günter Grass

Daß politisches Rebellentum und anarchistisches Lebensgefühl eine künstlerisch disziplinierte Form gewinnen können, zeigt Wolfdietrich Schnurre, geboren 1920, der nach dem Kriege zu schreiben begann. Im proletarischen Nordosten Berlins aufgewachsen, empfand er seine Soldatenzeit als „sinnlos". Er haßt das Militär und alles, was damit zusammenhängt, die „üblichen verschwommenen Ideale wie Opfermut, Tapferkeit, Vaterlandsdank". Als Lyriker und Erzähler fühlt er sich verpflichtet, satirisch an- und einzugreifen: gegen die Mächte der Gewöhnung und des bequemen Wohlergehens. Seine ersten Erzählungen waren von Hemingway beeinflußt. Ihr knapper Dialog ist in die Schilderung beengter Milieus eingebaut. Als Moralist neigt Schnurre zur Kürze, seine beste Prosa steckt in Parabeln; hier löst sie sich vom Alltag und wird dichterisch:

WOLF-DIETRICH SCHNURRE

„Der Habicht"

Wieder hat der Habicht ein Huhn geholt. So geht das nicht weiter, er kann mir nicht alle rauben, die Hühner sind mein einziges Gut, ich lebe von ihnen. Am nächsten Tag scheuche ich die Hühner weit auf das abgeerntete Feld, verberge mich in einer hohlen Weide am Rain und warte. Gegen Mittag gleitet ein Schatten heran; das Gelb der Stoppeln verfärbt sich zu Rost, wo er fliegt; ich starre zum Himmel. Er ist so blau, wie es ihm auf Bildern verboten sein müßte, die Sonnenspirale spritzt Feuer. Die Hühner haben sich sattgegessen, sie lassen die Flügel hängen und stehen da, mit geöffneten Schnäbeln, als wären sie in den Boden gewachsen. Doch als der Schatten über sie kommt, stoßen sie Warnrufe aus und recken die Hälse. Ich entsichere die Flinte. Jetzt sehe ich ihn. Er bietet einen furchterregenden Anblick. Er hat ein Schwert in den Fängen, sein Blick schleudert Blitze; brandrote Haare umwehen den Vogelkopf: ein Engel. Doch er will mir die Hühner rauben; ich gehe in Anschlag. Jetzt hat sich Todesahnen der Hühner bemächtigt. Einige sinken um und zucken in Krämpfen, die übrigen suchen, der Hahn an der Spitze, schreiend das Weite. Ich krümme den Finger: das flimmernde Korn in der Kimme steht jetzt genau auf dem Herzen des Habichts. Der ist zu einem Adler, einem Greifen geworden. Zorn hat sein Antlitz entstellt, sein Schnabel speit Glut. Jetzt —! denke ich. Da biegt sich mein Flintenlauf wie der Stil einer welkenden Lilie . . .

Im Prisma der Kunst

Hier hat Schnurre das Problem der Macht, die er bekämpft, weil sie böse ist, in einer Tiefe symbolisiert, die über moralische Wertungen hinausreicht. Der Mensch unserer Zeit als Verfolgter ist das Grundthema der Erzählungsbände von „Die Rohrdommel ruft jeden Tag" (1951) bis „Eine Rechnung, die nicht aufgeht" (1958). Amüsant verkleidet sind die bitter-höhnischen Diarien eines dichtenden Pudels in „Sternstaub und Sänfte" (1953). Die Gedichtbände „Kassiber" (1956) und „Abendländer" (1957) verwenden die Lyrik als Waffe. In mehreren kleinen Romanen, die im Grunde gereihte Geschichten sind („Als Vaters Bart noch rot war", 1958), hat Schnurre, ähnlich wie A. Schmidt, seine Kritik an der Zeit allegorisch verschlüsselt.

Wolfgang Koeppen

Im Jahre 1934 erschien von Wolfgang Koeppen ein kleiner Roman, „Eine unglückliche Liebe", der wenig Beachtung fand, aber ein literarisches Talent von Rang offenbarte. Koeppen, 1906 in Greifswald geboren, schrieb damals an einem zeitkritischen Roman („Die Mauer schwankt", 1935, später unter dem Titel „Die Pflicht"). Hier kündigte sich ein Moralist an. Die Romane nach dem Kriege hießen „Tauben im Gras" (1951), „Das Treibhaus" (1953) und „Der Tod in Rom" (1954). Leider verloren sie sich in politischer Polemik an dem satirisch gemeinten Stoff. Erst die „empfindsamen Reisen" „Nach Rußland und anderswohin" (1958) und „Amerikafahrt" (1959) gehören in den Zusammenhang einer neuen, deskriptiven, nicht so sehr epischen als essayistischen Prosa. Journalistisch von Haus aus, Report über fremde Länder, erheben sie sich stellenweise zu dichterischem Rang. Koeppen liebt den knapp feststellenden Satz, die Parataxe — und dann die kunstvoll gebaute, lang rollende Periode. Der Text ist häufig mit literarischen Anspielungen und Zitaten durchsetzt. Wenn Koeppen Amerika beschreibt, bezieht er sich auf Kafkas exemplarische Imagination, und Frankreich sieht er am ehesten mit den Augen Maupassants. Am schönsten sind Straßenszenen aus Moskau, Rom, Amsterdam, Madrid und New York. Koeppen bewegt sich hier als Einzelgänger in der Welt der Masse, die ihn ebenso fasziniert wie abstößt. Anarchistische Hemmungen verderben ihm den Genuß am Leben, und gern macht er seine Rechnung mit Diktatoren, totalitären Systemen, dem Militär, dem Reichtum und sogar mit Stierkämpfern und Biertrinkern auf. Wie E. Kästner hält er sich für einen Aufklärer, obwohl er am liebsten im rhapsodischen Stil schreibt; die Koeppensche Prosa ist freier als ihr Autor.

Walter Jens

Walter Jens, 1923 in Hamburg geboren, ist zwar von Haus aus Altphilologe, wandte sein Interesse aber dem Wiederentstehen einer deutschen Literatur nach 1945 zu. Er gehörte — erst als Autor, später als Kritiker — der Gruppe 47 an und vertrat ihre Gedanken mit kämpferischem Temperament. Sieht man von der Politik ab, so hat Jens als Autor ein traditionelles Skelett. Die moderne deutsche Literatur seit 1950 soll europäisch sein: „Die in tausend Schulen erzogenen Kinder, Gide- und Lorca-Enkel, Brecht- und Pavese-Erben, die Schüler Majakowskis und Kafkas betraten die Bühne, fanden ihre eigene Sprache, eigene Themen und Topen und verwandelten ein Erbe, das sie — den Kaiserzeit-Griechen vergleichbar — oft genug von den ausgewanderten Söhnen ihrer Großväter, als Fremde, kennenlernten . . .“ Das ist natürlich ein Mythos; so wie Holthusen seine rhetorischen, schlägt Jens die deklamatorischen Volten. In seinen gesammelten Vorträgen und Aufsätzen „statt einer literaturgeschichte“ (1957, stark erweitert 1962) trat er mit dem Rüstzeug des Altphilologen an. Die tragende Idee ist das Zugleich und Ineinander von Dichtung, Wissenschaft, kritischem Bewußtsein und Philosophie. Jens versuchte selbst ein solcher Schriftsteller zu werden; er ist in seiner Essayprosa („Die Götter sind sterblich“) diesem Ziel nahegekommen.

Walter Jens

Walter Jens, Handschriftprobe

Der Stil der Essays von Walter Jens ist polemisch; die Gedanken überstürzen sich; die Sprache mischt altertümelnde Begriffe („Poet") mit kecken Bonmots, gelehrte Vokabeln mit Slogans des literarischen Streits. Alles scheint aus dem Augenblick geboren zu sein, daher die Frische und Verve, die auf Wirkung im Tagesgespräch berechnet sind; darüber hinaus klären sie mit den exakten Mitteln der Philologie das kritische Bewußtsein.

Mit ironischem Abstand schrieb er Novellen, Romane und Hörspiele, welche die Krise des Erzählens deutlich machen und eine bewußt neue Form suchen.

„Die Götter sind sterblich"

So wie ein „Irisches Tagebuch" das beste Buch Bölls geworden ist, hat Jens im Buch einer griechischen Reise, „Die Götter sind sterblich" (1959), die Integration von Wissenschaft und Dichtung, Erlebnis und Betrachtung, Augenblick und Geschichte geleistet. Es ist ein Schlüssel zu seinem Wesen. Mythos und Dichtung der griechischen Antike werden als zeitloses Modell begriffen. Die Götter sind zwar sterblich, aber sie stehen immer wieder auf; sie sind Archetypen des Existierens. Das antike Delos entspricht dem modernen Lourdes. Sappho wird neben Ingeborg Bachmann zitiert, Archilochos neben Ernest Hemingway. In Venedig, dem Ausgangsort der Fahrt, wird an Hofmannsthal erinnert, aber auch an Richard Wagner, Platen und Nietzsche. Jens spricht nicht von Hofmannsthal, sondern von Maria und Mariquita im „Andreas", nicht von Hemingway, sondern von dessen sterbendem Obristen. Dadurch erhält das Werk seinen „literarischen" Charakter. Nicht die klassisch-romantische Antike – von Goethe bis G. Hauptmann – ist für Jens bedeutsam, sondern die mythische zusammen mit unserer Gegenwart. Das Verfahren ist ähnlich wie bei Arno Schmidt und Gerd Gaiser; bei Jens und Gaiser tauchen identische Figuren als existentielle Chiffren auf, Perseus und die Meduse. Eine schwermütige Simultaneität liegt zugrunde:

Mythische Schlüssel des Seins

Heute sind die Musen, Kinder der Erinnerung und des olympischen Zeus, schon längst gestorben. Wir sagen, was uns richtig scheint, die Wahrheit kennen wir nicht, und niemand braucht uns zu glauben. Von den Schrecknissen der Wirklichkeit verfolgt, haben wir die Möglichkeit verloren, uns in Freiheit entscheiden zu können. „Urpflanze oder Steinsche Reformen?" . . . diese Frage gilt seit langem nicht mehr. Im Äon der künstlichen Sonnen scheint alles gleich wichtig: was heute in China geschieht, vernichtet morgen mein Haus. Ein Gedanke in Texas tötet dein Kind. In der Tiefe der Zeit, in der Weite des Raums ist die Welt überschaubar geworden; und dennoch kenne ich sie nicht.

Das Gefühl zeit- und raumloser Anwesenheit, das Zugleich von Räumen und Jahrtausenden, erhebt und martert Jens' Bewußtsein. Er kommt nicht zu jener Freiheit, die er wünscht. Doch heißt es: „Wer in der mythischen Landschaft . . . zu Haus ist, wer sich erinnert und zurückkehren kann, muß keine Fabeln erfinden." Das wird am Ende deutlich, wenn Jens – in Berlin –, mit Huchel und Bloch unter den Bildern von Karl Valentin und Bertolt Brecht sitzend, bemerkt, daß die Chiffre des Mythos genauer als alle Beschreibung und plastischer als jede Begrifflichkeit paßt.

Felix Hartlaub

Äußere Schicksale

H. E. Holthusen hat gemeint, mit Felix Hartlaub sei der deutschen Literatur vielleicht das stärkste Prosatalent der jüngeren Generation verlorengegangen. Nahezu alles, was Felix Hartlaub (1913–1945) schrieb, ist nicht in den Zusammenhängen veröffentlicht, in die er es später vielleicht gebracht hätte. Die Kriegstagebücher waren als Rohstoff zu einer Arbeit gedacht, wie die Schwester und Herausgeberin Geno Hartlaub schreibt, „die den zweiten Weltkrieg aus der Perspektive eines kleinen Hilfsarbeiters im höchsten militärischen Stab schildern sollte".

Hartlaub, in Bremen geboren, wuchs im oberen Rheintal auf und studierte romanische Philologie und neuere Geschichte. Die entscheidenden Studienjahre verbrachte er 1935–39 in Berlin. Zu Kriegsbeginn eingezogen, kam er zur historischen Archivkommission des Auswärtigen Amtes in Paris und war, nach zeitweiligem Truppendienst, seit Mai als Obergefreiter und historischer Sachbearbeiter in der Abteilung Kriegstagebuch des Führerhauptquartiers, anfangs in der Ukraine, später in Ostpreußen. Kurz vor Kriegsende wurde Hartlaub zur Infanterie abkommandiert und wurde bald darauf, wohl bei den Kämpfen um Berlin, vermißt.

Das literarische Werk

Es gibt zwei große Erzählungen „Die Reise des Tobias", nach dem biblischen Motiv 1932 geschrieben, nicht vollendet, und die historische Novelle aus Neapel „Parthenope", 1934 nach einem italienischen Studienaufenthalt entstanden, ferner eine dramatische Dichtung, „Der verlorene Gott", ein Julianstück (1928), und eine Reihe teilweise genialischer Skizzen historischer, heroischer und traumhafter Art („Dädalus gründet Cumae", „Mond und Pferde", „Der Engel in Berlin" und andere). Das Hauptwerk sind die Tagebücher aus dem Kriege. Hartlaub hatte ja, obwohl in untergeordneter Stellung, als Historiker Gelegenheit, den Lauf der großen Kriegsmaschinerie an der Nabe zu beobachten. Niemand hat geahnt, daß einer der unbestechlichsten und schärfsten Kritiker der Zeit, mit der Gabe des schriftstellerisch sicheren Zugriffs, in dem Obergefreiten Hartlaub steckte. Sind schon seine Tagebücher aus der Berliner Studentenzeit, aus dem besetzten Frankreich und die militärischen Fragmente von beschreibender Dichte, so ist das Kriegstagebuch weit mehr als ein Dokument der Entlarvung. Hartlaub besaß die Gabe stereoskopischen Sehens: das Tragische, Große, Groteske, Banale und

Federzeichnung von Felix Hartlaub zu Geschichte vom Jungen, 1926

Gemeine sind Aspekte der *einen* Wirklichkeit. So erhebt Felix Hartlaub sich spielend über die spätere Moralisierung des Krieges. Er war für ihn ein Stück Lebensschule.

Für Hartlaub handelte es sich in den Tagebüchern um Impressionen großen Stils, wie bei E. Jünger und W. Benjamin. In den erzählenden Stücken, die fast alle Fragmente blieben und aus früher Zeit stammen, ist er Dichter:

„Die Reise des Tobias“

Tobias betrachtete über die Schulter den hinter ihm reitenden Engel. Der schlief, den Kopf an die Schulter gebogen, die Beine steif in den Steigbügeln, um nicht allzusehr vom Gange des Kamels durchgerüttelt zu werden. Der Prunkhelm, den er im Gegensatz zu seiner im übrigen einfachen Reisetracht trug, war weit in den Nacken gescho-

FELIX HARTLAUB

ben, so daß seine Stirn, vom Regen überronnen, in ihrer ganzen Höhe sichtbar war. Das frauenhaft in großen Locken auf den Hängepelz herabflutende Haar wurde in merkwürdiger Weise von dem breiten silberbeschatteten Helmband, das beinahe einem Kinnbackenpanzer gleichkam, durchbrochen und emporgerafft . . .

Das ist weder Antike noch Bibel, sondern Calderonsche Vergegenwärtigung der Zeittiefe, wie sie Hofmannsthal in seinen späteren Jahrzehnten wiederentdeckt hatte. Kommerell hat Hartlaub zu fördern gesucht, Georges Dichtung wirkte auf ihn ein, dazu kam der Einfluß der französischen Autoren des neunzehnten Jahrhunderts. Die „Modernität" Hartlaubs hat also ungewöhnliche Wurzeln. Man ahnt hinter den Motivranken, Einfällen und Visionen des jugendlichen Autors eine abnorm schwierige Psyche. Es ist schwer zu beurteilen, ob sie dichterisch noch mit sich ins reine gekommen wäre. Die „Reise des Tobias" ist das am meisten vollendete Stück. „Parthonope" wirkt matter; am kühnsten ist die Komposition in dem von der Schwester „Mond und Pferde" genannten Fragment in der Verbindung von Romantik mit Träumen, Einbildungen, Jargon und militärischem Detail. Es ist eine deutsche Ausformung dessen, was damals in Frankreich als „Surrealismus" an die Oberfläche kam:

Surrealismus

Siehst du, Muggi, ich habe immer gesagt, die beiden hängen zusammen, das Pferd und die Tischlersfrau. Von der Kleinen hätte ich nicht gedacht, daß die auch ein ganzes Pferd abgibt, dies schwirrende Heupferd, der Distelspring, immer Kletten in ihren Haaren. Aber jetzt, wo der Nebel immer dicker wird, vielleicht holen wir sie ein, bekommen sie endlich Brust gegen Brust, in ihrer richtigen Größe. Die Fernrohrlinse bleibt stehen im Nebel, läßt sich nicht weiter verstellen. Wie langsam die Pferde im Nebelmeer schwimmen, mit bleiernen Hufen, gegen den Strom, das Tischlerpferd spitzt schon die Ohren. Muggi, seit wann kannst du Wasser treten? Freihändig fährt er im Wasser Rad . . .

In dieser Erzählung taucht auch der „Engel" wieder auf, und zwar als „Sonderbotschafter". Hartlaub war an die Grenzen des literarisch Möglichen gelangt.

FRANZ TUMLER

Nicht nur in der Lyrik hat Österreich – mit Christine Busta, Christine Lavant und Ingeborg Bachmann – einen starken Beitrag zur jüngeren deutschen Dichtung geleistet, auch in der Prosa hat es seinen Rang gehalten. Die wichtigsten Erzähler österreichischer Herkunft sind Franz Tumler, Gertrud Fussenegger, Herbert Eisenreich und Ilse Aichinger. Für das österreichische Empfinden stellen die Ereignisse von 1919 den großen Bruch mit der Vergangenheit dar. Die jungen Autoren sind bereits in jenem deutschen Rumpfstaat aufgewachsen, der heute Österreich heißt. Das Gefühl des Untergangs, für Robert Musil, Hermann Broch, Joseph Roth, Franz Blei, Paris von Gütersloh und Heimito von Doderer retrospektiv, ist für sie Seinsform – „existentiell" – geworden. Sie wurzeln in einem „jungen" Österreich, dem die Katastrophe des „Dritten Reiches" nur als Episode erscheinen konnte. Ihre Voraussetzungen sind ländlich, während die der älteren Generation mit dem Problem der Weltstadt Wien und seiner Dekadenz zusammenhingen. Die Jungen kommen durchweg aus der Provinz – und wenn sie diese verlassen, gehen sie nicht nach Wien, sondern ins Ausland.

Der Anteil Österreichs

Franz Tumler ist 1912 in Gries bei Bozen geboren. Er wurde Volksschullehrer und schrieb „Das Tal von Lausa und Duron" (1935), eine Erzählung vom Untergang eines Dorfes in den Hochalpen. Der Einfluß Adalbert Stifters war unverkennbar und wurde in kleinen Erzählungen, die später wieder erschienen sind, fast zur Gefahr. „Der erste Tag" (1940) hat diesen Einfluß überwunden. Da wird der erste Tag eines jungen Lehrers in seiner Schule beschrieben. Der Stil möchte das erlebte Motiv als etwas Neues, Frisches begreifen und darstellen: „Während er sich aber", heißt es einmal, „auf die Art unaufmerksam stellte, war er im Tiefsten aufmerksam und dachte nach, was ihm auf dem Weg widerfahren war." Der junge Lehrer ist „unsicher"; und die Frage, wie in der erschütterten und brüchigen Wirklichkeit eine neue Sicherheit zu gewinnen sei, wird Tumler als Schriftsteller immer wieder beschäftigen. Das ist nicht weltanschaulich, politisch oder religiös gemeint – denn diesen Fragen gegenüber ist Tumler eher lässig –, sondern künstlerisch.

Herkunft und Entwicklung

In dem Roman „Der Ausführende" (1937) suchte Tumler eine militärisch-politische Tat, die für den Täter sinnlos wird, zu begreifen. In dem Roman „Der alte Herr Lorenz" (1949) will ein einsamer Mann sein verlorenes Leben nachholen, was natürlich unmöglich ist, denn jede Lebensstufe hat einen unwiederholbaren Sinn. Die Frage nach dem Leben beschäftigt Tumler auch in den, zum Teil autobiographisch genährten, umfangreichen Romanen „Heimfahrt" (1950) und „Ein Schloß in Österreich" (1953). Die episch breite Darstellung, die von Gegenstand und Charakter ausging, gab Tumler später zugunsten einer auch theoretisch begründeten neuen Form auf, die in dem Roman „Der Schritt hinüber" (1956) versucht wird. Eine Frau gerät in den Wirren der ersten Nachkriegszeit in mehrfache erotische Beziehungen. Die Figuren schwimmen in einem transparenten Medium von Ehrlichkeit und Zweideutigkeit. Die Zeit „verrinnt", und was zu halten ist, muß in die Sprache, den Roman, eingehen.

Die Romane

Dieser neue Roman sowie die große Erzählung „Der Mantel" (1959) sind Symbole des im Dasein unsicheren Menschen. Der Mantel wird so lange von seinem Verlierer gesucht, bis er den Willen zum Finden aufgibt – nicht, weil der Mantel ver-

FRANZ TUMLER

loren ist, sondern weil der Entschluß zum Besitz von vornherein etwas Zufälliges hatte. Der Mensch ist nicht mehr zu Hause in seiner Welt, sondern „im Exil". Das ist ein Gedanke, der in der modernen Literatur (Camus) immer wieder auftaucht. Tumler findet dafür Situationen und Gedanken. Im „Mantel" heißt es, als der Held, Huemer, sich mit Bekannten über politische Fragen unterhält:

Franz Tumler

Dasein als Exil

Vergessen Sie bitte nicht, der Staat ist ein Apparat von Laien! – Aber nicht unser Staat! rief Fattinger aus und bemühte nun seinerseits die Tradition – unser Staat ist mehr, oder es gibt ihn gar nicht! – Aber Sie sehen doch, daß es ihn gibt, sagte Reitsammer, er wollte beschwichtigen, weil er wußte, daß über dieser Frage in unserer Gesellschaft Streit war. Aber diesmal war mit einem Vergleich niemand zufrieden, und Etzel wurde angerufen, von ihm konnte man Klärung erwarten. Etzel hatte schon zu viel getrunken, er sagte: Jeder von Ihnen hat recht und das ist kein Widerspruch, es gibt unsern Staat und es gibt ihn auch nicht. Wenn Sie mir folgen wollen – ich möchte sagen: es gibt ihn nur als etwas Geträumtes, es ist alles geträumt bei uns! – und behauptete dann: wir leben im Exil. Er erläuterte diese Behauptung, indem er sagte, die alte Wohnung draußen, in der Seidler seine Arbeit nicht fertig kriege, sei ein solcher Exil-Ort, ebenso die beiden Cafés ... Die Geschichte Huemers spiele überhaupt im Exil.

Vielleicht darf nur ein Österreicher die These von der Traumwirklichkeit aller Existenz aufstellen. Es gibt jedoch eine Sicherung, die weniger deutlich zur Sprache kommt. Hinter dem Roman schimmert ein theologisches Bild vom heilen, paradiesischen Menschen hervor. Hier treten die Nebel auseinander, und es ist kein Zufall, daß der Autor sich der gehobenen Sprache bedient:

Es gibt einen Ort, an dem du alles erkennen wirst.
Da scheidet sich Tag von Nacht,
Himmel von Erde, Land von Wasser, und
von diesem Körper, dem die Lasur aufgebrannt ist –
Fleisch;
von der Figur, geronnen und erstarrt –
die Gasblase,
die sanft glühende Kugel aus Gas.

Das Fleisch wird zu Metall,
die Haut zu einer Blechfolie,
gefeit vor Verwesung, perfekt fürs ewige Leben,
unzweifelhaft die Wahrheit.

Landschaftsbilder

Was im neuen Roman und in den Erzählungen noch nicht ganz erreicht scheint, das hat Tumler in den letzten Jahren in einer Reihe von Landschaftsporträts dichterisch „wahr gemacht", vor allem in der Studie über den Gardasee. Die Landschaften werden durchdrungen. Die „durch Zeichen Wirklichkeit nur vortäuschenden Elemente" (z. B. die Folie des Kur- und Erholungswesens) werden weggeräumt, und dann tritt die Sache selber in der Sprache des Dichters in die Wirklichkeit ein. Der Autor erreicht eine höhere Gegenständlichkeit. Hier sind die Mittel der Darstellung von Landschaften als geographisch-historischer Gestalten im Sinne von A. v. Humboldt, Fallmerayer, Carl Ritter und Victor Hehn aufgenommen und erneuert worden. Es ist dichterisch und essayistisch gleich wahre Kunstprosa.

Arno Schmidt

Arno Schmidt, 1910 in Hamburg als Sohn eines Beamten geboren, in Schlesien groß geworden, begann ein Studium der Mathematik und Astronomie, wurde 1933 Angestellter, später Soldat und geriet in Gefangenschaft, war kurze Zeit englischer Dolmetscher und fing dann zu schreiben an. Die emotionale Grundlage war der Krieg. Das erste Buch, „Leviathan" (1949, seit Hobbes' Leviathan wird mit der biblischen Metapher der allmächtige Staat bezeichnet), vereinigt drei Geschichten von Flucht aus dem Gefängnis, militärischem Rückzug und Wüstenkrieg. Nur die mittlere ist als Tagebuch aus den Kriegswochen im Mai 1945 stilisiert. Die andern spielen in einer imaginären Antike des Mittelmeers, erzählen von Haft und Flucht. Die Technik erinnert an Gustave Flauberts „Salambo". Der Avantgardismus eines Arno Schmidt stellt sich kritisch zu Themen und Gegenständen, die im „Dritten Reich" verfälscht wurden: Staat, Kriegertum und Liebe.

Gelehrte Dichtung

Stilistisch wird hier experimentiert, und zwar mit Mitteln, die seit Plato im Kampf gegen die Diktaturen im Schwange sind. Die meisten Erzählungen und Essays Schmidts sind Gespräche oder Diarien. Die lockere Form erlaubt ihm, epische und referierende, persönliche und wissenschaftliche, politische und literarische Motive miteinander zu verbinden. So entstehen amüsant-boshafte Gedankenstücke. Für den literarischen Leser haben sie durch die Fülle von offenen und versteckten Beziehungen außerordentlichen Reiz, gleichgültig, ob es sich um Gespräche im alten Babylon oder aus dem Jahre 2008 n. Chr. handelt. Da Schmidt das Ausgefallene in der Literatur hervorkehrt (Fouqué ist der größte Dichter der klassischen Zeit, Karl May ein „neuer Großmystiker", Adalbert Stifter hingegen ein „sanfter Unmensch") und sich als Nachfolger des boshaft-witzigen Wieland und des Klopstock der „Gelehrtenrepublik" sieht, zugleich aber von J. Joyce und seinen Schülern her mit „Bewußtseinsstrom" und „innerem Monolog" vertraut ist, die gegenwärtig machen, was durch Raum und Zeit getrennt ist, gelingt ihm eine Prosa mit epischen, lyrischen, wissenschaftlichen und politisch-aktuellen Akzidenzien:

Arno Schmidt

Der Schnee, der Schnee; stundenlang. Hanne hatte die Hände in die Taschen gestoßen und saß unbeweglich. Der Alte räusperte sich. Noch einmal. (Er sah schon schmutzig aus und weiß und dürr.) Er sah mich beherrscht an und fragte: „Sie sagten vorhin, dies Universum sei in Kontraktion begriffen und wäre zuvor ‚ausgeblasen' worden: Können Sie eine Vermutung für dieses Pulsieren angeben?" Er machte das Gesicht klein und faltig und lauschte angestrengt. Die HJ verglich die Panzerfäuste (zum Entsetzen der ländlichen Greisin): „. . . also Loch auf Loch; zuschrauben . . ." sie spielten so eifrig damit, echte Kinder des Leviathan (Du bist mein lieber Sohn . . .); böses Eisen, tödliches Feuer; ein, die Wohlgeratenen. Ich dachte an die irrsinnigen Hetzplakate des Gauleiters Hanke . . .

Poetische Texte

Die Mischung der Motive entspricht dem Surrealismus, grammatisch ist der Stil noch konventionell. Ähnlich wie im „Leviathan" verfährt Schmidt in den Erzählungen „Brand's Haide" (1951), den Prosastudien „die umsiedler" (1953), dem Roman „Aus dem Leben eines Fauns" (1953), in „Seelandschaft mit Pocahontas" (1954), in „Kosmas" (1955) und dem historischen Roman aus dem Jahre 1954 „Das steinerne Herz" (1956). Am interessantesten unter diesen skurrilen, monströsen und verspielten Stücken ist „Die Gelehrtenrepublik, Kurzroman aus den Roßbreiten" (1957). Hier kommt ein Reporter Mr. Winer, Urgroßneffe des Schriftstellers A. Schmidt, im Jahre 2008 auf einen Kontinent, der immer noch vom Konflikt zwischen Osten und Westen beherrscht wird. Katastrophale Kriege haben die Menschheit fast ausgerottet; ein Geschlecht von Kentauren und Kentaurinnen bevölkert ein Niemandsland, in dem der Held sich amourös unterhält; auf einer Art künstlicher Insel hat sich ein Teil der Menschheit in der „Gelehrtenrepublik" gehalten. Hier sind die Mittel einer bürokratisierten und technisierten Superzivilisation zu einem höhnischen Konterfei im Sinne einer negativen Utopie vereint – ähnlich wie früher in Werfels „Stern der Ungeborenen" und später in Bölls Drama „Ein Schluck Erde". Th. Wilder und A. Huxley schrieben die amerikanischen Gegenstücke. Das Ganze gibt sich als Rückübersetzung aus dem Amerikanischen in eine im Jahre 2008 „tote Sprache", das Deutsche. Dieser Kunstgriff erlaubt Schmidt zahlreiche witzige Gags. Vor allem die Liebe wird vom

Negative Utopie

Autor intellektualisiert. Die Szene mit der blondgemähnten Kentaurin Thalja erinnert in ihren Späßen an Schmidts Vorgänger Wieland aus dem Rokoko der Schäfer:

Aus „Die Gelehrtenrepublik“

> *Weiter draußen; schon lag der jenseitige Ortsrand* hinter uns. / Zwischenspiel: sie umarmte mich superbrünstig: „Könntstu nich hier bleiben? Mit mir als Frau: Du setzt' ich drauf; und wir reiten: Irgendwohin!“
>
> *Das Morgengewitter überhob mich* der Verlegenheit; auch sie kam auf andere Gedanken, und wir besahen das sparsame Gefecht der Blitze. / Kopfweiden am Creek, Säbelbüschel über den Wirrköpfen, harrten immer des Startdonners: es klaffte in der Luft! (Einmal erstarren: einmal ein Rotausgespanntes am Baumschaft! Sie zögerte selbst, bevor Sie's erkannte und abwinkte).
>
> *Nein! nicht auf ihr* reiten! Lieber küßte ich sie ab, von hier bis zum Ohó; und da fiel's ihr auch wieder ein (angeblich ein uralter Zentaurentrick; Geheimnis der Häuptlingsfrauen; (und vom Häuptlingstöchterlein natürlich prompt den Freundinnen mitgeteilt!)).
>
> *Die Ebene* war mit 4 bis 5 Fuß hohen Kräutern bestellt. Es duftete. Salbei & Anderes. Mit glänzenden Blättern aus grünem Leder. / Einmal sprangen wir gemeinsam über eine Erdspalte. (Erst üben: ich hielt mich an ihrer Kreuzmähne; wir nahmen Anlauf – mindestens 4 Yards breit: hoppalá!). / „Und da stehen ganz vieldu!“
>
> *Nun wähle!* “ : Thalja in einem Nesselfeld (und das sah von vorn hinreißend aus: das weiße harte Geschöpf im hüfthohen Grün!). (Och, von der Seite eigentlich auch. Aber sie trampelte ungeduldig): . . .

Die Herausforderung

Schmidt bezieht Schriftgrade, Abkürzungen, Slang, naturalistische Orthographie, Absätze und Zeichensetzung in den Text seiner intellektuellen Poesie mit ein. Ihre Wirkung kommt aus dem Assoziationsreiz und schließt eine neue Poetik ein. Sie wird, positiv und negativ, in „Dya na sore, Gespräche in einer Bibliothek“ (1958) begründet. Die neuen Essays über Seitenthemen der Literaturgeschichte, vorzüglich und mit stupender Kenntnis der Materie geschrieben, sind mit zahlreichen offenen und versteckten Polemiken gegen die zünftige Philologie versetzt. Die Vorurteile, die Arno Schmidt oft herausfordernd, oft auch naiv zu erkennen gibt, decken eigentlich nur Leerstellen der Auffassung, und sie sind nicht der geringste Reiz, der vielberufene kabarettistische Einschlag seiner Bücher.

Heinrich Böll

Die Anfänge

Die ersten Geschichten und Romane Heinrich Bölls entstanden in der Vorkriegszeit. Sie sind verlorengegangen oder blieben unveröffentlicht. Böll ist 1917 in Köln geboren und wurde schlagartig bekannt, als er 1951 für seine humoristische Skizze „Die schwarzen Schafe“ den ersten Preis der Gruppe 47 erhielt. Die bisherigen Bücher waren nicht recht durchgedrungen. „Der Zug war pünktlich“ (1949) berichtet von einem Soldaten, der mit dem Zug an die Ostfront fährt und fällt. In dem Roman „Wo warst du, Adam?“ (1951, Titel nach Th. Haecker) wird das Kriegserlebnis einer Gruppe Deutscher auf dem Rückzug aus Rumänien so gesehen, wie die öffentliche Meinung seit 1945 auf den Krieg reagierte, mit Haß und Abneigung. Mit einem Wort von Exupéry wird gesagt: „Der Krieg ist eine Krankheit wie der Typhus.“ Auch die Erzählungen des Bandes „Wanderer, kommst du nach Spa . . .“ (1950) schildern den Widerwillen gegen den Krieg:

Heinrich Böll

Als ich über den Bahnsteig stolperte, ungewiß des Namens der Station, wankte mir ein Betrunkener entgegen, einsam in seiner grauen Uniform unter den buntgekleideten ungarischen Zivilisten; der Kumpel stieß laute Drohungen aus, die sich mir einprägten wie Ohrfeigen, deren brennendes Mal man sein ganzes Leben lang auf der Wange trägt. „Hurenbande", schrie er, „Schweine die ganze Horde, ich hab den Kram satt." Das schrie er ganz deutlich den töricht lächelnden Ungarn entgegen, während er mit einem schweren Tornister auf den Zug losging, dem ich entstiegen war. Schon rief ein finster bestahlhelmter [!] Kopf aus dem Abteil: „Sie da, He! Sie da!" Der Betrunkene zog die Pistole, zielte auf den Stahlhelm, die Leute schrien, ich fiel dem Kumpel in den Arm, entzog ihm die Waffe und verbarg sie, während ich den eifrig sich Wehrenden mit einem geschickten Griff umfaßt hielt. Der Stahlhelm schrie, die Leute schrien, der Kumpel schrie, doch der Zug fuhr ab, und gegen einen fahrenden Zug ist in den meisten Fällen sogar ein Stahlhelm machtlos.

Trümmerliteratur

Die Erzählungen handeln von Heimkehrern, Schwarzhändlern, den Opfern der politischen und kriegerischen Katastrophen, von Zivilisten und Soldaten, allesamt armen Teufeln. Es ist eine gespenstische Szenerie im Zwischenland, regnerisch und finster, man brennt Kerzen und ißt Kartoffeln. Auch die traumatische Gestalt eines von Mathematiklehrern geplagten Schülers findet sich. Der Autor schildert die kleinen Leute, und er schildert sie wie Wolfgang Borchert als Existenzen, deren Leben sich in täglicher Rackerei erschöpft. Noch viele Jahre später hat Böll die „Trümmerliteratur" verteidigt, wie er auch „Zur Verteidigung der Waschküchen" das Wort ergriffen hat. Das sind brillant geschriebene Essays, in denen sich der Schriftsteller Böll mit den Vorwürfen gegen die Tristesse seiner Bücher auseinandersetzt. Es ist bezeichnend, daß er dabei geistreiche Volten schlägt: Im Bekenntnis zur Trümmerliteratur beruft er sich auf einen „unverdächtigen" Homer, der Kriegskatastrophen und Heimkehr geschildert habe; in dem andern Stück dreht er den Spieß um und fragt zum Begriff des Kleinbürgers: „Was besagt diese Vokabel noch in einer Zeit, da die Könige sich kleinbürgerlicher geben, als unsere Großväter es je taten ... Was hat die Waschküche bloß so Empörendes, wenn pensionierte Generale Manager bei Großwäschereien werden?" Und dann entwirft er ein Waschküchenfest, das eines Thomas Wolfe würdig wäre; es zeigt, daß Böll als Autor den emotionalen Anlaß braucht, um das soziologische Motiv dichterisch zu fassen:

Natürlich wusch auch meine Mutter Wäsche (welch erniederigender Zustand!); sie wusch in der Waschküche, meistens am Montagmorgen. In der ganzen weiten Welt flattern am späten Montagvormittag Hemden und Leintücher, Taschentücher und die Unaussprechlichen auf den Wäscheleinen, und dieser Anblick hat mich nie deprimiert, vielmehr getröstet, kündet er doch von der unermüdlichen Energie der Menschheit, sich des Schmutzes zu entledigen; und die Rheinkähne, wie ich sie von meiner Kindheit bis heute kenne, schleppen immer eine Wäschefahne rheinauf, rheinab. Ich habe nichts gegen Wäschewaschen und nichts gegen Waschküchen, sie werden nur – im Zeitalter der Waschmaschinen – immer seltener und werden vielleicht eines Tages in Heimatmuseen zu besichtigen sein: Waschküche, kleinbürgerlich, Anfang 20. Jahrhundert.

Das Jahr Null

Für Böll gab es als Ausgangspunkt nur das Jahr Null. Traditionen sind daran zu erkennen, daß sie verloren sind: Vaterland, Ehre, Bildung, Literatur. In der Erzählung „Nicht nur zur Weihnachtszeit" will eine verrückte Tante, daß jeder Tag Weihnachten sei: jeden Abend muß sich die Sippe zum Singen von Weihnachtsliedern versammeln. Ein Sohn wird Mönch, ein anderer Kommunist, die Tochter emigriert. Die Satire auf die „gute alte Zeit" drückt zugleich Bölls leidenschaftlichen Widerspruch gegen die Restauration dieses Zeitgefühls bei den Wohlstandsbürgern seit 1948 aus. Böll sieht in der neuen wirtschaftlichen Ordnung ein pathologisches Vergessenwollen des deutschen Elends. Die politische Haltung erklärt den naturalistischen Banalstil der nächsten Romane und den moralischen und buchhändlerischen Erfolg im Ausland. „Und sagte kein einziges Wort" (1953), „Haus ohne Hüter" (1954) und die Erzählung „Das brot der frühen jahre" (1955) sind Grau in Grau schildernde Milieuromane über Schlüsselkinder, Onkelehen, kirchliche Frömmler und kleine Angestellte aus dem Alltag der großstädtischen Proles, wo man das Fleisch mit den Fingern aus der Büchse ißt. Die literarischen Muster solcher Existenzen fand Böll bei Léon Bloy, später bei Charles Dickens und Wolfgang Borchert. Auch Einflüsse von Hemingway, Faulkner und irischen Autoren sind zu spüren. Die literarische Kritik warf Böll Allegorien, mißratene Proportionen und Verismus vor. Böll schrieb ein paar ebenso bittere wie vorzügliche Erzählungen: „Die Waage der Baleks", „Im Land der Rujuks" und „Hier ist Tibten", die eine ähnliche Technik wie die Geschichten Joseph Roths aufweisen: es sind soziologische Parabeln. Am großartigsten ist „Das Tal der donnernden Hufe" (1957), wo Böll eine pubertäre Beicht- und Liebesgeschichte mit surrealistischen Motiven verflicht. Der Stil- und Motivwechsel hat sich im „Irischen Tagebuch" (1957) bewährt. Böll erzählt, scheinbar realistisch, von einer Reise in das arme, verregnete, trinkfeste Irland. Im Lob der irischen Armut steckt seine Kritik an der deutschen Wohlstandsgesellschaft. Das Buch besteht aus kunstvoll ineinandergeblendeten, teils grotesken Anekdoten aus dem Alltag, hinter denen Bölls Wunschbild einer paradiesischen Welt, ironisch beleuchtet, sichtbar wird:

Zeitkritische Romane

„Irisches Tagebuch"

Eine dunkelhaarige Schönheit mit dem Trotz eines beleidigten Engels im Gesicht betet vor der Statue der heiligen Magdalena; grün ist die Blässe dieses Gesichts: aufgezeichnet werden diese Gedanken und Gebete in dem Buch, das ich nicht kenne. Schuljungen mit Hurlingschlägern unter dem Arm beten den Kreuzweg ab; Öllämpchen brennen in

Umschlag von Werner Labbé

dunklen Winkeln vor dem Herzen Jesu, vor der *little Flower*, vor St. Antonius, Franziskus: hier wird Religion bis zur Neige ausgekostet; der Bettler sitzt in der letzten Bank und hält sein epileptisch zuckendes Gesicht in den Raum, in dem noch Weihrauchwolken hängen.

Hatte Böll sich von den Kölner Kleinbürgern freigemacht? Würde er die menschlichen Probleme der Liebe, Frömmigkeit, Ehre, Leidenschaften und Barbarisierung ablösen können von der Enge seines Ausgangspunkts? Im Roman „Billard um halbzehn" (1959) wurde es mit Rückblenden, Gesprächen, Erinnerungen, Beschränkung der Haupthandlung auf engen Raum und knappe Zeit versucht. Der Sohn eines Architekten hat Deutschland in der Nazizeit verlassen, dann eine Abtei gesprengt, die sein Vater gebaut hatte – nun wird sie wieder aufgerichtet. Das ist als Gleichnis gemeint. Spannend und kunstgerecht wird im ersten Drittel erzählt – aber dann nimmt die epische Substanz ab, und je ärger die Untaten werden, desto mehr wird der Roman zur politischen Gardinenpredigt. Nicht die gelöste Form des „Irischen Tagebuchs", sondern das Beispiel eines eifernden William Faulkner hat den Roman bestimmt.

Satiren Daneben gibt es eine Reihe zeitkritischer Satiren, die als „Doktor Murkes gesammeltes Schweigen" (1958) erschienen sind. Murke als Abteilungsleiter einer Rundfunkanstalt sammelt Tonbänder und – sendet sie nicht. Die Erzählung ist eine Parodie auf den Kulturbetrieb und seine Manager. Die Hörspiele Bölls und ein Theaterstück, „Ein Schluck Erde" (1961), allegorisieren – manchmal allzu durchsichtig – die Lage des Menschen in einer Welt, die als Chaos konstituiert zu sein scheint. Sie ist schmutzig und verworfen; kleine gute und große böse Leute wohnen in ihr zusammen, und nur selten kann sich jemand aus der Tretmühle lösen und jene Mauer durchstoßen, welche diese Welt von einer höheren trennt.

Gerd Gaiser

Die ersten Gedichte und Prosastücke Gerd Gaisers tauchten in den frühen Kriegsjahren im „Inneren Reich" auf. Gaiser ist ein Pfarrerssohn aus Oberriexingen, der Gegend des mittleren Neckar. Er ist 1908 geboren, gehört also zur Zwischengeneration der „Verlorenen". Er wuchs weltfern auf und flüchtete, wie so viele in jener Zeit, zu Hölderlin, George und der Jugendbewegung. Die wilden politischen Kämpfe der Zeit stießen ihn ab. Als junger Tübinger Student schloß er sich den Sport-Segelfliegern an. Für einen Augenblick glaubte er dann, Hitler habe den Traum der Deutschen vom „Reich" erfüllt, und schrieb, zur Fliegertruppe eingezogen, hymnische Gedichte auf die Flieger, die „Reiter am Himmel" (1941). Kurz nach den Gedichten erschienen, im „Inneren Reich", bereits die ersten Teile eines Jagdfliegerromans. Sie wurden später überaus kunstvoll zur „Sterbenden Jagd", in eine Handlung von sechsunddreißig Stunden, komponiert. Neben Günter Böhmers „Pan am Fenster", Felix Hartlaubs „Kriegstagebuch" und einigen andern Arbeiten vermittelt dieser Roman nicht bloß das zwiespältige Kriegserlebnis des deutschen Soldaten, sondern eine „neue Prosa", die Lagebeschreibung des modernen Menschen.

GERD GAISER

Der Einzelgänger

Der Mond half ihnen, sie sahen ihr Ziel einen Augenblick gegen die muschelfarbene Helle, die er ins Meer ergoß. Sogleich setzten sie an. Es war ein zweimotoriges einzeln fliegendes Kampfflugzeug, vermutlich ein Minenleger. Er fing an, Buntfeuer zu schießen, rot weiß, weiß rot; die Sterne strudelten über das schattenhafte Tragwerk, ein huschender Schatten das Flugzeug, der Sterne spritzte. Sie griffen an. Winckler war stark erregt, die barbarische rote Erregung des Tötens, Töten erlaubt und befohlen; er hielt hinein. Es wurde ein zäher Gegner und die Abwehr gefährlich. Die zwei Jäger verständigten sich, jeder allein und gekrümmt in der brüllenden Zelle, die Hälse lang und die Stirne am Reflexvisier; hin und her in den Kopfhauben hörten sie ihre Stimmen krachen und röcheln, und dazwischen schrie der junge Winckler, ohne den Sprechknopf zu drücken, für sich allein; dann schlug ihm etwas durch die Kabine und sengte sein Gesicht an wie ein Rasiermesserschnitt. Er verstummte jäh, es troff ihm zwischen die Zähne, er sprudelte und spie aus und hielt wieder hinein. Sie sägten dem Fremden die Flächen an ... De Bruyn kam noch einmal zum Schuß, und jetzt fegten sie niedrig über dem Wasser einem Schauer entgegen, der sie rasch einhüllte, sie sahen den Verfolgten ausbrechen, er blakte und qualmte stärker. Dann war ein zweiter Schauer da, schon milchig erhellt, und rechts und links See kühl erblauend, der Morgen herausgekommen, und noch einmal das mörderische Fangspiel; sie schwangen weit aus und kreisten, da sahen sie nichts mehr, so lang sie sich draußen halten konnten, und dann kehrten sie um.

„Die sterbende Jagd"

Steht auf der einen Seite die Wirklichkeit eines Kampfes in der Luft, wo Mensch und Technik eine Einheit bilden und die moralische Lage den einzelnen der Überlegung enthebt, so sieht Gaiser auch die andere, die entmenschlichte Lage:

Die dialektische Situation

Die Nacht der Häftlinge in den Baracken, die auf nackten Bretten sich quälen, zusammengepfercht, manche halb von Sinnen, im Traum röchelnd; der Brodem von Haß und Erniedrigung über den Lagern, manche schlaflos, manche die Tränen im Mund. Die Nacht junger Leute, die aneinander stöhnen, Wange auf Wange gelegt; unheilbare, schreckliche Nacht, niemals wiederkehrend, Nacht voller Uhrenschläge, voll tickender Wecker mit phosphoreszierenden Ziffern, die gleichmäßig die Zeit fraßen und sich sättigten an ihrem Tick, an ihrem Tack. Die Nacht der getroffenen Stadt, in welche das Feuer aus einem röhrenden Himmel herunterfloß und die Seelen sich krümmten in Feuerstürmen ...

Zeichnung von G. J. Widmann

Fast alle Erzählungen Gaisers spielen im Krieg, im „Zwischenland", wie der erste Erzählungsband 1949 bezeichnenderweise heißt, in Räumen, wo der Mensch als Werkzeug zwischen den Mächten steht. Alles, was um ihn geschieht, transzendiert seine Person, kein moralisches Für oder Wider rettet ihn vor dem Zwang, lagegerecht zu handeln. Der Mensch als Person kann sich nicht mehr auf die alten Übereinkünfte verlassen; wenn er ehrlich ist, sagen ihm die angebotenen politischen und weltanschaulichen Ideologien nichts; er ist allein mit sich selbst. Dafür hat Gaiser – der eher Novellist als Romandichter ist – eine Fülle von Symbolen erfunden und ausgespielt. Seine wichtigsten Erzählungen, zugleich bittere Auseinandersetzungen mit dem politischen Trug der Jugend (jene „Reiter" werden jetzt als künstlich „geschminkte Pferde" bezeichnet), sind „Gib acht in Domokosch", „Aniela", „Schwesterlegende", „Mittagsgesicht", „Die Fuchsstute", „Das Rad im Sghemboli" und „Gianna aus dem Schatten". Sie erschienen mit vielen andern, teils anekdotischen, teils erinnernden, teils in der modernen Gesellschaft spielenden Stücken in den Bänden „Einmal und oft" (1956) und „Gib acht in Domokosch" (1959). In den locker verbundenen Geschichten „Am Paß Nascondo" (1960) werden alle bisherigen Personen, Motive, Symbole und Träume noch einmal zu einer epischen Fuge vereint.

„Eine Stimme hebt an"

Gaiser wurde der breiteren Öffentlichkeit durch den Roman „Eine Stimme hebt an" (1950) bekannt. Hier setzt sich ein Heimkehrer, ein Mann aus gesättigtem Herkommen, mit der Lockerung und Umkehrung der Verhältnisse in den Zeiten revolutionären Umbruchs und der Zerstörung der alten Ordnung auseinander. Dieser Oberstelehn ist kein Konservativer und kein Moralist. Auch er weiß, daß Neues kommen muß und soll. Man muß den Roman zusammen sehen mit dem acht Jahre späteren „Schlußball". Die Kleinstädter sind überraschend zu Wohlstand und äußerem Glück gelangt und haben darüber vergessen, daß sie zehn

Jahre früher physisch und seelisch nur vegetiert hatten. In dem Roman „Das Schiff im Berg" (1955) wird das stete Auf und Ab, der ewige Wechsel, die Wiederkehr von Glück und Elend an einem geologisch-historischen Modell exemplifiziert: ein moderner Forscher, seiner selbst nicht recht gewiß, liest aus geologischen und historischen Funden die Geschichte einer Landschaft ab. Hinter Gaisers Geschichtsbild steckt der tragische Pessimismus der deutschen „Bildung", den sie, in Verbindung mit puritanischen Schuldkomplexen, im neunzehnten Jahrhundert mit Hegel, Schopenhauer, Burckhardt und Nietzsche entwickelt hatte.

GERD GAISER

Eigenart des Autors

Gerd Gaiser ist als Autor ein Einzelgänger. Er hat sich fern vom literarischen, politischen und sozialen Treiben der modernen Zeit entwickelt und läßt sich keiner „Richtung" einfügen. Seine Erzählungen sind nicht aus Überlegung oder Montage entstanden, sondern aus Erinnerungsträumen. Einmal in die Lauge des epischen Traumflusses getaucht, setzen sich an die kleinsten Kristalle Schwärme von lyrischen, rhapsodischen, elegischen Elementarteilchen an. So entsteht eine Prosa, die sich an vielen Stellen zu einem Paian, einer Elegie, einem Hymnus löst. Vollends im „Paß Nascondo" betreten wir eine erdichtete Landschaft, deren Substrate die Heimat, Rumänien, Graubünden und Sizilien sind. Der Eindruck ist mediterran. Gaiser kehrt also in die Lieblingslandschaften H. v. Hofmannsthals, G. Hauptmanns, G. Benns und H. Manns ein.

Komplementäre Welten

Im „Paß Nascondo" erfindet er eine seltsam freundfeindlich verschlungene Welt, ein Abbild nicht bloß der politischen Existenz unsere Jahre. Der Mensch, nicht bei sich selber, weilt mit einem Teil seines Wesens hier, mit einem andern dort; eine eigentliche Heimat hat er kaum, er weiß seinen „Ort" nicht. Wie in G. Eichs Traum-Hörspielen und F. Tumlers Romanen sind die Menschen ständig unterwegs, leiden an sich und der Zeit, nur daß bei Gaiser das Empfinden deutlicher ist, Leben und Tod, Armut und Reichtum, Oben und Unten, Liebe und Opfer, Erinnerung und Gegenwart seien komplementäre Werte. Hier liegt das alte, kluge, frohe, „gläserne" Sogno mit der Neustadt, dort das geteilte Vioms und das feindlich-unbekannte, rustikal-raffinierte Calvagora. Auch diese Landschaft ist also Zwischenland. Der Erzähler ist hier wie dort; aber was er getan und geredet hat, erscheint von Tag zu Tag verschoben. Es ist bezeichnend, daß der Ausdruck lyrisch transzendieren will:

„Am Paß Nascondo"

Hoher Föhn und Harz. Schwarze Marder im Geäst. Herrliche Fichten. Die Straße stieg jetzt. Man hatte mich nicht aufgehalten. Wende der Straße: die Lichter von Bocca Rabiusa. Ich hielt einen Umschlag in Händen, mit den Fingern tastete ich die Prägung des Siegels ab: Pferd und Zahnrad. *Pferdewallfahrt*. Ein Pferd zurück aus Monastir. „Sie haben uns gedient." Womit denn gedient? Pferdewallfahrt. Neue Wendung der Straße, nochmals die Lichter von Monastir. Was hatte ich geredet? Anderen Tags lief ich herum nach Leuten, die den Sender des Mandats gehört haben konnten. Aber niemand, wie gesagt, hatte mich gehört. ... Dienen und nicht wissen womit und wem? Elende, schändende Vorstellung. Sogleich setzte ich mich hin und richtete eine Anfrage an den Sender. Korrekt erhielt ich nach einigen Tagen das Manuskript: unzweifelhaft mein Text. Kein Zusatz, keine Streichungen. Aber ich glaubte an nichts mehr. Wie nun? Soll ich mich noch einmal locken lassen, locken lassen zu Dingen, die ich nicht kenne und von denen ich nicht weiß, wem damit gedient worden ist? Lieber diene ich niemanden.

Wie kann man „der Zeit zu leibe gehen"? Wie läßt sich die unterdrückte Existenz an den Tag bringen? Ähnliche Fragen stellte sich H. Bölls Architekt Fähmel. Von ähnlicher Art war auch F. Hartlaubs Schürfen und Kratzen an der Oberfläche. Gerd Gaiser hat in seinen „Sizilianischen Notizen“ (1959) humoristische Antworten gegeben; in zahlreichen Anspielungen auf die Mythen der Griechen von der Kunst, auf Medusa, Pegasus, Andromeda liegt die eine Antwort, in der betonten Abwehr politischen Engagements, dem er einmal erlegen war, die andere. Sie ist ein Sowohl-Als-auch. G. Benn sprach von Ambivalenz, die Psychologen entdeckten das gespaltene Bewußtsein, die Theologen die Polarität von Gnade und Verwerfung, die Philosophen die „Existenz“. Die Kunst kann diese Frage nicht lösen, denn es gibt Wahrheiten, an die sie nicht heranreicht. Das sind jene Augenblicke, in denen die Engel in die moderne Dichtung eintreten (Rilke, Broch), in denen eine „Botschaft“ (Kafka, F. Hartlaub) erwartet wird. An dieser Grenze steht auch Gaiser.

DRAMA UND HÖRSPIEL

Als das deutsche Theater nach dem Kriege unter wirtschaftlich schwierigen, aber geistig günstigen Umständen wieder zu spielen begann, zehrte es in erster Linie von literarischen Importen. Franzosen, Russen, Amerikaner und Engländer ließen in ihren Besatzungszonen auf von ihnen lizensierten Theatern eine Fülle von Stücken spielen – unter deutschen Regisseuren und mit deutschen Schauspielern –, die ihnen für ihre geistige Repräsentanz wichtig erschienen. Zwar hatte Eugene O'Neill schon in den zwanziger Jahren mit seinen „expressionistischen“ Einaktern, vor allem mit „Beyond the Horizon“ und „The Hairy Ape“, große Erfolge in Deutschland gehabt, aber das war fast vergessen. Die Stücke Th. Wilders, A. Millers und vor allem T. Williams wurden Jahre hindurch gespielt: ihre für den „kleinen Mann“ plausibel gemachte Gewissensbeunruhigung nahm das Thema des Leidens an der Zeit auf. Die Franzosen konnten sich auf die Theaterwirkung Claudels, Giroudoux', Anouilhs, Montherlants, die „philosophischen“ Stücke Marcels und Sartres und das glänzende Boulevardtheater Pagnols und anderer verlassen. Nachdem die Idee der politischen Umerziehung gescheitert war, wurden auch Beckett und Ionesco gespielt.

Surrealismus und Expressionismus

Wenn die Deutschen O'Neills „Haarigen Affen“ oder „Gier unter Ulmen“ sahen, so fühlten sie sich lebhaft an die Glanzzeiten des naturalistischen und expressionistischen Theaters der zwanziger Jahre erinnert. O'Neill war von Ibsen und Wedekind beeinflußt. Th. Wilder ist seiner Erziehung und humanistischen Bildung nach Europäer und hat Anregungen durch das Berliner Theater (1930) empfangen. Claudel war in Deutschland besser als in seiner Heimat verstanden worden, und lange vor den französischen Uraufführungen hatte man seine Stücke in Hellerau bei Dresden gespielt. Mit den ausländischen Autoren kehrte also ein Teil der eigenen Überlieferung nach Deutschland zurück. Sie war weltläufiger, angepaßter und frei von den Schlacken einer sektiererischen „Lehre“, die seit Wedekind den deutschen Autoren die Welt versperrt hatte. Die in Paris als „Surrealismus“, teilweise in enger Fühlung mit deutschen Autoren (I. Goll), entwickelte Form einer neuen Lyrik und Dramatik ist aus eben diesen Gründen welthaltiger und wirksamer geworden. Als „Surrealismus“ wurde der Expressionismus schließlich eine Welterscheinung.

Ein eigenes deutsches Drama entstand sehr zögernd. Stücke wie Borcherts „Draußen vor der Tür" und später Zuckmayers „Des Teufels General" hatten aktuelle Erfolge. Von den älteren Autoren kam Brecht im Laufe der Jahre, seit der Rückkehr nach Ost-Berlin, zu glänzenden Inszenierungen, während eine Renaissance der Stücke Wedekinds, Sternheims, Kaisers – mehrfach versucht – nicht zustande kam. Auch G. Hauptmann, der ein halbes Jahrhundert lang die deutsche Bühne beherrscht hatte, erschien selten auf den Spielplänen der Theater. Zwei Schweizer Autoren, Frisch und Dürrenmatt, schrieben der deutschen Schaubühne die neuen Stücke.

Das Hörspiel

Im Hörspiel wollte man eine Art Ersatz des zusammengebrochenen deutschen Theaters sehen. Seine Wortführer haben darauf hingewiesen, hier sei die Dichtung auf ihr eigentliches Substrat, das Wort, beschränkt und könne sich, losgelöst von den Realitäten des Theaters, zu neuer Wirkung entfalten: Dichtung könne als reines Wortkunstwerk verwirklicht werden. Tatsächlich hat das Hörspiel, aus der Reportage und akustischen Dokumentation entwickelt, neue Mittel der Suggestion zur Verfügung. Es kann Geräusche geben, Szenen über- und unterblenden, kann *einem* Sprecher die Hauptrolle anvertrauen, kann beliebig rasch Personen und Szenen wechseln. Mühelos blendet es zeitlich vor und zurück. Es sprengt die klassischen „Einheiten" des Raums, des Orts und der Handlung. Das erste Rundfunkhörspiel der Welt soll Richard Hughes „Gefahr" (1924) gewesen sein. Es beschreibt, wie sich eine Gruppe von Bergwerksbesuchern verhält, die von einem Wassereinbruch überrascht wird. So etwas konnte kein Theater zeigen. Man hört das Quirlen des Wassers, die Rufe der Ertrinkenden, die Gespräche der Verunglückten und die Klopfzeichen der Rettungsexpedition. Auf diesem und verwandtem Gebiet – des unterhaltenden Problemstücks – hat das Hörspiel seine größten Erfolge gehabt.

Erste deutsche Hörspiele

Die ersten deutschen Hörspiele stammten von Arnolt Bronnen, der Rundfunkfunktionär war („Michael Kohlhaas", 1929), Hans Kyser („Ankommt eine Depesche", o. J., und „Prozeß Sokrates", 1929), Friedrich Wolf (zwei Sammelbände mit den Stücken „John D. erobert die Welt", „SOS", „Rao-Rao-Foyn", „Krassin rettet Italia" u. a., 1930), Richard Billinger, Friedrich Schnack, Paul Alverdes, Ernst Johannssen, Richard Euringer, Hans Rehberg („Preußische Komödie", 1933) Günter Eich, Peter Huchel und Martin Raschke. Die Sendestationen erteilten damals dichterischen Autoren „funkische" Aufträge. So entstanden etwa Wiecherts „Spiel vom deutschen Bettelmann" und Richard Euringers „Deutsche Passion" (1933). Konrad Weiß suchte eine neue dichterische Form mit den Auftrags-Hörspielen „Das kaiserliche Liebesgespräch" und „Die König-Heinrichs-Ballade mit den deutschen Vorstimmen" (1934 und 1936). Hier taucht bereits – wie später bei Dylan Thomas und Günter Eich – der Begriff der „Stimmen" statt der Personen des alten Dramas auf. Die Versuche, das klassische Drama in Hörspiele umzusetzen, waren zahlreich. Man lernte die Wirksamkeit der „Stimmen" für den Funk herauszufinden. Nicht das Dramatische des Bühnenstücks, die Sprechweise der Schauspieler, die poetische Macht eines Textes erwiesen sich als wichtig, sondern die Reduzierung des episch-dramatischen Verlaufs auf Stimmen, die außerhalb der „natürlichen" Zeitfolge stehen. Gleichzeitig zeigte sich, daß die „Stimmen" des Hörspiels etwas anderes waren als Sprache. Zwar hat die populäre Vorstellung daran festgehalten, es vernehme „Sprache" aus dem Lautsprecher, zwar haben die Mitarbeiter des neuen Mediums

Versuche unternommen, das Wort des Rundfunks philosophisch und theologisch dem Wortbegriff der Philosophie und Theologie anzunähern (das Wort im Rundfunk soll eine biblisch offenbarende Gewalt besitzen), aber tatsächlich hat das Wort des Rundfunks nicht mehr als Mitteilungscharakter. Es ist kein Zufall, daß „der Sprecher" in den Mittelpunkt des Hörspiels trat und die andern Spieler sich als Stimmen um ihn gruppierten. Die Stimmen des Hörspiels sind manipulierbar; Autor oder Regisseur arrangieren die Stimmen zu einem Monolog. Der Hörspieldichter ist also nicht der Dramatiker der alten Zeit, der einen tragischen Antagonismus kunstvoll aufführt, sondern Analytiker eines Bewußtseins, dessen

Verwechslung von Wort und Stimme

„Stimmen" er in seinem Stück spiegelt. Damit hängt der passive Charakter der Figuren zusammen, aber auch die Eintönigkeit des deutschen Hörspiels, soweit es mehr sein will als Unterhaltungsware. Die auf eine Stimme reduzierte Sprache eines Schauspielers ist weniger fähig, Dichtung zu sprechen, als die Kunst der früheren Sänger und Rhapsoden. Das dichterische Wort besitzt einen – unsprechbaren – Mehrwert, der sich nie in Klang, Laut, Sinn, Bild, Metapher, Ton und Aussage erschöpfen kann.

Aus der falschen Lehre vom Wort des Hörspiels entwickelte sich eine verkehrte Regie- und Interpretationskunst; und da das Hörspiel meist auf Aufträge zurückgeht, übertrugen sich die Fehler der Regie bereits in die Anlage der Stücke. Günter Eichs Hörspiele sind ebenso wie die der Ilse Aichinger, Ingeborg Bachmann, Heinrich Böll, Marie Luise Kaschnitz, Fred von Hoerschelmann, Hans Kyser, Richard Euringer und vieler anderer Autoren nicht Hörspiele im Sinne der Angelsachsen, sondern monologische Stimmenführungen. Echten Hörspielcharakter haben die Stücke Dylan Thomas', weil sie die nackten Stimmen mit Air und Flair, mit Klang und Imagination zu umhüllen wissen, sowie Martin Raschkes „Gespräch mit den Vätern" (1935), Borcherts „Draußen vor der Tür" und Bert Brechts „Das Verhör des Lukullus". Konrad Weiß' Hörspiele sind „Weihestücke"; ihr Charakter hängt mit der mystischen Sprach- und Klang-

Das einsame Bewußtsein

theorie des Dichters zusammen: als Stimme aus weiter Vorzeit wird die Sage „wahr": die akustische Stimme kreist spiralisch um das Wesen der gemeinten Sache. In den meisten Hörspielen hingegen deuten die Stimmen nur auf etwas hin. G. Eich nennt seine Sammlungen „Träume" und „Stimmen". Mit beängstigender Einseitigkeit ist die Situation immer die gleiche: der leidende Mensch im Gefängnis seines Ich, dem er durch einen Tausch seiner Identität zu entkommen sucht. Das ist eine sehr deutsche und romantische Position; die Welt wird vom Ich her gesehen und gedeutet. Auch die Greuel der Welt fallen auf das Ich zurück. Ihre typischen Gestalten sind Günter Eich und Max Frisch. Es gibt keine Instanz, die Gericht und Gnade übt, es gibt keine rechtlichen, familiären, ständischen Bindungen mehr: der Mensch ist allein mit seinen Träumen und Stimmen.

Max Frisch

Frisch und Dürrenmatt

Es ist auffallend, daß die Lieblinge der deutschen Bühne nach dem zweiten Kriege Schweizer Moralisten waren. Max Frisch ist 1911 in Zürich geboren; Dürrenmatt, zehn Jahre jünger, kam aus der Nähe von Bern. Während der ältere den Typus des beharrlich arbeitenden Autors darstellt, vertritt der jüngere den des Originalgenies. Frisch ist der analysierende Roman- und Stückeschreiber, Dürrenmatt der mit Einfällen agierende Dichter. Die Romane und Dramen Frischs haben eine lange Geschichte; sie entwickeln sich aus Anekdoten, Skizzen, Hörspielen zu Dramen. Für die Figur des „Stiller" gibt es – teilweise in den Roman übernommene – Vorstufen, die sich Jahre vorher aus Erzählungen oder Tagebuchnotizen nachweisen lassen. Bei Frisch ist also eine wachsende, sich erweiternde Substanz am Werk. Selbst über fertige Arbeiten („Don Juan") schrieb er später Reflexionen oder, im Fall des „Biedermann", Nachspiele. Dürrenmatt vergißt von Stück zu Stück das Frühere und verläßt sich auf eine neue Inspiration. In beiden Fällen bleiben die Autoren ihrem Grundthema treu. Bei Frisch ist es ein Mensch, der durch Maske und Lüge hindurch zu sich finden möchte; bei Dürrenmatt wird der getäuschte Mensch zur Parodie seiner selbst.

Die Anfänge

Frischs erste Versuche reichen in die späten zwanziger Jahre zurück. Er studierte Germanistik. 1932 brach er das Studium ab und wurde Journalist, bereiste den Balkan, die Türkei, Tschechoslowakei, Ungarn, Griechenland und Italien. Dann studierte er Architektur, wurde 1939 zum Schutz der eidgenössischen Grenzen eingezogen und schrieb seine „Blätter aus dem Brotsack" (1940) – Tagebuchnotizen über die Mühsal des Militärs. Nach dem Kriege bereiste er die von der europäischen Katastrophe betroffenen Länder. Die Ergebnisse faßte er teilweise

Max Frisch

im „Tagebuch mit Marion“ (1947) und im „Tagebuch 1946–1949“ (1950) zusammen. Hier beschreibt er auch die Begegnungen mit Wilder und Brecht, deren theatralische Errungenschaften ihn ebenso wie Dürrenmatt stark anregten. Während der moralische Impetus bei Dürrenmatt in den guten Stücken überspielt wird, ließ Frisch das Problem nicht los, das er sich stellte: Was ist der Mensch für ein Wesen? Damit hing sein großer Erfolg zusammen: bei Frisch waren Themen behandelt, die 1945 und 1954 auf den Nägeln brannten.

Die Thesenstücke

Im Januar 1945 schrieb Frisch „Nun singen sie wieder“, den „Versuch eines Requiems“ auf erschossene Geiseln. Hier kommt eine bezeichnende Szene vor. Aus dem Radio ertönt ein Choral aus der Matthäuspassion, während Flieger auf den Einsatz warten. Einer sagt: „Die Welt ist nicht schön. Was solche Musik uns vormacht, das gibt es nicht. Verstehst du das? Es ist eine Illusion.“ Immer wird Frisch – das hat er von Brecht gelernt – den Kampf gegen überholte Illusionen, den unwahren Charakter der modernen Existenz führen. Er ist ein Puritaner. Das Bühnenstück „Santa Cruz“ (1944) setzt sich in der Figur eines romantischen „Sängers“ mit dem Stiller-Problem auseinander: Ist die verlorene Welt wiederzugewinnen? Die Farce „Die chinesische Mauer“ (1946 und 1955) und das Drama „Als der Krieg zu Ende war“ (1949) fanden keine bündige Antwort. Die Moritat „Graf Öderland“ (1951) war ein richtiges Drama. Ein ratloser Staatsanwalt will als Anführer einer kriminellen Horde Ordnung schaffen: diese ist aber schlimmer als jene, gegen die er sich wandte. Dürrenmatt hat die Figur in seinem „Mississippi“ aufgegriffen und konsequenter durchgeführt.

„Don Juan oder die Liebe zur Geometrie“

Viel feiner wird die Desillusionierung in der Komödie „Don Juan oder die Liebe zur Geometrie“ (1952) auf die Bühne gebracht. Don Juan parodiert die Gestalt des klassischen spanischen Dramas, den bloß „literarischen“, d. h. lügenhaften Helden. Das Typische der Figur, wie es Kierkegaard aus Mozarts Oper deutete, wird umgedreht. Frischs Don Juan liebt die Geometrie und bedauert, daß die Damen ihn davon abhalten: „Nennen Sie es Gott, ich nenne es Geometrie. Jeder Mann hat etwas Höheres als das Weib, wenn er wieder nüchtern ist.“ Don Juan desillusioniert die Liebe, den religiösen Glauben, das Wunder, die Sprache und schließlich das Theater selbst. Das Stück ist eine geistreiche Parodie, und der Held glaubt mit seinem „geometrischen“ Verstand an nichts Höheres:

Donna Elvira: Sie haben Ihre Braut, wie man so sagt, betrogen und hatten im Sinn, mit der andern zu fliehen?

Don Juan: Ja.

Donna Elvira: Warum tun Sie es nicht?

Don Juan: Warum –

Donna Elvira: Ich verstehe Sie nicht, mein lieber Don Juan. Sehen Sie denn nicht, wie das Mädchen strahlt, daß Sie, der Bräutigam und der Entführer, ein und derselbe sind! Und Sie –

Don Juan: Ich kann nicht!

Donna Elvira: Warum?

Don Gonzalo: Warum! Warum! Es gibt hier kein Warum! Tod dem Verführer, sage ich, Tod dem Schänder meines Kindes!

Donna Elvira: Mein Gemahl –

Don Gonzalo: Fechten Sie!

Don Juan: Fangen Sie an, mein Herr, wenn Sie es nicht erwarten können, Ihr marmornes Denkmal zu haben . . .

Max Frisch
Gemälde von
Varlin, 1958

Am Schluß wird Don Juan ein Spießer, und seine Frau erwartet ein Kind. Das Stück ist witzig auf Kosten der illusionären Werte. Dieser Don Juan glaubt nicht an die Moral, die Sprache und die Ehre der Konvention. Trotzdem bleibt das Drama, da es Molinas und Mozarts Stück beim Leser voraussetzt, im Literarischen haften. Das Stakkato der Sprache ist merkwürdig für einen Autor, der den „Biedermann" und seine Frau daran zugrunde gehen läßt, daß sie nicht verstehen, was exakt gesagt wird, und nicht meinen, was sie sagen. Don Juan sagt: „Doch nicht erinnern kann ich die Namen, kaum die Gesichter. Am Ziel, das uns überfiel, zerschmolz es mir immer in ein einziges Antlitz – das ich bei Licht nicht wieder erkenne." Die Frage nach der Identität des Ich mit sich selbst trägt „Biedermann und die Brandstifter" (1958). Das Stück, frei nach Brecht „ein Lehrstück ohne Lehre", ist aus einem einaktigen Hörspiel (1953) hervorgegangen. Die Fabel vom reichen Mann, der sein Haus Brandstiftern anbietet, die es dann folgerichtig, obwohl er es nicht so gemeint hat, anzünden, soll zugleich eine Parabel der Weltlage sein. Ebenso ist „Andorra" (1961) ein politisches Schlüsselstück von einem Mann, der eine „Maske" trägt. (Die Fabel stand schon 1946 in

„Biedermann" und „Andorra"

den Tagebüchern.) Die Maske, der Anschein, das Judentum, wird für die Wirklichkeit gehalten, obwohl sie nichts als Trug ist. Auch hier wird der Zeigefinger erhoben: „Furchtbares wird geschehen!" Die Stücke vermitteln Typen, an oder mit denen etwas demonstriert wird. In beiden Stücken fehlt die Gegenaktion im Sinne des klassischen Dramas. Im „Biedermann" tritt ein ironischer Chor vor den negativen Helden und redet antikisch wie bei Paul Ernst und Curt Langenbeck.

Die Romane

Frischs erster Roman „Jürg Reinhard" (1934) bildet die Einleitung des zweiten „Die Schwierigen oder J'adore ce qui brûle" (1943). Der Held ist ein Künstler, dessen Züge später den „Don Juan" prägten. Die Novelle „Bin oder Die Reise nach Peking" (1945) schildert eine Flucht aus der Zeit in einen imaginären Raum. Der große Roman „Stiller" (1954) erzählt von einem labilen Bildhauer. Er geht, um Ehe und Bürgertum zu entfliehen, in ein südliches Amerika, kehrt zurück, leugnet sein Vorleben und sich selber, verliert seine Identität und will sich „in etwas anderes umdichten". Die virtuose Komposition wird dem Anliegen gerecht: dritte und erste Person wechseln, dasselbe Ereignis wird von verschiedenen Personen und Orten her verschieden erzählt. Stiller — der Name ist symbolisch — kann nicht still sein und entdeckt am Ende, wie der Held des Romans „Homo faber" (1957), daß ihm die wahre Liebe zur Existenz, zur Frau und sich selbst gefehlt habe. Es handelt sich also um eine Erneuerung des Künstlerromans aus dem romantischen Jahrhundert. Der Stil ist altmodisch, die Darstellung, recht fesselnd, nähert sich sprachlich dem Bericht. In einem Hörspiel hatte Max Frisch Washington Irvings Geschichte „Rip van Winkle" (1953) behandelt. Rip kehrt aus der poetischen Verzauberung heim in die Realität, wird nicht erkannt und erkennt nicht. Er dient Stillers Verteidiger als typologische Erklärung:

Aus „Stiller"

Rip van Winkle, der Eichhörnchenjäger, war ihnen wohl bekannt und er hörte gar schnurrige Geschichten von dem Mann, der vor zwanzig Jahren, wie jedes Kind weiß, in eine Schlucht gestürzt oder den Indianern in die Hände gefallen war. Was sollte er tun? Scheu fragte er nach Hanne, der Frau jenes Eichhörnchenjägers, und da sie ihm sagten, ja, die wäre schon lange vor Kummer gestorben, weinte er und wollte gehen. Wer er denn selber wäre? fragte man ihn, und er besann sich. Gott weiß es! sagte er: Gott weiß es, gestern noch meinte ich es zu wissen, aber heute, da ich recht erwacht bin, wie soll ich es wissen? Die Umstehenden tippten mit dem Finger gegen ihre Stirnen, und umsonst erzählte er die wunderliche Geschichte mit den Kegeln, die kurze Geschichte, wie er sein Leben verschlafen hätte. Sie wußten nicht recht, was er damit sagen wollte. Er konnte es auch anders nicht sagen, und bald gingen die Leute wieder ihres Weges, nur ein junges und ziemlich hübsches Weib blieb stehen. Rip van Winkle ist mein Vater gewesen! sagte sie: Was weißt denn du von ihm? Eine Weile blickte er in ihre Augen und spürte wohl auch die Versuchung zu sagen, daß er ihr Vater wäre, aber war er es denn, den sie alle erwarteten, den Eichhörnchenjäger mit den Geschichten, die immer ein wenig wackelten und umfielen, wenn sie lachten? Endlich sagte er: Dein Vater ist tot!

Das verlorene Ich

Leicht erkennt man hinter Rip, Stiller, dem Ingenieur aus „Homo faber", Öderland, Biedermann, Don Juan und Andri (aus „Andorra") den alten Typus des romantischen Menschen, der sein Ich verloren hat: Kleists Amphitryon, E. T. A. Hoffmanns Gespenster, Chamissos Schlemihl und schließlich aller geistigen Vater, Dr. Faust, der seine Seele dem Teufel verschrieben hat.

Frischs Sprache kommt aus dieser Welt. Sie benützt die klassizistischen Formen und Worte. Sie warnt und beklagt Verluste, sie wird ironisch oder witzig, paralysiert sich selbst, gelähmt vor Entsetzen. Sie artikuliert eine entfremdete Welt.

Friedrich Dürrenmatt

Solche Späße gehen durch Mark und Bein.
Dürrenmatt

Nach dem zweiten Weltkriege entstanden nach bewährtem Schema Stücke ohne Helden. Die Vermittler dieses Dramas waren Wedekind, Sternheim, Pirandello, Thornton Wilder und Bert Brecht. Sie hatten das Heldenbild ins Ironische verkehrt. Bei Dürrenmatt hat die Theorie Pirandellos ebenso gewirkt wie das Vorbild der „Kleinen Stadt" von Wilder. Die Stadt Güllen im „Besuch der alten Dame" ist das Gegenstück zu Wilders kleiner Stadt – ein puritanisch verlogenes Nest, ein neues Seldwyla. Die Heldin ist eine skurrile Person. In der „Panne" hat die Situation Kafkaschen Rang: der Mörder muß sich selbst mit verurteilen. In „Ein Engel kommt nach Babylon" kümmert sich der Engel so wenig um die Menschen wie die Götter in Brechts „Gutem Menschen von Sezuan". Dürrenmatt geht scharf auf den Punkt der Groteske *zwischen* Tragödie und Komödie los. Seine Helden sind Verrückte. Sein erstes Stück, „Es steht geschrieben" (1947), spielt im Münster der Wiedertäufer. Bockelson und Knipperdolling sind närrische Sektierer, die das Reich Gottes buchstäblich nehmen. In „Romulus der Große" (1949, neue Fassung 1957) ist der Kaiser des Imperiums ein Spießbürger, der Hühner züchtet und in Pension geht.

Der negative Held

Groteske und Parodie

Friedrich Dürrenmatt, Zeichnung von Hanny Fries

Friedrich Dürrenmatt ist 1921 in der Schweiz als Pfarrerssohn geboren und studierte in Bern und Zürich Theologie, Philosophie und vor allem Literatur. Er begann als Journalist Prosa zu schreiben, rebellisch und witzig, noch ohne eigene Handschrift, von Kafka und Ironikern wie Polgar angeregt. Er suchte, abseits der literarischen Überlieferung und im Protest gegen die Literaturwissenschaft, nach einer Form, durch die er sich selbst und die reduzierten Menschen ausdrücken konnte. Er fand sie im Sketch, der pointierten Szene, dem makabren, herausfordernden Scherz. Das Drama „Es steht geschrieben" ist, wie sein Titel, eine Parodie auf das biblische Reich. Die Wiedertäufer führen es ad absurdum, der Henker erwartet sie. Der Kriminalroman „Der Richter und sein Henker" (1952) zeigt den dialektischen Charakter des Menschen. Er weiß zuviel von sich selbst und rennt deshalb dem Henker in die Arme. Der Henker ist Dürrenmatts Schlüs-

FRIEDRICH DÜRRENMATT

selfigur und bedeutet, daß der Mensch „seinen" Tod, von dem noch Rilke sprach, nicht mehr besitzt, daß die leere Existenz durch einen Gewaltstreich beendet wird. Es ist die Lehre der Moritat „Die Ehe des Herrn Mississippi" (1952, neue Fassung 1957) eine Typenkomödie mit den Figuren des Kommunisten, des Schwärmers, des Machtmenschen und Weltverbesserers. Alle werden Opfer ihrer Verblendung.

„Der Besuch der alten Dame"

Dürrenmatts Meisterstück ist „Der Besuch der alten Dame" (1955 geschrieben). Hier deckt die Fabel die Figuren, bis auf den Schluß ist es eine klassische Komödie. Die Milliardärin Claire Zachanassian kommt in ihre Heimatstadt Güllen und stiftet eine Milliarde unter der Bedingung, daß man ihr den heruntergekommenen Kaufmann Ill als Leiche ausliefert. Ill war in der Jugend ihr Verführer. Sie ging in ein Bordell, dort fand sie ihr erster Mann, Zachanassian, jetzt hat sie den achten, einen deutschen Filmschauspieler. Sie führt zwei blinde Kastraten mit: es waren die Meineidshelfer Ills beim Vaterschaftsprozeß. Die Stadt ist heruntergekommen und über das Angebot erfreut und entsetzt zugleich. Ill spürt, daß man ihn ausliefern wird. Am Schluß wird er in einer heuchlerischen Szene getötet, und Frau Zachanassian zieht mit ihrer gespenstischen Karawane und dem Sarg des Opfers davon. Die makabre Farce hat Wedekindschen Rang. Sie bliebe unerträglich, wenn Dürrenmatt kein Dichter wäre: die Form der Parodie des pathetischen Dramas (wie bei Brecht wird Schiller parodiert) ist in sich schlüssig. Alle Szenen bleiben hier innerhalb des dichterisch imaginierten Raums. Der vorerst noch ahnungslose Heuchler Ill unterhält sich mit Claire:

Ill: Dir zuliebe habe ich Mathilde Blumhard geheiratet.
Claire: Sie hatte Geld.
Ill: Du warst jung und schön. Dir gehörte die Zukunft. Ich wollte dein Glück. Da mußte ich auf das meine verzichten.
Claire: Nun ist die Zukunft gekommen.
Ill: Wärest du hier geblieben, wärest du ebenso ruiniert wie ich.
Claire: Du bist ruiniert?
Ill: Ein verkrachter Krämer in einem verkrachten Städtchen.
Claire: Nun habe *ich* Geld.
Ill: Ich lebe in einer Hölle, seit du von mir gegangen bist.
Claire: Und ich bin die Hölle geworden.
Ill: Ich schlage mich mit meiner Familie herum, die mir jeden Tag die Armut vorhält.
Claire: Mathildchen macht dich nicht glücklich?
Ill: Hauptsache, daß du glücklich bist.
Claire: Deine Kinder?
Ill: Ohne Sinn für Ideale.
Claire: Der wird ihnen schon aufgehen (Er schweigt. Die beiden starren in den Wald ihrer Jugend.)

Der metaphysische Abgrund

Dieser Wald wird durch Güllener Bürger dargestellt, die selbst Bäume markieren: „Wir sind Fichten, Föhren, Buchen." Das ist also Illusions-Theater aus antiker und jüngster Tradition. Claires Zynismus ist vollkommen. Sie ist eine surreale Figur. Aber der Reiz besteht darin, daß sie, wie der Bischof im Wiedertäuferstück, Parodie einer großen Gestalt ist. Sie sucht sich selbst. Deshalb geht sie mit Ill in den Konradsweilerwald und die Scheune, läßt sich von ihm wie einst Kosenamen geben: aber all das ist Perversion, denn nun ist sie Nemesis, „die Hölle", Rächerin. Der Lehrer spricht aus, daß die Güllener der Versuchung, Ill zu töten, nicht widerstehen werden:

FRIEDRICH DÜRRENMATT

Dürrenmatt

Die Versuchung ist zu groß und unsere Armut zu bitter. Aber ich weiß noch mehr. Auch ich werde mitmachen. Ich fühle, wie ich langsam zu einem Mörder werde. Mein Glaube an die Humanität ist machtlos. Und weil ich dies weiß, bin ich ein Säufer geworden. Ich fürchte mich, Ill, so wie Sie sich gefürchtet haben. Noch weiß ich, daß auch einmal zu uns eine alte Dame kommen wird, eines Tages, und daß dann mit uns geschehen wird, was nun mit Ihnen geschieht, doch bald, in wenigen Stunden vielleicht, werde ich es nicht mehr wissen . . .

Larmoyante Töne

Dieser Lehrer hält in der Versammlung der Bürger etwas später die moraltriefende Rede: „Wir duldeten die Ungerechtigkeit . . . es geht nicht ums Geld [die Milliarde] . . . es geht darum, ob wir Gerechtigkeit verwirklichen wollen.“ So kommt der Bürgermeister zu seinem Scheck. Den eigentlichen Schluß aber bildet ein antiker Chor, der nicht anders redet wie bei Sophokles oder Paul Ernst:

„Ungeheuer ist viel / Gewaltige Erdbeben / Feuerspeiende Berge, Fluten des Meeres, / Kriege auch, Panzer durch Kornfelder / rasselnd / der sonnenhafte Pilz der Atombombe / Doch nichts ungeheurer als / Armut . . .“

Dürrenmatts Stücke sind zum großen Teil nicht für die Bühne, sondern für das Radio geschrieben. Er ist einer der bedeutendsten Hörspielautoren. Auch hier

Ill: Herr Bürgermeister! Womit wollen diese Leute zahlen? Ich frage Sie, womit?

Der Bürgermeister: Jeder muss sich in diesen schweren Zeiten selber durchschlagen.

Ill: Auf dem Wege hierher traf ich den Sigrist, Herr Bürgermeister. Er sagte mir, Hofbauer wolle eine Bar auftun, eine Bar in Güllen.

Der Bürgermeister: das ist nun leicht übertrieben. Den guten Leuten ist nicht zu verübeln, dass sie etwas Abwechslung suchen.

Ill: Es stimmt also, Bürger

Burg: Um Mitternacht muss er schliessen

Ill: In diesen schweren Zeiten.

Der Bürgermeister: Eben.

Ill: Man kauft neue Schuhe in diesen schweren Zeiten, kauft einen Kognak von 20 Mark und eröffnet eine Bar. Ich bin nicht blind, Bürgermeister, das alles zielt auf mein Leben. Man macht Schulden. Diese Schulden wird man einmal bezahlen müssen. Die alte Dame wartet. Mit den Schulden steigt die Notwendigkeit, mich zu töten, und so wartet jeder, bis mich einer tötet. Ihr alle wartet

Bürg: Unsinn, Ill

Ill: Logik, Bürger

Friedrich Dürrenmatt, aus dem Manuskript Der Besuch der alten Dame

Die Hörspiele

liebt er die drastische Situation. In „Nächtlicher Besuch" diskutiert der Henker mit seinem Opfer, einem Schriftsteller. Ähnlich ist das Thema in „Abendstunde im Spätherbst" (1957), wo ein Kriminalschriftsteller der Morde überführt wird, die er in Romanen dargestellt hat. Genauso liegt das Problem in dem frühen „Nächtlichen Gespräch" (1951), wo „der andere" eines Nachts als Henker zum Fenster hereinsteigt. Die Schriftsteller sind Schillerfiguren, d. h., ihre Rede ist pathetisch-unwahr; und der Tod, den sie nicht zu fürchten behaupten, kommt als Henker, „mit dem zu reden keinen Sinn hat". Da sprechen Dürrenmatts seit Sternheim durchaus veränderte Einsichten. Bei Sternheim trat ein Individuum der anonymen Masse gegenüber; bei Dürrenmatt sind die einzelnen nur hoffnungslose Narren. Sein bekanntestes Hörspiel (auch als Erzählung) ist „Die Panne" (1956). Ein Vertreter, der mit seinem Wagen eine Panne hat, gerät in die Gesellschaft pensionierter Juristen mit symbolischen Namen wie Zorn und Kummer. Sie „spielen" Gericht, und der Vertreter gesteht als Angeklagter eine Mitschuld am Tod seines ehemaligen Chefs. Er wird von den Kumpanen zum

Tode verurteilt und meint im Suff, er werde hingerichtet – bis er mit schwerem Kopf am Morgen erwacht.

Oper einer Privatbank

In „Frank V.", der „Oper einer Privatbank", hat Dürrenmatt die Groteske sternheimisch übersteigert. Von der Bank wird behauptet, sie habe noch nie ein ehrliches Geschäft abgewickelt und noch nie Geld zurückbezahlt. Widerspenstige Angestellte werden im Keller umgebracht, die Kunden sind reiche Waisen, deren Geld man sich aneignet, indem man sie umbringt. Schließlich wird der Inhaber von den eigenen Kindern in den Geldschrank eingeschlossen. – Das Gesetz der Komödie ist die Übertreibung bis zu einem Punkt, wo bloß noch der Jux übrigbleibt. In „Frank V." überschlägt sich der Effekt, zumal die antikapitalistischen Töne vom Brecht des „Kreidekreises" ungleich dichterischer artikuliert waren.
Dürrenmatt hat der modernen Masse die Hoffnung auf das Abenteuer abgesprochen: nur die Kunst könne ihr „ein Leben prall an Erfüllung, an Augenblick, an Spannung" geben. Im „Besuch der alten Dame" war das mit den Mitteln der Sprachentlarvung in einer überzeugend geknüpften Szenenfolge gelungen. Dürrenmatts Gefahr ist die anarchische Farce um einer These willen.

Günter Eich

Erste Veröffentlichungen

Günter Eich, geboren 1907 in Lebus an der Oder, wuchs in Finsterwalde, Berlin und Leipzig auf. Er studierte die Rechte und orientalische Sprachen, vor allem Chinesisch. Seit 1932 lebt er als freier Schriftsteller. Die ersten Gedichte wurden 1927 veröffentlicht, kurz darauf fand Eich zum Rundfunk; schon 1929 wurde seine erste Funkdichtung gesendet. Mit Peter Huchel, Horst Lange, Martha Saalfeld, Georg Britting und andern schrieb Eich in Rachke-Kuhnerts Zeitschrift „Die Kolonne" (1929/32), wo sich Dichter einer neu gesehenen, abgründigen, menschenfremden Natur sammelten. Seine Erzählung „Katharina" erschien 1934 im „Inneren Reich".

„Trug" – das Leitthema

Schon im frühen Eich klang das Grundthema an, die Sichtbarkeit als „Trug"; ob ihm diese Erfahrung nun aus dem Umgang mit fernöstlicher Literatur oder einer tief weltanschaulich-religiösen Ernüchterung zuwuchs. Später verstärkt sich dieses Leitthema des Lyrikers und Hörspielautors G. Eich. In einem späten Gedicht, zum Andenken an den gefallenen Freund M. Raschke, heißt es sogar: „Ich bemerke, / Daß Erinnerung eine Form von Vergessen ist."
Formal hat Eich lange Reim und festes Strophenschema im Sinne der Überlieferung festgehalten; aber die alten Motive der Naturdichtung eines Eichendorff oder G. Keller werden zu surrealistischen Bildern benützt. In einem Gedicht von 1927 heißt es:

„Der Anfang kühler Tage"

Am Fenster wächst uns klein der Herbst entgegen,
man ist von Fluß und Sternen überschwemmt,
was eben Decke war und Licht, wird Regen
und fällt in uns verzückt und ungehemmt.

Der Mond wird hochgeschwemmt. Im weißen Stiere
und in den Fischen kehrt er ein.
Uns überkommen Wald und Gras und Tiere,
vergessne Wege münden in uns ein.

Uns trifft die Flut, wir sind uns so entschwunden,
daß alles fraglich wird und voll Gefahr.
Wo strömt es hin? Wenn uns das Boot gefunden,
was war dann Wirklichkeit, was Wind, was Haar?

Die Lyrik als Voraussetzung

Eichs erstes Buch war ein Bändchen „Gedichte“ (1930). Sehr viel später erschienen, illustriert von Karl Rössing, „Abgelegene Gehöfte“ (1948), das kleine Bändchen „Untergrundbahn“ (1949) und als lyrisches Hauptwerk „Botschaften des Regens“ (1955). Eich ist ein Lyriker der verhalten stillen Töne. Er liebt die Stimmungen des Morgens und des Regens, er besingt die Häherfeder, den Mond und die Lerche, er geht durch die Dünen, den Beerenwald und die Erdlöcher der Soldaten. Später werden die Themen und Motive meditativ und abstrakt. Die Form geht in ein Parlando über; gewisse Einflüsse Benns (. . . „Ludwig wollte nicht, daß man ihn essen sah“) werden deutlich, während solche von W. Lehmann und R. Billinger verborgener bleiben. Gedichtzeilen tauchen als Motive in Hörspielen auf. So findet sich „Betrachtet die Fingerspitzen, ob sie sich schon verfärben“ als Zeichen der Pest in „Die Brandung von Setubal“, und „Rostfleck / Auf der Rüstung des Kreuzfahrers“ findet sich in „Die Stunde des Huflattichs“. Die Welt ist Trug, und die dazu passenden Gefühle des Dichters sind Trauer, Resignation und ein melancholischer Humor:

„Strand mit Quallen“

Sterntaler, Meertaler,
geprägt in der Schmiede des Wassers
unter der Herrschaft nicht mehr verehrter Könige.
Silberner Schleim, erstarrt im Dezemberfrost.
Undeutbar
das rötlich durchscheinende Wappentier,
hieroglyphisch die Inschrift.

Verborgen sind die Märkte,
wo Tangwälder von Träumen gehandelt werden,
Anteile am Regen, der ins Meer fällt,
und das Bürgerrecht versunkener Städte.

Die Armut bückt sich nicht,
die Kiefer dreht sich landeinwärts.
Niemand wird erwartet außer dem Wind.

Eich ist Naturdichter im Sinne seiner Freunde von der „Kolonne“. Was er von den Chiffren der Natur abliest, läßt sich in die Begriffe der Melancholie, des Verfalls und der Verlorenheit fassen. Der Herbst, der Regen, der verlassene Strand mit Quallen, der Belagerungszustand („die Auswege sind bewacht“) deuten auf eine Umwandlung des Menschen durch widrige Mächte hin. Aber dort, wo das Grauen wohnt, naht auch Erlösung, nahe dem Untergang ist die Erfüllung:

Der den Angriff befiehlt,
ist auch um deine Rettung besorgt.
Die Wölfe verlieren morgens deine Spur im Schnee.

Der lyrische Weltstoff der alten und neuen Romantik, der alten (Achim von Arnim) und neuen (Wilhelm Lehmann) magischen Naturbetrachtung sieht in der Finsternis, dem Tode, dem Nichts zugleich die Erlösung des Menschen verbürgt. Bei Eich wurde diese Anschauung genährt mit fernöstlicher Lehre. Feuer und

Flamme glühen den Menschen rein, und er wird sich zu neuer Existenz erheben. Aber auch Bildbegriffe der Barocklyrik Czepkos und Schefflers finden sich:

Dich küssen, oh Staub,
nah sein dem Gras –
Vergänglichkeit, das
ist, was ich glaub.

Während die frommen Mystiker ihre Hoffnung christlich ausdrückten, hat Eich seine Vorstellung von einem heilen Zustand mit den Substraten einer Antiwelt zu den barbarischen Zuständen der Gegenwart genährt. Die laute und öde Welt erlaubt dem Ich nicht, es selbst zu sein. Und dies wahre Selbst wird mit der ursprünglichen Reinheit der Schöpfung gleichgesetzt. Jede Störung des „zentralen" Zustandes verriegelt und versiegelt die wahre Existenz.

Günter Eich

Die Hörspiele

Weil Günter Eich solche Empfindungen und Stimmungen stellvertretend für die Zwischengeneration aussprach, wurde er der Lieblingsdichter dieser Nachkriegsjahrgänge. Seine lyrischen Botschaften erreichten ein weites Echo durch das Medium des Rundfunks, als Hörspiel. Fast alle Hörspiele Eichs berichten von Figuren, welche schemenhaft in ein anderes Ich, eine andere Existenz übergehen, in ein Wunsch- oder Schreckbild, ein Tier oder ein Traumgebilde. Dabei spielt gewiß der östliche Gedanke einer Auflösung ins All und der ewigen Wiederkehr des Gleichen eine Rolle, so wie auch puritanisch-christliche Schuldkomplexe der christlichen Vorfahren nachwirken. Denn alle Stücke lehren: Dasein heißt Schuldigsein.

Die modernen Grausamkeiten und Verfolgungen, das schuldlose Leiden von Millionen Unschuldiger haben diese Vorstellung zu einem Trauma des Dichters Günter Eich werden lassen.

„Geh nicht nach el Kuwehd!"

Mehrere von Eichs Hörspielen gehen auf morgenländische Fabeln zurück. In „Geh nicht nach el Kuwehd" reist der Kaufmann Mohallab mit seiner Karawane nach Damaskus. Trotz Warnungen läßt er sich von einem Mädchen in einen Hinterhalt locken, wird ausgeplündert und als Sklave verkauft. Er erringt die Gunst seiner Herrin und mißbraucht diese Gunst zur Flucht. Zur Strafe wird er vom Henker über die Klippe gestoßen:

Holzschnitt von Karl Rössing zum Einband von Günter Eich Abgelegene Gehöfte

Okba (böse): Jetzt stoße ich dich hinab!
Mohallab (schreit): Nein! (Sein Schrei entfernt sich – und klingt in einem geschlossenen Raum wieder auf, sofort abbrechend.)
Welid: Was ist Euch, Herr?
Mohallab: Welid?
Welid: Warum schreit Ihr plötzlich?
Mohallab: Ich glaubte, ich fiele.
Welid: Herr, Ihr saßet ganz ruhig.
Mohallab: Welid, wo bin ich?
Welid: Vor zwei Stunden ritten wir in el Kuwehd ein. Wir sind in der Herberge. Die Kamele sind abgehaltert und im Stall.
Mohallab: Ah, ich glaube, ich habe geträumt.
Welid: Herr, es war, als wäret Ihr einen Augenblick ohnmächtig gewesen.
Mohallab: Einen Augenblick. Oh Welid, waren es nicht Monate, Jahre?
Welid: Herr, Ihr fiebert.

Mohallab: Was habe ich nur geträumt. Ich weiß nichts mehr. Wo sind wir?
Welid: In el Kuwehd, Herr.

Welid hatte Mohallab gewarnt und ihm erzählt, wie gefährlich el Kuwehd sei; trotzdem folgte er dem Mädchen – nun führt ihn sein Schicksal unabwendbar ins Dunkle. Auch im „Tiger Jussuf" läßt Eich eine „normale" Handlung einsetzen und durchspielen. Doch dann wird der Zirkustiger Jussuf zum Dämonisch-Bösen. In „Sabeth" geschieht ähnliches durch geheimnisvolle schwarze Vögel. Das Titelstück „Träume" (1953) besteht aus fünf Angstträumen des Dichters, die untereinander eine symbolische Beziehung zum Untergang haben. Am Schluß haben die Termiten New York und seine Bewohner zerfressen:

Schluß der „Träume"

Tochter: Wir wollen nicht sterben, wir wollen leben.
Bill: Ich werde genau sterben wie Mama.
Tochter: Nein.
Bill: Sie ist nicht mehr als eine dünne Haut, die zerfällt, wenn du sie anrührst.
Tochter: Aber du, – du doch nicht!
Bill: Ich auch. Ich merkte es unterwegs. Ich sah gerade auf die Uhr, es war 17 Uhr 30, da merkte ich es. Jetzt sitzen sie mir am Herzen. Es tut nicht weh, aber ich bin ganz ausgehölt. Wenn du mich anfaßt, zerfalle ich.

Die Wirkung solcher Szenen, durch Rundfunkstimmen vermittelt, geht unter die Haut. Es sind Thriller, die mit dem Entsetzen spielen.

Die komponierte Szene

Eich hat das Kompositionsprinzip der Szenenblende zur Meisterschaft entwickelt. In den Spielen des Bandes „Stimmen" (1958) hat er auch soziale, zeitgeschichtliche, theologische und kulturgeschichtliche Motive benützt und zu Illustrationen seiner Philosophie des Wahns, der Vergänglichkeit, der Nichtidentität der Persönlichkeit ausgespielt. Exemplarisch wird der Identitätstausch in „Die Andere und ich", wo eine amerikanische Reisende in Italien zu einem armen italienischen Fischermädchen wird und deren Schicksal „hat" oder spielt, bis sie am Ende in ihr früheres Leben zurücktritt und die Frau, die sie so lange „war", tot vor sich sieht. In „Zinngeschrei" wechseln der revolutionäre Journalist und ein amerikanischer Millionärssohn die Existenz; der Journalist gibt seine Ideen auf und wird „Kapitalist", während der reiche Sohn dessen Stelle als armer Teufel übernimmt. In „Festianus, Märtyrer" verläßt ein Heiliger den Himmel und geht zu den Gefährten seiner Erdenzeit in die Hölle, da er lieber mit jenen leiden will, als sich im Himmel allein fühlen (in diesem Stück spielen neben den theologischen sozialkritische Motive eine wichtige Rolle). Der Mensch Günter Eichs fühlt sich verfolgt, er möchte deshalb „übertreten" in eine andere Existenz. Wie das geschieht, ist Eichs eigentliche Kunst; er inszeniert Stränge und Knoten, komponiert Parallelen und Wiederkehr, benützt symbolische Zeichen und metaphorische Anspielungen. Die Spiele werden zu akustischen Allegorien der Zeit, im Umriß schemenhaft, ihrer Natur nach lyrische Selbstgespräche, aber wahr, weil sie auf die Verzweiflung des Menschen der Jahrhundertmitte zielen.
Haben die Hörspiele Erfolge gehabt, so liegt die bleibende Bedeutung Günter Eichs in der Lyrik. Bis zum Kriege galt er als Autor der nachwachsenden Generation. Nach dem Kriege erwies sich, daß Eichs Sümpfe nicht bloß Zeichen der Natur, sondern Sinnbilder für den Ort des Menschen waren. In den Hörspielen attackierte er die Nerven jugendlicher Hörer; in den Gedichten stehen die „Bot-

Japanischer Holzschnitt.

Ein rosa Pferd,
gezäumt und gesattelt, –
für wen?

Wie nah der Reiter auch sei,
er bleibt verborgen.

Komm du für ihn,
tritt in das Bild ein
und ergreif die Zügel!

Günter Eich.

Günter Eich, Handschriftprobe

schaften", Texte, in denen eine Ordnung angedeutet wird: „Für die Dauer des Blitzes / gewinnt dein Auge / seine Unschuld zurück: / Der Himmel / ist auf den Grund der Bäume gezeichnet, / die Nachricht für dich ist weiß."

DIE NEUE LYRIK

Die junge deutsche Literatur fand zuerst in der Lyrik eine eigene Sprache. Hier war zum ersten Male jenes „Neue" auf breiter Front zu hören, das sie bisher nur punktuell und versteckt gezeigt hatte. Am Anfang stand freilich auch hier die Verwechslung von dichterischer Aussage mit politischem Bekenntnis. Klage und Anklage, Reue und Zerknirschung bestimmten zunächst den Grundton. Die Gedichte sind in der Anthologie „De profundis" (1946) von Gunter Groll gesammelt. Die Verse Reinhold Schneiders, Rudolf Hagelstanges („Venezianisches Credo", 1945), Stephan Hermlins, der Nelly Sachs, Marie Luise Kaschnitz', Albrecht Goes' und Hans Egon Holthusens können als typisch gelten. Eine klassische Überlieferung lebte in Rudolf Alexander Schröder weiter; Wilhelm Lehmann, Georg Britting, Elisabeth Langgässer, Günter Eich, Peter Huchel und Johannes Bobrowski vertraten das Naturgedicht. Gottfried Benn trat aus dem Schweigen hervor und fand bei der Jugend überraschenden Widerhall. Rasch setzte die Wiederentdeckung des Expressionismus und Dadaismus ein, verstärkt durch den Einfluß des französischen Surrealismus und der angelsächsischen Dichtung Pounds, T. S. Eliots und ihrer Schüler. Neben Benn wurde Hans Arp noch einmal bekannt. Der Einfluß, den Wilhelm Lehmann nicht auf einen breiten Leserkreis, aber auf die junge Generation ausübte, ließ auch den Ruhm Oskar Loerkes wachsen.

Hans Egon Holthusen

Einen der bezeichnendsten Versuche, „neue Lyrik" zu schreiben, stellen die Gedichte Hans Egon Holthusens dar, 1913 geboren, in Hildesheim aufgewachsen. Die „Klage um den [gefallenen] Bruder" (1947) besteht noch aus vierzehn Sonetten. Die „Trilogie des Krieges", im ersten Sammelband „Hier in der Zeit" (1949), suchte die Erschütterungen im Parlando von Elegien aufzuzeichnen. Es geschah im Tonfall seiner Vorbilder R. M. Rilke und T. S. Eliot. Ein zeitnaher Nihilismus suchte Halt an christlichen Vorstellungen. Holthusen schien der deutsche Auden werden zu können: politische Meinung wird energisch in die Elegien eingeführt:

Plötzlich war es den Völkern unmöglich, einander zu dulden,
Und eine Stunde September, eine Stunde im späteren Sommer,
Heiß und träg und wie immer, eine Stunde der Hirten und Jäger
(Goldgrün kräuselte sich das Moos, in den Wäldern roch man die Sonne,
Feiner, sahniger Schweiß bedeckte die Hände der Menschen),
Diese beliebige Stunde war die Stunde entsetzlicher Reife.
Denn mit der äußersten Schärfe des zeitentsprungenen Willens
Trennte der Mensch, ein Feind seiner selbst, die Zeit in zwei Teile,
Trennte in Frieden und Krieg sein heillos verwickeltes Dasein.
Ach, es war die Stunde der Schlachtung am düsteren Stein der Geschichte,
Während Vernunft, sich verschleiernd, zurücktrat. Die Völker sind schrecklich.

In Holthusens Gedichten steht das alte poetische Bild neben dem moralisch-politischen Räsonnement; der Dichter selbst verschwindet, ähnlich wie in der Naturlyrik, hinter dem melancholischen Panorama. Keck wird das zivilisatorische Vokabular verwandt, der Dichter will unbedingt Zeitgenosse sein. Aber es gelang Holthusen nicht, diese Welten im Gedicht zu binden. Die „Labyrinthischen Jahre" (1952) machten den Eindruck von Essaygedichten, und folgerichtig wandte ihr Autor sich von der Lyrik zur Prosa.

Kritischer Essayismus

Die literarischen Essays sprechen seine Zeitkritik reiner aus. Wie früher E. R. Curtius, Rychner, Hofmiller, Schröder, Borchardt und Hofmannsthal den Essay zum literarischen Kunstwerk entwickelt hatten, so schuf sich Holthusen die neue Gattung. Die erste Sammlung nannte er „Der unbehauste Mensch" (1951). Sie wurde mit einer Betrachtung über die Bewußtseinslage der modernen Literatur eröffnet. Aufsätze über Rilke, Eliot, Pound, E. G. Winkler deuteten auf die Stationen der Holthusenschen Lehrzeit hin. In späteren Bänden „Ja und Nein", „Das Schöne und das Wahre" und „Kritisches Verstehen" setzte er sich mit jüngeren deutschen Autoren auseinander, etwa mit Krolow, Andersch, Piontek, Hartlaub, Enzensberger und Ingeborg Bachmann. Dazwischen fanden sich Besin-

Hans Egon Holthusen

nungen auf das Amt der Kritik, Vorträge über christliche Literatur, Berichte aus dem intellektuellen Amerika, zu dem Holthusen sich hingezogen fühlte, und schließlich Auseinandersetzungen mit Benn und Valéry, zwei ausgreifende Studien über Max Kommerell und Bert Brecht. Sie sprengten den Rahmen der Essaybände und waren Bücher im Buch – Versuche, diese Gestalten mit mächtigem Zirkelschlag als literarisch komplexe Figuren zu zeigen, die ihre Evidenz aus eigenen Kategorien haben. Ein Satz über Kommerell weist auf jenen Aufschwung des Geistes, den Holthusen vom Essay verlangt:

Wo er die Grenzen der wissenschaftlichen Darstellung überschreitet, da schwingt sich sein forschender Geist wie spielend in den Rang eines dichterisch-philosophischen Erkennens hinauf und streut Ideen aus, seinsunmittelbare Ideen, deren Sinnfülle, deren zeigende und bindende Kraft bis heute nicht recht gewürdigt worden ist. Wenn er ein Philologe war, so doch einer von jener Leidenschaftlichkeit, die auch Lessing, Hamann und Herder, auch die Schlegels und Nietzsche, auch Hofmannsthal und Rudolf Borchardt zu großen Philologen gemacht hat . . .

Holthusen ist freilich kein Philologe, sondern Schriftsteller. Er umfaßt liebend den Gegenstand, um sich seiner darstellend zu vergewissern. Hier geschieht also Erkennen durch geistige Anverwandlung, und das Ergebnis ist – im Sinne der großen Muster – selbst Literatur.

Karl Krolow

Reiner, enger und konzentrierter wirkten die Gedichte Karl Krolows. Wie Holthusen ist er Norddeutscher, 1915 geboren. Vor dem Kriege wurde er, in Abkehr vom Gedicht Rilkes und von der Neuromantik, von der Lyrik Lehmanns, Elisabeth Langgässers, Brittings und Huchels beeinflußt. Seine Gedichte stehen in den Bändchen „Hochgelobtes gutes Leben“ (1943), „Gedichte“ (1948), „Heimsuchung“ (1948, mit einem Vorwort von Stephan Hermlin), „Auf Erden“ (1949, teilweise identisch mit „Heimsuchung“), „Die Zeichen der Welt“ (1952) und „Wind und Zeit“ (1954). Die meisten Verse haben liedhafte Strophen und benützen das reiche Detail der neuen Naturdichtung, hinter dem sich die Person verbirgt und aus dem sie zugleich redet. Sehr bezeichnend ist der gegen den natürlichen Akzent gerichtete strenge Rhythmus seiner Gedichte:

„Sommerliche Ebene“

Sie schwankt vor zuviel Licht,
Lodert im Feld von Flachs. –
Hebe die Augen nicht!
Such Kühlung unter Tags!

Lobe den Quellengang.
Schöpfe aus Hut und Tuch.
Wie ruft die Wachtel bang!
Scharf kommt der Quendelruch.

Etwas später hat Krolow, der nun Anschluß an die außerdeutsche Überlieferung suchte, Eindrücke des Surrealismus aufgenommen: er übertrug René Char, Paul Eluard, Henri Michaux, Pierre Jean Jouve, Pierre Reverdy, Max Jacob, Guillaume Apollinaire und andere Dichter der französischen Moderne. Seine eigene Lyrik erweiterte sich zum Panoramagedicht; zivilisatorische, früher als unlyrisch empfundene Vokabeln und Begriffe wurden aufgenommen – aber mit den brüchigen Substraten scheinen die Gedichte manchmal undicht zu werden. Sie bieten sich dar als Folge von schönen Stellen:

Gedicht gegen den Tod

Ein Spiel Karten die lyrische Landschaft – sehr leicht zu mischen,
Leicht in der Hand zu halten im Traum
Von grünen Fingern der Blätter.
Und die eine, die abgegriffene Karte darunter,
Mit dem Fürsten dieser Welt im Bild,
Über dem sich keine Engel wie Segelboote entfalten –
Tod, ungemischt, gezinkt von Angstschweiß
Und altem Gelächter,
Tod mit Ledermantelgeruch an der mahagonifarbenen Wand:
Rauch vor meinen Augen und schon wieder verflüchtigt,
Hingeweht in eine konfuse Landschaft,
Von Blätterfingern gehalten . . .

Mit dem Band „Tage und Nächte“ (1956) ist Krolow wieder zur kurzen, liedhaften, teils gereimten, teils freirhythmischen Form zurückgekehrt. Bezeichnend sind die Autoren der Mottos: Tristan Tzara, Nerval, Goethe, Persius, Gautier. In dem für ihn repräsentativen Band „Fremde Körper“ (1959) hat Krolow Metrum und Parlando zu integrieren gesucht zum surrealen deutschen Gedicht:

„Midi“

Eine Gruppe weißer Baskenmützen.
Wer sich ihr nähert,
Muß mit goldenen Schultern und Händen
Über den Platz.
Der Schattenfisch ließ sich an dieser Stelle
Noch gestern fangen.
Jetzt lebt er auf dem Grunde
Leerer Weinfässer in Hauseingängen.

Krolow hat über seinen Weg in den Vorlesungen „Aspekte deutscher Lyrik“ (1961) indirekt berichtet. Auch das Eindringen der angloamerikanischen neuen Lyrik in seine Vorstellungen wird hier deutlich. Vom neuen Gedichttyp heißt es:

Er machte in der Lyrik Kräfte frei, die bisher im argen gelegen hatten: Kräfte des Spiels, der freien Verfügung über solche Kräfte. Das Spielerische erleichtert von den Gewichten, an denen die Einzelpersönlichkeit zu tragen hat. Es ist ein weitgehend verbaler Vorgang:

KARL KROLOW

Karl Krolow

Wort geht mit Wort um. Wort ist durch Wort bedingt ... Zunächst ging es darum, daß Ballast abgeworfen wurde: Bedeutungsballast, Bilderballast, Individualballast. Tiefsinn verfeinerte sich hierbei zu Leichtsinn, zum Vergnügen ...

Das neue Gedicht ist offenbar an eine Grenze gestoßen, und alle Versuche und Experimente der Jüngeren konnten nichts sein als weitere Reduzierungen. Sie gaben Orthographie, Zeichensetzung, graphisches Bild, schließlich ganze Silben auf und machten das Gedicht zu einem Zusammensetzspiel. Das ist im Sinne der Entwicklung durchaus folgerichtig, bedeutet aber einen immer größeren Substanzverlust. Hielten sich Johannes Poethen, Albert A. Scholl, Wolfgang Bächler, Peter Härtling, Carl Guesmer, Walther Gross noch an jenes Spielerische und den „verfeinerten Leichtsinn", so haben sich Helmut Heißenbüttel, der 1951 seine ersten Gedichte („Kom-Bi-Na-Tio-Nen") erscheinen ließ, Eugen Gomringer, Ernst Meister und Franz Mon auf den Boden phonetischer Experimente und lyrischer Puzzlespiele begeben.

Walter Höllerer

In den Jahren 1942 bis 1952 entstanden jene Gedichte, welche Walter Höllerer, 1923 in der bayerischen Oberpfalz geboren, unter dem Titel „Der andere Gast" erscheinen ließ. Es sind „verfremdete" Naturgedichte, in der Groteske auf Brittings Wegen, Reisegedichte, die Anregungen des mondänen Lebens verwerten und mit einem deutlichen Zug zu G. Benns Mediterranée. Ähnlich wie Holthusen wollte Höllerer aus der deutschen Überlieferung heraus ein spezifisch modernes Gedicht schaffen. Mit „Transit" (1956) legte er eine Bestandsaufnahme und Dokumentation des lyrischen Neo-Expressionismus vor. Als Redakteur der „Akzente" (seit 1953) suchte er die Bakkalaurei des „neuen Gedichts", einer „inhaltslosen", skelettierten Poesie, heranzuziehen. Auf den „Buntspecht" hatte er eins seiner besten manierierten Gedichte geschrieben mit den Schlußstrophen:

Verloren in den Tälern krummer Spur
Vertun sich Füchse, jedweder Aasgeruch
Versengt den Pelz den Räubern, die doch
Japsend verborgenen Tod noch sterben.

Kalenderrascheln, Fabeln vom Untergang
Beharren weiter. Made verwandelt sich
In Trotz, und immer wieder prasselt
Neue Figur auf die Felsenschläfer.

Hans Peter Keller

Ein ähnlich kaustisches Naturgefühl hat Hans Peter Keller, 1915 am Niederrhein geboren. Die ersten Gedichte erschienen 1938, bis 1960 folgten mehrere kleine Bändchen. War Höllerer vom sinnlichen Eindruck ausgegangen, so nähren sich Kellers Gedichte aus ironischen Erinnerungen:

Laß den Mond am Himmel stehn
und wirf ein paar Sterntaler in den Fluß
Leuchtbojen
den Aalen bei ihren Jagdfesten!

Ein Wohlgefallen auf Erden
allen Füchsen und Strauchdieben
und den alten Eulenmüttern
die sich verschleiern als ging es ins Kloster . . .

Paul Celan

Paul Celan ist 1920 in der Bukowina geboren und studierte in Paris. In Wien veröffentlichte er die Gedichte „Der Sand aus den Urnen“ (1948). Das jüdische Schicksal ist sein Grunderlebnis. Er ist der einzige, dem – in der berühmten „Todesfuge“ – eine poetische Transzendierung des Schicksals der Juden gelang, weil er nicht von der Sache selbst spricht, sondern „aus der Chiffre heraus, die für die nicht mehr direkt aussagbaren Bereiche stellvertretend steht“ (B. v. Wiese). Celans Lyrik findet man in den Bänden „Mohn und Gedächtnis“ (1952), „Von Schwelle zu Schwelle“ (1955) und „Sprachgitter“ (1959). Seine Vorläufer sind Trakl und nicht zuletzt Clemens Brentano. Einige Zeit lebte er in unmittelbarem Umgang mit Yvan Goll in Paris. Auf der einen Seite gibt es bei Celan Gedichte mit natürlichen Gegenständen, auf der andern scheint eine Geisterstimme mit sich selber zu reden, vor allem in den Liebesgedichten: paradox könnte man sagen, Celans Gedichte verfielen in Schweigen:

Mit wechselndem Schlüssel
schließt du das Haus auf, darin
der Schnee des Verschwiegenen treibt.
Je nach dem Blut, das dir quillt
aus Aug oder Mund oder Ohr,
wechselt dein Schlüssel.

Wechselt dein Schlüssel, wechselt dein Wort,
das treiben darf mit den Flocken.
Je nach dem Wind, der sich fortstößt,
ballt um das Wort sich der Schnee.

Heinz Piontek

In der Gruppe dieser Lyriker wirkt Heinz Piontek, ein Schlesier des Jahrgangs 1925, ursprünglich und frisch. Auch er ging vom Naturgedicht Lehmann-Brittingscher Prägung aus, aber statt der auflösenden Richtung zu folgen, verband er es, wie früher schon Horst Lange, mit dem metaphysischen Vermächtnis der Heimat. Trotz dem Spott der Altmeister Benn und Lehmann auf den Begriff „Ewigkeit“ heißt es bei Piontek:

HEINZ PIONTEK

Über die Brücke holpert
ein Ochsenfuhrwerk, wohin?
Ich weiß nur, daß ich am Wasser
der Ewigkeit näher bin.

Der Angler auf den Steinen,
Er wird mich nicht verstehn
und im Laub der Uferkastanien
die himmlischen Zeichen nicht sehn . . .

Das Gedicht stand in Pionteks erstem Bändchen „Die Furt“ (1952). Ein Jahr darauf erschien „Die Rauchfahne“ und 1957 „Wassermarken“. Außerdem gibt es den Essayband „Buchstab, Zauberstab“ (1959), die Erzählungen „Vor Augen“ (1956) und einige Hörspiele. Piontek blieb Lyriker: in immer neuen Ansätzen umgeht er seine Welt, sucht sie dichterisch zu fassen, zu deuten, durchscheinend zu machen, sie als Bild zu verstehen, als Metapher und Gleichnis zu begreifen. Es gibt bei ihm „vergängliche Psalmen“, und durch ein Psalmwort werden die „erstandenen Stimmen“ eingeleitet, hier sucht er auf seine Weise mit Krieg und Vergangenheit fertig zu werden:

Metaphysische Meditation

Die Waffen ruhten. Wir warn zwanzig Jahre,
durchscheinend wie zu früh entrolltes Laub;
Geschwader, denen auf zermahlnen Straßen
die Heimkehr hinschwand unter ebnem Staub.
Die Zeit verstrich – und bleibt und endet nimmer
in unsrer Zeit, die vage wir durchziehn.
Der Seele ist sie Not und arger Flimmer,
jedoch dem Herzen heimatlich verliehn.

Aber auch diesem Dichter zerbrechen die Strophen und Reime. Er beruft sich auf René Char: „Sohn, in dieser Nacht wird unsre staubige Arbeit am Himmel sichtbar.“ Er übersetzte den englischen Dichter John Keats und widmete seinem Gedächtnis die Strophe:

Die Wahrheit englisch.
In des Wassers Schrift
unüberwindlich schön, was doch erliegt:
Goldwind, der Mädchen Blutfarb und Kristall
und gar des Herbstes Ruhm –.
Die Nachtigall
klagts dem Jahrtausend, das uns überfliegt.

Ähnlich wie Keats hat Piontek in Rom Halt im Wandel und Schwund der Zeiten gefunden. Er entdeckte die Antike und die lateinische Landschaft. Das elegische Parlando wird wieder von einem musikalischen Rhythmus aufgefangen, es geht nie ins Räsonnieren über. Soweit von Dingen des Tages die Rede ist, erscheinen sie verwandelt und hineingenommen in eine meditative Tiefe, welche sie als kruden Gegenstand verschlingt. Die Person des Dichters behauptet sich, weil sie tiefer gegründet ist als in der Literatur und ihrem Wortdienst.

Frauenlyrik

Stand die Lyrik der Frauen früher im Zeichen der Emanzipation, stand sie bei den großen Lyrikerinnen der dreißiger Jahre unter dem Sog des Magischen (Elisabeth Langgäser, Gertrud Kolmar), so trat sie mit der Verfolgung des Judentums und des Christentums unter das Zeichen der Humanität: die kalte Rationalität der modernen Welt wird angeklagt. Nelly Sachs und Marie Luise Kaschnitz gehören noch zur Generation der Langgässer und Kolmar, sind aber erst nach dem Kriege als Dichterinnen bekannt geworden. Nelly Sachs hatte früher nur gelegentlich publiziert. Die Verfolgungen der Juden machten sie, nach der gelungenen Flucht nach Schweden, zur Sängerin der Klage. Töne der Psalmen und Georg Trakls bestimmen den Stil ihrer freirhythmischen Metaphern:

Wir Geretteten,
Immer noch essen an uns die Würmer der Angst . . .

Chassidische Frömmigkeit spricht aus den Motiven der meditierenden Lyrik:

Engel auf den Urgefilden,
Die ihr den Anfang losbindet,
Die Weissagungen in die Elemente sät,
Bis die Fruchtknoten der Gestirne
Sich ründen
Und wieder die Monde des Todes
Die abnehmende Tonleiter singen —.

Marie Luise Kaschnitz

Marie Luise Kaschnitz hat lange in Rom gelebt. 1933 und 1936 hatte sie Romane und einzelne Gedichte publiziert. Nach dem Kriege gab sie die Zeitschrift „Die Wandlung" mit heraus und begann meditative Lyrik zu schreiben; sie handelt von Schuld, Sünde, Gotteserkenntnis und -verlust, Schönheit, Lebensangst und Todeserfahrung:

Jetzt singen wir wieder
Sagen noch einmal
Du Meer
Du Liebe
Aber anders
Mit kleinerem Atem.

M. L. Kaschnitz ist, nach Schillers Wortgebrauch, eine sentimentalische Dichterin. Sie bezieht romantische und antike Formen, eine Fülle von Problemen und Ideen in ihr Werk ein. Sie schrieb einen Frauenroman („Liebe beginnt", 1933) und einen Künstlerroman um Gustave Courbet, aber auch „Griechische Mythen" (1943) und Essays (1945). Ihre Lyrik kreist um Orte (Rom), um historische Ereignisse und das fast modisch gewordene Motiv der existentiellen Angst. In den fünfziger Jahren wandte sich M. L. Kaschnitz dem Hörspiel zu und griff zu kulturhistorischen Themen aus Griechenland, Italien und Deutschland, aus alter und neuer Zeit. „Jasons letzte Nacht" und „Die Reise des Herrn Admet" benützen z. B. altgriechische Modelle; in andern Stücken, wie „Tobias oder das Ende der Angst", werden biblische Motive variiert. Alle Stücke verfremden das Anliegen ins Moderne, ja Aktuelle, und verbinden mit der historischen Belebung eine moralisch-politische Belehrung.
Österreich überraschte die deutsche Literatur mit einer Reihe jüngerer Dichterinnen. Es sind Gertrud Fussenegger, Ilse Aichinger, Christine Busta, Christine Lavant und Ingeborg Bachmann. In Christine Lavant, geboren 1915, brechen die romantischen Ströme von Clemens Brentano bis Trakl und Rilke noch einmal auf. Sie beruft sich auf mediale Zustände beim Schreiben. Zweifellos setzt das

CHRISTINE LAVANT

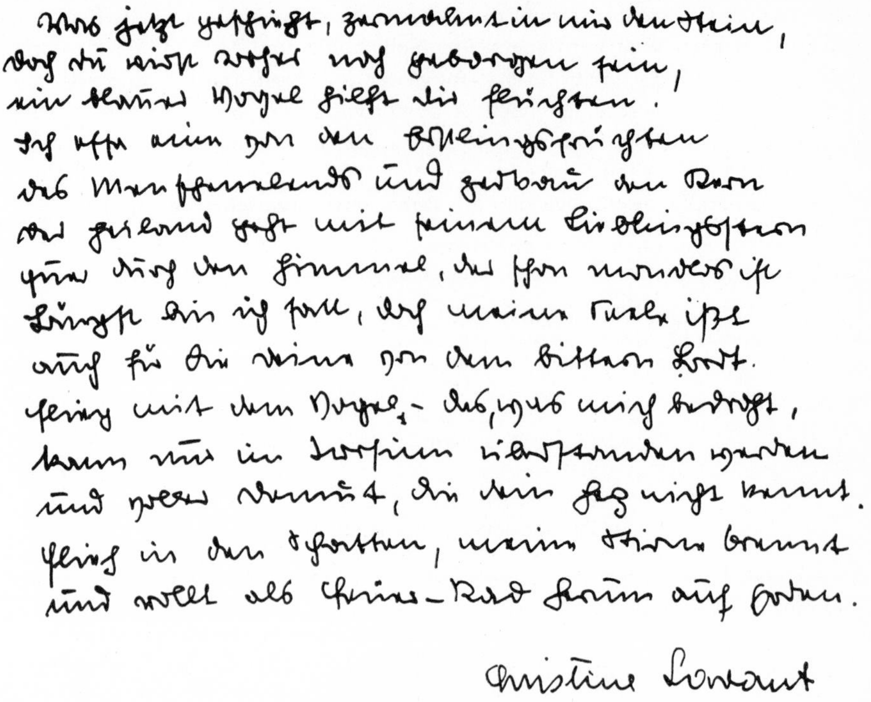

Christine Lavant, Handschriftprobe

lyrische Werk, vor allem die „Bettlerschale“ (1956), ein gespaltenes Bewußtsein voraus, das eben nur dichtend zusammentritt:

Die Krenblätter haben den Reif überstanden,
aber Sonnenräder und Pfauenaugen
tanzen durch die verwunschene Stube
und mein eigenes Blut vernagelt besessen
mit Hammerschlägen die Tür und das Fenster.
Es nützt nichts, daß ich listig bin und tapfer,
daß ich mein Herz, die brennende Pfefferschote,
aufreiße und zwischen den Fingern zerreibe.
Alle Augen sind schneller als meine Finger
und der Brand fällt immer auf mich zurück,
während draußen im braunen Nachbaracker
unter der weißen Mondesscheibe
neuer Reif die Krenblätter kühlt.

Christine Busta

Die moderne Metaphorik, welche die Gedichte „trägt“, ist bei vielen Dichtern zum Jargon geworden. Für Christine Busta, Wienerin des Jahrgangs 1915, ist das Erlebnis der Zeit und Geschichte in der Stadt Wien symbolisiert: das Gehäuse glorreicher Vergangenheit wird Gegenstand melancholischer Betrachtung:

Die Abende blasen rote Fanfaren
und schütten Laub in den goldenen Ofen,
der Frost bäckt.

Schauder runzelt die Haut des Stromes,
und wie ein Nest voller Sperlinge
steht meine Stadt
geduckt vorm Feuer.

Die Dichterin veröffentlichte die Bände „Jahr um Jahr" (1950), „Der Regenbaum" (1951), „Lampe und Delphin" (1955), „Die Scheune der Vögel" (1958) und „Die Sternenmühle" (1959). Ihre christliche Grundhaltung kann Trauer, Schuldgefühl und Schwermut nur schwer überwinden. Es bleiben das Gebet für die Toten, die Erinnerung an gläubig vertrauende Kindheit und die Hoffnung auf das christliche Jerusalem als „fröhliche Stadt", wo die Liebe gesiegt haben wird. Christine Lavant und Christine Busta leiden an der Brüchigkeit der Existenz, an dem scheinbar sinnlosen „Gewimmel" (G. Benn) der Menschheit, der Verdunstung des Heils – aber sie haben dafür noch die überkommene „heile" Sprache. Bei Ingeborg Bachmann und Hans Magnus Enzensberger wird auch diese zerbrechen.

Hans Magnus Enzensberger

Mitte der fünfziger Jahre tauchten in Zeitschriften und Jahrbüchern die ersten Gedichte Hans Magnus Enzensbergers auf, eines 1929 geborenen allgäuischen Literaturstudenten, der 1955 mit einer Arbeit „Über das dichterische Verfahren in Clemens Brentanos lyrischem Werk" promovierte. (Etwas überarbeitet ist sie 1961 unter dem Titel „Brentanos Poetik" als Buch erschienen.) Der Zusammenhang seiner Gedichte mit denen Brentanos ist nicht zu übersehen – wie Brentano überhaupt seit dem Expressionismus, mit und neben Büchner, Kleist und einigen barocken Dichtern, wiederentdeckt wurde: er war der erste moderne Autor, der ein radikaler „Artist" war. Was ihn trägt, ist das mit spielerischer Genialität gehandhabte „Wort". Enzensbergers erste Sammlung von Gedichten erschien 1957 unter dem ironisch gemeinten Titel „Verteidigung der Wölfe" (gegen die braven Lämmer des sozialen Wohlfahrtsstaates). 1960 veröffentlichte er den Band „Landessprache". Enzensberger ist als Herausgeber Brentanos, Gryphius', als Übersetzer von John Gays „The Beggars Opera" und des amerikanischen Lyrikers W. C. Williams sowie als Herausgeber eines „Museums der modernen Poesie" hervorgetreten, das die Modernität einer lyrischen Weltsprache an Hand einer entsprechenden Auswahl nachzuweisen sucht.

Cl. Brentano und B. Brecht

Von Brecht hat Enzensberger die Vorstellung übernommen, Poesie sei Dienst an einer Sache. So sehr er jene andere Möglichkeit – Lyrik als freie Kunst – kennt, hat er sich in der eigenen Lyrik entschieden engagiert. Er nimmt gegen die immer bösen Mächtigen für die immer arglosen Armen Partei. Die Welt ist wölfisch; aber im Gegensatz zu Brecht weiß Enzensberger kein Heilmittel. Er wendet sich gegen die Gesellschaft überhaupt. Er ist, nach englischem Vorbild, der „zornige junge Mann" unserer Literatur. Er verdammt die kulissenhafte Kultur und die Genüsse der Zivilisation. Aus seinen Gedichten hört man das Analogon zur Zeitkritik eines Horaz, O. von Wolkenstein und Stefan George heraus. Barocke Bildbegriffe, Bennsche Töne („tellurischer Knöchel der Schäre") und auch der funktechnische Topos Gaisers, Eichs und der Bachmann kehrten wieder: „die Kontinente verhören einander". Trotz allem ist der Ton selbständig, löst sich die Kantilene aus dem Vokabular eines zum Jargon verfremdeten Deutsch und wird soziologisch begründete Zeitkritik:

Dichtung als „Gebrauchsgegenstand"

HANS MAGNUS ENZENSBERGER

Hans Magnus Enzensberger

mit morgensternen, mit drachen aus grünem papier
mit netten tiraden, säuglingen, kronen und trommeln
zieht das schauspiel über den
dünnen teppich der
täuschung
und beizt mit furcht und
mitleid die drüsen
von gummigrossisten und
fetten witwen,
die in den logen sitzen,
duftend
nach eau de cologne und
lakritze.

staatlich geförderte tragik!
und niemand
sieht die Katze hinterm
museum verhungern,
sieht die rosen im ascheimer,
sieht schaukelnd
im schlamm des kanals einen
apfelbutzen,
abgenagte erkenntnis, liebe
im ruß.

Zur Machart der Gedichte gehören die Kleinschreibung, die eigenwillige Zeichensetzung, die Hereinnahme von Slang und Modewörtern. Der Autor setzt sich gegen die wirklich oder vermeintlich verdorbene Gesellschaft zur Wehr, besonders in der Politik schwillt ihm die Ader des Zorns. Er schreckt auch vor der Provokation nicht zurück („Kugellager lindern den Lauf der Gebetsturbinen"). Aber er hat mit dem Instinkt des Lyrikers vor den menschlichen Urerlebnissen von Liebe, Tod und Trauer sprachlich reine, traumhaft benommene Züge:

„Rast und Gedenken"

mein pfennig grünt auf dem meeresgrund
meine liebe rostet im kalten gebirg
mein gesell ist in der zisterne verdurstet
meine freundschaft unters geröll gekommen . . .

Er sympathisiert mit schlichten Menschen, Bauern und Handwerkern, Robinsons und Eigenbrötlern, und er preist, wie Ingeborg Bachmann, eine neue „landnahme". Im Besitz des neuen Landes wird er auch die Sprache zurückerhalten:

ich sage dir deinen namen, sprich
und gib mir die sprache wieder
aus deinem sprachlosen mund.

. . . .

und wie des ölbaums schatten, ausdauernd
gegen das verderben will ich auf dir ruhn . . .

antwort des fabelwesens

der drache hat sich mit der nelke vermählt
um dich zu erzeugen
irgends lebst du, das ist
wo die kralle ausschlägt im märz
um zu blühen
wo der oktoberne donner zart
und zu duft wird. ruf!
ich will zu dir kommen,
sag mir wohin,
damit wir einander befragen
und lieben können,
furchtlose freude,
und gut sein? –

– gut sein ist nirgends!

Hans Magnus Enzensberger, Handschriftprobe

Hinter der Kritik Enzensbergers steht also ein fast arkadischer Wunsch. Es ist anzunehmen, daß er sich mit seinem „Zorn“ auf eine Ebene begeben hatte, die unter dem Niveau seines wahren Landes liegt. Er wird sich aus dem Clinch des Engagements befreien, und dann erscheint „die große schrift / heute, wehrlos, / nie wieder nie“.

INGEBORG BACHMANN

Die verlorene Zeit

Die ersten Gedichte Ingeborg Bachmanns standen in österreichischen Zeitschriften, als sie 1951–53 Redakteurin am Wiener Sender war. Sie ist 1926 in Klagenfurt geboren, wuchs in einem Kärntner Tal auf, studierte in Wien Philosophie und schloß ihr Studium mit der Dissertation „Die kritische Aufnahme der Existenzphilosophie Martin Heideggers" (1950) ab. Später hat sie sich philosophisch gern auf Wittgenstein berufen, dessen Ideal, die Genauigkeit des sprachlichen Ausdrucks, sie fasziniert hatte. Sie lebte viel auf Reisen, in europäischen Großstädten, ein Jahr in Paris, mehrere Jahre in Rom, zeitweise in München und Zürich, und hielt sich auch in England und Amerika auf. Das ständige Unterwegs, der Wechsel der Orte wurde ein Motiv ihrer Lyrik, ein Sinnbild des in der Welt umherirrenden Menschen. 1953 erschien die erste Sammlung unter dem Titel „Die gestundete Zeit", dreiundzwanzig kleinere und größere Gedichte ohne Reim, in lockeren Strophen, aber gebunden durch einen eigenen sonoren Ton. Es waren verschlüsselte Gedichte; ihr Verständnis erwies sich als schwierig.

Verlust der Liebe

Die Themen der Zeit, Existenzangst, Verzweiflung, Trauer und Klage tauchen auf. Sie sind vieldeutig, als sei die Dichterin noch nicht auf Grund gestoßen. Auch der Titel „Die gestundete Zeit" drückt das aus: die Zeit ist zwar Raum unseres Daseins, aber die Person des Menschen ist nicht mehr in ihr zu Hause, befindet sich nicht „an Land", sondern zur See oder in der Luft. Die Autorin ist vom Meer bezaubert; aber die Erinnerung träumt von einem mythischen Land, das schön war, wo man ruhen konnte, wo Liebe möglich war, die es nicht mehr gibt zwischen den Menschen:

Fall ab, Herz, vom Baum der Zeit,
fallt, ihr Blätter, aus den erkalteten Ästen,
die einst die Sonne umarmt,
fallt wie Tränen fallen aus dem geweiteten Aug!

Fliegt noch die Locke taglang im Wind
um des Landgotts gebräunte Stirn,
unter dem Hemd preßt die Faust
schon die klaffende Wunde.

. . . .

Und was bezeugt schon dein Herz?
Zwischen gestern und morgen schwingt es,
lautlos und fremd,
und was es schlägt,
ist schon sein Fall aus der Zeit.

Die Dimension der Sprache

Es gibt Metaphern in diesen frühen Gedichten, die dem surrealistischen Vokabular entnommen zu sein scheinen („Auf den Felsen uralten Traums bleibt fortan der Adler geschmiedet", „das Blei im Kessel der Tränen"). Im geistigen Haushalt dieser Dichterin bekommen sie ihren Wert zurück. Sie stehen nicht im modischen Zusammenhang, sondern treten unter die Sternbilder mythischer Gleichnisse, und da findet Ingeborg Bachmann erstaunliche Bildbegriffe:

schon hebt sich unter den Scherben
des Märchenvogels geschundener Flügel

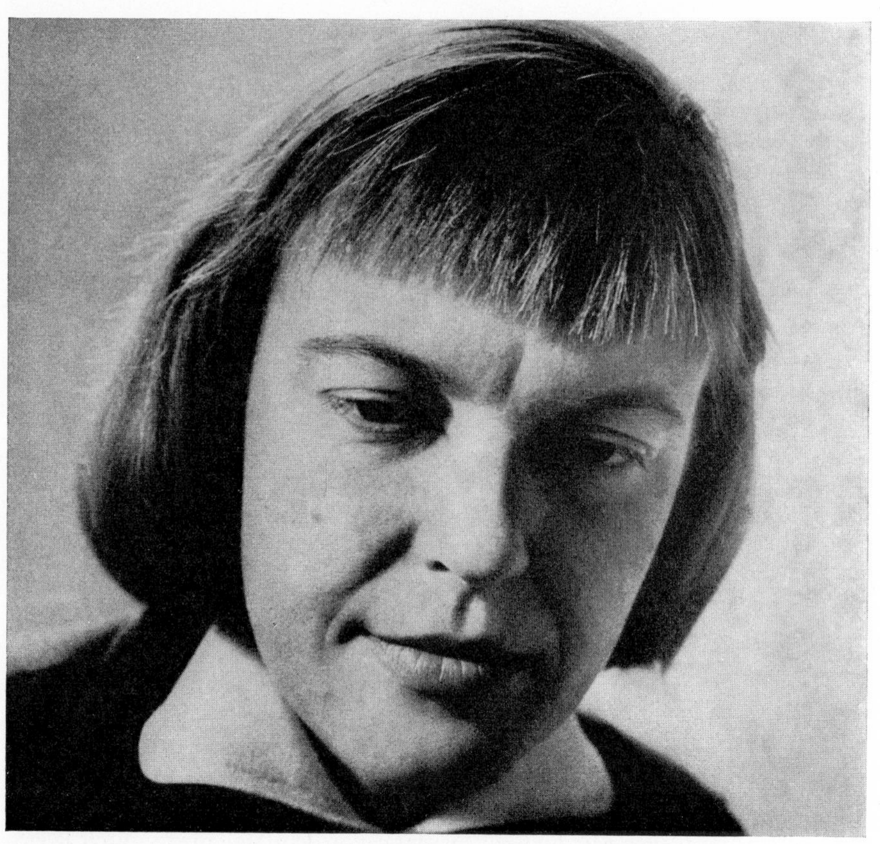

Und in einem Fluggedicht heißt es, ganz ähnlich wie bei Gerd Gaiser in der „Sterbenden Jagd“:

> im Stahlgefieder geborgen, verhören
> Instrumente den Raum, Kontrolluhren und Skalen
> das Wolkengesträuch . . .

Ausgangspunkt der Lyrik ist die Kritik an unserer Zeit in einer Tiefe, die in den poetischen Räsonnements der andern nur selten erreicht wird. Diese „Tiefe“ hängt mit dem Ausdruck unmittelbar zusammen, sie kommt aus dem Sprachgeist:

> Berauscht vom Papier am Fließband,
> erkenn ich die Zweige nicht wieder,
> noch das Moos in dunkleren Tinten gegoren,
> noch das Wort, in die Rinden geschnitten,
> wahr und vermessen.

Wie kommt es, daß die Dichterin dem „Wort“ das Prädikat der Wahrheit gibt, wenn sie weiß, daß das Wort unserer Zeit die Wahrheit nicht mehr auszudrücken vermag? Die Geschichte scheint schuld daran zu sein:

Unsere Gottheit,
die Geschichte, hat uns ein Grab bestellt,
aus dem es keine Auferstehung gibt.

Es findet sich auch ein Gedicht gegen den Krieg und jene, die ihn betreiben. Das Verhängnis liegt jedoch unter der Oberfläche, in den Fundamenten, wo alles brüchig geworden ist, so daß die zivilisatorische Lüge ebenso wie die historische Katastrophe nur der Schaum auf einer unheimlichen Brandung sind. Die religiöse Substanz ist verdunkelt, zumindest unerkennbar oder unartikulierbar: „Das Sakrament kann nicht vollzogen werden." In einem mehrteiligen „Psalm" heißt es mit einem Bild, das öfter wiederkehrt: „Unbegangen sind die Wege auf der Steilwand des Himmels." In einer Elegie auf die Landschaft bei Wien, der Stadt einer ehedem wahren Herrlichkeit, vernimmt die Dichterin: „Asiens Atem ist jenseits." Das eigentliche Leben ist abgewandert, aber „Wunder des Unglaubens sind ohne Zahl". Da sagt sich die Dichterin los von der Zeit, „ein Geist unter Geistern, die *kommen*". Sie scheint die Vision einer besseren Zukunft zu haben. Das Bild der Virgo, der rettenden Jungfrau taucht auf:

Verlorene Hoffnung

Jungfräulichkeit

Maria am Gestade –
das Schiff ist leer, der Stein ist blind,
gerettet ist keiner, getroffen sind viele,
das Öl will nicht brennen, wir haben
alle davon getrunken – wo bleibt
dein ewiges Licht?

Monolog des Fürsten Myschkin

Das letzte Drittel der „gestundeten Zeit" bildet der Text zu der Balletpantomime „Der Idiot" von Hans Werner Henze. Myschkin war der Held des Romans „Der Idiot" von Dostojewski. Er kommt, eine rührende Christusgestalt, in die wüste Welt der Gegenwart und will Nastasja vor dem Untergang durch Rogoschin retten. Die Beziehung Myschkin-Christus, die Uridee Dostojewskis, wird im Ballet durch das Bild der Ikone und die Choreographie Tatjana Gsovskys unterstützt. Als Nastasja ihre Liebhaber narrt, selbst aber Rogoschin verfällt, ruft Myschkin ihr bei Ingeborg Bachmann zu:

Halt ein! Dich beschwör ich,
Gesicht der einzigen Liebe,
bleib hell und schlag mit dem Wimpern
das Auge zur Welt zu, bleib schön,
Gesicht der einzigen Liebe,
und heb deine Stirn
aus dem Wetterleuchten der Zweifel.
Sie werden dich teilen
und deine Küsse entstellen im Schlaf,
wenn du dich in Spiegeln erblickst,
in denen du jedem gehörst.

Vergebens tauscht Myschkin sein Kreuz mit Rogoschin: Rogoschin trägt es nicht – und bei Myschkin bricht der Wahnsinn aus. In dieser pantomimischen Legende hat Ingeborg Bachmann entschiedener als in ihren späteren Hörspielen („Zikaden", 1955, „Der gute Gott von Manhattan", 1958) die Gründe für die Bedrohung unserer Existenz sichtbar gemacht.

Freies Geleit

Mit schlaftrunkenen Vögeln
und winddurchschossenen Bäumen
steht der Tag auf, und das Meer
leert einen schäumenden Becher auf uns.

Die Flüsse wallen ans große Wasser,
und das Land legt Liebesversprechen
der reinen Luft in den Mund
mit frischen Blumen.

Die Erde will keinen Rauchpilz tragen,
kein Geschöpf ausspeien vorm Himmel,
mit Regen und Zornesblitzen abschaffen
die unerhörten Stimmen des Verderbens.

Ingeborg Bachmann, Handschriftprobe

„Anrufung des Großen Bären“

Daß die Gedichte des ersten Bandes in dieser Richtung zu verstehen sind, hat eigentlich erst der zweite, „Anrufung des Großen Bären“ (1956), deutlich gemacht. Hier sind die Unsicherheiten und gelegentlichen Spielereien der Motivverschiebungen fortgefallen, auch die Zweifel an Wort und Sprache scheinen aufgehoben: Sprache ist Lobgesang der Schöpfung; sie dient und ist das lösende Zauberwort. Die Dichterin sagt zum Bruder:

> Nur wer an der goldenen Brücke für die Karfunkelfee
> das Wort noch weiß, hat gewonnen.

Unter ständigen Anspielungen auf Märchen, antiken Mythos, die Bibel und Worte Jesu wird das Thema geistig-geistlich im Tonfall Paul Flemings variiert:

> Erinnere dich! Du weißt jetzt allerlanden:
> wer treu ist, wird im Frühlicht heimgeführt.
> O Zeit gestundet, Zeit uns überlassen!
> Was ich vergaß, hat glänzend mich berührt.

Form und Bindung

Trotzdem verlassen die Imaginationen der Dichterin nie „das Land“, die Erde, seien es die Städte Rom und Neapel, seien es die Stationen der Flucht oder der Emigration. Die Verse werden gleichsam mit Reimen und Strophen befestigt. Zyklen von Gedichten sind in kreuzweis gereimten Jamben geschrieben, das Lied, die Ode und die Elegie tauchen auf – ohne daß aber die Bachmannsche Spannung, jenes dialektische Verhältnis zwischen Verwerfung und Gnade, Meer und Insel, heiler Vergangenheit und zerstörter Gegenwart, Wollen und Versagen aufgegeben würde. Auch jetzt sind der Sinn von Zeit, Welt und ihrem Trug nicht eigentlich wißbar; der Mensch von heute ist mit der Sprache nicht zu ergründen, er ist mehr leidend stumme als redende Person. Dichten ist keine Form-, sondern eine Existenzfrage, es zeugt für etwas, das unerhört eindringlich gewußt und gesagt wird, vor allen in dem Gedicht „Landnahme", dem Zyklus „Von einem Land, einem Fluß und den Seen", im Titelgedicht mit dem demiurgisch dräuenden „Bären", dem himmlischen Sternbild, und dem mythischen Gedicht „Mein Vogel", mit dem die wissende Eule, das weissagende Tier der jungfräulichen Göttin Athene, gemeint ist:

„Mein Vogel"

Was auch geschieht: die verheerte Welt
sinkt in die Dämmrung zurück.
Einen Schlaftrunk halten ihr die Wälder bereit,
und vom Turm, den der Wächter verließ,
blicken ruhig und stet die Augen der Eule herab.

Was auch geschieht: du weißt deine Zeit,
mein Vogel, nimmst deinen Schleier
und fliegst durch den Nebel zu mir.

Wir äugen im Dunstkreis, den das Gelichter bewohnt.
Du folgst meinem Wink, stößt hinaus
und wirbelst Gefieder und Fell –

Mein eisgrauer Schultergenoß, meine Waffe,
mit jener Feder besteckt, meiner einzigen Waffe!
Mein einziger Schmuck: Schleier und Feder von dir . . .

H. E. Holthusen hat die Polarität der Dichtung Ingeborg Bachmanns mit einem antiken Topos, der auch bei G. Gaiser eine Rolle spielt, bezeichnet: „Das elegische Ich behauptet sich eben dadurch, daß es dem Medusenblick der abgewrackten Wirklichkeit standhält, ohne sich mit irgendwelchen Illusionen zu trösten." Die Einsicht in die Tiefe gewährt nur „die Wahrheit". Sie erschließt sich dem Blick der Jungfrau-Sibylle. (Nichts ist gefährlicher als „die Wahrheit", von der der persische Dichter Saadi einmal sagt, die Lüge sei ihr vorzuziehen, weil die Menschheit mit dieser leben, mit jener aber nur sterben könne.) Für Ingeborg Bachmann ist der Tod der eigentliche Zeuge des Daseins:

Die Wahrheit des Todes

In diesen Tagen denk ich des Albatros',
mit dem ich mich auf-
und herüberschwang
in ein unbeschriebenes Land.
Am Horizont ahne ich,
glanzvoll im Untergang,
meinen fabelhaften Kontinent
dort drüben, der mich entließ
im Totenhemd.

Diesem Wissen gegenüber drohen die panegyrischen Aufschwünge, die Huldigungen an die Sonne und die Liebe an bestimmten Punkten zu ermatten. Die Augen versagen, wenn sie die Sonne sehen, und die Kraft der Liebe, welche dem Reich der Tiere und selbst den Mineralien („ein Stein weiß einen andern zu erweichen", in dem Gedicht „Erklär mir Liebe") Transzendenz zu spenden fähig ist, setzt auf tragische Weise aus:

Erklär mir, Liebe, was ich nicht erklären kann:
sollt ich die kurze schauerliche Zeit
nur mit Gedanken Umgang haben und allein
nichts Liebes kennen und nichts Liebes tun?
Muß einer denken? Wird er nicht vermißt?
Du sagst: es zählt ein andrer Geist auf ihn . . .
Erklär mir nichts. Ich seh den Salamander
durch jedes Feuer gehen.
Kein Schauer jagt ihn und es schmerzt ihn nichts.

Das Versagen der Liebe

Die Liebesgedichte sind „Lieder auf der Flucht". Die politische Flucht wird metaphysisch verstanden. Beider Ziel wird hier und da mit den Prozessionen gleichgesetzt, die von großen Heiligen begleitet werden. Der Mensch – liebend und nicht lieben könnend, schuldig und unschuldig – fleht um Erlösung: „Das Eiskorn lös' vom zugefrornen Aug." Die gänzliche Vereinsamung des Fliehenden ist eine Folge des Ungeliebtseins. Auch hier mischen sich persönliche Erfahrungen mit historischen, wird das Schicksal des Individuums zum Zeugnis für überpersönliche Wahrheit.
In Ingeborg Bachmanns Gedichten haben sich das Spiel mit den Metaphern des Abgrunds und der Wortgebrauch des Surrealismus zur „neuen Dichtung" gelöst. Sie hat Anteil am lyrischen Urgut, wie es in Hölderlin, Keats, Baudelaire, Trakl und dem späten Rilke über modische Formen der Verzweiflung gesiegt hatte.

Die Erzählungen

In den Erzählungen „Das dreißigste Jahr" (1961) liest man die verschlüsselten Dokumente dieser Existenz in der Jugend, liest von Begegnungen und Eindrücken in fremden Städten, von Erinnerungen. Am schärfsten, im Doppelsinn des Wortes, hat sich die Dichterin in der Gestalt eines männerfeindlichen jungfräulichen Wesens, Undine, geäußert. Man merkt den Prosastücken an, daß kein episches Vermögen sie inspiriert hat: die lyrischen Stellen sind schön und gelungen, während die erzählerischen oft jenes Räsonnement spiegeln, das eine Unform unserer Zeit ist. Das Anliegen reicht über die Kunst hinaus; es geht um den neuen Menschen, um die Erreichung jenes fast hoffnungslos fernen, aber zu gewahrenden „Horizonts". Fast alle Figuren der Erzählungen versagen vor diesem Ziel, sie werden von der Dichterin entlarvt; im Gegensatz zu den Gedichten steht diesem Motiv hier keine Fürsprache, keine überwindende Liebe gegenüber – es sei denn die Dichterin rufe jenem Mann im dreißigsten Jahr, nach schwerem Unfall, das biblische Wort entgegen: „Ich sage dir: Steh auf und geh! Es ist dir kein Knochen gebrochen."

Verlagszeichen des SuhrkampVerlages
Entwurf von E. R. Weiß

NAMENSVERZEICHNIS

Schräggesetzte Zahlen weisen die Hauptstellen nach. Autoren, die in Bd. II nur genannt sind, aber in Bd. I ausführlich behandelt wurden, haben einen entsprechenden Hinweis.

SCHLAGWORTVERZEICHNIS

KÜNSTLERVERZEICHNIS

BILDNACHWEIS

Fotos bzw. Reproduktionsvorlagen stellten zur Verfügung:

Prof. Dr. Theodor *Adorno*, Frankfurt (Main): 717. *Barlach*-Archiv, Güstrow: 361. Frau Erika *Barth*, Düsseldorf: 773, 774. Frau Dr. Ilse *Benn*, Bernhausen: 539, 546, 549. Verlag *Benzinger* & Co., Einsiedeln-Zürich: 318; 319 (aus: Ball, Briefe 1911–1927); 794, 796 (aus: Ellen Delp, Regina Ullmann). *Biederstein* Verlag, München: 713, 786, 788. Sammlung Des *Coudres*, Hamburg: 602, 723, 725, 737; 739 (Foto Max Seidel, Mittenwald). Günter *Eich*, Lenggries: 857. *Deutsche Verlags-Anstalt*, Stuttgart: 678 (Foto Ingeborg Sella, Hamburg). Eugen *Diederichs* Verlag, Düsseldorf-Köln: 790, 792. Franz *Ehrenwirth* Verlag, München: 675. Hans Magnus *Enzensberger*, Tjøme: 870 (Foto René Burri, Zürich), 871. S. *Fischer* Verlag, Frankfurt (Main): 483, 494; 497, 506 (aus: Max Brod, Franz Kafka); 501, 511; 643 (aus: Fülle der Zeit, Carl Zuckmayer und sein Werk); 645, 832. Frau Claire *Goll*, Paris: 467, 469, 471, 472. *Herzog August Bibliothek*, Wolfenbüttel: 86, 89, 568/9. Galerie Rudolf *Hoffmann*, Hamburg: 376 (Foto Friedrich Hewicker, Kaltenkirchen). Dr. Wilhelm *Hoffmann*, Köln: 693, 696. Prof. Dr. Walter *Jens*, Tübingen: 828, 829. *Georg-Kaiser-Archiv*, Berlin: 259, 268. Frau Eva *Kampmann-Carossa*, Rittsteig: 576. Prof. Hermann *Kasack*, Stuttgart: 614/5, 619, 621. Dr. Friedhelm *Kemp*, München: 307, 683, 690. Verlag *Kiepenheuer* & *Witsch*, Köln: 783, 785; 838 (Foto Wack, Köln). Dr. Walter *Kordt*, Düsseldorf: 336. *Kösel*-Verlag, München: 81, 82 (aus: Else Lasker-Schüler, Dichtungen und Dokumente); 798. Karl *Krolow*, Darmstadt: 864. *Kunstmuseum*, Basel: 849. Albert *Langen* / Georg *Müller* Verlag, München: 34, (aus: Dolbin, Österreichische Profile); 283, 408, 437. Dr. Wilhelm *Lehmann*, Eckernförde: 612, 625, 627. *Limes* Verlag, Wiesbaden: 314, 315, 552. Dr. Max *Mell*, Wien: 590, 592, 594. Sigbert *Mohn* Verlag, Gütersloh: 631. Otto *Müller* Verlag, Salzburg: 98 (aus: Trakl, Offenbarung und Untergang); 596 (aus: Nadler, Josef Weinheber); 868. Niedersächsische *Landesgalerie*, Hannover: 371. R. *Piper* & Co. Verlag, München: 360 (aus: Barlach, Zeichnungen); 633, 771; 862 (Foto Käthe Augenstein, Bonn), 873 (Foto Wolkensinger). *Josef-Ponten-Archiv* (Frau Dr. E. Albert), Düsseldorf: 447. Karl *Rauch* Verlag, Düsseldorf: 586, 711. Nachlaß Hermann F. *Reemtsma*, Hamburg: 764 (Foto Hans Cordes, Hamburg-Gr. Flottbek). Eugen *Rentsch* Verlag, Erlenbach-Zürich: 583. *Rhein*-Verlag, Zürich: 742 (Foto Sol Libsolm), 744; 747 (Foto John D. Schiff). Dr. Hans Gerd *Rötzer*, Nürnberg: 243. *Rowohlt* Verlag, Reinbek: 293, 383 (Unterschrift), 753; 815 (Foto Rosemarie Clausen, Hamburg), 817 (Foto Camera Press, London), 820. *Rowohlt* Taschenbuch. Verlag, Reinbek: 514. Frau Paula *Sack*, Gräfelfing: 108. Frau Anna *Schickele*, Badenweiler: 212, 216. *Schiller-Nationalmuseum*, Marbach: 186, 194, 201, 433, 451. Prof. Dr. Lothar *Schreyer*, Hamburg: 162, 163, 164. *Staats-* und *Universitäts-Bibliothek*, Hamburg: 90. Handschriftenabteilung der *Stadt-* und *Landesbibliothek*, Dortmund: 344. *Stahlberg*-Verlag, Karlsruhe: 836 (Foto Barth). *Suhrkamp* Verlag, Frankfurt (Main): 573 (Foto Fritz Eschen, Berlin), 617, 720, 822. *Ullstein* Bilderdienst, Berlin-Tempelhof: 29, 35, 65, 150, 227, 309, 357, 381, 387, 389, 396, 399, 414, 419, 421, 435, 443, 445, 509, 600, 649, 670, 728, 809. *Universitätsbibliothek* der Freien Universität, Berlin: 192. *Walter*-Verlag, Olten: 826. Frau Hilde *Wenzel*, Lugano: 800. Dr. Gustav *Wieszner*, Nürnberg: 355, 457.

Ferner gaben wir mit freundlicher Erlaubnis wieder:

Verlag der *Arche*, Zürich: 777, 779 (aus: Sammlung Horizont: Werner Bergengruen); 851, 853, 854 (aus: Sammlung Horizont: Elisabeth Brock-Sulzer, Dürrenmatt). Dr. Karl *Dinklage*, Klagenfurt: 521 (aus: Robert-Musil, Leben, Werk, Wirkung). Verlag Heinrich *Ellermann*, München: 106 (aus: Schneider, Ernst Stadler, Dichtungen). Carl *Hanser* Verlag, München: 842 (aus: Hohoff, Gerd Gaiser, Werk und Gestalt). Geno *Hartlaub*, Hamburg: 888 (aus: Felix Hartlaub in seinen Briefen, hrsg. v. Erna Krauss und G. F. Hartlaub, Rainer Wunderlich Verlag, Tübingen). Jakob *Hegner* Verlag, Köln: 665 (aus: Rückschau und Ausblick, zum 80. Geburtstag). Frau Eleonore *Jahnn*, Hamburg: 373, 378 aus: Hans Henny Jahnn, Buch der Freunde. Wilhelm *Klemm*, Wiesbaden: 148, Anna Freifrau von *König*, München: 367, 566, 698, 764. Guido *Lehmbruck*, Stuttgart: 154, 252. Dr. Peter Beckmann: 181 (s.: Graphik-Katalog, Karlsruhe 1962 Nr. 83). Die folgenden Bilder wurden wiedergegeben mit Genehmigung von Roman Norbert Ketterer, Campione d'Italia, Lago di Lugano: 84, 223, 352 (Kirchner) und 59, 96, 115, 116, 157, 158, 159, 178, 203, 205, 277, 355 (zugleich mit freundlicher Erlaubnis von Oskar Kokoschka).

BENÜTZTE NEUERE LITERATUR

Band I

Hermann *Friedmann*/Otto *Mann*, Dtsche. Literatur im XX. Jahrh., Heidelberg 1954; Theoderich *Kampmann*, Dostojewski in Deutschland, Universitäts-Archiv Bd. 10, Münster 1931; Friedrich *Wolters*, Stefan George und die Blätter für die Kunst, Berlin 1930; Ludwig *Derleth*, Gedenkbuch, Amsterdam 1958; Briefwechsel *George–Hofmannsthal*, Berlin 1938; Briefwechsel *Hofmannsthal–Borchardt*, Frankfurt (Main) 1954; Robert *Boehringer*, Mein Bild von Stefan George, München 1951; Wilhelm *Lettenbauer*, Russische Literaturgeschichte, Frankfurt (Main) 1955; P. *Wagner*, Der junge Hermann Bahr, Diss. Gießen 1937; Paul *Böckmann*, Der Naturalismus Gerhart Hauptmanns, in: Gestaltprobleme der Dichtung, Bonn 1957; Heinrich *Lücke*, Otto Erich Hartlebens Lebenslauf, Clausthal 1941; Carl Friedrich Wilhelm *Behl*, Zwiesprache mit G. Hauptmann, München 1949; Hans von *Hülsen*, Freundschaft mit einem Genius (G. Hauptmann), München 1947; Lou *Andreas-Salomé*, Lebensrückblick, aus d. Nachlaß hrsg. v. Ernst Pfeiffer, Zürich-Wiesbaden 1951; Max *Dauthendey*, Sieben Meere nahmen mich auf, Lebensbild m. unveröff. Dokumenten, hrsg. v. Hermann Gerstner, München 1957; Alfred *Mombert*, Briefe an Richard und Ida Dehmel, hrsg. v. Hans Wolffheim, Wiesbaden 1956; Michael *Bauer*, Christian Morgensterns Leben und Werk, München 4. Aufl. 1948; Fritz *Schumacher*, Das Weltbild Leopold Andrians, Diss. Innsbruck 1958; *Hofmannsthal*-Sonderheft Die neue Rundschau, Frankfurt (Main) 1954; Richard *Alewyn*, Hugo von Hofmannsthal, Göttingen 1958; Jakob *Laubach*, Hugo von Hofmannsthals Turmdichtungen, Diss. Freiburg (Schweiz) 1954; Werner *Kraft*, Karl Kraus, Salzburg 1957; Hans Egon *Holthusen*, Rilke, rowohlts monographien, Reinbek 1958; Peter *Demetz*, René Rilkes Prager Jahre, Düsseldorf 1953; Carl *Seelig*, Robert Walser, in: Jahresring 1957/58, Stuttgart; Erich *Heller*, Thomas Mann, der ironische Deutsche, Frankfurt (Main) 1959; Wilhelm *Emrich*, Die Lulu-Tragödie, in: Das dtsche. Drama, Düsseldorf 1958.

Band II

Hugo F. *Königsgarten*, Georg Kaiser, Potsdam 1928; Eric Albert *Fivian*, Georg Kaiser und seine Stellung im Expressionismus, München 1946; Wolfgang *Paulsen*, Georg Kaiser (m. Bibliographie), Tübingen 1960; Hansres *Jacobi*, Amphitryon in Deutschland und Frankreich, Zürich 1952; Susanne M. *Sorge*, Unser Weg, München 1927; Hans *Grossreider*, R. Joh. Sorges Bettler, Freiburg (Schweiz) 1939; Peter *Szondi*, Theorie des modernen Dramas, Frankfurt (Main) 1956; Wolfgang *Paulsen*, Sternheim, in: Akzente, München 1956; Oskar *Kokoschka*, Schriften 1907–1955, hrsg. v. Hans M. Wingler, München 1956; Der Sturm, Herwarth Walden und die europ. Avantgarde Berlin 1912–1932, Katalog der Gedächtnisausstellung Berlin 1961; Eduard *Frank*, Gustav Meyrink, Büdingen 1957; Richard *Huelsenbeck*, En avant Dada, 1920; R. *Motherwell*, The Dada Painters and Poets (m. Bibliographie), 1951; Dada, Monographie einer Bewegung, hrsg. v. Willy Verkauf, Teufen 1957; Robert *Minder*, Alfred Döblin, in: Dtsche. Literatur im XX. Jahrh., Heidelberg 1954; Paul *Stöcklein*, Franz Werfel, ebda.; Annemarie von *Puttkammer*, Franz Werfel, Würzburg 1952; Arno *Schirokauer*, Über Ernst Stadler, in: Germanistische Studien, Hamburg 1957; Clemens *Heselhaus*, Deutsche Lyrik der Moderne, Düsseldorf 1961; Nell *Walden*/Lothar *Schreyer*, Der Sturm, ein Gedenkbuch für Herwarth Walden, 1956; Erwin *Piscator*, Das politische Theater, Berlin 1929; Günther *Anders*, Franz Kafka – pro und contra, in: Die neue Rundschau, Frankfurt (Main) 1947; Wilhelm

Emrich, Protest und Verheißung (darin zwei Essays über F. Kafka), Bonn 1960; Alfred *Borchardt*, Kafkas zweites Gesicht, Nürnberg 1960; Max *Brod*, Franz Kafkas Glauben und Lehre, München 1948; Werner *Haftmann*, Malerei im 20. Jahrh., München 1954; Josef *Nadler*, Josef Weinheber, Salzburg 1952; Harry *Bergholz*, Weinheber-Schrifttum (Forschungsbericht), in: Dtsche. Vierteljahrsschrift, Stuttgart 1957; Friedrich *Jenaczek*, Josef Weinhebers frühe Gedichte, in: Stifter-Jahrbuch VI, Linz (Donau) 1959; *Ders.*, Resultate eines lyrischen Experiments, in: J.Weinheber-Ges. Jahresg., Wien 1960; Karl S. *Guthke*, Geschichte und Poetik der dtschen. Tragikomödie, Göttingen 1961; Marianne *Kesting*, Bertolt Brecht, rowohlts monographien, Reinbek 1959; Hans Egon *Holthusen*, Versuch über Brecht, in: Kritisches Verstehen, München 1961; Dieter *Wellershoff*, Gottfried Benn, Köln 1958; Thilo *Koch*, Gottfried Benn, München 1957; Ernst *Nef*, Das Werk Gottfried Benns, Zürich 1958; Else *Buddeberg*, Gottfried Benn, Stuttgart 1961; Rudolph *Adolph*, Schröder-Bibliographie. o. O. 1953; Der Dichter des Friedens, Johannes R. Becher zum 60. Geburtstag, Berlin 1951; Robert *Musil*, Leben, Werk, Wirkung, hrsg. v. Karl Dinklage, Reinbek 1960; Hans Henny *Jahnn*, Buch der Freunde, zusgest. v. Rolf Italiaander, Hamburg 1960; Richard *Brinkmann*, Expressionismus, Forschungs-Probleme 1952/1960, in: Dtsche. Vierteljahrsschrift, Stuttgart 1961; Armin *Mohler*, Die Konservative Revolution in Deutschland 1918–1932, Stuttgart 1950; Die Schleife, Dokumente zum Weg von Ernst Jünger, zusgest. v. Armin Mohler, Zürich 1955; Hans Peter des *Coudres*, Bibliographie der Werke Ernst Jüngers, Philobiblion IV, Hamburg 1960; Freundschaftliche Begegnungen, Festschrift für Ernst Jünger zum 60. Geburtstag, hrsg. v. Armin Mohler, Frankfurt (Main) 1955; Klaus *Kanzog*, Die Gedichte Alfred Lichtensteins, in: Jahrbuch der Schiller-Ges. V, Stuttgart 1961; Dietrich *Bode*, Georg Britting, Stuttgart 1962; Walter H. *Sokel*, Der literarische Expressionismus, München 1960; Paul *Pörtner*, Literatur-Revolution 1910–1925, Dokumente, Manifeste, Programme, Bd. I: Zur Ästhetik und Poetik, Darmstadt-Neuwied-Berlin 1960; Franz *Lennartz*, Dtsche. Dichter und Schriftsteller unserer Zeit, Stuttgart, 8. Aufl. 1959; Karl August *Kutzbach*, Autorenlexikon der Gegenwart, Schöne Literatur, Bonn 1950; Walter *Jens* Dtsche. Literatur der Gegenwart, München 1961; Lexikon der Weltliteratur im 20, Jahrh., 2 Bde., Freiburg (Breisgau) 1960/61; Expressionismus, Literatur und Kunst, Ausstellungskatalog des Schiller-Nationalmuseums, Marbach (Neckar) 1960; Dreizehn europäische Hörspiele (m. Bibliographie), hrsg. v. Hansjörg Schmitthenner, München 1961; Karl *Krolow*, Aspekte zeitgenössischer dtscher. Lyrik, Gütersloh 1961; W. *Kayser* u.a., Dtsche. Literatur in unserer Zeit, Göttingen 1959; Walther *Killy*, Wandlungen des lyrischen Bildes, Göttingen 1956; Friedrich *Sieburg*, Nur für Leser, Stuttgart 1955; Jürgen *Rühle*, Literatur und Revolution, Die Schriftsteller und der Kommunismus, Köln-Berlin 1960; Hugo *Friedrich*, Die Struktur der modernen Lyrik, Hamburg 1956.

Ferner wurden studiert und mit Dank benützt die Essaybände von Ernst Robert *Curtius*, Max *Rychner*, Werner *Kraft*, Walther *Rehm*, Hans Egon *Holthusen*, Wilhelm *Emrich*, Werner *Weber* und die Erinnerungen und Aufzeichnungen von G. *Benn*, F. *Salten*, St. *Zweig*, H. und Th. *Mann*, R. A. *Schröder*, H. v. *Hofmannsthal*, F. *Blei*, K. *Holm*, R. *Piper* und H. *Broch* sowie Eugen *Roths* Rückblick auf die Zeitschrift „Simplicissimus", Hannover 1954, Friedrich *Ahlers-Hestermanns* „Stilwende", Berlin 1956, und die Literaturgeschichten v. Werner *Mahrholz*, Josef *Nadler* und Friedrich von der *Leyen*.
Den Studien von Richard *Alewyn*, Friedrich *Wolters*, Walter *Benjamin*, Walter Herbert *Sokel*, Max *Rychner*, Peter *Demetz* und Hans Egon *Holthusen* bin ich zu besonderem Dank verpflichtet.

Für Hinweise und Ratschläge verschiedener Art danke ich Jakob Hegner, R. A. Schröder, Georg Britting, Eugen Roth, Friedrich Podszus, Friedhelm Kemp und vor allem Carl H. Erkelenz.